The Correspondence of Sir Thomas More

Portrait of Sir Thomas More, by Holbein

The Correspondence of
Sir Thomas More

Edited by Elizabeth Frances Rogers

PRINCETON
PRINCETON UNIVERSITY PRESS
1947

LONDON: GEOFFREY CUMBERLEGE, OXFORD UNIVERSITY PRESS

PRINTED IN THE UNITED STATES OF AMERICA BY PRINCETON
UNIVERSITY PRESS AT PRINCETON, NEW JERSEY

ELIZABETHAE M. CHAPIN

AMORIS PIETATIS GRATIAE

CAVSA

PRO AMICITIA CARISSIMA

ANNORVM AMPLIVS TRIGINTA

D.D.D.

Foreword

TWENTY-TWO years ago, in the scholarly pages of the *English Historical Review,* Dr. Elizabeth Rogers published her first work on More, *A Calendar of the Correspondence of Sir Thomas More.* It was a task (as I believe) suggested to her by my husband, P. S. Allen, editor of Erasmus' letters, and he was impressed by the accuracy and devotion with which she carried it out. Professor R. W. Chambers has paid it a compliment in an unusual way, by adding "most valuable" to his notice of it in the bibliography at the end of his life of More. Anyone, who has been brought into touch with More is reluctant to leave him, and it was natural that Dr. Rogers should go on to edit his letters. This was a labor which other scholars had contemplated but never accomplished. Some of the letters have been printed in recent times. The correspondence with Erasmus has appeared in *Erasmi Epistolae,* vols. I-X. In his edition of the *Utopia* George Sampson included "Letters written by Sir Thomas More to his daughter Margaret Roper while he was a prisoner in the Tower; with certain other letters." Professor Joseph Delcourt in his *Essai sur la langue de Sir Thomas More* has published More's autograph letters preserved in the British Museum. The last letter I had from Professor Delcourt just before the war urged the importance of Dr. Rogers' work and expressed the hope that it might soon be printed. Indeed an edition which should bring all More's letters together has been much to be desired. This Dr. Rogers has achieved, and all students of More owe her a debt.

More and Erasmus were close friends; "fast bound in affection" as Erasmus himself says. They met on Erasmus' first visit to England in 1499, when More was in his twenty-third year, Erasmus ten years older. It was More who in that summer took Erasmus to call on the royal children at Eltham Palace, where they were received by the gallant little Prince Henry. In those early days More and Erasmus vied with each other in making translations from Lucian. In the preface to this joint work Erasmus says (I quote from Mr. Nichols' translation): "For several years I have been entirely occupied with Greek literature; but lately, in order to resume my intimacy with Latin, I have begun to declaim in that language. In so doing I have yielded to the influence of Thomas More, whose eloquence, as you know, is such, that he could persuade even an enemy to do whatsoever he pleased, while my own affection for the man is so great, that if he bade me dance a hornpipe, I should do at once just as he bade me. He is writing on the same subject, and in such a way as to thresh out and sift every part of it. For I do not think, unless the vehemence of my love leads me astray, that Nature ever formed a mind more present, ready, sharpsighted and subtle, or in a word more absolutely furnished with every kind of faculty than his. Add to this a power of expression equal to his intellect, a cheerfulness of character and an abundance of wit, but only of the candid sort; and you miss nothing that should be found in the perfect advocate."

More than thirteen years later, in 1519, Erasmus wrote a sketch of his English friend to Ulrich von Hutten. It was written when More had become famous, as the author of the *Utopia,* as a learned judge and as an ambassador, who had conducted successful embassies abroad. "His sound conduct of these," says Erasmus, "so delighted King Henry VIII that he could not rest till he had dragged More to Court." Before this Erasmus had visited England for the last time. He was not to see More again except, briefly, at the Field of the Cloth of Gold. But their friendship remained undimmed by absence. Their correspondence, which had begun after their first meeting (the earliest extant letter is dated 24 October 1499) continued till More's downfall. Unfortunately Erasmus' letters to More after 1529 have perished. But Erasmus preserved More's last letters to him by publishing them in his *De Praeparatione ad Mortem.* The last letter contained a copy of More's epitaph, written by himself and put up in the parish church at Chelsea.

HELEN M. ALLEN.

22 Manor Place, Oxford
20 September 1944

Preface

"ISTUD preterea occasionem tibi dabit Oxoniam crebrius visendi," wrote the University of Oxford to Sir Thomas More in 1524, inviting him to be Steward. So it was for me in the editing of More's letters. The work was largely done in the Bodleian Library, often in Duke Humphrey of Gloucester's room, which More would have known. The summers from 1921 to 1936 and a sabbatical year 1931-1932 were spent in the undertaking. Some months in London were necessary for the manuscripts in the British Museum and the Public Record Office, and holiday trips included days in Paris, Brussels, Leyden and Sélestat for other papers.

Most of More's Letters have been printed at some time, but they are scattered and in books which are now very rare. To gather them in one volume where they may be read in sequence, however, does make a contribution to the understanding of More. There is not the continuity in this correspondence that one finds in that of Erasmus. Many of More's papers were lost after his execution. The letters which survive fall usually into small groups. Part of the correspondence with Erasmus has been preserved in the Deventer and other manuscripts, and in the publication of Erasmus' letters in his own lifetime. This group, numbering about forty, is not included here except by title, sources and date, as it is readily accessible in the *Erasmi Epistolae,* edited by the late Dr. P. S. Allen, by Mrs. Allen and by Dr. Garrod.

Other groups relate to More's literary interests and personal friendships with scholars. Many of these letters exist only in excerpts quoted by Stapleton in the biography in his *Tres Thomae.* The originals, taken to the Low Countries by exiles for religion's sake, were lost.

Part of the official correspondence has survived, written by More when on embassies on the Continent, or when at court as the King's secretary. These are usually autographs. Pamphlets of literary and theological controversy were written as personal letters to his opponents and are therefore included. It was customary in the sixteenth century to include prefaces in publishing collections of letters, and the ones printed here give interesting notes on More and his family.

The *Tres Thomae* gives some of the letters to More's "School" —his own children and other relatives taught at home by his secretaries. These, together with the Epistle to Gonell, show More's theories of education.

The correspondence with Francis Cranevelt (five letters) has been published from Louvain manuscripts by Professor de Vocht, and I have printed from his *Literae Virorum Eruditorum ad Franciscum Craneveldium,* using his *sigla* and critical notes, and material from his commentary.

More's letters concerning his trial and imprisonment are, for the most part, extant in manuscripts, some of which are autographs. Over twenty were printed by his nephew, William Rastell, in the *Englysh Workes,* 1557. Two manuscripts of the middle or late sixteenth century, sometimes one, sometimes both, are sources for the other letters from the Tower. One is preserved in the Bodleian Library, the other in the British Museum. The critical notes show the slight differences in these manuscripts, or between them and the text of the *Englysh Workes.*

The correspondence between More and the University of Oxford is preserved in contemporary copies in the University Letter-book. These have not been printed before. The copyist was occasionally careless and emendation of the text is therefore necessary.

Where there is no manuscript extant, I have printed from the earliest published source and have pointed out variations in later editions in critical notes. There are great differences in spelling in both Latin and English, due not only to copyist or printer, but to More himself. The same word may be differently spelled in the same letter. Epistle 198 is the best example of this, as there are two autograph manuscripts. I have tried to reproduce accurately the spelling of the earliest source whether manuscript or printed book. I have not used the long *s,* nor preserved contractions and abbreviations. In Latin I have printed *j* as *i,* and for *u* have used the form *v* as initial, *u* as medial or final, even in copying from manuscript. *Cum* and *quum* are kept as in the source, as either spelling was used for the adverb, preposition or conjunction. Occasionally, where necessary for clearness, the termination *-e* has been printed as *-ae*. In English I have preserved *ff*, except when capitalized.

The punctuation preserves that of the earliest text, with very slight modifications. Commas replace semi-colons, where we should not so punctuate. It seems that we lose in clearness, if we eliminate much of More's punctuation, and occasionally we must add to it.

The length of sentences has not been changed, even where the conjunction at the beginning of the sentence shows that its construction depends on the earlier sentence. More frequently punctuates so, evidently as an escape from long, involved and perhaps rambling sentences. To join these incomplete sentences (as Jortin does) gives a wrong impression of More's writing.

As to capitals, I have followed modern usage. Capitals are used for titles, if referring to a specific person. More occasionally capitalized important words for emphasis in an argument, and then not consistently throughout the letter nor in one of similar style.

In headings I have given that of the earliest source, unless additions were later made, and variations are not noted. Names of correspondents are in the vernacular, with the first name in the English form, except for several correspondents known to us better by their Latinized names—Germanus Brixius, Conrad Goclenius, John Cochlaeus, John Sinapius, Hieronymus Perbonus and Simon Grynaeus.

Where there are several sources for a letter, I have as a rule not noted variations in the order of words or of phrases unless the sense is affected. I have of course preserved the date in the text, even where it was changed in the heading, on the basis of internal or external evidence.

The long letter to Martin Dorp (Epistle 15) presents the most difficulties. The Paris manuscript appears to be the letter originally sent, but it is written by a secretary and was most hastily copied. The Sélestat manuscript is both early and good and preserves passages omitted in the other, and revisions of style, some of which are More's. I have therefore made a conflation from the two manuscripts, giving also due consideration to the printed editions. The differences are made clear in the critical notes.

Many of these letters were dated for the first time in my "Calendar of the Correspondence of Sir Thomas More." The commentary will explain the reasons for the dates given to the letters. There are such gaps in More's correspondence that quite full commentary seems necessary. Answers to letters, whether official or personal, have often been lost. Many correspondents appear in only one period of More's life, and need therefore not only introduction but also explanation of their later relations with More.

Literary controversy and the doctrinal problems of the Reformation can be understood only with some comment on the background of this period of church history. The scholars of his own day valued this contribution of More's as highly as they did the *Utopia.* Cuthbert Tunstall, Bishop of London, licensed More to read heretical books in order to refute them (cf. Ep. 160) and Churchmen sought to reward him for this service to the Church.

Critical notes are in Latin. Angular brackets, ⟨ ⟩, are used for additions, where it is necessary to supply dates, or words lost at the burned edge of a manuscript. These occur in my text, even where Rymer or another editor has not used them. Square brackets [ ] indicate omissions. Biblical quotations are cited from the Vulgate, when numbering of chapters or of Psalms differs from that of the Authorized and Revised versions. The partial bibliography gives the printed sources in which More's letters have appeared. Titles briefly given in the commentary are fully noted in the "Bibliographical references supplementary to footnotes." Abbreviations used are listed and explained.

This research was suggested to me by the late Professor Preserved Smith. Though I did not know him personally, he gave me much help and encouragement by letter. Other scholars whom

I have never met have given me aid, and of these I should mention particularly Professor de Vocht of Louvain, Professor Delcourt, formerly of the University of Montpellier; Monsignor Hallett, Rector of St. John's Seminary, Wonersh, Surrey, and Dr. Elsie Vaughan Hitchcock of the University of London.

For the illustrations, I am indebted to the Frick Collection for a photograph of the Holbein portrait of More, to the Caisse Nationale des Monuments Historiques for the Holbein portrait of Erasmus; and to the Kunstmuseum in Basle for the drawing of the More family. The British Museum has permitted reproduction of one of More's letters to Wolsey. Above all, I am grateful to Lord Methuen for his kindness in lending me his only photograph of Holbein's portrait of Lady More in his private collection at Corsham Court, Witshire, and allowing me to use it here.

With the late Dr. P. S. Allen and with Mrs. Allen, I entered into an inheritance of long family friendship. Dr. Allen suggested the making of the Calendar, gave valuable aid with it, and communicated the finding of several letters afterwards. He also kindly collated my transcripts of the University correspondence with the University Letter-book. The friendship with Mrs. Allen continues, and I am most grateful for her kindness in writing a Foreword to this volume.

The task has been carried through in the very scant leisure from college teaching. In many weary hours I was spurred on by the real interest and encouragement given me by my father, the late Robert William Rogers. With all the problems in Renaissance Latin I have been helped by my brother, Robert Samuel Rogers, but errors that may remain are mine, not his. As Tunstall wrote in his prefatory letter to More, "Contra incepto desistere post auspicatum opus oneri succumbentem pudebat. Itaque subinde tentabam, si quid virium adderet repetitus labor. Interdum cum ipsis certare difficultatibus iuuabat, et quae molestiam non modicam afferebant, contra quam fieri solet, obstinatum ad laborem augebant animum."

ELIZABETH F. ROGERS.

Wilson College,
Chambersburg,
Pennsylvania

Contents

TABLE OF LETTERS

CONTENTS

LIST OF ILLUSTRATIONS

The Correspondence of
Sir Thomas More

1. From Erasmus.

Allen I.114
Farrago p. 143
F. p. 291: HN: Lond. vi. 11: LB. 63

Oxford
28 October 1499

2. To John Holt.

Brit. Mus. MS. Arundel 249, fol. 85v.

⟨London⟩
⟨c. November 1501⟩

[The manuscript is a sixteenth century copy: printed by E. Flügel in *Anglia* XIV (1901) p. 498.

John Holt was born in Sussex, and was educated at Oxford, taking his B.A. and M.A. degrees. He was elected Probationer of Magdalen College in 1490, and Fellow in 1491. He was Usher of Magdalen College School c. 1494, or perhaps earlier. He was a distinguished and successful schoolmaster, and Wood says he was "esteemed the most eminent Grammarian of his time." His fame rests on his *Lac Puerorum*, the first Latin grammar of note in English. (Wood's *Athenae,* ed. Bliss, I, col. 14, 15; Bloxam, *Magdalen College Register* III, p. 15f.) About 1495, he is said to have resigned his school post. In 1500, he was appointed schoolmaster-prebendary at the Chichester Prebendal School. His successor was chosen in 1504. The date of his death is unknown. (V.C.H. *Sussex* II, pp. 399-405; D.N.B.)]

THOMAS MORUS JOHANNI HOLTO SALUTEM.

Misimus ad te que volebas omnia, praeter eas partes quas in comediam illam que de Salemone est adiecimus; illas ad te modo non potui mittere, quippe que apud me non sunt. Dabo operam vt ebdomada proxima recipias et quicquod aliud ex meis rebus volueris. 5

Gaudeo te e Smardona loco non salubri Cicestriam vbi et terra salubrior et aer serenior est commigrasse. Spero enim fore vt eo ventum esse gaudeas, ita te audio apud pontificem in deliciis esse.

Nos est, Deo gracia, satis valemus atque (quod pauci de se fateri possunt) ita viuimus vt volumus, donet ergo Deus vt bene 10

7. aier *MS.*

---

2. cf. Allen IV.999, ll.115-116.

6. Smarden in Kent. "A flat, low situation, very unpleasant and watry." (Hasted, *History of Kent.*)

8. Edward Story, a native of the diocese of York, was Fellow of Pembroke Hall, Cambridge, c.1444 and Master of Michael House, 1450. He was twice Chancellor of Cambridge. In 1468 he was made Bishop of Carlisle, and in 1477 was translated to Chichester. He died 29 January 1502/3. (D.N.B. and Le Neve I.247-8.) In 1498 he increased the endowment of the cathedral school by the prebend of Highley, and also gave his lands at Amberley to the bishopric, on condition that his successors obey his statutes for canonry, prebend and grammar school. John Holt was the second man to be master of this re-endowed school. (V.C.H. *Sussex,* II, pp. 399-405.)

10. An echo of Plautus, *Miles Gloriosus,* III. Sc. 1.

velimus. At in bonis artibus quid proficio, inquis? Egregie scilicet vt nihil supra. Ita enim sepositis Latinis litteris, Grecas sequor vt illas amittam has non assequar. Sed de nostris rebus hactenus.

Grocinus praeceptor meus interpretacionem illius operis diui 15 Dionisii Areopagite, quod de Celesti Hierarchia inscribitur, feliciter in ede diui Pauli nuper auspicatus est. Nescias an cum maiore sua laude an audientium fruge. Consessum habet discipulorum, vtinam tam doctum quam magnum, habet, tum et celebrem numerum etiam ex doctissimis. Nonnulli etiam imperiti confluunt, 20 partim nouitate rei tacti, partim vt aliquid intelligere videantur. Plerique rursus ex hiis qui scioli sibi videntur ideo non intersunt ne fateri videantur ea se nescire que nesciunt.

Illustrissima Regis Hispanorum filia Caterina et eadem splendidissimi nostri Principis vxor nuper vrbem inuecta est tanta gloria 25 tantaque pompa quanta neminem vnquam vbiuis gentium recipi meminerimus. Tantus erat nobilium nostrorum apparatus vt admirationi esse posset. At Hispanorum comitatus, proh deorum atque hominum fidem, qualis erat! Vereor ne si aspexisses ruptus ridendo fuisses, ita ridiculi erant; facies praeter tres aut ad sum- 30 mum quattuor vix tollerabiles; curui erant, laceri, nudipedes, pigmei Ethiopes; si affuisses ex inferis euasisse putauisses. At domina ipsa, mihi crede, omnibus habunde placuit; nihil quod ad cuiusquam pulcherrime virginis formam facere posset in illa desiderabatur; omnes denique eam laudabant maxime, nemo

12. libris *Flügel* 15. instituit *Flügel* 20. nouitatis *Flügel*
26. virorum *Flügel* 30. erant, erant laceri *MS.* 34. nemo *om. Flügel*

---

13. More at this time was living in or near the Charterhouse, using their spiritual exercises, "sacerdotium meditans." (Allen, IV.999, l.162.) Stapleton adds "Minoritarum institutum arripere cogitabat." (p.18.) During the same period he was admitted to the bar, was reader in law at Furnivall's Inn, and was also lecturing at St. Lawrence Jewry on Augustine's *City of God.* (Roper p.1; Stapleton p.17.)

14. William Grocyn (1446?-1519) was educated at Winchester and New College, Oxford, where he was Fellow 1467-1481. He resigned to accept a college living, but soon returned to be divinity reader at Magdalen. He learned the rudiments of Greek at Oxford (Allen II.540, l.56f.) and from 1488 to 1490 studied Greek in Italy, under Chalcondyles and Politian. In Oxford from 1491 on, he taught Greek daily in public lectures. In 1496 he was Rector of St. Lawrence Jewry, which evidently accounts for More's lectures in that church later. He received other preferments, including that of All Hallows, Maidstone. He died there 1519.

Erasmus tells us (Fac. Theol. Paris Tit. XXXI. tom. IX, pp.916-917) that he began his lectures on the *Ecclesiastical Hierarchy* by attacking those who denied the authorship by Dionysius the Areopagite, but after further study, he retracted his opinion. (D.N.B.; Oxford Hist. Soc.'s *Collectanea* II.319-380, by Prof. M. Burrows; Macray, *Magdalen College Register.*)

23. Catherine of Aragon entered London November 12, 1501, and was married to Arthur, Prince of Wales, in St. Paul's 14 November. (D.N.B.; Hall's *Chronicle,* fol.liii.) Hall writes more flatteringly of the state entry—". . . the ryche apparell of the pryncesse, the straunge fashion of the Spanyshe nacion, the beautie of the Englishe ladyes, the goodly demenoure of the young damoselles, the amorous countenance of the lusty bachelers."

satis; spero fore vt hoc celeberrimum coniugium Anglie felix 35
faustumque sit. Vale.

3. To John Colet.

Tres Thomae p. 20 London
Jortin II, p. 623 23 October ⟨1504⟩

[Colet seems to have been appointed to act for Sherbourn, Dean of St. Paul's, as early as 1503, succeeding him in 1504, but not formally assuming office until after 20 June 1505. These facts, and Colet's resignation of the living of Stepney on 21 September 1505, limit the year-date of this letter. (Allen I, p. 404, 18n.; IV, p. xxii.)

Thomas Stapleton, author of the *Tres Thomae,* was educated at Winchester and Oxford and graduated B.A. in 1556. He was Canon of Chichester under Mary, but was deprived of his prebend under Elizabeth on refusing the Oath of Supremacy in 1563. He had already spent several years in voluntary exile, studying theology at Louvain and Biblical languages at Paris and now returned to Louvain and in 1569 was called to Douay as professor and canon. In 1590 he was invited to be Regius Professor of the Interpretation of Holy Scriptures at Louvain and Canon of St. Peter's. His literary work was devoted to religious controversy and defense of the Roman Catholic Church. The *Tres Thomae* is part of that contribution, and appeared as the Spanish Armada was about to sail against England. Pope Clement VIII made Stapleton prothonotary apostolic, "whom his Holiness purposed to prefer to higher dignity." He was invited to Rome, probably to receive the cardinalate, but ill-health prevented the journey and he died in 1598.

Stapleton had many papers for his use which have since been lost. His books and manuscripts were willed to the English college at Douay, but could not be found there by Dodd in 1688. (Dodd, *Church History of England* II, p. 85.) Stapleton used More's letters to illustrate points in the biography, so that in many cases he gives merely brief extracts. Some are only the charmingly-phrased introductions, and Stapleton has given no hint of the interesting content which followed. A few of these have survived in other sources, and prove the strangeness of his choice.

The *Tres Thomae* is now a very rare book. The letters are usually known only in the translations given by modern biographers, or in Monsignor Hallett's excellent translation of the whole. The year-dates were not added, and this is the first attempt to put them in their probable order, though even internal evidence as to their date is scanty. (cf. D.N.B.; the Life by Henry Holland in *Thomae Stapletoni . . . . opera quae extant omnia,* Paris, 1620; and the introduction and notes by M. Audin in M. Alexandre Martin's French translation of Stapleton's Life of More, Paris, 1849; Hallett's preface; De Vocht, p. 312 note b.)

The 1612 edition differs slightly in spelling.

John Colet (1466-1519), the famous Humanist, was educated at Oxford, and was M.A. 1483. During the period c. 1493-1496, he was abroad, in France and Italy where he devoted himself to sacred studies and prepared

35. hec *Flügel*

himself for preaching. (Allen IV.1211, l. 270.) Returning to Oxford, he lectured "publice et gratis" on St. Paul's Epistles. In 1504, he was made Dean of St. Paul's, where he restored Cathedral discipline and distinguished himself by his preaching. That he preached often in English is proved by Erasmus' account of his study of English poets "se praeparans ad praeconium sermonis Euangelici" (*ibid.* l. 280) and seems probable also from the accounts of his large congregations, all of whom would probably not have known Latin. (*ibid.* ll. 305-306.) For the contrast of his style to that of other preachers of the time, see *ibid.* ll. 299-306.

Tindale (*Works,* London 1573, p. 318) says the bishop of London (Fitzjames) "would haue made the old Deane Colet of Paules an hereticke, for translating the *Pater noster* in English, had not the Byshop of Canterbury holpe the Deane." This persecution is referred to frequently in the correspondence between Colet and Erasmus (Epp. 270, 278, 314; see also E.H.R. xvii, 303-306).

(D.N.B.; J. H. Lupton's *Life;* Knight's *Life;* F. Seebohm, *The Oxford Reformers;* all of which depend on Erasm. Ep. 1211; and Wood's *Athenae,* ed. Bliss, col. 22f.)]

THOMAS MORUS IOANNI COLETO SUO S.D.

Ambulanti mihi dudum in foro, et inter aliena negotia ocianti obtulit se puer tuus. Quem quum primum intuerer, vehementer sum gauisus; tum quod hic ipse mihi semper charus extitit, tum praecipue quod arbitrabar eum non sine te venisse. At
5 vbi ab illo didici te non modo non rediisse, sed nec adhuc diu rediturum, dici non potest ex quanta laetitia in quantam moestitiam reiectus sum. Quid enim mihi potest esse molestius quam suauissima consuetudine tua priuari? cuius prudentissimo consilio frui, cuius iucundissimo conuictu recreari, cuius grauissimis con-
10 cionibus excitari, cuius exemplo et vita promoueri; in cuius denique vultu ipso ac nutu solebam conquiescere. Itaque vt his praesidiis vallatus aliquando me sensi roborari; ita eisdem destitutus languere mihi ferme videor ac solui. Et qui tua nuper vestigia sequutus iam pene ex ipsis orci faucibus emerseram, nunc
15 rursum tanquam Euridice (contraria tamen lege; Euridice quidem quod illam respexit Orpheus, ego vero quia tu me non respicis) in obscuras retro caligines nescio qua vi ac necessitate relabor.

Nam in vrbe quid est quod quenquam ad bene viuendum

10. *sic et Jortin;* exemplis *Stapleton 1612* 12. vallatis *Stapleton 1612* 13. absolui *Stapleton 1612* quia *Jortin* semper *Jortin*

2. In the Parliament summoned in January 1504, "young More" defeated the measure to grant aids to Henry VII for the knighting of his eldest son and the recent marriage of his eldest daughter to the King of Scots. Roper tells us that the King was very angry that a "beardless boy" had crossed him, and that More thought residence abroad might be necessary. This letter, however, shows that More had found it possible to continue to live in London and to practise law successfully. (Batten, *Life of Richard Fox,* pp.69-70.)

15. Ov. *Met.* 10,31 seq.

moueat, ac non potius suopte ingenio nitentem in arduum virtutis callem euadere, mille machinamentis reuocet, illecebris mille re- 20 sorbeat? Quocunque te conferas, quid aliud quam hinc fictus amor et blande adulatorum mellita venena circumsonant; hinc odia saeua et querulae lites ac forenses strepitus obmurmurant? Quocunque tuleris oculos, quid aliud videas quam cupedinarios, cetarios, lanios, coquos, fartores, piscatores, aucupes, qui materiam 25 ventri ministrant, ac mundo et principi eius diabolo? Tecta quin etiam ipsa nescio quo modo bonam partem lucis eripiunt, nec coelum libere sinunt intueri. Aërem itaque non ὁρίζωνος ille circulus, sed domorum culmen determinat. Quo aequior tibi sum si minime te adhuc ruris paeniteat; quippe vbi simplicem turbam 30 vides, et vrbicae fraudis expertem: vbi quoquo versus oculos intendas, blanda telluris facies iuuat, aëris grata reficit temperies, ipse te coeli delectat aspectus. Nihil ibi vides nisi benigna naturae munera et sancta quaedam innocentiae vestigia.

Nolo tamen his oblectationibus adeo capiaris, quin quum 35 primum possis ad nos reuoles. Nam si tibi displicent vrbis incommoda, at Stephani rus (cuius etiam non minus debes esse sollicitus) haud minora tibi commoda suppeditabit, quam quod nunc incolis: vnde etiam in vrbem (vbi magna tibi merendi materia est) potes interdum tanquam in hospitium diuertere. 40 Nam ruri quum sint homines ipsi per se aut fere innocui, aut certe non adeo magnis sceleribus irretiti, cuiusque medici manus vtilis esse potest. At in vrbe tum propter ingentem magnitudinem, tum ob inueteratam morborum consuetudinem medicus omnis frustra nisi peritissimus accesserit. Veniunt certe in D. Pauli sug- 45 gestum aliquando qui sanitatem pollicentur. Sed quum speciose perorasse videntur, adeo vita cum verbis litigat, vt irritent potius quam mitigent. Non enim persuadere possent hominibus, vt quum ipsi sunt omnium aegrotissimi, idonei credantur quibus alienarum aegritudinum cura merito committatur. Itaque morbos 50 suos quum ab his tractari sentiunt quos exulceratos vident, indignantur illicet atque recalcitrant. At si (vt naturarum indagatores affirmant) is demum medicus ad sanitatem appositus est, in quo aegrotus maximam habet spem; quis dubitet quin te vno ad curandam vniuersam vrbem nemo possit esse salubrior? A quo quam 55

25. fertores *Stapleton 1612* 48. *fortasse* possunt *Jortin*
51. vident, vident indignanter ilicet *Jortin*

37. Stepney. The date of Colet's presentation is not known, but he resigned before 21 September 1505, when his successor was admitted. (Lupton p.78.) Lupton suggests that Colet was perhaps now at Dennington, Suffolk, of which he was rector till his death. (*ibid.* pp.117, 145.)

aequo animo vulnera sua tractari patiantur, quantum confidant, quantum pareant, et tute antehac satis expertus es, et nunc apud omnes tui desiderium atque incredibilis quaedam expectatio declarat.

60 Venias ergo tandem, mi Colete, vel Stephani tui gratia qui haud secus diuturnam tui gemit absentiam quam infantuli matris; vel patriae tuae causa cuius haud minor tibi cura esse debet quam parentum. Postremo (quanquam hoc minimum sit reducendi tui momentum) mei te respectus commoueat, qui me tibi totum 65 dedidi, et in aduentum tuum sollicitus pendeo. Interea cum Grocino, Linacro, et Lilio nostro tempus transigam, altero (vt tu

---

66. Grocyn, cf. Ep.2, l.14.

66. Thomas Linacre (1460?-1524) was educated at Canterbury under William de Selling (or Tilly) and at Oxford, where in 1484 he was elected Fellow of All Souls. He studied Greek, probably with Vitelli, and began his acquaintance with Grocyn and William Latimer. c.1485 he went to Italy with Selling (then ambassador from Henry VII to the pope), and remained probably until 1499. (cf. P. S. Allen in E.H.R. xviii, p.514f.) studying Greek and medicine, and taking his M.D. at Padua in 1492, with a brilliant disputation for the degree. (Pace, *De Fructu* p.76.) He also spent some time in Rome, and several years in Venice where he assisted in the Aldine edition of Aristotle. On his return, he seems to have settled in Oxford, teaching Greek and probably practising medicine. (Osler, p.16.) His students included More and Erasmus. In 1509, he became physician to Henry VIII and his other patients included Wolsey, More, Colet, Erasmus and Lily. In 1512, he wrote a Latin grammar for Colet's new school. Colet considered it too difficult for beginners, and rejected it, at the cost of Linacre's displeasure. (Allen I.227, 230.) He later wrote a much more elaborate work—*De emendata structura Latini sermonis* (London, R. Pynson, Dec. 1524), and on this his great distinction as a grammarian rests. Does Erasmus describe him in the Sophister in the *Encomium Moriae,* as Osler suggests? (p.33.) He received many ecclesiastical preferments, and in 1520 (when he probably received priest's orders), devoted himself to a clerical life, to get leisure for literary work. He advanced the revival of classical medicine by the translation of many of Galen's works into Latin ("vt nihil vsquam desyderet lector Latinus," Allen III.868). In 1518, he founded the College of Physicians and became its first president. In this foundation, and in the establishment of three lectureships in medicine, two at Oxford, and one at Cambridge, he used the large revenues from his preferments. (D.N.B.; Wood's *Athenae,* ed. Bliss, i. col.42; J. N. Johnson's *Life,* J. F. Payne, Preface to reprint of Galen's *De Temperamentis;* Biographia Britannica, vol.v, article *Linacre;* Sir Wm. Osler, *Linacre Lecture.*)

66. William Lily (1468?-1522) was born at Odiham in Hampshire. In 1486 he was elected Demy of Magdalen College, and later took his first degree in arts. After a pilgrimage to Jerusalem, he spent some years in Rhodes (Rhenanus to Pirkheimer, in Horawitz and Hartfelder p.104), and studied Latin and Greek and classical antiquity. He continued these studies in Rome. On his return to England, he settled in London, as a schoolmaster, and was so successful that Colet chose him as the first surmaster of his school at St. Paul's. Stapleton (p.18) tells us that he had contemplated entering the priesthood, and from 1492 to 1495 he seems to have been Rector of Holcot, Northamptonshire. He was famous as a grammarian, because of his *Syntax* (1509) and his *Construction of the Eight Parts of Speech,* 1513. This was revised by Erasmus, and a preface added by Colet. (Allen II.341.) The two were combined by 1540, and again altered in 1574—in this last form it was used by Shakespeare. (D.N.B.; Stapleton p.24; Biog. Brit. vol.v, art. *Lilye.*) Erasmus praises him as "vir vtriusque literaturae haud vulgariter peritus" (Allen II.341) and Pace, *De Fructu,* p.13, pays high tribute to him as a schoolmaster. (cf. also *Magdalen Coll. Reg.* ed. Bloxam IV, pp.19-24 and Wood's *Athenae* (Bliss), I. col.32.) He was also a good Italian scholar. He died of the plague, 25 Feb. 1522.

scis) solo (dum tu abes) vitae meae magistro; altero studiorum praeceptore; tertio charissimo rerum mearum socio.

Vale: et nos, vt facis, ama. Londini 10. Calend. Nouembres.

4. To Joyeuce Leigh.

Lyfe of Johan Picus ⟨London⟩
Englysh Workes p. 1 ⟨c. 1 January 1505⟩

[Preface to More's translation of the Life of Pico della Mirandola by his nephew, G. F. Pico (Venice 1498). More's translation was published by Wynkyn de Worde, London.

This evidently appeared about the time of More's marriage, as Cresacre More says that he then "propounded to himselfe, as a patterne of life, a singular lay-man Iohn Picus Earle of Mirandula." (Cresacre More pp. 18-19.)

The text in the *Englysh Workes* differs only in spelling.

Joyeuce Leigh was the daughter of Ralph Leigh of the manor of Stockwell in Lambeth, under-sheriff of London, and his wife Joyeuce, daughter and co-heir of Sir Richard Culpeper of Hollingborne, Kent. She had entered the convent of Poor Clares outside the walls of London, where, later, her mother was permitted to live. Her brother was Edward Lee, later archbishop of York. They were old friends of More's and fellow-parishioners at St. Stephen's Walbrook. (cf. J. M. Rigg, edition of More's transl. of the *Life of Picus,* p. 81 n.; Tanswell, *Hist. and Antiquities of Lambeth,* pp. 40-42; Manning and Bray, *History of Surrey,* III, pp. 497-8; Chambers pp. 92-94.)

Giovanni Pico della Mirandola (1463-1494), an Italian humanist, was educated at Bologna (in canon law), at Padua (the stronghold of scholasticism in Italy), Ferrara and Pavia, and he later wandered to Florence, Perugia, Rome and Venice. His interests were in philosophy and theological speculation, which brought against him charges of heresy. More was interested in the religious life of his later years, after he had come under the influence of Savonarola. He then lived a very ascetic life and devoted himself to charity and to sacred studies and writings. (cf. J. M. Rigg, *op. cit.;* Pater, *The Renaissance,* pp. 30-49; F. Calori Cesis, *Giovanni Pico della Mirandola,* 2d edit. 1872.)]

UNTO HIS RYGHT ENTYERLY BELOUED SYSTER IN CHRYST, JOYEUCE LEYGH, THOMAS MORE GRETYNG IN OUR LORDE.

Hit is, and of longe tyme hath bene, my well beloued syster, a custome in the begynnynge of the newe yere, frendes to sende betwene, presentes or gyftes, as the wytnesses of theyr loue and frendeshyp and also sygnyfyenge that they desyre eche to other that yere a good contynuance and prosperous ende of that lucky bygynnynge. But communely all those presentes, that are used customably all in this maner betwene frendes to be sente, be suche thynges as pertayne onely unto the body eyther to be fed,

or to be cledde or some otherwyse delyted, by whiche hit semeth
10 that theyr frendshyp is but flesshely and stretcheth in maner to
the body onely. But for asmoche as the loue and amyte of Chrysten
folke sholde be rather goostly frendshyp then bodely, syth that
all faythfull people are rather spyrituall then carnall. For as tha-
postle seyth we be not now in flesshe but in spyryte yf Chryste
15 abyde in us.

I therfore, myne hertly beloued syster, in good lucke of this
newe yere haue sent you suche a present, as maye bere wytnes of
my tendre loue and zele to the happy contynuaunce and gracyouse encreace of vertue in your soule; and where as the giftes of
20 other folke declare that they wyssheth theyr frendes to be worldly
fortunate, myne testyfyeth that I desyre to haue you godly prosperous.

These werkes more profitable then large were made in Laten
by one Johnn Picus Erle of Mirandula, a lordshyp in Italy of
25 whose connynge and vertue we nede here nothinge to speke for
asmoche as here after we peruse the course of his hole lyfe rather
after our lytel power slenderly, then after his merites suffyciently.
The werkes are suche, that truely, good syster, I suppose of the
quantyte there cometh none in your hande more profitable,
30 neyther to thachyuynge of temperaunce in prosperite, nor to the
purchasynge of pacience in aduersite, nor to the dyspysynge of
worldly vanyte, nor to the desyrynge of heuenly felycyte, whiche
werkes I wolde requyre you gladly to receyue, ne were hit that
they be suche that for the goodly mater (how so euer they be
35 translated) may delyte and please ony persone that hathe ony
meane desyre and loue to God. And that your selfe is suche one
as for your vertue and feruent zele to God can not but ioyously
receyue ony thynge that meanely sowneth eyther to the reproche
of vyce, commendacyon of vertue or honoure and laude of God,
40 who preserue you.

5. To Thomas Ruthall.

⟨London⟩

Luciani Opuscula, 1506, fol. AAa ⟨1506⟩

Thomae Mori, Angliae ornamenti eximii, Lucubrationes. Basle 1563, p. 273
Omnia . . . Latina Opera, Louvain 1566, fol. 31v

[Preface to More's translation of three of Lucian's dialogues, part of a joint work with Erasmus. Delcourt calls this letter a "sort of apology" for Lucian. (Delcourt pp. 8-10; Bridgett pp. 80-83.)

15. cf. Rom. 8.9.

Thomas Ruthall (d. 4 Feb. 1522/3) was born at Cirencester, was educated at Oxford, and incorporated D.D. at Cambridge, 1500. He held many preferments, including the deanery of Salisbury, 1502; the archdeaconry of Gloucester, 1503, and finally the bishopric of Durham, 1509. He entered the service of Henry VII, was prothonotary on an embassy to Louis XII of France in 1499, in which year he also became royal secretary. He held this office under Henry VIII also and in 1516 was made privy councillor. He was much occupied in the drudgery of interviews in diplomatic negotiations, particularly in assistance to Wolsey. Giustinian regards him as "singing treble to the cardinal's bass," and as "one and the same thing as the right reverend Cardinal." (Giustinian, *Four Years at the Court of Henry VIII,* I.p.260; II,p.88; D.N.B.; Le Neve.)

On the *Opuscula,* cf. C. R. Thompson, *The Translations of Lucian.*]

ORNATISSIMO DOCTISSIMOQUE VIRO THOMAE RUTHALO, REGIO APUD ANGLOS SECRETARIO, THOMAS MORUS S.P.D.

Si quisquam fuit vnquam, vir doctissime, qui Horatianum praeceptum impleuerit, voluptatemque cum vtilitate coniunxerit, hoc ego certe Lucianum in primis puto praestitisse. Qui et superciliosis abstinens philosophorum praeceptis, et solutioribus poetarum lusibus, honestissimis simul et facetissimis salibus, vitia vbique notat atque insectatur mortalium. Idque facit tam scite, tantaque cum fruge, vt quum nemo altius pungat, nemo tamen sit, qui non aequo animo illius aculeos admittat. Quod quum nunquam non egregie faciat, fecisse tamen mihi singulari quodam modo videtur in tribus his dialogis, quos ob idipsum e tanto festiuissimorum numero potissimum delegi, quos verterem, aliis tamen alios fortasse longe praelaturis. Nam vt e virginibus non eandem omnes, sed alius aliam, pro suo cuiusque animo praefert, deamatque, non quam praecipuam tuto possit asserere, sed quae sibi videatur, ita e lepidissimis Luciani dialogis, alius alium praeoptat, mihi certe isti praecipue placuerunt, neque temere tamen (vti spero), neque soli.

Nam vt a breuissimo incipiam, qui Cynicus inscribitur, quique posse videatur ipsa breuitate contemni, nisi nos Horatius admoneret, saepe etiam in exiguo corpore vires esse praestantiores, ipsique minimas etiam gemmas esse videremus in pretio. In eius ergo delectu, honorifico calculo mecum suffragatus est diuus Ioannes Chrysostomus, vir acerrimi iudicii, doctorum ferme omnium Christianissimus, et Christianorum (vt ego certe puto)

15. tibi *1506 text* 16. praeoptate *1506 text* 23. acermi *1506 text*

23. Chrysostom (345-407), Bishop of Constantinople 398, deposed because of his reforms in 403.

25 doctissimus, quem vsqueadeo dialogus hic delectabat, vt bonam eius partem in Homiliam quandam, quam in Ioannis Euangelium commentatus est, inseruerit. Neque id immerito. Quid enim placere magis viro graui, vereque Christiano debuit, quam is dialogus in quo dum aspera paruoque contenta Cynicorum vita 30 defenditur, mollis atque eneruata delicatorum hominum luxuria repraehenditur? Necnon eadem opera, Christianae vitae simplicitas, temperantia, frugalitas, denique arcta illa atque angusta via, quae ducit ad vitam, laudatur.

Iam Necromantia (nam hic secundo dialogo titulus est) non 35 satis auspicato vocabulo, sed materia tamen felicissima, quam salse taxat, vel magorum praestigias, vel inania poetarum figmenta, vel incertas quauis de re philosophorum inter se digladiationes!

Superest Philopseudes, qui non sine Socratica ironia, totus versatur (id quod titulus ipse declarat) in ridenda, coarguendaque 40 mentiendi libidine, dialogus, nescio certe lepidiorne, an vtilior. In quo non valde me mouet, quod eius animi fuisse videtur, vt non satis immortalitati suae confideret, atque in eo fuisse errore, quo Democritus, Lucretius, Plinius, plurimique itidem alii. Quid enim mea refert quid sentiat his de rebus ethnicus, quae in praecipuis 45 habentur fidei Christianae mysteriis? Hunc certe fructum nobis afferet iste dialogus, vt neque magicis habeamus praestigiis fidem, et superstitione careamus, quae passim sub specie religionis obrepit, tum vitam vt agamus minus anxiam, minus videlicet expauescentes tristia quaepiam ac superstitiosa mendacia, quae 50 plaerumque tanta cum fide atque authoritate narrantur, vt beatissimo etiam patri Augustino, viro grauissimo, hostique mendaciorum acerrimo, nescio quisnam veterator persuaserit, vt fabulam illam de duobus Spurinis, altero in vitam redeunte, altero decedente, tanquam rem suo ipsius tempore gestam pro vera narraret, 55 quam Lucianus in hoc dialogo, mutatis tantum nominibus, tot annis antequam Augustinus nasceretur, irrisit.

Quo minus mireris, si pinguioris vulgi mentes suis figmentis afficiant ii, qui se tum demum rem magnam confecisse putant, Christumque sibi deuinxisse perpetuo, si commenti fuerint, aut de

28. magis *om. Basle 1563, Louv. 1566* 32-33. vita, qui *1506 text*
41. videatur *Basle 1563, Louv. 1566*
50-56. vt viris grauissimis atque sanctissimis frequenter imponant *Louv. 1566*

---

33. Matt. 7.14.

53. *Philopseudes* 25 (cf. More, *Omnia . . Latina Opera* f.38)—Pluto rejects a man brought before him, saying that it is another, the smith Demylus, whose thread of life is spun. So Augustine, *De cura pro mortuis*, cap.xii.15, tells of Curma, the curial and Curma the smith. In two editions, this is Curina, which More corrupts to Spurina.

sancto aliquo viro fabulam, aut de inferis tragoediam, ad quam 60
vetula quaepiam aut delira lachrymetur, aut pauida inhorrescat.
Itaque nullam fere martyris, nullam virginis vitam, praetermiserunt, in quam non aliquid huiusmodi mendaciorum inseruerint, pie scilicet, alioqui enim periculum erat, ne veritas non
posset sibi ipsa sufficere, nisi fulciretur mendaciis. Nec veriti sunt 65
eam religionem contaminare figmentis, quam ipsa Veritas instituit, et in nuda voluit veritate consistere, nec viderunt vsqueadeo
nihil istiusmodi fabulas conducere, vt nihil perniciosius officiat.
Nempe (vt memoratus pater Augustinus testatur) vbi admixtum
subolet mendacium, veritatis ilico minuitur ac labefactatur authoritas. 70 Vnde saepe mihi suspicio suboritur, magnam huiusmodi
fabularum partem, a vafris ac pessimis quibusdam nebulonibus
haereticisque confictam, quibus studium fuit, partim ex incauta,
simplicium potius, quam prudentium, credulitate, voluptatem
capere, partim fabularum fictarum commercio, fidem veris Christianorum 75 historiis adimere, quippe qui frequenter quaedam, his
quae in sacra Scriptura continentur, tam vicina confingunt, vt
facile se declarent, adludendo lusisse.

Quamobrem quas Scriptura nobis historias diuinitus inspirata
commendat, eis indubitata fides habenda est. Caeteras vero ad 80
Christi doctrinam, tanquam ad Critolai regulam applicantes caute
et cum iudicio aut recipiamus, aut respuamus, si carere volumus
et inani fiducia et superstitiosa formidine.

Sed quo progredior? epistola fere iam librum superat, nec interim tamen verbum de tuis laudibus vllum, in quas alius fortasse 85
totus incubuisset, quarumque citra vllam adulandi suspicionem
vberrimam mihi materiam praebuissent (vt caeteras virtutes tuas
omittam) vel egregia doctrina tua summaque in rebus agendis
prudentia, quam tot in diuersis nationibus, in tam arduis negociis,
tam feliciter actae legationes declarant, vel singularis fides grauitasque, 90 quam nisi satis perspectam exploratamque habuisset, nunquam te prudentissimus Princeps sibi a secretis esse voluisset. Sed
caeterarum virtutum tuarum praedicationi vnica modestia tua
reluctatur, quae faciat, vt quum laudanda tam libenter facias, fecisse
te tamen non libenter audias. Parco igitur pudori tuo: hoc vnum 95
duntaxat abs te precatus, vt has in Graecis litteris studii mei primitias aequo animo suscipias, sinasque vt qualecunque apud te sint

62. Ita vt in plurimas martyrum aut virginum historias aliquid huiusmodi . . . . *Louv. 1566*

---

66. John 4.23. 69. cf. Aug. *De Mendacio.* Cap.x.17.Migne, *P.L.* 40.500.
81. cf. Cicero, *Tusc. Disp.*, v.xvii,51.

amoris officiique in te mei monumentum, quas tibi sim ausus eo maiori fiducia committere, quod et si tam acre tibi iudicium sit,
100 vt quicquid erratum fuerit, nemo penetrantius videat, is tamen est ingenii tui candor, vt nemo libentius conniueat.
Vale.

6. To Henry VIII.

Brit. Mus. MS. Titus D. iv. fol. 2 ⟨London⟩
Epigrammata fol. 16. Jortin ii, p. 704 ⟨c. June 1509⟩

[Preface to a congratulatory poem written for Henry VIII's coronation, 24 June 1509: first printed in More's *Epigrammata*, Basle, Froben, March 1518. The manuscript is probably the original copy presented to the King, on vellum, with beautiful illuminations.

Also printed in *Thomae Mori . . Lucubrationes*, Basle 1563, p. 180, and in *Omnia . . Latina Opera*, Louvain 1566, fol. 20v.]

THOMAS MORUS POTENTISSIMO BRITANNIAE GALLIAEQUE REGI HENRICO VIII° FOELICISSIMO, S.D.

Vereor, Illustrissime Princeps, dum more virginum, quae satis formae suae non fidunt, picturae lenocinio gratiam illepidis versiculis comparare studeo, ne eos qua maxime dote placere potuissent, id est, ipsius rei nouitate, fraudarim. Nam quum illico
5 in presentem coronationem tuam eos conscriptos pictori exornandos tradidissem, effecit certe podagra, qua protinus quam opus inchoauit, incommodissime tentatus est, vt eos nunc tandem, serius aliquanto quam res postulare videbatur, exhibeam. Itaque (si tecum pro insita humanitate tua liberius agi sinis) haud scio,
10 maioremne gratiam versiculis nostris pictoris manus adiecerint, an pedes ademerint. Quippe quibus effectum est, vt mihi verendum sit, ne non minus sera, ac proinde intempestiua, videri tibi possit hec nostra gratulatio, quam olim Tiberio Caesari visa est, Iliensium illa consolatio, qua eum de morte filii, iam diu defuncti,
15 consolabantur, quam ille faceta dicacitate delusit, respondens, Se eorum quoque vicem dolere, quod bonum militem amisissent Hectorem. Verum eorum officium, ad luctum non senescentem modo, sed plane premortuum, non potuit esse non ridiculum. Meum vero ab hoc vitio vendicat immensa illa de celebri corona-

3. *sic Epigr.*; studio *MS.* 6. dedissem *Basle 1563, Louv. 1566, Jortin*
13. Principi *Epigr., Basle 1563, Louv. 1566, Jortin*

14. Quin et Iliensium legatis paulo serius consolantibus, quasi obliterata iam doloris memoria, irridens se quoque respondit vicem eorum dolere, quod egregium ciuem Hectorem amisissent. Suetonius, *Tiberius*, c.52.
More evidently quoted from memory.

tione tua letitia: quae quum pectoribus omnium tam efficacem 20
sui vim atque presentiam impresserit, vt senescere vel integra
aetate non possit, effecit nimirum, vt hoc meum officium non sero
re peracta atque euanida, sed presens in rem presentem peruenisse
videatur.

Vale, Princeps optime, maximeque et (qui nouus idemque 25
Honoratissimus Regum titulus est) Amatissime.

7. From Erasmus.

Allen I.222 ⟨Paris?⟩
Moriae Encomium ⟨1511⟩, Tit. verso 9 June ⟨1511⟩
Lond. xxix.55: LB. iv.401

[Preface to the *Moriae Encomium,* Paris, G. Gourmont, which Erasmus had composed in More's house in Bucklersbury on his return to England.]

8. To Colet.

Tres Thomae p. 23 ⟨London?⟩
⟨c. March 1512?⟩

Neque valde miror si clarissimae scholae tuae rumpantur inuidia. Vident enim vti ex equo Troiano prodierunt Graeci, qui barbaram diruere Troiam, sic e tua prodire schola qui ipsorum arguunt atque subuertunt inscitiam.

9. From Erasmus.

Allen I.271 Cambridge
Farrago p. 183 ⟨July 1513⟩
F. p. 322: HN: Lond. vii.15: LB. 112

21. ac *Louv. 1566* 25. Vale, Princeps illustrissime, et (qui nouus ac rarus regum titulus est) amatissime *Epigr., Basle 1563, Louv. 1566, Jortin*

---

1. Colet founded his new school, c.1509, at the east end of St. Paul's, and dedicated it to the child Jesus. The endowment came from the estate inherited from his father, Sir Henry Colet, and the entire management of the school was entrusted to the Mercers' Company, of which his father had been a member. The school was planned for 153 boys, to be placed under a surmaster, an assistant master and a chaplain, who was also to teach. (Allen IV.1211, ll.340-370; J. H. Lupton, c.IX; Seebohm pp.138-153.) There was much correspondence with Erasmus about the school, and the choice of the first masters—cf. Allen I.227, 230, 237, 258. William Lily was the first surmaster, and John Rightwyse, the first assistant master.

More's letter seems to refer to the same criticism of the school which Colet described in a letter to Erasmus (Allen I.258, ll.7-13), that "quendam episcopum . . . . nostram scholam blasphemasse dixisseque me erexisse rem inutilem; imo malam, imo etiam . . . domum idolatriae. Quod quidem arbitror eum dixisse, propterea quod illic docentur poetae . . . . ."

10. Commission to Tunstall, Sampson, Spynell, More and Clyfford.

R.O. State Papers Henry VIII. C. 82.420 Westminster
Rymer XIII, p. 497; calendared L.P. II.422 7 May 1515

[From the accession of Francis I, Charles of Castile sought an alliance with France, and a marriage engagement with Renée, Francis' four-year-old sister-in-law. He therefore excused the alliance between England and Flanders, as made during his minority. The English mission of 1515 to renew the amity and commercial intercourse therefore met with difficulties enough, as shown in this group of documents, and the correspondence of which it is a part. In the end, settlement was probably due to Charles' need of a loan from England. (L.P. II, pp. xcviii-ci; II.1291.)

Cuthbert Tunstall (1474-1559), natural son of Thomas Tunstall of Thurland Castle, Lancashire, was sent to Oxford in 1491, probably to Balliol. After study there and at Cambridge, he spent some years at Padua, where he knew Jerome Busleiden (L.P. II.1383), William Latimer and Pace c. 1499 (*De Fructu* p. 99). He was graduated LL.D. of Padua. He was very learned in theology, Greek, Hebrew, mathematics and civil law. After his return to England, he received many ecclesiastical preferments, most of which were rewards for valuable state services. He was Rector of Barmston, Yorks. 1506, though subdeacon only in 1509, Rector of Stanhope, county Durham in 1508, and by various steps, Dean of Salisbury 1521, Bishop of London 1522, and on 21 February 1529/30 he was papally provided to the bishopric of Durham. He was sent by Henry VIII on many embassies—to Brussels 1515 to the court of Charles prince of Castile, to Charles V's court at Cologne 1519, Worms 1520-1, Spain 1525-26 and in 1527 accompanied Wolsey to France, and 1527-29 assisted in the negotiation of the Treaty of Cambrai. He was made Master of the Rolls in 1516, and Keeper of the Privy Seal 1523, and in 1537, President of the newly created Council of the North, in which period he often acted in treaties with the Scots, or in plans for the invasion of Scotland.

In the religious revolution, he was absolutely loyal to Roman Catholic creed, and in the visitation of his diocese in 1526, prohibited Tyndale's New Testament, and other Protestant books. He did, however, prefer persuasion to persecution of the Protestants. In 1529 he bought many copies of Tyndale's New Testament and burned them, but the money, as one of the Protestants witnessed to More "hath, and yet is our onely succour and comfort." (Quoted in Wood's *Athenae* I, col. 304 note 1.)

His evident belief in "passive obedience" to the civil authority, made him support Royal Supremacy under Henry VIII, and even defend it in a letter to Pole. But the later developments under Edward VI and Elizabeth made him change his opinion and he was deprived of his bishopric under both. Tunstall "must have been one of the most perfect characters of his age as the zealous reformers could find no fault in him but his religion." One expression of his friendliness to More is preserved in a letter to Wolsey from Bruges, 9 July 1515, "Master More at this time, as being at a low ebb, desires by your grace to be set on float again." (Brit. Mus. MS. Galba B.III.259; D.N.B.; Wood, *Athenae* I, col. 303; Ross-Lewin, *Cuthbert Tunstall;* Stapleton p. 65f.); Charles Sturge, *Cuthbert Tunstall,* 1938.

Richard Sampson (d. 1554), bishop later successively of Chichester and of Coventry and Lichfield, was educated at Trinity Hall, Cambridge, proceeding B.C.L. in 1505 and D.C.L. in 1513. He was Wolsey's chaplain, and at this time was resident at Tournay to further Wolsey's interests, but he had much difficulty as the French bishop (the "elect" of his letters) refused to surrender his diocese. (D.N.B.; L.P. II *passim.*)

Thomas Spinelly, a Florentine (L.P. II.3937), was English ambassador or agent in Flanders under Henry VII and Henry VIII (L.P. I.83). Henry wrote with appreciation of his services (*ibid.* I.355) and knighted him in 1513 (*ibid.* I.2220). Wolsey seems doubtful of his loyalty, however, and both Sir Richard Wingfield and Tunstall write in commendation of him (*ibid.* I.2776; II.679). In 1516, he was granted an annuity of £100 (*ibid.* II.2337). In 1517 he was appointed resident ambassador in Spain (*ibid.* II.3556), but Sir John Stile, already representing Henry VIII there, was jealous of him and doubted his commission (*ibid.* II.3937). His fee and diets were now £365, but as he found living on 20s. a day very difficult, he searched "dinner and supper daily, now in one place and now in some other." (L.P. III, p. 1537; III.3157.) He died at Valladolid, 26 August 1522. (*ibid.* III.2479, 2522.) (The D.N.B. gives no notice of him.)

John Clifford was governor of the English merchants in Flanders, and was employed on embassies as early as 1513. (L.P. I.1576, 1664, 1721, 2451.)]

HENRICUS, DEI GRATIA REX ANGLIE ET FRANCIE, ET DOMINUS HIBERNIE, OMNIBUS, AD QUOS PRAESENTES LITTERE PERUENERINT, SALUTEM.

Cum nuper, inter celebris memorie Henrici, nuper Regis Anglie patris nostri charissimi, et bone memorie Philippi, defuncti Regis Castelle, Archiducis Austrie, Ducis Burgundie et cetera, consanguinei nostri charissimi commissarios, oratores, procuratores et deputatos, quedam articuli et capitula, annotata et specificata in tractatu de et super commerciis exerc[c]icioque commerciorum atque mutuo vsu amicabilique mutuo et vtili intercursu mercium et mercandisarum, pro eorum regnis, patriis, dominiis, subditis, et vas⟨s⟩alis, inita, conuenta, concordata fuerint et conclusa, sicuti in litteris dictorum commissariorum, desuper confectis, sigillis suis sigillatis et manibus suis subscriptis (cuius data est Londonie vltimo die mensis Aprilis, anno domini mil-

TIT. Rex omnibus, ad quos etc. Salutem. *Rymer* 6. excercitioque *Rymer*

6. The Confirmatio Tractatus de Intercursu, 20 April 1506. (Printed in Rymer, XIII.pp.132-142.) This gave English merchants new privileges, such as exemption from local tolls in Antwerp and Holland, and the right to sell cloth retail as well as wholesale. The latter was very hard for the Netherlands small traders and middlemen, and the treaty was called the *Intercursus Malus* by the Flemings. (cf. *infra,* note on p.18.)

lesimo quingentesimo sexto) ac in alio tractatu (cuius data est Londonie xx die Februarii, anno Domini millesimo quadringen-
15 tesimo nonagesimo quinto) lacius et effusius continetur et specificatur,

Cumque eciam iampridem ex subditis nostris, mercatoribus regni nostri, ad terras et dominia praecharissimi consanguinei nostri Charoli Principis Castelle, Archiducis Austrie, Ducis
20 Burgundie, Brabancie et cetera, filii et heredis predicti Philippi, pro facto mercancie et commercio, praedictis confluentibus, plura alia theolonia, vectigalia, custume, gabelle ac onera inusitata, insolita et inaudita, pro personis, mercibus, mercandisis, bonis et rebus suis, quam, iuxta tenorem tractatus praedicti soluere de-
25 berent vel antiquitus soluere consueuerunt, exiguntur et extorquentur, eaque soluere minus iuste per theolonarios, publicanos et officiarios, praedicti consanguinei nostri Charoli principis praedicti sunt astricti et compulsi, aliisque nonnullis modis et mediis multipliciter inquietati molestati sunt, et grauati, in ipsorum merca-
30 torum dispendium et grauamen non modicum, ac contra tenores et effectum tractatuum supradictorum ac libertatum et priuilegiorum dictis subditis et mercatoribus nostris per progenitores dicti consanguinei nostri Charoli antehac concessorum et indultorum,

35 Nos igitur,

Pro ipsorum in hac parte attemptatorum debita reformacione ac ⟨ad omn⟩es ambiguitates et differencias tollendum, necnon pro firmiori obseruancia articulorum et capitulorum praedictorum fienda, habenda et imperpetuum obseruanda,

40 De fidelitatibus, industriis et prouidis circumspeccionibus, dilectorum et fidelium nostrorum, Cuthberti Tunstall, vtriusque juris doctoris consiliarii nostri, Ricardi Sampson, vtriusque juris doctoris, Thomae Spynell Militis, Thomae More Armigeri, et Johannis Clyfford Gubernatoris mercatorum nacionis Anglice, ad
45 patrias et dominia dicti consanguinei nostri mercandisandi et negociandi gratia veniencium et accedencium, quamplurimum confidentes,

Ipsos nostros veros et indubitatos commissarios, oratores, procuratores, deputatos et nuncios speciales facimus, assignamus,
50 ordinamus, constituimus et deputamus per praesentes,

14. vicesimo *Rymer*

13. Tractatus Pacis et Intercursus Burgundiae, 20 February 1495. (Printed in Rymer XII, pp. 578-591.) This was known as the *Intercursus magnus*. It renewed the commercial alliance with the house of Burgundy, as in the reign of Edward IV. Trade had been interrupted by Maximilian's support of Perkin Warbeck.

Dantes et concedentes eisdem, quinque, quatuor, aut tribus eorum, quorum praefatos Cuthbertum et Ricardum duos esse volumus, plenam potestatem et auctoritatem ac mandatum generale et speciale, nomine nostro et pro nobis, regnis, patriis, terris, dominiis, subditis, et vassalis nostris quibuscumque, cum 55 praefato Charolo Principe Castelle, Archiduce Austrie, Duce Burgundiae et cetera consanquineo nostro charissimo, seu eius ambassiatoribus, procuratoribus, oratoribus, deputatis et nunciis sufficientem potestatem et auctoritatem ab eodem consanguineo nostro habentibus, de et super praefatis commerciis exercicioque com- 60 merciorum ac mutuo et amicabili intercursu mercandisarum,

Inter nos et ipsum, haeredesque et successores nostros et suos, atque regna, patrias, dominia, et loca nostra et sua quecumque, necnon subditos et vassalos nostros et suos quoscumque, iuxta vim, formam et effectum praedictorum tractatuum, continuandis et 65 obseruandis,

Ac de et super reformacione quorumcumque attemptatorum et iniuriarum et restitutione dampnorum et deperditorum, mercatoribus et subditis nostris, in partibus dicti consanguinei nostri, per theolonarios, publicanos, officiarios et subditos suos, contra 70 formam et tenores tractatuum, libertatum et priuilegiorum praedictorum illatorum et perpetratorum tractandi, appunctuandi, componendi, concordandi, et finaliter concludendi,

Necnon de et super omnibus et singulis contencionibus, questionibus, causis, querelis, litibus, attemptatis, iniuriis, grauami- 75 nibus, et demandis, ac iniustis detencionibus bonorum, mercium et mercandisarum subditorum nostrorum praedictorum, vna cum suis circumstanciis ex causis supradictis emergentibus, incidentibus, dependentibus et connexis, que inter nostros et dicti consanguinei nostri subditos hinc inde pendere dinoscuntur, communicandi, 80 tractandi, conueniendi et concordandi, atque omnia et singula componendi, paciscendi, appunctuandi ac plenarie et integre determinandi et finaliter concludendi, prout eis iustum, aequum et expediens visum fuerit et oportunum,

Necnon de et super huiusmodi appunctuatis et conclusis cete- 85 risque omnibus et singulis praemissa qualitercumque concernentibus, quae cum praefatis commissariis, procuratoribus, deputatis, et nunciis praedicti consanguinei nostri appunctuata, promissa, concordata et conclusa fuerint, litteras et instrumenta valida et efficacia conficiendi et pro parte nostra tradendi et liberandi, 90

61. commerciorum *om. Rymer*

litterasque alias consimilis effectus et vigoris ex altera parte petendi et recipiendi,

Et generaliter omnia praemissa et praemissorum singula qualitercumque concernentia faciendi excercendi et expediendi, ita et
95 eodem modo, sicut nos ipsi facere possemus si in persona nostra interessemus eciam si talia sint que mandatum de se magis exigant speciale;

Promittentes, bona fide et in verbo regio, nos ratum et gratum habituros quicquid per dictos nostros procuratores, oratores, et
100 nuncios circa praemissa actum, gestum, promissum, et iuratum extiterit, et contra ea aut aliqua ipsorum nullo modo contrauenire, immo ipsa manutenere, et inuiolabiliter obseruare, ac per nostras patentes litteras confirmare. *In cuius* rei testimonium has litteras nostras fieri fecimus patentes, *teste* meipso apud Westmonasterium
105 septimo die Maii anno regni nostri septimo.

Per ipsum Regem. Throkmerton.

11. Tunstall, Sampson, More to the Council.

R.O. State Papers, Henry VIII, §11, p. 14 — Bruges
Calendared L.P. II.678 — 9 July 1515

Lykethe it your good lordshippis to vnderstand, that as towching the state of our busynes her, for as moche as wee dowt not, but that our lettres, in whiche wee haue writton therof at large to the King*is* Grace, shall by his Highnes cume to your
5 hand*is*; wee therfor trouble not at this tyme your good lordshippis with the repeticions of the same, but the oonly cause of our present writing to your good lordshippis is to beseche the same to haue vs soo in your fauourable remembraunce, that wee may haue by the

98. in *om. Rymer* 103. In cuius etc. Teste Rege apud Westmonasterium, septimo die Maii. Per ipsum Regem. *Rymer.*

106. William Throgmorton, prothonotary of Chancery.

3. Much of the correspondence has been lost. There have, however, been preserved some letters from different commissioners to the King or to Wolsey, explaining their difficulties with Prince Charles' Council. That body protest that the treaty of 1506 was unfavorable to them (L.P. II.538), and refuse observance of it (*ibid.* II.551), though the English maintain that it is still in force (*ibid.* II.540). They consider the customs on wools from England intolerable, and as reducing the Prince's subjects to poverty (*ibid.* II.553). Bruges has suffered particularly and the Council perhaps mean that the English hereafter shall resort only to Bruges (*ibid.* II.581). Sampson has been excommunicated in Bruges and in all other places (*ibid.* II. 672). Ponynges and Knight suggest that the King command his merchants to abstain from their ports and so bring them soon to reason. (*ibid.* II.649.) On the mission, cf. Seebohm pp.342-343.

mean of your good lordshippis more money sent vnto vs. For as your lordshippis well remembre of lx days, for whiche wee receyued our money byfor the hand, and spent also a good parte therof byfor the hand, ther bee not remaynyng past iii or iiii days, fro the xiith day of May last at whiche day wee toke our journey. And as your good lordshippis well know, that wee had soo short warnyng of this journey, that our tyme was very lityll and skarse to prepayr our self and our company forward. And noo tyme had wee to make shifte and provision for any substans of our own hider with vs, by reason wherof wee haue been at some payn hider to. And if we shold make farther shifte here, it wold bee our farther payn and losse also. Wherfor wee beseche your good lordshippis, that as your wisdoomes perceyve, that wee be lyke her to abyde, soo it wol lyke you to ordre that we may haue money sent vs. In whiche dooyng, your lordshippis shal bynd vs to owe you our poore seruice and our prayer. As knoweth our Lord, whos grace long preserue your good lordshippis. From Brug*is* the ixth day of July.

By your humble bedmen

Cuthbert Tunstal.
Richard Sampson.
Thomas More.

From th' Ambassadors beyng in Flaundors for the Intercurse. nono Julii.
To the honorable and theyr singler good lord*is* the Lord*is* of the Kyng*is* moost honorable Counsayle.

12. Tunstall, More, Clyfford to ⟨Henry VIII⟩.

Brit. Mus. MS. Galba B.III.294 — Bruges
Calendared L.P. II.732 — 21 July 1515

⟨L⟩yketh it your Highnes to vnderstande, that wheras wee by ⟨oure⟩ other letters dated the ixth day of July, whiche as wee ver⟨ylye⟩ truste bee commen vnto your gracyouse hand*is*, haue writt⟨on⟩ vnto your Highnesse at lenkthe the ordere of oure

10. Wolsey wrote to Sampson in May, stating that £60 had been sent to Tunstall to be by him delivered to Sampson for diets of 60 days. (L.P. II.534.)

27. bed⟨e⟩men. Term used in addressing patrons and superiors; originally, one who prays for the spiritual welfare of another.

5 busyness⟨e⟩, vntyl the sayd day of the same our lettres wrytton.
To wa⟨t⟩, that sone after at suche tyme as wee by writing dyd
agay⟨ne⟩ replye to theyr aunswer, geven in to vs, by the advise
of ⟨theyr⟩ Prynce and his Counsayle, of which theyr aunswer we
⟨made⟩ mencion vnto your Grace in our sayd letters.
10 The sayd ⟨commissioners⟩, vppon the receipte of our explicacion, desyred respyte ag⟨ayne⟩, vntyl the tyme that they might
send our explicacion to the ⟨Prynce⟩ and his Counsayle, and from
thens haue advise agayne ⟨in⟩ suche wise as they dyde vpon the
receipte of our othe⟨r⟩ wryting byfor, withowte whos advice
15 agayne had, they ⟨wold⟩ no farther procede. Whervpon at that
tyme wee departyd. And afterwarde by the space of x days, they
gave vs kno⟨wlege⟩, that they had worde from the Prynce desyr-
ing vs to ass⟨emble⟩ wythe theym on the morowe, at whiche our
metyng, whe⟨n⟩ we trusted to haue receyued some wryting, they
20 shewed vs a letter directed vnto theym fro the Prynce, by
which⟨e⟩ he gave theym in commaundement to resorte vnto hym
and h⟨ys⟩ Counsayle to Meclyne, wher he intendyd to bee hymself,
within few dayes, at whiche theyr resortyng to his presence they
shold haue on his behalf a full and a perfite knowleg⟨e⟩ of his
25 plesure concernyng oure busynesse. Wherfor they requyred vs to
haue pacyence tyl theyr commyng agayne, at whiche they thought
to bryng vs a fynall determinate aunswer, whervnto for a conclusion wee shold sta⟨nd⟩.

Whervpon wee aunswered that wee verylye trusted in the equite
30 of the Prynce and his Counsayle, that they shold bryng vs a
better aunswer and more equall then wee yet had. And they
aunswerd playnly that they loke for none other but suche as
they byfor had shewed vs, that the Prynce wold neuer stand to
the tretyce that wee rest vppon.
35 Wee haue written in every thing the state of our busynesse to
your ambassadors here, by whos⟨e⟩ meanes whether the Prynce
shall happon to chaunge his my⟨nde⟩ therin or not, wee be not
sure, but verely wee haue noo grete hope theryn, we haue had soo
playn woordis of the commissioners here. Wherfor, as wee by oure
40 other lett⟨ers⟩ haue wrytton vnto your Hyghnes, wee beseche the

---

5. The letter of 9 July to the King is not found. Tunstall's letter to ⟨Wolsey⟩ of the same date (L.P. II.679) states that they had received a plain nay from the commissioners. Sampson wrote (L.P. II.686) that the Prince was governed as a child by his Council, most of whom are French and are glad of this brush with England.

20. On the 21 July, Tunstall wrote also to Wolsey (L.P. II.733), the packet of letters being carried by Spinelly, who would tell Wolsey more. The Prince's commissioners have gone to Mechlin to learn the Prince's "mind in our business."

same, sythe wee haue pervsed theffecte of oure instructions, that wee might haue farther knowlege of your highe plesure, which had wee shall to the best of oure powers endevor oureself to the accomplishment of the same. As knowithe our Lord, whose grace longe preserue your moost noble Maiestye. From Bruges the xxi^t day of July. 45

By your most humble seruaunt*is* and su⟨bgiett*is*⟩

Cuthbert Tunstal.
Thomas More.
John Clyfford. 50

13. Knight, More, Wilsher, Sampson, Hannibal, Hewsten to Wolsey.

R.O. State Papers, Henry VIII, §11, p. 115 — Bruges
Calendared, L.P. II.977 — 1 October 1515

[William Knight (1476-1547), educated at Winchester and New College, Oxford, became D.C.L. 1531. He seems to have become a royal secretary to Henry VII and Henry VIII and served in embassies to Spain (1512) and often to the Low Countries. In 1527 he went to the Pope on a mission about the divorce and in 1529 to the negotiations for the treaty of Cambrai. He succeeded John Clerk as Bishop of Bath and Wells 1541. He was "a useful diplomatist of the old school, which regarded dissimulation as one of the requisites of success." (D.N.B.)

Sir John Wilsher (Wiltshire, Wilshire, Wylshir, Wilchier) was a merchant of the Staple of Calais, master of the fellowship of English merchants in Flanders (L.P. I.438 [3 m. 24]) and comptroller of Calais from c. 1503 (*ibid.* II.2970) to 1519, when he was succeeded by Sir Robert Wotton (*ibid.* III.424, 449). In the same year he was one of the sheriffs of Kent (*ibid.* III.500). He is last mentioned in Brewer as entertaining Wolsey at his house near Dartford in July 1527 (*ibid.* IV.3231; St.P. I.196).

For Sampson, cf. note to Ep. 10.

Thomas Hannibal (d. 1531) studied canon law at Cambridge and was LL.D. there and D.C.L. at Oxford. He became Vicar-General to Silvester, bishop of Worcester in 1514. In Wolsey's service he was engaged not only on the missions in the Low Countries in 1515 and 1520, mentioned in these epistles, but to Spain in 1521-1522 for a league with Charles V and John of Portugal (which failed), and as ambassador in Rome 1523-1524. During this time he seems to have secured some extension of Wolsey's power as legate. He was Master of the Rolls 1523-1527, and member of a legal committee of the privy council. (D.N.B.)

John Brampton or Bramton, *alias* Hewster, Heustor or Hewester, of London, mercer (L.P. I.438 [3 m. 21]), was governor of Antwerp, and Master of the fellowship of English merchants. (L.P. II.4201, 4210.) He is not noticed in the D.N.B.]

Pleasith it youre Grace to vnderstond, that sithe the writing of oure laste lettres, sent vnto youre Grace by M. Forest, we have treated with th'Esterlingis as oftyntymes as we myght conueniently bring theym thereunto. But by reason of certaine
5 delayes that they have taken, wee be not yet cum to any final determynacion in oure matiers, trusting vearily that by thende of this weke, yf they put no ferther delayes in this besynesse, then we thynk vearili that they will doo, to know thvttremooste that they can say for defens of thabvse of thayre pryuyleges, and
10 whither they will submytt theymselves to reformacion of the same or no. And this knowen we shall certifye youre Grace with all diligence, moost humbly beseking your Grace to remembre vs with sum money toward*is* owre dyettes.

And thus blessed Trynyte preserue your Grace. At Brugys this
15 first day of Octobre.

Your moost humble bedesmen and oratours

Wyllyam Knight.	Thomas More.
John Wilsher Kt.	Richard Sampson.
Thomas Hannibal.	John Hewsten.

20 To my Lorde Cardinals Grace.

14. Commission to Tunstall, Knight, Sampson, More and Clifford.

R.O. State Papers, Henry VIII, C.82.425 — Westminster
Rymer XIII.542. Calendared, L.P. II.986 — 2 October 1515

[The hand is clear, but the parchment is blackened, cracked and torn. Notes to the preceding letters will explain this commission.]

2. M. Forest was a servant of Wolsey's. He is mentioned also in Ep.77. The letters carried by him are evidently not extant.

3. Easterlings were natives of eastern Germany and the Baltic coasts, and particularly of the Hanse towns, hence its use here.

5. Tunstal complained of the "diverseness of their communications," and that he could not write of any single untowardness for fear of creating unfounded apprehensions in the King's mind. (L.P. II.904.)

On October 1, the King commissioned Tunstall and Knight to be ambassadors to the court of Charles of Castile with full powers to conclude a treaty. (L.P. II.976.)

9. Evidently the privileges granted in the treaties of intercourse of 1495 and 1506. (cf. notes, pp.17, 18.)

11. Spinelly reported on October 2 that the Prince had taken his oath to the treaty. (L.P. II.981.) The treaty allowed merchants and subjects of both countries free access and trade in all the dominions of the two Kings according to the treaty of 1495; customs and tolls were to be as agreed in the same; and no statutes restricting the commerce with any town or limiting the prices of any goods were to be made. (L.P. II.723.)

16. Term orator was commonly used in subscribing a letter or petition to a superior.

⟨OM⟩NIBUS AD QUOS, ET CETERA, SALUTEM.

Cum, ex parte mercatorum nostrorum, terras, ⟨diciones⟩, et dominia Caroli illustrissimi Principis Castelle consanguinei nostri charissimi, mercium ⟨causa⟩ frequentancium, orta et delata ⟨sit⟩ nobis querela, de et super quibusdam, ⟨per eos⟩ assertis, contrauersiis, litibus, differenciis, difficultatibus, ⟨exacc⟩ionibus, et attemptatis contra tractatum exerciciumque commerciorum atque mutuum vsum amicabilemque et vtilem mercium et mercatorum intercursum,

Superioribus annis per celebris memorie patris nostri Henrici charissimi Regis Anglie et Francie et Domini Hibernie, et bone memorie Phi*lippi,* tunc Regis Castelle, in hac parte deputatos, oratores, commissarios, et procuratores, pro regnis, patriis, terris, dicionibus, et dominiis eorumdem principum, initum concordatum et conclusum,

Prout in litteris dictorum commissariorum, desuper confectis, lacius continetur et specificatur,

Notum facimus quod nos,

Pro huiusmodi querelis, sic, vt praemittitur, ortis et delatis, amouendis, abolendis et penitus extinguendis, ac pro ipsorum in hac parte attentatorum et per eosdem assertorum debita reformacione, et ad omnes ambiguitates, contrauersias, lites, difficultates, et differencias omnino tollendas, necnon pro firmiori obseruancia huiusmodi tractatus commerciorum et amicabilis mercium et mercatorum intercursus post hac imperpetuum habenda et facienda,

De fidelitatibus, industriis et prouidis circumspeccionibus, egregiorum virorum Cuthberti Tunstall, Willi*elmi* Knyght, Ricardi Sampson, vtriusque juris doctorum, consiliariorum nostrorum, Thome Spynell Militis, Thome More Armigeri, et Johannis Clyfford Gubernatoris mercatorum nacionis Anglicane patrias et dominia dicti consanguinei nostri negociandi gratia frequentancium, plurimum confidentes,

Ipsos sex, quinque, quatuor, tres, vel duos eorum, ex certa sciencia, nostros oratores, ambassiatores, legatos, commissarios, procuratores et nuncios speciales per praesentes constituimus, ordinauimus, deputauimus, constituimus, ordinamus et de⟨putamus⟩,

Dantes et concedentes eisdem sex, quinque, quatuor, tribus, vel duobus eorum, plenam et omnimodam potestatem auctoritatem

TIT. Henricus, Dei gratia, Rex Angliae et Franciae et Dominus Hiberniae, omnibus, ad quos praesentes literae peruenerint, salutem. *Rymer*
Spelling differences in Rymer not noted.
21. contrauerciis *MS.* 22. necnon et *Rymer* obseruatione *Rymer*

et mandatum speciale, cum dilecto consanguineo nostro, seu eius oratoribus, ambassiatoribus, legatis, commissariis, procuratoribus
40 et nunciis, plenam potestatem et auctoritatem ab eo habentibus, de et super quibusdam commerciis, contrauersiis, litibus, differenciis, exaccionibus, attemptatis exercicioque commerciorum, ac mutuo et amicabili mercium et mercatorum intercursu,

Inter nos, haeredes et successores nostros, atque regna, terras,
45 patrias, diciones, dominia, et loca nostra et sua, et subditos suos et nostros quoscumque, tractandi, conferendi, continuandi, et firmandi,

Ac de et super reformacione quorumcumque attentatorum ⟨contra formam⟩ et tenorem tractatus libertatum et priuilegiorum, alias
50 a predecessoribus dicti consanguinei nostri subditis et mercatoribus concessorum, concordandi, prorogandi, et super prorogatis appunctuandi et concludendi,

Aboliciones quarumcumque sentenciarum et earumdem execucionum in personas et bona petendi et obtinendi, concedendi et
55 faciendi,

Ac super appunctuatis, concordatis, et conclusis, ceterisque omnibus et singulis praemissa qualitercumque concernentibus, quae cum praefato consanguineo nostro seu eius oratoribus, legatis, procuratoribus, commissariis, et nunciis, appunctuata, concordata
60 et conclusa fuerint, litteras validas et efficaces pro parte nostra tradendi et liberandi; aliasque consimilis effectus et vigoris ex altera parte petendi,

Ac de et super tractatu et singulis articulis et capitulis in eodem contentis et insertis litteras confirmatorias, magno sigillo nostro
65 consignatas, tradendi et liberandi; et similes eiusdem vigoris et roboris ab eodem principe vel eius commissariis petendi, exigendi, et recipiendi,

Et generaliter omnia et singula praemissa et praemissorum singula qualitercumque concernencia, faciendi, exercendi et expe-
70 diendi, ita et eodem ⟨modo vt⟩ nos ipsi faceremus et facere possemus si praemissis personaliter interessemus, eciam si talia forent que mandatum exigant magis speciale quam praesentibus sit expressum;

Promittentes, bona fide et ⟨in verbo regio, nos ratum gratum et
75 firmum habituros id totum et quicquid per dictos oratores, commissarios, procuratores, nuncios, et deputatos nostros, seu eorum duos, actum, gestum, aut factum fuerit in praemissis,

41. quibuscumque *Rymer* 46. *sic Rymer;* confederendi *MS.*
48. attemptatorum *Rymer* 50. mercatoribus nostris *Rymer* 68. qualiter *Rymer*
72. *sic Rymer;* exegunt *MS.* 74. *cessat MS., sequentia Rymer*

⟨In cuius rei testimonium magnum sigillum nostrum praesentibus hiis duximus apponendum.

⟨Datum Londini, anno Domini millesimo quingentesimo decimo quinto, secundo die Octobris, regni nostri septimo.⟩ 80

15. To Martin Dorp.

Bruges
21 October ⟨1515⟩

Paris MS. Bibl. Nat. Lat. 8703 (P)
Sélestat MS. Cat. Rhen. 174 fin. (S)
More's Lucubrationes, Basle 1563, pp. 365-428 (Basle)
Lond. in Auctario Mori Ep. 2 (Lond.)
LB. vol. III. pt. ii. col. 1892 (LB.)
Tres Thomae, p. 260, extract
Bodleian MS. Wood F. 22 fol. 50-79
The printed texts designated by Edd.

[The Paris manuscript is probably the actual letter sent to Dorp: written by a secretary, and corrected occasionally by another hand, which seems not to be More's. It was copied in haste, and has many errors.

There is also a manuscript at Sélestat (Cat. Rhen. 174 fin.), a copy which was made at Basle c. 1518, with no dates. (cf. Allen II.347, introd., 388. 157 n.)

It was first printed in More's *Lucubrationes,* Basle 1563, pp. 365-428, with only the place-date: headed "Apologia pro Moria Erasmi, qua etiam docetur quam necessaria sit linguae Graecae cognitio." The year-date is first given in the Leyden edition of Erasmus' *Epistolae,* 1703, where this letter is included (vol. III, pt. ii, col. 1892). There is a brief extract in Stapleton p. 260.

Bodleian MS. Wood F. 22 fol. 50-79 is evidently a copy from More's *Lucubrationes*, Basle 1563. Mr. Falconer Madan thought it might be dated anywhere from 1580 to 1620.

More in a letter to Lee (Ep. 75, ll. 51f.) said that he suppressed his long letter to Dorp, but this of course does not mean that it was not sent to Dorp himself. (cf. Ep. 16.)

The Sélestat manuscript corrects a number of mistakes in the Paris text, and contains passages which have been lost in the copying of the Paris manuscript. Some of its revisions of phrasing are not good, and are evidently not More's. The editing of the printed texts most often follows S, and the three are usually in agreement.

This epistle is part of the controversy over the *Encomium Moriae.* c. September 1514, Dorp wrote to Erasmus, reporting criticism of the *Moria* (Allen II.304). "Stilum quidem et inuentionem acumenque probant, irrisiones non probant, ne litterati quidem." (ll. 54-55.) He suggests that Erasmus should write a Praise of Wisdom. (ll. 73f.) He comments on Erasmus' edition of St. Jerome, and proceeds to criticism of the proposed edition of the Greek New Testament. This he considers superfluous, as the Vulgate preserves the truth and integrity of Scripture. This view he entirely retracted in an *Oratio* delivered in 1516, and first printed in 1519. (Allen II.304, l. 92 n.)

Erasmus replied to Dorp in May 1515. (Allen II.337.) He defended the *Moria.* He urged Dorp to study Greek, which was particularly necessary for theological subjects, and defended Greek studies for the New Testament. (cf. especially lines 713ff.) This letter was sent to Dorp in a shorter form, and Dorp's quotations are from that.

Dorp's long reply was written 27 August 1515. (Allen II.347.) Erasmus suppressed a long reply to it, which is not now extant. More suppressed his long epistle, but it has survived in these manuscripts and printed texts. (cf. Allen II.347, *introd.*, and More's Ep. 75.)

Martin van Dorp (1485-1525) was born at Naaldwyk in Holland. He was educated at the Collège du Lis in Louvain, and in 1504 was appointed professor of philosophy there. John Briard Atensis interested him in theology, and Ménard, the abbot of the Benedictine monastery of Egmond in Holland, gave him leisure for study by conferring a benefice on him. In 1515, he was a doctor of theology, and soon after professor of Holy Scripture. In the same year he became president of the Collège du Saint-Esprit. He resigned in 1519, but was still connected with the university and was rector for one semester in 1523. He died in 1525 and was buried at the Chartreuse in Louvain, Erasmus writing the epitaph for his tomb.

His writings include an *Oratio de laudibus sigillatim cujusque disciplinarum,* 1513; *Concio de dive Virginis deiparae in coelum Assumptione,* 1514, and published with it, *Oratio in laudem Aristotelis,* 1510; *Oratio in praelectionem epistolarum divi Pauli, de laudibus Pauli,* 1518. (cf. Allen II, p. 11; Félix Nève, *Martin Dorpius et les études d'humanités dans les écoles de Louvain au commencement du* XVIe *siècle.*)]

THOMAS MORUS MARTINO DORPIO. S.D.

Si mihi ad te venire tam esset liberum, quam vehementer, mi Dorpi, cupio, tum ista quae nunc parum commode committo litteris, commodius tecum coram ipse tractarem, tum quo nihil mihi iucundius potuisset accidere, teipso interea prae-
5 sens praesente perfruerer, cuius videndi, cognoscendi, complectendique, mirum pectori meo desiderium inseuit Erasmus, vtriusque nostrum amantissimus, tum vtrique (vti spero) ex aequo charus. Nihil est enim quod ille maiore cum voluptate faciat, quam vt apud praesentes amicos suos, absentes predicet. Siquidem quum
10 sit ipse plurimis, idque in diuersis orbis terrarum partibus, doctrinae suauissimorumque morum gratia charissimus, conatur sedulo, vt quo in vnum se omnes animo sunt, eodem etiam inter se omnes conglutinet. Non cessat ergo apud vniuersos singulatim amicorum quemque referre, et quo in cunctorum amicitias insi-
15 nuet, omnes cuiusque dotes quibus amari promereatur, exponere. Quod quum ille assidue faciat de omnibus, de nullo tamen sepius, de nullo facit effusius, de nullo quam de te, charissime Dorpi, libentius, quem ita dudum celebrauit in Anglia, vt nemo sit ibi litteratorum virorum, cui non Dorpii nomen aeque notum cele-

TIT. Apologia pro Moria Erasmi, qua etiam docetur quam necessaria sit linguae Graecae cognitio. *Basle et Lond.*

breque sit, atque Louaniensibus ipsis, quibus est (vt esse debet) 20
celeberrimum. Seorsum vero ita te depinxit apud me, vt iam olim
pulcherrimam animi tui imaginem, planeque eandem esse apud
animum meum presumpserim, quae mihi posteaquam huc appuli,
ex elegantissimis opusculis tuis eluxit.

Itaque quum me primum scirem ab inuictissimo Rege nostro, 25
in has partes legatione nostra functurum, crede, mi Dorpi, mihi,
non pro minimo itineris tanti precio ducebam, quod oblata mihi
videbatur occasio, qua tecum quoquo pacto congrederer. Verum
istam conueniendi tui facultatem, quam prebitam esse speraueram,
negotii nobis demandati ratio praeripuit, quae me Brugis, vbi cum 30
magnificis illustrissimi Principis nostri Oratoribus res vt nobis
tractaretur conuenerat, alligauit. Quo fit vt nunc vehementer
doleam (quum haec legatio mihi multis alioqui nominibus arrideat) qua tamen in re optaueram maxime fortunam affuisse
propiciam, ea me maxime ab illa destitui. 35

Verum (vt ad id tandem veniam quod me coegit in presenti
scribere) dum hic versor, incidi forte in quosdam, qui mihi non
alieni a litteris videbantur. Apud hos de Erasmo et de te item
sermonem ingero: illum ex litteris ac fama, te vero etiam alias
nouerant. Narrant mihi rem, vt parum laetam, ita neutiquam 40
credibilem, te videlicet in Erasmum animo esse parum amico,
idque ex litteris ad eum tuis liquere, quas (quoniam ad credendum aegre me adduci videbant) postero die allaturos se esse
pollicebantur. Redierunt postridie, tum litteras ad me ternas
apportarunt, vnas abs te ad Erasmum scriptas, quas ille (quod ex 45
eius responsione colligo) non acceperat, sed earum exemplar, id
quod mihi nunc euenit, nescio quo monstrante perlegerat. In his
Moriam insimulas, et ad sapientiae laudem inuitas, Institutum
eius de emendando Nouo Testamento ex Graecis codicibus, tam
parum probas, tam angustis limitibus vt coartet suades, vt pene 50
in vniuersum dissuadeas. Alterae fuerunt ipsius, quibus tibi breuiter, vtpote fessus ex itinere, atque adeo in eodem adhuc itinere
occupatus, satisfacit copiosius, idem se facturum professus quum

23. *posteaque S., perperam, vt passim saepissime.*
26. nostra *scripsi;* nostri *add. S.* 32. nunc *add. S. Edd.* 33. mihi *om. S.*
34. maxime *om. S.* 37. mihi *add. S. Edd.* 43. se esse *Edd.;* sese *MSS.*
47. *sic S. Edd.;* legerat *P.*

---

26. cf. Ep.10.
45. Allen II.304, written from Louvain c. September 1514.
46. Allen II.337. Erasmus, writing from Antwerp c. the end of May 1515, begins: "Non fuit reddita nobis epistola tua, sed tamen exemplar, haud scio quo modo exceptum, amicus quidam exhibuit Antuerpiae."
51. cf. Allen II.347.8 and note, and also 337, ll.20-22.

Basileam delatus esset. Denique tertiae litterae tuae fuerunt, quibus
55 rursus ad hanc Erasmi respondes epistolam.

Has ego quum presentibus illis perlegissem, quanquam erant aliqua, non que mihi quidem inimicum esse te illi persuaderent (quid enim posset esse tale, vt hoc persuadeat mihi?) sed animo tamen aliquanto magis turbido, quam expectaram, tamen quia
60 hanc opinionem illis ex animo eradi potius, quam confirmari cupiebam, asserui nihil ibi legisse me quod non ab amicissimo pectore profectum videatur. At, inquit eorum vnus, non estimo quae scripserit, sed meo iudicio neutiquam amice fecit, omnino quod scripserit. Nam si Moria quenquam tam vehementer offen-
65 dit, quod ego nusquam, ne Louanii quidem, quanquam ibi post editam Moriam sepe multumque versatus, audiui preterquam ab vno aut altero, morosissimis atque infantissimis senibus, et quos ibi pueri quoque rident, quum alioquin et hic et ibi tam grata fuerit omnibus, vt multi multas eius partes, memoriter ediscant
70 etiam.

Verum quod coepi dicere, si Moria quenquam tam vehementer offendit, vt Erasmus ad palinodiam quoque videretur inuitandus, tamen quum Dorpius non ita pridem accersitus ad Erasmum esset, idque (vt ipse scribit) solus, quid attinebat scribere? Si quid
75 monendum putauit, cur non praesentem praesens admonuit? cur non (vt apud Therentium est) coram quae facto opus essent imperabat, potius quam, quum exisset, clamaret de via, idque Erasmo tam longe semoto, vt quae eum aut primum, aut etiam solum audire oportuerat, ea et solus aliquandiu nesciuerit, et postremo
80 non nisi per alios acceperit? Qua in re vide (inquit) quam sincere faciat. Primum quem nemo accusat, eum apud omnes defendere sese simulat, deinde quibus eum rationibus tuetur, quum nescio an quisquam audiat que contra eum obiicit (preter eum solum qui solus debet), publice legunt omnes. Hec quum ille dixisset,
85 aliique eorum alia, quae nunc non necesse habeo commemorare, ita respondi atque ita a me dimisi, vt facile intelligerent, nihil sinistri me de te libenter audire, animoque esse in te propemodum aeque propenso atque in Erasmum ipsum, in quem tam propenso sum, vt esse propensiore non possim. Nam quod scribere ad eum,

57. persuadeant *S.*
67. morosissimis] *sic melius S. Edd.*; morosissimis senibus *P.*
80. inquit *add. S. Edd.*
89. esse *om. S.*

---

54. Allen II.347, from Louvain, 27 August 1515.

76. Apparently Ter. *Andria,* 490: non imperabat coram quid facto esset opus.

quam coram rem tractare maluisti, quocunque tu id consilio 90
feceris, certe non fecisse malo et ego, mi Dorpi, mihi pro mea de
te opinione persuadeo, et ille certus animi erga se tui non dubitat.

At secundas istas litteras tuas, quae iam passim parum secunde
leguntur, nullo omnino consilio tuo, sed plane casu quopiam in
publicum emanasse crediderim. In quam sententiam vel eo im- 95
primis impellor, quod in his nonnulla sunt huiusmodi, vt plane
mihi persuadeam, te, si velles emittere, fuisse mutaturum, vtpote
non satis idonea, quae vel ad eum scriberentur, vel abs te. Neque
enim quaedam tam acerbe ad amicum tantum, neque tam nec-
glectim ad hominem tam doctum; immo sat scio et pro modestis- 100
simo ingenio tuo clementius, et pro eximia doctrina tua scripsisses
accuratius. Porro iocis, scommatibusque, quibus plus quam modice
scriptio tota scatet, non dubito quin vsurus fueris, aut aliquanto
parcius, aut certe, mi Dorpi, salsius. Namque quod Moriam insectaris, quod in Poetas inueheris, Grammaticos omnes subsannas, 105
Annotationes in sacram Scripturam parum probas, Graecarum litterarum peritiam non admodum ad rem pertinere censes, hec,
inquam, omnia non magnifacio, vt in quibus citra cuiusquam
offensam liberum cuique sit sentire quod velit; et ita abs te sunt
adhuc disputata, vt non dubitem quin inter legendum multa 110
cuique succurrant, quae responderi ex aduerso debeant. Porro
tantum abest vt in horum quenquam nimium abs te dictum existimem, vt in quibusdam etiam multa desiderem, quibus optassem
hoc scriptum tuum ad Erasmum prodisse instructius, quo maior
ei preberetur occasio sua ex diuerso castra maioribus operibus 115
communiendi.

At istuc certe me nonnihil commouit, quod Erasmum in eo
libello tuo videris aliquanto secus, quam te atque illo est dignum
attingere, quippe quem ita tractas, tanquam modo contemnas,
modo velut e sublimi derideas, interdum quasi non admoneas, 120
sed tanquam patruus aut tristis censor obiurges; postremo verbis
eius aliorsum detortis, Theologos omnes, atque adeo Vniuersitates
(quas vocant) in eum concites. Nec in eam partem accipi hec mea
scripta volo, quasi aduersus te, quem plane credo nihil horum vlla
in eum malignitate fecisse; ego, cui nimirum ipsi patrono opus 125
sit, in patrocinium suscipiam illum, quem certe maiorem et haberi

102. accuratius] eiusmodi *add. S.* 103. fueris] *sic S. Edd.*; fueras *P.*
104. Namque] *sic S. Edd.*; nam *P.* insectaris] stimulas *S.*
105. *post* omnes, vel insectaris vel *inseruit S., probabiliter ex interpretatione supra ad* stimulas *applicata.*
106. sacram] *add. S.* 109. cuius est *P.* quid *P.* 112. quoquam *P.*
115. *sic S. Edd.*; aduerso *P.* opibus *LB.* 117. istud *S.* 118. videns *Edd.*
126. est sic *P.*; *fortasse* sit, *corrigendi causa suprascriptum, errore* sic *omissum existimatum est.*

apud omnes et esse scio, quam vt in eorum ordinem redigi debeat. Sed quoniam te amo, famaeque tuae bene cupio, idcirco admonere te eorum volui, vnde ansam apprehendunt hi, (quibus modestia 130 tua, et vere cycneus animi tui candor non satis exploratus est), qua famae te et tuae nimis auidum et alienae insidiantem putant. Vtinam, Dorpi, quemadmodum Aeneas sese apud Vergilium circumseptus nebula Carthaginensibus immiscuit, ac se suaque facta in tapetibus depicta spectauit, sic vtinam non visus ipse videre 135 posses, quo vultu posterior hec epistola tua legatur. Sat scio longe maiores mihi gratias habendas duceres, qui te sincere admoneam vt mutare possis (potes namque mutando efficere, vt hanc omnes, id quod ipse facio, non emissam tibi, sed elapsam iudicent), quam eis qui quae te coram adulati laudant, eadem clam etiam ipsi 140 lacerant.

Quanquam profecto miror, si quisquam vsque adeo adulari in animum inducat suum, vt ista vel te praesente collaudet, quae vt coepi dicere, vtinam per cancellos transpicere possis, quo vultu, qua voce, quo affectu legantur, quum apud Erasmum non semel 145 inculcas Theologos nostros, Erasmum, et Grammaticos vestros, quasi quum ipse sublimis in Theologorum ordine consedeas, illum deorsum inter Grammaticulos detrudas. Et sedes tu quidem inter Theologos merito, nec sedes modo, sed praesides quoque; nec ille tamen e Theologorum soliis, in Grammaticorum subsellia depel- 150 lendus. Quanquam Grammatici nomen, quod tu frequentius quam facetius irrides, Erasmus, opinor, haud aspernabitur; immo (vt est modestus) quanquam meretur maxime fortasse, nec agnoscit tamen, quippe quum sciat, Grammaticum idem omnino significare quod litteratum, cuius officium per omnes litterarum species, 155 hoc est, per omnes sese disciplinas effundit. Quo fit, vt qui Dialecticen imbiberit, Dialecticus: qui Arithmeticen, Arithmeticus vocari possit: tum in caeteris artibus ad eundem modum. At litteratus, mea certe sententia, nisi qui omnes omnino scientias excusserit, appellari nemo debet, alioquin et infantibus licet Grammaticorum 160 nomen attribuas, quicunque ex Alpha et Beta ipsas litterarum formas edidicere. Quod si tu eos tantum Grammaticos esse vis, quos ais ferulas sceptrorum vice gestantes, in antro plagoso regnare, tum Philautia ac Moria stultiores arbitrari, se omnes nosse

132. Dorpi *add. Edd.* 140. *sic S. Edd.*; detractant *P.*
142. induxit *P.* 145. *sic Edd.*; Erasme *P. et S.*
146. consideas *S., etiam perperam.* 152. fortassis *S.*
160. *sic Edd.*; ex alpha beta *MSS.* ipsas] *om. Edd.*

132. *Aeneid,* Bk.1.,ll.439ff.; ll.456ff.

disciplinas, quod voculas intelligunt ipsas et orationum structuram. Ego mediusfidius, mi Dorpi, etiam eos, quanquam procul ab disciplinis esse concesserim, tamen aliquanto propius accessisse puto, quam Theologos illos, qui et structuram orationum et voculas ipsas ignorant, ex quo genere, et ego aliquot, et tu (vt opinor) plures, quanquam vterque sedulo dissimulamus, agnoscimus. Erasmus certe neque illis ex Grammaticis est, qui tantum voculas didicerunt, neque ex his Theologis, quibus preter perplexum questiuncularum Labyrinthum nihil omnino cognitum est, sed ex illo Grammaticorum genere, quo Varro atque Aristarchus, ex illo Theologorum, quo ipse tu, mi Dorpi, hoc est, ex optimo, vt qui nec illas questiunculas ignoret, et, quod tu quoque abunde fecisti, longe vtiliorem bonarum litterarum, id est sacrarum maxime, tum caeterarum quoque, peritiam adiunxerit.

165

170

175

Sed pergo: in epistola tua, in qua illud quoque ferme eiusdem notae est, 'Si vnquam Decretales, Erasme, videris,' quasi Decretales epistolas, quas tu vidisse te significas, ille videlicet nusquam videre potuerit. Iam illud quale est quod in eum obiicis, 'aquam ardeae perturbatam esse,' et 'imperitis,' item 'omnia perturbata, quoties in disceptandi palestram descenditur.' Et illud preterea: 'Non enim potes, Erasme, diiudicare inter Dialecticum et Sophistam quid intersit, si vtramque artem ignores.' Et paulo post, 'Nisi forte tibi Sophistae sunt omnes, quibus disputatione videaris inferior, hoc est, omnes Dialectici.' Itane quaeso, Dorpi, putas perturbata Erasmo omnia disputanti fore, neque aut quid Dialectice sit, aut quid sit omnino Sophista, nouisse, et eum nescire solum, quae ferme pueri sciunt omnes? At Rhetoricam, opinor, vel tu propriam ei ac quodammodo peculiarem esse concedes, quam si tribuas, nescio qui possis Dialecticen tam prorsus adimere. Siquidem recte senserunt non infimi Philosophorum, qui tantum censuerunt inter Dialecticam Rhetoricamque differre, quantum pugnus distat a palma, quod, quae Dialectice colligit astrictius, eadem omnia Rhetorice copiosius explicat, vtque illa mucrone pungit, ita hec ipsa mole penitus prosternit obruitque. Sed age, nihil sit Dialecticae cum Rhetorica commune. Ergo quia non in scholis disputat,

180

185

190

195

164. intelligant *S.* 166. proprius *Lond.*
176. vtiliorem] abunde *add. S. per dittographiam vt videtur.* 188. Dialecticus *S.*
193. senserunt] censuerunt *Edd.*; censuerunt] inter *add. P.*; *om. S.*
194. Dialecticam a Rhetorica differre *Edd.*

173. Varro] Celebrated scholar, contemporary of Cicero.
Aristarchus] Grammarian and critic in Alexandria.

179. cf. Allen II.347, ll.212ff.
181. cf. Allen II.347, ll.240-243.
183. cf. Allen II.347, ll.300ff.
185. *ibid.* ll.311ff.

quia non in puerorum corona rixatur, quia iam (quod tu quoque
200 postea facies) questiunculas istas valere sinit, nunquam eum putas
illas didicisse: sed existimas in disputando inferiorem esse Dialecticis omnibus.

At hic vide quam oppido abs te dissentiam. Ego nec illiteratum
quidem quempiam mediocri ingenio preditum, longo tamen in-
205 teruallo minore quam sit Erasmicum, hunc, inquam, ego non
omni Dialectico reor inferiorem in disputando fore, modo res de
qua disceptatur, vtrique sit nota, quum quod arti deest ingenium
suppleat. Nam et ipsa Dialectices praecepta, quid aliud, quam
quaedam ingenii foetura sunt, ratiocinationum videlicet formae
210 quaedam, quas ratio fore ad rerum disquisitionem vtiles animad-
uertit? Neque enim quenquam esse puto, qui dubitet, quin has
ipsas quoque, si volet, questiunculas non in rixosis illis concerta-
tionibus, vbi rationem clamor vincit, vnde conspuentes inuicem
consputique discedunt, a quibus moribus modestia eius pudorque
215 abhorret, sed aut calamo, aut graui ac seria disputatione ita tractabit, vt non solum non omnibus inferior, sed supremis etiam aut
par aut superior sit futurus. Tantum abest vt Erasmus, cuius et
ingenium et doctrinam mirantur omnes, futurus sit in disputando omnibus prorsus Dialecticis, hoc est, etiam pueris inferior.
220 Sed mitto ista omnia, nempe minoris momenti, vt in quibus litterarum duntaxat estimatio ventiletur. At illud certe odiosius est,
quod Hieronymi Hussitae, Cresconiique Grammatici, vtriusque
videlicet heretici, mentio abs te non satis temperanter iniecta est,
quippe quos quibusdam ita referre videris, tanquam conferre
225 velis. Quid? quod nonnulla tam acerbe tractas, tanquam nihil agas
aliud, quam vt in eum primo Louanienses Theologos, deinde quotquot vbique sunt omnes, postremo achademias vniuersas extimules,
inque eam rem quibusdam verbis illius longissime a proposito detortis abuteris.

230 Nam (vt a postremo incipiam) quum ille dixisset, non omnes
Theologos damnare Moriam, sed eos solos has excitare tragoedias,
qui dolent bonas renasci litteras, foreque vt nec Hieronymianam
aeditionem (quam tu Theologis placere scripseras) comprobarent

200. facis *Edd.* 201. decidisse *Edd.* 205. minoreque *Edd.*
207. ingenium] deest *add. P.* 210. fere *Edd.*
211-217. Neque - - - - - futurus *om. P.* 218. omnes] vnus *add. S. Edd.*

---

222. Jerome of Prague maintained the views of Wyclif and worked with John Hus. He was burned at the stake in 1416.
Flavius Cresconius Corippus of the African church, perhaps a bishop, drew up a *Concordia canonum* c.690. He also wrote a panegyric of the Emperor Justin II, and had fame as a grammarian.
cf. Allen II.337, ll.311ff.
231. cf. Allen II.337, ll.258ff.

hi, qui Moriam damnauerant, ibi tu protinus arrepta lepida iocandi materia, 'Noua,' inquis, 'gloria, si aedas quod pauci probabunt,' 235 quasi vero relinquantur pauci qui probent, si ex tanto dignissimorum Theologorum cetu, vnus aut alter morosissimi senes, nec vllo minus digni quam quod profitentur nomine, eximantur: et tu tamen, Dorpi, longius eundem tam festiuum iocum persequeris. Ais enim: 'Age, non probabunt Theologi' (sic ille dixit 240 scilicet); 'qui, queso, probabunt ergo? Iurisconsulti? an Medici? an Philosophi denique? vt saltem falcem immittant alienae messi? Sed Grammaticis eam paras. Sedeant itaque Grammatici in solio, censores omnium disciplinarum, et nouam nobis Theologiam parturiant, nascituram tandem aliquando cum ridiculo mure. 245 Verum [ncc] metus est, ne nolint studiosi illorum se sceptris inclinare. Sceptra enim sunt ferulae, quibus plag[l]oso regnant in antro, et Philautia, et Moria stultiores arbitrantur se omnes nosse disciplinas, quod voculas intelligunt ipsas et orationum structuram. Ergo non est opus achademiis: schola Nolensis aut 250 Dauentriana suffecerit; et certe hec est sententia magni viri Hieronimi Hussitae, Vniuersitates tam prodesse Ecclesiae Dei, quam diabolum. Nec Grammaticos vel tantillum commouet, quod damnata fuerit ea sententia in concilio Constantiensi, quippe in quo certum sit neminem fuisse non amusum, aut qui non ignorauerit 255 Graece.' Iniurius tibi, Dorpi, sim, si iocum saepius interpellem tuum, in quo iamdiu, mirum quam suauiter te oblectasti. Sed si satis iocatus es, audi nunc iam, Dorpi.

Nemini obscurum esse potest tua ipsius verba legenti, te ad hanc vniuersitatum mentionem sine vlla prorsus occasione descendisse, 260 totumque hunc locum tibi copiose, ac perquam diserte sane, sed extra controuersiam tamen, esse declamatum, nec esse vlla responsione opus. Neque tamen ambigendum puto, quo in vniuersitates affectu Erasmus sit, in quibus et didicit et docuit, non ea modo quae tu Grammatica vocas, sed cum alia multa, multo magis 265 Christianis omnibus vtilia, tum eas etiam ipsas (quas tu nunc tam magnifacis, quam posthac parui facturus es) questiunculas. Quis nescit quamdiu Parisiis ille, quantoque in precio fuit, tum Patauii, tum Bononiae preterea? (vt nihil interim de Rhoma

235. materia] ansa *S. Edd.* 238. *sic S. Edd.*; nomen *P.*
244. censores] *om. S.* 246. nec] *om. Allen* II.347, l.158.
250. Zoulensis *S.* Zuollensis *Edd.* Squollensis *Allen* II.347, l.163. 266. etiam *om. S.*
269. Pataui tum *add. S.*; Patauii, cum *Edd. perperam.*

---

235. Allen II.347, ll.151 *seq.*
240. cf. Allen II.347, ll.153-168.
250. The schools of Zwolle and Deventer, both partly staffed by the Brothers of the Common Life, were then the best in the Netherlands.

270 dicam, quam ego tamen vel Principem achademiarum esse omnium duco.) Iam Oxonia Cantabrigiaque tam charum habent Erasmum, quam habere debent eum, qui in vtraque diu cum ingente scholasticorum fruge, nec minore sua laude versatus est. Vtraque eum ad se inuitat. Vtraque eum in suorum Theologorum
275 numerum (quoniam eo honore alibi est insignitus) transplantare conatur. Sed tu quanti nostras vniuersitates facis, haud scio, qui tantum Louanio Parisiisque tribuis, vt caeteris videare mortalibus, presertim ex Dialectica, nihil omnino relinquere. Ais enim, nisi Louanienses ac Parisienses Theologi essent Dialectici, fieri videli-
280 cet, vt Dialectica toto exulet orbe exulaueritque multis iam saeculis.

Ego in vtraque Achademia fui abhinc septennium, non diu quidem, sed interim tamen dedi operam, quae in vtraque tradantur quisque sit vtrobique tradendi modus, vt scirem. Et profecto, quanquam vtramque suspicio, quantum tamen quiui vel presens
285 audiendo, vel absens inquirendo, cognoscere, nihil hactenus vnquam accepi causae, quamobrem vel in Dialectica, meos liberos, quibus optime consultum cupio, in alterutra earum edoceri potius, quam Oxoniae aut Cantabrigiae velim. Non negabo tamen (neque enim libenter quenquam sua gloria fraudauerim) nostros permul-
290 tum Iacobo Fabro Parisiensi debere, quem vt instauratorem verae Dialecticae, veraeque Philosophiae, presertim Aristotelicae, foeliciora passim apud nos ingenia, sanioraque iudicia consectantur, vt per eum virum Lutetia gratiam nobis referre quodammodo accepti olim beneficii videatur, quum per eum apud nos disciplinas in-
295 staurent, quas ipsi a nobis initio acceperunt: quod vsque adeo in confesso est, vt id Gaguinus quoque, nec detractator Gallicae laudis, nec buccinator nostrae, in annales suos retulerit. Atque vtinam et Louanienses et Parisienses quoque scholastici omnes, Fabri commentarios in Aristotelicam Dialecticen reciperent. Esset
300 ea disciplina (ni fallor) et minus vtrisque rixosa, et paulo repurgatior.

275. eo *om. S.* 277. mortalibus] natalibus *S.* 280. exulet] *sic Edd.*: exulat *P. et S.* 282. *sic Edd.*; traduntur *P. et S.* 291. -que *om. S.* 295. *sic S. Edd.*; restaurent *P.*

---

280. cf. Allen II.347, ll.302-304.

290. James Lefèvre (c.1455-1536) of Étaples in Picardy, edited St. Paul's Epistles from the Vulgate in 1512, and with them published a paraphrase and commentary of his own. His work depended, however, on inadequate knowledge of Greek and Hebrew. (Allen II, pp.14,37.)

296. Robert Gaguin (1433-1501) was born in Artois, but was French by nationality. He was educated in a school of the Trinitarian or Maturin order, which he later joined, and at Paris. He was employed on many diplomatic missions and was ambassador to Germany, Italy and to England. He is perhaps best known for his *De origine et gestis Francorum Compendium* 1495. (Allen I, p.146; cf. also the *Notice biographique* of Thuasne, prefixed to his edition of Gaguin's *Epistole et Orationes.*)

Miror tamen cur Louanienses ac Parisienses in Dialectices commemoratione coniunxeris, qui vsque adeo inter se discordant, vt ne nomine quidem conueniant, quum alteri Realium, alteri Nominalium nomen affectent. Quanquam si Aristotelem vtrique recipiunt, 305 si vtrique tradunt, si non alia de re quam de eius mente tot inter se rixas excitant, iam quum Parisienses aliter, aliter eum Louanienses interpretantur, nec aliter modo, sed contra quoque, qui scire possis, vtris potius accedendum censeas? Sin ad Dialecticen pertinent huiusmodi lites, sed nihil ad Aristotelem tamen, iam 310 non Aristotelicam tantum Logicam (quod tu ais) sed aliam preterea, aut alteri aut vtrique profitentur. Sin autem, quae in tanta controuersia sunt, nec ad ipsam Dialecticam attineant, (nec attinent certe, si ad eum non attinent, modo is Dialecticam perfecte tradiderit) iam hoc aegregie fuerit absurdum, vt discatur Dialec- 315 tica, de rebus ad eam rem neutiquam spectantibus tot annos digladiari.

Et profecto, Dorpi, propemodum adducor vt credam, magnam illam opinionum partem de quibus tam diu tanta contentione velut pro aris focisque dimicatur, aut ad Logicam parum pertinere 320 aut ad eam perdiscendam non admodum conferre. Nam vt in Grammatica suffecerit eas obseruationes didicisse, quibus possis et ipse Latine loqui, et quae ab aliis Latine scripta sunt intelligere, non autem anxie innumeras loquendi regulas aucupari, litterasque inter ac syllabas consenescere, itidem in Dialectica satis esse credi- 325 derim, dictionum naturam, enunciationum vires, tum ex his collectionum formulas edoctum, Dialecticam protinus, velut instrumentum ad caeteras disciplinas accommodare. Atque hoc nimirum ipsum spectauit Aristoteles, quum Dialecticam suam decem illis summis, siue rerum siue nominum generibus, deinde enuncia- 330 tionum tractatu adiunctis, postremo collectionum formulis, et quae necessario demonstrant, et quae suadent probabiliter, et quae callide cauillantur, absoluit. Ad haec tanquam aditum introitumque quendam Porphirius, quinque illas vniuersa complectentes, seu res seu voces appellari malis, adiecit. Porro eiusmodi questiones, 335 quibus rudia adhuc, et aptioribus imbuenda, detinentur potius quam promouentur ingenia, neuter eorum proposuit, Porphyrius etiam ex professo abstinuit. At nunc absurda quaedam portenta

304. quidem] inter se *add. S.* 305. vtrique *add. S. Edd.*
306. tradunt *S. Edd.*; interpretantur *P.* 325. consenescere *S. Edd.*; insenescere *P.*
334. complectentes *P. et LB.*; amplectentes *S., Basle et Lond.*

---

334. Porphyry (A.D. 223-c.304) the Greek scholar who wrote an introduction and commentary on the *Categories* of Aristotle.

ad certam bonarum artium nata perniciem, et luculenter ab anti-
340 quis distincta commiscuerunt, et ad veterum purissimas traditiones, suis adiectis sordibus infecerunt omnia. Nam in Grammatica, (vt omittam Alexandrum atque id genus alios, qui
quanquam imperite tamen Grammaticam vtcunque docuerunt)
Albertus quidam Grammaticam se traditurum professus, Logicam
345 nobis quandam, aut Metaphysicam, imo neutram, sed mera somnia, mera deliria Grammaticae loco substituit. Et tamen hae nuga-
cissimae nugae in publicas achademias non tantum receptae sunt,
sed etiam plerisque tam impense placuerunt, vt is propemodum
solus aliquid in Grammatica valere censeatur, quisquis fuerit
350 Albertistae nomen assequutus.

Tantum authoritatis habet ad peruertenda bonorum quoque ingeniorum iudicia, semel ab ineptis tradita magistris, deinde tempore corroborata persuasio. Quo fit, vt minus mirer, ad eundem
modum in Dialecticae locum nugas plusquam Sophisticas irrep-
355 sisse, que cultoribus suis argutiarum nomine tam vehementer ar-
rident, vt mihi nuper his de rebus obiter loquenti quidam Dialecticus (vt ferebatur doctissimus) asseruerit, 'Aristotelem' (referam
ipsius verba: nequeo enim aliter tam nitidum eloquentiae florem
assequi) 'nisi grosso modo scripsisse. Et nunc sunt,' inquit, 'pueri
360 in Paruis Logicalibus suis tam substantialiter fundati, quod bene
credo certe, quod si Aristoteles a sepulchro suo resurrexerit et ar-
gueret cum eis, illi bene concluderent eum, non solum in Sophis-
tria, sed etiam in Logica sua.' Reliqui hominem oppido quam
inuitus, nisi quod aliquanto (vt tum res erat) occupatior fui, quam
365 vt vacaret ludere.

Caeterum liber ille Paruorum Logicalium (quem ideo sic appellatum puto, quod parum habeat Logices) operaeprecium est
videre, in suppositionibus quas vocant, in ampliationibus, restrictionibus, appellationibus, et vbi non quam ineptas, quam etiam
370 falsas praeceptiunculas habet, vt ex quibus adiguntur inter has
atque eiusmodi enunciationes distinguere, 'Leo animali est fortior,'
et 'Leo est fortior animali,' quasi non idem significent: et profecto

353. *sic et Lond.*; mireris *S.* 357-363. *alia manu et magis Germana in P.*
358. nequeo *Edd.*; neque enim aliter possum *MSS, fortasse recte.*
360. *sic S.*; mirabiliter *P.* 364. inuitus] etenim *add. S.*
366. Sed *P. et S.*; Caeterum *Edd.*
369. non] *add. S.*; vbi inquam *Edd.* quam] tam *add. Edd.*
371. eiusmodi *S. Edd.*; huiuscemodi *P.*

342. Alexander de Villa Dei (14th century) wrote a Grammar or *Doctrinale* in verse, which was used universally till the 16th century (Rashdall i.436).

344. Albert of Saxony, student of Prague, M.A. of Paris, and first Rector of Vienna, 1365, wrote a *Tractatus* used as a philosophical text-book (*ibid.* i.441; ii.237).

tam sunt ineptae, vt vtraque propemodum nihil significet, quanquam si quicquam, haud dubie idem. Tantundemque inter se differunt, 'Vinum bis bibi,' et 'bis vinum bibi': hoc est, secundum 375
hos Logistas multum, sed re vera nihil. Iam si quis non assas modo, sed adustas quoque carnes ederit, eum volunt verum dicere si sic enunciet, 'Ego crudas carnes comedi,' non autem si sic, 'ego comedi crudas carnes'; tum si quis parte relicta mihi, partem sibi pecuniae meae sustulerit, mentiar, videlicet, si dixero, 'Spoliauit me 380
denariis.' Sed ne desint mihi verba quibus apud iudicem querar, licebit dicere, 'Denariis spoliauit me,' et in aliquo casu (vt aiunt) possibili posito, hec erit vera, 'Papam verberaui,' quum eodem manente casu hec erit falsa, 'Verberaui Papam; nempe si is qui nunc papa sit, puer olim a me vapulauerit. Digni, hercle, qui talia 385
iam senes docent, vt quoties pueros docent, toties ipsi vapulent. Quid quod hanc falsam aiunt, 'Omnis homo est pater, qui habet filium,' nisi omnes prorsus homines iam habeant filios, quoniam videlicet huic equipollet, 'Omnis homo est pater, et omnis homo habet filium.' At hanc interim veram affirmant, 'Pater erit Sortes, 390
quando Sortes non erit pater': et hanc, 'Pater manebit Ioannes, quando Ioannes non manebit pater,' quod quis sic audire potest, vt sibi non interim credat enigma proponi? At hec verba, 'Sum et Possum' regnant plane, et quoniam (vt aiunt) ampliatiua sunt, pomeria sua vltra ipsas naturae fines longe lateque proferunt. Nam 395
hanc veram astruunt, 'Omne quod erit, est,' sed eam tamen callide interpretantur; aiunt enim 'Omne quod erit, est' significare 'omne quod est, quod erit, est,' atque hoc pacto cauent ne Antichristus, qui olim erit, iam sit; nam quanquam omne quod erit, est, et quanquam Antichristus erit, tamen non sequitur, Antichristus est, 400
propterea scilicet quod Antichristus non est ens quod erit. Quod nisi hanc plus quam subtilem propositionis huius expositionem circumspexissent acuti in Dialecticis argutiis Theologi, Rempublicam Christianam haud dubie iam olim Antichristus inuasisset non sine magno caeterorum omnium periculo. Nam ipsis non video 405
quid possit imminere discriminis, quippe quum fateantur has etiam veras esse, 'Antichristus est amabilis' et 'Antichristus est amatiuus.' Quanquam profecto nec Antichristus, nec supremus ipse iudicii dies, rerum naturam magis poterit, quam hec Dialectica subuertere, que docet, has enunciationes esse veras, 'Viuum fuit 410
mortuum, Futurum fuit preteritum,' quibus nimirum fit, vt mortuorum resurrectio, non (vt ipsi loquuntur) 'in fieri,' sed 'in facto

374. quidquam *S.* 385. puer *om. S.* 392. manet *S.*
395. ipsos *Edd. fortasse melius.*

esse' videatur. Iam istae non minus mirandae, sed sunt amenae quoque, ac plausibiles, quum sint verae scilicet, 'Virgo fuit mere-
415 trix,' et 'meretrix erit virgo,' et 'meretrix possibiliter est virgo.' Non facile dictu est, Dialecticis tam benignis, vtrae magis, virginesne an meretrices, debeant, debent certe vtraeque plurimum. Poetae ergo nugas, Dialectici seria tractant. Poetae fingunt ac mentiuntur, Dialectici nunquam nisi vera loquuntur, ne tum quidem quum
420 hanc esse verissimam affirmant, 'Homo mortuus potest celebrare missam,' quod quanquam non audeo asserentibus eis, ac propemodum etiam iurantibus, non credere, (neque enim tot doctoribus tam irrefragabilibus fas est refragari), hactenus tamen (quantum memini) neminem vnquam repperi, qui se narraret mortuo
425 celebranti ministrasse.

Hanccine Dialecticam docet Aristoteles? hanc Hieronymus laudat? hanc probat Augustinus? quam (vt ait Persius) 'Non sani esse hominis, non sanus iuret Orestes?' Miror hercle homines acutuli quonam pacto senserunt illas enunciationes sic intelligen-
430 das esse, quomodo nemo in toto orbe preter eos intelligit. Nec sunt artis illa vocabula, vt sint eis quasi in peculio, et ab eis si quis volet vti, sumenda mutuo; communis nimirum sermo est, nisi quod quaedam deterius reddunt, quam a cerdonibus eadem acceperunt. A vulgo sumpserunt, vulgaribus abutuntur. At regula
435 quam vocant Logices, in eos sensus tales propositiones docet interpretandas. Quae (malum) regula in angulo quopiam ab his composita, qui vix loqui sciant, vniuerso terrarum orbi, nouas loquendi leges imponet? Grammatica recte loqui docet, nec ea tamen insuetas loquendi regulas comminiscitur, sed quae plurimum in
440 loquendo videt obseruari, eorum loquendi rudes, ne contra morem loquantur, admonet. Nec aliter quicquam Dialectica facit, que sana est. Nempe hic syllogismus: 'Omne animal currit, Omnis homo est animal,' ergo 'Omnis homo currit,' non ideo syllogismus est, quia rite secundum Dialecticae normam colligitur ac formatur
445 in barbara, sed quia postremam orationem ad praemissa consequi docet ratio, quae regulam ob id ipsum talem fecit. Alioquin aliter eam factura, quaqua versus ab ipsa rerum natura flecteretur. Ipsi

416. vere *P.*; vtrae *S. Edd.*
437. loquendi] regulas *add. P.*
439. loquendi *om. S.*
441. *sic Edd.*; loquuntur *P.*
442. hunc syllogismum *MSS.*
445. in barbara] vel caterua *add. P.*
447. Ipse *S.*

427. Aulus Persius Flaccus (A.D. 34-62) the Roman poet and satirist. Satire III, l.118. Conington translates the whole clause: ". . . and you say and do things which Orestes, the hero of madmen, would depose to be the words and actions of a madman."

quoque eodem modo in hac propositione, 'Meretrix erit virgo,' ne dicant sic interpretandam: 'Meretrix que est, vel que erit,' quia sic iubet regula, sed rationem afferant ab ipsa re, quare fieri debeat 450 talis regula. Nam si recta est ea interpraetatio, necesse est eam aut ab ipsa re que enunciatur, aut ex proprietate sermonis emergere.

Ergo quum tam multis eorum qui Latine iam olim loquuti sunt, neque ingenium defuerit neque eruditio, nec sermonis proprii fuerit minor quam istis est (vti credo) peritia, quomodo euenit 455 vt ex illis nemo potuerit intelligere hanc veram esse, 'Meretrix erit virgo,' aut inter has distinguere, 'Nummum non habeo,' et 'Non habeo nummum?' Quanquam nemo negauerit, transpositiones vocabulorum diuersum saepe sensum gignere. Neque enim idem est, 'Bibas priusquam edas' et 'Edas priusquam bibas.' Sed hoc 460 affirmo, quando ita sensus variatur, omnes in idem mortales assentire, trahente videlicet ratione, non Dialecticorum iubente potius quam persuadente regula, quorum officium est, vt more nostro loquentes quouis nos veris rationibus impellant. Sophistarum vero, vt insidiosis eo prestigiis adducant quo nos peruenisse 465 miremur. Nam hoc hebetissimum acumen est, et stultissima solertia, se disputando pronunciare victores, et triumphum sibi decernere, quia nos nescimus in quem sensum ipsi clanculum pacti sunt, sermones nostros contra communem omnium sensum accipere. At hec quum nec Sophistica dici mereantur, tamen non pro Sophis- 470 ticis nugis ducuntur, sed inter abstrusissimos Dialecticae thesauros numerantur, nec a pueris tanquam dediscenda discuntur, sed a senibus quoque in ipsa Theologiae penetralia suscipiuntur. His quidam Theologicas perplexitates infarciunt, ex his propositiones tam ridiculas effingunt, vt ridenda materia nusquam oriri possit 475 vberior, nisi quod multo malim eos, qui sic ineptiunt, ad sanitatem conuerti, quam ipse ex insanorum deliriis capere voluptatem. Quanquam quid hec dico tibi, Dorpi, cui non dubito has naenias non minus displicere, quam mihi, si posses mutare, et fortasse poteris, adiutus a tui similibus, modo ne statuas tecum, illorum 480 obsequi ineptiis, quos multo magis par est tuo parere iudicio.

Sed ad epistolam tuam reuertor, vt ostendam nullam ex Erasmi verbis ansam tibi datam, qua eum (id quod facis) diceres, Louanienses Theologos, multoque adhuc minus, caeteros omnes imperitiae damnare, siquidem quum ille dixisset, se valere sinere, 485 non omnes quidem Theologos, vt qui prius in eadem epistola

448. hanc propositionem *LB.* 449. erit *S. Edd.*; fuit *P.*
450. debeat *S.*; deberet *P.* 451. ea *om. S., LB.*
464. nos] *Edd.*; non *P. et S.* 471. ducuntur *MSS. et LB.*; dicuntur *Edd.*
473. *sic P. et LB.*; suspiciuntur *S. Edd.*

multos dixerit esse prestantissimos, sed eos tantum (si qui tales sunt, vt certe sunt) qui preter Sophisticas nugas nihil didicerunt. Hic tu statim 'per Theologos istos puto,' inquis, 'Louanienses
490 designari.' Quid ita, Dorpi, quasi vero difficile sit, huius farinae, imo istius furfuris, aliquos vbique reperire? Belle profecto sentis de Louaniensibus, si eos et solos et omnes putas eiusmodi descriptione cognobiles, quod ille neque sentit neque dicit? Paulo post tamen sic dictum accipis, tanquam non in Louanienses modo, sed
495 in omnes quotcunque sunt vbique gentium Theologi diceretur, quod ille nec in alios omnes, nec in Louanienses ipsos est loquutus; tu tamen perinde ac si neque illum neque temet audias, videris in hec verba non descendere, sed velut abreptus impetu animi efferuescentis erumpere. 'Nonne videmus abiectissimos opifices, imo
500 vilissima mancipia clarissimis esse predita ingeniis? Quid ergo sibi volunt hec in Theologos omnes detorta vocabula—pingues, rudes, pestilentes, et qui nihil habent mentis? Nullius est artis probra dicere in quosuis, sed neque honestum est, aut boni viri officium, si seueram Saluatoris nostri sententiam perpendamus:
505 'Qui dixerit fratri suo Racha, reus erit concilio. Qui autem dixerit, Fatue, reus erit gehennae ignis.' Vbi Hieronymus: 'Si de ocioso sermone reddituri sumus rationem, quanto magis de contumelia. Qui in Deum credenti dicit, Fatue, impius est in religionem.

Sunt ista quidem verba tua, Dorpi, non grauitatis modo, sed sanc-
510 titatis quoque plena, vereque seuero Theologo digna, que vtinam in loco dicerentur suo. Sunt enim meliora quam vt perire debeant. Quod si desuper e suggestu librarentur in populum, nunquam ita errare possent, vt non in aliquem in quo herere viderentur, inciderent. At nunc me miseret, in vnum Erasmum quod declamas
515 omnia, in quem vnum, eorum quae declamas omnium, nihil quicquam competit. Nam quod affers ex Euangelio, 'Qui dixerit fratri suo, Fatue, reus erit gehennae,' nihil ad eum spectat, qui nominato nemine velit asserere esse vnum alterumue in magno hominum numero fatuum. Alioquin decem gehennae non suffecerint ei qui
520 dixit, 'Stultorum infinitus est numerus.' Porro quod queris, 'Quid sibi volunt hec in Theologos omnes detorta vocabula'? hoc mihi de te, Dorpi, querendum est. Nam que ille dixit in paucos, ea tu solus in omnes detorsisti: quod te instituisse facere vehementer admiror. Siquidem vt 'nullius est artis' (veluti tu dicis) 'probrosa

487. dixerit *S. Edd.*; dixit *P.* si] *om. Edd.* 489. per] *add. S. Edd.*
493. Paulo tamen post *Edd.* 502. habeant *S.*
519. sufficient *S.* 522. ea *add. S.* 524. sicuti *S. Edd.*

490. Allen II.347, l.238. 505. Matt.5:22.
499. cf. Allen II.347, ll.272-282. 520. Ecclesiasticus 1:15.

in quosuis dicere,' ita nullius est artis (quod tu facis) benedicta male narrando corrumpere, quippe quae non male scripta sunt in merentes, ea tu conaris, quo male scripta viderentur, ad immerentes inflectere, quod in quauis re, quam facile factu sit, ipse facile vides. 525

Nam profecto si quis ea quae tu scripsisti, ad hunc excutiat modum, nihil abs te tam circumspecte scriptum est (quanquam omnia circumspectissime) vt non alicunde possit obnoxium esse calumniae; veluti illa ipsa epistola, quae abs te, vt nouissime, ita accuratissime scripta, in aeditionem 'Quotlibeticorum' dignissimi viri Adriani Florentini De Traiecto: in qua quum et opus magnifice, et Authorem copiose laudaueris, vtrumque (vt ego certe puto) tam ex animo, quam vere, tamen si quis incideret interpres paulo malignior, videri possis altera manu panem, altera lapidem porrexisse; primo quod vt eius operis aeditionem curares, nullo tuo in eum librum studio, nec nisi aliorum precibus atque adeo applorationibus adduci potuisti, quasi in rem quam ipse non magnifeceris, aliorum affectibus operam tuam indulseris; deinde quod te scribis seria studia tua tantisper seposuisse dum 'Quodlibetica' corrigeres illa, perinde ac si illa seriis non essent in studiis numeranda, quum tamen magister Ioannes Athensis, vir tantae et doctrinae pariter et iudicii, non grauabatur operam in eam rem suam vel intempesta nocte frequenter (vt ais) accommodare, tanquam velut obstetrices excitari de nocte solent, quum mulieres parturiunt, ita hoc opus emendari non potuerit interdiu. Quid quod eiusdem Adriani dum aequitatem laudas, aequitatem ei Lesbiam videris attribuere, ad Lesbiam nimirum regulam alludens, quam plumbeam fuisse meminit Aristoteles, non aequam semper, sed ad rerum inaequalitates flexibilem? Nec me, mi Dorpi, putes hec eo dicere, quod te putem tale quicquam sensisse, aut sic denique vel in tanto viro, vel tali opere famae commendando lusisse. Nam et virum multis modis audio multum eximie laudis assequutum, et opus ipsum censeo in suo certe genere perfectum. 530 535 540 545 550 555

Sed hec omnia eo dico, vt ostendam, nihil tam minutum esse, in

530. Nam *om. P.* 531. abs te *om. P.* 543. tua *Edd.*; *om. P. et S.*
548. de nocte *om. S.* 555. tanto] opere *add. P.* 558. munitum *LB.*

---

534. The *Quaestiones quotlibeticae* of Hadrian of Utrecht, later Pope Hadrian VI. These disputations had been held before the University of Louvain from 1488 on; they were published by Th. Martens in 1514.

538. Matt.7:9.

545. John Briard, usually called Atensis, because he was born at Beloeil in the district of Ath. His *Quaestiones quotlibeticae*, disputed at Louvain 1508-1510, were included in the second edition of Hadrian's *Quaestiones*, 1518. (cf. Allen III, p.93, and the second edition of Hadrian's work.)

quo locum sibi non possit inuenire calumnia, quando tuis etiam
560 scriptis tam accurate, tam circumspecte limatis, tamen impetrandum est vt cum fauore legantur. Quanquam Erasmus, ne quisquam prorsus vllam occasionem posset arripere, qua dicat eum in omnes ea quae tu obiicis ei, dixisse Theologos, vel eo cauisse videtur, quod ait, 'Cottidie re ipsa experior, quam nihil habeant
565 mentis, qui preter Sophisticas nugas, nihil didicerunt.' Non dicit, 'Quam nihil habent mentis omnes Theologi,' sed neque, 'Qui Sophisticas nugas didicerunt,' sed, 'Qui nihil preterea.' Quamobrem quum sic scribis, 'Porro quod hypothesim facias, Erasme, nostros Theologos solis sophismatum meditationibus esse occupatos, tota
570 erras via.' Hic tu, mi Dorpi, tota erras via, quum hypothesim facis, Erasmum talem hypothesim fecisse de omnibus Theologis vestris, quam ille de vno tantum facit, aut altero, neque quicquam dicit in quo sit necesse omnes Theologos vestros includi. Quare nec id quidem ad rem facit, quod protinus adiecisti. 'Dic, age, quidnam
575 eos quamuis sane poeseos ignaros, arcebit ab Euangeliis, Paulinis epistolis, totaque Biblia euoluenda?' Nihil sane, Dorpi, modo ipsi non arcerent sese, quod aliqui faciunt, qui vitam vniuersam quaestiunculis consecrantes, Bibliam certe, veluti nihil ad rem pertineat, nunquam dignantur inspicere. Atque ille aliquos huiusmodi putat
580 esse, non omnes, vt intelligas, id quoque te sine causa vlla subnectere, 'Proferam ego multos hinc qui reiectis libris sola memoriae vi cum quouis de textu Scripturae certabunt. Caue credas Endymionis somnium dormire Theologos, quo tempore vos litteris inuigilatis, aut ingenio carere, quicunque non poetantur, aut
585 rhetorissant.' Nemo, Dorpi, negat esse qui reiectis libris de Scripturae textu certare possint. Imo plus satis vbique reperias eorum, qui libris non reiectis modo, sed etiam nunquam inspectis, cum quouis in Scripturis exercitatissimo sint parati de quouis Scripturae textu, non memoriae, sed Moriae vi certare pertinacissime. Neque
590 negabo tamen, et apud vos et vbique esse, qui e Scripturis multa memoriter teneant, ex quibus eos qui non in hoc solum collocarunt

562. posset *sic S. Edd.*; potest *P.* 565. addidicerunt *P.*
566. Quod *MSS.* 572. in *add. S. Edd.* 573. vestros *add. S.*
578. consecrantes *S. Edd.*; impedentes *P.*, *fortasse* impendentes.

---

564. More quotes from Dorp's letter to Erasmus (Allen II.347, ll.274-275): Quid ergo sibi volunt hec in theologos omnes detorta vocabula—pingues, rudes, pestilentes et qui nihil habeant mentis? Allen notes (II, p.134n.) that "it does not occur in the printed form of Ep.337, but cf. Ep. 337, l.310f."

568. Allen II.347, ll.265-266.

574. Allen II.347, ll.266-268.

581. *ibid.* ll.268-270.

582. *ibid.* ll.270-272.

583. Renowned for his perpetual sleep.

operam vt memoriae mandent, quod illiterati etiam monachi fratresque faciunt, sed vel multo magis vt intelligant, qui tantam sermonis facultatem parauerunt sibi, vt pernoscendis Hieronymi, Augustini, Ambrosii caeterorumque id genus lucubrationibus 595 pares esse possint, eos, inquam, ego in Theologorum albo meritissimo iure collocandos puto, etiamsi versus nunquam fecerint, tam hercle quam si disputatiunculis istis non totos centum annos insumpserint, vt ne dicam, si in vniuersum neglexerint. Sed tu quoque, si vera vis fateri, non inficias ibis, ex Theologorum, qui 600 vocantur, numero esse rursus aliquos, qui Scripturae libros ita reiiciant, vt reiectos nunquam resumant, qui ita sese totos Theologiae huic disputatrici deuoueant, vt non solum non poetentur, ac rhetorissent, verumetiam sanctissimos patres, antiquissimos quoque Scripturarum interpretes propemodum floccifaciant, certe (quod 605 satis constat) eorum in sacras litteras enarrationes necgligant, vnaque ipsarum sacrarum litterarum studium, postremo quaecunque sunt optima, piissima, maxime Christiana, verisque Theologis dignissima, ea, inquam, omnia, quod sint (vt ipsi vocant) positiua, contemnant, neque eorum quicquam dignum 610 putent, vbi ipsi neruos intendant suos, homines ad questiunculas nati, res tanto videlicet interuallo maiores, ex quibus ipsis tamen maxime questiones consectantur eiusmodi, quae vel ad fidei pietatem, vel ad morum cultum minime omnium pertineant.

Ego itaque vt prius illud Theologorum genus veneror ac sus- 615 picio, ita hoc posterius hercle non admodum magnipendo, aduersus quos tamen non est consilium Poesim aut Rhetoricam defendere, quippe qui a Poesi Rhetoricaque tam longe propemodum absim, quam illi ipsi. Absunt autem ipsi tam longe fere, quam ab ipsa Theologia, a qua tam longe absunt, vt a nulla re absint, 620 preterquam a communi hominum sensu, longius, vel ideo maxime, quod ad insignem rerum omnium inscitiam, accessit omnigenae scientiae peruersa persuasio, qua sibi adeo blandiuntur, vt omnium hominum scripta, ac ipsas etiam sacras litteras, vt quicquam audierint quapiam occasione prolatum, qui locum nunquam vide- 625 rint, nunquam librum inspexerint, quid ea verba praecedat, quid sequatur, nesciant, (imo id ipsum quod citatur, sitne an non sit ibi, vnde citatur, ignorant), se tamen solos arbitrantur idoneos, qui protinus in quemcumque libeat sensum interpretentur.

Ex quo genere quum in multos inciderim, vnum saltem ex quo 630

592. mandarent *S. Edd.*
615. itaque *om. S.*
624. hominum *add. S. Edd.*
611. *sic LB., recte*; putant *Edd.*
620. ab *om. LB.*
627. ibi *add. LB.*

caeterorum indoles agnosci possit, non pigebit hercle velut speciminis loco referre. Cenaui olim apud Italum quendam mercatorem, non minus doctum, quam diuitem (erat autem ditissimus); forte aderat in cena religiosus quidam Theologus, disputator 635 egregius, qui recens e Continente venerat, vt questiones aliquot quas premeditatus aduexerat, Londini disputaret, experturus videlicet in ea disceptandi palestra, quid Angli prestare possent, simul nomen suum iam apud suos celebre, apud nostros quoque propagaturus. Is quas conclusiones (vt vocant) affixerit, tum quam 640 belle disputatio processerit homini, quanquam longum esset, non grauarer profecto narrare, si tam ad hanc rem pertinens foret, quam festiuum fuit. Caeterum in cena nihil a quoquam dici tam bene munitum aut libratum, tam circumspecte potuit, quod non ille vix prolatum aliquo statim syllogismo conuelleret, quantumuis 645 res de qua sermo erat nihil ad Theologiam pertinens, ad Philosophiam tantundem, quantumuis denique ab vniuersa eius professione esset alienum, nisi quod initio cenae fecerat, ne alienum esse quicquam ab eius professione posset (professus est enim, sese in vtramque partem de re quacunque disputaturum). Paulatim 650 coepit mercator ad questiones magis Theologicas descendere. De usura proponebat, de decimis quedam, de confessionibus, quae in aliena parochia fratribus essent factae. In omnibus nihil erat Theologo pensi, vtram sustineret partem, sed vtramcunque aliquis asseruisset, illam oppugnabat, ac vicissim quancunque alius ne- 655 gauerat, hanc ille protinus astruebat. Tandem per iocum mercator sermonem de concubinis iniecit, coepitque defendere, minus mali vnam quampiam domi habere, quam foris per multas discurrere. Ibi rursus Theologus instare, oppugnare ferociter, non quod vsque adeo concubinam videretur odisse, sed ne cum quoquam ei quic- 660 quam conueniret, siue quod hominem fortasse varietas oblectabat. Caeterum asserebat esse conclusionem famosam cuiusdam limpidissimi Doctoris, qui fecit illum singularissimum librum qui intitulatur Directorium Concubinariorum, plus eum peccare qui vnam domi concubinam, quam qui decem foris meretrices haberet, 665 idque cum ob malum exemplum, tum ob occasionem saepius pec-

631. possint *P., perperam.* hercle *add. S. Edd.* 634. Theologus *om. S.* 639. (vt vocant) *add. S. Edd.* tum] *sic Edd.*; tamen *P. et S.* 644. quantumuis *S.* 656. mali] esse *add. P.* 661. sese *Basle, perperam.* 663-664. plus - - - - haberet *om. P.*

632. Perhaps Antonio Bonvisi, though his extant correspondence touches only his business interests and public affairs.

634. There seems no clue as to the identity of the theologian.

663. *Directorium aut potius castigatorium concubinariorum*, Badius Ascensius 1513.

candi cum ea quae domi sit. Respondit mercator, docte mehercle, et acute, quae et longum recitare fuerit, et apud te superuacaneum. At quum olfecisset, Theologum non perinde in Scripturis atque in questiunculis illis exercitatum, coepit hominem ludere, argumentarique interdum per locos ab authoritate. Effingebat enim ex 670 tempore sententiolas quasdam breues, suae parti quae viderentur astipulari, quumque ipse omnes nusquam ante auditas, pro libito fuisset commentus, hanc tamen ex epistola quapiam diui Pauli, illam ex Petri, aliam rursus ex medio citabat Euangelio, idque tam diligenter, vt neque capitulum vnquam dum citabat omitteret, 675 nisi quod si quis liber in sexdecim capita distinguebatur, ille data opera citabat ex vicesimo. Quid ille bonus Theologus interim? ad caetera certe strenue, et tanquam herinacius spinis sese suis obuoluit. At personatas illas authoritates vix hercle huc atque illuc vitabundus euasit, sed euasit tamen; tantum valet ars et exercitatio 680 disserendi. Nam quum ille quid in sacris continebatur litteris, omnino nesciret, neque dubitaret, quin quod inde citaretur, ibi esset, non deferre vero cedereque authoritati Scripturae, nephas duceret, ac loco depelli, vincique turpissimum, tantis circumseptus angustiis, vide obsecro, qua astutia tandem Proteus ille e mediis 685 retibus elapsus est. Statim vt aliqua sententia quae nusquam erat, tanquam e sacris litteris aduersus eum citabatur, Bene citas, inquit, domine, sed illum textum ego sic intellego, et iam interpretabatur non sine aliqua distinctione bimembri, quorum alterum pro aduersario stare diceret, altero ipse effugeret. Quod si quando mercator 690 instabat molestius contendere, eius textus non illum verum esse sensum, quem Theologus affirmabat, iurabat homo tam sancte, vt quiuis possit credere, Nicolaum de Lyra eundem textum sic interpretari. Profecto, mi Dorpi, in illa vna coena plusquam viginti poculenti textus, totidemque poculenta glossemata, inter pocula, 695 at adeo ex poculis tanquam e serpentis dentibus terrigenae illi fratres, et nati sunt et periere.

Quid tu ais ergo, Dorpi? Tu istiusmodi homines sacrarum

676. capitula *P.*
678. herinacius (*scil.* herinaceus) *P.*, ericius *S.*
680. arsque exercitatio *Edd.*
681. ille *om. Edd.*
685. tandem *sic S. Edd.*; tamen *P.*
691. contendere *S. Edd.*; contenditque *P.* eiusque *Basle.*
692. *sic Edd.*; afferebat *P.*
693. eundem] eum *Edd.*
696. adeo] atque *Edd.*
697. perierunt *Edd.*

---

685. The sea-god who could change his form as he pleased; hence a fickle, cunning person.

693. Nicholas de Lyra (c.1265-1349) wrote a *Tractatus de differentia nostrae translationis* (i.e. Vulgate) *ab Hebraica veritate*, 1333. He took the literal sense, stressed the Hebrew text and used Jewish commentaries. (cf. also Ep. 82. l.244n.

696. Ovid. *Met.* 95ff.

inanes litterarum, questionibus illis Theologicis quantumcunque
700 distentos, Theologorum censes insigniendos vocabulo? Non
opinor, quanquam hercle, vt vere dicam, animi ambiguum tui hec
tua me verba faciunt. 'Non persuadeas, Erasme, tibi eum demum
absolutum esse Theologum, qui Bibliae seriem ad litteram intelligat, nec eum item, qui morales sensus aeque atque alter Origines,
705 nouerit eruere. Multa restant discenda, vt intellectu difficiliora,
ita et vtiliora gregi pro quo mortuus est Christus. Alioqui qui
sciemus, vt sacramenta sunt administranda, quaenam sint eorum
formae, quando absoluendus peccator, quando sit reiiciendus, quid
praeceptum sit restitui, quid seruari possit, et innumera huius-
710 modi? Multum nisi erro, longe minori opera bonam Bibliae partem edisceres, priusquam vel unius perplexitatis nodum discas
dissoluere, cuiusmodi plurimi cottidie occurrunt, vbi vel in quattuor
verbis diutissime herendum est, nisi tu has etiam voces Theologorum naenias, quecunque ad sacramenta pertineant, sine quibus
715 tamen sancta Dei Ecclesia Catholica profitetur salutem hominis
periclitari.' Crede mihi, Dorpi, nisi hec tute scriberes, nunquam
adduci possem hec te sentire, vt crederem. Scilicet istae neotericorum questiunculae (nam de his agitur) non intellectu tantum dif-
ficiliores, sed gregi quoque, pro quo mortuus est Christus, vtiliores
720 sunt quam exactissima cognitio sacrarum litterarum omnium. Hui
ex quantulo culice quam ingentem elephantem facis? Nam eam
rem primum tam difficilem putas, vt Erasmus minore opera bonam Bibliae partem posset ediscere, quam vel vnius perplexitatis nodum discat dissoluere, cuiusmodi plurimos cottidie in scirpo
725 querunt, vbi tam diu in tenaci, ne dicam sordido, quattuor verborum luto herendum est, dum posses amoenissimum ac saluberrimum totius Biblie pratum a capite pene ad calcem sensim peram-
bulare. Hactenus ergo periculum erat, ne questiunculas istas non
didicisset; nunc, vt video, maius quippiam timendum est, ne tam
730 longe supra captum eius sint vt apprehendere ne sufficiat quidem.
Quid ille possit, omitto querere. Verum hoc scio, quosdam
nouisse me, ad caetera plane stipites, ingenio certe pistillo quouis

702. *correxi*; Erasmo *MSS*.
703. absolutum *om. S. Edd.*
705. nouit *Edd.* difficilia *S.*
709. huiusmodi *S. Edd.*; eiusmodi *P.*
710. longeque *Edd., perperam.*
713. hesitandum *S.*
720. sunt *S.*; sint *P.*
723. vel *om. Edd.*
730. sint] vt scio quosdam nouisse me, ad cetera plane stipites ingenio certe pistillo *add. S.*; cf. l.731 *seq.*

702-716. Non persuadeas, - - - periclitari. cf. Allen II.347, ll.323-336.
721. Matt.23:24.
725. Ter. *And.*5.4.38; Plaut. *Men.*2.1.22.
726. cf. Otto, p.201.

obtusiore, qui in eiusmodi tamen argutiis non modo breui promouerint, sed sodales suos quoque multo melioris ingenii, nec minoris industriae, equis (vt aiunt) albis in disputando precesserint, ita quouis importune prorumpit audax et inuerecunda stultitia, quum ingenuam animi indolem, et sanum plerunque iudicium, nugandi remoratur pudor. 735

Sed est profecto, Dorpi, quod merito gaudere debes, nec tuis viribus acceptum, sed bonorum omnium largitori Deo referre, cuius eximia in te benignitate profluxit hec tam rara foelicitas, vt in sacris Litteris omnia tibi tam facilia videantur. Neque enim in hoc libro, quem signacula septem clauserunt, cuncta reperires aperta, nisi ille tibi Agnus librum resignasset, qui aperit et nemo claudit, claudit et nemo aperit. Sed hic ipse liber, Dorpi, qui tam facilis tibi videtur, Hieronymo certe visus est difficillimus, Augustinus putauit impenetrabilem. Neque quisquam est antiquorum omnium, qui se fateri est ausus intelligere, vt cuius intellectum putant altissimo Dei consilio vel ob id ipsum profundius obstrusum esse, vt curiosos oculos prouocaret, et semotis ac labore eruendis opibus segnia excitaret ingenia, quae alioquin ad obuios expositosque thesauros ipsa securitate torpescerent. Iam (vt omittam) interim quam non sit vulgaris eruditionis opus, quam non cuiuslibet ingenii, quae a moribus interdum primo aspectu abhorreant, ea tamen commode ad mores ac tam foeliciter appellere, vt non aliunde eo tracta, sed ad id ipsum nata videantur. Quam rem nonnulli nunc tam inepte moliuntur, vt quum hactenus sint progressi, vt rem ab ipsius magis loco detraxerint, quam ad suum perduxerint, quum neque in re consilium sit, neque in verbis Venus, fit nimirum vti tota illa moralisatio, quam vocant, sine vlla gratia spirituque frigescat. Sed haec, vt dixi, omittam. 740 745 750 755 760

At certe ipsum litteralem sensum tantum continere difficultatis puto, quantum nescio an quisquam omnium comprehendere possit. Neque enim cuiquam sentio litteralem horum verborum sensum intellectum esse, 'Dixit Dominus Domino meo, Sede a dexteris meis,' nisi ei qui ea Prophetam de ipso Christo vaticina- 765

733. breui] *om. Lond.* obtusiores *S. Edd.* 735. *sic et Edd.*; processerint *S.*
739. Sed *add. S. Edd.* 742. omnia] *sic et Edd.*; oranti *S.*; tibi *om. S.*
743. reperies *S.* 749. abstrusum *Edd.*
751. *sic et LB.*; obicibus *Edd. perperam.* ad] *om. Edd.*
756. id *om. S. Edd.* 764. sentio *S. Edd.*; censeo *P.*
765. intellectum *S. Edd.*; comprehensum *P.* 766. eam *S.*

---

735. Hor. *S.*1,7,8.
743. Rev.5.
745. Is.22:22. (Of key of house of David.)
765. Ps.90:1; Matt.22:41-46.

tum intelligat. Quod, exceptis Prophetis, nec Iudeorum quisquam, quanquam in hos libros vniuersam operam suam collocabant, intellexit, priusquam Christus eis hunc eius litterae sensum aperuit.
770 Qui tametsi Apostolis ac discipulis suis interpretatus est Scripturas (neque enim, quod sciam, questiunculas istas cum eis disputauit vnquam), non ausim tamen affirmare, vniuersae Scripturae sensus eis ipsis aut presentem tradidisse, aut per Spiritum Sanctum postquam ascendit infudisse. Nam vt multa sunt ibi quae de Christo
775 Prophetae cecinerant, quorum alios omnes subterfugit intellectus, quousque ea omnia ipsius vita, passio, resurrectioque declarauerunt, ita mortalium impares esse vires puto ad indagandum, vtrum adhuc in eisdem lateant aut de finali iudicio, aut aliis de rebus nobis incogitabilibus, neque vlli hominum aut hactenus cognita,
780 aut ante cognoscenda mysteria, quam euentus eadem temporibus ac momentis soli preuisis inscrutabili Dei prouidentiae patefecerit. Sed esto, Dorpi, sit Scriptura facilis, difficiles questiunculae, nihil impedit tamen, quin illius cognitio harum possit esse disciplina fructuosior. Quanquam enim saltare, atque in gyrum se colligere
785 (quod saltatriculae quidam ac circulatores faciunt) difficilius est, quam ambulare, et dentibus panem facilius est quam testacea fragmenta conterere; neminem tamen esse puto, qui rectos illos vulgaresque naturae vsus velit huiusmodi inanibus ostentis permutare. Quamobrem vtra res sit difficilior, non admodum magnifacio, at
790 quod vtiliores etiam sacrarum litterarum cognitione questiunculas istas esse vis gregi, pro quo mortuus est Christus, ferre profecto non possum; quas si cognoscendas assereres, haud refragarer; si Veterum lucubrationibus exaequares, non tolerarem. Nunc vero quum ancillas istas coquinarias ipsi Bibliae sacrosanctae litterarum
795 omnium reginae non confers modo, sed prefers etiam (dabis mihi, Dorpi, veniam) continere me hercle non possum, quin illo Therentiano procul eas omnes abigam, 'Abite hinc in malam rem cum isthac magnificentia fugitiue: adeo putatis vos aut vestra facta ignorarier?'

800 Neque profecto satis admirari queo quum ea verba lego, quibus eas ita magnifice attollis, tanquam vti (apud Poetas) in Atlantis humeros coelum, ita in perplexas huiuscemodi questiunculas, hoc

776. *sic MSS.*; declarauerant *Edd.* 782. difficilesque questiones *Edd.*
789. spes *Lond.* 790. *sic P. et S.*; etiam quam - - - - cognitionem *Edd.*
794. ipsi Bibliae sacrosanctae *om. S.*
797. eas] illas *LB.*
798. fugitiuae *MSS.* adeo - - - - ignorarier? *add. S. Edd.*

---

797. Ter. *Phorm.* ll.930-932.

est arundinem, vniuersa prorsus Ecclesia inclinata incumbat, alioquin videlicet periclitatura ne tota semel collaberetur in cineres. Ais enim, 'Alioqui qui sciemus quomodo sint sacramenta administranda, quaenam sint eorum formae, quando absoluendus peccator, quando reiiciendus, quid praeceptum sit restitui, quid seruari possit?' Itane putas, Dorpi, ista quae tu nusquam alibi quam apud Neotericos questionistas inueniri vis, antiquos omnes sanctissimos Patres nec minus etiam doctos ignorasse omnia? Hieronymus, Ambrosius, Augustinus ad Sacramentorum formas ac materias cecutiebant? Ergo tota Ecclesia plus quam mille annos (nam plusquam mille anni a passione Christi numerantur ad Petri Lombardi tempora, e cuius Sententiis, velut ex equo Troiano, vniuersum istud quaestionum agmen erupit), tot annos ergo, immo tot saecula, vniuersa Christi Ecclesia aut sacramentis caruit, aut ista non habuit? quando recipiendus peccator, quando reiiciendus, tam diu fuit incognitum? et item quid praeceptum esset restitui, nesciebant? Nam quid seruari posset, concesserim apud Veteres non fuisse tam acute, quam apud istos disputatum. Sed vt Zacheus veritus ne male parta parce redderet, quadruplum sese redditurum professus est, ita veteres illi Patres, vt vel plus satis quisque restitueret hortabantur. Non erant illi, fateor, hac in re, quam isti sunt, tam in diffiniendo ac distinguendo curiosi. Sed ego tamen illorum (vt Therentius ait) emulari malo necgligentiam potius, quam istorum obscuram diligentiam, apud quos anxie res disputatur, et queritur non tam quid restitui debeat, quam quid seruari possit, non quam procul a peccato sit abscedendum, sed quam prope ad peccatum sine peccato possit accedi. Iam qui consilium conuasatori dat, nimirum tanquam alienae pecuniae frugi dispensator, obseruat vt in reddendo citra subsistat potius vel mille passus, quam vltra latum (vt aiunt) vnguem promoueat.

805

810

815

820

825

830

Ego certe, mi Dorpi, nec te (vt puto) refragante contenderim, quaecunque sunt ad salutem necessaria, id est, sine quibus salui esse non possumus, ea primum ab ipsis sacris Litteris, deinde priscis eorum interpretibus, ad hec communi ab antiquis Patribus quasi per manus tradita consuetudine, postremo sacris Ecclesiae sanc-

835

803. *sic P., S. et LB.*; in vniuersum *Basle et Lond.* 809. inuenire *Edd.* 811. ac materias *om. S. et Basle.* 820. disputatum *S. Edd.*; disputandum *P.* 829. possit accedi. Iam qui *S. Edd.*; licet accedere, et qui *P.* 833. vt *add. S. Edd.*

805. cf. Allen II.347, ll.327-330.
813. Peter Lombard (c.1100-1164) bishop of Paris, 1159-1160, author of *Libri Quattuor Sententiarum*, the medieval textbook of theology.
817. cf. Allen II.347, ll.329-330.
820. Luke 19:2-10.
825. Ter. *Andr.* ll.20ff.
827. cf. Allen II.347, l.330.
833. cf. Otto, p.356; Plaut. *Aul.* I.I.17ff.

tionibus, abunde nobis tradita. Quod si quid supra quam in his est, homines isti acuti curiosius addiderunt, vt multa concedam 840 commoda esse atque vtilia, ita plane eius esse generis puto omnia, vt sine eis viui possit. At fortasse dices, non omnia apud Veteres tam inuentu prompta, tamque in numerato esse, quam apud istos recentiores, qui omnia cognata quasique similia in capita quaedam, veluti in suam quodque tribum, descripserunt. In hac re, Dorpi, 845 fortasse accedo tibi, fateorque nonnihil esse commodi, velut in domestica supellectile, sic in re litteraria quoque ita seorsum habere singula queque distincta, vt ad quodcunque velis, illico manum possis absque errore porrigere. Est istud quidem (vt dixi) commodum, verum hoc tanto commodo quidam tam abutuntur in- 850 commode, vt propemodum prestitisse videatur, hoc ipso etiam commodo caruisse. Neque enim aliud quicquam magis in causa fuisse puto, quare vetustissimus quisque sacrarum litterarum interpres a tam multis tam diu neclectui habeatur, quam quod infoelicium ingeniorum corrupta iudicia primum sibi, deinde aliis 855 quoque persuasere, nihil vsquam esse mellis, quod non in illos summularum alueos congestum sit. Ideoque fit vt illis contenti solis, caetera omnia per incuriam contemnant. In cuius animi quendam etiam ipse iam olim in quadam bibliopolae taberna incidi; erat enim senex, qui alterum (vt aiunt) pedem habebat in sepul- 860 chro, et certe non multo post vtrumque, iam doctoratus (vt vocant) honore plusquam annos triginta fuerat insignitus. Dico forte apud eum, beatum Augustinum aliquando putasse, demones omneis substantias esse corporeas. Ibi ille statim supercilium contrahere, et temeritatem meam rugosa fronte compescere. Tum ego, 'Non 865 dico,' inquam, 'hoc ipse, Pater, nec Augustinum in ea re defendo. Homo erat, errare potuit. Credo ei quantum cui plurima, sed nemini vni omnia.' Iam vero coepit homo excandescere, vel ob id precipue, quod tanto Patri calumniam tantam intenderem. 'Nam putas me,' inquit, 'non legisse Augustinum? Imo,' inquit, 'prius- 870 quam tu nascereris.' Me iam suis seuis dictis protelasset, nisi commode fuisset paratus elenchus. Nam vt erat in taberna, sumo in manus libellum Augustini de Diuinatione Demonum, verto ad locum, atque ostendo; vbi locum semel atque iterum legit, ac tercia demum lectione, me adiuuante, coepisset intelligere, tandem

849. vtuntur *Edd.* 851. enim] *om. Edd.* 857. eius *Edd.* 860. vt] quem *Edd.* 871. ἐλέγχος *S.*

---

859. Eras., *Adag.*2152.
862. cf. Aug., *de Diuinatione Daemonum*, capp. III-IV. (Migne *P.L.*40.584-586.)
866. cf. Otto, p.165.
870. cf. Ter. *Phormio* 213.

admirabundus. 'Certe,' inquit, 'ego valde miror de hoc quod Augustinus dicit sic in isto libro, quia certe non dicit sic in Magistro Sententiarum, qui est liber magis magistralis quam iste.' Qui sunt ex hac farragine, qui neque Veterum quenquam, neque Scripturarum quicquam legunt, nisi in Sententiis, et earum commentariis, hi perinde mihi videntur facere, ac si quis authoribus omnibus qui Latine scripserunt omissis, constructionum praeceptis ab Alexandro petitis, reliquum Latinae linguae ex Perotti Cornucopia, et Calepino conetur ediscere, quod persuasum habeat, in his omnia Latinae linguae vocabula sese reperturum, et profecto reperiet plurima, eademque electissima. 875 880 885

Nempe vt apud recentiores Theologos, priorum dicta authoritatis loco leguntur inserta, ita hic quoque veteres poetae atque oratores, aliquot etiam qui nunc ne extant quidem. Sed neque hec vnquam facient Latinum, nec illa, mi Dorpi, Theologum, si sola sint, etiam si decem millibus spinosissimarum questionum fuerit instructus, quibus miror quum sit talis, qua in re possit Ecclesiae esse vsui, disputando fortasse aduersus hereticos, (nam hoc nomine praecipue sese solent venditare). At hi aut docti sunt, aut indocti. Si indocti (vt est multo maxima pars) neque acumina ista, quibus iste solus valet, neque verba tam insueta, quibus iste solus assueuit, intelligent. Necesse est ergo talem disputationem tantum fructus consequi, quantum si quis Turcam quempiam patriae duntaxat linguae peritum, composita oratione, sermone Gallico (nam eum solum elegantem Galli putant) exhortetur ad fidem. Sin docti sint heretici, idque in illis ipsis questionibus (neque enim fere accidit vt alias sint heretici), quando iam redarguentur? Quis erit disputandi finis? quum ex illis ipsis questionibus, quibus oppugnantur, ipsis quoque referiendi ministratur inexhausta materia, vt propemodum eis accidere videatur, quod nudis inter aceruos lapidum pugnantibus, vt quo feriat neutri desit, quo se defendat neuter habeat. Nempe quidam, qui in scholis inter primos leguntur, et sunt non minus quam habentur acuti, vt omittam interim, quod quasdam questiones de Deo tam ridiculas excogitarunt, vt 890 895 900 905

875. Certe - - - - quam iste. *in altera manu.* ego *om. Basle.* de hoc *om. S. Edd.*
882. Latinae linguae *om. S.* 883. conentur *Edd.* 886. Vtque *P.*
887. veteres *om. S.* 889. faciunt *Edd.*
890. spinosarum *S.* 891. ecclesiae *om. S. Edd.* 895. iste *om. Edd.*
896. *sic Edd.*; intelligerent *MSS.*; intelliget *Basle, perperam.*
900. sint *om. Edd.* 903. ipsis] eisdem *Edd.* referendi *Edd.*

---

881. cf. I.342, n.

882. Perottus, *Cornucopiae, seu commentarii linguae Latinae*, 1489. This passage is quoted by Stapleton, p.260.

883. Ambrogio Calepino (1435-1511), an Augustinian monk, had published a polyglot dictionary in 1502.

putes ridere, propositiones tam blasphemas, vt censeas irridere.
910 Certe contra fidem tam gnauiter obiiciunt, tam segniter obiecta dissoluunt, vt preuaricatores agere, et fidem ioco tueri, serio oppugnare videantur. Heretici ergo cum talibus compositi, quales antea dixi Theologos, quum sint in eodem docti ludo, quando succumbent? non cito hercle opinor, si non vnum magis lignorum
915 fasciculum vererentur, quam multos syllogismorum fasces pertimescerent.

Sed idoneus erit saltem qui concionetur ad populum. Hercules! hoc ipsum est quod aiunt, 'Bouem ad ceroma.' Nam quum nihil didicerit preter questiones, que sunt ad aures populi perquam
920 insolentes, minimeque omnium idoneae, ediscendus est ei nimirum sermo quispiam ex sermonibus Discipuli, aut Veni mecum, aut Dormi secure, res per se ineptae, quas dum homo tractat ineptior, vtpote nec ad id munus assuetus, et qui totam illam verborum congeriem ex alieno stomacho declamet, necesse est
925 vt contio tota frigescat. Quamobrem plane non video questiones istae quid faciunt ei quem solae possident, nisi quod eum ad caetera omnia reddunt inutilem, vt cui si quid ex his proponatur subtilibus magis, quam solidis disputationibus, in quibus se ante millies exercuit, iam domi suae est, iam cristas erigit, velut gallus,
930 qui in suo sterquilinio superbit. At extra illa septa, si paulo producatur longius, illico ignota rerum omnium facies tenebras ac vertiginem offundit.

Nec iam Dialectica, rerum cecitate labanti, quantumuis fortis, quantumuis acuta succurrit, que vt cognita rerum natura, varias
935 inde species, multas argumentorum formas elicit, ita rebus ignoratis ipsis necesse est sine vllo vsu obmutescat. Adde quod illas ipsas questiones, quas et penitus et solas per tot annos imbibit, quum sese iam senex e scholasticorum contubernio, vbi eadem assidue ventilantur, quapiam occasione subduxerit, iam intra biennium
940 acumina illa vniuersa, numerosa nimium videlicet, euanida, nullo rerum subnixa pondere, tanquam nebula fumusque disparent, iamque ei nimirum vsu venit ipsi, quod de Anima Pueri ex Aristotele subinde citari solet, vt ipsius anima fiat denique, velut tabula

915. *sic et Edd.*; venerentur *S.*
931. illico *om. Edd.*
936. necesse - - - - illas *om. Edd.*
938. e *add. S. Edd.* eadem *om. S.*
942. idemque *S. Edd.* ei *om. S. Edd.*
923. assuetum *Basle.*
933. iam] etiam *Basle.*
937. captiunculas *S., Basle et LB.*
940. numerosa *add. S. Edd.*

918. Jerome, *Ep.*57,12. cf. Otto, p.253. Books of outline sermons for parish priests. *Dormi secure*—so that they could sleep in peace on Saturday nights. A number of collections have this title. (cf. Owst, *Preaching in Medieval England*, pp.237-8.)

929. Senec. *Apoc.*7; cf. Otto, p.152.

rasa, in qua nihil omnino depingitur, et mirum in modum versa rerum vice contingit, vt qui prius omnes sapientiae numeros in 945 argumentosa loquacitate posuerat, iam senex infantissimus omnibus risui foret, nisi stultitiae suae superciliosum silentium sapientiae loco pretexeret, imo potius hoc ipso ridiculus, quod qui fuerat Stentore modo clamosior, nunc vicio tam longe diuerso, taciturnior pisce reddatur, et inter loquentes sedeat, veluti caput sine lingua, 950 atque (vt aiunt) personae mutae 'truncoque simillimus Hermae.'

Denique, vt quid ego de hac tota re sentio semel intellegas, neque Theologos omnes taxo, neque neotericorum questiones omneis condemno; verum eas que nihil ad rem pertinent, que sunt huiusmodi, vt neque quicquam eruditioni conferant, et multum 955 impietati detrahant—eas, inquam, non improbandas modo, sed despuendas quoque censeo. Ceteras vero, que tractant aut humana grauiter, aut diuina reuerenter, tum vtrumque adhibita modestia qua veritatem sese inuestigare magis quam altercari probent, modo ne quenquam sibi totum vendicent, ne quenquam nimis 960 diu detineant, et suo se pede metiantur, neque se melioribus conferant, nedum anteferant—has, inquam, sic institutas, admodum libenter amplector, hactenus tamen, vt eas tales esse fatear, quibus non inutiliter exerceantur ingenia; tales esse pernegem, in quas salus vniuersae procumbat atque innitatur Ecclesiae. Iam Theo- 965 logos non eos vitupero, qui has degustarunt, imo laudo etiam, qui ad altiorem sacrarum Litterarum peritiam, ad meliorem priscorum, et sanctissimorum, et doctissimorum Patrum eruditionem, has quoque non abiiciendas accessiones adiecerunt. Verum huiusmodi Theologos (vt ex animo dicam) non probo, qui questionibus 970 cuiusque generis non insenescunt modo sed immoriuntur quoque, qui seu ingenii sterilitate quadam impediti, seu puerili scholasticorum incitati plausu, neglectis antiquorum omnium litteris, posthabitis etiam ipsis, quorum se doctores profitentur Euangeliis, nihil omnino preter questiunculas didicerunt, partim per se inanes, 975 partim inanes his, qui caeterarum rerum omnium inanes ipsi sunt, idque iam senes, atque ideo deplorati, qui neque Scripturas commode tractare incognitis Veterum scriptis queant, neque ad ea

950-951. veluti - - - - - mutae *om. Edd.* Mercurii statuae (statui *MS.*) *add S. Edd. sine dubio per interpretationem* Hermae.
953. imperitorum *S. Edd.* 954. verum *Edd.*; sed *MSS.* 956. inquam *add. S. Edd.* 960. vendicent] neque *S.* 963. libentur *MSS.*
964-965. in quibus salus vniuersae recumbat *Edd.* 969. adiecerint *MSS.*
976. partim inanes *om. Edd.* 978. queant *S. Edd.*; queunt *P.*
978-979. eas cognoscendas *Edd.*

---

949. cf. Juv. xiii.12; Otto p.331.
950. Eras., *Adag.*1529; Eras., *Adag.*4687; cf. Otto p.163; Eras., *Adag.*1179.
951. Juv.8.52 *seq.*: - - - - at tu/nil nisi Cecropides truncoque simillimus Hermae.

cognoscenda (qua nunc sunt Latinae linguae penuria), pares esse
980 possint.

Redire vero ad Grammaticam, atque inter pueros, imo vero a pueris etiam discere, hoc non solum dispudet, sed etiam serum est. Istos ego, mi Dorpi, tantum abest vt laudem, vt etiam, quomodo apud Rhomanos, mali magistratus publicis sese cogebantur ab-
985 dicare muneribus, ita istos quoque non tam re quam vocabulo Theologos adigendos censeam ad hunc magistratum, quo tam immerito funguntur, eiurandum. Neque mirum est tamen, esse aliquos in tanto Theologorum numero tales. Nam quis ordo obsepiri tam diligenter potest, vt non ambitione, precio, gratia
990 aut aliis malis artibus, aliquis indignus irrepat, qui quum sit in editum receptus, quam potest plurimos sui similes in eundem locum suo suffragio subleuat? Ita fit, vt nullus ordo sit, qui non indignis abundet. Nam vt in Senatu Romano fuerunt, quorum maiestatem nulli reges equabant, ita rursus erant quidam adeo
995 tenues atque inglorii, vt misere inter spectacula vulgi compressu elisi perierint. Quanquam vt nec illorum fulgori istorum humilitas obfuit, nec istorum tenuitatem Senatorium nomen exemit contemptui, ita nec indignos Theologos nomen eripit contumeliis, nec eorum contemptus, aut erga singulos, qui vere sunt, honoris
1000 quicquam adimit, aut erga vniuersos quicquam reuerentiae ac maiestatis imminuit, cuius ego certe tam conseruandae atque ampliandae sum cupidus, quam quisquam viuit vsquam cupidissimus. Nam de Erasmo stultum fuerit idem polliceri, quum nemo nesciat, in sacrum Theologorum ordinem nihil perperam, aut dici
1005 aut fingi posse, vt non proprie ac peculiariter ipsius agatur negocium. Habes igitur hac in re animum, mi Dorpi, meum, nec dubito hercle quin etiam (si tu is es quem ego mecum fingo) tuum; quem si probas, etiam Erasmi puta; sin minus, tantum meum, imo nec meum diutius quam tu voles futurum. Neque enim quicquam
1010 animo est vnquam tam obstinate obfirmatum meo, vt non paratus sim eo iubente mutare, quem sciam nunquam quidquam sine ratione iussurum. Sed hec hactenus.

Ad reliquas epistolae tuae partes ero tanto breuior, quanto in hac fui vel aequo verbosior, vtrumque etiam merito. Nam vt ea, de
1015 quibus ante disserui, Erasmus nunquam vidit, ita de quibus dein-

980. possint *S. Edd.*; possunt *P.*
983-987. Istos - - - - eiurandum *om. S., Basle et Lond.* laudem] probem *L.B.*
987. sic *LB.*; enirandum *P.* 989. non] *om. S.* 996. perierunt *S.*
998. indignos Theologos *P.*; indignis Theologis istorum *S. Edd., male, puto.*
998. contumeliae. *Edd.* 1002. vsquam] etiam *Edd.*
1008. etiam] esse *Edd.* tantum meum, imo *add. S. Edd.* 1010. meum *S.*
1011. quicquam *S.*

ceps sum dicturus, et scripsit ipse, et se diligentius pollicetur scripturum, tum quedam vero sunt huiusmodi, vt in his diuus etiam Hieronymus non suo solum exemplo quasi preiudicio Erasmi partem tueatur, sed totam litem quoque, tanquam edita in scriptis sententia, secundum eum pronunciauerit. Nec enim quicquam est 1020 quod tu, ne quicquam in Scriptura mutetur, e Graecorum fide codicum prohibes, quod non olim aduersus beatum Hieronymum et obiectum sit, et ab eo validissime confutatum—nisi hoc videri nouum vis, quod translationibus, vt ais, quae multae olim fuerant, eiectis omnibus, 'ne varietate codicum fideles vacillarent.' Hanc 1025 vnam a sanctis Patribus acceptam, ab Hieronymo castigatam, atque ad nos vsque transmissam comprobauit Ecclesia, non vno aliquo Consilio, sed perpetua consuetudine ad eam recurrendi, quoties in vllo Consilio de fide nodus incidisset. Neque enim alioquin fieri potuisse vt caeterae omnes interierint, atque hec ad nos sola 1030 peruenerit, nisi id non forte accidisset, sed adhibita a maioribus nostris industria fuisset curatum.

Primum, mi Dorpi, nemini dubium esse puto, quin hec ipsa editio ante Hieronymi tempora (neque enim alioquin ipse hanc potissimum castigasset) et recepta sit ab Ecclesia, et assiduo citandi 1035 vsu comprobata, quod ego vel solum in causa fuisse puto, quare ad nos vsque sola durauerit. Cur ergo Hieronymus ausus est mutare quicquam, idque non aliis modo et optimis et sanctissimis viris approbantibus factum, sed ipso quoque Augustino adhortante vt fieret? Mutauit vero Hieronymus, vt ipse fatetur, si quid in sensu 1040 fuit, quo Latinus codex discreparet a Graeco. Hoc ille putauit vtilius, quam ea quae tu Erasmo suades vt faciat, videlicet, vt ea tantum adnotet que commodius ac significantius Interpres vertere potuisset, sensum vero, si quando discrepet, manere patiatur, nec mendae manifestae Latinos admoneat. Quod diuus Hieronymus 1045 non vsque adeo curandum censuit, eius tu precipuam curam habendam putas. Quod ille iudicauit potissimum, ab eo tu potissimum deterres. Sed hic occurris ac fateris, id ab Hieronymo recte factum, quod videlicet tunc opus erat, dum adhuc vulgata hec editio non satis esset emendata, at nunc repurgatis viciis superuacaneum 1050 iterum purgandi laborem fore. Nam si opus tam nunc esset, quam tunc erat, non est ratio cur minus bene mereretur, a quo nunc idem denuo fieret, quod tunc Hieronymus fecit. Primum, neminem esse omnium puto (dicam enim audacius) nec Hieronymum quidem

1017. vero *om. Edd.* 1021. quo *MSS.* in *om. S.* 1022. beatum *om. S.* 1044. discrepet *S. Edd.*; discrepent *P.* 1054. enim *om. S.*

1018. cf. Allen II.347, ll.170ff.

1055 ipsum, qui profiteri ausus sit, esse se tam certum sui, vt in vertendo nihil eum possit omnino subterfugere. Vsque adeo non deerit vel mediocribus interdum, post meliores etiam in quo versentur vtiliter.

Ergo quis vertendi finis erit, inquis? facillimus, si euenerit, vt 1060 quisquam tam commode verterit, aut ab alio non optime versum, alius ita correxerit, vt his manentibus integris, non inueniant posteri quod mutandum censeant. At periculum est interim, ne variae translationes dubios faciant animos fidelium, vtram credere debeant veriorem, quod ipsum in causa fuisse censes, vt reliquae 1065 omnes de industria reiectae sint, hac vna seruata, ne fideles vacillarent; qua in re vsque adeo ego abs te dissentio, vt quod tu maiorum curae tribuis, ego temporum assignem incuriae, qua nimirum non illae tantum translationes, sed multa etiam alia periere. Alioquin etiam si vnam in Ecclesiis tenendam recepissent, reliquas 1070 tamen quid necesse fuit abiicere, ex quibus non erat periculum ne fideles vacillarent? Sed quemadmodum nunc Euangelistarum varia narratione, series rerum in luculentiorem peruenit noticiam, ita tum ex diuersorum collatione interpretum studioso lectori daretur occasio, si quem aut verbum fefellisset equiuocum, aut 1075 orationis amphibologia decepisset, aut sermonis proprietas imposuisset, ex reliquis coniiciendi quid verum sit. Quod sane vtilissimum esse, et Augustinus sentit, et Origenes experimento didicit, et Iacobus Faber Psalterii quintuplicis editione docuit. Atque hec ideo dixi, vt ostenderem etiam si diui Hieronymi labor adhuc 1080 maneret integer, non illum tamen reprehendendum esse, quisquis, si quid ab illo quoque preteritum inuenisset, hoc ipse velut relictas a messore spicas colligeret.

Nunc vero quis non putet codices Latinos nihilominus atque olim e Graecis esse corrigendos, quum ita sint rursus infecti mendis, 1085 vt ne vestigia quidem Hieronymianae emendationis appareant? Quod vsque adeo in confesso est, vt ipse tu qui maxime negas,

1055. esse *om. S. Edd.* 1062. *sic Edd.*; immutandum *MSS.*
1067. assignem *S. Edd.*; assigno *P.* 1071. Imo *S. Edd.*
1073. ita in diuersorum collationem *P.* 1074. fefellit *P.*
1075. decepit *P.* 1076. imposuit *P.* ex] et *MSS*] sane *om. P.*
1086. vt ipse in quoque qui id maxime negas, idem - - - - *S.*

1075. ἀμφίβολος.

1077. Origen (c.185-c.254) in his *Hexapla* and *Tetrapla* gave the Hebrew text side by side with the various Greek versions.

1078. Faber (Lefèvre d'Étaples) in his *Quintuplex Psalterium* 1509, gave the Latin psalter 1. according to the first revision of Jerome, the so-called Roman psalter, 2. the second revision, the so-called Gallican psalter, 3. the translation of Jerome from the Hebrew, 4. the pre-Jerome text, 5. his own revision, with critical and exegetical commentary.

fatearis tamen. Nam quum ideo maxime contendas, corrigendi laborem frustra sumi, quod Hieronimi castigationes asseris magna patrum diligentia seruatas esse integras, tum in proximo fere versu subdidisti, 'Responde iam, Erasme, vtram probet aeditionem Ecclesia, Graecamne, qua non vtitur, an Latinam, quam solam citat, quoties ex sacra Scriptura aliquid definiendum est, vel preterito Hieronymo, si quando aliter legat: quod quidem non raro contingit.' Imo tu nunc responde, Dorpi, si (vt ipse dicis, et vere dicis) non raro legat aliter Hieronymus, quam vulgaris habet aeditio, quomodo potest esse verum quod ante dixisti, eandem editionem ita manere correctam, vt ille correxerat? Neque enim quenquam arbitror esse crediturum, illum quicquam contra suam ipsius correctionem proposuisse legendum. Tam ergo nunc opus correctione est, quam olim fuit. An vero tantundem liceat, hoc restat inquirendum. Quanquam nec inquirendum hoc, nec dubitandum videtur, quin emendati codices tam nunc sint Ecclesiae vtiles, quam olim fuerunt. 1090 1095 1100

Sed Ecclesia nunc, inquis, istam editionem comprobauit. Atque eadem Ecclesia eodem etiam modo eandem aeditionem ante Hieronymi correctiones approbauerat, id quod iam ante respondi. Quanquam non pigebit eandem orationem tuam, quam tu tam inuictam censes, denuo excutere, ne me preteruehi quicquam dissimulanter putes. Videris ergo mihi sic colligere: Augustinus nec Euangelio duxit esse credendum, nisi Ecclesiae compelleret authoritas. At Ecclesia comprobauit in hac translatione verum esse Euangelium. Consequitur ergo, si quid sit in Graecis codicibus diuersum, vt verum in illis Euangelium esse non possit. Hec est (quantum perspicio) argumentationis tuae summa, que mihi videtur eiusmodi, quam non sit difficile soluere. Nam primum Ecclesia sic in Latinis codicibus contineri credit Euangelium, vt fateatur tamen e Graeco translatum. Credit ergo translationi, sed magis tamen archetypo. Credit Euangelium in Graecis esse verum, in Latinis verum esse credit eatenus, quatenus fidit interpreti, in quo (vt opinor) nunquam tantam habet fiduciam, quin eum labi cognoscat humana fragilitate potuisse. At in Conciliis citatur ex Latino codice, non ex Graeco. Mirum vero si Latini ex Latino citent codice! quasi ideo fecerint, vt de industria fidem Graecis archetypis abrogent. Apos- 1105 1110 1115 1120

1094. vt] tu *S.*
1095. aliter *om. S.*
1100. vero *add. S. Edd.*
1105. etiam] *om. Edd.*
1107. rationem *P.*
1113. *sic S. Edd.*; vti mihi videtur *P.*
1117. tamen *om. S. Edd.*
1121-1122. non ex - - - - codice *om. Edd.*

1090. cf. Allen II.347, ll.232-237.

toli nonne citabant ex Prophetis secundum translationem Septua-
1125 ginta interpretum, omissa interim Hebreici textus veritate, dum Grecis scriberent? Nec ideo tamen Hieronymus factum putauit esse preiudicium, quasi Graeca translatio quam Hebreica littera Apostolorum censeretur authoritate sincerior. Ego certe hoc persuadeo mihi, idque (vt opinor) vere, quicquid ab Apostolis nobis
1130 traditum est, non esse iam a quouis melius versum, quam ab ipsis Apostolis praescriptum. Ideoque fit, vt quotiens in Latinis codicibus occurrat quicquam, quod aut contra fidem aut mores facere videatur, Scripturarum interpretes aut ex aliis alibi verbis, quid illud sibi velit dubium expiscentur, aut ad vnius Euangelium fidei, quod
1135 per vniuersam Ecclesiam in corda fidelium infusum est, quod etiam, priusquam scriberetur a quoquam, Apostolis a Christo, ab Apostolis vniuerso mundo predicatum est, dubios huiusmodi sermones applicent, atque ad inflexibilem veritatis regulam examinent; ad quam si non satis adaptare queunt, aut sese non intelli-
1140 gere, aut mendosum esse codicem non dubitant, cuius morbi medelam censent, aut a diuersis interpretationibus, tanquam medicis, implorandam, (quod tibi tam periculosum videbatur), aut velut a fonte quodam, ab ea lingua repetendam, vnde ea Scriptura in Latinum perfluxit eloquium.

1145 Verum tu, mi Dorpi, concedis, olim recte fecisse eos, qui Latinos, quanquam ab Ecclesia receptos, atque approbatos codices e Graecis emendauerint, sed idem tamen negas nunc recte fieri, propterea quod verisimile sit, ipsorum libros Graecorum, aut de industria fuisse deprauatos ab ipsis, iam olim ab Ecclesia Rhomana desciscen-
1150 tibus, aut postea saltem per incuriam viciatos, neque enim esse credibile, si Latinorum, quibus perpetua fidei cura fuit, codices paulatim tamen labefactati sunt, incorruptos adhuc restare Graecorum, apud quos ipsa iam olim fides corrupta sit. Hec ratio, Dorpi, non flexit Hieronymum, quo minus Instrumentum Vetus ex
1155 Hebraeo sermone transferret, quanquam si quid hic valere debet, ibi multo magis debuisset, quum nemo nesciat, Iudeos ex professo infestiores fuisse hostes Christianis omnibus, vt quibus in vniuerso,

1126. scribent *S.*

1129-1131. quicquid ad fidem astruendam faciat non esse, a quouis melius versam, quam ab ipsis Apostolis perscriptam *P.*

1134. expiscentur *LB.*; expiscantur *P.*, *S. Edd.* aut *om. S.* vnius *S.*; vnium, *P.*
1138. *sic LB.*; applicant *MSS.*, *Edd.* *sic LB.*; examinant *MSS.*, *Edd.*
1142. tam] iam *S.*, *LB.* 1144. fluxit *Edd.* 1149. fuisse *add. S. Edd.*
1151. fidei cura *P.*; fides *S. Edd.* 1156. multo *om. S. Edd.* *sic S. Edd.*; debuit *P.*
1157. omnibus *om. S.*, *LB.*, *Basle.*

1124. Translation of the Hebrew Bible into Greek at Alexandria, c.250-c.50 B.C., commonly called the Septuagint.

repugnabant, quam Graecos Latinis, quibus cum communi Christianorum nomine conuenerant, licet in quibusdam dissenserint. Et profecto (vt vere dicam) videtur mihi neutiquam credibile, 1160 vllam gentem in deprauandos libros vnquam conspirare voluisse (vt ne dicam) nec potuisse quidem. Quae enim spes esse potuisset, neminem ab ea re alieno animo fore? aut clam id fore consilium, quod si resciisceretur (vt erat necesse, quum a Iudeis ad Christum, a Grecis ad Latinos aliqui nullo non die profugerent) nonne preuidebant 1165 fore quum nihil assequerentur, suae preterea parti sese preiudicium allaturos? si se faterentur eam fouere causam, quam sibi conscii essent non aliter posse se, quam codicum deprauatione defendere? Sed de Iudeis Hieronymus viderit. Graecos certe ab hac falsitatis suspitione liberat vel istud, quod in his, de quibus eis 1170 nobiscum fuit controuersia, eorum libri cum nostris consentiunt, nec de littera vnquam, sed de intellectu litterae questio fuit. Quanquam nemini potest esse dubium, eos si mutare voluissent quicquam, non ea primum modo, sed sola quoque fuisse mutaturos, quae pro nobis, contra eos tamen faciunt, quae si falsassent, non 1175 fuisset causa cur in aliis idem facturi putarentur. Nunc vero quid comminisci quisquam possit, cur alia falsare voluissent, quum hec ipsa reliquerint integra, que vel sola falsare voluissent? Sed incuria saltem viciatos esse credi potest, praesertim si hoc nostris contigit, quibus verisimile est libros fidei, sicut fidem ipsam, maiori semper 1180 curae fuisse. Possem hic opponere non Hieronymum modo, sed Augustinum quoque, quorum vterque censet emendatiores esse Graecos codices, quam Latinos. Sed ego ratione malo, quam authoritate contendere.

Hoc certe assero, neminem esse tam cuiusquam libri incuriosum, 1185 vt ita transcribendum locet, tanquam pensi non sit habiturus, nihil viciosumne an emendatum referat, quum alioqui possit operae et impensis parcere, si omnino ne scribatur curet. Persuadeo ergo mihi, Graecos etiam curasse vt diligentia in transcribendis ipsorum libris adhiberetur, quod nemo dubitauerit qui libros eorum dili- 1190 genter inspexerit. Hoc preterea rursus affirmo, apiculos, distinctiones, et accentuum notas in causa esse, quo minus facile apud eos in scribendo erretur, nec ab hoc affirmando deterreor, quod tu hoc argumentum in aduersam partem retorsisti, propterea quod (vt ais)

1159. dissenserant *P.* 1167. sese *S.* 1175. tamen *add. Edd.*
1176. causa] tum *add. P.*; *om. S.*; tamen *LB.* 1177. velint *P.*
1178. reliquerunt *P.*; reliquerint *S. Edd.* 1181. modo *add. S. Edd.*
1183. ego *om. S. Edd.* 1186. nihil *om. LB.*
1187. alioquin *S. Edd.* 1189. ipsorum] eorum *S.*
1191. inspexerit *MSS.*; inspexit *Edd.* apiculas *MSS., perperam.*
1192. apud eos in] in *add. S. Edd.*

1195 facilius erratur, vbi multa sunt obseruanda. Verum ego contra censeo, ibi minus facile errari, vbi facile erratur, vt ego quoque Dialecticorum more aenigma proponam. Verum sic opinor tamen, imo sic experior, quemadmodum in planicie dum festinamus intrepide, vbi nemo casum expectat, sepe labimur, cum a precipitio
1200 salui sensim, nec nisi certo atque explorato gressu descendamus, haud aliter euenire scribendo, vt ad exemplar perplexum, scriptor eo transcribat verius, quo videlicet attentius, quum ex pulchro codice ipsa securitate labatur. Quanquam et nostros viciatos esse, et eos remansisse sinceros, vel hinc elucescit, quod in nostris eadem
1205 nunc vicia deprehendimus, quae Hieronymus olim censuit emendanda. In illis eadem adhuc videbis verba, ex quibus ea Hieronymum constat emendasse. Ergo quas ille mendas olim eiecit, nunc non licebit ex isdem codicibus rursus expungere? Et quum religiones (quas vocant) omnes, fas sit saepius renascentibus viciis
1210 reformare, libros semel purgatos repullulantibus mendis nephas repurgare ducemus?

Iam quod quaeris, quid sit quod Latinos codices non sinat incorruptos, deinde tibi ipse respondes, 'Quid nisi calcographorum incuria pariter, et imperitia?' et illico subiungis, 'Vide iam vtros
1215 inuenies rariores, qui Graecis imprimendis sint idonei, an qui Latinis; et scies vtros codices censere debeas castigatiores.' Quid tu his verbis, Dorpi, velis non intellego. Neque enim te vereri puto, ne in Adnotationibus in Scripturas Erasmus impressis vtatur libris, cum neque scriptorum codicum desit copia, neque in eam rem
1220 impressis vti, etiam si velit, possit, quum Nouum Testamentum, in quod eius desudat labor, nunquam hactenus quod sciam, Graece calcographorum typis excusum sit. Quod si hoc voluisti dicere, quum calcographi Graecas imprimant litteras quam Latinas deprauatius, idem in veteribus etiam vtriusque linguae scriptoribus
1225 accidere, semoueamus istos, Dorpi, qui litteras sic Latinas imprimunt, vt Graecae magis quam Latinae, sic vicissim Graecas, vt Arabicae magis quam Graecae videantur. Comparemus in vtroque genere, qui vtrunque possunt, cuiusmodi Aldus Manutius Rhomanus erat imprimis, et nunc quoque Ioannes Frobenius Basiliensis.
1230 Hos atque eiusmodi calcographos audeo affirmare, quod ipse quoque experimentis comperio, verius ac sincerius Graeca quam ipsa

1200. descendimus *P.* 1205. deprehendantur *P.* 1207. eiicere *P.*
1209. sit] *sic S. Edd.*; erit *P.* 1211. *sic et Edd.*; dicemus *S.*
1218-1220. vtatur - - - - - impressis *om. S.* 1225. accidisse *S. Edd.*
1229. quoque *om. Edd.*
1230. huiusmodi *P.* quoque] cottidie *P.*

1213. Allen II.347, ll.186-188.

Latina referre. Quod ipsum multaque itidem alia ad hanc rem facientia, multo certius ipse legendo quam audiendo intelliges, si te quoque aliquando ad Graecam linguam pernoscendam conuerteris; id quod valde opto, nam suasurus frustra sim, quod nec 1235 Erasmus persuasit, aduersus quem, imo temet aduersus ipsum, sedulo te defendis, ne cogare videlicet ex Graecarum litterarum cognitione proficere.

Quam ob rem vt ad eas te litteras pro animo istoc tuo tam aduersus eas obfirmato, hortari supersedeo, ita pro meo in te amore 1240 optare tibi non desino, nec spem tamen vnquam depono, fore aliquando, nec id quidem haud multo post, vt cessantibus hac de re disputationibus, in quibus assidua tua illa in scholis victoria, non patitur te libenter cedere, quod (vt video) iam nemo potest alius, ipse nimirum persuadeas tibi, quum istos imperatores tuos 1245 quibus nunc militas, quorumcunque interim gratiam tam magnae eruditionis parti praefers, aut maturiore iudicio neglexeris, aut certe etiam illis ipsis vtile et tibi, et eorum consiliis fore persuaseris, quo videlicet Graecistas istos suis ipsorum gladiis confodias, maioreque aduersus eos authoritate disseras quam nunc, quum de 1250 re tibi tam in totum ignorata disputes. Qua de re tamen quum perinde scribas, ac si superuacaneam putes operam quae in Graecas litteras impenditur, mihi profecto non persuades, ea te sentire, que scribis. Neque enim simile veri fit, te vel ea prudentia, commoditates eius linguae non videre, vel eo in bonas artes omnes 1255 studio non concupiscere, presertim quum abs te quoque, dum negligendam disputas, propemodum afferantur causae, quibus incitari maxime ad eam consequendam possis. Nam si (vt tute verissime certe ac sapientissime dixisti) vnaqueque lingua ea precipue dote prestat atque excellit alias, si contingat ei vt maiorem bonarum 1260 disciplinarum thesaurum in suis litteris velut arculis contineat. Quis hac vna ratione tua nesciat, Graecam esse eam quae summopere sit cum ab vniuersis mortalibus, tum vero seorsum a Christianis amplectenda, vtpote a qua et omnes disciplinae reliquae, et Nouum Testamentum fere totum nobis foelicissime successit—nisi 1265 tu illam hoc translationum cottidiano prouentu velut assiduo partu, effoetam nunc tandem, atque exhaustam putas.

At primum ex his ipsis Commentatoribus Aristotelis, quos tu in illa oratione commemoras, quam siue vt Laurentium vituperes, siue vt laudes Aristotelem (nam vtrumque acriter ex aequo facis) 1270

1241. desinam *S. Edd.* 1242. haud] ita *add. MSS.*; *om. Edd.*
1248. forte *S.* 1250. quum *om. P.* 1251. disputas *Edd.*
1254. fit] sit *S.* 1264. *sic Edd.*; reliquis *P.*
1266. prouentu *S. Edd.*; prouentum *P.* 1269. quem *S.*; quae *Edd.*

elegantissime certe scripsisti, Alexandro inquam, Themistio, Ammonio, Simplicio, Philopono, Olympiodoro, quotusquisque ex his, inquam, est, excepto vno Themistio, qui non adhuc sua tantum lingua legatur—nisi quod Alexandri problemata in Latinum
1275 venere sermonem! Ex reliquis si quid Latin[a]e legitur (neque enim ignoro, haberi et Alexandri, et Simplicii fragmenta) id totum eius generis est, ac tam parum Latinum, vt a Latinis propemodum minus quam ipsa Graeca intelligatur. Neque iam aut de Poetis aut Oratoribus dico quicquam, sed neque de aliis Philosophis,
1280 aut aliis etiam eiusdem Aristotelis Commentatoribus verbum facio vllum, quanquam vel vnus Ioannes Grammaticus tantum habet acuminis, tantum eruditionis, presertim Aristotelicae, vt si cum eo posses ipsius lingua loqui, reduceret te (satis scio) vnus ille Grammaticus, cum Grammaticis omnibus, quibus nunc
1285 parum propicius videris, in gratiam. At ex antiquis Christianae doctrinae scriptoribus, cum multo maximam partem Graece constet scripsisse, perpauci pro tanto numero versi sunt, quidam vero ita versi, vt potius videantur subuersi. Ad Aristotelem ipsum venio, quem et ego vt supra multos, ita cum multis amo,
1290 quem tu in memorata oratione tua videris non supra multos modo, sed pro multis quoque, atque adeo pro omnibus amplecti. Hic ergo ipse non poterit totus tibi sine Graecarum peritia litterarum innotescere.

Nam vt omittam illud, quod nihil eius tam commode versum
1295 est, vt non idem ipsum suis ipsius verbis acceptum in pectus

1273. tantum *om. S.* 1277. eius generis *om. P.* ac *add. Edd.*
1278. ipsa *add. S.* *sic P.*; intelligantur *S., Basle.* aut *om. Edd.*
1283. possis *S. Edd.* 1284. Grammaticus *om. S. Edd.* 1294. quod *om. S. Edd.*
1295. ipsum] *add. Edd.*

1271. cf. l.342 n.

1271. Themistius (b.c.310-20) statesman, rhetorician and philosopher, taught at Constantinople, and was prefect in 384. His paraphrases of several of Aristotle's works are valuable. The first edition of his works was only printed in Venice in 1534, so More evidently knew them in manuscript. (Sandys, *History of Classical Scholarship*, pp.352-3.)

1272. Ammonius Hermiae (5th century A.D.) wrote commentaries on the logical treatises of Aristotle. Some were published at Venice in 1500 and 1503, others remain in manuscript. (*ibid.* p.374.)

Simplicius, a native of Cilicia, had been a disciple of Ammonius. He left Athens for the court of Chosroes of Persia. He wrote commentaries on Aristotle, which, though not original, are intelligent and show great learning, and an interpretation of Epictetus. (*ibid.* p.375.)

Joannes Philoponus, John the Grammarian, Greek philosopher in Alexandria in the late 5th and early 6th century A.D. He also was a pupil of Ammonius Hermiae and probably wrote the life of Aristotle, sometimes attributed to that master. He wrote a number of commentaries on Aristotle, which embody, it would seem, the lectures of Ammonius, with additions by Philoponus. He also wrote on dialects and accentuation. (*ibid.* pp.114,374,377.)

Olympiodorus the younger wrote a life of Plato and a commentary on the *Meteorologica* of Aristotle. He endeavored to reconcile Plato and Aristotle. He had unfortunately no originality. He lived in Alexandria in the 6th century. His commentary was published by the Aldine Press in Venice c.1550. (*ibid.* p.376.)

1293. cf. Allen II.347, ll.346ff.

influat potentius. Et illud item, quod quedam opera eius adhuc Graeca feruntur, quorum titulos nescio an Latini habeant. Certe ex his ipsis operibus, quae nunc habent, sic habent quaedam, vt etiam non habeant: aequa sorte ipsum etiam Metheorologicorum opus tam constat esse, quam dolendum est, quum nescio an 1300 vllus ex tam multis eius viri laboribus dignior scitu sit, aut ipsa rerum natura ab vlla sui parte mirabilior, quam ab ea, quae vt nobis proxima circumfusaque vndique, ita magis ignorata atque incerta est, quam astrorum positio, motusque siderum, quae tam porro semota sunt. Sed hoc opus tamen spero propediem fore, vt a Thoma Linacro nostrate, illustrissimi Regis 1305 nostri medico, Latinis donetur auribus, vtpote cuius iam nunc duos libros absoluit, perfecissetque nimirum opus, atque aedidisset vniuersum, nisi Galenus eum exorasset, vt quum ipse dux atque imperator Medicae rei sit, vel seposito interim Aristotele, 1310 Latinus eius opera, prior ipse redderetur. Prodibit ergo Aristoteles aliquanto serius, sed prodibit tamen nihil incultior preterea nec incomitatus. Nam Alexandri Aphrodisei commentarios, in idem opus vna vertit, initurus apud Latinos omnes immortalem gratiam, in quorum non vulgarem vtilitatem, Philosophi prae- 1315 stantissimi operi tam egregio, praestantissimum interpretem sic adiunxerit, vt eius labore demum ab Latinis possit intellegi, quod hactenus a nemine (vt ego certe suspicor) qui Graece nescierit, intellectum est. Nam quum ipse iam olim idem Aristotelis opus audirem Graece, eodem mihi prelegente atque interpretante 1320 Linacro, libuit interdum experiendi gratia vulgatam etiam translationem inspicere, e cuius lectione mentem illico subiit eiusdem Philosophi de Physicis suis dictum. Nam vt illa sic ait aedita, vt tamen aedita non sint, ita hec quoque sic versa videbantur, vt nullo pacto versa viderentur, vsqueadeo, vt quae 1325 Graece callebam probe, eadem ipsa versa non intelligerem. Neque est quod a Latinis interpretibus sperari possit auxilium, quum Albertus quoque, quem ad emulationem Alexandri Magni,

1307. nostri *om. S.* 1309. ipse *om. Edd.* 1312. nihil *add. S. Edd.*
1320. prelegente *S., LB.*; relegente *P.*; perlegente *Basle, Lond.*

1306. Linacre's translation included several treatises of Aristotle, put into Latin as clear and thorough as Aristotle's Greek, Erasmus tells us. His extreme fastidiousness evidently prevented publication. (D.N.B. and J. P. Pye, *Thomas Linacre, Scholar, Physician and Priest.*) For his translations of Galen, cf. Ep.30 and note.

1313. The commentary of Alexander Aphrodisiensis on the *Meteorologica* of Aristotle was not published by Linacre. It was first printed in Venice 1527, and again, edited by Alexander Piccolomini, archbishop of Patras, at Venice 1548.

1328. Albertus Magnus (d.1280) desired "to make intelligible to the Latins" the philosophy of Aristotle, and to use its forms in the elaboration of Church doctrine.

Magnum vocant, quique se Periphrasten Aristotelis profitetur,
1330 Paraphrastes verius in eo opere iudicari debeat; ita, quum eius officium sit Aristotelis sensum aliis verbis referre, affert prorsus (vt aiunt) ex diametro diuersa. At Gaitanus (nam is quoque facit commentarios) describit nobis, vnus terrae pugillus, in quot pugillos aquae liquescit, et aquae item pugillus vnus in quot
1335 pugillos aeris dissoluitur, et quo non vlterius ad eundem modum progreditur? Sed tamen dum has tam immensurabiles mensuras metitur, ad Aristotelis interim sensum ne gry quidem. Infinitum, mi Dorpi, fuerit explicare, quam multa desunt ei cui Graeca desunt. Neque tamen ignoro, et alios multos, et te im-
1340 primis ipsum, sine Graecis litteris, ipsam doctrinae arcem versus eousque prouectum, quo multi non possint etiam Graece docti sudantes atque anhelantes ascendere. Sed hoc vnum tamen ausim affirmare, si caeteris disciplinis tuis tu litteras praeterea Graecas adieceris, quantum nunc alios et Graece peritos exu-
1345 peras, tantum tunc te etiam ipsum superabis. Sed de litteris hactenus.

De Moria, quoniam Erasmus, qui eam olim meo patrocinio commendauit, eandem rursus tuendam suscepit, tibi non est necesse multa disserere, quum res alioqui per se facilis reddita
1350 sit, partito labore facilior. Itaque vt non dubito quin ille sit ea dicturus, imo in illa breui epistola iam nunc dixit, quae sufficere apud omnes debent, ita ego quae dicam, quantulumcunque apud alios ualitura sint, apud te (vt opinor) inualida esse non possunt. Et primum miror, quid hec sibi tua verba velint,
1355 'Ecce repente infausta Moria tanquam Dauus interturbat omnia.' At quomodo nunc repente? quasi nunc primum Moria repente prodierit, que iam plus annis septem septies interim nouis excusa formis in clarissima luce versata, in omnium sinus recepta sit. Aut quamobrem, quaeso, infausta? quae quam foelicibus auspiciis
1360 processerit, nonne vel hoc abunde demonstrat, quod non debuisset

1330. verius vero *Edd.* opere *om. S.* iudicare *S.*
1332. *LB.*: Caietanus, *Alia Editio.* 1336. tamen *add. S. Edd.*
1345. Sed de litteris hactenus *add. S.*; sed de his hactenus *Edd.*
1347. quoniam *S. Edd.*; quum *P.* 1348. tibi] sibi *P.* 1349. alioqui *add. S.*
1350. vt *om. S. Edd.* 1354. volunt *S. Edd.* 1355. interbat *MS.*; interturbabat *Basle.*
1360. vel *add. S. Edd.*

1332. Cardinal Cajetan (1470-1534) took his name Gaetanus from his birthplace Gaeta in the Kingdom of Naples. He wrote commentaries on portions of Aristotle. He was general of the Dominican order, bishop of Gaeta, archbishop of Palermo and Cardinal 1517. He is best known for his defence of the church in the early period of the Reformation. Luther appeared before him at Augsburg, 1518.

1332. Eras., *Adag.*1145.

1337. *i.e.* γρῦ.

1355. Ter. *Andr.*663; cf. Allen II.304, ll. 53ff.

totiens in tot exemplaria diffundi, nisi tam multos inuenisset quibus impense placuisset? nec hos ex fece vulgi, (neque enim eas merces facile distractas esse mirarer, quae placerent indoctis, quorum vbique turba scaturit) sed ex doctissimis. Nam eam non nisi doctis placere, vel hoc inditio est, quod non nisi docti intellegunt; quod ipsum fortasse fuit in causa, vt hi duo aut tres Theologi, quos Moria commouit, irascerentur, quod ab aliis persuasi credunt, plus ab ea dictum, quam dictum sit, alioqui fors non succensuri, si ea ipsa, quae dicuntur, ipsi intelligerent. 1365

Sed tu, mi Dorpi, putas nullos rideri debuisse Theologos, quanquam tales eos esse, quales Moria ioco describit, ipse propemodum serio fateris, quum ais, 'Asperae facetiae, quibus multum veri admixtum est, acrem sui memoriam relinquunt.' Verum est hercle quod dicis. Non tam acriter has tulissent facetias isti Theologistae, nisi quam erant asperae, tam etiam verae fuissent. Ergo cum tales sint, quales ipse fatearis esse, probas? Non opinor, Vituperas ergo? apud te certe (scio) facis, faceresque palam, nisi in animum induxisses tuum, nemini esse aduersus, et ita te comparare statuisses, vt te omnes prorsus cuiuscunque modi sint, docti indocti, boni malique, laudent, cui (vt ais) volupe sit, si vel catelli cauda velut amicitiae symbolo blandiantur. Facis tu profecto, mi Dorpi, cautius, sed nec ille tamen deterius, qui in malos aperte ac simpliciter (quod Gerardus facit Nouiomagus) inuehitur, quanto minus qui (quod Erasmus facit) sumpta Moriae persona, et prudenter magis, et minus licenter iocatur, cuius quum iocos salesque non feras, et παλινῳδεῖν eum velis; in Satyris Nouiomagi tamen (vt scribis) nihil inuenisti quod mutari velles, quum tamen illae Satyrae sint mordaciores, vbi sunt lenissimae, quam Moria, vbi mordet maxime, meritoque. Nam id Poeseos natura poscit, quae nisi sit acerba, non 1370 1375 1380 1385

1362. placueret *P.*
1364. sed] ex *om. S. Edd.* non *add. LB.*
1366. vt hi] quoque *add. P.*; *om. S. Edd.*
1368. ab ea] ipsa *add. Edd.*
1370. debuisse] potuisse *Edd.*
1371. eos *add. S. Edd.* descripsit *LB.*
1372. fatearis *S. Edd.*; fateris *P.*
1379. sunt *S.*
1386. *verbum Graecum pristina videtur lectio; quam Latine redditam esse insertamque apparet; sed in P pro* palinodiam cani velis *errore* palinodiam palinodia cani velis *scriptum esse; vnde S., accusatiuo pro nominatiuo suppresso, nihilominus male scripsisse* palinodia cani velis.

1373. cf. Allen II.304, ll.50 *seq.* Tac. *Ann.*15.68.4.

1381. cf. Allen II.304, ll.57-58.

1383. Gerard Geldenhauer of Nymegen (c.1482-1542) had composed eight *Satyrae* which were published 13 June 1515. In 1517 he became secretary to the bishop of Utrecht. c.1525 he went over to the Reformers, married in 1527 and in 1532 became professor of history at Marburg. (cf. Allen II, p.379.) The satires have been reprinted by J. Prinsen, in the *Collectanea van Gerardus Geldenhauer Noviomagus,* 1901.

Dorp wrote to Geldenhauer, "Satyrae igitur tuae mihi quidem omni ex parte perplacent, neque offendere quivi, quod mutatum velim." (Prinsen, p.151.) He also edited the satires under the title *Gerardi Noviomagi Satyrae VIII a Martino Dorpio approbatae.* (Félix Nève, *Martin Dorpius,* p.33.)

1390 est Satyra. Itaque operaeprecium est audire, quam satirice in Monachos vbique ac Fratres inuehitur, vt illorum superbiam, luxum, inscitiam, compotationes, ingluuiem, libidines, hypocrisimque describit, non minus eleganter quam acerbe, nec minus etiam merito. Quum licet multi illis sint opprobriis indigni, non desint 1395 tamen aliqui, in quos singula quadrant, quidam etiam in quos vniuersa competant. Quamobrem non miror, nihil in eis reperisse te quod mutari velles, sicuti nec ego certe. Sed hoc miror, cur abs te non possit impetrare Moria vt impune iocaretur in Theologos, quum illae abs te obtineant Satyrae vt tam acriter obiurgent 1400 religiosos, atque in his Theologos etiam. Sed omitto Gerardi Satyras.

Si quis tuas, mi Dorpi, excutiat epistolas, nihilne reperire possit quo tu vllum hominum genus aliquo mordaci dicto perstrinxeris? An illud edentulum prorsus esse putas, quo in memorata epistola 1405 ad D. Menardum Abbatem, respergis Antistites, qui dum illum laudas, alios hoc pacto deploras, 'Heu me, heu miseros eos, qui non religiosos agunt, sed caballis stipati, Caesaris triumphos nobis referunt, quos satius foret humi repere, quam ad inferos equites properare, ni pedites timeant serius illuc peruenire.' Hec, mi Dorpi, 1410 tam mordax facetia vsque adeo tibi blandita videtur, vt ideo de equis potissimum locutus videare, ne tam bonum dictum perderes; alioquin, opinor, vides, non vsque adeo magnum facinus esse, si abbates equitent, et bestiis in quos creati sunt vsus vtantur. Audiui etiam, nec alios Antistites equitare semper, et illum tuum 1415 interdum, vt in illum etiam ipsum pene iocus tuus recidat, a quo eum cupis in alios auertere. Sed ita sua cuique blanditur ratio, tam bene suus cuique crepitus olet, vt quum ad aliorum iocos frontem contrahimus, vt velut asperos non patimur, nostros neque magis festiuos, et magis mordaces amplectamur. Sed hec in religiosos 1420 Antistites iocatum te negabis, verum deplorasse potius, praesertim quum ab illa inauspicata interiectione auspicaris, 'Heu.' Ego certe,

1394. Nam *S. Edd.* desunt *S. Edd.*
1395. aliqui - - - - - etiam *om. P.* 1396. *sic P.*; concurrant *S.*; quadrant *Edd., male.*
1396. quod nihil in eis repperisti *P.* 1405. dum *add. S. Edd.*
1407. sed *add. S. Edd.* 1409. mihi Dorpi *Edd., male.*
1415. interdum *P.* etiam *add. Edd.* 1418. vt]et *LB., fortasse recte.*
1419. amplectimur *P.* 1420. te *om. S.* deplorasse] te dices *P.*; *om. S. Edd.*

1404. Printed as the dedication for the *Oratio Martini Dorpii theologi de laudibus sigillatim cuiusque disciplinarum, ac amenissimi Lovanii, Academiaeque Lovaniensis* 1533.

Meynardus Mann (d.1526) Abbot of Egmond in Holland rebuilt the abbey after a fire which caused the death of his predecessor in 1509. He was well known as an antiquarian. Dorp's letter was in gratitude for his patronage. Another letter of Dorp to him was printed in the first edition of Adrian of Utrecht's (Adrian VI's) *Quotlibeticae quaestiones* 1515.

quacunque figura proferatur iocum, puto quod ita dicitur, vt nemo sine risu audiat. Quanquam quid refert ioco an serio mordeas? imo refert adeo, quum nemo fere sit qui iocoso in se dicto non arrideat, serium nemo sit qui ferat. Alioqui si deplorare licitum, iocari vetitum putas, facile Moriae fuerit toti orationi iocose, interiectionem dolendi preponere, et mutata figura Theologos eosdem, quos ante derisit, isdem verbis denuo deplorare. Neque enim facile discernas, vtrum deplorandi magis, an ridendi sint. Sed in Antistites fortasse quiduis licere debet, etiam mediocres, at in Theologos, vt vt sint, licere debet nihil. 1425 1430

Nam eo fere tendunt, quae in hac nouissima ad Erasmum scribis epistola, ais enim, 'Miraris tantos conciuisse motus tuam Moriam que pluribus placet, non Theologis modo, sed Episcopis etiam. Atqui ego te demiror, Erasme, qui pluris facias Episcoporum in hac re iudicium, quam Theologorum; siquidem Episcoporum nostri saeculi vitam, mores, eruditionem dicam, an inscitiam, noueris, quorum vt sunt certe nonnulli tanto digni fastigio, ita mira est paucitas.' Hic tu, Dorpi, quum Theologos egre leuissimo ioco patiaris aspergi, Episcopos apertis opprobriis magna cum authoritate perfundis, vt in quibus non tantum eruditionem requiris, et carpis inscitiam, sed vitam quoque ac mores contumeliose condemnas. Sed Theologos plurimum refert (vt ais) integrae apud populum authoritatis esse, quasi nihil referat, apud populum quales estimentur Episcopi, qui quem locum teneant in Ecclesia Christi, quam longe supra Theologos tuos, non est ignotum tibi, qui Pontifices liquidissime nouisti in Apostolorum successisse locum. Neque cautius prospexisse putes tibi, quod nonnullos feceris Episcopos tanto dignos esse fastigio; quum nec ipse Moriam credas indignorum vicia dignis imputare Theologis, que tamen vel hoc te vincit, quod nihil impedit per eam multos dignos esse Theologos. At Episcoporum per te bonorum non modo paucitas est, sed etiam 'mira paucitas.' Sed donemus hoc tibi, nihil esse mali, Pontifices vel ridere dicteriis, vel maledictis incessere, modo ne sacrosanctos Theologorum magistratus attingas. Quid ad hoc dicis? quod illos ipsos Theologos non nomine quidem, sed descriptione tam euidente, vt non vllo nomine designari potuissent ex- 1435 1440 1445 1450 1455

1425. serium] *om. Basle et Lond.* 1427. proponere *Basle et Lond.*; praeponere *LB.* 1434. plurimis *P.* 1448. prospexisse] te *add. P.* feceris *Edd.*; faceris *MSS.* 1453. est *om. S. Edd.* 1455-1456. Theologorum - - - - Theologos *om. S.*

1433. Quoted from Dorp's letter to Erasmus of 27 August 1515 (Allen II.347, ll. 22-27). This is a reference to Erasmus' epistle of the end of May 1515. (Allen II. 337, ll.258ff.)

1444. cf. Allen II.347, ll.43-47.

1453. Allen II.347, l.27.

pressius, ita mordes, vt pene laceres, in prohoemio quod in Pyrgopolinice Plauti fabulam lepidissime conscripsisti. Verum interim
1460 Plauti me nomen admonuit eorum quae tu sparsim per epistolam tuam cum in caeteros Poetas, tum in Terentium nominatim ex Beati Augustini verbis congeris, quae res longiorem disquisitionem flagitat, quam vt a me in hac disputetur epistola. Sed hoc tamen abs te quero, vtrum ibi illis verbis hoc voluisse videtur Augustinus,
1465 Christianis videlicet non esse legendum Therentium? Quod si ab eo perdiscendo non deterreat, nihil aduersus Poetarum lectiones facit ille locus. Sin Augustinum id egisse putas, vt a Poeseos studio Christianos auerteret, rursus abs te percontor, ipsene Therentium adhuc docendum censeas? Quod si censes, quid attinet id tam
1470 citare diligenter, cui non putas esse parendum? Sin docendum neges, ab Augustino videlicet persuasus, miror profecto quo pacto acciderit, vt tandem nunc primum tam sero persuaserit ille, quem te non dubito tam diu ante legisse, nec interea tamen abstinuisse a Plauto legendo, nec a legendo tantum, sed nec a docendo, exhiben-
1475 do, agendoque publice, Poeta nihil quam Therentius est castiore, imo nec tam casto quidem. Quid quod eiusdem Militem Gloriosum facetissimo prologo locupletasti? Aulularíae, non prohoemium modo, sed qui comediae defuerat, finem adiecisti, qui mihi, seu sermonis elegantia spectetur, seu sales, isti vere Plautini, nulla parte
1480 totius comediae videtur inferior. Cuius rei vel hi ipsi versus erunt indicio, quibus (vt dixi) Theologos istos amusos, quos nunc tueris, ita belle describis, vt nemo derideat salsius, nemo insectetur vehementius. Nam quid his carminibus (referam enim) vel magis facetum possit esse, vel magis elegans?

1485 'Primum omnium qui sunt amusi, et litteris
Non proletariis male inaugurati, eos
Ablegat hinc in maximam malam crucem.
Siquidem stomachabundi oblatratores facere
Pergant etiamdum, quod nunquam non factitant,
1490 Clamoribus ampullosis infremere, et

1461. cum in caeteros Poetas *Edd.*; tu ceteres Poetas, tum in Terentium nominatim *S.* (*add. Mor.*?) 1464. tibi] ibi *S. Edd.* verbis *om. Basle.* 1467. *sic et Edd.*; legisse *S.* 1468. counctor *S.* 1470. putes *Basle, fortasse melius.* 1474. nec a legendo tantum, sed nec a *add. S. Edd.* 1476. eiusdem *add. S. Edd.* 1479. sales vere *S. Edd.*

1458. Pyrgopolinices—Tower-town taker, the name of the hero in Plautus' Miles Gloriosus. The reference is to *Prologus in Militem Plautinam Comediam a Martino Dorpio compositus*, p.89, edited by de Nelis, 1513.

1462. cf. Allen II.347, ll.116-132; Ter. *Eun.*584-591; Aug. *Conf.*I.xvi,26.

1477. *Prologus Martini Dorpii in Aululariam Plauti* in the edition of de Nelis, p.73. There follows *Complementum Martini Dorpii in Aululariam Plauti*, p.75.

1485. *Prologus in Militem Plautinam Comediam, op. cit.* p.90, l.30-p.91, l.10.

Venena liuoris effunditare sui,
Et obloqui, et oggannire, et dentibus omnia
Arrodere carniuoracibus, et sicut canes
Solent, quibuslibet allatrare sibi obuiis.
Eos homines (siquidem sint et ipsi homines) 1495
Quum illiterati sint, quum sint agrarii,
Mihi sedulo iussit Plautus hinc abigere.
Sin forte sint presto, nisi comprimant sibi os,
Nihilque graxint, minatus est fore vlmeos,
Vbi hospitio excipientur Acherontico.' 1500

En mi Dorpi, quam neque Poetis abstinendum putasti, et amusos illos Theologos quam bene suis coloribus depinxisti? Quod si te neges tunc fuisse Theologum (siquidem scripta sunt abhinc septennium) certe vix sesquiannus elapsus est, quod eadem recollecta aedidisti, iam certe Theologus, quadriennio post habitam 1505 luculentissimam orationem tuam de Assumptione Deipare Virginis. Quid ergo refert an Theologus effeceris, an prius facta, Theologus aedendo comprobaueris? imo refert adeo. Nam ad scribendum impetu plerumque trahimur; intermissa quum retractamus, certum adhibetur iuditium. Ergo, mi Dorpi, dum e den- 1510 tatis Gerardi Satyris, quibus monachorum spurcissima describit vicia, nihil mutandum censes; dum ipse religiosorum Antistitum sic misereris vt rideas, sic rides, vt mordeas, caeterorum Episcoporum, preterquam mire paucorum, inscitiam, vitam, ac mores acerbe vituperas; dum Theologos istos ipsos, in quorum moriam, 1515 Moriam iocari nephas ducis, ipse amusos vocas, oblatratores, stomachabundos, litteris non proletariis male inauguratos, ampullosis infrementes clamoribus, venena liuida effundentes, obloquentes, obgannientes, dentibus omnia carniuoracibus arrodentes, in obuios quosque, sicut canes solent, allatrantes, illiteratos, agra- 1520 rios, postremo vix homines, in maximam malam crucem censes ablegandos. Dum haec, mi Dorpi, facis, quomodo tibi non venerunt in mentem tua illa tam bene consulta consilia, quibus Erasmum nunc tam amice ac tam prudenter admones? Vbi tunc illud Sallustii, 'Extremae esse dementiae nihil aliud quam odium se 1525 fatigando querere'? Vbi tunc illud Cornelii Taciti, 'Asperae

1495. *sic et LB.*; sint *om. S. Edd.* 1498. presto] profecto *Basle et Lond.*
1499. nihil quique *S.*; nihil quoque *Edd.* 1507. Virginis] Mariae *add. S.*
1508-1510. imo - - - - iuditium *add. S. Edd.*
1511. monachorum *S. Edd.*; religiosorum *P.* 1516. *sic et Edd.*; Moriam *om. S.*
1523. illa *add. S. Edd.* 1525. Sallustii *S. Edd.*; Hieronymi *P.* esse *add. S. Edd.*

1525. Sallust. *Jug.* 3.3.
1526. More quotes from Dorp's letter to Erasmus (Allen II.304, l.50). Tacitus, *Ann.* 15.68.4.

facetiae, quibus multum veri admixtum est, acrem sui memoriam relinquunt'? Quo tunc fugeret illud Epicteti, 'Ne putes omnibus iucunda auditu, quae tibi sunt iucunda dictu'? Profecto, mi Dorpi
1530 charissime, sic est a natura comparatum, vt modum semper ab aliis exigamus, libertatem omnes indulgeamus nobis. Noui ego qui Reuclinum—Deus bone, quem virum!—non satis aequo animo ferrent, quod in emulos suos, videlicet imperitissimos doctissimus, in stupidissimos vir prudentissimus, in vanissimos nebulones homo
1535 integerrimus, ab isdem tam immani lacessitus iniuria, vt si manu se vindicasset, ignoscendum ei videretur.—Noui, inquam, qui non ferrent, quanquam eius etiam studiosi, quod stilo contra illos libere, nec magis libere tamen quam vere, affectus suos effunderet. Noui itidem eos ipsos, qui hec non ferebant, paulo post tamen in
1540 rebus et minoris momenti, neque ad se tam proprie pertinentibus, multo etiam atrocius excandescere. Tanto nimirum procliuius est alienis affectibus quemque temperare, quam suis. Ergo non licuit, inquis, mihi vel Satyras Gerardi probare, vel in Theologos amusos, (adde, Antistites atque Episcopos quoque) vel ioco vel serio dicere,
1545 modo vera, neque nominato quoquam? Imo vero, mi Dorpi, vsque adeo licuisse tibi censeo quod fecisti facere, vt mihi nihil vnquam in vita melius fecisse videaris, modo ea ne desit aequitas, qua tibi quod laudi ducis, idem in alio non vicio verteris.

Istud ergo totum de Moria, mea, mi Dorpi, sententia, et sine
1550 causa mones, quum nihil sit quod moneri debeat, et si quid esset, post tot annos etiam sero mones. Nam quod in calce prioris epis-

1528. relinquunt *Edd.* fugeret *P*; fuget *S.*; fugiat *Edd.*
1529. quae - - - dictu *om. Edd.* 1535. ab iisdem in tantum lacessitus *Edd.*
1536. Noui] tamen *add. P.* 1538. nec] ac *Edd.*
1539. hec *add. S. Edd.* ferrent *LB.* tamen *add. S. Edd.*
1543-1544. Gerardi - - - Antistites *om. Basle et Lond.*

1528. Quoted in Dorp's letter to Erasmus (Allen II.347, l.33). Epictetus, *Ench.*33.14.

1532. John Reuchlin (22 Feb. 1455-30 June 1522) was born at Pforzheim in the Black Forest, and was educated in the monastery school there, at Freiburg, Paris and Basle. He began his study of Greek at Paris, continued it at Basle, and took his M.A. at Basle, 1477. He taught Latin and Greek there for a time. He returned to Paris for further study of Greek with George Hermonymus, and then studied law at Orleans and Poitiers, becoming Licentiate in 1481. He was in Italy in 1482, 1490 and 1498.

He began his study of Hebrew with the Emperor's Jewish physician in 1492, and continued it at Rome in 1498.

In 1496 he went to Heidelberg, teaching private pupils and writing elementary Greek books. He was from then on the centre of Greek and Hebrew teaching in Germany.

c.1500 he received high judicial office in the Swabian League. In 1506 he wrote *De Rudimentis Hebraicis*—a grammar and lexicon. For several years he was disturbed by the controversy over the proposed destruction of Jewish books to hasten the conversion of the Jews. Reuchlin won against the obscurantists, but suffered much obloquy and loss of fortune. In the last three years of his life he again taught with great success at Ingolstadt and Tübingen. (Encyc. Brit.; Allen I, p.555n.)

tolae tuae posuisti, reconciliatum iri Theologis istis Erasmum, quos Moria commouit, si Moriae laudibus Sapientiae laudem opponeret, mediocrem mihi risum mediusfidius excitauit. Sapiunt scilicet, si hoc Moriae Encomio Moriam sic putant esse laudatam, vt laudari 1555 cupiant eadem figura Sapientiam. Quod si censent, quid irascuntur? quum sint ipsi quoque a tam laudata Moria tam abunde laudati. Preterea, non video quo pacto veris Sapientiae laudibus istorum in se inuidiam Erasmus lenire possit, quin potius velit nolit multo acerbiorem redderet, quippe quum eos tam ex Sapien- 1560 tiae contubernio cogeretur eiicere, quam nunc coactus est inter peritissimos Moriae mystas asciscere.

Hec scribenti mihi superuenerunt litterae, quibus ad se meus me Princeps reuocat. Hae me adhuc scripturientem coegerunt, vt sisterem aliquando, atque istam finirem vel inuitus epistolam, 1565 quae quum tam longa sit, vt breuior fortasse fuerit, 'Scriptus et in tergo necdum finitus Orestes.' Nescio tamen quo tecum colloquendi studio adhuc cupiebat increscere.

Quanquam iam nunc nihil intactum reliquimus, certe, quod sciam, nihil per dissimulationem pretermisimus. Neque enim 1570 istud reor expectaturum quenquam, vt Moriam a βλασphemiarum atque impietatis etiam suspitione defenderem, tanquam ea Christi religio male audierit. Nam hos et in prioribus litteris tuis ita posuisti, vt plane te ostenderes contra animi tui sensum alienam referre sententiam, et in hac epistola posteriore, quum cetera 1575 omnia, quanquam illa quoque magna ex parte non tua, tum in quibus herere aliquis potuit color pro hoc ingenio atque hac doctrina tua, magnifice atque ampliter excolueris, hanc tamen de impietate calumniam consulto, velut impiam ipsam sacrilegamque, ac non manifestariam modo, verum futilem quoque atque ineptam 1580 prorsus omisisti. Ea ergo de re nihil erat mihi dicendum, de ceteris dixisse me puto. Nihil ergo restabat aliud de quo tractare volueram.

1553. Moriae] Moria *L.B.* 1554. excussit *Edd.* 1561. est *om. Edd.*
1562. ascribere *S. Edd.*
1569-1584. Quanquam iam nunc - - - de rebus plenius *om. P.*
1569. nunc] opinor *add. S.*; *om. Edd.* 1570. *sic Edd.*; pretermissus *S.*
1571. blasphemiarum *Edd.* 1572. tanquam] ab *add. S.; om Edd.*
1573. hos] et hoc *S.*; hos et *Edd.*; hoc *Basle.*
1579. *sic Edd.*; sacrilegam *MSS.*

1553. cf. Allen II.304, ll.73ff.
1563. More was evidently recalled at the same time as Tunstall. (cf. L.P.II.1047.) He did not return to England immediately, as Pace writes to Wolsey, 25 October, "- - - I met wyth Mr. More in the highe waye: and because there was at that time no commoditie to wryte vnto your grace: I desirydde hym to make shewe off thys vnto your sayde grace - - -" (B.M. MS. Galba B.vi.f.100; L.P.II.1067.)
1567. Juv.I.6.

Sed nisi Principis me interpellassent litterae, scripturus fortasse fui iisdem de rebus plenius.

1585 Verum vt non ingrata est hec epistolae complicandae necessitas, quod vereor ne (qua nunc est longitudine) tibi possit esse molestiae, ita non laetor ademptam mihi facultatem, qua hec eadem liceat sub incudem reuocare, atque hunc rudem et informem foetum meum saepius lambendo refingere. Quod facere profecto 1590 decreueram, vt ad te, doctissime Dorpi, cultior aliquanto veniret, cui me meaque omnia probata esse cupio. Quorum ruditati non ideo solum veniam dabis, quod properus iste discessus effecit, ne mihi vel relegere liceret, sed ob id quoque quod ista scribenti mihi non modo libraria nulla, sed nec liber fere vllus affuit. 1595 Quanquam ne nunc quidem ingrata tibi qualiacunque fore in tua humanitate prima spes est, secunda in mei ipsius industria, qua me sedulo cauisse confido, ne quicquam in his esset quod tuas aures merito posset offendere, nisi mihi (vt homo sum) meorum amor imposuit. Quod si vsquam incidat, culpam admonitus, 1600 agnoscam ingenue, nec tuebor meam. Nempe vt quos amo si quid eorum intersit, non grauatim admoneo, sic ab amicis ipse admoneri valde mediusfidius gaudeo. Neque hoc me fugit tamen, Erasmo quedam ex stomacho te non obiecisse tuo, sed ab aliis accepta potius protulisse, vt tu vicissim intellegas, me multa his in lit- 1605 teris, illis per te potius respondisse, quam tibi, quem ego non solum vt amantissimum diligo, et doctissimum suspicio, verum etiam vt optimum virum reuereor.

Vale, charissime Dorpi, vereque tibi persuade, neminem esse tui magis vel in Hollandia tua studiosum, quam sit Morus apud 1610 toto diuisos ab orbe Britannos, vt cui non minus charus es quam ipsi es Erasmo. Nam charior esse non potes, ne mihi quidem. Iterum vale. Brugis. Vicesimo primo Octobris.

Vale Brugis vicesimo Octobris. Iterum vale.

16. To Erasmus.

Allen II.388 ⟨London⟩
Epistolae ad Erasmum, fol. h^{3}v. ⟨c. 17 February 1516⟩
C^{1}. fol. q: C^{2}. p. 258: F. p. 93: HN
Lond. ii. 16: LB. 227

[Answered by Ep. 18.]

1583. me] *add. Edd.*
1590. animus erat *S. Edd.*
1591. Quorum] nunc *add. Edd.*
1594. affuit *Edd.*; fuit *MSS.*
1598. posset *S. Edd.*
1604. *sic LB.*; pertulisse *P. et S. etc.*
1606. vt *add. S.*; et *Edd.*
1612. Octobris] *hic deficit Basle.*
1613. *add. P.*

17. To Cuthbert Tunstall.

Tres Thomae p. 207 ⟨London⟩
⟨1516?⟩

In legationibus versari quanquam liberali atque in me propenso Principe, tamen mihi non modo non ambienti, sed abhorrenti quoque ab auctoramentis aulicis quid potest esse lucri?

18. From Erasmus.

Allen II.412 ⟨Brussels⟩
Farrago p. 187 ⟨c. 3 June 1516⟩
F. p. 324: HN: Lond. vii. 22: LB. 364

[Answering Ep. 16. Answered by Ep. 19.]

19. To Erasmus.

Allen II.424 ⟨London⟩
Deventer MS. 91, fol. 198v. ⟨c. 21 June 1516⟩
LB. App. 252

[Answering Ep. 18.]

20. To Erasmus.

Allen II.461 London
Deventer MS. 91, fol. 128v. 3 September ⟨1516⟩
LB. App. 174

21. From William Warham.

Allen II.465 Otford
Deventer MS. 91, fol. 178v. 16 September ⟨1516⟩
LB. App. 80

WILHELMUS ARCHIEPISCOPUS CANTUARIENSIS THOME MORO S.

Post integerrimam salutem, dedi litteras ad Maruffum, in quibus egi vt ille decem aut, si opus erit maiori summa, xx lib⟨ras⟩ numerari curet Louanii Erasmo nostro doctissimo, promisique illi solutionem earundem ad primum conspectum litterarum domini Erasmi de receptis. Quare precor alloquaris eundem Maruffum, intelligeque si velit id negocii perficere; in quo si 5 difficilem se praestiterit, mandaui ministro meo Henrico Ieskyn, latori praesentium, vti adeat dominum Anthonium de Viualdis et nomine meo hoc negocium cum eodem transigat.

10 Ex aedibus meis de Otford 16 die Septemb.

22. To Erasmus.

Allen II.467 ⟨London⟩
Deventer MS. 91, fol. 188v. ⟨c. 20 September 1516⟩
LB. App. 251

[Answered by Ep. 24.]

23. To Erasmus.

Allen II.468 London
Deventer MS. 91, fol. 178 ⟨22 September 1516⟩
LB. App. 52

[Answered by Ep. 24.]

24. From Erasmus.

Allen II.474 Antwerp
Farrago p. 182 2 October 1516
F. p. 321: HN: Lond. vii. 13: LB. 218

[Answering Ep. 22, 23. Answered by Ep. 26.]

25. To Peter Gilles.

Utopia, fol. a iii ⟨London⟩
Tres Thomae p. 43, extract ⟨c. October 1516⟩

Thomae Mori . . . Lucubrationes, Basle 1563, fol. β 3v. There are not variations in this text, except, occasionally, in the length of sentences. So also in Lond.

Lond. in Auctario Mori ep. 3

Jortin II, p. 625

[The preface to More's *Utopia,* Louvain, Th. Martens, ⟨c. December 1516.⟩

Peter Gilles or Gillis (Aegidius) was born in Antwerp in 1486 and died there 11 November 1533. He came of a distinguished bourgeois family, and was the son of the Assistant Treasurer of Antwerp, of whom Erasmus speaks so highly. (Allen III,715.) Gilles was himself made Chief Secretary in 1510. His official duties were heavy and took much of his time. In his

7. praestiterit *MS.*; praebuerit *LB., perperam.* 10. Oxford *LB., perperam.*

8. A merchant of Genoa, resident in London, often employed by Wolsey.

leisure he devoted himself to literary interests, as he had been trained in Latin and Greek and in law. His friends included Erasmus, Goclenius, Jerome Busleiden, Budé, Vives, Lefèvre d'Étaples, Dorp, and Thierry Martens, as well as the artists Dürer and Quentin Metsys. His portrait, painted by Metsys, is now at Longford Castle (cf. Eps. 37, 43, 45, 46, 47).

His published works included editions of the epistles of Politian, 1510; the works of Rudolph Agricola, 1511; Aesop's fables, 1513, and a treatise on the sources of the Code of Justinian: *Summae . . . legum diversorum imperatorum*. In this, his interpretation often obscures the texts which he professes to give. The book was very valuable in the Renaissance study of Roman law and canon law. These books were edited for and published by the press of Thierry Martens. He was also a corrector for Martens, and assisted in the publication of *Epistolae aliquot illustrium virorum ad Desid. Erasmum,* and of More's *Utopia.*

Gilles had known Erasmus since 1504 (Allen I, p. 413) and through Erasmus' letter of introduction met More when he was on the embassy to Flanders in 1515. (Allen II.332.)]

THOMAS MORUS PETRO AEGIDIO S.D.

Pudet me propemodum, charissime Petre Aegidi, libellum hunc, de Vtopiana republica, post annum ferme ad te mittere, quem te non dubito intra sesquimensem expectasse, quippe quum scires mihi demptum in hoc opere inueniendi laborem, neque de dispositione quicquam fuisse cogitandum, cui 5 tantum erant ea recitanda, quae tecum vna pariter audiui narrantem Raphaelem, quare nec erat quod in eloquendo laboraretur, quando nec illius sermo potuit exquisitus esse, quum esset primum subitarius, atque extemporalis, deinde hominis, vt scis, non perinde Latine docti quam Graece, et mea oratio quanto accederet propius 10 ad illius neglectam simplicitatem, tanto futura sit propior veritati, cui hac in re soli curam et debeo et habeo. Fateor, mi Petre, mihi adeo multum laboris hiis rebus paratis detractum, vt pene nihil fuerit relictum, alioquin huius rei vel excogitatio, vel oeconomia potuisset, ab ingenio neque infimo, neque prorsus indocto pos- 15 tulare, tum temporis nonnihil, tum studii, quod si exigeretur, vt

TIT. S.P.D. *Utopia 1517.* 7. laboretur *Utopia 1517.* 8. *sic et Basle*; quoniam *Lond. et Jortin.*

2. "Utopia" comes from the Greek οὐ, no, and τόπος, place. More had first Latinized it as "Nusquama," as in Eps.19,21.

7. Raphael Hythloday, according to More's fiction, had made three voyages with Amerigo Vespucci, but had not returned with him from the last. He had traveled much in the New World, had discovered Utopia, and had then sailed back to Portugal by way of Ceylon and Calicut on the west coast of India, thus circumnavigating the globe before Magellan's expedition did so, historically. The name is from ὕθλος, idle talk or nonsense, and some derivative of δάω, to teach. (The *Utopia*, ed. Sampson, p.24 n.2.)

diserte etiam res, non tantum vere scriberetur, id vero a me praestari, nullo tempore, nullo studio potuisset.

Nunc vero quum ablatis curis hiis, in quibus tantum fuit sudoris 20 exhauriendum, restiterit tantum hoc, vti sic simpliciter scriberentur audita, nihil erat negocii, sed huic tamen tam nihilo negocii peragendo, caetera negocia mea minus fere quam nihil temporis reliquerunt. Dum causas forenseis assidue alias ago, alias audio, alias arbiter finio, alias iudex dirimo, dum hic officii causa visitur, 25 ille negocii, dum foris totum ferme diem aliis impartior, reliquum meis, relinquo mihi, hoc est literis, nihil. Nempe reuerso domum, cum vxore fabulandum est, garriendum cum liberis, colloquendum cum ministris, quae ego omnia inter negocia numero, quando fieri necesse est (necesse est autem, nisi velis esse domi tuae peregrinus) 30 et danda omnino opera est, vt quos vitae tuae comites, aut natura prouidit, aut fecit casus, aut ipse delegisti, hiis vt te quam iucundissimum compares, modo vt ne comitate corrumpas, aut indulgentia ex ministris dominos reddas.

Inter haec quae dixi elabitur dies, mensis, annus. Quando ergo 35 scribimus? nec interim de somno quicquam sum loquutus, vt nec de cibo quidem, qui multis non minus absumit temporis, quam somnus ipse, qui vitae absumit ferme dimidium. At mihi hoc solum temporis adquiro quod somno ciboque suffuror, quod quoniam parcum est, lente, quia tamen aliquid, aliquando per- 40 feci, atque ad te, mi Petre, transmisi Vtopiam vt legeres, et si quid effugisset nos, vti tu admoneres. Quanquam enim non hac parte penitus diffido mihi (qui vtinam sic ingenio atque doctrina aliquid essem, vt memoria non vsquequaque destituor) non vsqueadeo tamen confido, vt credam nihil mihi potuisse excidere. 45 Nam et Ioannes Clemens puer meus, qui adfuit, vt scis, vna,

23-37. Dum causas - - - dimidium *Stapleton* p.43. 33. indulgentiae *Stapleton.* 42-43. vtinam - - - destituor *Stapleton.* 43. memoriam *Utopia 1517.* 45. sis *Utopia 1517.*

---

45. John Clements (d.1572) was educated at St. Paul's School, and was taken from it by More to be a member of his household and tutor to his children, especially to his daughter Margaret. By 1516, he was already proficient in Latin and Greek. (Letter of Gonell. R.O. St.P. H.VIII. 231.f.283; L.P.II.app.17.) Wood says he was educated at Oxford. He lectured at Oxford as early as 1518, settled in Corpus Christi College, and was appointed by Wolsey Rhetoric Reader and later Reader of Greek. (MS. Bodl. 282.f.34; Stapleton, tr. Hallett, p.98; D.N.B.) In 1519 he began to devote his time exclusively to the study of medicine, probably at Louvain. (Allen IV.1087.615f., V.1256.121f.) In 1522 he went to Italy, seeing Erasmus on the way at Basle. (Allen V.1271.114f.) He remained in Italy for several years. Leonicus writes to Pole of his visit in Padua in June 1524. (Gasquet pp.69-71.) He was promoted M.D. at Siena, 30 March 1525, and worked with Lupset on the Aldine edition of Galen, April-August, 1525. (de Vocht p.425n.)

He married in 1526 Margaret Giggs, More's ward and adopted daughter, who

vt quem a nullo patior sermone abesse in quo aliquid esse fructus potest, quoniam ab hac herba qua et Latinis literis et Graecis coepit euirescere, egregiam aliquando frugem spero, in magnam me coniecit dubitationem, siquidem quum, quantum ego recordor, Hythlodaeus narrauerit Amauroticum illum pontem, quo fluuius 50 Anydrus insternitur, quingentos habere passus in longum, Ioannes meus ait detrahendos esse ducentos, latitudinem fluminis haud supra trecentos ibi continere. Ego te rogo, rem vt reuoces in memoriam. Nam si tu cum illo sentis, ego quoque adsentiar et me lapsum credam, sin ipse non recolis, scribam, vt feci, quod ipse 55 recordari videor mihi, nam vt maxime curabo, ne quid sit in libro falsi, ita si quid sit in ambiguo, potius mendacium dicam, quam mentiar, quod malim bonus esse quam prudens. Quanquam facile fuerit huic mederi morbo, si ex Raphaele ipso, aut praesens sciscíteris, aut per literas, quod necesse est facias, vel ob alium scru- 60 pulum, qui nobis incidit nescio meane culpa magis, an tua, an Raphaelis ipsius. Nam neque nobis in mentem venit quaerere, neque illi dicere, qua in parte noui illius orbis Vtopia sita sit. Quod non fuisse praetermissum sic, vellem profecto mediocri pecunia mea redemptum, vel quod subpudet me nescire, quo in mari 65 sit insula de qua tam multa recenseam, vel quod sunt apud nos

47. potuit *Lond.* 49. dubium *Utopia 1517.*

---

had been his pupil and who now helped him with his translations from Greek (de Vocht, *op. cit.*; Stapleton, tr. Hallett, p. 99; Dr. Maurits Sabbe in *Koninklijke Vlaamsche Academie,* 1922, pp.256-264).

In February 1527/8, Clements was admitted as a member of the College of Physicians and in 1544 was elected President. He later practised medicine near Marshfoot in Essex. After More's death, he was imprisoned, with all of the men of More's family, for refusing the oath. (Stapleton, *op. cit.* p.215.)

In the reign of Edward VI he retired to the Continent "for religion's sake," living in the colony of English exiles in Louvain which was supported by Antonio Bonvisi. He was registered in the university as "medicine doctor, anglus, nobilis." His belongings were seized in 1550.

Under Mary, he was able to return to England as the queen's physician. With the accession of Elizabeth and the Act of Uniformity he again went into exile. He lived for a time at Bergen and then settled at Mechlin, practising his profession there. (de Vocht, *op. cit.* pp.425-6; Sabbe, *op. cit.*) He was one of the most important members of the English colony.

Clements died at Mechlin in 1572, and was buried beside his wife (d.1570), near the high altar of St. Rombold's church. There are tributes to him in the *Utopia*, in many of More's letters, and in several passages in Stapleton. (D.N.B.; Wood's *Athenae* I, col.401.)

His son Thomas was a godson of More's (cf. Ep.205), his daughter Winifred (d. 1553) was married to William Rastell, More's nephew, publisher of his *Englysh Workes*, and his daughters Dorothy and Margaret were nuns. (Sabbe, *op. cit.* and de Vocht, *op. cit.*)

50. Amaurote—from ἀμαυρός, dim. This may be a reference to fog, as the city resembles London in several particulars, or it may be intended to increase the sense of vagueness. (The *Utopia*, ed. Lupton, p.126 n.1.)

51. Anyder—from ἄνυδρος, waterless. The location of Amaurote on the Anyder, and the stone bridge over the river, are evidently reminiscent of London.

vnus et alter, sed vnus maxime, vir pius et professione Theologus, qui miro flagrat desyderio adeundae Vtopiae, non inani et curiosa libidine collustrandi noua, sed vti religionem nostram, feliciter 70 ibi coeptam, foueat atque adaugeat. Quod quo faciat rite, decreuit ante curare vt mittatur a Pontifice, atque adeo vt creetur Vtopiensibus Episcopus, nihil eo scrupulo retardatus, quod hoc antistitium sit illi precibus impetrandum. Quippe sanctum ducit ambitum, quem non honoris aut quaestus ratio, sed pietatis respectus 75 pepererit.

Quamobrem te oro, mi Petre, vti aut praesens, si potes commode, aut absens per epistolam, compelles Hythlodaeum, atque efficias, ne quicquam huic operi meo, aut insit falsi, aut veri desyderetur. Atque haud scio an praestet ipsum ei librum ostendi. Nam neque 80 alius aeque sufficit, si quid est erratum corrigere, neque is ipse aliter hoc praestare potest, quam si quae sunt a me scripta, perlegerit. Ad haec, fiet vt hoc pacto intelligas, accipiatne libenter, an grauatim ferat, hoc operis a me conscribi. Nempe si suos labores decreuit ipse mandare literis, nolit fortasse me, neque ego certe 85 velim, Vtopiensium per me vulgata republica, florem illi gratiamque nouitatis historiae suae praeripere. Quanquam vt vere dicam, nec ipse mecum satis adhuc constitui, an sim omnino aediturus.

Etenim tam varia sunt palata mortalium, tam morosa quorundam ingenia, tam ingrati animi, tam absurda iudicia, vt cum hiis 90 haud paulo felicius agi videatur, qui iucundi atque hilares genio indulgent suo, quam qui semet macerant curis, vt aedant aliquid quod aliis, aut fastidientibus, aut ingratis, vel vtilitati possit esse,

---

67. The Vicar of Croydon, Rowland Phillips (c.1468-?1538). He was educated at Oriel College, Oxford, proceeded M.A., and in 1496 was Proctor of the University. From 1521 until his resignation in 1525 he was Warden of Merton College, though he had never been a Fellow of that house. He was D.D. 2 June 1522. (Brodrick's *Memorials of Merton Coll.*, pp.51,163; Joseph Foster, *Alumni Oxonienses.* Wood's *Athenae Oxon*, II.723 merely notes that he preached Ruthall's funeral sermon.) He held many preferments, being Vicar of Croydon, Prebendary in the collegiate church of Hastings 1507, Rector of St. Margaret Pattens, London (resigned 1515), Chaplain to the King, Rector of Crayford in Kent, 1514, Rector of St. Michael's Cornhill 1517-38, Prebendary of Neasdon in St. Paul's from 1517, Rector of Merstham, Surrey, 1520, and Precentor of Hereford 1524. He resigned the vicarage of Croydon in May 1538, and was granted a pension of £12 a year for life "on account of his great age." He early saw the importance of the invention of printing: "We (*scil.* the Roman Catholics) must root out printing, or printing will root out us." (Fox VI.804, quoted by Garrow, p.298n.) Anthony Wood calls him "a great divine and a renowned clerk." He was distinguished as a preacher. (cf. also D.N.B. and Garrow's *History and Antiquities of Croydon*, pp.297-298. The article in D.N.B. seems incorrect in stating that he became Vicar of Croydon in 1522. Garrow says he was collated by Archbishop Morton in 1497, and L.P. speaks of him as already Vicar in April 1519. L.P. *passim* 1514-1538.) In 1528, he was witness in a law case, and is spoken of as "of the age of 60" (L.P.IV.3862). He probably died soon after his resignation from Croydon. For his religious position in later years, see note to Ep.200.

vel voluptati. Plurimi literas nesciunt, multi contemnunt. Barbarus vt durum reiicit, quicquid non est plane barbarum, scioli aspernantur vt triuiale, quicquid obsoletis verbis non scatet, quibusdam 95 solum placent vetera, plerisque tantum sua. Hic tam tetricus est, vt non admittat iocos, hic tam insulsus, vt non ferat sales, tam simi quidam sunt, vt nasum omnem, velut aquam ab rabido morsus cane, reformident, adeo mobiles alii sunt, vt aliud sedentes probent, aliud stantes. Hi sedent in tabernis, et inter pocula de 100 scriptorum iudicant ingeniis, magnaque cum autoritate condemnant vtcunque lubitum est, suis quenque scriptis, veluti capillicio vellicantes, ipsi interim tuti, et quod dici solet, ἔξω βέλους, quippe tam leues et abrasi vndique, vt ne pilum quidem habeant boni viri, quo possint apprehendi. Sunt praeterea quidam tam ingrati, 105 vt quum impense delectentur opere, nihilo tamen magis ament autorem, non absimiles inhumanis hospitibus, qui quum opiparo conuiuio prolixe sint excepti, saturi demum discedunt domum, nullis habitis gratiis ei, a quo sunt inuitati. I nunc et hominibus tam delicati palati, tam varii gustus, animi praeterea tam memoris 110 et grati, tuis impensis epulum instrue.

Sed tamen, mi Petre, tu illud age quod dixi cum Hythlodaeo, postea tamen integrum erit hac de re consultare denuo. Quanquam si id ipsius voluntate fiat, quandoquidem scribendi labore defunctus, nunc sero sapio, quod reliquum est de aedendo, sequar 115 amicorum consilium, atque in primis tuum.

Vale, dulcissime Petre Aegidi, cum optima coniuge; ac me vt soles ama, quando ego te amo etiam plus quam soleo.

26. To Erasmus.

Allen II.481	London
Deventer MS. 91, fol. 163v.	31 October ⟨1516⟩
LB. App. 87	

[Answering Ep. 24.]

27. From Jerome Busleiden.

Utopia, fol. a i (1518, p. 163)	Mechlin
Thomae Mori . . . Lucubrationes, p. 160	⟨November⟩ 1516
Tres Thomae p. 45, extract	

[Busleiden's congratulatory letter printed in the *Utopia*.
Jerome Busleiden (c. 1470-1517) was educated at Louvain and, proceed-

103. X. *Cyr*. 3.3.69.

ing to Italy, received an LL.D. at Bologna in 1501. He studied also at Padua, where he knew Tunstall. (L.P. II.1383.) He held canonries at Mechlin, Mons, Liége, and was Provost of Aire in Artois and Archdeacon of Cambray and of Brussels, and treasurer of St. Gudule's, Brussels. He was a member of the Great Council at Mechlin, and was employed on several embassies—to Rome 1505-1506, to England 1509, to congratulate Henry VIII on his accession, to France 1515, at Francis I's accession, to Utrecht 1516, and to accompany Charles to Spain in 1517. He died on the way at Bordeaux. (Allen I, p. 434.)

His wealth was used in the building of a great house at Mechlin, in which he gave much hospitality to scholars, and which was willed for the founding of the Collegium Trilingue at Louvain.

More acquired his friendship while on an embassy in the Low Countries in 1515. (cf. Ep. 15.) He writes of Busleiden and of the Mechlin house in several of his *Epigrammata*.]

Hieronymus Buslidius Thomae Moro S.D.

Non sat fuit, ornatissime More, olim omnem curam, operam, studium, intulisse in rem et commodum singulorum, nisi vel ea (quae tua pietas et liberalitas est) conferres in vniuersum, ratus hoc (tuum qualecunque foret) beneficium, eo maiorem hinc
5 mereri fauorem, venari gratiam, aucupari gloriam, quanto illud et latius propagatum, et in plures distributum, pluribus esset profuturum. Quod et si alias semper praestare contenderis, tamen id maxime es nuper mira felicitate adsecutus, scilicet pomeridiano illo sermone abs te in literas relato. Quem de recte et bene con-
10 stituta (ab omnibus expetenda) Vtopiensium Rep. aedidisti. In cuius pulcherrimi instituti felici descriptione nihil est, in quo vel summa eruditio, vel absoluta rerum humanarum peritia desyderari possit. Quando ea quidem ambo in illo tanta paritate et aequabili congressu concurrunt, vt neutro alteri herbam porrigente,
15 vtrunque aequo Marte de gloria contendat. Tam siquidem multifaria polles doctrina, rursum tam multa, eaque certa rerum peritia, vt prorsus expertus affirmes quicquid scripseris, doctissime scribas, quicquid affirmandum destinaueris. Mira profecto raraque felicitas, ac plane eo rarior, quo magis ipsa sese inuidens plurimis non
20 praebet nisi raris, maxime iis, qui sicut candore velint, ita eruditione sciant, fide queant, autoritate possint, tam pie, recte, prouide, in commune consulere, sicut tu iam facis probe, qui quod non solum tibi, verumetiam toti te gentium orbi existimas, operaepre-

10-32. In Vtopiensis Respub. faelici descriptione (sic) - - - Respublicas. *Stapleton* p.45.
13-15. Quando - - - contendat *om. Stapleton.* 23. te *om. Stapleton.*

1. Busleiden's letter was written at the request of Erasmus, as we learn from the accompanying letter. (Allen II. Ep.484.)

cium duxeris, hoc tuo pulcherrimo merito, vel totum ipsum orbem demereri, quod praestare alia ratione neque rectius neque melius 25 potuisses, quam ipsis mortalibus ratione pollentibus, eam Reip. ideam, eam morum formulam, absolutissimumque simulacrum praescribere, quo nullo vnquam in orbe visum sit vel salubrius institutum, vel magis absolutum, vel quod magis expetendum videatur, vtpote multo quidem praestante, atque longo post se 30 interuallo relinquente, tot celebratissimas, tantopere decantatas Lacedaemoniorum, Atheniensium, Romanorum, respublicas. Quae si iisdem essent auspiciis auspicatae, iisdem (quibus haec tua Resp.) institutis, legibus, decretis, moribus moderatae, profecto hae nondum labefactatae et solo aequatae. Iam proh dolor citra 35 spem omnem instaurationis extinctae iacerent. Sed contra, incolumes adhuc, beatae, felices, fortunatissime agerent, interim rerum dominae, suum late imperium terra marique sortitae. Quarum quidem rerumpublicarum, tu miserandam miseratus sortem, ne aliae itidem (quae hodie rerum potitae summum ten- 40 ent) parem sustinerent vicem, prospicere voluisti, scilicet hac tua absolutissima republica, quae non tam in condendis legibus, quam vel probatissimis magistratibus formandis, maxime elaborauit. Nec id quidem ab re, quando alioqui sine illis omnes (vel optimae) leges, si Platoni credimus, mortuae censerentur, praesertim ad 45 quorum magistratuum simulacrum, probitatis specimen, exemplar morum, iustitiae imaginem, totus status, et rectus tenor cuiusuis absolutae Reip. sit effingendus. In quo in primis concurrant, prudentia in optimatibus, fortitudo in militibus, temperantia in singulis, iustitia in omnibus, quibus quum tua (quam tantopere cele- 50 bras) respublica sit tam pulcherrime, vt liquet, composita. Non mirum si hinc veniat, non solum multis timenda, sed et cunctis gentibus veneranda, simul omnibus saeculis praedicanda. Idque eo magis, quod in ea omni proprietatis contentione sublata, nulli sit quippiam proprii. Caeterum in rem ipsam communem, com- 55 munia sunt omnibus omnia. Adeo vt omnis res, quaeuis actio, seu publica, seu priuata, non ad multorum cupiditatem, non ad paucorum libidinem spectet, sed ad vnam iustitiam, aequabilitatem, communionem sustinendam (quantulacunque sit) tota referatur. Quo illa integre relata, omnis materies, fax et fomes, ambitus, 60

42-43. non tam - - - quam in optimis magistratibus - - - *Stapleton, ibid.*
43. maxime *om. Stapleton.* 46-48. simulacrum - - - effingendus *Stapleton, ibid.*
54. *correxi*; omnis *Vtopia.*

---

45. cf. Plato, *Rep.*IV.425. 56. *ibid.*III.416.
51. cf. Plato, *Rep.*IV.432-434.

luxus, inuidentiae, iniuriae facessant necesse est. In quae nonnunquam, aut priuata rerum possessio, aut ardens habendi sitis, omniumque miserrima rerum ambitio, mortales (vel reluctantes) protrudit, maximo suo, idque incomparabili malo. Quando hinc
65 saepenumero dissensiones animorum, motus armorum, et bella plusquam ciuilia derepente oriantur. Quibus non solum florentissimus status beatissimarum Rerump. funditus pessundatur, verum illarum olim parta gloria, acti triumphi, clara trophea, totiesque opima spolia, de victis hostibus relata, penitus obliterantur. Quod
70 si in his haec nostra pagina minorem forte, ac velim, fidem fecerit, certe in promptu aderunt testes ad quos te relegem, locupletissimi, videlicet tot et tantae olim vastatae vrbes, dirutae ciuitates, prostratae Resp. incensi et consumpti vici, quorum vti hodie vix vllae tantae calamitatis reliquiae, aut vestigia visuntur, ita nec nomina
75 illorum vlla quantumuis vetus, et longe deducta historia, sat probe tenet. Quas quidem insigneis clades, vastationes, euersiones, caeterasque belli calamitates, nostrae (si quae sint) Resp. facile euaserint, modo ad vnam Vtopiensium reipublicae normam sese adamussim componentes, ab ea ne transuersum quidem, vt aiunt,
80 vnguem recedant. Quod sic demum praestantes, tandem re ipsa cumulatissime agnoscent, quantum hoc tuum in se collatum beneficium profuerit, maxime quo accedente didicerint, suam Remp. saluam, incolumem, triumphantem seruare. Proinde tantum tibi suo praesentissimo seruatori debiturae, quantum is haud
85 iniuria promeretur, qui non tantum aliquem e republica ciuem, sed uel ipsam totam Remp. seruarit. Interea Vale, ac feliciter perge nonnihil vsque meditari, agere, elaborare, quod in Remp. collatum, illi perpetuitatem, tibi immortalitatem addat. Vale doctissime, et idem humanissime More, tuae Britanniae, ac nostri huius
90 orbis decus. Ex aedibus nostris Mechliniae. M.D.XVI.

28. To Cuthbert Tunstall.

Tres Thomae p. 64 ⟨London⟩
⟨c. November 1516⟩

[A reply to Tunstall's letter of congratulation on the *Utopia,* of which More writes appreciatively to Erasmus in Ep. 30.]

Quanquam omnes literae, vir dignissime, mihi sunt iucundae quae perferuntur abs te, tamen quas scripsisti proxime

90. Mechliniae] Anno *add. Basle et Opera Latina.* 1. sint *Stapleton 1612.*

80. Otto, p.356; Hieron.120.10.

fuerunt longe iucundissimae: propterea quod praeter communes illas reliquarum commendationes ab elegantia atque amicitia (quibus tuarum nulla non scaturit) hae peculiarem quandam gratiam 5 afferebant secum elogii tui de Repub. mea, vtinam tam veri quam candidi. Rogaueram Erasmum nostrum vt tibi inter confabulandum rem exponeret; ne legendam vero ingereret vetui. Non quod legi abs te nollem (quo nihil magis cupiebam) sed memor sapientissimi consilii tui quo decreueras non ante nouorum quicquam 10 in manus sumere, quam veterum authorum te lectione expleueras; quam rem si profectu metiare, iam dudum aetatem compleuisti, sin adfectu, nunquam perficies. Verebar itaque quem egregia aliorum multorum opera deuocare ad se non potuere, ne nunquam fieret vt libenter ad meas nugas descenderes. Nec fecisses certe 15 nisi te amor magis impulisset, quam traxisset res. Quamobrem quod tam diligenter perlegisti Vtopiam, hoc est, quod amicitiae nostrae tantum laboris impendisti, maximas ago gratias: quod vero placuit opus, non minores. Nam hoc quoque non minus amicitiae tribuo, quam te habuisse in consilium loco censoriae 20 virgae video. Quanquam vtcunque res habet, dici profecto non potest quanto hoc tuo tam candido suffragio gaudeam. Nam sentire te quae dicis propemodum mihi persuadeo, quum et te sciam ab omni fuco alienissimum, et memet videam humiliorem quam cui sit abs te palpandum, amantiorem tui quam cui sit illudendum. 25 Quamobrem siue incorruptus vidisti verum, laetor vehementer tuo iudicio; siue legenti tibi mei studium imposuit, non minus amore delector; quem necesse est esse vehementem qui iudicium suum Tonstallo possit abripere.

29. To Erasmus.

Allen II.499 ⟨London⟩
Deventer MS. 91, fol. 188 ⟨c. 4 December 1516⟩
LB. App. 250

30. To Erasmus.

Allen II.502 London
Deventer MS. 91, fol. 129 15 December ⟨1516⟩
LB. App. 221

31. To William Warham.

Tres Thomae p. 205 ⟨London⟩
⟨January 1517⟩

[William Warham (1450?-1532) was educated at Winchester and New

College, and was LL.D. of Oxford 1488, of Cambridge 1500. He was appointed Master of the Rolls 1494, Bishop of London 1501, and Keeper of the Great Seal 1502. In 1504 he changed that office for the Chancellorship, which he resigned 22 December 1515. In 1504, also, he became Archbishop of Canterbury.

He was munificent in his gifts to scholars, especially to Erasmus. By this and by much building for the church, he died very poor, having only £30 a few days before the end, saying, "Sat est viatici." (D.N.B.)]

Semper quidem faelicem paternitatis tuae sortem iudicaui; et dum Cancellariae munere praeclare fungereris, et nunc faeliciorem, postquam eodem defunctus in ocium optatissimum quo tibi possis ac Deo viuere, secessisti. Ocium inquam non iucun-
5 dius tantum quam erant illa negotia, sed omnibus etiam honoribus mea quidem sententia magis honorificum. Nam gerere Magistratus id quidem plurimis contingit et interdum pessimis. At quum habebas maximum, et qui quantum authoritatis habet ac licentiae dum geritur, tantum depositus calumniis obnoxius est; eum sua
10 sponte deponere (quod tua paternitas magno labore vix impetrauit, vt liceret facere) nisi modesto non libet, nisi innocens non audet.

Quamobrem huius animi tui nescio modestiorisne qui munus tam amplum ac magnificum voluisti relinquere, an sublimioris
15 qui potuisti contemnere, an innocentioris qui non metuisti deponere, certe optimi ac prudentissimi, multos quidem sed imprimis me suffragatorem et admiratorem habes, qui dici non potest huic tam rarae faelicitati tuae quam impense gratuler, mihique tuo nomine gaudeam; quum tuam paternitatem videam procul ab
20 secularibus negotiis, procul ab forensium tumultu rerum secedentem, et gesti magistratus et positi honorifica fama rarissima gloria frui; ac reliquum vitae tempus anteactae conscientia laetum, clementer ac placide in literis ac philosophia traducere. Cuius tuae conditionis dulcedinem indies magis ac magis illustrem, mihi mea
25 reddit miseria, qui quanquam nihil habeam negotii quod quidem memoratu sit dignum [erat nihilominus quum haec scriberet Consiliarius regius, et regni proquaestor et frequenti legatione occupatus] tamen vt imbecillae vires facile premuntur paruis rebus, ita distringor assidue vt ne tantulum temporis habeam liberum
30 quo tuam paternitatem vel inuisam aliquando vel praetermissum

26-28. *annot. Stapleton.*

27. More was called Councillor in the pension grant of 1516, but his actual introduction to the Privy Council seems to have been delayed to the summer of 1518.

officium per epistolam excusem, adeo vt vix licuerit has parare literas.

Quibus haud satis lepidum hunc libellum tuae dominationi commendarem [Vtopiam suam dicit] quem quum Antuerpiensis quidam amicus meus [Petrus Aegidius] elapsum potius quam elaboratum, amori indulgens suo, editione dignum putauit, atque insciente me curauit excudendum, quamquam ipse indignum vel hac dignitate tua vel rerum vsu vel eruditione tua censeam, tamen sum ausus mittere; fretus videlicet tum benignitate tua, qua semper soles omnium ingeniis candide fauere, tum experto tuo in me fauore confisus: quo spero fore vt si opus parum per se arrideat, Author tamen aliquid conciliet gratiae.

Vale, Praesul amplissime.

32. To a Member of the Royal Court.

Tres Thomae p. 208

⟨London⟩
⟨January 1517⟩

Ego Vtopiam meam vni Cardinali Wolsaeo (si non eam ante meus Petrus, me, vt scis, insciente, multasset primum virginitatis florem) animo desponderam; si modo cuiquam, ac non caelibem perpetuo apud me seruarem aut Vestae forsan consecrarem; sacrisque eius initiarem ignibus.

33. To Erasmus.

Allen II.513
Deventer MS. 91, fol. 189
LB. App. 112

⟨London⟩
13 January ⟨1517⟩

34. To Antonio ⟨?Bonvisi⟩.

Tres Thomae p. 208

⟨London⟩
⟨January 1517?⟩

[This was probably addressed to Antonio Bonvisi, a merchant of Luke (Lucca). The family had settled in England and Antonio was probably born there. He had established his fortune as early as 1513, and used part of his great wealth in patronage of learned men. "He was Proctor-General in London to the Italian bishops of Worcester." Crosby Hall was later his residence, and mention is also made of his garden in London and of his

34, 35. *annot. Stapleton.*   2. sis *Stapleton 1612, perperam.*

house at Lyons, from which some of his correspondence is dated. He was opposed to the Reformation and fled to the Continent in 1549, where he died in 1558. He was buried at Louvain. (D.N.B.; L.P. I-XIX *passim*; More's *English Works*, 1931, I, pp 8, 19.)

In Ep. 217 More speaks of himself as for nearly forty years "a continual nursling of the house of Bonvisi."]

De me quod tale quicquam existimes, ex affectu potius quam iudicio profectum suspicor. Offundit enim plerunque amor vbi altius insederit, hominum cogitationibus tenebras; quod tibi video contigisse, maxime quum Vtopia nostra tam impense 5 placuerit, quem ego librum plane dignum censeo qui in sua semper insula delitesceret.

35. From Erasmus.

Allen II.543 — Antwerp
Farrago p. 184 — I March 1516/7
F. p. 322: HN: Lond. vii. 16: LB. 208

36. From Erasmus.

Allen II.545 — Antwerp
Farrago p. 185 — 8 March 1517
F. p. 323: HN: Lond. vii. 17: LB. 237

37. To Cuthbert Tunstall.

Tres Thomae p. 65 — ⟨London⟩ ⟨1517?⟩

[cf. notes for Ep. 29.

Tunstall was abroad in 1517, and would probably have purchased the amber on the Continent.]

Quod in literis tuis tam accurate mihi agis gratias de meis officiis in causis tuorum tuendis, facis tu quidem perhumaniter, qui meum factum per se exiguum tua bonitate amplificas, sed pro nostra amicitia timidiuscule, si quicquam a me perfectum 5 tanquam debiturus accipias, ac non velut tuum potius ac tibi debitum officium tuo tibi iure desumas.

[Et post multa.]

Succinum quod ad me misisti, pretiosum muscarum sepulchrum, multis nominibus mihi fuit gratissimum. Nam et materia ea est

7. *annot. Stapleton.*

quae colore et luce nullam gemmam non prouocet, et forma multo 10
praestantior quae cordis figura quasi symbolum quoddam amoris
in me tui repraesentat; quem neque auolaturum vnquam et semper incorruptum fore, ex eo te intelligi velle interpretor, quod
muscam animal neque minus volatile quam est Veneris filius,
neque magis durabile, sic tamen inclusam atque implicatam suc- 15
cini visco video vt non possit effugere, sic aromaticis conditam
succis vt non possit interire.

Quod non habeo quo te redonem, non valde moueor. Scio enim,
te vicissitudinem non expectare munerum, et ego tibi etiam libens
debeo. Sed hoc me angit aliquantulum quod quae meae faculta- 20
tulae tenuitas est, nunquam gerere me tam officiose possim, vt non
indignus tamen hac tanta amicitiae tuae significatione videar.
Quamobrem cum aliis approbare me non possim, necesse est mea
conscientia tuaque contentus sim.

38. From Erasmus.

Allen II.584 ⟨Antwerp⟩
Farrago p. 189 ⟨30 May⟩ 1517
F. p. 326: HN: Lond. vii. 24: LB. 291

[Answered by Ep. 40.]

39. From Erasmus.

Allen III.597 ⟨Louvain⟩
Deventer MS. 91, fol. 64 ⟨c. 10 July 1517⟩
LB. App. 241

[Answered by Ep. 40.]

40. To Erasmus.

Allen III.601 London
Deventer MS. 91, fol. 94(*α*) and 218v (*β*) 16 July ⟨1517⟩
LB. App. 148

[Answering Ep. 38, 39.]

---

13. cf. Lucian, *The Fly*: "You may be sure I propose to mention the most important point in the nature of the fly. It is, I think, the only point that Plato overlooks in his discussion of the soul and its immortality. When ashes are sprinkled on a dead fly, she revives and has a second birth and a new life from the beginning. This should absolutely convince everyone that the fly's soul is immortal like ours, since after leaving the body it comes back again, recognizes and reanimates it, and makes the fly take wing." (Bohn edit., p.89.) Needless to say that belief in immortality was irritating to Lucian.

41. To Erasmus.

Allen III.623 — London
Deventer MS. 91, fol. 94 — 19 August ⟨1517⟩
E. p. 177: F. p. 317: HN: Lond. vii. 4: LB. 522

41a. To Peter Gilles.

Utopia, 1517, fol. Q iiiv. — ⟨London⟩
⟨c. August 1517⟩

[Paris, Gilles de Gourmont, 1517.

The same supplementary material is included as in the 1516 edition, with a letter also from Budé to Lupset, and this second letter from More to Gilles. Lupset saw this edition through the press.

The letter was omitted from the third edition, perhaps because it spoils somewhat the illusion of the Utopia, by explaining the meaning of the names.

The date is placed between 31 July 1517, when Budé wrote to Lupset, and November, when the book appeared. (cf. Gee, *Lupset*, p. 64; Routh, *Sir Thomas More and his Friends*, pp. 78-80.)

Erasmus (Ep. 59) commented that it was printed inaccurately, as even this prefatory letter shows.]

THOMAS MORUS PETRO AEGIDIO SUO. S.P.D.

Impendio me, charissime Petre, delectauit hominis illius acutissimi censura quam nosti, qui in Vtopiam nostram vsus est hoc dilemmate: 'Si res vt vera prodita est, video ibi quaedam subabsurda. Sin ficta tum in nonnullis exactum illud Mori iudi-
5 cium requiro.' Huic ego, mi Petri, viro, quisquis is fuit (quem et doctum suspicor et amicum video) multas magnas habeo gratias. Tantum etenim mihi iudicio hoc suo tam ingenuo quantum nescio an quisquam alius ab edito libello gratificatus est. Nam primum siue mei studio siue ipsius operis illectus, non laboris videtur fuisse
10 pertesus quo minus totum perlegeret neque id quidem defunctorie ac praecipitanter quomodo sacerdotes horarias preces solent, videlicet hii qui solent, sed ita sensim ac sedulo vt interim singula sollerter expenderit, deinde notaris quibusdam idque etiam parce declarat, caetera se non tenere sed iudicio comprobasse. Postremo
15 his ipsis verbis quibus me sug[g]ilat, tantum tamen atribuit laudis quantum non hii qui de industria laudauere. Indicat enim facile quam sentiat de me magnifice qui siquid non satis exactum legerit ibi queritur spe se sua destitui, quum mihi interim supra spem accidat, si vel e multis aliqua saltem edere non prorsus absurda
20 possim. Quanquam (vt ipse quoque vicissim non minus ingenue

agam cum illo, non video cur sibi tam oculatus et quod Graeci dicunt ὀξὺ δερχθείς videri debeat, qui aut subabsurda quaedam in Vtopiensium institutis deprehenderit aut me in republica formanda quaedam non satis vtiliter excogitasse quasi alibi nihil vsquam gentium sit absurdi, aut quisquam vnquam philosophorum omnium, rem pub. principem aut domum denique priuatam sic ordinauerit, vt nihil instituerit quod praestet immutari. Qua in re (nisi sancta esset apud me praestantissimorum virorum consecrata vetustate memoria) possem profecto e singulis aliqua proferre in quibus damnandis vniuersorum calculos essem haud dubie relaturus. Iam quum dubitet vera ne res an commentitia sit, hic vero exactum ipsius iudicium requiro. Neque tamen inficias eo si de republica scribere decreuissem, ac mihi tamen venisset in mentem talis fabulae, non fuisse fortassis abhorriturum ab ea fictione qua velut melle circunlitum suauiuscule influeret in animos verum. At certe sic temperassem tamen, vt si vulgi abuti ignoratione vellem litteratioribus saltem aliqua prefixissem vestigia quibus institutum nostrum facile peruestigarent. Itaque si nihil aliud at nomina saltem principis, fluminis, vrbis, insulae posuissem talia, quae peritiores admonere posset, insulam nusquam esse, vrbem euanidam, sine aqua fluuium, sine populo esse principem, quod neque factum fuisset difficile et multo fuisset lepidius quam quod ego feci, qui nisi me fides coegisset hystoriae non sum tam stupidus vt barbaris illis vti nominibus et nihil significantibus, Vtopiae, Anydari, Amaroti, Ademi voluisse. Caeterum, mi Egidii, quando quidem aliquos esse video tam cautos vt quae nos homines simplices et creduli Hythlodaeo referente perscripsimus, ea homines circumspecti ac sagaces aegre adducuntur vt credant, ne pariter mea fides apud eos cum hystoriae fide periclitari possit, gaudeo licere mihi pro meo partu dicere, quod Therentiana Misis ait de Glicerii puero, qui ne suppos⟨it⟩itius haberetur, 'Diis Pol,' inquit, 'habeo gratias quia pariundo aliquot affuere liberae.' Etenim hoc mihi quoque accidit per quam commode quia Raphael non mihi modo ac tibi illa sed multis preterea honestissimis viris atque grauissimis nescio an plura adhuc et maiora, certe neque pauciora narrauit neque minora quam nobis, quia sine hiis quidem increduli isti credant Hythlodaeum adire ipsum licet, neque enim adhuc mortuus est. Accipi modo e quibusdam recens e Lusitania

25 30 35 40 45 50 55

22. δερχῆs *Utopia 1517*. 28. vitorum *Utopia 1517*. consecreta *Utopia 1517*.
51. suppositius *Utopia 1517*. 57. adeant, *Utopia 1517*.

51-2. Ter. *Andria* 770, 771:
dis pol habeo gratiam,
quom in pariundo aliquot adfuerunt liberae.

venientibus calendis Martiis proximis tam incolumem ac vegetum
60 fuisse hominem quam vnquam alias. Exiscentur ergo ab ipso
verum aut questionibus si libet exculpant, modo mihi intelligant
opera tantum meam, non alienam etiam fidem esse prestandam.
Vale, mi charissime Petre, cum vxore lepidissima et scita filiola,
quibus vxor mea longam praecatur salutem.

42. Henry VIII to Wingfield, Knight, More.

Brit. Mus. MS. Calig. D. vi.317 — London
L.P. ii.3634 — 26 August 1517

[The manuscript is wrongly bound with a commission to Docwra, Poynings, Sandys and Knight. Mutilated. Corrected by Wolsey. Not in Rymer.

Epistles 42, 49, 50, 51, 53 and 55 form a group. They deal with commercial disputes between English and French merchants and piracies committed by both sides. So much appears on the surface and is genuine.

It gradually became apparent that other matters were considered under cover of these negotiations. Wolsey had long sought a balance against the growing power of France, but that he had failed was proved by the treaty of Cambray of 11 March 1517, which united Maximilian, Charles of Castile and Francis. (L.P. ii.3008.) At that very time De Crequy, Dean of Tournay, suggested the advantage of peace between France and England, and Henry was privy to the suggestion, if not the author of it. (*ibid.* ii.3121, 3005.) Both parties, however, were cautious and suspicious.

In June, De La Guiche and de Marle the advocate of Boulogne (*ibid.* ii. 3762) came to England and remained until September. Giustinian, the Venetian ambassador, was completely mystified. He tried to learn the cause of their coming, but curiously enough concludes that it was for the purpose of discussing private differences. (*ibid.* ii.3415.) He later heard it was to negotiate a league, but the French smiled at this and said nothing. (*ibid.* ii. 3455.) Charles of Castile was anxious to prevent the alliance and secure Tournay, so English ambassadors were sent to Spain to consult and reassure him. (*ibid.* ii.4135.)

Using the commercial dispute always as a blind, secret negotiations were still carried on. (*ibid.* ii.3714, 3723, 3739.) De La Guiche and Stephen Poncher, Bishop of Paris, came to England in October 1517, and Giustinian wrote that they were said to have come about "certain reprisals, but I do not believe that envoys of such dignity would have been sent on so trivial an errand." (*ibid.* ii.3788.)

The Treaty was signed at London, 2 October 1518. It made a stricter alliance, restored Tournay to France and made a marriage treaty between the Princess Mary and the Dauphin. France had paid a high price for Tournay, which the English were really eager to surrender, and had promised not to interfere in Scotland. (*ibid.* ii.4469.) (For whole period, cf. L.P. ii, pp. vii-clxx.)

Richard Wingfield (1469?-1525) was educated at Cambridge and later probably studied law at Gray's Inn. He was knighted before 1511, and was marshal of Calais in 1513, and later was joint deputy there with Sir Gilbert

Talbot. His diplomatic career was practised in the Netherlands, France (at the accession of Francis I and in 1520, succeeding Sir Thomas Boleyn) and in the mediation between Francis I and Charles V, 1521-1522. He returned to England in 1522 and two years later was made chancellor of the duchy of Lancaster. In the same year he became high steward of the University of Cambridge, a post promised to Sir Thomas More. (cf. Ep. 132, l. 13 n.)

In 1525 he went with Tunstall to Spain and died on that embassy in July 1525. (cf. D.N.B. and *Some Records of the Wingfield Family,* by John M. Wingfield.)

William Knight. (cf. n. to Ep. 14.)]

⟨Henricu⟩s, Dei gratia, et cetera.

Cum nuper inter charissimum consanguineum nostrum, Carolum, ⟨C⟩omitem Wigornie, camerarium nostrum, primarium oratorem nostrum, ex vna,

Et nobile ⟨v⟩irum, Petrum Delaguysche, Militem, Dominum dicti loci, camerarium ordinarium et oratorem illustrissimi et 5 potentissimi principis Francisci, Francorum Reg*is*, fratris et consanguinei nostri charissimi, ex altera,

Quedam capitula pro reformacione attemptatorum, dampnorum, iniuriarum, depredacionum nauium, interfectionum, arrestacionum ac iniustarum detencionum et aliorum grauaminum, inter 10 subditos hinc inde factorum et perpetratorum, conclusa fuerint,

Sicuti lacius et diffusius per indenturas inter dictos oratores factas et tam per nos quam per dictum fratrem et consanguineum nostrum postea confirmatas, liquido constat,

Et quoniam inter alia in dictis capitulis contenta cauetur, quod 15 in inicio mensis Septembris proximi futuri, pro parte nostra certi oratores et commissarii nostri, sufficienti potestate et auctoritate fulsiti, in villa nostra Calisie conuenirent et pro parte eiusdem

2. Charles Somerset (c.1460-1526) an illegitimate son of Henry Beaufort, third duke of Somerset, gave Henry VII important service as admiral, diplomat and courtier, and was K.G. c.1496. Henry VIII continued his appointments, made him chamberlain of the household 1509, and created him Earl of Worcester 1514. He served in the diplomatic missions concerned with the marriage of Mary to Louis XII, negotiations with the Emperor Maximilian in 1516-1517, the treaty with France in 1518 and the Field of the Cloth of Gold. The mission after the Battle of Pavia (cf. Ep.140) was his last public service. (cf. D.N.B.)

4. Peter De La Guiche, lord of Chaumont (1464-1544), councillor and later chamberlain to the French King, had served on embassies to Rome, Spain and Switzerland, and to England in 1518 and 1536. (*Nouvelle Biographie Generale.*)

8. This indenture was made at London 26 July 1517, and provided that English commissioners reside at Calais for three months from September 1st, and French commissioners at Boulogne, "to devise means to administer justice for the depredations," and that measures were "to be taken for preventing such depredations in the future." (L.P.II.3520.) French grievances touching commerce with England are described in another document. (*ibid.*II. 3521.) A copy of the commission to the French representatives is preserved. (*ibid.* II.3762.)

fratris et consanguinei nostri, nonnulli alii oratores siue commis-
20 sarii in opidum de Bolayn pari modo destinarentur, cum potestate audiendi, discuciendi, determinandi, ac iusticiam ministrandi, summarie et de plano ac absque strepitu et figura iudicii, probacionibus tamen hinc inde prius auditis in causis et litigiis coram eis, per subditos ex vtraque parte, vt praemittitur, dampnificatos,
25 iniuriatos et spoliatos, agitand*is* et prosequend*is*, hinc est quod nos, volentes huiusmodi conuenta debitum s⟨- - - - - -⟩

De fidelitatibus, prouidis circumspeccionibus doctrinis et dexter⟨itatis⟩, Ricardi Wyngefeld, Militis, Deputati Vil⟨lae Regis Calisie⟩, Williami Knyght, Legum Doctoris, Thome More, con-
30 siliariorum nostrorum, plenarie confiden⟨tes,

Ipsos⟩ nostros veros et indubitatos ambassiatores, oratores, commissarios, procurato⟨res⟩, nuncios generales et speciales constituimus, deputauimus et ordinauimus ac teno⟨re⟩ praesencium constituimus, deputamus et ordinamus,

35 Dantes et concedentes eisdem plenam tenore praesencium potestatem subditorum praefati carissimi fratris nostri F⟨rancisci⟩ Regis querelas ac iniurias, dampna, delicta, spolia, offensas eis per subd⟨itos⟩ nostros facta et illata audiendi, examinandi et determinandi, horum omnium e⟨t singulorum⟩ correccionem, punicio-
40 nem, reparacionem et reformacionem faciendi et exig⟨endi⟩, fidem plenam et liberam potestatem ac mandatum generale et speciale pro nobis, heredibus et successoribus nostris, regnis, terris et dominiis, subiectis, amicis, alligatis, confederatis, fauentibus et subditis nostris, quibuscumque cum spectabilibus et egregiis viris dicti
45 consanguinei nostri, ambassiatoribus, commissariis, oratoribus, procuratoribus, deputatis et nunciis, potestatem sufficientem ab eodem habentibus, in dicta villa nostra Calisie, aut alio loco apto et congruo quocumque, conueniendi, appunctuandi, concordandi et finaliter concludendi,

50 De et super omnibus et singulis dampnis, iniuriis, spoliacionibus, depredacionibus nauium, capcionibus, interfeccionibus, arestacionibus, incarceracionibus ac iniustis detencionibus nostrorum ac dicti cons⟨anguinei⟩ nostri subditorum, aut alicuius eorumdem,

Necnon displicenciis, liti⟨bus, questionibus⟩, discordiis, graua-
55 minibus et attemptatis, quibuscumque inter nos ⟨nostrosque subditos⟩, ex vna parte, et praefatum consanguineum nostrum, ac

21. distuciendi *MS.* 40. exeg[endi] *MS.*

25. Next page of MS., f.322, repeating this, but with slight differences, is crossed out. At bottom of that page, it proceeds as follows: hinc est quod nos - - -

subditos, amicos, ⟨alligatos⟩, confederatos et adherentes suos quoscumque ex parte altera, penden⟨tibus⟩, indiscussis, motis seu mouendis, horum et omnium singulorum correccionem, punicionem, reparacionem et reformacionem faciendi et eas fieri petendi, 60 requirendi ⟨et⟩ effectum optinendi, ac nostrorum dictique carissimi consanguinei nostri subditorum que⟨relas⟩ vltro citroque propositas et proponendas, cum suis emergentibus, incidentibus, dep⟨endentibus⟩ atque connexis, audiendi, examinandi et sine debito determinandi et s⟨uper eisdem⟩ componendi et summarie, simpli- 65 citer et de plano, sine strepitu et fig⟨ura iudicii, s⟩ola facti veritate inspecta, pronunciandi et sentenciandi, etiam vt ⟨----------⟩ et facultas iniuriarum et dampnorum huiusmodi post hac inferendorum et committendorum: quedam noua capitula, prout eis videbitur, valde vtilia et necessaria concipiendi et in forma redigendi, 70 componendi, concordandi et concludendi, et pro inuiolabili obseruancia huiusmodi capitulorum siue articulorum sic concludendorum, iuramenta, obligaciones, securitates, debitasque, causiones atque instrumenta necnon litteras, sic conclusorum confirmatorias, per praefatum consanguineum nostrum, sub magno sigillo suo, 75 praestandi nomine nostro et pro nobis, a dicto consanguineo nostro eiusue commissario siue commissariis, deputato siue deputatis, stipulandi, exigendi et recipiendi atque consimilia in⟨strumenta⟩, obligaciones, securitates debitasque causiones huiusmodique litteras con⟨firmatorias pro⟩ parte nostra ac nomine nostro et pro 80 nobis praestandi, promittendi ⟨et deliberandi⟩,

Necnon de certis iudicibus nominandis, constituendis et stabiliendis ⟨in regnis⟩ siue dominiis nostris et in regnis siue dominiis praefati consanguinei nostri F⟨rancisci⟩ Regis, ad quos vtriusque principum subditi pro iniuriarum, dampnorum, spo⟨liacionum⟩ 85 nauium, capcionum, interfeccionum, arestacionum, incarceracionum ac iniustarum detencionum faciendi siue inferendorum reformacione possint pro oportunis remediis et iudicata iusticia facilem sine quibus sumptubus habere accessum: q⟨-----⟩ eciam veritate inspecta ad parc*am* peticionem lesis sine quant*is* iusticiam 90 ministrantes procedent summarie et de plano sine strepitu et figura vnam insuper aliam dietam si ipsis visum fuit oportunum appunctu⟨andi, con⟩cordandi pariter et concludendi, sub modis, forma et condicionibus, de quibus inter dictos nostros ambassiatores, procuratores, oratores, commissarios, deputatos, et nuncios ac praefatos 95

91. figura] iudicii *om. MS., perperam*

---

93. Wrongly bound: from f.324v letter continues, not on f.325 and f.326, but f.327.

spectabiles et egregios viros dicti consanguinei nostri ambassiatores, oratores, commissarios, procuratores, deputatos et nuncios praedictos poterit concordari,

Ceteraque omnia et singula faciendi, exercendi, et expediendi, 100 que in praemissis seu aliquo praemissorum siue circa ea coniunctim et diuisim necessaria fuerint seu quomodolibet oportuna, ac que qualitas et natura huiusmodi negocii exigunt et requirunt et que nosmet faceremus aut facere possemus s⟨i personaliter⟩ interessemus, eciam si talia sint que de se mandatum magi⟨s exigant⟩ 105 speciale quam praesentibus est expressum,

Promittentes, bona ⟨fide et in verbo⟩ regio, nos ratum, gratum, et firmum habituros totum et quicquid ⟨praedicti⟩ ambassiatores, oratores, commissarii, procuratores et nunci⟨i in⟩ nomine nostro fecerunt in praemissis seu aliquo praemissorum,

110 In cuius rei tes⟨timonium⟩ hiis praesentibus, magnum sigillum nostrum appon⟨endum⟩, datum London. vicesimo sexto die mensis Augusti anno domini millesimo quin⟨gentesimo⟩ decimo septimo regni vero nostri nono.

Throkmo⟨rton⟩.

115 per ipsum Regem.

43. To His Daughters and to Margaret Gyge.

Tres Thomae p. 234 ⟨1517?⟩

[As John is not included, this is perhaps one of the earlier letters. It was written when More was away from home, probably on the mission to Calais in 1517, to settle disputes between English and French merchants. (cf. Ep. 42, notes.)

More's children were by his first marriage, to Jane Colte, the daughter of John Colte, a gentleman of Netherhall, Essex. Margaret, the eldest, born not later than 1 October 1505, was most like her father, and was most beloved by him. She was one of the most learned women of her day in Europe, trained in the classics, philosophy and science. Her emendation of Cyprian (Ep. 30, 3) *neruos sinceritatis* for *nisi vos sinceritatis* was adopted by Erasmus. (F. Watson, *Vives and the Renascence Education of Women*, p. 188; Allen IV.999, l.174n.) She translated Erasmus' *Precatio dominica in septem portiones distributa* into English in 1524, and an introduction for it was written by Richard Herde, a member of More's household, defending higher education for women. (F. Watson, *op. cit.* p. 159.) She wrote a devotional treatise, *De quattuor nouissimis* (Stapleton pp. 238, 242-3). She also imitated the style of Quintilian, and translated Eusebius from Greek into Latin.

After More's death she was imprisoned and "was threatened very sore, because - - - she meant to set her father's works in print." (Cresacre More

110. praesentibus] manu nostra subscriptis *del.* 111. sexto die mensis *supra.*

p. 281; Ballard's *Ladies* pp. 38-61; D.N.B. in articles, Sir T. More, and Roper.) She died in 1544 under the strain of new anxiety about her family. She was buried in St. Dunstan's, Canterbury. (A. W. Reed, *Early Tudor Drama,* p. 86.)

Elizabeth, More's second daughter, was born in London in 1506. She was educated in Latin, Greek and science, and corresponded with Erasmus. She was married to William Daunce, son of Sir John Daunce, K.C., on 29 September 1525. Her marriage, and that of her sister Cecilia to Giles Heron at the same time, took place in the private chapel of Giles Alington—later Sir Giles—in Willesden, in the diocese of London. Both daughters, after marriage, continued to live in More's home. (Ballard, *op. cit.* p. 146; D.N.B. —both give incorrect dates; Roper, ed. Hitchcock, notes pp. 115-116; L.P. VIII.g.962.10.)

William Daunce and Giles Heron were both elected to represent Thetford in the Parliament of 1529, probably by the influence of the Duke of Norfolk, who had supported More for the Chancellorship. (Roper, *op. cit.*)

Cecilia, the third and youngest daughter, was born in London in 1507. Her education was the same as that of her sisters. She was married to Giles Heron, Esq., of Shakelwel in Middlesex, son of Sir John Heron, Treasurer of the Chamber to Henry VIII. He had been More's ward since May 1524. (L.P. IV.314.) He was executed in 1540 because of his continued loyalty to More. (Ballard p. 147; Chambers pp. 183-4, 189.)

Margaret Gyge (or Giggs) (1508-1570) was brought up by More as one of his own daughters. Professor Reed thinks she may have been the daughter of Margaret More's wet-nurse. (Roper, ed. Hitchcock, p. 128.) She was the equal of Margaret More in their studies together. She later became proficient in medicine. She assisted More in the dispensing of his alms and in visiting the poor. (Stapleton, c.6.) Early in 1526 she married John Clement who originally had come from St. Paul's School to be tutor to the More family. Both Margaret and John Clement remained loyal to the old faith and lived in exile under Edward VI and Elizabeth. Margaret Clement died at Mechlin in Brabant, 6 July 1570. (Roper, *op. cit.* pp. 127-8; Chambers pp. 34, 37, 44, 107, 179, 184-6, 189, 331-2, 347-9.)]

THOMAS MORUS MARGARETAE, ELISABETHAE, CAECILIAE DULCISSIMIS NATIS ET MARGARETAE GYGE HAUD SECUS AC SI NATA ESSET, CHARAE. S.P.D.

Satis explicare non possum, puellae iucundissimae, quam vehementer mihi placeant elegantes epistolae vestrae, nec illud minus quod video vos in itinere quanquam subinde loca mutantes, nihil tamen omisisse consuetudinis vestrae, siue in dialecticis exercitationibus, siue in conficiendis declamationibus, siue 5
componendis carminibus. Iam plane mihi persuadeo vobis vt par est, charum esse me, quando absentis tantam rationem vos habere video vt ea certatim agatis quae praesenti scitis voluptati fore. Quem ego animum erga me vestrum vt mihi iucundissimum esse sentio, sic efficiam reuersus vt eundem vobis sentiatis vtilem. Nam 10

hoc habete persuassimum nihil esse quicquam quod me inter haec molesta negocia magis reficit, quam quum ea lego quae proficiscuntur a vobis. Quibus vera esse illa perspicio quae praeceptor vester amantissimus vestri tam amanter scribit de vobis, vt nisi
15 literae vestrae studium erga literas egregium declararent, videri possit amori potius indulsisse quam veritati. Nunc vero ex his quae scribitis fidem illi conciliatis, vt ea credam esse vera quae propemodum supra fidem iactat, quam pulchre et quam acute disseritis. Itaque gestit animus domum recurrere, vt discipulum nos-
20 trum componamus audiamusque vobiscum, qui paulo segnior est hac in re, quod desperare non potest quin vos inuenturus sit citra praeceptoris praedicationem subsistere. Quas ego spem concipio (vt noui pertinaces esse vos) praeceptorem ipsum breui si non disserendo, certe litem non deserendo superaturas. Valete, puellae
25 charissimae.

44. From Erasmus.

Allen III.654 — Antwerp
Deventer MS. 91, fol. 60 — 8 September ⟨1517⟩
LB. App. 179

45. From Erasmus.

Allen III.669 — Louvain
Deventer MS. 91, fol. 93 — 16 September ⟨1517⟩
LB. App. 183
[Answered by Ep. 46, 52.]

46. To Erasmus.

Allen III.683 — Calais
Deventer MS. 91, fol. 206 — 7 October ⟨1517⟩
LB. App. 193
[Answering Ep. 45.]

47. To Peter Gilles.

Allen III.684 — ⟨Calais⟩
Deventer MS. 91, fol. 207 — 7 October ⟨1517⟩
D. p. 142: F. p. 143: HN: Lond. iii. 7: LB. App. 192

THOMAS MORUS PETRO AEGIDIO SUO S.D.

Mi charissime Petre, salue. Misere cupio ecquid tu conualescas intelligere; quae res non minori mihi curae est quam

Allen notes that Hand B in the Deventer manuscript must be divided into α^1 and α^2.
TIT. *add. D.*

quiduis mei: itaque et inquiro diligenter et omnes omnium voces excipio sollicitus. Aliquot mihi meliores de te spes renuntiarunt, seu (quod opto) compertas, siue vt desyderiis meis inseruiant. 5
Scripsi litteras Erasmo nostro. Eas tibi apertas mitto; signabis ipse: nihil opus est quod illi scribitur clausum ad te venire. Versiculos quos in tabellam tam inscite feci quam illa scite depicta est, ad te perscripsi. Tu si digna videbuntur, Erasmo imparti; alioqui Vulcano dedas. 10

Vale vii octobris.

Versus in tabulam duplicem, in qua Erasmus ac Petrus Aegidius simul erant expressi per egregium artificem Quintinum, sic vt apud Erasmum exordientem Paraphrasin in epistolam ad Rhomanos picti libri titulos praeferrent suos, et Petrus epistolam teneret Mori 15 *manu inscriptam ipsi, quam et ipsam pictor effinxerat.*

TABELLA LOQUITUR.

Quanti olim fuerant Pollux et Castor amici,
Erasmum tantos Egidiumque fero.
Morus ab his dolet esse loco, coniunctus amore 20
Tam prope quam quisquam vix queat esse sibi.
Sic desyderio est consultum absentis, vt horum
Reddat amans animum littera, corpus ego.

IPSE LOQUOR MORUS.

Tu quos aspicis, agnitos opinor 25
Ex vultu tibi, si prius vel vnquam
Visos; sin minus, indicabit altrum
Ipsi littera scripta: nomen alter,
Ne sis nescius, ecce scribit ipse;
Quanquam is qui siet, vt taceret ipse, 30
Inscripti poterant docere libri
Toto qui celebres leguntur orbe.
Quintine o veteris nouator artis,
Magno non minor artifex Apelle,
Mire composito potens colore 35
Vitam adfingere mortuis figuris;
Hei cur effigies labore tanto

5. α^2; desideriis α^1. 11. vii α^1, *sed primum* i *erasit nescioquis*: VI D. 12-16. *Versus - - - effinxerat add. D.* 22. α^2; desiderio α^1. 24. MORUS *add. F.* 25. quos α; quoque *N.* 30. siet *D*; fiet α.

6. Ep. 46.
11. Erasure perhaps late; therefore original date retained. (Allen III. 684, introd.)
13. Quintin Matsys. cf. Ep.25, introd.
34. Greek painter in time of Alexander the Great.

Factas tam bene talium virorum,
Quales prisca tulere secla raros,
40 Quales tempora nostra rariores,
Quales haud scio post futura an vllos,
Te iuuit fragili indidisse ligno,
Dandas materie fideliori,
Quae seruare datas queat perhennes?
45 O si sic poteras tuaeque famae et
Votis consuluisse posterorum!
Nam si secula quae sequentur vllum
Seruabunt studium artium bonarum,
Nec Mars horridus obteret Mineruam,
50 Quanti hanc posteritas emat tabellam?

Mi Petre, cum omnia mirifice Quintinus noster expresserit, quam mirificum in primis falsarium videtur praestare posse! nam ita inscriptionem litterarum ad te mearum imitatus est vt ne ipse quidem idem iterum possem itidem. Quare nisi aut ille in suum 55 aliquem vsum aut tu in tuum eam seruas epistolam, remitte rogo ad me: duplicabit miraculum apposita cum tabella. Sin aut perierit aut vobis vsui erit, ego experiar mee manus imitatorem ipse rursus imitari.

Vale cum lepidissima coniuge.

48. To Edward Lee.

Tres Thomae p. 62 ⟨Autumn 1517?⟩

[Edward Lee (c. 1482-1544) was born in Kent, the son of Richard Lee, Esq., of Lee Magna. He was educated at Oxford, was B.A. in 1500, and became Fellow of Magdalen. He incorporated at Cambridge in 1503, and was M.A. 1504. He was ordered deacon in the same year, held several prebends, and was finally Archbishop of York in 1531. In 1530 he incorporated D.D. at Oxford, as he had received the degree at Bologna or elsewhere. He served on several embassies abroad, and was sent in 1530 with the Earl of Wiltshire and John Stokesley, Bishop-elect of London, to Clement VII and Charles V about the King's divorce case.

His attitude to the religious changes of his day was conservative, and he spoke in parliament in favor of the Six Articles Act in 1539, and in the next year was on the commission which examined the doctrines and ceremonies retained in the church. He was for some time suspected of disloyalty to the Royal Supremacy, though on the other hand he preached against the Pilgrimage of Grace.

39. α^2; roros α^1. 42. *D*; lingno α. 51. expressit *D*.
52. quam *scripsit* Allen; q$_{ue}$ α; tum *D*. α^2; falsarum α^1.
54. quidem *add. D*. 56. periit *D*. 57. manus *D*; manui α. 59. cum *add.* α^2.

He was learned in Latin, Greek, Hebrew and theology. Though the controversy with Erasmus shows an unpleasant aspect of Lee's character, he is said to have been a holy man, and he certainly retained the affection of Ascham and other friends.

He died at York in 1544 and was buried in the cathedral church. (D.N.B.)]

Quod vero, mi Laee, rogas, ne quid amoris erga te mei imminuam, confide, mi Laee, mihi, etiam si in hac causa aequior in eam partem sum quae oppugnatur; at sic vt optem ab vrbe saluas abduci copias, te tamen amabo semper, et amorem abs te meum tanti fieri gaudeo. Nec in tuam rem sicubi causa postulet 5 incumbam segnius quam in hanc inclino. Vsqueadeo vt si certe quid edideris aliquando tuum (nam editurum te multa non dubito) si vel Erasmus in alienum opus curiosos iniecerit oculos, ac totum opposito conetur opusculo demoliri (quanquam aliquanto meliore loco videretur, quod nisi retaliaret iniuriam) ipse tamen 10 tecum quantumuis infirmis viribus, firmissima voluntate praestabo. Vale, mi Laee charissime.

49. Wingfield, Knight, More to Wolsey and the Council.

R.O. State Papers, Henry VIII, § 16, p. 37 — Calais, 13 October ⟨1517⟩

[cf. Ep. 42 and introduction.]

Pleasith it your goode lordshippes to vndrestonde, that the xiith daye of this present moneth, John Hamon, proctor for Henry de la Fontaine and Nicolas de Chiffreuille of Diepe in Normandye, hath put vnto vs a complaynt aganest Robert Bemounde and Nicolas Voullet of the towne of Soualles in the coun- 5 tie of Suff⟨olk.⟩ Whose complaynte shall appere to your lordshipp*is* by the tenor of the supplication which we send to your lordshippes in theise lettres enclosed, according to our instructions, to thende that the saide Robert Bemounde and Nicolas Voullet by sum ordre by your lordshipp*is* to be taken, being thereof admonysshed, maye 10 by theym selfe, or thair sufficiently instructed proctor, appere here

[In this group of French letters the apostrophe and grave accent have been added; capitals were omitted when unnecessary. Commas were used. Otherwise the text was left unchanged.]

---

5. This refers to the beginning of the dispute with Erasmus, caused by Lee's writing of annotations on Erasmus' annotations on the New Testament. For further explanation of the quarrel, compare Ep.75 and notes.

5. Southwold.

before vs in the King*is* towne of Calice the xiith daye of Nouembre next ensuyng, for the defense of the same. At which daye we haue adiourned the compleyaunt, to retorne agayne vnto vs, with
15 the certeficacion of the warnyng for the further prosequiction of his saide complaynte, in which vpon thapperaunce of both parties, or contumacie of the oon, we entende to procede to the discussion and finall direction of the cause according to right and goode iustice, asferforth as our wittes and lernyng will extende.
20 And in case this berer shall happen either of necligence or fraude, soo long to reteigne these our lettres in his custodie, that he leve no tyme sufficient for the monition of the saide defendaunt*is* to be executed in due tyme, that than it maye like your goode lordshippes to provide, that we maye be therof ascerteigned, to
25 thende that the remisse dealing of the oon partie torne not the other to preiudice. And thus Almighty Ihesus preserue your goode lordshippes. Written at Calice the xiiith daye of Octobre.

Your mooste humble ser⟨uaunt*is*⟩
Wyngfeld R. Kt.
30 Wyllyam Knighte
Thomas More.

A Messieurs les Orateurs, Commissaires, Deputez par le Roy D'Engleterre a Calloys, pour administrer justice aux subgectz du Roy de France.

35 Supplient tres humblement Henry de la Fontaine et Nicollas de Chiffreuille, natifz de la ville de Dieppe en Normendie, comme il soit ainsy, que durant la guerre derraine dentre lesdits Roys, leurs hommes et subgectz, vng nomé Guillemet Toquet, dudit Dieppe, se fust esquipé par mer pour fere la guerre
40 contre lesdits Angloys, durant laquelle, en moys de Juillet MV^cXiiii, icelluy Toquet pruist a tittre de ladite guerre, vng nauire de Soualles en Angleterre, chargé de charbon, lequel il admena audit Dieppe et ensuit les ordonn*ances* de l'Admiral de France le mist entre les mains dudit S*ieu*r Admiral, ou de ses officiers audit
45 Dieppe, par lauctorité desquelz, aprez ce quel oult este trouué de bonne pruise, fut vendu auec les agrez et appareilz dicelluy, au butin au plus offrant, et derrain enscherisst, et adiugé audit de Chiffreuille, pour luy et ledit de la Fontaine, au pris de cinquante quatre liures Tourn*ois*, comme il apprit par la lettre de ladit adiu-
50 dicacion, cy attachée. Et apprez ledit achapt, iceulx supplians ont

49. par la] dit *del. MS.*

12. Calais.

fait repparer ledit nauire, auec lesdits agrez et appareilz, en quoy ilz ont frayé pour ce fere jusque a la some de troys cens liures Tourn*ois*, ou enuiron. Et pour conduire et mener ledit nauire et en intencion de gaigner, ont constitué Maistre nomé Dutot, lequel Dutot, par le consentement desdits supplyans, eulx confians au 55 traité de paix, affreté icelluy nauire pour aller a Londres en Angleterre marchandamment, lequel voyaige il fist, et luy estant audit lieu de Londres pour le fait de sadite marchandise, vng nomé Robert Beaumont et Nicollas Voullet, dudit lieu de Soualles en Angleterre, fistrent arrester ledit nauire, agrez et appareilz, sans 60 cause qu'ilz euss*ent* de si fere. Et aprez ensaisinéz dicelluy nauire, auec lesdits agrez et appareilz, sans le gre et voullent desdits supplians, ni qu'ilz euss*ent* pouoir de si fere, vous requerons a considere justice de ce leur est par vous feites et que ledit nauire leur soit rendu auecque leurs interestz, domaiges et despens, quels esti- 65 ment a cinq cens liures T*ournois*, attendant ledit traité de pays, etc.

Hamon. (Notarial mark.)

To the moost Reuerend Fadre
- - God, Lorde Cardinall
- - - - - k and others 70
- - - - f the King*is*
- - - - - - able
- - - - - - - - -

50. La Fayette and Others to the English Commissioners at Calais.

Brit. Mus. MS. Calig. D. vi.330 — Boulogne
Original — 17 ⟨October⟩ 1517

[Answered by Ep. 55.]

[A commission issued to these signatories (Calig. D. vi.323; L.P. ii.3762) gives their positions: Anthony de la Fayette, "Sieur du dit lieu, et de Pontgibault, seneschal de Ponthieu et cappitaine de Boullogne"; Jesse Godet, councillor in the parliament of Rouen, Nicole de Marle, advocate at Boulogne, and Jehan le Noir, advocate at Monstreul. Nicole de Marle had been an ambassador with Peter de la Guiche to England in June, to arrange for French and English commissions to settle commercial disputes. (L.P. ii. 3415.)

The commission mentioned in this letter is not calendared unless it is that mentioned above, which however has the date 29 October 1517.

For help with the paleography in this group of French letters, I am indebted to my colleague, Professor Helen R. Reese and to Professor Urban T. Holmes, Jr., of the University of North Carolina.]

Messieurs, tant que faire pouons a vous nous respondons pour ce que en communicquant noz pouoirs les vngs auecques les autres, a Callays, le xxvi jour de Septembre derreniere passé fut, apres iceulx veüz, concludt entre nous tous ensemble que n'avyons aucum pouoir, par iceulx, de cognoistre ne decider des depredacions precedentes les derrenieres guerres. Et neantmoings, pourceque tant d'une part que d'autre, plusieurs complainctes soffroient d'iceluy temps, affin que Justice fust plainnement administree aux subgectz de chacun party, fut par nous dit et aduisé d'en aduertir les Roys noz maistres pour y pourueoir, fust par nous donnant pouoir de ce faire, ou ainsi qu'ilz verroient estre affaire par raison, ce qui a esté fait de notre part. Et estimons que pareillement il ayt esté ainsi faict de la votre. Et nous a le Roy notre maistre enuoyé pouoir, dont nous vous enuoy⟨ons⟩ le double signe, de notre greffier atаché a la req⟨ueste de⟩ ce porteur, procureur de Nicolas de la Chesnay - - - - - - - Affin que si auez aucum pouoir de votre part, des lo⟨rs qu'on vous⟩ aduise de luy fere justice.

Messieurs, quant il vous plaira vous asse⟨oir⟩ auecques nous en ceste ville, en ensuyu⟨ra la c⟩onclusion prinse a Callays auecques nous, de nous communicquer votre pouoir pour ledit ⟨affaire et quant nous⟩ vous communicquerons l'original d⟨u nostre, pour decider⟩ avecques vous, de la maniere d'ad⟨ministrer et de⟩ fere faire les satisfactions pour ledit procureur. Atant Messieurs, votre Sirez vous ayt en s'⟨aÿe⟩. Escript a Boullongne, ce xvii jour mil cinq cens dix sept.

Voz bons voysins et a ⟨mys⟩,
La Fayette.
Jesse Godet. N. de Marle.
Jehan le Noir.

A Messieurs les Commissaires d'Angleterre, estans a Callays, etc.

51. Wingfield, Knight, More to Wolsey and the Council.

Brit. Mus. MS. Calig. E. III.26 ⟨Calais?⟩
L.P. II.3766, calendared ⟨c. October 1517⟩

[Both edges of the MS. are burnt.]

* * * * *

as owres is. And - - - - - - - - - - - - - - - - - - - commissioners for spede of th'Englishmen co⟨- - - - - - - - - - - - - - - - - - - certain maundementis of summons vpo⟨n - - - - - - - - - - - - - - - - - - theyr new

commission late obteigned is dated - - - - - - - - - - - - - - - - - - last
passed, to thende that the processes la⟨- - - - - - - - - - - - - - - - - - com- 5
mission shulde not be voyde betwene theim and vs concerning
certain quereles - - - - - - - - - - - - - - sunderie complayaunt*is* vpon
eyther partie, forasmuc⟨h⟩ - - - - - - - - - - - - - resorted aswele to
theim as to vs for the redresse - - - - - - - - - - - - - other iniuries committed before the last peace conclu⟨ded between the⟩ King*is* Grace 10
and the Frensh King Lewys, to thexam - - - - - - - - - - - controuersies
owre auctorite strechith not. We con - - - - - - - - - - - parties eyther
to remytt the subgiectz of other prin - - - - - - - - - - ordinarie for
thair such matiers and that with l⟨ - - - - - - - - - - on eyther syde yf
the parties requyr theim, to whic⟨h - - - - - - - - - - condescended at 15
the request of the Frensh ambassadors - - - - - - - - - - seme to refuse
suche curtesie towardis thair prince s - - - - - - - - - in like case had
vsed all redy towardis the Kinge our mas⟨ter - - - - - - - - - We entred allso in communicacion with theim acording to our ins⟨truc-
tions - - - - - provisions to be devised for thexchuyng of piraties 20
h - - - - -, allso for iudges to be apoynted for the spedi redresse
of - - - - - - damnyfied hereaftyr fro tyme to tyme as any suche
shulde ⟨hap⟩ to fall in eyther of the princis domynyons. Whereunto that both those poyntes were provided for allredy by - - - - - -
thamitie concluded betwene both princis, in which thei - - - - for 25
eyther parte appoynted. And allso provision made th⟨at no men⟩
of warre shall goo forthe of eny havyn of eyther prince ⟨without⟩
suertese founden, that thei shall do no harme to the subgie⟨ctz of⟩
thother. Whereunto we awnswered that those provisions * *
And * * - - - ed and vnto grete value as - - - - - - - - - - - - 30
- - - complayntis, of which as yet we - d
they ferthre shewed vnto vs, that the Frensh - - - - - - - - - - - -
suerte of all peple to be in saufgarde fro - - - - - - - - - - his hath of
late provided dyvers good ordin⟨aunces suf⟩ficient for thadvoiding
of the same. Which ordinau⟨nces⟩ - - - - - cause suyrli to be kepte 35
throwout his domynyon⟨s⟩ - - - which all so thei have promised to

4. As in Ep.50.

11. The Treaty of 1514 (L.P.i.3129; Rymer xiii.413) provided for the marriage of Henry's sister Mary to Louis XII, and its commercial terms (Rymer xiii.414-416) included the renunciation of piracies and also of letters of marque and reprisals.

20. cf. L.P.ii.3520.

25. The Treaty of Peace between England and France, 5 April 1515 (L.P.ii.301; Rymer xiii.476), necessary because the Treaty of 1514 expired at Louis XII's death.

29. No armed ship was to leave the ports of either kingdom until it had given security that it would not molest the interests of the other state. (Rymer xiii.478.) cf. also Ep.54.

35. Evidently *Ordonnance touchant la police et juridiction de l'amirauté et les privilèges de l'amiral de France, avec un article pour la répression de la piraterie.* Abbeville, juillet 1517. (*Catalogue des Actes de François Ier*. i, p.122.707.)

send vnto vs to Lo⟨ndon⟩ - - - ⟨a⟩dvise to thende that yf those ordi-
naunces seme in any - - - - - - - - unto we my3t add thereunto bytwene vs - - - - - brake with vs allso of tharticles that were pro-
40 vided f - - - - - - es betwene thambassadors of eyther prince which
⟨articles Tho⟩mas Moore tooke owte of the Kingis exchequre by
comma⟨unde of⟩ my Lorde of Duresme. How be it of that treatie
thei - - - - - - - - vs incidentli in other communycacion not by way
of entr - - - - - - - same devyse, which treatie semyth vnto vs veari
45 g - - - - - - we rested in this, that we wold see and advise the or-
d - - - - - - - ite made by theyr prince and thereupon entre ferther
with - - - - - - that poynte, which ordinaunc*is*, when thei shalbe
⟨come⟩ to our handis, we shall with diligence send vnto your good
lor⟨dshippes⟩ to thende that we may be by your wisedomes in-
50 structed - - - - poyntes.

The Frensh ambassadors make mu⟨ch⟩ semblaunce of towardnesse in doing iustice to the con - - - - of our partie, but that notwithstanding we dare make n⟨o⟩ warantise of theim, till we see
what spede and - - - - - thei make therein, for meny hath begonne
55 and ye⟨t⟩ - - - - meny complayntis in the booke for the pursuit.
Wh - - - * * *

Your moost humb⟨le bedesmen⟩
Wyngfeld R. ⟨Kt.⟩
Wyllyam Knyghte.
60 Thomas More.

To the moost Reuerend Fadre in God the Lord Cardinal ⟨of⟩
York et cet. and the ⟨Lord⟩ys of the King*is* ⟨mo⟩ost honorable
⟨C⟩owncell.

52. To Erasmus.

Allen III.688
Farrago p. 178
F. p. 317: HN: Lond. vii. 5: L.B. 540

Calais
25 October ⟨1517⟩

[Answering Ep. 45.]

---

40. cf. L.P.II.3520.
41. Such papers were deposited in the Treasury of the Exchequer and could be taken out only on order of the proper minister. (L.P.I, p.viii, x,n.) Thomas Ruthal, Bishop of Durham, was now Lord Privy Seal. (L.P.II.2018.)
55. Evidently similar to the instructions to Sir Richard Wingfield in August 1515. (L.P.II.827.)

53. Wingfield, Knight, More to ⟨Wolsey⟩.

Brit. Mus. MS. Calig. E. III.27 — Calais
L.P. II.3772, calendared — 4 ⟨Nov⟩ember ⟨1517⟩

* * * sending -
- - - - - - - - - - theyr wrongis doone by the Frensh - - - - - - - - - -
- - - - - - - - - Wyllyam Sabyn which for his owen - - - - - - - - - -
- - - - - - - and hath allso bene present and interpreter - - - - - - - - - -
of meny that hath long sued and yet sue th - - - - - - - - - - self 5
knowen but slow spede which have - - - - - - - - - - vnto vs, the said
Sabyn can and wyll, yf it ⟨please you⟩ to enquyre of hym, shew
vnto yow at lenght - - - - - - - - - - - - of the matiers hath hethreto
proceded. Whe - - - - - - - - - - - - may sone coniecture the reste that
is to cum in w⟨hich⟩ - - - - - - - - - - advises with solliciting the com- 10
missioners for theim - - - - - - - - - - - - nor shall fayle any that re-
sorteth to vs therefor. We sent vnto your lordshippes in the last
moneth the t - - - - - - - - - - betwene the commissioners of the Kingis
moost noble - - - - - - - - - - the late King Loys of Fraunce concernyng provisio⟨n⟩ - - - - - - - - - thexchewing of piracies and reforma- 15
cion of the same - - - - - - - - - when thei fortuned betwene the subgiectz of eyther pry⟨nce⟩ - - - - - - - - allso sent vnto your good
lordshippes the ordonauncis that t⟨he⟩ - - - - - - - that now ys hath
lateli made. Which ordonauncis the - - - - - - - - here accompte sufficient with tharticles conteigned in - - - - - - - - by which certain 20
iudgis beth all redy appoynted for the⟨xchewing⟩ of piraties fro
tyme to tyme commytted, and provision - - - - - - - suerties to be
taken of such shippes of warre as departe o⟨wt⟩ - - - porte. We
thynk, saving your more prudent advises, - - - - - - piraties in tyme
cumming eyther to be exchewed or redress⟨ed⟩, - - - - said treatie 25
renewed wold doo veari weale, but we - - - - - - bi the Frensh commissioners that thei tendre not greteli the ren⟨ewing⟩ of the same,
the cause whi this berer can enforme your good - - - - * * *
not so sone as we -
were cummen vnto our handis - - - - - - - - - - - - - - - - - ⟨w⟩old suf- 30
fre. In which thingis at suche - - - - - - - - - - - - - - - ⟨a⟩s your good
lordshippes shall lyke, it may p⟨er⟩cas⟨e⟩ - - - - - - - ⟨adv⟩ertise vs of

---

3. The French commissioners refused credence to William Sabyn as not having sufficient authority to demand restitution of the royal bark called *The Black Bark*. Wolsey is to communicate with the French ambassadors touching the same. (L.P.II. 3786; Titus B.I.63.) Sabyn served in the navy, under Surrey in the *Mary Rose* in 1522, and as captain of the *Les Bark* in 1529. (L.P.III.2355, 2357 (ii), App.33; iv. App.247.) He was serjeant-at-arms to the King at yearly wages of £18 5s. (iv.g.1136(14); pp.868,869.)

23. cf. Ep.51 and notes.

your pleasure. Which knowen we ⟨will endeav⟩or our selves to thaccomplishement of the same with - - - - - - - - of our powers. As 35 knoweth our Lord God who pre⟨serve your⟩ good lordshippes. At Calays this iiiith day of ⟨Nov⟩embre.

Your most humble ⟨bedesmen⟩,
Wyngfeld R. ⟨K.⟩
Wyllyam Kn⟨yghte⟩
Thomas More

54. To Erasmus.

Allen iii.706 — Calais
Auctarium p. 145 — 5 November ⟨1517⟩
F. p. 144: HN: Lond. iii. 8: LB. App. 204

55. Wingfield, Knight, More, to the French Commissioners at Boulogne.

Brit. Mus. MS. Calig. E.i.174 — Calais
L.P. ii.3803, calendared — 20 November ⟨1517⟩

[Answering Ep. 50. Copy. Edges burnt, hence the gaps.

At the same time, French ambassadors in England were able to settle the question of reprisals. Giustinian reported this, and shows that it was part of a wider discussion, including the requirement by the French of the surrender of Tournay, and by the English of the non-interference of the French in Scotland. (L.P. ii.3804; cf. also introduction to Ep. 41.)

More returned to England about Christmas (Allen iii.623, 20 n.), but Sir Richard Wingfield remained. (L.P. ii.3901.) In December Docwra, Ponynges and Knight were commissioned to hear disputes between the merchants of the two kingdoms. (L.P. ii.3861.) Richmond Herald reported to Wolsey the difficulties of the commissioners in consequence of their ignorance of the language, and the absence of necessary documents. (L.P. ii.3968.)]

Messieurs, tant que faire pouons a vous nous Recommandons. Et ⟨nous⟩ auons receu voz lettres, et bien entendu le contenu en icelle⟨s⟩, et ensemble de la coppie de la nouuelle commission que le Roy, vostre maistre, vous a enuoyé, pour radresser 5 les depredacions faictes sur les subgetz du Roy, nostre maistre, au par auant le temps, que nostre vieulle commission ne s'estend. Bien vray est que nous auons en souuenence lors questez, icy qu'il fut par vous faict ouuerture d'impetrer celle commission de chascune part. A quoy vous feismes responce, que combien qu'il 10 ne fust neccessaire que deussions requerre le Roy, nostre maistre, de mectre autre commissio⟨n⟩ entre noz mains, qu'il luy auoit

pleu de sa bonne grace nous commectre de sa mere mocion. Ce
nean⟨moins⟩ lors en escripuismes audit seigneur Roy et a Messieurs de son grant conseil et d'empuis aussi, et comme plussieurs
des subgetz du Roy, vostre maistre, estoient venuz eulx complain- 15
dre sur certaines roberies, par eulx alleguee auoir esté faictes au
precedent de la derreniere guerre, ausquelz ne pouions pourueoir
de remedd⟨e⟩ par vertu de nostre dite commission, qui est limittée
du vii d'Aoust xv^{c}xiiii. Sur lesquelles lettres, si le Roy, nostre
maistre, ou Messieurs de son dit grant conseil, congnoisse le cas 20
comme il est, penseront estre neccessaire, nous enuoyer nouuelle
commission. Apres la recep⟨te⟩ d'icelle, nous employerons a faire
justice aux coup⟨ables⟩, de vostre part. Et asseureement ainsi que
le vous promise ⟨nous⟩ auons faict et escript. Et certainement nous
presupp⟨osons⟩ que combien que ledit Sieur Roy, nostre maistre, et 25
Messieurs de son dit grant conseil peusassent estre expedié, que
eussions de ce Responce, qu'il leur semble estre neccessaire pre-
mierement entendre et congnoistre qu⟨el⟩ fruyct et effect se pourra
ensuyvre sur nos presentes commissions. En quoy ne doubtons
m⟨ie⟩ que vous y auez faict de vostre part et voull⟨oir⟩, et droict in- 30
differentement comme ceus de litterature doibuent et peuent faire,
⟨comme il⟩ vous est, et non obstant comme que ce⟨- - - - -⟩ qu'il
viengne pour encoires de tant et s⟨i forz⟩ complaintes, qui se sont
offertes pardeuant vos ⟨des⟩ subgetz du Roy nostre dit maistre, il
n'y en a et⟨é⟩ rescompence fors d'vng, seullement qui n'a esté mais 35
que douze escus. Pour quoy les ditz subgets du Roy, ⟨nostre⟩
maistre, sont si vexez, perplectez, et ennuyez de ⟨ce⟩ et hors desper-
ance d'aucune restitucion, que la grant part d'eulx, et quasi tous,
s'en sont reto⟨urné⟩, entendans plus tost endurer leurs ⟨? dom-
mages et⟩ pertes passees, que, sans ce que les princes ⟨trouvent⟩ 40
quelque autre voye pour leur recompensement ⟨de⟩ leurs vieulles
pertes, y mectre et pendre no⟨uveaus⟩ despens. Et quant ores serions
en Angleterre ⟨faisant⟩ recit de nos oppinions en ce, ne saurions
⟨faire⟩ jamais que le Roy, nostre dit maistre, consentis⟨se⟩, que
nous commissaires des deux costez deuss⟨ions⟩ auoir en cure et 45
pensement auecque examina⟨tion⟩ des vieulles playez, qui ja sont
presque ⟨oubliees⟩, les probacions et attestacions desquelles auec-
⟨ques⟩ sont plus difficilles a recouurer, que des ⟨nouuelles⟩ et
modernes playez qui encoires sont toutes sangnantes, qui sont
laissees habandonnees. Neantmoins, comme de ce ne vous en 50
saurions ⟨faire⟩ aucune faucte, vous asseurant en oultre que ⟨n⟩ous
appartenoit, que ce puist estre voye par la quelle la greigneure part
des compl⟨ainctes⟩ soient recompensez ou restituez, au moins de

ceulx seullement, qui se sont complainctz du dempuis la dit der-
55 reniere guerre. Et si il aduiendroit que noz commissions fussent
eslargies a l'examination d'autres precedentes complaintes, quel
nombre des subgetz de vostre parti viendroient vers nous, non
sauons rien. Mais si aucuns viendroient vers nous, ilz nous trou-
ueroiet prestz a les administrer indifferente iustice, estans asseurez
60 que nulz des subgetz du Roy, nostre maistre, ne reuiendront pour
ce pardevant vous, combien quilz disent beaucoup d'honneur et de
bien de vous. Mais le peuple est s⟨i⟩ rude; ne sont jamais contens
s'ilz ne sont payez, c⟨e⟩ quilz disent estre impossible, s'il n'y est
autremen⟨t⟩ pourueu, pour la grant difficulté et longueur qu'ilz
65 trouuent es loix de France. Et s'il plaira au Roy, nostr⟨e⟩ maistre,
sur les lettres, que luy auons escriptes, no⟨us⟩ faire responce, et
enuoyer quelque nouuelle commission, nous employerons a l'ac-
complir, et nous trouuer⟨ons⟩ pardeuers vous en bonne dilligence,
pour en oultre sur ce deuiser. Et atant, Messieurs, nostre Sieur
70 soit garde de vous.

A Calais, ce xxe jour de Novemb⟨re⟩, ainsi signés, vos bons voisins et amys, Richard Wyngfeld, Guill⟨aume⟩ Knighte, et Thomas More.

Et audessus: A Messieurs les Commissaires de France, estans a Boulloigne.

56. From Erasmus.

Allen III.726 — Louvain
Deventer MS. 91, fol. 79 — 30 November ⟨1517⟩
LB. App. 212

57. To John Fisher.

Tres Thomae p. 97 — ⟨c. 1517-1518⟩

[John Fisher (?1469-1535), B.A. Cambridge, 1487, M.A. 1491, Fellow of Michael House, and later, in 1497, Master of that college. He was priest, and in 1501 was made D.D. and Vice-Chancellor of the University. As chaplain and confessor to the Lady Margaret, he was interested in her founding of readerships in divinity in Oxford and Cambridge, and was reader for a time at his own university. He assisted her in the foundation of Christ's College and St. John's. Henry VII made him Bishop of Rochester in 1504, and Cambridge elected him Chancellor. He was also President of Queen's College 1505-1508. He was much interested in the study of Greek and of Biblical criticism, and took his full share in the controversial literature of the day, writing particularly against the teachings of Luther and Oecolampadius.

Like More, he was involved in the affair of the Nun of Kent (cf. Ep. 192, introd.). He was imprisoned in April 1534 for refusing to take the Oath of Succession as a whole, though he was willing to agree to the part which provided for the succession to the children of Henry and Anne Boleyn. The Act of Supremacy was passed in November 1534, and Fisher refused to admit the title. "The King our sovereign lord is not Supreme Head in Earth of the Church of England." (L.P. VIII.886.)

Some correspondence passed between Fisher and More on the question of the oath, during their imprisonment in the Tower, but these letters were burned. (Bridgett, *More,* p. 411f.)

Fisher was accused of misprision of treason, and was executed 22 June, 1535. (D.N.B.; T. E. Bridgett, *Blessed John Fisher.*)]

In Aulam (quod nemo nescit et Princeps ipse mihi ludens interdum libenter exprobrat) inuitissimus veni. In qua adhuc non minus male haereo quam quisquam equitandi insolens haeret in sella. Sed Princeps (a cuius intimo fauore longe absum) tam comis est ac benignus vniuersis, vt quiuis (cui paululum insit plusculae spei) 5 inueniat, vnde possit ei semet interpretari charissimum, more matronarum Londinensium, quibus persuasum est Deiparae Virginis imaginem quae prope arcem visitur, vbi pressius intuentes eam adprecatae sunt, adridere. Sed ego neque tam faelix sum vt tam beata signa conspiciam, et abiectioris animi quam vt ipse 10 mihi confingam. Caeterum tanta est virtus et doctrina Regis et in vtroque quotidie velut de integro inualescens industria, vt quo magis ac magis eius Maiest. video bonis vereque regiis artibus increscere, eo minus minusque sentiam aulicam hanc vitam mihi ingrauescere. 15

58. From Erasmus.

Allen III.776
Deventer MS. 91, fol. 32
L.B. App. 287.

Antwerp
22 February 1518

59. From Erasmus.

Allen III.785
Deventer MS. 91, fol. 32v.
LB. App. 265

Louvain
5 March 1518

60. To the University of Oxford.

Bodleian MSS. Top. Oxon. e.5, fol. 292
Rawl. D. 399. Tres Thomae p. 55, extract
R. James, Epistola . . . .
T. Hearne, ed. Roperi vita, p. 59
Jortin II, p. 662, from James

Abingdon
29 March ⟨1518⟩

9. foelix *Stapleton 1612.*

[For the collation with *Tres Thomae,* I have been obliged to use the 1612 edition, p. 194.

The first manuscript is a late sixteenth century copy, the second is seventeenth century. The year-date can be assigned from the movements of the court. A part of the letter is given by Stapleton, p. 55, and he adds that one daughter translated the letter into English, and another made a Latin translation from the English.

The letter was first printed in full by R. James, *Epistola Thomae Mori ad Academiam Oxon.,* Oxford 1633; and then by T. Hearne in *Guilielmi Roperi vita D. Thomae Mori,* Oxford 1716, p. 59.

Erasmus in a long letter to Mosellanus (Allen III.948, ll. 182-219) mentions the incident which prompted More's letter to the university. In the same letter he tells of another preacher's sermon inveighing against the study of Greek, which the King commanded More to answer in debate. The man's abysmal ignorance of Greek was shown up in an amusing way and he begged for forgiveness.]

THOMAS MORUS REUERENDIS PATRIBUS, COMMISSARIO, PROCURATORIBUS, AC RELIQUO SENATUI SCHOLASTICORUM OXONIENSIUM. SALUTEM. P.D.

Dubitaui nonnihil, Eruditissimi Viri, liceretne mihi de quibus nunc decreui rebus ad vos scribere; nec id vsque adeo stili respectu mei dubitaui, (quanquam cum ipsum quoque pudet in coetum prodire virorum tam eloquentium) quam ne videri ni-
5 mium superbus possim, si homuncio non magna prudentia, minore rerum vsu, doctrina vero minus quam mediocri, tantum mihi arrogem, vt vlla in re, sed praecipue literaria, consilium dare vnus audeam vobis omnibus, quorum quiuis ob eximiam eruditionem prudentiamque sit idoneus, qui multis hominum millibus
10 consulat.

Verum contra (Venerandi Patres) quantum me primo conspectu deterruit, singularis ista sapientia vestra tantum me penitius inspectu recreauit, cum subiit animum, sicuti stulta atque arrogans inscitia neminem dignatur audire; ita quo quisque est sapientior
15 doctiorque, eo minus sibi ipsi confidere aut cuiusquam aspernari consilium. Sed et hoc me vehementer animauit, quod nemini vnquam fraudi fuit apud aequos iudices, quales vos imprimis estis, etiamsi quis in consulendo non satis prospexisse videatur; sed laudem semper gratiamque meruisse consilium, quod quanquam non
20 prudentissimum, fidum tamen fuerit, et amico profectum pectore. Postremo, quum apud me considero, quod hanc quantulamcunque

2. id *om. Jortin.* 12. deterruit] in *add. Jortin.* penitus *Hearne.* 18. etsi si *Hearne et Jortin.*

TIT. The commissary was the chancellor's deputy; now called vice-chancellor.

doctrinam meam, secundum Deum, vestrae isti Academiae acceptam ferre debeo, vnde eius initia retuli, videtur a me officium meum fidesque in vos exigere, ne quidquam silentio transeam, quod vos audire vtile esse censeam. 25

Quamobrem cum in scribendo totum periculum in eo viderem situm, si me quidam nimis arrogantem dicerent, contraque intelligerem, silentium meum a multis damnari, ingratitudinis posse; malui omnes vt me mortales audaculum praedicarent, quam quisquam ingratum iudicaret, in vestram praesertim scholam, cuius 30 honori tuendo vehementer ipse me deuinctum sentiam; maxime cum res sit tanta, quanta profecto, vt mea fert opinio, nulla multis iam annis obtigit, quae (si honori commodoque gymnasii vestri bene consultum vultis) exactius fuerit vestra grauitate animaduertenda. 35

Ea res cuiusmodi sit accipite. Ego quum Londini essem, audiui iam nuper saepius, quosdam scholasticos Academiae vestrae, siue Graecarum odio literarum, seu prauo quopiam aliarum studio; seu, quod opinor verius, improba ludendi nugandique libidine, de composito conspirasse inter sese, vt se Troianos appellent. Eorum 40 quidam (senior quam sapientior, vt ferunt) Priami sibi nomen adoptauit, Hectoris alius, alius item Paridis, aut aliorum cuiuspiam veterum Troianorum, caeterique ad eundem modum, non alio consilio, quam vti per ludum iocumque, velut factio Graecis aduersa, Graecarum literarum studiosis illuderent. Itaque hac ra- 45 tione factum aiunt, ne quisquam eius linguae quidquam qui degustasset, aut domi suae, aut in publico possit consistere, quin digito notetur, cachinno rideatur, et appetatur scommatibus, ab aliquo ridiculorum illorum Troianorum; qui nihil rident aliud nisi quas solas nesciunt, omnes bonas litteras; vsqueadeo vt in Troianos 50 istos aptissime quadrare videatur vetus illud adagium, Sero sapiunt Phryges.

Hac de re cum assidue multos audirem multa referentes, quanquam et displiceret omnibus, et mihi in primis esset acerbum, scolasticos esse aliquot apud vos, qui talibus ineptiis, et otio abu- 55 terentur suo, et bonis aliorum studiis essent molesti; tamen quoniam videbam nunquam vndique sic posse prospici, vt e tanta hominum turba, omnes et saperent, et frugi modestique essent, coeperam apud me rem pro leui ducere.

34. vestrae grauitati *Hearne et Jortin.* 42. quanquam *Hearne*; cuiusquam *Jortin.*
48. cachinnis *Jortin.* 49. quod *Hearne.*
50. soli *coni. Jortin.* vt *om. Jortin.* 55. aliquos *Jortin.*

48. σκῶμμα. 52. cf. Otto, p.278; Cic. *ad famil.*7.16.1.

60 Caeterum posteaquam huc Abingdoniam inuictissimum Regem sum comitatus, accepi rursus ineptias illas in rabiem demum coepisse procedere. Nempe nescio quem e Troianis illis hominem, vt ipse sentit, sapientem, vt fautores eius excusant, hilarem atque dicaculum, vt alii iudicant, qui facta eius considerant, insanum,
65 hoc sacro ieiunii tempore, concionibus publicis, non modo contra Graecas literas et Latinarum politiem, sed valde liberaliter aduersus omnes liberales artes blaterasse. Tum quo sibi tota res congrueret, neu tam stolidum sermonis corpus vteretur sano capite, neque integrum vllum Scripturae caput tractauit, quae res in vsu fuit
70 veteribus, neque dictum aliquod breuius e Sacris Literis, qui mos apud nuperos inoleuit, sed thematum loco delegit Brytannica quaedam anilia prouerbia; itaque non dubito sermonem illum tam nugacem vehementer offendisse eos qui intererant, cum eos videam omnes tam iniquis auribus rem accipere, qui vel frustatim
75 inde quidquam audiunt, quorum quotusquisque est, qui modo vel scintillam habet Christianae mentis in pectore, qui non lamentatur ma*iesta*tem sacrosancti concionatoris officii, quod mundum Christo lucrifacit, nunc ab his violari potissimum, quorum officio potissimum incumbit eius muneris autoritatem tueri! In quod con-
80 cionandi officium, quae potuit excogitari contumelia insignior, quam, qui concionatoris nomen profitetur, eum in sacratissimo totius anni tempore, magna Christianorum frequentia, in ipso Dei templo, in altissimo pulpito, velut ipsius Christi solio, in venerabilis Christi corporis conspectu, quadragesimalem sermonem in Bac-
85 chanales conuertisse naenias? Quo vultu credimus auditores eius stetisse, cum illum, a quo spiritualem sapientiam venerant audituri, gesticulantem et ridentem, cachinnosque edentem e pulpito simii in morem cernerent; et cum pia mente verba vitae expectassent, abeuntes nihil audisse recordarentur, praeter oppugnatas
90 literas, et praedicandi officium ineptia praedicatoris infamatum. At quod seculares disciplinas omnes insectatur, si bonus ille vir mundo se procul subducens diu vitam traduxisset in heremo, atque inde repente prodiens isthac oratione vteretur, insistendum esse vigiliis, orationi, ieiuniis, hac via gradiendum, si qui caelum
95 petant; caetera nugas esse; quin ipsarum etiam studium literarum compedum vice esse, rusticos atque indoctos expeditius ad caelum prouolare; ferri vtcunque fortassis haec oratio a tali persona posset,

66. Latinam *Jortin.* politiam *melius.* 67. siue *Jortin.* 71. Britannica *Hearne.*
73. eos *om. Hearne.* 75. audiant *Hearne.* 78. lucrifecit *Hearne et Jortin.*
81. quam sic qui *Hearne et Jortin.* eum *om. Hearne.*
87. chachinnosque *Hearne.* 88. exspectassent *Hearne.* 91. Atque *Hearne et Jortin.*
94. coelum *Hearne.* 95. cetera *Hearne.* 96. coelum *Hearne.*

et veniam mereretur simplicitas, quam qui audirent benigne, interpretarentur sanctimoniam, qui vero grauissime, piam saltem atque deuotam inscitiam. 100

At nunc cum vident in suggestum scandere, hominem paenulatum, humeros instratum velleribus, habitu qui profiteatur literatum; atque inde in medio Academiae, quo nemo nisi literarum causa venit, palam contra omnes ferme literas debacchari, istud profecto nemo videt, qui non caecam putet atque insignem mali- 105 tiam, superbamque aduersus meliores inuidiam. Quin demirantur multi vehementer, quid homini in mentem venerit, cur putaret sibi praedicandum aut de Latina lingua, de qua non multum intelligit, aut de scientiis liberalibus, e quibus adhuc minus intelligit, aut postremo de Graeca lingua, cuius *οὐδὲ γρῦ* intelligit, cum ei 110 tam vberem suppeditare materiam potuissent septem peccata mortalia, res nimirum concionibus idonea, tum cuius creditur ipse neutiquam imperitus, qui cum sic institutus sit, vti quicquid nescit, id reprehendere malit quam discere, quid est, si haec inertia non est? 115

Ad haec cum palam infamat quoscunque scire quidquam deprehenderit, quod ipse quo minus addiscat, segnities aut ingenii desperatio prohibet, annon haec inuidia est? Denique cum nullum scientiae genus in precio vellet esse, nisi quod ipse scire se falso sibi persuaserit, atque ab ignorantia maiorem sibi laudem ar- 120 roget quam ab scientia quorundam fert modestia; numnam haec suprema est superbia? Itaque quod ad seculares literas pertinet, quanquam nemo negat saluum esse quemquam sine literis, non illis modo, sed prorsus vllis posse, doctrina tamen, etiam secularis, vt ille vocat, animam ad virtutem praeparat; quae res vt vt sese 125 habeat, nemo saltem dubitat, literas vnam prope atque vnicam esse rem, propter quam frequentatur Oxonia, quandoquidem rudem illam et illiteratam virtutem quaeuis bona mulier liberos suos ipsa docere, non pessime posset domi; praeterea non quisquis ad vos venit, protinus ad perdiscendam theologiam venit, oportet 130 sint qui et leges perdiscant.

100. *sic MS., recte*; iustitiam *Hearne et Jortin.* 106. meliores] artes *add. Jortin.*
119. pretio *Hearne.* se *om. Jortin.*
121. arrogat *Hearne et Jortin.* ab scientia] sicut *add. Jortin.* nonne *Jortin.*
122-160. Itaque - - - credant *Stapleton*, p.55.
123. quenquam *Stapleton 1612, Hearne et Jortin.* 124. etiam] vel *Stapleton.*
125. vocat] eaque *Stapleton.* animum *Hearne.* praeparat] concionator scilicet quidam audacior quam doctior *add. Stapleton.*
126. nemo - - - Oxonia] *Stapleton*: Neque quisquam est qui dubitet doctrinam hanc vnam prope atque vnicam esse, propter quam frequentatur Oxonium.
128. et] atque *Stapleton.* libros *Stapleton.* 130. oportet] vt *add. Stapleton.*
131. et *om. Stapleton.* calleant *Stapleton.*

Noscenda est et rerum humanarum prudentia, res adeo non inutilis theologo vt absque hac sibi fortassis intus non insuauiter possit canere, at certe ad populum inepte sit cantaturus: quae
135 peritia haud scio an alicunde vberius, quam e poetis, oratoribus atque historicis hauriatur. Quin sunt nonnulli, qui cognitionem rerum naturalium, velut viam sibi, qua transcendant in supernarum contemplationem, praestruunt, iterque per philosophiam, et liberales artes, (quas omnes iste saecularis nomine literaturae
140 damnat) iter faciunt ad theologiam, spoliatis videlicet Ægypti mulieribus in reginae cultum. Quam theologiam (quoniam hanc solam videtur admittere, si vel hanc admittat) non video tamen quo pacto possit attingere, citra linguae peritiam, vel Hebraeae, vel Graecae vel Latinae, nisi forte sibi persuasit homo suauis, satis
145 [in] id librorum scriptum esse Brytannice, aut totam prorsus theologiam putat intra septum illarum claudi quaestionum, de quibus tam assidue disputant, in quas pernoscendas, pars exigua fateor linguae Latinae suffecerit.

Verum enim vero, intra literas angust[i]as, augustam illam caeli
150 reginam theologiam sic coerceri pernego, vt non praeterea sacras incolat atque inhabitet Scripturas, indeque per omnes antiquissimorum ac sanctissimorum Patrum cellas peregrinetur, Augustini dico, Hieronymi, Ambrosii, Cypriani, Chrysostomi, Gregorii, Basilii, atque id genus aliorum, quibus (vt nunc contemptim
155 vocant) positiua scribentibus, theologiae studium stetit, a Christo passo, plus annis mille, priusquam argutae istae nascerentur, quae iam prope solae ventilantur, quaestiunculae. Quorum opera Patrum quisquis a se iactat intelligi, sine suae cuiusque eorum linguae non vulgari peritia, diu id iactabit imperitus, prius quam ei periti
160 credant.

At si nunc velamen ineptiae suae concionator ille praetexat,

133. absque] sine *Stapleton.* 134. posset *Jortin.*
135. aliunde *Hearne.* a poetis *Hearne.* 136. historiis *Stapleton.*
137. supernam *Hearne.* 138. iter et *Stapleton.* 139. secularis *Hearne.*
140. iter *om. Hearne.* 141. Ad quam *Stapleton.* 142. admittit *Stapleton.*
143. queat *Stapleton.* *sic James, Hearne et Jortin*; pertingere *MS.*
144. persuaserit *Hearne et Jortin, melius.*
145. in *om. Stapleton, recte.* Britannice *Hearne.* 147. noscendas *Stapleton.*
149. literas] has *Stapleton.* 150. pernego *om. Stapleton.*
151-152. antiquissimorum ac *om. Hearne.* 153. Chrysostomi] Cyrilli *add. Stapleton.*
154. Basilii *om. Stapleton.* quibus] per quos *Stapleton.*
154-155. vt nunc - - - scribentibus *om. Stapleton.* 156. argutae *om. Stapleton.*
156-157. quae - - - ventilantur *om. Stapleton.*
157. quaestiunculae] foret periniquum, addo etiam impium *add. Stapleton.*
158. suae *om. Stapleton et Hearne.*

---

141. Exod.12:36.

non saeculares ab se damnatas literas, sed immoderata earum studia; non video in eam partem tam passim peccari, vt opus fuerit, publica concione corrigi, ac reuocari velut in praeceps ruentem populum. Neque enim valde multos audio in hoc literarum 165 genere eo vsque peruasisse, quin paulo adhuc progressi longius, aliquanto tamen citra medium subsisterent. Caeterum ille bonus vir, vt facile declararet, quam longe ab ea sermonis moderatione abesset; quicunque Graecas appeterent literas, aperte vocauit haereticos, ad haec lectores earum diabolos maximos denotauit; auditores 170 vero diabolos etiam illos, sed modestius, et, vt ipsi videbatur facete, minutulos. Itaque hoc impetu, imo ista furia, sanctus iste vir, diaboli vocabulo notauit virum quendam, quem omnes talem esse sciunt, qualem is qui vere diabolus est, perquam aegre ferret, concionatorem fieri; quanquam haud nominatim citauit hominem, 175 verum tam aperte tamen hominem designauit, vt omnes tam intelligerent quem notaret, quam ipsum qui sic notasset, notarent amentiae.

Haud ita, viri literatissimi, desipio, vt in me sumam Graecarum patrocinium literarum, apud prudentias vestras, quibus facile in- 180 telligo, earum vtilitatem perspectam esse prorsus et cognitam, etenim cui non perspicuum est, cum in caeteris artibus omnibus, tum in ipsa quoque theologia, qui vel optima quaeque inuenere, vel inuenta tradiderunt accuratissime, fuisse Graecos? Nam in philosophia, exceptis duntaxat his, quae Cicero reliquit et Seneca, nihil 185 habent Latinorum scholae, nisi vel Graecum, vel quod e Graeca lingua traductum est.

Taceo Nouum Testamentum, totum fere primo scriptum Graece. Taceo vetustissimos quosque atque peritissimos sacrarum literarum interpretes fuisse Graecos, Graeceque scripsisse, hoc certe non sine 190 eruditorum omnium consensu dicam, quanquam iam olim quaedam translata sunt, et multa iam nuper melius; tamen neque dimidium Graecorum voluminum, Latine donatum est, neque quicquam fere sic a quoquam versum, vt non idem adhuc in sua lingua legatur aut emendatius, aut certe efficacius, eamque ob causam 195 veterum quisque Doctorum Latinae Ecclesiae, Hieronymus, Augustinus, Beda, multique itidem alii, sedulo se dederunt perdiscendo Graecorum sermonem; idque pluribus libris iam tum traductis, quam multi nunc, qui sibi impendio videntur eruditi,

170. *sic Jortin*; detonauit *Bodl. MS.*
172. vir *add. Jortin.*
181. earum] eam *Hearne.*
188-189. totum - - - quosque *om. Jortin.*
192. *sic Jortin, recte*; sint *Bodl. MS.*
193. Latio adhuc *Jortin.*

172. Erasmus.

200 solent legere. Nec didicere solum, sed posteris consuluerunt etiam, his inprimis, qui vellent esse theologi, idem ipsi vt facerent.

Quamobrem, non est, vt dixi, consilium apud prudentias vestras Graecae linguae studium defendere; sed pro meo in vos officio potius inhortari, ne quenquam permittatis, aut publicis concioni-
205 bus, aut priuatis ineptiis a Graecarum studio literarum deterreri, apud Academiam vestram, quam linguam vniuersa sanxit Ecclesia in omni schola docendam esse. Itaque pro prudentia vestra facile videtis, non omnes prorsus esse stupidos, qui ex vestris, Graecae sese linguae dediderunt, verum aliquot ex his esse eiusmodi, vt
210 vestra schola, non in hoc regno tantum, sed per exteras etiam gentes, eorum fama doctrinae, multum verae gloriae sit consecuta, praeterea multos iam coepisse videtis, quorum exempla sequentur alii, multum boni vestro conferre Gymnasio, quo et omnigenam literaturam, promoueant, et modo nominatim Graecam, quorum
215 nunc feruidus in vos adfectus, mirum in modum frigescat, si tam pium propositum suum ludibrio isthic haberi sentiant, praesertim quum Cantabrigiae, (cui vos praelucere semper consueuistis), illi quoque qui non discunt Graece, tamen communi scholae suae studio ducti, in stipendium eius qui aliis Graeca praelegit, viritim,
220 quam honeste contribuunt.

Haec, inquam, vos videtis, multaque item alia, quibus inueniendis ingenioli mei paruitas non sufficit, cui propositum est potius eorum vos commonefacere, quae alii dicunt ac sentiunt, quam quid vos facere deceat consulere, qui multo acutius quam ego facio
225 perspicitis, nisi tales improbe suborientes factiones mature comprimatis, fore vt pluribus paulatim contagione infectis, peior pars in maiorem tandem possit excrescere: atque ita futurum, alii vt cogantur in vestrum, qui boni ac sapientes estis, auxilium manus apponere; nam ego certe neminem esse reor, qui vllo tempore
230 vnquam fuit e vobis, quin Academiae vestrae statum, tam ad se pertinere ducat, quam ad ipsos vos qui nunc viuitis ibi.

Neque dubitandum est, quin Reuerendissimus in Christo Pater, Cantuariensis Antistes, qui et cleri totius nostri Primas est, et vester Cancellarius, non erit hac in re vlla ex parte remissus, idque
235 vel cleri causa vel vestra, quorum vtriusque valde sentit interesse, ne studia isthic intercidant; intercident autem, si contentionibus laborante Gymnasio, a stultis passim atque inertibus artes bonae permittantur impune derideri.

215. modum *om. Bodl. MS.*; mirum ni *Jortin.*
216. suum] summo *Jortin.* isthinc *Jortin.*
231. ibi *add. James, Hearne et Jortin.* 233. Antistes] adhuc *add. Jortin.*

233. cf. n. to Ep.32.

Quid autem Reuerendissimus in Christo Pater Cardinalis Eboracensis, qui et literarum promotor, et ipse literatissimus Antistes 240 est? an is bonarum artium et linguarum studium impune apud vos ludibrio haberi patienter ferat, ac non potius aduersus sciolos istos contemptores earum, et doctrinae, et virtutis, et autoritatis suae aculeos est exerturus?

Denique Christianissimus Princeps noster, cuius sacra Ma*ies*tas 245 bonas artes omnes tanto fauore prosequitur, quanto principum vnquam quisquam, et qui praeterea tantum habet eruditionis ac iudicii, quantum hactenus Principum habuit nemo, nunquam haud dubie pro immensa prudentia sua, tantaque in Deum pietate patietur bonarum artium studia, malorum atque inertium studiis 250 hominum in eo dilabi loco, in quo maiores eius clarissimi, clarissimum Gymnasium statuerunt; quod non solum sit ex vetustissimis, vnde multi tantae eruditionis exorti sunt, vt non Angliam solum, sed et totam illustrarint Ecclesiam, verumetiam quod pluribus Collegiis ornatum est, (quibus perpetui prouentus assignantur 255 ad alendos studiosos), quam vt sit, extra suum regnum, Academia vlla, quae cum isto Gymnasio vestro in ea vna re conferri aut comparari possit, quorum omnium Collegiorum hic scopus est, et tantum isthic apud vos prouentum non aliam ob causam collatum est, quam vt magnus scholasticorum numerus, liber a 260 parandi victus sollicitudine, bonas ibi artes perdisceret.

Verum ego nihil dubito prudentias vestras facile rationem inituras, qua contentiones istas et ineptissimas factiones ipsi compescatis, curaturasque vt omne genus bonarum literarum, non modo vacet irrisu atque ludibrio, sed in precio quoque atque 265 honore habeatur. Qua vestra diligentia, et multum bonis studiis apud vos proderitis et Illustrissimum Principem nostrum, dictosque Reuerendissimos in Christo Patres vix dici potest quantum demerebimini. Me vero ipsum, qui haec omnia ob ingentem amorem meum erga vos hoc tempore, hac manu mea scribenda 270 esse duxi, mirabiliter profecto deuincietis; cuius studium et operam

244. exserturus *Hearne*. 251. hominum *om. Hearne et Jortin*. 253. tanta eruditione exorti sint *Hearne*. 257-258. aut comparari *om. Hearne*. 265. irrisione *Hearne*. pretio quoque et *Hearne*.

239. Thomas Wolsey (1472 or 1473-1530) was B.A. Oxford when "past not fifteen yeares of age," and was then fellow and bursar of Magdalen College, and Master of Magdalen College School. He was ordained priest 1498, and was soon given many church livings. In 1514 he became Bishop of Lincoln and Tournai and Archbishop of York, and in the following year Cardinal and Lord Chancellor. (cf. D.N.B.; A. F. Pollard, *Wolsey*.)

252. This passage shows that More really wrote for the King.

256. Jortin notes that "the construction is defective in this long-winded sentence."

in vestram vtilitatem paratissima, non vniuersi modo, sed singuli quoque vestrum praesto sibi fore intelligent.

Deus clarissimam istam Academiam vestram seruet incolumem,
275 reddatque indies magis magisque bonis literis omnibus et virtute florentem.

Abingdoniae quarto Calend. April.

Thomas Morus.

61. From Erasmus.

Allen III.829 ⟨Louvain⟩
Deventer MS. 91, fol. 13 ⟨c. 23 April 1518⟩
LB. App. 311

62. To Erasmus.

Tres Thomae p. 73 ⟨Oxford?⟩
Allen III.845 ⟨?May 1518⟩

Rhenanum mire deamo et honestissimae praefationis gratia multum debeo; cui iam olim per literas egissem gratias, nisi me ineluctabilis illa pigritiae chiragra tenuisset.

63. To William Gonell.

Tres Thomae p. 224 At court
[More dates at the end: In Aula pridie Pentecostes. 22 May ⟨1518?⟩

William Gonell (d. 28 August 1560) was probably a schoolmaster at Landbeach in Cambridgeshire, when Erasmus first knew him. He was recommended by Erasmus to More, who chose him as tutor to his children. He was also a member of the household of Cardinal Wolsey. West, the Bishop of Ely, collated him to the living of Conington in Huntingdonshire 6 September 1517, but he evidently remained some time longer as tutor in More's home. (Allen I, p. 532; Cooper's *Athenae Cantabrigienses* I, pp. 94, 537; D.N.B.)

Other tutors were John Clement, "Master Drew," Nicholas Kratzer the astronomer, and Richard Herde, who died on a mission to Spain in 1528. (L.P. IV.4090, 4103.)]

Accepi, mi Gonelle, tuas literas quales esse semper solent, hoc est, elegantissimas, amorisque plenissimas. Adfectum tuum in liberos meos ex tuis literis perspicio, diligentiam ex

277. Kal. Aprilis *Hearne*.

62.1. Stapleton gives the reference as Beatus Rhenanus' letter to Bilibald Pirckheimer in praise of More, which was used as preface to More's Epigrams. (Stapleton p.73.) This was published in March 1518 and so gives us the probable date for More's letter. (Allen III, p.338n.)

ipsorum: quorum nemo fuit, cuius epistola mihi non perplacuerit. Sed illud super omnia quod Elisabetham sentio eam morum modestiam absente matre praestitisse quam non quaeuis praesente solent. Eam rem fac intelligat gratiorem mihi quam omnes omnium literas esse mortalium. Nam vt doctrinam, quae cum virtute coniuncta sit, vniuersis regum thesauris antepono, ita si morum probitatem seiunxeris, quid aliud affert fama literarum, quam celebrem et insignem infamiam? praesertim in faemina, cuius eruditionem velut rem nouam et virilis ignauiae redargutricem plaerique libenter inuadent, et naturae malitiam transferent in literas, rati ex peritiorum viciis inscitiam suam virtutis vice fore. Quod si contra quaepiam (id quod meas omnes opto, et spero certe te praeceptore, facturas) egregiis animi virtutibus vel mediocrem literarum peritiam adstruxerit, huic ego plus accessisse veri boni puto, quam si Craesi diuitias cum Helenes forma consequeretur. Non quod ea res gloriae futura sit, quanquam ea quoque virtutem velut vmbra corpus comitabitur, sed quod solidius est Sapientiae praemium, quam vt vel cum diuitiis auferri vel cum forma deperire queat: vtpote quod a recti conscientia non ab aliorum sermone pendeat, quo nihil est neque stultius neque pestilentius.

Nam vt infamiam vitare viri est boni, sic ad famam se componere non superbi modo verum etiam ridiculi miserique. Necesse est enim animus inquietus sit qui laetitiam inter ac maerorem ex aliena semper opinione fluctuet. At inter egregia illa beneficia, quae doctrina confert hominibus, haud aliud hercle duco praestabilius, quam quod ex literis docemur, in perdiscendis literis non laudem spectare sed vsum. Quam rem sane (quanquam nonnulli disciplinis velut caeteris bonis abusi sint in solum gloriolae ac famae popularis aucupium) doctissimi tamen quique tradiderunt, philosophi praesertim, vitae moderatores humanae.

Haec ego, mi Gonelle, de non appetenda gloria perscripsi pluribus, propter ea verba quibus in epistola tua censuisti, in Margareta mea altam illam et excelsam animi indolem non esse deiiciendam. Qua in sententia ipse quoque tecum, mi Gonelle, consentio. Sed is mihi, non dubito quin tibi quoque, deiicere videtur animi generosam indolem, quisquis assuescit vana atque inferna suspicere; erigere contra quisquis in virtutem ac vera bona consurgit, quisquis vmbras istas bonorum (quas omnes prope mortales inscitia veri pro bonis veris auide captant), sublimium contemplatione rerum superne despexerit.

11. foemina *Stapleton 1612*. 27. moerorem *Stapleton 1612*.

45 Ego igitur quum hac via pergendum ducerem, non te modo, mi Gonelle charissime, quem pro eximio tuo in meos omnes adfectu sciebam tuapte sponte facturum; non vxorem meam (quam satis impellit multis explorata modis mihi vere materna pietas) sed amicos prorsus omnes oraui saepe, vti liberos meos subinde
50 admonerent vitatis vt fastus et superbiae praecipitiis, per amaena modestiae prata graderentur; ne ad auri conspectum obstupescerent; ne sibi deesse suspirent quae per errorem admirentur in aliis; ne pluris ducant sese nitore cultus addito, neu quicquam minoris adempto; formam quae natura insit, neglectu ne corrum-
55 pant, neque malis intendant artibus; virtutem primo, literas proximo bonorum loco ducant; ex his eas maxime e quibus maxime possint pietatem in Deum, charitatem in omnes, in se modestiam et Christianam humilitatem discere. Ita fiet vt innocuae vitae praemium a Deo referant: cuius expectatione certa nec mor-
60 tem horreant, et interim solido fruentes gaudio neque inanibus hominum laudibus insolescant, nec iniquo sermone frangantur. Hos ego veros ac genuinos doctrinae fructus esse censeo: quos vt non omnibus fateor literatis contingere, ita qui hoc proposito animum ad literas appellunt, emergere facile atque in consum-
65 matos euadere contenderim.

Neque referre arbitror ad messem, vir an faemina sementem fecerit. Quorum vtrique si hominis vocabulum conueniat, cuius naturam ratio distinguit a belluis, vtrique inquam ex aequo conuenit peritia literarum qua ratio colitur, et velut aruum inser-
70 tis bonorum praeceptorum seminibus frugem progerminat. Quod si muliebre solum suapte sit natura malignum et filicum quam frugum feracius (quo dicto multi faeminas deterrent a literis) ego contra censeo tanto diligentius esse muliebre ingenium literis ac disciplinis bonis excolendum, quo naturae vicium corrigatur
75 industria. Haec censuere veteres viri prudentissimi iidemque sanctissimi. E quibus, vt omittam reliquos, Hieronimus atque Augustinus optimas matronas, honestissimas virgines, non hortati modo sunt ad capessendas literas, verum etiam quo facilius promouerent, abstrusos Scripturarum sensus eis diligenter exposuerunt, ac teneris
80 virgunculis scripserunt tanta eruditione refertas epistolas, vt eas nunc viri senes et sese doctores sacrarum literarum professi vix bene legant, tantum abest vt intelligant. Quae sanctorum virorum opera, Gonelle doctissime, pro tua bonitate curabis vt filiolae meae perdiscant. Vnde potissimum cognoscent, quem doctrinae suae

50. amoena *Stapleton 1612*.
66. foemina *Stapleton 1612*.
72. foeminas *Stapleton 1612*.
76. Hieronymus *Stapleton 1612*.

scopum debeant destinare, fructumque omnem sui laboris in teste 85
Deo et conscientia recti constituant. Ita fiet vt intus placidae ac tranquillae neque adulatorum laude moueantur, neque ridentium literas illiteratorum mordeantur ineptiis.

Sed iam dudum audire videor occlamantem te haec praecepta etiam si vera sint, esse tamen fortiora quam tenera mearum capere 90
possit aetatula: quando quotus est quisque virorum aetate grandium ac prouectorum disciplinis, qui vsqueadeo certus animi atque obfirmatus sit, vt nullo gloriae pruritu titilletur. Ego, mi Gonelle, quo difficilius video superbiae pestem excutere, eo magis enitendum censeo, vt id quisque statim meditetur ab infantia. Neque 95
aliam causam puto, cur hoc malum tam ineluctabile pectoribus nostris inhaereat, quam quod prope simul ac nati sumus, mollibus animulis puerorum a nutricibus inseritur, fouetur a magistris, a parentibus alitur atque perficitur; dum nemo quicquam ne bonum quidem docet a quo non laudem iubeat protinus expectare 100
velut hostimentum preciumque virtutis. Inde laudes diu sueti magnifacere, tandem eo venitur, vt dum pluribus, hoc est peioribus, placere student, bonos esse pudescat. Quae pestis quo longius arceatur a meis liberis, et tute, mi Gonelle, et mater, et caeteri amici omnes occinant, inculcent, obtundant, abiectam ac despuibilem 105
esse gloriolam: nec esse quicquam sublimius, quam sit humilis illa toties a Christo praedicata modestia: quam prudens charitas sic praecipiet vt virtutem doceat libentius quam exprobret vicia, et amorem bonae monitioni quam odium conciliet. Neque ad eam rem quicquam est cautius, quam veterum eis Patrum prae- 110
cepta legere; quos neque iratos sibi intelligunt; et quum sanctimoniae gratia venerentur, necesse est vehementer eorum authoritate moueantur. Cuiusmodi quippiam si praeter Salustianam lectionem Margaretae meae et Elisabethae (nam hae maturiores videntur quam Ioannes et Caecilia) perlegeris, et me simul et illas, 115
iam ante tibi multum addictos, multo adhuc magis obstrinxeris. Praeterea liberos meos, naturae primum iure charos, ac deinde literis et virtute chariores, efficies eo doctrinae ac bonorum incremento morum charissimos. Vale.

In Aula, pridie Pentecostes. 120

64. From Erasmus.

Allen III.848 — Basle
Deventer MS. 91, fol. 17 — 31 May ⟨1518⟩
LB. App. 285

89. occlamante *Stapleton 1612, perperam.* 114. Eilsabethae *Stapleton 1612.* 115. praelegeris *Stapleton 1612.*

65. To William Budaeus.

Tres Thomae p. 68 ⟨c. August 1518⟩
Jortin II, p. 669
[Answered by Ep. 66.

Guillaume Budé (26 January 1467/8-1540) was born in Paris and educated there and at Orléans, where he studied law and later literature. In 1500 he returned to Paris and a year later began the serious study of Latin and Greek, working in the latter with Georges Hermonyme and for a brief time with John Lascaris.

His father had secured his appointment as one of the royal secretaries, but he resigned soon after the accession of Louis XII. He served on an embassy in Italy in 1501, and in 1505 to Julius II on his election as pope.

After the death of his parents, his inheritance was small but sufficient for his scholar's life. In 1505 or 1506 he married Roberte Le Lieur, by whom he had a large family of whom six sons and a daughter survived.

His reputation as a scholar was made by the publication in 1508 of his *Annotations on the Pandects,* in which he made a minute study of the text, and explained an incalculable number of Latin words and expressions for the first time. He did not collate the Paris manuscripts, but saw the value of collation and was the first to bring it to the attention of scholars. He gave long citations from Latin and Greek authors and these were used by his contemporaries in learning Greek. He used the original Greek of St. Luke's Gospel, pointed out mistakes in the Vulgate, but showed that it was not Jerome's text. He had studied Valla on the New Testament, and now pointed the way for Erasmus' work.

The *De Asse,* published 1515, was a study of the values of Roman money, and from this he proceeded to study imperial revenue and questions of ancient wealth and luxury. The book was important, also, in giving a treasury of references to ancient history.

He returned to court in 1519, and was made master of the library, and in 1522 master of requests. His Greek lexicon appeared as the *Commentarii linguae Graecae,* Paris, Badius, 1529. His last work was his *De Transitu hellenismi ad Christianum,* 1535. He was influential, with Jean du Bellay, Bishop of Narbonne, in persuading Francis I to found the Collegium Trilingue (later the Collège de France) and the Library at Fontainebleau (now one of the collections of the Bibliothèque Nationale). He was suspected of Protestantism, and his widow openly professed that faith at Geneva. (Encyc. Brit.; Delaruelle, *Guillaume Budé, les origines, les débuts, les idées maîtresses.*)]

Cum omnia tuorum nihil obiter legam, sed inter solida et primaria collocem studia, Assem vero tuum sic attente perdisco, quomodo non quemlibet veterum. Nam ne transeunter intelligi possit, ipse delectis verbis, exquisitis sententiis, elaborata sermonis grauitate, postremo pondere et difficultate rerum tam alte petitarum 5
peneque iam euanidarum vetustate prouidisti, quibus tamen si

1. omnium *Jortin.*

quis intendat oculos, contineatque atque infigat pressius, eam adfudisti lucem, sic propemodum deleta refecisti, vt tua verba dum versat, omnibus interea praeteritis seculis interuersari videatur, et omnium regum, tyrannorum, gentium collustrare, numerare, 10 velutque manu contrectare diuitias, quod fere maius est, quam vt quibuslibet auaris contingat in suis. Vix profecto numerare possum quam multis te nominibus, mi Budaee, complectar, vel quod mihi tam impense faues, vel quod nemo mihi valde diligitur, quin bona sit fortuna factum, idem quoque vt vehementer ametur abs te; vel 15 quod tam multas, tam egregias tibi virtutes inesse conspicio, vel quod animum tuum auguror prorsus haud abhorrentem a meo, vel quod hic tam vtilis labor in literis, omnes tibi mortales obstringit, vel quod tam incomparabilis eruditio, quae peculiaris olim cleri gloria fuerat, tibi faeliciter obtigit vxorato. Nam λαικὸν 20 appellare non sustineo, tam multis, tam egregiis dotibus, tam alte subuectum supra λαόν.

66. From William Budaeus.

Epistolae Budaei, 1520, fol. 9. — Paris
[Answering Ep. 65.] — 9 September 1518

GULIELMUS BUDAEUS THOMAE MORO. S.

Par canum Britannicorum abs te mihi obtulit Lupsetus, adolescens vtraque lingua doctus, atque apud doctos (vt video)

9. interim *Jortin*. 11. vt *om. Jortin*. 20. foeliciter *Stapleton 1612*; feliciter *Jortin*.

1. Thomas Lupset (1495-27 Dec. 1530) was early a member of Colet's household and a pupil of Lily. He probably attended St. Paul's School. Trained in Latin and Greek, he went to Cambridge in 1513, but was impatient of medieval dialectic. From 1517 to 1519 he studied in Paris, supervised the printing of two of Linacre's translations from Galen, and the second edition of More's *Utopia*. Budé aided him in correcting for the press and wrote to Linacre that Lupset was "a youth of great candour and exhibited a pattern of English probity and affability, combined with a generous descent, and no moderate share of erudition."

In 1519 he defended Erasmus' Greek New Testament against Lee's attack. This gave him the reputation of supporting the new learning, and of being the friend of Erasmus. At the end of 1519, probably, he went to Corpus Christi, Oxford as John Clement's successor. He brought to its library Grocyn's Greek MSS., purchased by the president, Claymond. He took his B.A. and became lecturer in rhetoric, lecturing on Latin and Greek. He proceeded M.A. 1521, but left England in the early spring of 1523.

He received church livings, and on the Continent was tutor to Wolsey's natural son, Thomas Winter. He lived in Pole's household in Padua, and in Venice aided in the Aldine edition of Galen (1525). A long visit of a year to England was followed by residence in Paris, again as Winter's tutor, and in the summer of 1529, Lupset finally returned to England.

He wrote *A treatise of charitie*, 1529, *An exhortacion to young men*, and *A compendious treatise - - - of dieyng well.* His very promising career was cut short by consumption in 1530. He was a Christian humanist of distinction, and contributed to the development of English prose-style, a result of his study of the classics. (cf. John Archer Gee, *The Life and Works of Thomas Lupset.*)

gratiosus. Quod et si mihi gratum admodum iucundumque donum
fuit, atque etiam ex euentu amplum et magnificum (munificen-
5 tiam enim luculentam et felicem singulis iis donandis edidisse me
spero) haud paulo tamen iucundius par illud epistolarum fuit,
in quibus lectitandis ingenium tuum, vt fando olim auditum, sic
ex Vtopia tua cognitum agnosco et exosculor, mihi adeo vt nihil
minus esse videare quam quod vocaris ipse. Qui si forte auitum
10 nomen sic (vt debes) retines et amplecteris, vt nullo mutare feli-
ciore velis, mihi saltem indulgebis, vt altero tanto longius cogno-
mentum faciam, et pro Moro Oxymorum te vocem, nullo
stemmatis tui dispendio, quo magis ex ea stirpe genus ducere
existimeris, cuius Encomium Erasmus mirifice conscripsit.
15 Verum o suaues tuas mihi literas, vt dicere coeperam, o suauian-
dum mihi librum meum de Asse, qui tot mihi pondo elogiorum
grauissimorum, tot talenta Attica amicitiarum conciliauit, praesertim peregrinarum, quas mihi liberisque meis splendidiores
domesticis et vernaculis esse, foreque existimo. Atqui nulla re
20 magis constare mihi rationem olei et operae studiis impensae puto,
quam quod in Theatrum amplissimum prodire ausus, plausum ab
iis partibus adeptus sum maxime, a quibus me adepturum minime
quiuis fortasse arbitraretur.

Tametsi (vt tibi veritatem fatear) mea semper ea fuit ratio, vt
25 ex Assis mei digressionibus et veluti figuratis panegyricis, a pro-
miscua quidem turba (in qua tum fere nostrates esse sciebam)
non tam impraesentiarum admurmurationem secundam, quam
sibilos expectarem. Neque enim vnquam inducere in animum
potui, vt sententiarum numero emerendo potius inseruirem, quam
30 ponderi atque auctoritati: ac velut in Aristocratia aetatem transi-
gendam haberem, non ita vnius et plurimorum rationem habui,
quin optimo cuique maxime approbare me contenderem.

Hoc meum institutum minime populare, eo me primum discriminis adduxerat, vt quicquid in medium ederem, stare vix
35 posset in scena, praeiudicata scilicet opinione nimium sibi in-
stantis diligentiae meae (hoc enim de me aiebant) nec se cum
famae discrimine ad vulgi captum gratiose populariterque summit-
tentis, quum interim ipse iudicio meo seruiens, vt olim ille dis-

---

4. More had felt under obligations to Budé for his letter to Lupset of 31 July 1517 which recommends the *Utopia* and was printed in the introduction of the second edition, by Gilles de Gourmont, September or October 1517. (cf. *Thomae Mori Omnia Opera*, 1566, f^{os} Aii^{v} and Aiii^{2}; résumé in Delaruelle, *Repertoire*, pp.26-27.)

6. cf. Ep.65. The other letter is not extant.

12. Oxymorus—*ὀξύμωρος*, pointedly foolish. (Tὸ *ὀξύμωρον*, a witty saying, the more pointed from being absurd or paradoxical.)

16. cf. Ep.66, introd.

cipulus Antigenidae, mihi et musis canerem, et mox secuturae (vt sperabam) hominum opinioni. Verum studiorum tandem profectu 40 et ingeniorum aemulatione factum est, vt nostratium etiam alius atque alius sensus esse coeperit. Quibus tamen ipsis nondum tantum tribuo, vt ex eorum statim sententia, aut commode, aut secus de meis scriptis sentiam, vt qui satis perpenderim, et meminerim quid ipse praestare efficereque possim hac ingenii doctrinaeque 45 mediocritate.

Sed nescio quo modo vestris externorum testimoniis ita me ferri transuersum, et interdum sublimem rapi sentio, vt vel magnificule inferam me inter amicos, et vestris aliorumque epistolis suffarcinatus, quasique peregrinis elogiis fultus et subleuatus, fastigiolum 50 meum attollere videar, et ceruices subrigere contra ingenii mei rationem. Quod etsi mihi videtur ineptum attentius me nonnunquam aestimanti, tamen si vobis iisque, qui me amare fidem mihi fecerunt, ingenium et industriam meam probasse me confiderem; ne Momum quidem (vt aiunt) vel Ligurinum, vel Tuscanicum 55 timendum magnopere ducerem. Quanquam sunt (si diis placet) qui id demum mihi vitio vertant, quod anxie nimis ac religiose versare scripta mea videar, et veluti ad priscae formulae normam exigere commentandi diligentiam, quasi vero nostri seculi eloquentia ad praescriptum antiquitatis componere sese, atque effin- 60 gere sine reprehensione non possit; aut ego nullo magis nomine culpari possim, quam quod culpa vacare contenderim.

O felicem me simul et miserum, si omnes ita de me sentiant. Felicem, quod mihi crimen obiectum in laudem tandem cessurum sit. Quis enim hoc crimine vacare velit? Miserum, quod tot mea 65 vitia clarius aliis cernens, nec emendare queam, nec de me ita mereri, vt me cum aliis ipse probem, et in luculentis meis vitiis conniueam, nisi quod interdum (vt dixi) alieno me iudicio aestimo. Quorum quidem certe ingenium et peritiam captui meo ipse ac sensui praeferam. Enimuero nihil me magis mecum in 70 gratiam reducit, ac me melius ominari subigit et sperare, quam

---

39. Antigenidas, a Theban, celebrated flute-player and poet of time of Alexander the Great.

55. The critic god. cf. Cic. *ad Att.* 5.20.6 - - - in quo laboras, vt etiam Ligurino Μώμῳ satisfaciamus.

Leonardus de Portis (c.1464-1545) wrote *De sestertio, pecuniis, ponderibus et mensuris antiquis*. Egnatius (Giovanni Battista Cipelli) mentions it in his *Suetonius* (Aug. 1516) as composed five years earlier, but it was not printed until some years after the *Suetonius*. Budé in a letter to Egnatius (Delaruelle, no.24) is grateful for Egnatius' tribute to his *De Asse*, as it saves him from a charge of plagiarism from de Portis' book of which he had not even heard before.

Erasmus quotes the charge of plagiarism again in 1527 (Allen VII.1840, ll.7ff.). Budé then appealed to Lascaris. (Delaruelle, no.163.) Lascaris had seen de Portis' book in MS. years before at Rome. (Allen III.648, l.57n.)

quod concordes multorum sententias video in Asse meo probando. Quas etiam conflatas esse ideo suspicari nequeo, qui ab aliis auctoribus eas emanare scio, qui nunquam in vnum capita contulerunt,
75 nunquam inter se censentes audire videreue potuerunt. Quod si non tam doctrinae (quam maligne in me cognosco) quam amicitiae tribuitur, (neque enim aut opibus, aut potentiae tribui quisquam suspicabitur) quid restat, quo magis beatus ac diues esse possim?

80 Id adeo vt vel exilium mihi consciscere tandem debeam, vel diuturnam certe peregre absentiam, vt et externarum amicitiarum, quas propensius colo, fructum aliquando percipiam. Neque vero quum rationes meas calendatim recognosco, prouincialia ista nomina inania esse puto, quae se quotidie perscribenda alia super
85 alia inferunt. Quanquam non perinde hinc appellare eos possim, qui mihi sese obstringere amicitiae non veriti sunt literis obsignatis, nec istinc aut aliunde illi mecum eadem actione experiri, quibus itidem me obstrinxi (vt interim eos omittam, qui mecum coram hac transeuntes contraxerunt amicitiam) quanquam vtrisque
90 nostrum reis et actoribus, et domi, et peregre, idem semper vnusque iudex ius sit dicturus, si controuersia existat, optimus ille maximus Iuppiter cognomento Philius, iuris amicitiae praeses. Sed mihi rursus vereor, vt pronum in posterum esse possit hoc propositum externas prouincias vel iusta vel libera legatione, vel priuata pere-
95 grinatione visendi: homini quantum per vitae institutum licet et fortunarum modum, studioso, nec satis firma ac viatoria valetudine: adde etiam, si placet, coniugato: et qui septimo iam filio in familia factus sim comitatior, vxore vixdum ingressa annum duodetricesimum.

100 Mirum quantum me totum tuum literis illis fecisti, in quibus scribis persuasum te habere affectibus tuis perbelle cum meis conuenire: coniecturam vtique ex meis digressionibus factitantem, quibus in ipsis scilicet animi mei sensus non obscure sese protulisse videntur et indicasse. Equidem, mi More, quod mihi das vltro, id
105 libenter amplector: vt tanquam genituram physicam communiter habeamus, atque etiam Vtopianis institutis et moribus a natura informati in lucem prodierimus. Itaque volens hilarisque faciam vt inter nos contractam naturae sponte imperioque amicitiam, omni deinceps officii genere obsequiique confirmem, inter absentes

---

92. Ζεὺς Φίλιος, so called "because he brings all men together and wishes that they should be friends to each other." Dio Chrysostom, *Or.*xii, vol.I, p.237.

97. This son died in infancy. (cf. Delaruelle, no.134, which is an interesting comment on his devotion to his daughters as well as to his sons.)

vsurpabilis, si modo te ad amicitiam colendam tuendamque comparatum esse sensero. Magnum id solatium et adminiculum erit ad maritam hanc nostram tolerandam Philologiam, cuius rara exempla nostra auorumque memoria tulit non modo apud nos, sed etiam apud vos, vt tu ipse testaris. 110

Neque ego (vt opinor) vsqueadeo vel pertinaciter vel constanter susceptum hoc vitae institutum annis iam ferme duodetriginta pertulissem, nisi me vis quaedam maior et fatalis ab rei factitandae cura flagrantibusque municipum meorum studiis ad literaria studia detorsisset: id est (vt nunc sunt mores Principum et publici) in egestatis officinam, patrimoniorumque internicionem ab census augendi disciplina obtrusisset. Ex quo tempore tanta alacritate operam literarum studio dedi; tam prono pectore incubui in eam spem, quam etiam nunc foueo: tanta omnium sensuum industria ab omni externa cura feriatorum, propositum finem studiorum persecutus sum, vt nihil vnquam huic voto peruertendum esse duxerim; nullam rem antiquiorem habuerim, nulli vel spei vel voluptati tantum tribuere visus sim, duntaxat secundum Dei cultum, et aeternae felicitatis desiderium, non parentum cognatorumque auctoritati mihi, si in instituto persisterem, inopiam, ignominiam, corporis infirmitatem praedicentium, atque denunciantium, non curae rei amplificandae, et fastigii familiaris attollendi (quod commune, et feruens studium esse videbam eorum, qui frugi homines prudentesque moribus nostris existimantur), non coniugis precibus, quae meam Philologiam velut suam pellicem sibi praeferri dolebat et fremebat; non rei in vniuersum vxoriae lenociniis, non prolis numerosae blandimentis festiue ludibundae; denique non tuendae prosperae, non curandae aduersae valetudini. Quarum rerum incuria, quum in fraudem luculentam sciens prudensque inciderim bonorum corporis et externorum, vt saepiuscule animo labefactatus, sic nunquam ita fractus sum, quin aliquantum quidem in spe et cogitatione acquiescerem Budaeorum nominis illustrandi, quod nulla re minus olim quam literarum peritia innotuerat. 115 120 125 130 135 140

Sed tamen locupletiorem semper ampli oremque spem illam esse censebam per tranquillitatem ac securitatem transigendae senectutis, quatenus quidem ferret humana conditio, simul mortis aequius ac placidius obeundae in hoc studioso et meditato vitae genere bonaque indidem spe in aeternum hausta atque concepta. Atque haec sunt veluti pignora quaedam idonea, quibus fretus animum bona fide in iis rebus meditandis commentandisque occupaui et addixi penitus, quae in vulgus non probantur, ad pri- 145 150

marios ordines offendebant, in consessu procerum in senatuque frigebant, a regibus principibusque ne agnoscebantur quidem. Nunc vero rei dignitas et auctoritas hactenus sese protulit, vt ad-
155 mirationem sui apud omneis ordines aut plerosque dicendi facultas rerum scientia instructa, excitasse videatur, non etiam vt inde studiosi eius et docti magnopere crescere possint, aut ab ordinum ductoribus in ordines cooptari. Eam demum ob causam (vt multi opinantur) quod doctis cum imperitis, vt studia, sic mores opin-
160 ionesque non conueniunt, quae sunt amicitiae glutinum.

Sunt viri aequi et boni permulti, qui nostram studiosorum vicem vel decoris potius publici dolentes, palam eos detestantur, eorumque capitibus, liberis, fortunis, nomini diros exitus imprecantur, qui a sanctioribus consiliis existentes principi, et beneficentiae
165 regiae publicaeque potentes et arbitri, nomina de nomine Gallico decoreque publico meritissima supprimunt, vt indignos saepe homines sibi morigerantes, honoribus et commodis ornent atque augeant, insigni dispendio regum, et publica ignominia. At vero ipse quum haec et huiuscemodi admissa in rempublicam et videam
170 et audiam, nec Diuum fidem nec hominum imploro, vtpote qui Diuos ad haec postulata semper obsurdescere norim, et homines huius culpae vel auctores vel affines eiuscemodi esse putem, quorum iniquitati doctrinae et eruditionis fasces quantula est in me cumque, submittere non debeam, si mihi constare velim, et quod
175 reliquum est vitae, congruenter et consentanee anteactis annis degere. Simul quum eam naturam esse sciam sceleratissimi illius genii, cui Fortunae nomen est, vt optimo cuique viro ac virtutis amantissimo libens maxime incommoditet, bonorumque et grauium indignatione et queritatu insolescat; contra vero vt in-
180 dignis et qui Superum Inferumque numinum metum et reuerentiam susque deque faciunt, fautorem se praecipue et ornatorem praebeat, et sartas (vt ita dicam) tectasque eorum fortunas ab omnibus tueatur incommodis, animum quoad eius facere possum, confirmo; ne indignando et querelis indulgendo improbissimae
185 potestati ludibrium esse possim.

Iuuat tecum, mi More, velut cum viro mihi iam familiarissimo sermonem conferre, et velut aliquot inambulationes in porticu implicare. Quid enim vetat aut obstat, quo minus vtrique nostrum familiaritate complacita ita absentes vtamur et fruamur vltro
190 citroque epistolis commeantibus, ac si coram nobis colloqui mutuoque videre liceret? Multa enim imaginaria pro veris in vita hominum cedunt, et pro germanis succidanea subsidiariaque subeunt, hominibusque perinde fere quidque aut deest, aut adest,

vt illi sibi adesse, aut deesse in animum induxerint, et sibi ipsi persuaserint. 195

Nostri iam Legati istuc traiecisse putabantur cum haec scriberem: in eorum comitatu est Nicolaus Beraldus vtraque lingua doctus: quem velim ita susceptum a te esse, et si res ita tulerit, adiutum, vt virum mihi amicum et de literis literatisque meritum.

Spero iis primordiis, iis auspiciis, iis Legatis et interpretibus 200 esse iam rem exorsam, vt laetum et facilem foederis pertextum et firmamentum sperare quiuis debeat, eorum quidem certe qui pacis consiliis non infensi sunt. Equidem quod ad me pertinet, libens in eam pacem ominari soleo, quae tum inter me et vos istius prouinciae lumina, beneuolentiam tueri et vicissitudinem 205 officiorum possit, tum in bellum pium et sacrum principes erectura sit, et expeditionem quandam conflatura in omne aeuum memorabilem. Sic enim te quum sperare haud dubia coniectura videam, mihi quoque necesse est (vt opinor) vt in eandem spem incumbam, quumque te prae alacritate gestientem, et pio iam bello prope 210 deuotum ex literis tuis intellexerim, facere (vt arbitror) non potero quin aemula pietate ad idem decus accingar, et vt spero ad amicitiae iam contractae necessitudinem accedent etiam iura commilitii. Quod si fatum transmarinum vtrunque nostrum manet, optarim editis prius strenuitatis nostrae documentis, vterque in 215 alterius conspectu, et eodem temporis momento mortem vt oppetamus illustrem summa animi aequitate. Interim peruelim scire, siquando forte tibi scribere huiuscemodi vacabit, ad equestremne pugnam an pedestrem potius te compares, vt et ego quoque tecum Tyrocinium eodem genere faciam, aeque enim (vt spero) natura 220 ad vtrunque me genus accomodauit.

Ioannes Baptista Sanga has literas me scribente, visendi causa ad me venit, istinc rediens vt aiebat. Is a me contendit, vt te verbis

197. *correxi*; Beroaldus *Ep.Bud.*; cf. Delaruelle, p.41. 220. *scilicet* tirocinium.

197. Nicholas Bérault of Orléans (c. 1470-c.1545) was Licentiate of Law, probably of that university, and founder of a school there. c.1512 he settled in Paris, taking private pupils and lecturing in the colleges of the university. He was learned in both Latin and Greek, and edited a number of Greek works. His second marriage was to the widow of John Barbier, c.1515, and he then undertook to carry on his press. In 1529 he became Royal Historian and about the same time was tutor to the Colignys—the later Admiral Coligny and his brother, later Archbishop of Toulouse. (cf. Allen III, pp.504-505.)

199. For account of this embassy, cf. Delaruelle, *Repertoire*, pp.38-39, and cf. also Ep.43, introd.

222. Sanga was secretary to Cardinal Bibbiena, then to Matteo Ghiberti, and finally to Pope Clement VII. He died by poison in 1532, when still young. Delaruelle suggests that perhaps he had gone to England with Cardinal Campeggio, and was returning to Rome with letters. He was later employed on an embassy by Clement VII. He was on a mission in France and England in 1526. (Delaruelle, *Repertoire*, p.41,n.3.)

suis salutarem: a quo multa comitate adiutum se esse non obscure
225 ferebat. Quod ei me facturum ideo recepi, quod quantum ex congressu primore et breui colloquio coniicere potui, doctus est et honestus. Velim vti Paceum tuum meumque verbis meis salutes: ad quem per Legatos et per Beraldum scripsi. Vale, mi Oxymore, *μᾶλλον δὲ μωρόσοφε, καὶ εὐτυχῶν διατέλει.* Parisiis, postridie
230 natalis diuae Deiparae. M. quingentesimo. XVIII.

67. From John Froben.

Aula, 1518, p. 2 | Basle
13 November 1518

[A new preface to Hutten's *Aula,* in Froben's issue, Basle, November 1518.
John Froben (c. 1460-1527), of Hammelburg in Franconia, studied at the University of Basle, and became a citizen of that city. He established his press in 1490. In 1496 he joined his countryman, John Petri, and in 1500 became a partner of John Amorbach. In that year he married the daughter of the bookseller Wolfgang Lachner, and Lachner also became a partner. After the death of Amorbach Froben took over his press. He was a friend of Erasmus, and printed many of his books. He engaged Hans Holbein to illustrate his books. (cf. Allen II, p. 250.)
Erasmus wrote a grateful obituary of him in a letter to John of Heemstede. (cf. Allen VII.1900, and see also there the reproduction of Holbein's portrait of Froben.)]

Lucianus salsissimus scriptor et inimitabilis facetiarum artifex, in dialogo quem inscripsit *περὶ τῶν ἐπὶ μισθῷ συνόντων,* vitam istam aulicam (vt nosti) sic verbis depingit, vt nullus Apelles, nullus Parrhasius penicillo potuerit expressius, quem Erasmi
5 nostri beneficio, Latini maiore propemodum gratia redditum legunt, quam ille Graece scripsit, vnde et nos eam picturam mutuati sumus, qua frontispicium librorum, qui typis nostris excuduntur, nonnunquam ornamus. Syluius item Senensis patrum memoria de miseriis aulicorum libellum aedidit sane frigidum, vt
10 qui natura quam arte vel literis ad dicendum esset instructior. At vt hunc equis (quod aiunt) albis praecurrit, ita ad illum proxime accedit V. Huttenus e nobili Huttenorum familia prognatus, qui

2. *correxi*; *φερϊ των ἐπὶ μἶσσω συνόνγον Aula.*

---

227. cf. Ep.89, n.3.
1. cf. Ep.112, introd.
3. A distinguished Greek painter of the time of Alexander the Great.
4. A Greek painter, a native of Ephesus, who flourished c.400 B.C.
8. Aeneas Sylvius Piccolomini (1405-1464), a typical Renaissance man of letters, later Pope Pius II (his pontifical name a reference to Vergil's "pius Aeneas").
11. Hor. *Sat.*1.7.8.
12. Ulrich von Hutten (1488-1523) was the eldest son of a knightly family, but, because of poor physique, was sent by his father to the monastery at Fulda. He enjoyed study and, after his flight from Fulda

inter Franconicos equites cum primis clari sunt, si spectes aetatem adulescens plane, si doctrinam et prudentiam vel senibus eruditissimis cordatissimisque connumerandus. Imo per Pythagoricam 15 illam παλιγγενεσίαν renatum in hoc Lucianum dices, vbi illius Aulam lepidissimum dialogum legeris. Quem ideo nunc ad te misimus, vt quoniam nuper Musis suam vicem inconsolabiliter dolentibus in aulam inuictissimi Regis tui pertractus es, habeas in quo tuam sortem ceu in tabella δημοκριτίζων contempleris, aut 20 aliorum quorundam potius, nam te felicem plane puto, cui in ministris et quidem honoratissimis esse contigerit Regis vt omnium florentissimi ita modestissimi optimique. Tuam Vtopiam denuo typis nostris excudimus, vt scias non a Britannis modo, sed ab orbe toto Moricum probari ingenium. Commenda me magnis illis 25 literarum heroibus Io. Coleto, Linacro, Grocino, Latomero, Tunstallo, Paceo, Croco, et Sixtino. Bene vale, vir clarissime. Basileae. Idib. Nouemb. M.D. XVIII.

68. To William Budaeus.

Tres Thomae p. 72

At Court
⟨c. December 1518?⟩

[Lascaris was on a visit to France in 1518. Nicholas Bérault had accom-

---

in 1505, wandered about, studying at Cologne, Erfurt, Frankfort-on-Oder, Leipzig, Greifswald, Rostock, Wittenberg and Vienna. He was sensitive, but made himself unpopular by stressing his superior rank. He was at Pavia 1511-1512, served as a private in the Emperor Maximilian's army, and later enjoyed the favor of Archbishop Albert of Mainz.

Duke Ulrich of Württemberg murdered a kinsman of von Hutten's and he took revenge in biting satires and in private war against him. He knew Franz von Sickingen, and was with him involved in the attempt of the knights against the independence of the princes.

He espoused the Lutheran cause, but his literary appeals failed because addressed to the indifferent upper class, where Luther succeeded by his appeal to the people.

In 1518 Pirckheimer wrote to Hutten asking him to renounce court life and devote himself to letters. Hutten replied in a long epistle on his "way of life."

In later years he was dogged by assassins, and died in the refuge near Zürich, which he owed to the kindness of Zwingli. (Allen II, p.155.)

26. cf. Ep.3; cf. Ep.3, note 4; cf. Ep.2, note 5.

26. William Latimer (1460?-1545) was B.A. Oxford, and Fellow of All Souls. He traveled in Italy with Grocyn and Linacre, and studied Greek at Padua. He took his master's degree, and on his return incorporated M.A. at Oxford 1513. He was tutor to Reginald Pole, and through him received preferment as prebendary of Salisbury, rector of Wotton-under-Edge and of Saintbury in Gloucestershire. He was a great friend of More and Pace. Erasmus said he was "vere theologus integritate vitae conspicuus." (D.N.B.; Allen I, p.438n.)

27. cf. Ep.10, note 1; cf. Ep.89, note 3; cf. Ep.82, introd.

27. John Sixtin was a Frisian. He studied at Oxford, was then registrar to John Arundell, Bishop of Exeter 1502-1504. On his bishop's death, he went to Italy, studied law at Bologna, and took the degree of LL.D. at Siena, c.1509 or 1510. He returned to England, was archpriest of Haccombe near Newton Abbot, Devon, and after 1515 rector of Egglescliffe in Durham. He died in London 1519. (Allen I, p.261.)

panied Stephen Poncher on his mission to England, August to November 1518, with an introduction to More from Budé (cf. Ep. 67).]

Lascari viro optimo atque doctissimo plurimam ex me salutem dicito. Nam Ber[o]aldum etiam non monitus opinor ex me salutasses; quem scis ita mihi charum esse quam debet is, quo vel eruditiorem virum vel amicum iucundiorem vix vsquam quen-
5 quam repperi.

69. To Margaret More.

Tres Thomae p. 233 ⟨1518?⟩

Iucundae mihi fuerunt literae tuae, Margareta charissima, quae me de Shai statu reddidere certiorem: iucundiores futurae si mihi tua fratrisque tui studia recensuissent, quid quoque die legitur inter vos, quam iucunde confertis, quae componitis, et
5 inter dulcissimos literarum fructus transigitis diem. Etenim quanquam nihil mihi iucundum esse non potest quod scribis tu, tamen ista sunt mellitissima quae nisi a te fratreque tuo ad me perscribi non possunt - - - [et sub finem epistolae:]

- - - Quaeso te, Margareta, fac de studiis vestris quid fit in-
10 telligam. Nam ego potius quam meos patiar inertia torpescere, profecto cum aliquo fortunarum mearum dispendio valedicens aliis curis ac negociis, intendam liberis meis et familiae. Quos inter nihil est mihi te dulcissima filia charius. Vale.

70. To Margaret More.

Tres Thomae p. 236 ⟨1518?⟩

Nimium tu pudenter et timide, mea Margareta, pecuniam petis et a patre qui dare cupit, et quando tali nos epistola salutasti, cuius ego non singulos versus singulis Philippis aureis

2. Beroaldum *Stapleton; in margine*: Philippus Beroaldus, *perperam*.

---

1. John Lascaris (c.1445-1535) was probably a younger brother of Constantine Lascaris. After the fall of Constantinople in 1453 he was taken to the Peloponnesus, then to Crete, and finally settled at the court of Lorenzo de Medici in Florence. He bought Greek manuscripts for the Medicean library. When the Medicis were expelled from Florence 1495, Lascaris went to Paris and there taught Greek. Louis XII sent him on an embassy to Venice (1503-1508). In 1515 he was put in charge of the Greek College at Rome, founded by Leo X. In 1518 he was employed by Francis I with Budé in the foundation of the royal library at Fontainebleau. He was sent on an embassy to Venice in the last year of his life and died at Rome. He edited a number of works of Greek literature.

2. cf. Ep.66, l.197.

2. The English form of the name was probably Shaw, but there is no clue as to who he was.

(quod in Cherilo fecit Alexander) sed si facultas esset animo meo par, singulas syllabas vnciis auri binis compensarem. Nunc vero quantum poposcisti mitto, plus additurus, nisi quemadmodum dare gestio, sic et rogari me et blandiri mihi liberet a filia: abs te praesertim, quam virtus et literae faciunt animo meo charissimam. Itaque hanc pecuniam quanto citius bene, quod soles, impenderis, quanto citius pro noua recurreris, tanto magis te scito gratificaturum patri. Vale, charissima filia.

71. To Reginald Pole and John Clement.

Tres Thomae p. 60. ⟨1518?⟩

[The letter can be dated with fair certainty from the internal evidence. More became attached to the court in 1518, Pole was at Oxford until 1519 (*Athenae Cantab.* p. 183), and Clement came to Oxford in the autumn of 1518 as Wolsey's reader in humanity. "The plague which had raged at Oxford for three months has moderated its violence," the University wrote to Wolsey, 9 November 1518. (L.P. II. App. 56.) "The students have returned and all the more eagerly because John Clement has given notice of his lectures."

The letter reads rather as a suggestion for prevention, and there is no need to assume that More had been ill. (For an account of the sweating sickness, cf. Brewer, *Henry VIII*, I, p. 237f.)

Reginald Pole, the future cardinal, was born in 1500, the third son of Sir Richard Pole and Margaret Plantagenet, daughter of the murdered Duke of Clarence. After his father's death in 1505, he was educated in the grammar school of the Carthusian monastery at Sheen, and perhaps at the Benedictine school of Christchurch, Canterbury. From 1512 on, Henry VIII paid for the education of his young kinsman, and created his mother Countess of Salisbury in 1513, with an annuity of £100.

In 1513, Pole entered Magdalen College, residing in the president's lodging, and studying under Linacre and William Latimer. He took his B.A. degree in 1515. He was sent in 1519 by the King to the University of Padua, the "Athens of Europe" as Erasmus called it. He returned to England in 1527. He retired to Sheen and lived in the house which Colet had built, studying theology and also acquainting himself with English affairs. His distress over the proposed divorce was the cause of his withdrawal to the University of Paris late in 1529. By the death of Wolsey in 1530, the archbishopric of York and the bishopric of Winchester were vacant, and Henry VIII urged the acceptance of one of the sees on Pole, on condition that he give open support to the divorce case, but Pole refused. He then sought leave to go abroad to study, but this permission was granted only in February 1532, when Pole had threatened to speak his mind in Parliament.

During his long exile he resided at Avignon, Venice, Padua. His *Pro Eccle-*

4. Choerilos was a worthless Greek poet in the train of Alexander, and was more than adequately paid by that monarch.

siasticae Vnitatis Defensione was completed in 1536. It had been written at the repeated request of the King, but disappointed him in its loyalty to the papacy. (cf. Zimmermann, *Kardinal Pole, sein Leben und seine Schriften;* Haile, *The Life of Reginald Pole;* D.N.B.; Merriman, *Cromwell,* pp. 202-212.)]

Tibi, mi Clemens, habeo gratiam quod te tam valde video de mea meorumque salute sollicitum, vt curae habeas etiam absens admonere quosdam cibos nobis esse vitandos. Tibi vero, mi Pole, bis ago gratias; nempe quod et tanti medici consilium 5 dignatus es perscribere, et nihilo tamen minus a matre tua, foeminarum optima atque nobilissima [erat illa Sarisberiae Comitissa regio sanguine prognata] planeque tali digna filio rem impetrasti nobis et curasti confectam, ne viderere consilium quam rem libentius impartiri. Operam igitur atque fidem vtriusque vestrum probo 10 atque amplector vnice.

72. To Erasmus.

Tres Thomae p. 221 ⟨London?⟩
Allen III.907 ⟨1518?⟩

73. From Erasmus.

Allen III.908 ⟨Louvain⟩
Farrago p. 316 1 January ⟨1519⟩
F. p. 422: HN: Lond. x.19: LB. App. 17

74. To John Fisher.

Tres Thomae p. 63 ⟨1519?⟩

Gaudeo profecto, quantum non queo scribere, quum tua causa, tum etiam patriae, eum esse Paternitatis tuae stilum, qui

6-7. *add. Stapleton.*

4. Tanti medici—a jesting reference to Clements, not Thomas Linacre, as Zimmermann (*op. cit.* p.12). For Linacre, cf. notes to Ep.3.

5. Margaret Plantagenet, daughter of the Duke of Clarence, put to death by Edward IV in 1478, and sister of the Earl of Warwick, executed by Henry VII in 1499, was married to Sir Richard Pole, son of Sir Geoffrey Pole and Edith St. John, half sister to Margaret Beaufort, Henry VII's mother. (Haile, *op. cit.* p.3; Zimmermann, *op. cit.* p.9.) She was governess to the Princess Mary, and resided with her at Ludlow Castle. (Haile, p.43.) She was imprisoned 1539-1541, as part of Henry VIII's revenge on her son, and was beheaded at the Tower in 1541 under the Act of Attainder of 1539. (Haile pp.267,279; Zimmermann p.183f.) Pole said of the King that he "condemned a woman of seventy, than whom he has no nearer relation except his daughter, and of whom he used to say there was no holier woman in his kingdom."

possit Erasmicus videri. Certe causam sic praeterea tractasti, vt ne decem quidem Erasmi potuerint absolutius.

[Et in fine epistolae:] 5

Bene vale, Praesul, omnium doctrinae et virtutis gratia maxime obseruande.

75. To Edward Lee.

Epistolae Aliquot Eruditorum, fol. B.4 — 1 May 1519
Epistolae Eruditorum Virorum p. 56
Jortin II, p. 646

[The *Epistolae aliquot eruditorum, nunquam antehac excusae, multis nominibus dignae quae legantur a bonis omnibus, quo magis liqueat quanta sit insignis cuiusdam sycophantae virulentia* was published by M. Hillen at Antwerp, c. May 1520. It included letters to Erasmus from Capito and Boniface Amerbach, three from Lupset to Lee, Paynell and Nesen, Nesen's reply, and two from More to Lee. Later in the year, Hillen published a second edition, containing four new letters. In August, Froben at Basle published the *Epistolae eruditorum virorum,* which has fourteen additional letters. It alters the month-date of this letter to "20 die Maii." (cf. Allen IV, p. 210 introd.)

For Lee, cf. notes to Ep. 48.

Lee had met Erasmus while studying Greek at Louvain in 1517 (Allen III.607, l.15), and was already long acquainted with More, who sent friendly greetings to Lee in a letter to Erasmus in October 1517. (Allen III.688, l.23.)

In the months following, Lee put together his criticisms of Erasmus' edition of the New Testament and circulated the work in manuscript among his friends and Erasmus'. (*ibid.* no. 750.) This was later enlarged and both books were sent to Erasmus by Martin Lypsius. (*ibid.* no. 843.) In a long letter to Lypsius (*loc. cit.*), Erasmus replied to these criticisms, speaking contemptuously of Lee.

In the autumn of 1518, when Erasmus had returned from Basle to Louvain, Lee wrote further notes on Erasmus' work. (cf. Allen III.886, ll.58-79.) These he sent in manuscript to More, Latimer and Fisher. (cf. *infra*, ll.35f. and Allen IV.1061, ll.61-62, 797,III.936, especially ll.89f., IV.1029, ll.29f., 1090), and perhaps to Tunstall (IV.1029). Erasmus made every effort to get a copy of Lee's notes, writing to Lee himself (Allen III.765 and IV.998), and when that failed, to Lupset (*ibid.* IV.1026, ll.12f.), to Tunstall (IV.1029, l.29) and to Fisher (IV.1030), hoping that Fisher or More would send him at

5. Stapleton.

---

3. This perhaps refers to Fisher's *De unica Magdalena*, published by Badius, Paris, 22 February 1519. Fisher wrote to refute the theory of Jacques Le Fèvre, a Dominican, who thought the church wrong in applying to one woman what the Gospels had said of three: the converted sinner, the sister of Martha and Lazarus, and the woman out of whom Christ cast seven devils. (Bridgett, *Fisher*, p.108f.) For a modern discussion of the problem, see J. B. Mayor, article "Mary," in Hastings, *Dictionary of the Bible*, especially p.283 for comment on this controversy.) For Erasmus' opinion, cf. Allen III.936.7f.

least the important part of Lee's work. Lee seems to have sought fame by this attack on Erasmus, and refused him the notes, lest Erasmus correct before publication, and so leave Lee's criticism unknown to the learned world. Lee was ungenerous, but Erasmus was unwise to show his irritation at criticism by a younger scholar.

Lee asked the judgment of their friends. John Briard declined to arbitrate, evidently to Erasmus' relief, as he doubted his impartiality. (Allen IV.998, 1061, l.667; 1074, ll.54f.)

More urged Lee not to publish, but Erasmus goaded him into it by his attacks. Lee's book was published at Paris c. 15 February 1520 and Erasmus immediately replied with his *Apologia qua respondet,* and his two *Responsiones* answered Lee's *Annotationes.* The preface of Lee's book (*ibid.* IV. 1037) shows that he "could not be the puny and contemptible adversary Erasmus had represented." (Brewer, *English Studies,* p. 374.)

The controversy fills many pages of Erasmus' correspondence—Lee's long reply to Erasmus (Allen IV.1061) and Erasmus' accounts of the quarrel to Fisher (*ibid.* III.936), to Capito (IV.1074), to Botzheim (IV.1103), Mosellanus (IV.1123) and Busch (IV.1126). Erasmus suggests that the book is not by Lee, "sed potius omnium sycophantiarum centonem ac rhapsodiam" (IV.993, l.29) and that it has been changed in the printing—"confer haec quae aedidit orbi, cum iis quae scripsit selectis amicis." (IV.1097, ll.26-27.) In the letter to Busch, Erasmus shows the support which Lee had from Richard of Kidderminster, Abbot of Winchcombe, Standish, and Vincent Theodorici. (Allen IV.1126, and IV.108-111; Brewer, *op. cit.;* D.N.B. *art.* Lee, and A. Bludau, *Die beiden ersten Erasmus-Ausgaben des Neuen Testaments* in *Biblische Studien,* edit. O. Bardenhewer, Heft 5 in vol. VII, Freiburg im Breisgau, 1902, pp. 86-125; Gee, *Lupset,* pp. 72-76.)]

THOMAS MORUS EDUARDO LEO S.P.D.

Accepi, mi charissime Lee, binas e fratre tuo Golfrido, et optimo simul et humanissimo adolescente, literas, vtrasque Louanii scriptas, alteras quidem decimo, alteras vero xx. Aprilis die. In superioribus tria potissimum haec continentur. Primum videli-
5 cet tibi esse allatum, ac id etiam per Erasmicos quosdam passim esse sparsum, me non parum iniquo animo tulisse, te contra Erasmum non nihil esse molitum, atque ob id vsque adeo me abs te alienatum, vt non modo ex amicorum numero exemerim, sed quippiam etiam aduersus te mali machiner. Quam rem si explora-
10 tam haberes, aut tecum libere, si quidem posset animus ferre, decerneres, vt ne flocci quidem talem amicum faceres, aut si tibi

5. id] iam *Jortin.*

1. Lee had several "erudite" brothers. (Allen IV.1126, l.6.) As More says (cf. p. 11) the Lee and More families had been long acquainted. Lee's brother Wilfrid was often his messenger, and represented him with the publisher, Gourmont. (*ibid.*IV. 1074, l.88.) Erasmus thought highly of him —"mihi olim amicus, adeo vt in conflictu quem habui cum Leo, palam a me steterit: nec vllam habet nobilitatem, nisi quod est in iure consultus, vnde apud Anglos omnis fere nata est nobilitas. Natus est in vico." (Quoted by Allen, IV, p.143, 130,n.)

imperare id non posses, quippe qui nihil aeque dolenter atque ingratitudinem feras, habenas dolori permitteres, vt cui ipsa mors, quam tanti amici iactura foret optatior, quem non vulgariter amaueris, ac pro virili semper in astra laudibus vexeris, quo minus 15 mirum sit, si tibi iam videatur non ferenda molestia, si ipse contra tam ingratus atque adeo iniquus sim, vt contra amicum velim, necdum auditum, praeposteram ferre sententiam. Quare id a me esse factum nec posse te scribis nec velle credere, quantumuis id constanter Erasmici confirment, antequam eius rei ex meis ipsius 20 literis fias certior.

Secundo loco conatus apud me probare, nihil in toto isto negocio tua culpa commissum, sed totam istam tragoediam Erasmo deberi, fusius explicatiusque rem omnem ab origine repetens, totius litis et ortae simul, et auctae, semina declaras. Primum quod istam 25 annotandi operam nunquam fueras obiturus, nisi et amore et precibus eius pertinacibus superatus. Deinde quod ille tuas annotationes vt minutias ac nugamenta reiecerit, ac nihilo minus a scriba tuo clanculum sibi curauerit exscribendas, indeque excerpsisse, si quid forte in secunda aeditione mutauit in melius. Nec 30 tamen his contentus, tuum nomen per Europam totam infame reddiderit, quasi minuta collegeris, quasique eadem neotericorum decretis munieris negauerisque ipsi facere videndi copiam, quo vel errata corrigat, vel defendat sese.

Tertio subiicis, quod cum annotationes tuas in eius dedecus emit- 35 tere licuisset, eas tamen hactenus suppresseris, nihil adhuc in eo negocio vltra progredi decernens, nisi prius eas ad Reuerendum in Christo Patrem Episcopum Roffensem expendendas excutiendasque dedisses, qui (si id cuperem) mihi quoque videndi faceret potestatem. Hic oras vt rem aequa lance examinem, perspecturus, 40 si id fecero, quam simpliciter cum eo agas, quam citra fucum, citro lenocinium, citra morsum, tantum annotans, quid ille scribat, quidque ipse contra sentias. Quod si qua tamen eum acrius liberiusque taxas, rogas, vt aeque id quoque perpendam, videlicet an sic ille mereatur. Iam fore asseris (nisi longe te tua fallat opinio) vt et 45 grauiter eum et foede lapsum esse comperiam. Haec, vt arbitror, superioris epistolae tuae summa est.

Iam ad secundas literas, quae decimo post priores die scriptae, te totum subito mutatum indicant. In his enim scribis iam adesse tempus quo me [eum] declarem, quem tu semper apud animum tu- 50 um praesumpseris, hoc est, aequum, et cui nullus vnquam affectus (vt tuis verbis vtar) imposuerit. Nam cum male ab Erasmo habitus,

30. editione *Jortin*. 50. eum *om. Jortin*. 51. praesumseris *Jortin*.

communibus tamen amicis rem integram componendam, donec
famae tuae consultum esse posset permisisses, libellumque iam tum
55 Reuerendo Patri Roffensi, cuius tu iudicio standum censueras
transmisisses, cui rei etiam Erasmus ipse, cum id ei significasses,
subscrip⟨s⟩erat, is tamen longe aliter quam prae se ferebat, cogitans,
intra paucos quibus haec pactus esset dies, repente in sua contra
Latomum Apologia temere, et loco alieno, tamen nec abs te laesus,
60 plusquam insana vomuerit, cuius etsi nomine abstinebat, non ita
tamen id tecte, quin statim clamarent omnes illud telum in tuum
caput esse contortum. Itaque etsi nec tuum nomen ibi legebatur,
neque res quicquam in tuos mores competeret, tamen cum tota
Europa sic interpretaretur, perinde ac palam te nominatimque
65 designatum accipis, maxime quod is tuo rogatu Apologia quapiam
hac te suspitione liberare noluerit. Quare cum ille hoc pacto se
gesserit, atque negocium ipsum, tam longe iam euectum sit, iniuriam mihi te facturum putas, nisi me tam aequum existimares, vt
non modo sinam, verum etiam suadeam id, vt agas sedulo, quo
70 fama tua in tuto collocetur, cui cum nullo alio modo quam aeditis
annotationibus consulere possis, hac tibi necessario esse grassan-
dum. Denique hoc tam infixum animo tuo, persuasumque esse,
vt neque bonum quemquam nec prudentem putes dis⟨s⟩uasurum.
Qua in re me vt amicus perstem, quemadmodum tu mihi semper
75 fueris, semperque futurus sis, etiam atque etiam oras.

Tametsi, mi Lee, tuarum literarum materia tam varia sit ac
multiplex, vt breuibus respondere non possim, respondebo tamen
quam breuissime possum, quando neque tui temporis multum libet
occupare, nec mei tantum superest, vt inde multum liceat decer-
80 pere, quod in scribendas huiusmodi literas impartiar. Quod ipsum
alioquin, vt nunc res habet, videri possim nullo cum fructu facturus, quandoquidem tute tecum quid sequi velis, tanquam iurata
styge, sanxisti, neque moratus quicquam reditum fratris, et prae-
cisis omnibus omnium amicorum consiliis. Qui quid nunc dicturi
85 sint, haud scio. Sequentur fortasse quidam vetus illud consilium,
'Feras, non culpes, quod mutare non potes.' Verum istud ausim
affirmare maxime, si eos ante consulere maluisses quam ipse constituere, perquam, hercle, paucos reperisses hic, qui non annotationes istas tibi abdendas, potius perpetuo, quam aedendas esse,
90 vnquam censuissent, quos ipsos tamen deierare liquet (quod te

59. tamen] tum *Jortin*. 67. negotium *Jortin*. 70. editis *Jortin*.
83. *στύγος*. 86. mutari non potest *Jortin*. 89. edendas *Jortin*.

86. Publ. Syr. 176.

quoque, mi Lee, certe credo credere) non minus ex animo vereque esse tuos, aliquot item, quod spero, non minus sapientes, qui te ab isto satagant proposito retinere, quam sit istorum quisquis est istic prudentissimus, qui te in aeditionem istam tam importune protrudunt atque praecipitant. Certe, quod ad me attinet, quemadmodum literis ac prudentia cuique fere tuorum amicorum cesserim. Sic beneuolentia et fide nullum non fidenter prouocauerim, ne tu me putes ea parte superari, qua sic amari me abs te atque honorifice scribis praedicari. Qua in re vicem rettulisse me, cum summates aliquot viros testes habeo, tum quos neque potes reiicere, neque ab iisdem potes iam saepe non audisse, fratrem vtrumque charissimum. Quanquam ne fratribus quidem tuis tametsi fratres sint, istud concesserim, tibi vt magis ex animo bene velint, quam ipse cupiam. 95 100

Erasmum, fateor, vehementer diligo, nec id ob aliam ferme causam, quam eam de qua totus eum Christianus orbis amplectitur. Nempe quod inexhaustis eius vnius laboribus omnes vndique bonarum studiosi literarum, quantum non alterius fere cuiusquam aliquot ante seculis eruditione, cum prophana, tum etiam sacra promouerint. Qua de re non mihi tamen tam charus debet esse quam tibi, qui, quod tuae luculenter ostendunt literae, haud quaquam paulo plus fructus ab illo retulisti. Contra non vnam esse causam video quae seorsum tibi, mi Lee, me studio non vulgari deuinciat, vel ipsius, vt reliquas omittam, patriae communis gratia, vel parentum inter se nostrorum, tam amica, tam diuturna coniunctio, quae res effecerunt, vt ego te olim, puerulum certe scitissimum annis ipse decem prouectior exosculatus, iam illam inde perpetuo deamarim indolem. Sed amicus magis interim quam familiaris, futurus profecto, quoad per me liceret familiarissimus, nisi nos diuersa vitae conditio atque institutum longe disiunxisset, nec tam longe tamen disiunxit vnquam, vt non ob oculos interim versaretur meos, eximium illud tam probe eductum, atque educatum ad literas ingenium, doctrinae sitis inextincta, tam feruens in disciplinas impetus, tam instans et indefessa contentio. Quae me res in se libenter intentum magis indies magisque in amorem tui rapiebant, vel ea spe maxime, quod magno cum gaudio pollicebar mihi tempus aliquando fore, quum nostra haec Britannia totum per orbem reliquum tua celebraretur industria. Ego quidem hactenus erga te non aliter ac dixi sum affectus, qui ne nunc quidem aut amorem retraho aut spem abiicio: tantum abest vt machiner 105 110 115 120 125 130

91. mi *add. Jortin.* 94. editionem *Jortin.* 96. amicorum *om. Jortin.* 109. profana *Jortin.*

aut miner male. Sed tamen profecto, mi Lee, quo te vehementius adamaui, quo maiorem de te nobis promisi gloriam, eo nunc vror impensius, quum ea te videam animo tam offirmato moliri, vnde non solus animo praesagiam, neque tibi commodum, neque
135 patriae nostrae decus accessurum, quando res inuidiosa videbitur, vnum te potissimum opus illud tam hostiliter oppugnare, quod alius haud absque magno fortunae salutisque suae dispendio, communibus mortalium omnium commodis elaborauit. Quin periculum est, si quo coepisti perrexeris, ne animo te omnes com-
140 muniter in se hostili esse potius quam in Erasmum iudicent, quorum commoda studeas corrumpere, quum huius auertere commoda non possis, quippe qui suo nequit praemio fraudari apud benefactorum remuneratorem Deum, etiamsi apud mortales opus eius vel reiiceretur, vel penitus interiret, quorum vel inuidia vel
145 incuria iam ante numerosa perierunt, et perquam fructuosa volumina, quorum nihilo minus autores fructum, quem terris afferre studuerunt, ipsi retulerunt in coelo.

Verum hic mihi video respondendum esse ad eam epistolae tuae particulam, qua tibi cum ingratus esse videar, tum iniurius, si de
150 labore tuo, quem nondum perlegi, tam praeceps ac maligne praeiudicem. Ego profecto, mi Lee, deiectioris animi sum, quam vt mihi de cuiusquam operibus iudicium arrogem, satis esse semper ratus ad arcendam temeritatis calumniam, si aliorum accessissem calculis, praesertim talium quorum nec virtus obscura sit, nec [in]-
155 dubitata doctrina. Quam apud classem, quum velut vno celeumate sensissem plus huic vni, cui tu reclamas operi succlamatum, quam reliquis eius ipsius operibus omnibus, cuius nulli mirifice non applauditur, mihi certe videbar nec praecipitis accusandus iudicii, nec ingrati erga te animi censendus, si ne lecto quidem vllo tui
160 libelli versiculo tamen illis putarem omnibus magis fidendum esse quam tibi. Cui si tam aequus esse debuissem, vt te versionem Erasmi damnasse, non nisi exacto et inrefragabili iudicio praesumerem, in illos necesse est omnes grauissimam atque iniquissimam censuram exercuissem, quos aut tam socordes existimassem,
165 vt rem tantam, quantam tu hanc vis videri, neglexerint, aut tam stupidos, vt quod tibi fuit tam obuium, non intellexerint, aut denique tam impios, vt pro Christo recusarint ei resistere, cui tu, velut Dauid contra Goliath pro Israel, opposuisti temet. In ea demum

146. auctores *Jortin.* 155. *scilicet* κέλευμα; celeusmate *Jortin.*
162. irrefragabili *Jortin.*

168. I Sam. 17.

re quam recta scirent in magnam Ecclesiae pernic⟨i⟩em (sic enim scribis) tendere. 170

Dabis hanc mihi, mi Lee, veniam, si tuo malui iudicio timidius aliquanto credere, quam apud animum meum cogerer acerbe condemnare tam multos eosdemque tantos, vt tibi sat scio, videretur abunde magnum consecutus honorem, quisquis viros eiusmodi virtute putetur ac literis aliquanto propius, quanquam ad aliquot 175 adhuc parasangas distet, accedere. Quod si contra doctos esse dicas, qui tecum sentiant, ea res mihi fraudi esse non debet, quum ipse vix vnum audiam aut alterum, qui non sit indoctissimus, quos si tu hic audires suas oblaterantes ineptias, puderet te certe, mi Lee, scio, talibus te lixis potius quam militibus ducem deligi, nisi te, 180 (quod non spero) Caesareus ille spiritus afflauerit, vt malis primus esse Mutinae, nisi nomen excidit, quam secundus Romae. Quanquam, vt est eruditorum ciuilitas, et indoctorum superbia, primum tibi locum, opinor, citius cedant illi, quam hi vel secundum vel tertium. 185

Quod si tibi forte quidam animum faciunt istic, sunt nimirum hi propter quos minus audeo hac in re credere tibi, cui haud paulo plus credidissem soli, si non huiusmodi testes accessissent. Non quod illis eruditionem vel auferam magnopere vel tribuam (nam sunt, opinor, ex his qui adhuc albine sint an atri nescimus), sed 190 quod in Erasmum nimis quam feruntur iniqui, siue eos, vt homines sumus omnes, humana titillet aemulatio, siue, quod opinor verius, daemon aliquis eius pestis parens excitauit, vt quem nullis ipse rerum damnis, nullis corpusculi vel morbis vel periculis potuit a bonis vnquam studiis et toti terrarum profuturis 195 orbi reuellere, eum nunc submissis ac subornatis suis istis satellitibus abducat, qui personati sanctimonia Christi negocium praetexentes, Christi negocium praedicant, dum ei, qui Christi negocium vere agit, suis sycophantiis moleste negocium exhibent, atque a Sacrarum tractatu Literarum (vnde velut inexhausto 200 promptuario, profectui studiosorum cotidie fere depromebat aliquid) nunc ad Apologias non perinde nobis vtiles atque ipsi necessarias in transuersum agunt.

Hi semper, vt fertur, adornant aliquos, qui inter te atque Erasmum cursitent, et consutis vtrinque mendaciis dum tibi ab illo 205

189. vel] aut *Jortin*. 197. personata *Jortin*. 198. praepediant *Jortin*. 199. negotium *Jortin*. 201. promtuario *Jortin*. quotidie *Jortin*.

181. Plutarch, *Caes.*11,2, does not name the place, a small barbarian village in the Alps, but he does date—when Caesar was on his way to govern Spain, early 61 B.C. Also in Dio Cassius, xxxvii.52,2.

190. Cicero, *Philipp.*2,16,41.

falsa, atque illi vicissim abs te referunt, vos scelerate committant, vt tuo periculo suis obsequantur affectibus, ipsi multo dignissimi, qui illud potius odium subeant, quod perquam aegre vitauerit quisquis id instituet quod illi iam suadent tibi, non vt vnum atque 210 alterum decerpas locum, in quibus aut illud labi, quod fieri potest, ostendas, aut hallucinari te, quod et ipsum possit accidere. Sed in totum opus adeo contorqueas machinam, vt verti prorsus non debuisse contendas; neque si quid a Latinis Graeci discrepent codices, eius nos admoneri; vel si maxime deceat id fieri, tamen 215 illum minime idoneum esse qui faceret, contra vel hic vel ibi sentientibus non omnibus tantum vndecunque doctis. Sed ipso quoque doctorum omnium calculis anteponendo Pontifice non maximo solum, sed etiam optimo, cuius ad pium suasum Erasmus eum laborem obedienter aggressus, rem bis iam feliciter adiuuante 220 Deo perfecit, bis a Pontifice, quod eius declarant veneranda diplomata, gratiam laudemque non vulgarem promeruit.

Quamobrem si de libro, qui Christi continet doctrinam, Christi vicario credidi, qui eum librum bis iam pronunciauit vtilem, huic, inquam, si te reclamante credidi, qui librum scribis esse perni- 225 ciosum, neque temere me fecisse, neque te iniuria affecisse iudico, etiam si mihi liber tuus omnino esset ignotus. At nec is tam prorsus est ignotus mihi, vt non aliquid inde saltem degustarim, ex quo reliqua liceat coniicere. Nam etsi ad me non peruenerat, peruenit tamen ad quosdam, amica tuorum solicitudine aliorum 230 iudicia, ne nimium tibi fideres, explorantium; qui cum legissent ac perpendissent secum, tum de re tota sic iudicassent, vt his a quibus acceperant librum, suaderent, vti ad te scriberent, si tuo vellent honori consultum, huic labori supersederes. (Quam rem non dubito, quin iidem amici tui pro sua in te fide significarint.) Mihi 235 quoque velut speciminis loco indicarunt quaedam, sed non nisi praecipua, quibus potissimum videbaris tibi spondere victoriam. Non mihi, mi Lee, quod dixi, tantum sumo, vt in Theologicarum rerum controuersiis feram sententiam, ne quis illud mihi merito possit ingerere, Ne sutor vltra crepidam, sed tamen profecto quas 240 mihi communicabant, quas certe tanquam primarias communicabant, pleraeque omnes erant eiusmodi, quas ipse quoque videor mihi sine magno posse negocio dissoluere.

Quamobrem ex praecipuis quum plerasque reperissem tales, merito videbar ex illis reliquas quoque velut ex vngue, quod aiunt,

210. illum *Jortin, recte.* 212. prorsus] potius *Jortin.*

239. Plin. *N.H.*35,10,36, §85.

leonem posse existimare. Nam cuius vngues non laeserint, eius non 245
est quod pilos valde pertimescas. Certe illa contentio de vocabulo
proprii, quam literis tuis ad nos inseruisti, quae tam firma videtur
tibi, vt non vnis literis mirari testeris Erasmi impudentiam, quem
non pudeat in re tam aperta suam tueri partem, non mihi modo,
sed reliquis quoque ad quos eadem de re scripsisti, tam tenuis 250
videtur argutia, vt contra valde miremur sustinuisse te vt eam rem
ei vicio verteres. Nam si mortales omnes tam adamantinis vinculis
ad Porphyrii constringas Εἰσαγωγὴν, vt quando ille proprium
id definiat, quod ita sit meum, vt nulli sit mecum commune, fas
idcirco non sit eodem vocabulo sic vti, quomodo publicitus omnes 255
vbique gentes vtuntur, piaculum profecto sit si quis posthac propriam dicat patriam in qua natus est, aut propriam vocet parochiam in qua versatur, aut denique patrem a quo genitus est appellet proprium. Si modo fratres habeat quibus sit pater cum illo
communis, quanquam nec Porphyrius tam difficilis est hac in parte 260
quam tu, qui plures tradit modos citra vicium eius vsurpandi
vocabuli. De quo vocabulo nihil ego inpraesentiarum fueram dicturus omnino, nisi quod in epistolis istud tuis ipse commemorasti,
quandoquidem de re tota quid haberem animi cum fratribus
tuis, tum amicorum tuorum penitissimis olim iudicaui, per quos 265
iam diu ad te, id quod volebam, peruenisse scio, ne nunc primum
esset opus id rumore demum te per Erasmeos disperso didicisse.

Venio nunc ad expositionem tuam, qua rem a principio repetis,
id videlicet agens vt ostendas Erasmi tantum culpa totam hanc et
natam et alitam esse tragoediam. Quanquam hac in parte profecto 270
operaeprecium est videre vt, id quod vnum sic Erasmo tribuis,
[vt] praeterea nihil ipse tibi desumas, et rhetoris hic agas partes,
res videlicet per se exiles cumulatim verbis exaggerans. Quorum
tamen si quis detracta mole nudas in vnum res collegerit, opinor,
non inueniet cur tibi videri debeas ab illo tam capitaliter offensus, 275
vt dum illum contingat laedere, ne communibus quidem omnium
bonis euertendis abstineas manum. Etenim si quis omnia congerat, quae in tuis literis vel ad me vel ad alium quempiam memorasti, quibus illius in te contumelias amplificas, summa tamen huc
rerum reddit tandem, quod tuas annotationes neglexerit. Quae, vt 280
tibi verum fatear, non satis vehemens causa multis visa est, cur
homo Christiana modestia tam hostiliter opus illud impeteres,

269. tandem *Jortin.* 271. operae pretium *Jortin.*

245. cf. Eras., *Adag.*1934.

253. Porphyry, 233-c.304. The Εἰσαγωγή, introduction to Aristotle's Categories, was translated by Boëthius and much used in the Middle Ages in the study of Aristotelian logic.

quod alioqui te fateris fuisse promoturum, si laus videlicet (nam sic accipiunt) expectationi respondisset tuae, quae nunc maligna
285 videbatur, quod se tam paucis in locis a te fatebatur edoctum, quum tamen contra videri debuerat honorificum. Si vel vnum quippiam sese vir omnibus in literis tantus a te didicisse fateretur. Siue illud vere, siue ciuilitatis causa fassus, cui tu tamen parum ciuiliter, mirum est quod ad sacras attinet literas, quam nihil om-
290 nino tribuas, quum tibi tamen sumas tantum, vt aperte praedices in secunda quoque aeditione (in qua denuo tantum studii ac laboris, collatis etiam tot codicibus, euolutis tot autoribus, tot praeterea consultis literatissimis viris exhausit). Errores tamen eum multos magnosque reliquisse, si non ad tuas annotationes cor-
295 rexerit, quasi quae tu deprehenderis, ille neque sua videlicet, neque alterius cuiusquam opera peruestigare potuerit, quam solius tua.

Ego, mi Lee, ingenium ac doctrinam tuam tam valde probo, quam quisquis probat maxime, nec de te raro glorior. Caeterum quando non dubito, quin satis tuo tributum ingenio censeas, si
300 quis illud Erasmico tantum conferat, nec expectes, opinor, vt praeferat. Industria vero atque assiduitate studendi Erasmum a puero semper fuisse constat insuperabili; magnifice profecto de te sentire videor mihi, si te post hac aliquando talem, qualis nunc est Erasmus, non desperem futurum, sed tum videlicet demum, quum ad
305 annos hos, quos nunc habet ille, perueneris, nec iure tibi videbor iniurius, si te interim ab illo censeam aeruditione tantum a tergo relinqui, quantum te annis ille praecesserit, quos in vnam Theologiam profecto non pauciores insumpsit, quam tu in omnes pene quas a puero didicisti literas. Nec tamen quisquam longius ab ea
310 distat arrogantia quam obiicis. Quis enim aut parcius definit, aut affirmat timidius, quod plaerique nimis faciunt fortiter. Ille tamen quid habeant libri commonet, suo quenque iudicio relinquens, non vt sibi stetur postulat, qui sicubi dum animum aperit suum, attingat eos a quibus ipse dissentiat, quid facit aliud quam quod
315 omnibus aetatum omnium scriptoribus et vsitatum est et concessum et se tamen vbique submittit Ecclesiae iudicio, subinde fassus hominem esse se, quem in eo possint opere multa subterfugere, quo in opere tu tamen, qui desideras in illo modestiam, magna cum autoritate profiteris perfecisse te, quod quidem ad Theologiam at-
320 tinet, nam ea est, opinor, quam vocas harenam tuam, ne quis

284. exspectationi *Jortin.* 291. editione *Jortin.* 300. exspectes *Jortin.*
306. eruditione *Jortin.*
308. insumsit *Jortin.* quam tu in *coni. Jortin*; quantum *Ep. aliq. erud.*
311. tamen] tantum *Jortin.* 318. qui *add. Jortin.*
320. arenam *Jortin.*

illic possit quicquam inuenire postea iure quod queat impetere, modo correxerit Erasmus quicquid tu annotasti.

Qua professione plus vni sumpsisti tibi, quam aut Erasmi pudor vltro delatum admiserit, aut ego ambobus certe vobis etiam coniunctis tribuerim, quum tibi tamen tribuam plurimum, illi 325 omnes propemodum tribuant omnia. Qui quum is sit qui omnium minime egeat admonitu, nemo tamen magis gaudet admoneri, quae res liquet ex ipsis epistolis quas ille tum in Angliam, tum alio quaquauersus emisit ad eos, quorum iudicio potissimum confidebat, quorum nonnulli quid sibi videretur ostenderunt. Omnibus 330 egit gratias, quorundam admisit monitus, quidam errasse se ipso rescribente senserunt, eiusque rei gratia, et ipsi egerunt gratias, quod cum docere conarentur, didicissent. Certe nullius recordor, qui tragoedias mouerit, quod non omnia consilia sua Euangeliorum vice suscepta sint. Nam quid illud sibi velit non intelligo, 335 quod eum scribis ne Morum quidem monitorem ferre. Neque enim vnquam me pro tanto viro gessi, a quo vel in aliquo literarum genere, vel in rerum perpensione communium Erasmus admonendus esse videretur.

Iam quod Dorpium scribis ab illo male dum admoneret accep- 340 tum. Ego num quid occultae simultatis intercesserit haud intelligo, certe in ea Apologia, qua Dorpio respondit, palam quamquam ab eo prouocatus ac propemodum obiurgatus aspere, tamen adeo modeste respondit, imo reuerenter potius, vt non aliud vnquam quicquam tantundem honoris conciliarit Dorpio, quam quod 345 tantum autoritatis Erasmus ei praesertim lacessitus attribuit. Quae res vna facit ne facile adducar vt credam eius beneficii oblitum Dorpium amicum in se tam candidum denuo velle lacessere. Qua in sententia vel eo confirmor, quod illam epistolam quam calore quodam dictarat acerbius, deferuescente impetu, consilio censuit 350 consultiore supprimendam; qua de re ego quoque vicissim pressi meam, qui contentiones huiusmodi quibus vt nihil fructus, ita multum damni possit oriri, sopire atque obruere libentius quam fouere studeam, qui ab eo tempore sic amaui Dorpium, ac magni semper feci, vt tibi quoque Louanium petituro suaserim eum prae- 355 cipue ex Louaniensibus omnibus esse adiungendum, quod nunquam certe fecissem, nisi eum plane apud animum meum praesumpsissem talem, a quo tu, quem (vt vere, mi Lee, dicam) etiam

323. sumsisti *Jortin.* 334. sua] vel *add. Jortin.* 345. quicquid *Jortin.* 357. praesumsissem *Jortin.*

340. For correspondence with Dorp, cf. Ep.15.

olim non admodum aequum in Erasmum cognouimus, in Erasmi
360 pellicereris amorem, quum sit Erasmus illius amantissimus, natura
certe tam placabilis, vt nescio an vsquam possis inuenire quemquam, qui tam multas ac tam insignes in se contumelias tam patienter tulerit, qui quidem potens sit valide retorquere, nec dolori
suo morem interim regestis in maledicos maledictis gesserit.
365 Nempe qui nec in eos, qui locis aliquot ex opusculis eius ad calumniam delectis, ne dubitari possit quem impeterent, quidlibet in
famam eius impudenter euomuerint, conuicia ipsis digna reges-
serit, sed eorum dissimulata malicia satis habuit, si sua tueretur
scripta, eorum honori adeo indulgenter parcens, vt non modo
370 nihil inde detriuerit, verum etiam nonnihil astruxerit. Quamquam
haec illius tam immodesta modestia maxime profecto fuit in
causa, cur tot amputatis huius hydrae capitibus noua subinde
repullulent, alioqui non dubito quin aliquot eum minus petulanter
incessissent, si tui similes vidissent durius aliquanto reiectos.
375 Venio nunc ad prioris epistolae calcem, quo te significas, Erasmo quoque vel adsentiente vel simulante, litem hanc totam
Reuerendi Patris Episcopi Roffensis permisisse iudicio, atque ad
eum tuarum annotationum tran⟨s⟩misisse volumen. Quod factum
certe siue vtriusque vestrum, siue vnius tuum, mirifice laudant
380 omnes, cum quod animos adieceritis ad pacem, tum quod eum
delegeritis pacificatorem, qui non modo propter eruditionem
singularem, cuius nunc mundum testem habet, maxime sit idoneus
qui iudicet, verum etiam propter eximiam pietatem non sit pas-
surus quicquid in alterutro boni sit interire. Porro qui sic amet
385 vtrumque, vt toto pectore sit ad concordiam incubiturus, homo tam
solers ac dexter, vt viam inueniat facile, qua sibi censeat vterque
satisfactum. Verum enimuero (vt posteriores tandem literas attingam) hoc tam salubre propositum, seu vestrum fuit, siue (quod
scribis) tuum, quo sanctius excogitatum est, eo nimirum magis
390 est incusandus, vtriuscumque culpa contigit, vt deficeretur effectu.
Ego hanc in culpam neutrum vel impingo, vel eximo. Caeterum
quid aliis videatur exponam, qui primum id considerant, quod
vt solus videri vis Episcopi delegisse iudicium, ita primus videris
denuo declinasse, atque ita primus, vt propemodum etiam solus.
395 Nam Erasmum ne adhuc quidem constat reiecisse, vt qui prior
miserit librum, et nullis literis appellarit a iudice. Quem nec
potuit iudicem refugere, qui aedito libro omnes fecerat iudices.

361. vnquam *Jortin.* 365. in *add. Jortin.*
371. *i.e.* immodica *notauit Jortin.* 397. edito *Jortin.*

377. John Fisher, cf. Ep.57, introd.

Tu contra, cum librum huc ad alios iam olim transmiseris clanculum, Episcopum rem celasti maxime, nunc vero demum paterno quodam affectu consulentem tibi, ne huic te operi immisceas, 400 videlicet statuis iudicem. Sed ita statuis, vt non ante sibi tributum hunc magistratum, quam rursus ademptum cognouerit. Nam neque liber tuus ad eum venit, neque literae quae iudicem illum facerent, nisi simul traditis alteris, quae iudicandi munus eriperent, ac denunciarent aeditionem tecum te nullius expectato iudicio 405 decreuisse.

Haec atque alia conferentibus, oboritur certe suspicio nunquam istud syncere tibi de iudice deligendo cogitatum. Quam suspitionem praeter alia confirmat tua certe quae multis videtur perquam infirma defensio, qua te videri vis eo loco ex Apologia 410 notatum, quem locum non quisquam censet quicquam ad te pertinere. Nam neque nomen tuum ibi legis, neque mores qui describuntur agnoscis, et alii sunt qui de illo male sunt meriti, iidemque magis Latomo familiares. Porro quidam non multo melioribus ab his depicti coloribus, qui istinc huc indies com- 415 migrant, quam eo loco, quisquis est ille, describitur. Quam ob rem, vt nulla praebetur ansa, qua locus haereat in te, sic non desunt fortasse vestigia, quibus ad eorum quempiam perueniatur qui callide rem dissimulant et tua credulitate freti, quo longius ab sese vertant, ea te persona volentem ornant, atque ita producunt 420 in proscenium, suoque plausu traducunt publice, miserantibus amicis tuis, inimicis ridentibus, maxime sibi placentibus his, qui te circumuentum suis versutiis vicarium sibi histrionem gaudent supposuisse. Sed teneo, inquis, manifestarium. Nam cum per fratrem expostulassem de iniuria, atque is negasset ea scripsisse 425 de me, tamen recusauit, me petente, aliqua saltem illud Apologia testari.

Rem profecto, mi Lee, neque illi facilem, neque tibi vtilem flagitasti. Nam ad hunc modum, alio super alium idem postulante, aut illi necesse fuisset aliquem negando prodere, atque ex occulta 430 simultate aperte bellum in se recipere, aut cum suae causae praeiudicio quempiam laudare publice, quem paulo fortasse post palam cogeretur incessere. Tibi vero censes honeste consulturum, si scripto

404. quae *Jortin*; qui *Ep. aliq. erud.* 405. editionem *Jortin.* exspectato *Jortin.*
408. sincere *Jortin.* 418. perueniat *Jortin.*

414. Latomus (James Masson) of Cambron, near Ath in Hainault (1475-29 May 1544) had written a dialogue *De trium linguarum et studii theologici ratione*, or *An theologo sit necessaria trium linguarum peritia*, which defended the conservative position and which Erasmus took as concerning himself sufficiently to make a reply necessary. (Allen III, p.519.3n.; III.934, 936, ll.36-59.)

testetur se non illorum quae scripsit, quicquam scripsisse de te,
435 quasi ea videri possint alioqui in te competere. An non belle te purgasset, scilicet, si protinus ei loco subiunxisset, monitos omnes volo, ne quis nimium suspicax haec me suspicetur vel dicere, vel cogitare de Leo? Quanto tibi fuisset consultius, eam rem quae nihil ad te attinebat, in te non admittere, et si quis in te torquere nitere-
440 tur, velut malum atque inuidum interpretem reiicere, quam sic rem tibi sumere, vt vel quae scripta sunt, videaris agnoscere, vel quod possis expostulare non habeas. Ego profecto, mi Lee, quanquam te viam video sententiae meae praecludere, quum aut famae tuae parum fauentem censeas, aut certe non satis prouidentem,
445 quisquis tibi non suaserit annotationes istas protinus emittendas, tamen non dubitabo committere, vt vtrobique apud te existimationis meae periclitcr potius quam vt quae tuae putem conductura non consulam, id est, in primis, vt ab huius aeditione voluminis abstineas, quod tibi nihil boni, multum conciliabit inuidiae.

450 Nam quod nunc tute tecum reputas fore, vt omnes cognoscant, vel tibi deberi gratiam, si quid errati correxerit, vel suae dandum pertinaciae, si nec monitus quidem correxerit; id, vt video, pro confesso sumis, cuius fidem aegre fortassis obtineas, vt tuis videlicet corruptis scribis, ex te quicquid est erratum credatur didicisse.
455 Nam eius ipsius quod affers fidem, ipse nimirum vel hoc argumento minuis, quod nec visa adhuc secunda eius aeditione, librum tuum tamen statuas aedere. Quod multi credant nunquam te fuisse facturum, nisi spem concepisses aliquam fieri, vt ignoratione tuarum annotationum aliquot adhuc errata sua non depre-
460 henderit. Nam si cogitares tuas annotationes omnes ei factas esse palam, non posses profecto dubitare quin aut omnes illos locos emendauerit, aut certe viderit quo pacto queat defendere, qui si hoc videat, non est quod magnam posses expectare gloriam; sin illud fecerit, appetitae perperam gloriae vix declinares infamiam,
465 quasi praepostero laudis aucupio, nullo iam fructu sis admoniturus, non quid nunc viciosum sit, sed quid olim fuerit.

At famam, inquis, purgare debeo, quam ille depopulatus est, qui non minuta modo me annotasse clamitat, sed et neotericorum decretis ea communire. Hic interim non video, mi Lee, qui tecum
470 constes, qui tanquam facinus capitale obiicis Erasmo, quod parum neotericis tribuit, quibus ille certe tribuit satis, quum nescio an iisdem quisquam plus ademerit quam tute, qui tibi ducis infamiae, si neotericorum decretis tua dicaris annotamenta munire. Verum si fama tibi sic esset aspersa maculis, vt necessario purganda sit,

454. scribis] *viz.* amanuensibus *notauit Jortin.* 456. editione *Jortin.* 457. edere *Jortin.*

nec alia via possit perlui, quam si confestim liber ille tuus aedatur, 475
quanquam vel nominis potius aliquam iacturam sustinere deceat
quam vt dum nostro bono nimium studemus, multorum bonis
cogamur officere, tamen, vt nunc sunt mores, ignoscam facile, si
tibi bene malis esse, quam alteri. Sed mihi neque famae tuae tam
valde detractum videtur, et si maxime detractum sit, hac aedi- 480
tione tamen minime posse restitui. Nam locus ille ex Apologia
nihil ad te quicquam prorsus pertinet, tum si quas huc scripsit
epistolas, nihil minus vel egisse videtur, vel cogitasse, quam vt
tuo noceret nomini; contra vero annum hic fere totum de tuis
in eum scriptis susurratum est, quum nec interim bonorum quen- 485
quam viderim tuo gaudere proposito, nec animi erga te offensi
vllum ab illo signum deprehenderim, nisi quod modo visus est
aliquid de tuo contra se facto conqueri, de te tamen ipso scribens
multo certe, quam tu de illo temperantius.

Quorum si quis vtriusque narrationem perpendat, vereor pro- 490
fecto, ne te potius condemnet iniuriae, nisi quis ea credat esse
mendacia, quae sunt ad illum delata de te, quod ego certe tam
libenter credo, quam tu quoque debes libenter vana credere, quae
iidem rumigeruli de illo detulerunt ad te, quos si mendaces esse
credes, (vt, si vis absolui, credes) illum pariter ab hac iniuria, 495
cuius nunc accusas, absolues. Sed nescio quas literas loqueris, quibus ille te sit grauiter insectatus, quales an proferre possis haud
scio. Verum hoc vnum scio extare, mi Lee, tuas, et quo minus infi-
ciari possis, *ἀυτογράφους*, e quibus coniici potest ad istas annotationes longe alio animo et accessisse te et processisse, quam nunc 500
toties in testem citata conscientia prae te feras, tum sic accessisse vt
praeiudicium domo (quod aiunt) attuleris tecum, quo sementem
totam, cuius adhuc nec herbam videras, damnandam esse prae-
sumeres, quum inde passim omnes boni, qui quidem noscent agri-
colam, optimam et pulcherrimam sibi messem promitterent. 505

Verum quod coepi dicere, si maxime famam tuam purgari oporteat hac aeditione, tamen censeo minime posse procedere, qua dum
eam depurgare laboras, vereor ne limo densius lutoque permisceas.
Nam primum in quibusdam video te plane falli, nec absimile veri
est idem tibi in aliquot aeque locis, quos ipse non vidi, contingere. 510
Iam quaedam sunt, quod nec ipse diffiteris, non admodum magni
momenti; quaedam certe, vt non aperte contra te militent, ita

475. edatur *Jortin.* 480. editione. 484. *sic Jortin*; animum *Ep. aliq. erud.*
498. exstare *Jortin.* 504. nossent *correxit Jortin.* 507. editione *Jortin.*
512. *fortasse* quae certe *vel* quaedam certe, quae *coniecit Jortin.*

---

502. For similar expression, cf. Plaut. *Cas.*2,3,8.

pro te non valde multum faciunt, iam pars bona diu controuersa, de quibus adhuc sub iudice lis, quae si de summa subduxeris,
515 reliquum rationis erit pauxillulum, nec sane satis dignum, vnde tu nouas conficias tabulas. Vt praeteream interim, quod alii non praetereunt, qui perquam intempestiuum censent de mendis admonere iam emendatis. Atque is quidem tuae rei status fuerit, etiamsi mutum nactus esses aduersarium, qualem non esse tuum tute
520 probe pernosti. Nunc vero cum contra te rem tractabit cuiusuis tractandae rei mirificus artifex, tum qui hanc in rem vnam plus propemodum laboris ac studii, quam in reliquas quas vnquam egit omnes impenderit. Certe, mi Lee, non credas quam multa sis quae nunquam credidisses auditurus, quae si posses animo iam
525 ante concipere, dubio procul abstinendum duceres ab inauspicatis istis laboribus, quos vtinam tantum possis perdere.

Nam ille quicquid annotasti minutulum, prorsus in nihil comminuet; quicquid te nunc parum iuuat, sic tractabit vt etiam noceat; quod hactenus videbatur ambiguum, id contra te reddet
530 dilucidum; tum si quid mutauit in melius, eius non modo nullam tibi habebit gratiam, sed reum etiam aget insolentiae, eiusque rei valde ridiculae, tamquam non glorieris modo, velut Ἐπιμηθεὺς, *μετὰ τὰ πράγματα*, eorum nos admonere quorum tempus praeteriit, dum salebras mones ac lacunas esse vitandas, quae iam sint
535 complanatae, sed alienae praeterea laudem captes industriae, qui quicquid aut ipsum notauisse comperisses, aut alios, id in tuas totum annotationes referens, aliorum partus aedas pro tuis, quorum adhuc quidam belli videntur tibi, quos qui genuerant iidem, velut informes ac monstrosos foetus abiecerant.

540 Iam vero quum ad ea venerit, quibus errare te manifeste coarguat, non est quod expectes illam, qua semper hactenus pepercit aliis humanitatem; qua quia multorum in se audaciam videt prouocasse sese, vertet haud dubie vela, atque ita (vereor) tractabit te, aliis vt sis exemplo, ne quis ei negocium denuo solitae spe
545 ciuilitatis exhibeat. Qua in re veniam, vel temet iudice, debet obtinere. Qui si tibi putes causam esse, cur illum inuadas acriter, vel quod tacere nefas ducis, si quid adhuc reliquit incorrectum, vel si nihil reliquit, tamen vt tuam repares ac sartias famam, quae tibi tota funditus interierit. Si toti credaris Europae (nam id
550 populus curat scilicet) annotasse minutias; quanto aequius illi

536. comperies *Jortin.* 538. iidem *om. Jortin.* 539. abiecerint *Jortin.*
540. vero *om. Jortin.* 541. exspectes *Jortin.* 548. sarcias *Jortin.*

---

532. After-thought, brother of Prometheus, Fore-thought.

debes ignoscere, si tuam in se libertatem, pari libertate retaliet! Siue vt nunc est eius opus recognitum, nihil eorum retineat, quae tu reprehenderis, siue tu velut errata redarguas, quae sua sibi conscientia dictet esse rectissima, qui sibi non minus certe quam tibi citra vllam potest arrogantiae culpam fidere; vt non illud addam interim, quod totus iste tumultus tuus huc tendit denique, ne per illum putareris reculas quaspiam vel parum recte vel paulo minus magnas annotasse. Quum illi contra te sit enitendum, ne si tu recte magna notaueris, ipse magna carere nota non possit, quasi (quod nefas nemo non ducit) sancta parum sancte tractauerit. Haec quum ita sese habeant, non est, mihi crede, quod speres, quin si illum aeditis istis annotationibus attingas, suetae sibi suae lenitatis oblitus, suum ius summa vi persequatur. Itaque vehementer metuo, ne famam tuam, quantum ego video adhuc per illum integram, tute videri possis importuna purgatione polluere, quod quibusdam ante video contigisse, qui an minus tuti fuerint quam tu, id quidem necesse est euentus iudicet, certe non minus fuerant securi quam tu, quoad ille quid respondisset audiuissent. Tum vero demum senserunt suae coenae sumptus absque hospite (quod aiunt) frustra sese secum deputasse, quod qui faciunt denuo oportet computent, quum hospes plaerumque in rationem adferat, quod illi vel non recordabantur, vel sibi parcentes omiserant.

Quam ob rem, mi charissime Lee, etiam te atque etiam rogo, ne tecum statuas nimium tuae spei fidere, qui quum me sis obtestatus per sanctissimum mihi nomen amiciciae, vt me hac in re tibi aequum praebeam. Sic mihi, mi Lee, contingat te vt perpetuum amicum habeam, vt ego nullo mihi pacto videor in te futurus aequior, quam si te contra (quod obnixe facio) per si quid est amicicia sanctius obtester, vt odiosis huiusmodi excussis iurgiis, in amiciciam cum Erasmo redeas, quod illum non recusaturum ausim profecto meam tibi fidem obstringere; neu velis eam prouinciam suscipere, quam semel ingressus nunquam possis deponere, in qua perpetuo tumultu, rixa, contentione, molestiis tunica molesta molestioribus, aetatem reliquam, cuius adhuc spero tibi multum supra mediam superest, arsurus, mi Lee, sis verius quam victurus. Quin tu Christianae te charitati restituens, animo serenato, laetus hanc vitam et tranquillus exige, contemptaque vnius inauspicati libelli iactura, qui futuris etiam foeturis tuis nonnihil offundat inuidiae, feliciorem aliquam materiam tibi circumspice quam ele-

555 560 565 570 575 580 585 590

562. editis *Jortin*. 571. plerumque *Jortin*. 576. amicitiae *Jortin*. 580. in amicitia *Jortin*. 581. amicitiam *Jortin*.

ganter expolias; quae cum prodierit aliquando, prosit et probetur omnibus; quae tuam famam et praesentibus reddat amabilem, et magno cum fauore transmittat posteris; quae denique sit eiusmodi vt eius praemium potissimum sperare possis a Deo, quod genus 595 mercedis multo est omnibus mortalium bonis vberius.

In qua ego materia non veto, si quid fors inciderit, in quo vel Erasmus aliquid, vel quisquis alius quicquam scripsit vnquam, sit ita lapsus insigniter, vt admonendus magnopere videatur orbis, ad eundem ne quis rursus impinga[n]t lapidem, non, inquam, veto 600 quo minus tu quoque denuncies, quae declinari profueri[n]t offendicula. Nec id abs te fieri aequus quisquam potest inique ferre, modo res tractetur ea modestia, quae fidem faciat oblatam potius monendi necessitatem, quam carpendi ansam esse quaesitam; a quo limite quis non videt sulcus iste quam longe deliret, 605 quum ex professo liber cum libro velut hostis cum hoste committitur. Quod ne tu velis committere, rursus, mi Lee, te per tuam famam, mea mihi propemodum chariorem; per meas de te spes, qui de nullo nostratium vnquam concepi grandiores; et per charitatem patriae, cui debitum ex te splendorem nubecula pergis 610 obducere; per amicorum tuorum solicitudinem, qui mecum trepidi suas quisque preces adiungunt, obsecro te atque obtestor quam possum maxime, vt et tibi parcas et patriae, ne vel Leus dicatur vel Anglus augescentibus orbis Christiani commodis inuidere.

615 Sin tibi penitus insederit tam generosus ardor gloriae, vt potius quam cum illo non dimices, malis genuinum frangere, tuam quidem vicem amplius quam dolere non possum; patriae certe pro mea virili connitar vt hoc tuum factum, quod tantis bonorum doctorumque omnium odiis exponi video, Britanni potius esse quam 620 Britanniae censeatur. Salua mihi tecum semper, quoad per te licebit, amicicia. Vale. Cal. Maii. Anno M.D.XIX.

76. To Margaret, Elizabeth, Cicely, John.

Epigrammata 1520, pp. 110-111 — c. 1519
Lucubrationes, Basle 1563, p. 267

[The date falls between 1518, when the first edition of the *Epigrams* was published, and 1520 when the second edition appeared, including this letter.]

621. amicitia *Jortin.* 20 die Maii, Anno MDXIX *Froben et Jortin.*

---

599. cf. Otto, p.186.
616. Aeschylus. *Pers.*1,115. cf. Otto, p.107.

T. Morus Margaretae Elisabethae Ceciliae ac Ioanni Dulcissimis Liberis. S.P.

Quattuor vna meos inuisat epistola natos,
Seruet et incolumes a patre missa salus.
Dum peragratur iter, pluuioque madescimus imbre,
Dumque luto implicitus saepius haeret equus:
Hoc tamen interea vobis excogito carmen 5
Quod gratum (quamque sit rude) spero fore.
Collegisse animi licet hinc documenta paterni,
Quanto plus oculis vos amet ipse suis.
Quem non putre solum, quem non male turbidus aër,
Exiguusque altas trans equus actus aquas, 10
A vobis poterant diuellere, quo minus omni
Se memorem vestri comprobet esse loco.
Nam crebro dum nutat equus, casumque minatur,
Condere non versus desinit ille tamen.
Carmina quae multis vacuo vix pectore manant, 15
Sollicito patrius rite ministrat amor.
Non adeo mirum si vos ego pectore toto
Complector, nam non est genuisse nihil.
Prouida coniunxit soboli natura parentem,
Atque animos nodo colligat Herculeo. 20
Inde mihi tenerae est illa indulgentia mentis,
Vos tam saepe meo sueta fouere sinu.
Inde est vos ego quod soleo pauisse placenta:
Mitia cum pulchris et dare mala piris.
Inde quod et serum textis ornare solebam 25
Quod nunquam potui vos ego flere pati.
Scitis enim quam crebra dedi oscula, verbera rara,
Flagrum pauonis non nisi cauda fuit.
Hanc tamen admoui timideque et molliter ipsam,
Ne vibex teneras signet amara nates. 30
Ah ferus est, dicique pater non ille meretur,
Qui lachrymas nati non fleat ipse sui.
Nescio quid faciant alii, sed vos bene scitis
Ingenium quam sit molle piumque mihi.
Semper enim quos progenui vehementer amaui, 35
Et facilis (debet quod pater esse) fui.
At nunc tanta meo moles accreuit amori,
Vt mihi iam videar vos nec amasse prius.

3. *sic Basle*; peragratur *Epig.* 16. *sic Basle*; patruus *Epig.* 38. videor *Epig.*

Hoc faciunt mores puerili aetate seniles,
40 Artibus hoc faciunt pectora culta bonis:
Hoc facit eloquio formatae gratia linguae,
Pensaque tam certo singula verba modo:
Haec mea tam miro pertentant pectora motu,
Astringuntque meis nunc ita pignoribus:
45 Vt iam quod genui, quae patribus vnica multis
Causa est, adfectus, sit prope nulla mei.
Ergo natorum charissima turba meorum,
Pergite vos vestro conciliare patri.
Et quibus effectum est vobis virtutibus istud,
50 Vt mihi iam videar vos nec amasse prius.
Efficitote (potestis enim) virtutibus iisdem,
Vt posthac videar vos nec amare modo.

77. To Wolsey.

Brit. Mus. MS. Titus B.xi. fol. 341 — Woking
Ellis 1.i.68. Delcourt p. 317 — 5 July ⟨1519⟩

["Okyng" is Woking in Surrey, 24 miles from London.]

To My Lord Legats Grace.

Hit may lyke your good Grace to vndrestand, that yisternyght the King*is* Grace commaunded me to deliuer vn to your seruaunt Foreste a supplication put vn to his Grace by menne of Waterford in the name of the citee, by which they complayn
5 agaynste the towne of New Rosse in Ireland ffor disturbyng the citie of Waterford in the vse of a certayne graunt of prise wynys, made and confermed vn to theym, as they allegge, by the Kyng*is* progenitors. Wherin the King*is* Grace commaunded me to aduertise your Grace that he calleth to mynd that the citie of Water-
10 ford in all such rebellions as hath happed in Ireland hath allways byden fermely in theire allegiauns and often tymys done very

10. Irleland *MS.*

4. Waterford had been loyal to the English crown ever since its surrender to Henry II in 1171, and its citizens were considered English subjects, protected by English laws. More refers particularly to its loyalty during the insurrection in favor of the Pretender Lambert Simnel in 1487, and during the siege by rebels under Perkin Warbeck in 1495. For the latter, it received the motto, "Intacta manet Waterfordia," and a cap of maintenance to be borne on certain occasions before the mayor. (Bagwell, *Ireland under the Tudors,* 1, p.116.) In 1499 the citizens wrote to Henry VII, that "the city hath been ever kept as a garrison for the king." (J. Gairdner, *Richard III*, p.363; R. H. Ryland, *History of Waterford*, pp.11,13, 24,30,38.) The Calendar of State Papers relating to Ireland gives nothing under this date.

5. New Ross on the Nore, Waterford on the Suir—both flow into Waterford harbor.

good and faithefull seruice to the Kinge his father and other his progenitors. For which, he saith, he bereth theym, as your Grace well knoweth, very speciall favor. His Grace saith also that he knoweth well, and your Grace also, that there is mych beryng 15 agaynste theym in Ireland, and that the citie standeth so in the daynger of the wild Irishe peple that they can not without great ieopardie resort for the pursuit of theyre right in to such placis of Ireland as the Lawes be ministred in. Wherfore his Grace commaunded me to write vn to your Grace that he requyreth your 20 Grace that it may lyke you either in the Starre Chambre to examine the mater of the said citee, or ellis to committe the same to the examination of sum iustices, or other such as your Grace shall thynk conuenient, so that they may haue expedition with such lawfull favor, as it may be a cumfort to theym to se that theire 25 trew seruice is by the Kinge and his counsaile in England considered, wherby the Kingis grace thinketh that other cities and Lordis also in Ireland shalbe encoraged vn to the lyke.

Sir, if it lyke your Grace, at my retorne whan I spake with the King, his Grace was very ioyfull, that notwithstanding your so 30 continuall labors in his maters (in which he saied ye haue many moo than appere to theym that see you but at Westminster or with the counsaile) your Grace is so well in helth, as he hereth by diuerse, and he saith that ye may thank his counsaile therof, by which ye leue the often takyng of medicines, that ye were wont 35 to vse, and while ye so do he saith ye shall not faile of helth, which our Lord long preserue. At Okyng the vth day of July.

Your moste humble seruaunt and mooste bounden beedman
Thomas More.

To my Lord Legat*is* Grace. 40

78. To Wolsey.

Brit. Mus. MS. Galba B.v. fol. 296 — Woking
Ellis I.i.69. St.P. I, p. 3. Delcourt p. 319 — 6 July ⟨1519⟩

Hit may lyke your good Grace to vndrestand that the King*is* Grace hath commaunded me to advertise your Grace that the Embassiator of the King of Castile hath this present Wedynesday spoken with his Grace and declared vn to hym such newis

16. ther the, r et the *del. MS.* 28. eco encoraged, eco *del MS.* 34. thank y, y *del MS.*

3. The Spanish ambassador, Bartholomew, had only arrived in England late in April 1519. (L.P.III.203.) His news to Henry would be the election of Charles as Emperor, 28 June, which would be known in England by 4th or 6th July.

5 on the byhalfe of his maister the King of Castile as your Grace knoweth of. For which the King*is* Grace requyreth your Grace that there may be such lettres of gratulation devised vn to the said King of Castell as your politique wisedome shall thinke moost conuenient.

10 The King*is* Grace hath also commaunded me to shew your Grace that th'Embassiator hath requyred his Grace to send his advice to the King of Castile concernyng the mater of the laste Diete, in which the great Maister of Fraunce deceaced, in which thing th'Embassiator desireth to haue lettres of credence of the 15 King*is* Grace, by which he myght hym selfe declare to his maister by mowth the King*is* advice concernyng the premissis. How be it the King*is* Grace thinketh hit mych better that his hole advice be written at length by lettres devised by the prudent caste of your Grace.

20 The King*is* Grace commaunded me ferther to wrighte vn to your Grace that among other communications had with th'Embassiator, his Grace remembred vn to hym that he had allway been a very hartie ffrend vn to the King of Castil, and during his life so entended to percever, and wold of none erthely thing be more 25 loth, than if eny occasion shold fall (which he trusted shold neuer fall) wherby he myghte be constrayned vn to the contrary, ffor the avoiding wherof, his Grace advised th'Embassiator that he shold in eny wise counsaile his maister that he no thing attempte herafter that shold extend to the breche of eny article comprised 30 in the amitee concluded bytwen his Grace, and the King of Castil and the French King, which if he did, hys Grace shold think hym selfe bounden to regard the frendship of none erthely man so highly as his othe geven to God for the observation of the said amite and liege.

35 The Embassiator is riden fro the cort now after diner and I think he wilbe with your Grace very shortely. And thus our Lord long preserve your Grace in honor and helth.

At Okyng the vith day of July.

Your mooste humble servaunt and mooste bounden beedman

40 Thomas More.

7. be by, by *del. MS.* 28. attempted, d *del. MS.* 30. bytwen the, the *del. MS.*

13. Arthur Gouffieur, sieur de Boissy, Grand Master of France, had died at the Diet at Montpelier early in May. He had been commissioned by Francis to discuss the confirmation of a marriage arranged long before between Charlotte, the daughter of Francis, and Charles of Castile. Charles' representative was William de Croy, Lord de Chièvres.

31. The agreement with Charles must not interfere with the Treaty of London of 2 October 1518, signed by England, France, the Pope, the Emperor and Spain.

79. To Wolsey.

Brit. Mus. MS. Galba B.v. fol. 295
Ellis 1.i.70. St.P. 1, p. 7. Delcourt p. 320

Woking
9 July ⟨1519⟩

Hit may lyke your good Grace to vndrestand that the King*is* Grace hath commaunded me to wryte vn to your Grace that he geveth you harty thankis for your diligent advertisement of all such thing*is* as your Grace hath written vn to hym in your latter lettres; towching the content*is* wherof his Grace hath com- 5 maunded me to shew you that he wery well lyketh your politique ordre taken with Hedyng the King of Castile his Orator, which his Grace thinketh very good and honorable.

And as towching the overture made by my Lord of Shevers ffor the mariage of my Lord of Devonshire the King is well content, 10 and as me semeth, very glad of the motion, wherin he requyreth your Grace, that it may lyke you to call my Lord of Devonshire to your Grace and to advise hym secretely, to forbere eny ferther treatie of mariage with my Lord Mountioy, for a while staying the mater, not casting hit off, shewing hym that ther is a farre 15 bettre offre made hym, of which the King wold that he shold not know the specialtie byfore he speke with his Grace.

As towching the demeanure of the Cardinall Sedunense con-

11. he de, de *del. MS.* 15. off ffor, ffor *del. MS.* shewing him that *supra.*

---

7. Hesdin, Maître d'hotel to Margaret of Savoy, the Regent in the Netherlands, had just arrived in England as her ambassador. (L.P.III.287.) He was very displeased when Spanish rejoicings over the election of Charles as Emperor were stopped by the City watch for fear of a riot. Wolsey reported this in a letter to the King, and proposed a service at St. Paul's in celebration of Charles' success. He also stopped the ports to prevent unfavorable reports reaching the Lady Margaret. (*ibid.*364; St.P.I.5.) More is evidently writing Henry's reply to this letter of Wolsey's. Giustinian in letters to the Doge reports the incident and the service in St. Paul's. (L.P.III.371,383.) Norroy King of Arms was commissioned to carry Henry's congratulations to Margaret of Savoy, and if this unpleasant incident should be mentioned, to make due apology, though Hesdin has promised to write and satisfy her himself. More perhaps refers to this in the last paragraph of his letter. (L.P.III.403.)

9. Spinelly first suggested in a letter to Wolsey that a marriage might be arranged between the niece of William de Croy, Lord de Chièvres, the Flemish minister of Charles V, and Henry Courtenay, Earl of Devonshire, a widower. He writes that she is "not handsome, but is not to be refused." Her "dote which in marriage is the principal point commonly" would probably be over 50,000 crowns of gold, and that Charles will add to this. (L.P.III.312.) Wolsey's reply (*ibid.*386) makes careful inquiry as to why Chièvres desires the marriage—does he hope that the Earl may succeed to the throne? Spinelly is also to discover what dower of lands he expects for her. The Bishop of Helna and John de la Sauch, on their arrival as envoys in September, were to speak to the King "of the marriage he knows of." (L.P.III.449.) However, on 25 October the Earl married as his second wife Gertrude, daughter of William Blount, fourth Lord Mountjoy. (L.P.III, p.1538.)

18. Pace had been instructed (L.P.III.240) to "ensearch, as well by [his] own acquaintance among the Swiss, as by the drifts of the cardinal Sedunensis (Matthew Skinner, Cardinal of Sion), w[hat] ways they intend to take," and whether they may be induced to f[avour] the preferment of

cernyng the truste that the King*is* Grace did put in hym, his Grace
20 commaunded me to shew your Grace that he mystrusted the same hym selfe byfore, and that he so shewed your Grace at Richemount. And though he be not glad of the Cardinallis delyng, yit is he glad, he saith, that your Grace may se⟨e⟩ that he fore saw it, wherby he thinketh your Grace will the bettre truste his coniec-
25 ture hereafter.

I send vn to your Grace by your servaunt, this berer, certayne wryting which the King*is* Grace commaunded me to send vn to your Grace, to take such ordre in the same, as your moost politique wisedom shall thynke convenient. And thus our Lord long
30 preserve your good Grace in honor and helth.

At Oking this present Saterday the ixth day of July.

Your moost humble seruant and moste bownden beedman

Thomas More.

80. From William Budaeus.

Epistolae Budaei, 1520, fol. 70v.
G. Budaei Epistolarum Latinarum lib. v.
Graecarum item lib. i, Paris, J. Badius, Feb. 1531

Paris
12 August 1519

GULIELMUS BUDAEUS THOMAE MORO. S.

Nunquam posthac verebor in istorum me conuentu sericatorum sistere, qui solos sese nobiles esse censent, atque etiam ore me et digitis magnifice inferre, ac proferre in publicum, quum a te, hominum graui aestimatore, annulis nuper donatus sim, vt
5 dudum canibus Britannicis, tam confectoribus ferarum quam ad limina custodibus. Quod tamen munus tuum et locupletius et ornatius haud dubie fuisset, si tibi vna quoque epistolam mittere vacasset ingenito tibi lepore conspersam, ac salibus illis conditam, qui mihi magnopere ad stomachum faciunt.

10 Nulla enim munera amicorum accuratius quam epistolas asseruo, duntaxat istiusmodi, vt quas habere solitus sum, numero supellectilis in delitiis habitae, intraque scrinia sanctiora conditae. Est autem alioqui scribendi vicissitudo, vt mea fert opinio, simile quiddam atque si inter socios et foederatos Reges pax et amicitia
15 anniuersariis legationibus retineatur et confirmetur, quum sit ita

8. vacauisset *Ep.1531.* *sic Ep.1531*; inconditam *Ep.1520.*
12. sanctiora ac lautiora conditae *Ep.1531.*

---

the King." Sion wrote to Wolsey that the Swiss would not allow Francis to be Emperor, but would be satisfied with Charles. Henry received no further aid from him.

fere in rebus interituris natura comparatum, quae recte et commode constituta sunt, vt tanquam cum vertigine mundi rapta, tractim in finem et interitum vergant, nisi humana prouidentia curaque labentibus eat obuiam in locumque ipsa et gradum suum reponat. Accedit obliuio res inuida et exitiabilis, in desidia et securitate obrepens, omnium rerum etiam incisarum et inustarum obliteratrix atque peremptrix. 20

Id quod ipsum vidisse mihi ipse videre, qui velut alto me silentio indormientem, munere hoc commonefactoriolo torpentis iam et inertis admonuisti amicitiae. Cuius rei culpa, si ἐπὶ Διὸς τοῦ Φιλίου ἢ ἐπὶ ὅτου δήποτε τῶν ἀμφοῖν ἡμῖν Φίλων ὄντων in controuersiam deduceretur, futurum existimo vt nostrum vterque eo se potissimum a crimine vindicaret, quod scribendi vices alterius esse diceret ac defenderet. Quo fit cum ambo cessauerimus, neuter tamen non ita culpae inficiator ac reiector esse possit, vt praestolatorem se, non cessatorem, vocet. 25 30

Quod si tu, mi More, in ratione tua ineunda munerum missitandorum vices in officii numerum ita ducis, vt tibi pro scribendi functionibus cedant, vide ne qui carius ac honorificentius defungi praestationibus amicitiae instituisti, non etiam officiosius euilescere sinas istius tui ingenii opinionem, suauitate amoenitateque nobilis. Quum alioqui officio non conueniat viri ista eruditione praediti, huiusmodi permutationem in amicorum commercium admittere, literariam facientium in disciplinisque negociantium cum successu, vt ingenii functionem ac praestationem annua pensitatione redimant, et desidiae poenam muneraria mulcta luant. 35 40

Atqui quanti vtrunque genus apud me fit, inde coniicere potes, quod canes illos tuos praegrandes, trucique aspectu commendabiles et speciosos, singulos amicis iis dono misi, apud quos recte et congrue collocata munera existimabam. Annulos inter cognatas primo quoque die distribui Θαυματουργίᾳ commendatos, bona quidem ex parte, reliquos etiam diuisurus, quosque a te quosque ab aliis accepi, prout occasio sese commode et opportune aut iucunde obtulerit. Epistolas autem tuas in rebus meis ita semper habiturus sum, liberisque et haeredibus relicturus inter epistolarum mearum exempla aliquando fortasse in medium proditura, vt in ipsis munificentiae tuae memoriam inuolutam impressamque asseruem. 45 50

Proinde quod mihi dona elegantia misisti, id ita mihi gratum

17. ea vt *Ep.1531*. 24. veluti commonefactorio *Ep.1531*.

46. Plato, *Legg.*670A.
My colleague, Professor Cora E. Lutz, explains that an early editor of Plato's Laws mistook this for a great festival, and More was evidently influenced by this. The Loeb edition interprets the word as a common abstract noun.

est, vt ob ea gratiam a me magnam iniueris et pertinacem. Quod
55 non comitem epistolam addideris muneris ornamentum, et liberalitatis tuae (vt ita dicam) indicaturam, id vero ideo tecum expostulandum habui, vir amicissime, vt intelligeres id me iure meo flagitare, quod tu mihi nullo negare pacto potes, nisi mihi hoc anno pro Moro suauissimo morosus acerbusque factus es, quod
60 abominor.

Vale. Parisiis pridie Idus Sextileis. M.D. vndeuicesimo.

Post has literas scriptas resciui Christophorum Longolium clara hic gente oriundum, in Britanniam iturum. Is cum nostri consortii homines inuisurus sit quacunque iter fecerit, ad te istic vt adeat
65 in primis necesse est, et ei auctor fui. Quem vt benigne ipsum officioseque accipias, non tam mea causa velim, aut postularim, cui ipse non mediocriter amicus est, quam eruditionis singularis ingeniique eximii gratia, et iudicii in paucis excellentis. Est enim cum apprime doctus in Graecis iuxta Latinisque literis, et de iis
70 ipsis olim literis aut etiam mox optime meriturus, vt siquis alius aequalium nostri saeculi.

Vale rursus.

81. To Richard Croke.

Tres Thomae p. 59 ⟨1519?⟩

[Richard Croke is meant here; though Stapleton calls him John. The mistake perhaps occurred because Croke assumed the name Iohannes Flandrensis when in Italy in 1529 to collect the opinions of canonists on Henry's divorce. (D.N.B.) The letter is difficult to date, as Croke's appointment at Cambridge is not definitely dated, but Pace became secretary in 1519.

Richard Croke (1489?-1558) was born in London, and was educated at Eton and King's College, Cambridge, taking his B.A. degree 1509-1510. He continued his studies at Paris 1511-1512 under Budaeus, Aleander and Erasmus. (Allen I.227, 230, 256.) He spent the years 1515-1517 at Louvain, Cologne and Leipzig, and Erasmus wrote to Linacre, "Croke is the great man in the University of Leipzig, where he gives public lectures on Greek." (*ibid.* II.415.) Those who studied under him were famous from having been the pupils of such a distinguished teacher, and his influence made Greek a part of the Leipzig curriculum. He was greatest as a teacher of grammar.

He returned to England in 1517, took his master's degree at Cambridge, and taught the King Greek for some time.

---

62. Christopher Longueil (c.1488-1522) was educated at Paris, and in civil law at Bologna and Poitiers. He returned to Paris in 1512, became D.C.L. of Valence 1514, and was a member of the Parlement of Paris 1515. He then turned to literature, partly under the influence of Budé. He was in Italy 1517-1519, studying with Musurus and John Lascaris. He had just returned from Italy and was on his way to England, when Budé wrote. The last two years of his life were spent in Padua. (Allen III, pp.472-3, Delaruelle, *Repertoire*, p.73 n.1.)

More's letter probably falls in this period, with the reference to Croke's hope for a post, for in 1518 Croke was made professor at Cambridge, holding Erasmus' old chair. (Allen III.827.) He was ordained priest 1519, elected Fellow of St. John's 1523, and proceeded D.D. In 1527 he was appointed tutor to the Duke of Richmond, Henry's natural son.

In 1529, at Cranmer's suggestion, he was sent to Italy to collect canonists' opinions on the divorce. He visited many Italian cities, consulted Catholic divines and Jewish rabbis (*Revue des Études Juives,* XXVII, pp. 49f.) and made long transcripts from MSS. His work was done under many precautions for secrecy, one the fact that he assumed the name Ioannes Flandrensis, and pretended to know nothing of England. (L.P. IV,6149.) This probably accounts for Stapleton's mistake with the name.

He was Rector of Long Buckby, Northamptonshire (Wood's *Athenae Oxon.,* ed. Bliss, I.261) and Canon of the King's College in Oxford (now Christ Church) 1532-1545 (Brewer V.1180), retiring to Exeter College on the reorganization of the former. He was also a royal chaplain, and was employed in preaching against the Bishop of Rome (L.P. XII.757). (D.N.B.; article by Horawitz in *Allgemeine deutsche Biographie;* Wood's *Athenae Oxon.,* ed. Bliss, I.259-261; Cooper's *Athenae Cantab.* I.177-179; Hermann Hager in *Transactions of the Cambridge Philological Society,* 1883, III, pp. 33-35.)]

Quisquis is, mi Croce, fuit qui persuasit tibi mei in te amoris aliquid ob intermissionem tuarum ad me literarum imminutum esse, aut ipse falsus est, aut te prudens fefellit. Ego certe quanquam ex tuis literis eximiam voluptatem capio, tamen neque tam superbus sum, vt mihi tantum in te iuris vendicem tanquam (5) seruitutem debeas quotidianae salutationis, neque tam querulus ac morosus vt ob neglectum paulisper officium (etiam si quid deberetur) offenderer. Quin iniquus mihi viderer, si alienarum literarum acerbus exactor sim, quando mihi sum conscius in hoc officii genere, quantus sim ipse cessator. Quamobrem quod ad (10) hanc rem attinet, securus esto. Neque enim meus in te sic refrixit animus, vt assiduo literarum flatu accendi oporteat atque foueri. Pergratum feceris si quum erit commodum, tum scripseris. Nam vt tantisper interrumpas meliora quibus in tuum ac Scholasticorum commodum tam continenter incumbis, dum tempus impartien- (15) dum lectionibus, in salutandis per epistolas amicis consumas, hoc certe nequaquam suaserim.

Alteram excusationis tuae partem non accipio. Non est, mi Croce, quod meum nasum velut elephantis promuscidem reformides. Nam nec tuae literae sunt eiusmodi, quae non quemuis (20) intrepide possint adire, nec ipse tam valde nasutus, vt vnquam formidolosus aut esse debeam, aut haberi velim. De loco tibi procurando, quem postulas, et Dominus Pacaeus amantissimus tui, et ipse apud Regem pariter tentauimus.

82. To Martin Dorp.

Tres Thomae pp. 69, 71 ⟨London⟩
Jortin II.668-9 ⟨1519⟩

[The extract is evidently part of More's letter to him after his retractation of what he had written against Erasmus. Erasmus learned of Dorp's change of view from Paludanus, and wrote to Dorp, 10 July ⟨1516?⟩. (Allen II.438 and introd.) The congratulatory letter was printed at the beginning of Dorp's *Oratio in praelectionem epistolarum diui Pauli,* Antwerp, M. Hillen, 27 Sept. 1519. Stapleton p. 71, introduces the second extract with the statement that Dorp lost his professorship (or does it mean the resignation from the presidency of the college of the Holy Ghost?) because he "had acknowledged the change in his views."]

Praediuinabam facile, aliter aliquando sensurum te quam sentiebas. Verum enimuero vt non resipisceres modo, sed edita quoque in id ornatissima oratione mutatum esse temet testareris, idque tam ingenue, tam citra fucum vllum, tam nullis prorsus 5 ambagibus, hoc vero quum expectationem meam, tum omnem omnium spem ac ferme vota superauit; adeo res videbatur et incredibilis esse probitatis et absolutae modestiae. Nam vt nihil est tritius quam vti eisdem de rebus aliis aliter sententiis, ita nihil est vsquam rarius quam vbi sententiam semel declararis, deinde 10 asseueratione firmaris, postremo contentione defenderis; tum vela rursus agnita veritate vertere atque in portum vnde soluisti velut frustra nauigasses, remigrare denuo. Crede, mi Dorpi, mihi quod tu modestissime fecisti, id ab istis frustra quos hodie mundus pro modestissimis habet, exegisses. Ita sunt plaerique omnes praepos- 15 tero quodam pudore stupidi, vt esse potius sese stultos indicent quam fuisse vnquam olim fateantur. Quanto tu, mi Dorpi, sanctius, cui quum illud acumen ingenii fuerit, ea doctrinae copia, ea dicendi vis, vt si quid tueri liberet tibi, quod vel parum probabile videretur, vel omnino paradoxon, potens esses tamen appro- 20 bare lectoribus; maluisti certe veritatis quam fuci cupidior omnibus declarare mortalibus falsum aliquando fuisse te potius quam perpetuo falleres.

Quid quod eximiam hanc modestiam alia rursus modestia superasti, qui quod ingenii tui faelicitate contigit, vt verum quod 25 esset ipse perspiceres, id aliorum tribuas admonitionibus, atque etiam meis. Ita quum primus tibi sapientiae gradus et debeatur, et omnium deferatur calculis, ipse temet solus in secundum detrudis; eruditorum certe vel cubitis retrudendus in primum. Ete-

5. exspectationem *Jortin.* 9. vnquam *Jortin.* 14. plerique *Jortin.* 19. paradoxum *Jortin.* 24. foelicitate *Stapleton 1612*; felicitate *Jortin.* 25. rationibus *Jortin.* atque *del. Jortin.*

nim quum meam illam epistolam verbis magis quam rebus vberem cum oratione tua tam eloquente, tam densis, tam efficacibus argu- 30 mentis referta comparo; satis, mi Dorpi, satis meo cum rubore video quam nihil illa momenti ad te mutandum attulerit, cui nunc vel ciuilitatis causa vel modestiae, tuam laudem cedis; sed quae te rursum quo magis fugitur magis haud dubie sequitur.

Itaque, mi charissime Dorpi, hoc tuum factum quo rarioris 35 exempli est, eo plus tibi cogites verae peperisse gloriae, nec vllo vnquam seculo intermoriturae.

Certe si, qua coeperunt, gnauiter intendant via, bonas vt literas opprimant atque extrudant e scholis, miram expecto mutationem breui, nempe vt vbilibet potius emergant eruditi, tum vt qui ver- 40 santur in Gymnasiis publicis, quemadmodum actus indifferentes esse decernunt, sic ipsi tandem decernantur inter doctos et indoctos medii. Piget me, mi Dorpi, de rebus istis illorum quadam miseratione cogitare, qui paucorum factione pertinacium, in partem inuidiae nihil merentes veniunt. De tua vero laude, quam illorum 45 opprobrio, multo magis libenter cogito.

83. To a Monk.

Epistolae Aliquot Eruditorum, ⟨1520⟩ fol. G.iii ⟨1519-20⟩
Jortin II, p. 670

[More's biographers do not attempt to identify the monk with whom he is corresponding. We know that Henry Standish, a Franciscan, later Bishop of St. Asaph's, was a most difficult opponent and critic of Erasmus' New Testament, but as he was a Friar Minor and More's correspondent a contemplative, he cannot have been the one addressed.]

Epistola clarissimi viri Thomae Mori, qua refellit rabiosam maledicentiam Monachi cuiusdam, iuxta indocti atque arrogantis.

Perlatae sunt ad me literae tuae, frater in Christo charissime, longae quidem illae, et mira quaedam signa prae se ferentes amoris erga me tui. Quis enim possit affectus esse vehementior, quam qui te tam impense reddit de mea salute sollicitum, vt etiam tuta pertimeas? Times enim, ne sic Erasmum diligam, vt eius con- 5 tagio corrumpar, ne sic hominis adamem literas, ne noua eius peregrinaque doctrina (sic enim scribis) inficiar. Quod ne accidat, postquam aliquot paginis in hominis eruditionem et mores, totis (quod aiunt) habenis inuectus es, oras tandem atque obsecras per-

30. eloquenti *Jortin melius.* 31. confero *Jortin.*

10 quam sancte scilicet, ac per ipsam Dei misericordiam tantum non adiuras, vt diligenter ab illo caueam.

Nam primum iuxta Apostolum inquis, Corrumpunt bonos mores consortia praua. Deinde citas ex illius prouerbiis, quod Qui iuxta claudum habitat, discet subclaudicare. Denique adfers e 15 poeta quoque testimonium (vt facias, opinor, triadem) Dum spectant oculi laesos, laeduntur et ipsi.

His atque aliis huiusmodi, quanquam nihil est eius periculi, quod tu pertimescis, sedulo tamen abs te curatum est, vt ego ab eo loco, in quo tu periculum esse putas (si modo putas) auerterer. 20 Quam ob rem, nisi tam grati erga me animi gratia, gratias immensas agerem, merito viderer ingratus, ingratior adhuc futurus, si posteaquam tu me gradientem videns in planicie, feruido quodam amoris aestu pertimuisti ne caderem, ego te per praecipitia currentem intrepidus ac securus aspiciam, neque ad te clamitem, vt 25 tibi caute prospicias, sensimque inde ac circumspecte referas pedem, vnde sit periculum ne corruas. Itaque primo collustrabo locum, in quo versor ipse, in quo quum tuta omnia esse docuero, tum denique commonstrabo tibi arcem istam tuam, e qua Erasmum nostrum velut e sublimi tutoque despicis, periculose nutare. 30 Nam primum quid mihi periculi est, si Erasmum credam in Nouo Testamento multa rectius vertisse quam Interpretem veterem, si credam Graecis ac Latinis literis Erasmum illo peritiorem? Id quod non credo tantum, sed etiam plane video scioque. Nec potest id cuiquam esse ambiguum, cui vel exigua fuerit vtriusque 35 linguae noticia. Quid periculi est, si eorum librorum lectione delecter, quos doctissimi quique, maximeque pii, velut vna uoce collaudant? Quos Pontifex Maximus, pariter et Optimus, bis iam pronunciauit vtiles esse studiosis? Quomodo tam periculosa possim illo docente discere, qui nihil ipse definit, qui vel aliena, vel sua 40 sic proponit in medium, vt iudicium reseruet integrum lectori? Qui si maxime falsa assereret, non tamen vsqueadeo sum stupidus, vt non olfaciam, quid verae fidei, quid morum probitati congruat, nec sic in cuiusquam verba iuratus, vt non libere ab illo, sicubi subsit causa, dissentiam. Quam ob rem ab illo (quod dixi) nihil 45 discriminis imminet mihi, etiam si (quod tu scribis) quaedam forent parum sana quae scriberet.

At tibi contra, quod doleo, nescio qua mala sorte contigisse video, vt cum ille tam numerosa volumina, tam plena non erudi-

10. ipsam *om. Jortin.*

---

12. I. Cor.15:33.
13. Cic. *de Orat.*2,61,249.
16. Ovid, *Remedia Amoris*, 615.
31. St. Jerome.

tionis modo, sed verae quoque pietatis aediderit, quam non alius quisquam multis iam retro seculis, tu nobis in periculum venias, 50 vt quod aliis salubre sit remedium, id tibi praestigiator aliquis verterit in venenum. Non potui (mihi crede) pro meo in te amore, sine graui dolore legere, quae nescio quo tu calore scripsisti, quum in hominem nihil male meritum de te, publice vero de omnibus meritum bene, conuicia velut e plaustro tam intem- 55 peranter euomeres. Dum eruditioni detrahis, debaccharis in vitam, vagabundum dicis et pseudotheologum, sycophantam clamitas, haereseos crimen impingis ac schismatis, eo vsque progressus petulantiae, vt praeconem etiam voces Antichristi, etiam si eam rem videlicet perbelle permollias, quod quum id improbissime 60 dixeris, dicas te nolle dicere.

Quis versipellis et callidus Daemon, amice iam diu charissime, strophas huiusmodi veteratoriasque versutias in tuum pectus tam simplex olim vereque candidum, quum adhuc prophanus esses, nunc tandem tot annos monachi, quodque multo sanctius esse 65 debet, etiam sacerdotis, inuexit vt dicas: Haereticum, non voco, sed ea facit, quae qui fecerit est haereticus. Non appello schismaticum; sed ea facit, quae qui fecerit schismaticus est. Antichristi praeconem ego non nomino. Sed quod si Deus hoc ipsum de Erasmo asseruerit? Parco tamen, ne forte existimes aliquid de me 70 supra id quod vides aut audis in me. Proh deum atque hominum fidem, quid ego de te audio? Testor hoc in loco tuam conscientiam, non erubescis, non totus intremiscis, dum rem tam impiam talibus adornas prodigi⟨i⟩s, dum, quod homuncio quispiam scelerate mentitur, id tu tam sancte nobis velut e coelesti vaticinio decantas, 75 dum alienae famae detractionem, opus plane Diaboli, ad Deum refers autorem? Nam quod tanquam modestiae causa parcere te dicis, ne magnum aliquid de te existimem, ita Deum precor, vterque nostrum de se sentiat humiliter, vt ego de te nihil existimassem sublimius, etiam si id aperte narrasses tibi reuelatum ipsi, 80 etiam si nomen expressisses angeli, vel daemonis, qui hoc ad te detulisset. Quippe quam rem ne iurato quidem credidissem, sed suasissem potius, ne omni spiritui crederes, praesertim ei qui quantumuis falsa luce praefulserit, angelum tamen tenebrarum sese, detractionis et calumniae, susurro peculiari Satanae signo prodidisset. Maluissem tibi occinere illud Pauli: In nouissimis temporibus 85 discedent quidam a fide, attendentes spiritibus erroris, et doctrinis

60. *sic Jortin*; praemollias *Ep. aliq. erud.* 73. *sic Jortin*; toto *Ep. aliq. erud.*

86. I. Tim.4:1.

daemonum in hypocrisi loquentium mendacium et cauteriatam habentium conscientiam. Idem illud eiusdem: Nemo vos seducat, 90 volens in humilitate et religione angelorum, quae non vidit ambulans, frustra inflatus sensu suae carnis. Haec nimirum magis congruebant quam illud quod tu tibi stulte applicas ex Apostolo. Nunc vero quando significas non reuelatum tibi, sed alii nescio cui, multo etiam minus commoueor. Etenim quanquam non dubi- 95 tem Deum interdum quaedam reuelare mortalibus, non tamen vsque adeo stulte sum credulus, vt trepidus expauescam, quicquid aut delirus quispiam somniet aut confingat impostor aut energumeno malus inspiret genius. Non dubito quin similibus afflatus sit orgiis is etiam quem scribis his verbis admonuisse te: Noueris 100 pro certo, quod Erasmus iste, quem tanta sequitur pompa verborum, non recte sentit de fide Catholica aut Sacra Scriptura; hoc multoties ostendit, vbi secretam possit habere audientiam; expertus sum quod dico, et hoc saepius.

Hactenus illius boni viri de Erasmo apud te praeconium, quem 105 dicis etiam (quisquis est), egregiam excogitasse aduersus Erasmum Apologiam, quem tamen admones ne suspicer esse Leum. Noli vereri, non suspicor, nam de Leo satis persuasum habeo, quanquam nescio quo impetu eo sit ingressus, vnde nunc pudet regredi, ea tamen virtutis indole praeditum, his artibus adformatum ingenium 110 esse, vt etiam si de literis obstrepat, non sit prorupturus in conuicia; tuum vero hunc praedicant quidam longe Leo dissimilem. Nam quem tu fide dignum dicis virum, plene grauem atque, vt tuis vtar flosculis, morigeratum secundum seculi dignitatem, honorabilem, nec minus integritate vitae quam praeclara eruditione con- 115 spicuum, eum qui nouere penitus longe depingunt aliter, non dignum fide, non valde moratis moribus, vere morosum, honoratum tamen alicubi magis quam honorabilem. Eruditionem vero Apologia, quam laudas, ostendit, quam qui videre quidam et non indocti, et qui bene consultum cupiunt homini, eoque suaserunt 120 vt vel exureret vel abderet perpetuo, constanter asserunt hominem ferme ad insaniam vsque delirum, nisi quod quibusdam gaudet lucidis interuallis. Quem quum talem deliniarent, impetrare non potui vti quis esset edicerent, ne per ipsos nominatim traduci posset, priusquam egregium ingenii ac doctrinae specimen in lucem 125 prodiens, praeclara illa Apologia prodidisset.

Sed excutiamus, obsecro, paululum, quam fide dignus sit iste

112. plane *coni. Jortin.*

89. Colos.2:18.

perfidus, cui tu fidem habes, Erasmum non recte sentire de fide; qua de re, ne fidem infido non habeas, ait Erasmum id saepius ostendere, vbi secretam possit habere audientiam. Seque ipsum id non expertum tantum, sed etiam saepius expertum, vt non ab aliis 130 sed ab ipso Erasmo istud eum frequenter audisse intelligeres. Vt semper veritas exerit sese, vt concinnantes mendacia, vel casus aliquis arguit, vel rei natura destituit. Vel ipsi sese tanquam sorices produnt. Quid enim veri possit esse similius quam si de fide perperam sentiebat Erasmus, homo tam stupidus, vt non 135 sentiret simul, quid ex ea re discriminis esset futurum, quid, inquam, veri fuerit similius quam aliquos ambire semper solitum ac precibus impetrare, vt sibi liceret apud eos narrare, secreto sese esse haereticum? Nec enim requirebat aliud, vt ait iste tuus fide dignus testis, quam secretam audientiam. At quamdiu vixit apud 140 Coletum, quamdiu apud Reuerendum Patrem Roffensen Episcopum, quamdiu apud Reuerendissimum Cantuariensis Ecclesiae Pontificem, vt omittam interim Monioium, Tunstallum, Pacaeum, Grocinum, quibuscum saepe diuque versatus est, de quorum virorum laudibus si quid conarer exponere, merito viderer ineptus, 145 quum horum nemo sit quem non omnes intelligant, a nemine satis laudari posse? Quis istorum non centies cum illo collocutus est secretissime, quis eorum vel semel audiuit aliquid vnde vel suspicio possit oboriri, non illum rectissime sentire de fide? Nam si quid tale fuissent vel subodorati, meliores certe sunt quam vt rem 150 tam atrocem dissimulare potuerint. At quis est eorum omnium, qui non ita perpetuo dilexit illum, vt quo diutius eum nouerit, ac pernorit intimius, eo semper magis magisque deamarit? Sed illis, opinor, non ausus est credere, talium virorum veritus pietatem. Recte sane quaerebat ergo aliquem cuius neque conscientiam 155

133. ipse *Ep. aliq. erud.*
141. quamdiu apud Reuerendum Patrem Roffensem Episcopum *add. Jortin.*

---

141. Erasmus met Colet at Oxford during his first sojourn in England. (Allen. Ep.1211, l.283.)

141. For Fisher, cf. Ep.57.

142. Warham, the Archbishop of Canterbury, gave generously to Erasmus. In 1512 he appointed him to the rectory of Aldington in Kent, and when Erasmus scrupled to hold it as a non-resident, changed it to a pension of twenty pounds per annum, collected from the Aldington revenues. (Smith, *op. cit.*, pp.69-70.)

143. Erasmus' first visit in England was at the invitation of William Blount, Lord Mountjoy. He stayed then at the estate of Lord Mountjoy's father-in-law, Sir William Say, at Bedwell in Hertfordshire, and later went on to Mountjoy's own country-house at Greenwich. (Smith, pp.59-61.)

143. Tunstall wrote in April 1517: "Ego, mi Erasme, tuis rebus non minus consultum quam meis ipsius cupio, et si qua offeretur condicio te digna, non negligendam putarem." (Allen II.572, l.29.)

143. Pace wrote to Erasmus in August 1517: "- - - - doleo te Britanniam nostram reliquisse, nec vlla illic conditione retineri potuisse: tametsi, vt Morus mihi scripsit, a reuerendissimo domino Cardinali Eboracensi magnifica esset tibi oblata conditio." (Allen III.619, l.35.)

vereretur, neque proditionem metueret. Nempe quem ex vultu, verbis, vita, probe perpendisset, eiusdem sacri mysterii. Talis igitur necesse est fuerit ille tibi tam impense laudatus, ille, inquam, fide dignus, grauis, morigeratus, honorabilis, eruditus, integer. Cui vt
160 vides nunquam illud secretum toties commisisset Erasmus, nisi, praeter tot egregias abs te commemoratas dotes, etiam fuisset haereticus. Si quaeramus ab illo, quum se tam saepe dicat expertum, quomodo se probet expertum, vel semel fatebitur, opinor, probare non posse, nam rem sibi negat nisi secreto creditam. At
165 quisquis eius arguit criminis quenquam, quod ipse fatetur se docere non posse, certe si sycophanta non est, perquam affinis est sycophantiae.

Sed age quaeramus, quum tam saepe sit expertus, vbi nam de haeresibus collocuti sunt, aut quando tractarunt inuicem. Necesse
170 est olim fuerit. Nam Erasmus iam diu abfuit. Cur igitur illo praesente conticuit, quando non paulo magis ad rem pertinebat, vt proderet, quo vitaretur noxius, quam nunc vbi eo absente, non tantundem imminet periculi, nam in libris nihil potest latere secretum quod non oculi perspicaces eruerint. Sed longior sum quam
175 par est, in reiiciendis ἀποκαλύψεως illius praestigiaturis, et arguendo singulari isto non teste modo sed accusatore quoque atque etiam suopte indicio reo, qui fictus est, vt vides, et scelerate mendax, et nisi mentiretur sceleratior, nempe diu conscius ac serus proditor. Denique seu vera, seu falsa referat, vtrobique perfidus.
180 Certe neque Erasmi fides obscura esse potest, quam tot labores, tot vigiliae, tot pericula, tot rerum, tot salutis incommoda ob Sacras suscepta Literas, ipsum fidei promptuarium illustrant; nec noua est ista aduersus optimos quosque haereseos excogitata calumnia, sed in sanctissimos iam olim viros a Satanae satellitio tam valide
185 contorta machina, vt quorum laboribus vndique fides effloruit, ipsi coacti sint aeditis in id symbolis fidei suae rationem reddere.

Nunc ad ea veniam, quibus praeter illius fide digni testimonium, praeterque per corneam illam Homeri portam coelitus emissa somnia, ansam ex ipsius libellis arripuisti, qua teneres hominem
190 manifestae videlicet impietatis reum. E quibus illud grauissimum caput est, quod non veritus est, vt ais, audaculus est Erasmus pluries inter scribendum adferre (id quod nefas est) ipsos sanctissimos pariter atque doctissimos patres, illa, inquam, praeclarissima Spiritus Sancti organa, Hieronymum, Ambrosium, Hilarium, Au-

167. sycophantae *coni. Jortin.*

---

188. cf. *Odyssey* xix,562ff.; Vergil, *Aeneid* vi,894.

gustinum, et alios huiusmodi, qui vniuersam Dei Ecclesiam ita suo illustrarunt lumine, vt nihil iam indigeat istiusmodi obscuri hominis tenebrositate nouiter colorari, lapsos esse alicubi. Obsecro, nefas tibi videtur esse si quis dicat illos ipsos quos commemorasti lapsos alicubi? Quid si illi ipsi, quibus defendendis aduocatus, non vocatus, aduenis, attestentur Erasmo? An non tum ridicule eorum causam tu, qui tuum recusant patrocinium, peroraueris? Age ergo negas vnquam eorum quemquem esse lapsum? 195 200

Rogo te quum Augustinus Hieronymum censet male vertisse quaedam Scripturae loca; Hieronymus suum tuetur factum: neuter labitur? Quum Augustinus adferat indubitatam habendam esse fidem translationi Septuaginta Interpretum, Hieronymus neget, et eos errasse contendat: neuter labitur? Quum Augustinus consensum illum ex Spiritu Sancto ex diuersis cellulis eadem proferentium adstruat; Hieronymus contra, ineptum illud commentum derideat: neuter labitur? Quum sentiant ex diametro diuersa, quum Hieronymus Epistolam ad Galatas sic interpretetur, vt dicat Petrum simulate reprehensum a Paulo, Augustinus neget: neuter labitur? Quum Hieronymo displ⟨i⟩ceant Augustini labores in Psalmos; Augustino placeant: neuter labitur? Quum Augustino quodcumque mendacium peccatum sit; Hieronymus mendacium in loco laudet: neuter labitur? Quum Augustinus, vxore ob fornicationem dimissa, neget, illa viua alteram duci posse; Ambrosius licere confirmat: neuter labitur? Hieronymus censuit vxorem ante baptismum habitam, alteram item post baptismum, non imputari ad digamiam; Ecclesia nunc censet errasse. Augustinus Daemones asserit, atque Angelos item omnes substantias esse corporeas; non dubito quin tu neges. Asserit infantes sine baptismo defunctos, aeterna sensus poena torquendos, quod nunc quotus est quisque qui credat? nisi quod Lutherus fertur, Augustini doctrinam mordicus tenens, antiquatam sententiam rursus instaurare. Quotus est quisque Sanctorum veterum qui non crediderit Diuam Virginem in originali peccato conceptam, at nuper exorti sunt qui negent, ad quos propemodum Christianus orbis a veteribus omnibus desciuit. 205 210 215 220 225

Nullus erit finis, si cuncta coner prosequi in quibus doctissimos illos et sanctissimos viros liquido constet errasse, quorum libros si legas, errata nescire non potes, nisi quae legis non intelligas. 230

212. Gal.2:11-21.
217. cf. Matt.19:9.
222. In the Pelagian controversy, Augustine wrote *De peccatorum meritis et remissione et de baptismo paruulorum*, which maintained the necessity of the baptism of infants, because of original sin.
227. Accepted as Doctrine of the Immaculate Conception, 1854. cf. also l.1247n.

Ergo qui illum vocas audaculum, ipse multo deprehenderis audacior, qui audes illos affirmare nunquam lapsos esse; quod si velis
235 tueri, necesse est illorum libros, vel non legisse te, vel non intellexisse fatearis. Imo qua fronte potes eum reprehendere, qui idem dicat quod tu? Nam lapsum Augustinum in asserendis daemonum corporibus, in damnandis infantibus, Hieronymum in digamia, omnes prope Veteres in conceptu Virginis, non dubito quin tute
240 dicas, et tamen haec ita cum sint, et cum in Sacrarum interpretatione Literarum sancti illi Patres inter se tam saepe dissenserint, idque magis perspicuum sit, quam vt possit negari, mirum est tamen, vt tu pueriliter exclamas, et coelum terrae permisces, sicubi quis vel Carrensem conuincat errasse, vel delirasse Lyranum.
245 Augustinus non veritus est dicere, nemini se post Apostolos tantum autoritatis tribuere, vt eius dictis indubitatam habeat fidem, nisi quatenus aut ex Scripturis aut ratione liquido possit docere. Tu Diuos omnes putas tibi demereri perpetuo, si vocifereris eos nunquam esse lapsos. At illi vel inscitiam tuam derident, vel im-
250 portunum istud studium tuum detestantur. Neque talem expetunt patronum, quorum charitas magis eorum fauet industriae, qui si quid illi lapsi sint, admoneant alios, quam eorum superstitiosae pietati, qui inutili patrocinio eorum lapsus in aliorum ruinam propagent.
255 Iam vero, cum etiam in stilum eius, stilum intendas tuum, dabis mihi hanc veniam; non possum profecto me continere quin rideam; nam cum desideres in illo eam sermonis facilitatem, quam quiuis lector intelligat, dum in illo damnas ac rides, quod Latinis interdum Graeca permiscet, tam circumspectus es, vt non videas
260 eadem opera te taxare Hieronymum, in quem etiam, velis nolis, praeclara illa tua recidunt scommata, qui et saepe Latinis interserit Graeca, et quaedam scripserit eruditiora virginibus, quam quae nunc theologiae plaerique professores intelligant. Quid si aliquem tractatum integrum Graece perscripsisset Erasmus, an non, tum
265 eum multo magis cum ratione posses irridere quam nunc, quum

244. Corrensem *correxit Jortin.* 259. *correxi*; videras *Ep. aliq. erud. et Jortin.*

---

244. Hugh of St. Cher (de Sancto Caro) born at St. Cher near Vienne in France, c.1200, studied philosophy, theology and jurisprudence at Paris, and taught law there. He was admitted to the Dominican order 1225, and was Prior at Paris 1230. His "Correctorium" was the first Concordance of the Bible, stressing the literal, allegorical, moral and mystical senses, using a combination of the genuine Vulgate text and the best later Latin translation. He died at Orvieto, 1263. (Herzog-Hauck.)

244. Nicholas of Lyra, near Evreux in Normandy (1270-1340), Franciscan friar, doctor of theology of Paris, taught at the Sorbonne. His *Postillae perpetuae in vniuersam S. Scripturam* stressed the literal sense as foundation of all mystical exposition. It was much used in fifteenth and sixteenth centuries. (Herzog-Hauck.)

261. *scilicet σκῶμματα.*

non nisi quaedam interspergat? Atqui eadem ratione nostrae mulieres eos irriserint omnes, quicunque scripsere Latine. Quid quod nec magis aperte, nec stilo magis facili quisquam scripsit vnquam, qui quidem Latine scripserit vsque adeo, vt nimiam stili facilitatem Budaeus in illo, vir alioqui doctissimus, non sit 270 veritus reprehendere. Nemo diligentius vitat, quod tu illi vicium obiicis, insuetiora vocabula, cum isti tamen, quos tu ais vti modestiore stilo, fere tertium quodque verbum effingant nouum, ex quibus te quoque puto sermonis istas delibasse delitias, morigeratus et vagabunda conuersatio, tenebrositas, identitas, aliasque 275 id genus gemmulas.

Verum quum praeter affectatam eloquentiam, multa sint alia eaque indigna, quae obiectas Erasmo, age fatebitur omnia, si is in integro aliquo volumine tantum affectauerit eloquentiae, quantum tute interdum in vno affectas versiculo, velut, exempli causa, quum 280 quaeritas, 'Quid ergo dicent ad haec, qui totos annos in huiusmodi expendunt perituris, et illico marcessuris rhetorum depictis flosculis?' Profer ex omnibus, quae te significas in Erasmo legisse, si quid vnquam legisti tam turgidum, quam sit hic vnus versiculus tuus, quum tamen sit male grammaticus. Nec istuc tamen eo dico, 285 quod soloecismum in te vituperandum putem, a quo sermonis puritatem nec expecto, nec exigo, quum non ignorem, neque tibi vacasse vnquam, vt posses discere, nec, si vacasset maxime, praeceptores contigisse, qui traderent. Sed haec eo dico, vt quum tibi decorum putes tam anxie eloquentiam affectare, cum ne gramma- 290 ticam quidem possis consequi, ne vicio vertas Erasmo, quod olim partam, et nunc vltro offerentem sese, non aspernatur elegantiam.

Quum aduersus linguarum studium disseris, illud iucundum est quod doles, dum Graeca lingua discitur et Hebraica, aliquid interim de Latinae linguae puritate deperire, in cuius venustatem 295 paulo ante tam atrociter exclamaueras, quasi tantum terrarum inter puritatem sermonis intersit ac venustatem, quum tamen Hieronymus eo loco, quem citas, queratur defloratam esse venustatem, nec id ob aliud, quam vt vehementius suum commendet studium, guod in Hebraeas literas insumpserat, quas dignas cen- 300 suit, quae vel cum Latinae linguae detrimento discerentur, quum Graecae sint adhuc magis vtiles. Vel ob Nouum Testamentum, quod tam longe praestat Veteri, quam corpus vmbram, aut veritas figuram antecellit, vel propter Sacrarum Literarum interpretes, quorum optimus quisque ac sanctissimus ferme scripsit Graece. 305 Vel denique propter artes, quas liberales vocant, ac philosophiam, quibus de rebus Latini scripsere propemodum nihil. Quid quod

negare non potes, vt quisque Latinorum maxime sciuit Graece, ita eundem in sua quoque lingua fuisse disertissimum, idque non
310 olim tantum, sed nunc quoque passim vsu venire?

Nec Hieronymus ipse post imbibitas Hebraicas literas minus venuste scripsit quam prius, id quod opera eius posteriora declarant, quanquam illi placuit excusare stilum suum, vel qua de causa commemoraui, vel quod vbique id agit, vt eloquentia, quam
315 affert, comes accessisse videatur inaccersita. Illud certe pulcherrimum est, quod eo rem deducis tandem, vt mediocrem noticiam linguarum laudes, nimium tantum studium damnes, quasi longe vltra mediocritatem iam promotum sit, citra quam adhuc longo interuallo subsistitur. Sermonis puritatem obuiis, quod aiunt, vlnis
320 fateris amplectendam, at in lepidae orationis venustatem, tragicis clamoribus intonas deflesque admodum lamentabiliter, quod in eius sinum, qui olim tantum patebat Ethnicis, nunc tandem bona Christianismi pars deflexerit miserabiliter. Quasi vetustissimi quique sacrorum Patrum non venustate claruerint, quum qui hodie
325 Sacras tractant Literas, augustam illam tanti rei maiestatem impuro sermone fere contaminent. At hac in parte tam belle videris tibi dicere, vt post ea quoque, quum pro eadem sententia depugnasti fortiter, tandem velut victor insultes, et quaeras, 'Quorsum igitur attinet Diuinarum veritatem Scripturarum flosculis
330 adornare sermonum, quod et Apostoli caeterique Sancti Doctores, vt rem absurdissimam prorsum euitabant, maxime quod exiguitati parum eruditorum penitus aduersari videbantur?'

Denique ad hunc modum mirifice rhetoricatus epilogum totum facete scilicet, sumpto ex Euangeliis epiphonemate concludis,
335 'Vetus melius est.' Quibus in verbis istud perpulchrum est, quod Apostolos et sanctos illos nascentis Ecclesiae Patres ita copulas, tanquam eodem stilo sint vsi. Augustinus etiam Apostolis eloquentiam tribuere non dubitat, ita illis propriam, vt nec alios illa decere possit, nec illos alia, sed quae rhetorum tamen figuris omnibus
340 abundet etiam. Certe Sancti illi Patres, Hieronymum dico, Cyprianum, Ambrosium, et caeteros, eius aetatis disertissimos oratores aequabant. Eloquentia adeo non officit orationis luci, vt etiam non sit eloquens, quisquis est obscurus, quum sit hoc in primis oratorum praeceptis, vt sermo sit dilucidus. Si Apostoli sermonis ele-
345 gantiam ideo declinabant maxime, quod, vt tu ais, exiguitati parum eruditorum maxime aduersari videbatur, cur adhuc adeo sunt

328. insultas et quaeris *correxit Jortin recte vt videtur.*

---

319. Erasmus, *Adag.*2954.
334. *scilicet* ἐπιφώνημα.
335. Lk.5:39.

obscuri, vt neque parum eruditi, neque multum sine multo labore intelligant, sed ne sic quidem vbilibet. Vetustissimi Patres, iidemque Sanctissimi, sicuti scripserunt eloquenter, ita scripserunt etiam luculenter, et tamen hodie plaerisque Theologiae professoribus 350 illucescere non possunt. Quid ita? Nempe quod nulla lux tam potest esse lucida, vt luceat etiam caecis. Sunt enim isti non (vt dicis) parum eruditi, sed prorsus ineruditi. Nam quod Sanctos Patres non intelligunt, suam caecitatem in causa esse, non illorum tenebras, vel hinc euidenter liquet, quod quae nunc isti magistri 355 nostri non intelligunt, olim intelligebant virgunculae. Scribebant illi, quod dixi, disertissime, sed quidem etiam apertissime, si quis linguam Latinam calleat. Etenim rati sunt fore, vt quisquis eos cuperet intelligere, is aut Latine disceret aut curaret vertendos in linguam vernaculam; neque enim diuinare poterant talia vnquam 360 portenta conscensura cathedras, quae in suae segnitiae patrocinium cuncta velut obscura condemnarent, quaecunque scripta non essent lingua Latino-Gothica.

Quam ob rem cum Euangelica illa centona (nam hoc tuum est verbum) concludas, 'Vetus melius esse,' confiteor meliorem esse 365 priscorum Patrum eloquentiam, quam neotericorum balbutiem; ita vides hanc centonam tuam, qua te mire video placuisse tibi, pro Erasmo facere maxime et in tuum caput esse retortum. Eiusdem farinae est, quod tibi videre facetulus, quum labores eius in Hieronymum perstringis, inquiens, Perdidisti nobis vinum infusa 370 aqua. Quum tot mendis eius libros purgat, tot locis veram lectionem restituit, perdidit tibi vinum infusa aqua? Cur igitur dilutum bibis, quando vetus illud acetum tuum, quod febrienti palato merum sapit, adhuc sit integrum?

Verum de discernendis eius autoris operibus, quando res non- 375 nihil a phrasi dependet, ignosco tibi certe, si digito quoque monstratas eius censurae causas, tamen videre non potes. Iam vero quum tibi visum esset, ostendere Graecam linguam non tam necessariam esse ad veram Scripturarum intelligentiam, quam quidam censent, et superuacaneos esse labores Erasmi, Nouum Testamen- 380 tum rursus vertentis e Graeco, tanquam firmam subiicis basim, quod 'Sancti illi Patres,' (nam tua verba recensebo), 'Hilarius et Augustinus, satis nobis fuisse asserebant interpretationem Septuaginta Interpretum, ad omnem Sacrae Scripturae veritatem, habemus nempe,' inquis, (si id sat non esset), 'Hieronymianam aedi- 385 tionem quoque, omnium linguis merito praedicandam, habemus

365. Lk.5:39.

et alias tum praeclaras, tum etiam iuxta eruditas, et tamen nescio quo pacto haec omnia nihil conferre videntur, nisi istiusmodi noui interpretis addatur translatio.'

390 Iam vide ab initio, quum te viderem hanc suscepisse prouinciam, neque nescius essem vix potuisse fieri, vt quae ad causam facerent vnquam didicisses, nihil dubitabam, etiam si quaedam effutire posses in genere, tamen, si quando speciatim ad ea descensurus esses, ex quibus vel constabilire tua deberes vel aliena reuellere, 395 tam demum proditurum te quam tenuiter venires instructus ad negocium. Obsecro te per tuam fidem, tu qui tot habes aeditiones, tot translationes in Nouum Testamentum, tam praeclaras, tam eruditas, vt nunc non sit opus Erasmica, cur inaestimabilem thesaurum vni seruas tibi? Ego certe quanquam non sum nescius 400 olim fuisse multas, eamque rem fateatur Augustinus multum fuisse vtilem, tamen hodie non reperio quenquam, qui praeter hanc Vulgatam sese fateatur vnquam vidisse aliam. Adnotauit Valla vtiliter quaedam, non transtulit; eas annotationes Erasmus aedidit. Alius fortasse non fecisset, qui quidem statuisset idem tractare 405 argumentum. Faber Stapulensis Paulinas vertit epistolas, non totum Testamentum. Tibi igitur ostendendae sunt, praeter translationem Septuaginta Interpretum, ac praeter Hieronymianam quoque, aliae illae, quae tam praeclarae sunt atque eruditae, vt prolatis his abiicere oporteat Erasmicam. Iam Hieronymus, cuius 410 translationem habere te dicis, si credas, ipse non transtulit, sed quam tunc praecipue receptam vidit, eam ad Graecorum codicum fidem emendauit, id quod illa satis declarat Epistola: 'Nouum opus me facere cogis ex vetere,' si quis eam epistolam satis intelligat.

415 Hieronymi labores perdiderunt eaedem pestes, quae nunc inuadunt Erasmicos, inscitia atque inuidia eorum, quibus ille prodesse studuerat. Certum est in hac aeditione, quae nunc in templis canitur, nullum extare propemodum Hieronymiani laboris vestigium. Imo illas ipsas adhuc extare mendas, quas ille censuerat 420 emendandas, ex quibus aliquot Erasmus obiter annotauit. Quam rem demiror non aduertisse te, nam alioqui potuisses hac de re aliquanto iudicare sanius. Ne clamites totam Ecclesiam tot aetates hanc probasse translationem. Legit enim vt vel optimam quam

397. tum *Ep. aliq. erud.* tum *Ep. aliq. erud.* 415. perdididerunt *Ep. aliq. erud.*

402. Erasmus began his work on the New Testament, because of his interest in Valla's notes, which he published from the manuscript in the library of the monastery at Parc.

405. James Lefèvre of Étaples in Picardy. cf. Ep.15, l.290n.

habuit, vel quod ego verius opinor, primam, quanque semel receptam atque imbibitam, non erat certe facile vel oblata meliore commutare; approbauit vero nunquam, neque enim idem est legere quod approbare. Quum contra constet nunquam fere fuisse quenquam Sacrarum Literarum studiosum, qui quidem aliquam sibi compararit vtriusque linguae facultatem, quin is in illo Interprete multa desiderarit. At is quod non praestitit quae non potuit, dignus est venia; quod vero quae potuit, praestitit, dignus est etiam gratia, quam et hi merentur, qui vel quod illi defuerat, adferunt, vel quod ab aliis deprauatum est, sarciunt. 425 430

Sed interim vides aeditionem Hieronymianam, quam habere te dicis, omnium linguis merito praedicandam, nulla iam lingua legi. At interpretatio Septuaginta Interpretum, ea saltem sufficit, sic enim scribis, ad omnem Scripturae veritatem, quod ne quis audeat oppugnare, propugnatrices obiicis Sanctorum Patrum Hilarii atque Augustini sententias. Quid hic faciam, quo me vertam? Negare non audeo quod Sancti illi Patres affirmant. At si concessero quicquid nunc vertit Erasmus, id iam olim ab Interpretibus illis Septuaginta sufficienter esse versum, necesse est fatear simul multo minore cum fructu idem hunc vertisse denuo. Quid si sic interea tempus differam, vt negem Sanctos illos Patres istud asserere, quod tu ab his adsertum asseris? Et certe sic faciam quoad tu ostenderis. Vide igitur vt locum proferas in quo dicunt illi Septuaginta Interpretes Testamentum Nouum sufficienter in linguam vertisse Latinam. Interea vero dum tu illum locum quaeris, mihi licebit, quod ad hanc rem attinet, per te quietum esse. At eum haud quaquam inuentu facilem credo, cum eos omnes audiam non nisi Graece vertisse, quod si verum est, quomodo potest eorum versio Latinis esse sufficiens? Quin et illud tibi simul quaerendum est, quo pacto potuerint Septuaginta Interpretes sufficienter vertere Testamentum Nouum, cum eos omnes mortuos esse constet annis plus minus ducentis ante Christum natum. Non dubito quin, quum haec ita habere comperias, pariter etiam comperies eos quibus hactenus his de rebus credidisti, nihil ipsos hactenus comperisse veri. 435 440 445 450 455

Venio nunc ad ea quae tu minutula vocas ac nihili, quae velut eximie nugacia speciminis loco descripsisti, quibus facias omnibus perspicuum meris ineptiis illum macerare sese et totos 'quaternos,' 460

425. *sic Jortin*; communicare *Ep. aliq. erud.*
433. *sic Jortin*; asserunt *Ep. aliq. erud.*

---

436. cf. Ep.15. l.1124n.

vt tuis verbis vtar, implere. Primum reprehendis, quod displiceat ei 'sagenae' vocabulum. M.13. ac 'verriculum' legi velit, quum tamen, vt ais, eandem rem significent 'sagena' et 'verriculum.' Non
465 dubito quin videare tibi dixisse praeclare. Sed primum doce displicuisse ei 'sagenae' vocabulum, quod ille vocabulum non reprehendit, quamquam praefert alterum, tantum dicit Interpretem reliquisse vocem Graecam. At idem significant, inquis, 'verriculum' et 'sagena,' quis hoc aut negat aut nescit? Sed tamen, vt eius an-
470 notatio te docere potuit, 'sagena' vox est Graeca, cum 'verriculum' Latina sit, quemadmodum 'decretum' ac 'psephisma.' Et tibi continuo nugari videtur, quisquis e Graeca lingua transferens in Latinam, Latinis vocabulis malit vti quam Graecis? At fortasse asseres 'sagenae' vocabulum apud Latinos etiam autores haberi.
475 Quid tum postea? Si Latinus quispiam vocabulum Graecum mediis Latinis interserat, neque desinit tamen esse Graecum, neque protinus efficitur Latinum, neque enim cuiquam in manu est, omnia vocabula Romana ciuitate donare, nihilo hercle magis quam omnes homines. Neque enim 'psephisma' Latinum verbum
480 est, quamquam Cicero quoque semel atque iterum vsus est, neque 'energia' Graecum esse desinit, etiamsi Hieronymus Latine scribens, vsus est interdum, vel apud eos quos Graece doctos intelligebat, vel non reperiens fortasse Latinam vocem quae commode satis explicaret, vt ita dicam, *τὴν τῆς ἐνεργείας ἐνέργειαν*. At tu
485 parum feliciter imitatus Hieronymum eo verbo passim aliter quam significat abuteris. Vides ergo, dum immissa 'sagena' conaris expiscari quod reprehendas, attracto 'verriculo,' nihil neque verris neque prendis.

Rursum carpis quod parum Latine dici putat, 'nuptiae impletae
490 sunt discumbentium.' Sed asserat dici oportere 'discumbentibus.' Et tu, si superis placet, Erasmum docebis grammaticam. Tum 'Calepinum' ingeris, quasi in sermone Latino non sit amplius vni Erasmo fidendum, quam 'Calepinis' decem. Tum id egregie ridiculum, quod, 'Calepino' citato, nihil aliud adfers tamen quam
495 quod ab ipso mutuaris Erasmo. Vnum tantum reliquisti, quo vno didicisse debueras omnia nihil esse quae dixeris. Nam cum breuiter ostendisset 'impleor' et genitiuo copulari, et ablatiuo, eademque protulisset exempla quae tu, sic rem concludit, vt dicat quamquam Latine dici possit. 'Implentur vini,' tamen hanc orationem non
500 esse Latinam, 'domus impletur hominum.' I nunc et quaeras exem-

463. *scilicet* σαγήνη. 471. *scilicet* ψήφισμα. 486. emissa *Jortin*. 500. I *add. Jortin*.

463. Matt.13:47-8. 492. cf. Ep.15, l.883n.

pla quibus istud conuincas. Iam quod Matth. 6, in oratione dominica, potius vertendum censuit 'remitte nobis debita nostra' quam 'dimitte,' tu censes illum tam manifeste nugari, vt id nemo negari queat; atque id videris tibi ex ipsius verbis colligere. Nam si 'ἄφες,' inquis, 'πολύσημον' est, vt Erasmus annotauit ipse, quis negare 505 potest eum manifestissime nugari, qui 'remitte' potius verti velit quam 'dimitte,' cum vox illa Graeca vtrisque deseruiat, cum 'dimitto' etiam quod secundum priscos illos autores significat 'do' vel 'dono,' satis bene quadret eidem sensui. Hic tu proferas oportet priscos illos autores, apud quos reperisti 'dimittere' idem esse quod 510 'dare'; nam ni hos proferas, quos, opinor, non proferes, tute manifeste nugaris. Ego certe non puto Latine dici, 'dimitte mihi vestem' pro eo quod est 'da mihi vestem.' Praeterea si 'dimittere' idem significat quod 'dare,' non concedam tamen hanc orationem Latinam esse, 'dimitte nobis debita nostra,' sicuti nec hanc ipsam, 515 cuius exemplo tueris eam, 'da nobis debita nostra.' Si tuis auribus idem sonat 'dare debita' et 'remittere debita,' non possum tuo morbo mederi. At quid refert, inquis? nam sensus ex illius 'dimitte' non minus liquet, quam ex huius 'remitte.' Quis negat diuinari posse, quid ille sentiat? nec sequitur tamen orationem eius satis 520 Latinam esse. Nec si quis admoneat quid erret ille, nugatur; sed qui vera monentem redarguit, ille nugatur.

Et si nugatur Erasmus, certe hoc honestius nugatur, quod socium habet Cyprianum, tam sacrum sacrae Ecclesiae Doctorem, qui maluit dicere, 'remitte nobis debita' quam 'dimitte.' 525

Ingens, inquis, ac periculosa temeritas hominis, quod, contra omnium antiquorum Patrum iudicium, in primo capite Ioannis tam solenne mutarit vocabulum, 'Sermo' pro 'Verbum' apponens. Iam id pro confesso sumis, quod est falsissimum, veterum neminem ausum, pro 'Verbo' 'Sermonem' dicere. At tu interim fateris 530 Hieronymum testari quod 'Λόγος' alia significet praeter 'Verbum,' quae satis apte competant in Filium Dei; id quod adeo confirmat Diuus Gregorius Nazianzenus, vt Filium Dei 'Λόγον' appellatum sentiat, non solum quod 'Sermo' sit, aut 'Verbum,' sed quod ratio quoque sit ac sapientia, praeter alia quoque significata 'τοῦ Λόγου,' 535 tanquam Euangelista diuino prorsus consilio id delegente

508. illos *add. Jortin.*

528. Erasmus discusses the translations of ὁ λόγος, but leaves the usual *verbum*, instead of adopting *sermo*. "Verum id quoniam vsqueadeo receptum erat, non sumus ausi mutare, protinus ne quem offenderemus infirmum." (*Annot. in Johan.*i.)

533. St. Gregory of Nazianzus, c.329-c.389, one of the four great Fathers of the Eastern Church, defended the Orthodox cause in Constantinople against the Arians, (*Orat.* XXXVII.ii, and elsewhere) and for it won the title of Theologus.

vocabulum, quod multa complecteretur, quorum quoduis idoneum sit ad significandum Omnipotentis Dei Filium, adeo vt mihi certe, si vlli vocabulo id reuerentiae debebatur, vt integrum atque 540 immutabile seruaretur, quod in 'Κύριε ἐλέησον,' 'Alleluia,' 'Amen,' et 'Osanna' seruatum est, id meritissimo iure videatur huic dictioni 'Λόγος,' oportuisse tribui, quae quum sanctarum significationum mire fecunda sit, a quibus quam cui praeferas haud procliue sit statuere, fuisset non incautum eadem seruata 545 voce nullum fecisse praeiudicium, imo vnico verbo, eoque dissylabo multa pariter Christi vocabula complecti.

Nunc vero quoniam aliter visum est vertentibus, mihi certe videtur proximus esse fructus, vt vertant varie, quo nulla significatio 'τοῦ Λόγου,' quae quidem in Christum competat, aut ignore- 550 tur, aut obsolescat. At Hieronymus 'Verbum' mutare non ausus est. Mirum certe quod non mutauit, quum non esset occasio! Nam quaeso cur mutaret, cum non verteret denuo, sed id quod versum est recenseret? At si vertendum sibi de integro sumpsisset Euangelium, non adeo se putasset veteris Interpretis obstrictum praeiu- 555 dicio, quin sibi liberum arbitraretur aliter vertere, modo verteret bene, etiam si prior Interpres non vertit male, neque enim alia de causa admonuit 'Λόγον' alia quoque significare quam 'Verbum,' quae recte de Filio Dei dicerentur, quam vt id, quod tu negas, ostenderet 'Λόγον' aliter quoque, quam 'Verbum' recte 560 verti potuisse. Nam 'Sermo' et 'Verbum' vbique fere promiscue vertitur in Scripturis, vbicumque 'Λόγον' habet codex Graecus, quanquam nemo est qui nesciat, qui quidem vel tantillum sciat Graece, Sermonem multo tritius 'Λόγον' significatum esse, quam Verbum. At tu rationem adfers—deus bone, qualem!—quare 565 Filius Dei 'Verbum' rectius dicatur, quam Sermo. Nam 'Sermo,' inquis, proprie loquendo, illud est magis quod voce profertur, 'Verbum' vero quod intus mente concipitur, videlicet cogitatio, quae intra animi silentium adhuc conscientiae secreto retinetur, et, si quando foris exierit, sic tamen prodit in publicum, vt intus 570 etiam iugiter teneatur clausum.

Rogo te, quis hoc discrimen te docuit inter 'Sermonem' et 'Verbum'? Nam is e cuius verbis ista, quae de 'Verbo' adfers, excerpsisti, non negat idem etiam posse de 'sermone' dici, neque quisquam est qui non videat eadem ratione interiorem esse mentis 575 'sermonem,' qua 'verbum,' et 'verbum' proprie significare quod voce profertur, sicut et 'sermonem,' quum sentiant, qui verborum scrutantur origines, ab 'aere verberando' 'verbum' esse deductum. Quod si tam 'sermo,' quam 'verbum' significet animi conceptum tantum, rursusque tam 'verbum' quam 'sermo' conceptus expressos voce, vides vt egregia illa ratio, qua mire fultus tibi videbare, collabitur. Quanquam ego non multum certe his in rebus rationi tribuo, quae cognosci, nisi Deo reuelante non possunt. Certus sum Dei Filium recte 'Λόγον' dici, seu 'verbum' intelligatur, seu 'sermo,' seu 'ratio,' seuque 'causa,' seuque aliud eorum quippiam, quae significat 'Λόγος,' seuque omnia; certus sum, inquam, recte 'Λόγον' dici, nam id me docet ille, qui supra pectus Domini in coena recubuit. 580 585

Scioque quod Filius Dei 'Sermo' recte dicitur, ac 'Verbum,' nam his nominibus tota illum appellat Ecclesia Catholica, docti aliquot ac sancti Patres etiam 'Rationem,' sed tota Ecclesia Romana 'Verbum,' et sine vlla exceptione 'Sermonem.' Etenim dum Christi natale hoc solemni cantu concelebrat: 'Quum medium silentium tenerent omnia, et nox in suo cursu medium iter perageret, omnipotens Sermo tuus, Domine! exiliens de coelo, a regalibus sedibus venit'; non est ambiguum, 'Sermonem' dici Filium Dei. Quum vbi nos legimus in Psalmo, 'Verbo Dei coeli firmati sunt,' alii legunt, atque in his Augustinus, 'Sermone Dei coeli solidati sunt'; dubium non est vtrobique significari Filium Dei. Num tibi contradicit Ambrosius, cum dicit, 'Non enim dixit Euangelista, "In principio factum est Verbum," sed "In principio," inquit, "erat Verbum"? Quicunque principium verbi assignare volueris, praeiudicatum habebis, quia "in principio," inquit, "erat," non quod duo principia ex rerum diuersitate dicamus, sed quod Sermo, Filius, semper cum Patre est, et de Patre natus est'? Ad idem facit Hilarius quum dicit, 'Hoc Verbum in principis apud Deum erat, quia Sermo cogitationis aeternus est, quum qui cogitat sit aeternus.' Ad idem facit Lactantius, cuius haec verba sunt, 'Quomodo igitur procreauit? Primum nec sciri a quoquam possunt, nec enarrari opera diuina, sed tamen Sanctae Literae docent, in quibus cautum est, illum Dei Filium, Dei esse Sermonem.' Item alibi: 'Sed melius Graeci Λόγον dicunt, quam nos Verbum, siue Sermonem; Λόγος enim et sermonem significat et rationem.' Ad idem facit Cyprianus, cuius haec verba sunt in eo capite, cui titulum fecit, 'quod Christus idem sit Sermo Dei,' quod sequentibus verbis probat: 590 595 600 605 610

582. congnosci *Ep. aliq. erud.*

596. Ps.32:6 (Vulg.) cf. Aug. *Enarr. in Ps.*XXXII.6. (Migne, *P.L.*36.286.) Amb. *De Fide Orthodoxa contra Arianos.* cap.II. alias *Tractatus de Filii Diuinitate et Consubstantialitate.* (Migne, *P.L.*17.554.)

604. Hil. *De Trinitate* II.15. (Migne, *P.L.*10.61.)

606. Lact. *Diuinarum Institutionum libri septem.*IV.c.VIII,IX. (Migne, *P.L.*6.467,469.) Lactantius was first printed Venice 1478.

613. Cypr. *Testimonia aduersus Judaeos.* lib. II. c.III. (Migne, *P.L.*4.726.)

615 in In Psal. xliiii, 'Eructauit cor meum sermonem bonum, dico ego opera mea regi.' Item in Psalmo, 'Sermone Dei coeli firmati sunt, et spiritu oris eius omnis virtus eorum.' Item apud Esaiam, 'Verbum consummans et breuians in iusticia, quam sermonem breuiatum facit Deus in toto orbe terrae.' Item in Psalmo, 'Misit ser-
620 monem suum et curauit illos.' Item in Euangelio secundum Ioannem. 'In principio erat Verbum, et Verbum erat apud Deum, et Deus erat Verbum. Hoc erat in principio apud Deum. Omnia per ipsum facta sunt, et sine ipso,' etc. Item in Apocalypsi, 'Et vidi coelum apertum, et ecce equus albus, et qui sedebat super eum
625 vocabatur fidelis et verus, aequum iustumque iudicans, et praeliaturus, eratque coopertus, veste conspersa sanguine, et dicitur nomen eius Sermo Dei.' Ad idem facit Augustinus, cum eam sibi sumat Psalterii translationem commentandam potissimum, qua legitur, 'Sermone Dei coeli solidati sunt,' quam lectionem non im-
630 probat, sed asserit idem valere quod nostra valet, qua legitur. 'Verbo Dei coeli firmati sunt,' quum et hic 'Verbum,' et illic 'Sermonem' apertissime censeat esse Filium Dei. Praeterea ad Hebraeos iiii. 'Viuus est enim Sermo Dei,' quo in loco, glossa non interliniaris modo, sed ordinaria quoque, 'Sermonem' aperte declarat
635 esse Filium Dei. Quin Lyranus quoque, cui studium fuit literalem Scripturae sensum explicare, docet euidenter 'Sermonem' idem significare, quod 'Verbum,' atque hoc loco 'Sermonem' non aliud esse quam Filium Dei, atque ad eum modum locum ipsum non ad allegoriam vllam, sed plane literaliter, vt vocant, exponit.

640 At operaeprecium est videre, quum ista fateri cogaris (soluere vero non possis) quam pulchre coneris elabi. Nam plurimum, inquis, interest inter locorum congruentias, vt quod ibi apte positum est, hic minus conueniat. Sed nolo hac in re longius demorari, ne codicem potius quam epistolam excudere videar. Belle profecto
645 subducis te cum breuitatis praetextu recuses dicti tui causam reddere, eius praesertim dicti vnde totius causae summa dependet, idque cum nec ibi finias epistolam, sed tam multum chartae con-

616. firmati *More*; solidati *Cyprian*. 618. *sic Jortin, recte*; quoniam *Cyprian*. 645. causam] sensum *Jortin*.

---

615. Ps.44:2. (Vulg.); Cypr. *op. cit.*
616. Ps.32:6. (Vulg.)
617. Is.10:22,23; cf. Rom.9:28.
619. Ps.106:20. (Vulg.)
620. John 1:1f.
623. Rev.19:11f.
627. Aug. *op. cit.*
633. Heb.4:12.
633. The *Glossa Ordinaria* was composed by the German, Walafrid Strabo (d.849), who made extracts from the Latin Fathers and from his master Rabanus Maurus to illustrate the Scriptures, especially their literal meaning.
The *Glossa Interlinearis* was written above the words in the Vulgate text. It was by Anselm of Laon (d.1117). The Vulgate was often supplied with both *Glossae*.
635. cf. l.244n.

sumas postea in his quae nihil ad rem attinent. Hoc certe scio, si te torseris annum, aliam causam non inuenies vnquam praeter eam quam et commemorasti, et velut inefficacem timide tetigisti, 650 nempe quod 'sermo' potius significat id quod profertur voce quam tacitum mentis conceptum; quam causam, si satis sapuisses, penitus non debebas attingere, vt quae tam contra 'verbum' militat, quam 'sermonem,' nam et 'verbum' proprie conceptum significat prolatum voce. At alia causa nulla potest esse. Nam si tam 655 'Sermo,' quam 'Verbum' significet Filium Dei, non modo qualis erat postquam ex matre natus est, sed etiam qualis erat in sinu Patris, ante susceptam carnem, antequam creatus est orbis, quid comminisci potes, cur ob vllam, vt tu vocas, locorum conuenientiam non possit Filius Dei tam in illo loco 'Sermo' dici, quam in 660 aliis dicitur. Quum Cyprianus probet aduersus Iudaeos Filium Dei esse 'Sermonem' Dei, non solum ex aliis locis, uerum ex illo ipso quoque, 'In principio erat Verbum.' An non vides nihil eum probare prorsus, nisi etiam illo ipso loco, idem esset 'Sermo' quod 'Verbum'? At vt tibi penitus os obstrueret, non solum ita citat 665 locum Cyprianus, verum paulo post his citat verbis, 'In principio erat Sermo, et Sermo erat apud Deum, et Deus erat Sermo.'

I nunc et Erasmum clama⟨s⟩ nouatorem esse verborum, cum audias doctissimum Patrem et sanctissimum athletam Christi, Verbum Dei, pro quo fudit sanguinem, et legisse et appellasse 'Ser- 670 monem' plus annis mille, priusquam nasceretur Erasmus. Qua in re beato Cypriano Diuus Augustinus in commentariis suis super Ioannem apertissime subscribit. Iam quod ais ad tuae causae stabilimentum sufficere, quod sancta mater Ecclesia ex omnium Sanctorum consensu per tot secula tam sacrato sit vsa vocabulo 'Verbi,' 675 istud quomodo tuas partes stabiliat, ipse videris. Erasmo certe non modo non nocet, verum etiam factum eius in primis tuetur atque defendit. Nam cum ille 'Sermonem' vertit, 'Verbum' non reprehendit, nec vetus interpres cum 'Verbum' vertit, 'Sermonem' reiicit atque refellit. Sed ne Ecclesia quidem cum 'Verbum' haberet in 680 vsu, reiecit 'Sermonem,' quem itidem habebat et habet in vsu. Erasmus igitur quum 'Sermonem' vertit, neque contradicit Ecclesiae, nec veterem taxat Interpretem. Rursus cum 'Sermonem' vertit pro Christo, cur non illi quoque debet ad stabilimentum suae causae sufficere, quod vt ipse scripsisti de 'Verbo,' ita quoque sancta 685 mater Ecclesia ex omni Doctorum et Sanctorum consensu, per tot

659. *sic Jortin*; potest *Ep. aliq. erud.* 662. lociis *Ep. aliq. erud.*

661. Cypr. *op. cit.* 673. Aug. *Tractatus I in Euang. Ioh.*

secula tam sacrato sit vsa vocabulo 'Sermonis.' Quis vetabit Interpretem e duobus eiusdem rei vocabulis sumere quod sibi libet? Quis iure in ius vocabit translatorem nouum, quod 'vxorem' verterit quam prior appellarit 'coniugem.' Imo vero, inquis. Nam turbat insuetiore vocabulo simplicem plebeculam.

Itaque cernis quorsum Erasmi istius tendit labor, nempe vt schisma oriatur, vanitas introducatur. Ille, obsecro, turbat simplicem plebeculam, quae quid ille scribat nunquam sit cogitatura, nisi quosdam instigaret inuidia, qui velut alter Cain, quandoquidem e fraterno sacrificio fumum vident ascendere, suum vero deorsum ferri, concidente vultu, quod in ipsis est, innocentem conantur occidere impiis obtrectationibus, oppugnantes agnitam veritatem, populumque simplicem seditiosis excitantes clamoribus, quos vel tacendo quiescere permisissent, vel quos falsa narrando commouerant, eosdem debuerant rursus vera monendo compescere. Alioqui, si quod Erasmus elaborat doctis, id isti, quum tueri se suas partes non posse apud sapientes intelligant, apud indoctum vulgus oblatrent, et importune res litterarias auriculis ingerant illiteratis, ac stultum vulgi plausum captent, quia prudentibus placere non possunt, ipsi nimium schisma mouent. Alioqui si vel his de rebus tacerent apud vulgus vel saltem vera loquerentur, nihil esset schismatis. Nam cur orietur ex eo schisma, quod diuersi diuersa verba transtulerint, cum significata sint eadem? qua in re tuum tibi dictum licebit opponere, quod tute nuper Erasmo obieceras ex Ambrosio, qui dicit, 'Mihi non distat in verbo, quicquid non distat in sensu.' At vereris ne hoc pacto accidat, vt breui innumerabiles habeamus aeditiones, cum haud paucos (vt ais) habeat mundus, qui in Graecanicae linguae scientia Erasmo aut pares sunt, aut certe superiores. Nescio qui numerus apud te superet paucitatem, sed si numerare nominatim coeperis, non dubito quin pares illos infra paucitatem reperias, superiores fortasse infra vnitatem, si Sacrarum Litterarum studium adiunxeris, sine qua, quantalibet etiam linguae peritia, impar huic prouinciae futura sit. Ego certe non dubito Erasmi labores facile effecturos, ne posthac existant multi, qui eadem vertant denuo, nam vt poterunt exoriri facile, qui fortassis vno atque altero loco confisuri sint aliquid sese peruidisse certius, ita neque tam doctum expecto, neque tam audacem quemquam, qui speret aliquando sese, toto rursus vertendo opere, quod Erasmus ante transtulerit, [se] facturum operaepretium.

706. nimirum *Jortin.* 724. toto *om. Jortin.*

695. Gen.4:5.
711. Ambrose, *Expos. in Lucam* II.42. (Migne, *P.L.*15.1568.)

Quamquam si plurimae forent aeditiones, quid id nocuerit? Diuus Augustinus id quod tu times censet in primis esse vtile: dum etiam si pares omnes esse non possent, alius tamen alibi vertit commodius. At interim lector, inquis, reddetur incertus e tam multis, cui potissimum possit credere; istud quidem verum est, si lector plane sit stipes, qui nec ingenium adferat secum nec iudicium. Alioqui si mentem habeat, e variis transferentium versionibus facilius multo possit, vt Augustinus ait, verum quid sit, elicere. Quaeso te, cur tantum periculi metuis e diuersis atque inter se variis translatorum versionibus, qui nihil offenderis, quum tam multiplices legas enarrationes Interpretum, qui nihil variante litera, nihil ipsi inter sese de literae sensu consentiunt, et tum saepe dissentiunt vtiliter, guod studiosis et cogitandi et iudicandi praebent occasionem? Denique quantum prosint aeditiones variae, neque quicquam confundant Ecclesiam, Psalmi saltem tam varie versi lectique declarant; neque enim alia res magis adiuuerit eum, qui in eos pernoscendos operam nauare decreuerit, nisi quis adeo desipiat vti satis esse putet, Viennensis legisse commenta. 730 735 740 745

Omiseram pene quiddam, quod tibi videtur fortissimum, mihi vero tam imbecille atque infirmum, vt vel vno flatu possit euerti. Sed quoniam id perspicio, velut omnium munitissimum, in tuis haberi praesidiis, tua ipsius verba statui recensere, ne me queri possis rationes tuas deprauare narrando. Ais igitur: 'Plane mirari non desino multorum caecitatem, qui bene actum fuisse putant, quicquid ad Graeca vel Hebraica adducitur exemplaria, quum omnibus perspicuum sit, ex Iudaeorum perfidia, Graecorumque variis erroribus, ipsa eorum exemplaria mirum in modum fore deprauata, ac multiplicium erratuum fecibus plena.' Adde quod ex nimia diuturnitate necesse est eadem exemplaria deprauatiora esse, quam nostra. Vt taceam interim, quod Diuus Hieronymus etiam suo aeuo testatus sit, Latina exemplaria emendatiora fuisse quam Graeca, quam Hebraica. Quod tu haec mirari non desinas, ego plane demiror, cum facile possis intelligere, Diuo Hieronymo haec olim omnia et obiecta esse et confutata planissime. Nam primum stultum esse censet, siquis credat gentem aliquam totam conspirare in omnes omnium corrumpendos libros. Qua in re, vt alia praetereantur incommoda, neque spem vllam poterant 750 755 760

759. desinis *Jortin, recte.* 761. plenissime *Jortin.*

735. I cannot identify.

745. cf. Cath. Encyc., *art. Commentaries*, on importance of decree of Council of Vienne, 1311, that chairs of Hebrew, Chaldaean and Arabic be established at Paris, Oxford, Bologna and Salamanca.

765 concipere fore, vt celaretur perpetuo quod facerent, neque dubitare quin reuelata re suis ipsi indiciis cecidisse causa viderentur, cum constaret eos eam fouisse litem, quam faterentur aliter non posse sese, quam codicum deprauatione defendere. Clam vero non potuisse fieri, quod publicitus a toto fieret populo, tu quoque, 770 opinor, vides. Quin et illud, opinor, vides, quum quoque die desciscerent ab Hebraeis ad Christianos aliqui, nec segnius ad Latinos e Graecis, falsatio ista librorum illico venisset in lucem. Praeterea quum vtriusque linguae volumina, non solum apud infideles essent, sed in manibus etiam versarentur orthodoxorum, 775 aut hos etiam in illorum gratiam necesse est suos deprauasse codices, aut ex veris horum exemplaribus illorum redargutam esse falsitatem. Quid quod his in rebus, de quibus nobis est vel cum Graecis, vel cum Hebraeis controuersia, illorum libri cum Latinis consentiunt, nec de litera ferme quaestio fuit vnquam, sed de sensu 780 semper atque sententia? Qua ex re facile potes iudicare, noluisse eos aliis in locis mutare libros, vbi nihil attinebat, quos ibi reliquerunt integros vbi maxime in rem suam fuerat esse mutatos.

At nostra exemplaria veriora sunt, inquis, quam Graeca. Cur igitur suadet Augustinus vt, sicubi dubites, de Latinis codicibus 785 recurras ad Graecos? Sed tu libentius adhaeres Hieronymo, qui scribit (vt ais) etiam suo tempore Graeca exemplaria veriora fuisse quam Hebraica, et Latina quam Graeca. Reliqua, quae congesseras, omnia visa sunt certe facillima. At istud legens, fateor non nihil perculsus sum. Nam Hieronymus apud me nusquam 790 non grauis autor, in hac re merito grauissimus est, qui si fateretur Graecorum libros emendatiores esse quam Hebraeorum, et Latinos quoque quam Graecos, alii fortassis inuenerint aliquam rimam, tamen mihi certe nullum patebat effugium. Caeterum coepi profecto mecum demirari, si quid huiusmodi sentiret Hieronymus. 795 Nam hoc sciebam, nihil illum potuisse dicere quod magis aduersaretur ipsius instituto. Locus non occurrebat mihi, ubi diceret, quod nusquam potius videretur esse dicturus. Dum pressius ea de re cogito, coepi tandem velut per nebulam recordari eiusmodi olim quippiam me legisse in codice Decretorum Pontificum. Cor-800 ripio librum, sperans vt ibi errasse te deprehenderem, nam propemodum diuinabam ex illo desumpsisse te, quod perperam accepisse sperabam. Vbi locum repperi animo plane concidi, atque omnem propemodum abieci spem, ita eius operis glossema dicere comperio eadem ipsa quae te. Etenim quamquam non vsque adeo eius viri, 805 quisquis fuit, qui prodidit hoc commentum, doctrinam timui, quin spes esset posse interdum fieri vt in Hieronymo falleretur;

territus sum tamen diligentia, quam mihi ipsi persuaseram tantam esse adhibitam, vt in istud sacrum Decretorum volumen, quod plusquam adamantinas leges toti praescribit orbi, nihil omnino congereret non intellectum. Verum enim vero Hieronymi prudentiam respiciens trahebar alio, quem plane sciebam nequaquam esse tam stupidum, vt cum Graecorum codicum vicia causatus Instrumentum Vetus decreuisset ad Hebraicam repurgare veritatem, ac Latinorum sordes, quas in Nouo Testamento contraxerant, ad Graecorum fontes emendare, idem tamen fateretur exemplaria Graeca veriora esse quam Hebraica, et Latina quam Graeca; quo quid eius proposito dici potuit aut magis confingi contrarium? Hec reputanti mihi, coepit animus eo tandem vergere, vt Glossematis potius diligentiam, quam Hieronymi prudentiam suspectam haberem. Itaque verti me ad locum. Est enim in fine illius Epistolae quae incipit, 'Desiderii mei.' Deus bone, quam foede lapsum glossematis autorem video! Nam locus apud Hieronymum sic habet: 'Aliud est si contra se postea ab Apostolis vsurpata testimonia, probauerunt, et emendatiora sunt exemplaria Latina, quam Graeca, Graeca quam Hebraica.' Quum enim aliis respondisset obiectionibus, quas aemulos obiecturos putabat, ostendit tandem indignos esse responso, si qui tam insigniter essent stulti, vt exemplaria Graeca veriora crederent, quam Hebraica, et Latina quam Graeca. Quam loquendi figuram non intelligens iste, amputatis aliquot verbis, a quibus tota sententiae pendet vis, reliquum sic adducit, vt quod Hieronymus existimauit neminem esse tam stultum qui dicat, id iste illum ipsum dicat dixisse Hieronymum. I nunc atque istis crede Summulariis, quibus nunc adeo creditur, vt ferme pro superuacaneis habeantur illi e quorum spoliis suas isti Summas conflauerunt.

Vbi versionem eius atque annotationes velut acropolim debellasti, strenue iam minora quaelibet oppidula veluti praedabundus inuadis. Atque in primis, insilis in *Moriam*, amplam quidem illam et populo frequentem vrbem, quam tamen, quoniam muliebri imperio regitur, quae et ipsa non consilio militum, sed temere atque ex libidine rem consueuit gerere, nullo negocio speras expugnari posse. Verum heus tu, hac in re praedico tibi non esse tam facilem expugnatu, quam putas. Nam primum, vt Salomon ait, Stultorum infinitus est numerus. Deinde quod ingenio deest, supplet audacia. Certe vt in ciuem haud grauatim admiserint, si

810 815 820 825 830 835 840 845

808. istud *om. Jortin.* 838. *scripsit Jortin*; nisi lis *Ep. aliq. erud.*

821. Jer. *Praefatio in Pentateuchum.* (Migne, *P.L.*22,152A.) 844. Ecclesiasticus 1:15.

ambias adscribi, ita vt victorem nunquam patientur, parati vel morti deuouere sese citius quam cuiquam pareant. Verum omisso ioco, illa ipsa *Moria* minus habet Moriae, plus etiam pietatis, quam habent eorum plaeraque, quae vestri quidam—sed reprimam me,
850 quanquam illud interim non verebor dicere—quam habent orationes quaedam rhythmicae, quibus vestri quidam sese sibi putant omnes deuincire Diuos, [vt] quoties eorum laudes tam stultis celebrant naeniis, vt stultioribus non possit, si quis nebulo maxime studeret illudere, et tamen harum nugarum hodie nonnihil irrep-
855 sit in templa, tantamque accipit indies autoritatem, praesertim ab adiuncta musica, vt iam multo minus erga sobrias ac serias a sanctis olim Patribus ordinatas preces adficiamur, quum nonnihil intersit rei Christianae, vt Pontifices, quod eos aliquando facturos non dubito, omnibus istiusmodi prorsus interdicant ineptiis, ne
860 callidus hostis efficiat, vt Christi grex, quem ille vt simplicem esse voluit ita voluit esse prudentem, paulatim assuescat amplecti pietatis loco stulticiam.

Moriae patrocinium non suscipiam, quippe quum non sit opus. Nam et liber iam diu probatus est, optimi cuiusque iudicio, et
865 aduersus inuidorum calumnias Erasmi iam olim Apologia defensus, cum eorum nomine Dorpius, vir et prophanis literis et sacris eruditissimus, quicquid ab illis excogitari poterat coaceruasset, et ne praeuaricari videretur, eloquenter excoluisset etiam, vt tibi iam difficile fuerit obiicere, quod non sit ante reiectum, nisi quod
870 vnum prorsus inuenisti nouum quod ingeras, quum Erasmum dicis in *Moria* Moscum quendam agere, quod ego certe conuicium, fateor, non possum refellere. Quippe qui quid sibi velit, aut quis is fuerit Moscus, prorsus non intelligo. Neque enim tam stulte sum arrogans, vt doctior affectem videri, quam sum. De Momo quodam
875 audiui saepe, cui an cognomen forte Moscus fuerit, ego certe non comperi.

De *Iulii Dialogo,* neque cuius sit, neque cuiusmodi sit, mihi

851. rithmicae *Ep. aliq. erud.* 852. vt *om. Jortin.* 866. vir *om. Jortin.*

---

866. cf. Ep.15, More to Dorp.

871. Moschus: a rhetorician of Pergamus.

874. Momus, in Greek mythology the son of Night, was the personification of censoriousness, the lampooner of the gods. He is represented sometimes as young, sometimes as old, and as carrying a fool's bauble.

877. The *Dialogus, Iulius Exclusus e Coelis* was quite certainly by Erasmus. It was probably written in 1513 or 1514 soon after Julius II's death. Erasmus always tried to give the impression that he had not written it, but there is evidence of a manuscript copy of it in Erasmus' handwriting. (cf. More's Ep.31; Allen II.502 and introd.; Ferguson, *Erasmi Opuscula*, pp.38-124 for the dialogue itself and introd.) Ferguson shows that it was not by Faustus Andrelinus.

nunquam valde libuit quaerere, quum de vtraque re varias audierim sententias; hoc certe scio, protinus defuncto Iulio, rem Parisiis ludis actam publicis. Multi sciunt Reuerendum Patrem Pon- 880 cherium, Parisiensis vrbis Antistitem, qui huc Legatus venerat, librum vendicasse Fausto, quod vt verum fuerit, nihil impedit Erasmum, cui Faustus non ignotus erat, librum apud se quoque, priusquam excuderetur, habuisse. Nam quod ex stilo rem conuincis, quem Erasmi suum atque ipsissimum esse confirmas, non pos- 885 sum mihi temperare quin rideam, reputans mecum, quod quum non permittis Erasmo, vt ex stilo quicquam iudicet in Hieronymianis operibus, is cui, quod omnibus in confesso est, omnes orationis virtutes sunt exploratissimae, tu, qui quid sit stilus aut phrasis explicare non possis, arroges tamen tibi, vt ex stilo discernas Eras- 890 mica, in tanta literatorum turba, quorum quisque, quoad potest, Erasmicam dictionem conatur imitari. Iam pone librum illius esse, pone hominem infensum bellis, iratum turbulentis temporibus, aliquo animi impetu profectum latius quam, pacatis post illa rebus, tranquillatis affectibus optauisset; primum magis hoc 895 erat imputandum his, qui librum suo tempore scriptum, tempore non suo vulgauerunt. Deinde, quaeso, hoccine monachi fuerat, errorem fratris eruere, cuius officium postulet, potius vt solitarius sedeat, ac sua peccata defleat, quam vt aliena coarguat? Quod si quem liber offenderit, apud hos, opinor, malam inibis gratiam 900 libellum asserens illi, quando magis eorum e re fuerit opus, vt sit adespoton, quam ab autoris aestimatione commendetur.

Lutherus qualia scripserit, viderint quibus vacat. Erasmus certe, si quid ille scripsit, non dubito quin ita scripsit, vt virum bonum decet, neque tu aliquid habere te certi significas, nec tamen in- 905 terim quoad habeas, potes abstinere conuiciis, credo ne tantisper voluptate careas illius belli dicterii, dignum patella cooperculum, cuius vnius illecebra videris in Erasmi ac Lutheri mentionem esse pertractus. Nam mirum est vt vbique affectas esse facetulus. At ego immodicum istud ocium demiror, quod in schismaticos haere- 910 ticosque libros tibi liceat, si modo vera dicis, impendere, nisi tanta bonorum inopia est, vt tempus breue insumere cogaris in pessimos. Nam si boni sunt libelli, cur damnas? Si mali, cur legis? cui

899. *sic Jortin*; coarguatur *Ep. aliq. erud.* 902. ἀδέσποτος.

881. The fact that Stephen Poncher attributed the dialogue to Faustus Andrelinus does not necessarily mean that More agreed. (Allen II, p.420.)

Ferguson (*op. cit.* pp.44-45) shows how circumstances had changed after the writing of the dialogue. Erasmus had now published his edition of the New Testament, dedicated to Leo X, and such an attack on his predecessor was published at a most inopportune time.

907. cf. Otto, p.267.

quum non ea facultas possit obtingere, vt sis idoneus, qui de refel-
915 lendis erroribus admoneas mundum, cuius et curam abdicasti, cum temet in claustrum abderes, quid aliud facis peruersa legendo quam discis?

Nec satis esse video, quod in malos codices bonas horas colloces, nisi plurimum temporis etiam in sermones et confabulationes
920 etiam adhuc deteriores codicibus malis absumas; ita nihil vsquam gentium esse video rumoris, obtrectationis, infamiae, quod non in cellam recta proferatur ad te. Atqui legimus olim fuisse monachos, ita penitus mundo subducentes sese, vt ne literas quidem ab amicis missas legere sustinuerint, ne vel respicere cogerentur Sodomam,
925 quam reliquerant. Nunc vero, et haereticos, vt video, libellos perlegunt, et schismaticos, et immensa meris nugis referta volumina. Nunc quicquid audire verebantur in seculo, et ne audire cogerentur, in claustra fugerunt, callidus hostis ingerit fugientibus arteque pertrudit in cellas. Nec aliud illis praestat cultus ille
930 eximius, nisi vt facilius inponant incautis, nec aliud praestat ocium, nisi vt magis vacet maledicentiam adornare, nec aliud secessus, nisi vt nihil pudeat ab hominum oculis semotos, nec aliud occlusae cellulae, nisi vt liberius obtrectent alienae famae. In quas quisquis ingreditur, primum Oratione Dominica propiciat Deum, vt collo-
935 quium illud sanctum esse ac salutare iubeat. At quid prodest ab Oratione Dominica infamatricem ac detractatoriam auspicari fabulam? Quid est, si hoc non est in uanum sumere nomen Dei? Hic multo nimirum maxime locum habet quod ex Euangelio citas in Erasmum. Nam certe non omnis, qui sic Deo dicit, Domine,
940 Domine, intrabit in Regnum Coelorum. Itaque quum literas istas tuas intueor, tam plenas obiurgationis, conuicii, detractationis ac scommatum, menteque rursus mecum reputo candorem illum vereque amabilem indolem adolescentiae tuae, quae tam longe tibi ab huiusmodi viciis aberat, quam adesse per aetatem, tum
945 ac vitae statum poterat excusatius, certe si reliquos mores tuos, ab ista spectarem Epistola, admonerer haud dubie illius Ouidiani carminis, quo Deianira perstringit Herculem:

> 'Coepisti melius quam desinis: vltima primis
> Cedunt; dissimiles hic vir et ille puer.'

950 Verum enim vero non sum tam iniquus vt totum te ab vnis existimem literis, imo libentius inclinor vt credam, quo tu reliquis morum tuorum partibus melior es, ac sanctior eo Daemonem

924. Gen.19:17.
937. Exod.20:7.
940. Matt.7:21.
948. Ov. *Heroides Ep.*ix,23-24.

quempiam infestius tuis inuidere virtutibus, atque ex insidiis emicantem vehementer eniti, alias eius pedicas euitantem te vna saltem eaque insidiosissima comprehendere, atque ad se pertrahere, dum 955
se transformans in Angelum lucis, nobis perstringit aciem, vt videntes non videamus, sed hallucinantibus oculis atra candescant et nigrescant candida, virtus aliena sordeat, nostra nobis niteant ac blandiantur vicia, dum alienam famam incessere, vocatur fraterna monitio. Ira atque inuidia ducitur feruor ac zelus in Deum. 960
Inscitia vero simplex et sancta rusticitas appellatur; arrogans ac pertinax animus, fortis et infracta constantia; denique dum aliquo semper praetextu profectus alieni, nostris obsecundamus affectibus, iisdemque fere deterrimis.

Quemadmodum in his ipsis quas scripsisti literis, quasi dum 965
me admones, Erasmo detrahis. Neque tamen eorum quae in illum tam acerbe coniicis quicquam in illum competit, plaeraque vero in tuum caput recta recidunt. Nam stilum carpis vt affectatum, quum tui soloecismi plus oleant olei, quam illius elegantiae. Illius incessis mordacitatem, et omnia clamas illum canino dente corrodere, 970
cum tute his vnis literis plus arrodas illum, quam ille vnquam quenquam. Imo si quis libros eius omnes, si quis omnes percurrat Epistolas, si quodcumque vnquam scripti genus emanauit ab illo, a quo emanarunt tam numerosa volumina, atque ex his vndecunque in vnum congerat cumulum, quicquid vnquam mali 975
scripsit in quenquam, idque etiam tacitis eorum quos attingebat nominibus, quum non deessent quoque, qui multa essent acerbiora commeriti, tamen is ipse cumulus multo erit humilior hac tua mole, coaceruandis in illum conuiciis, idque etiam nominatim, videris exuperare pyramides, cum his te nihil vnquam quicquam 980
offenderit, quum tua studia suis etiam scriptis adiuuerit, teque incompensabili beneficio adfecerit.

Illum vociferaris arrogantem, quod ausus est aliorum errata taxare, tu tibi nimirum videris esse modestus, dum in illo carpis quae recta sunt, dum ea reprehendis quae laudant hi, quorum 985
iudicio reclamare non vulgaris est immodestia, e quibus tibi commemorare multos possem, eosque virtutis et doctrinae gratia celeberrimos, qui certatim illi vndique gratias agunt, quod tantum eius labore profecerint. Verum exteros praetermittam omnes, quorum, quod tibi sint ignoti, fortassis autoritatem effugies; 990
vnum atque alterum ex nostris nominabo, tales vt his dissentire sit impudens. Nomino, atque adeo honoris causa nomino, Reueren-

971. illum] eum *Jortin.* 979. mole] qua *add. Jortin, recte.*
980. his] is *coni. Jortin, recte.*

dum in Christo Patrem Ioannem Ecclesiae Roffensis Antistitem, virum non literis magis quam virtute nobilem, quibus hodie nemo
995 viuit illustrior. Coletum nomino, quo uno viro neque doctior neque sanctior apud nos aliquot retro seculis quisquam fuit. Horum extant literae, nec ad Erasmum modo scriptae, in quibus aliquid gratiae datum videri possit (ni tales essent illi, qui nulli prorsus mortalium suo mendacio in aliorum praesertim damnum
1000 vellent gratificari), sed ad eos datae quos omnibus inhortantur modis, vt Erasmi versionem diligenter perlegant magnum ab ea fructum reportaturi. Dominus Ioannes Longland, Decanus Salisberiensis, alter, vt eius laudes vno verbo complectar, Coletus, ceu concionantem audias, ceu vitae spectes puritatem, fateri non cessat
1005 ex Erasmicis operibus in Testamentum Nouum plus sibi lucis accessisse, quam ex reliquis fere quos habet commentariis omnibus. Non est cur alios commemorem, si credas istis, minus etiam, si non credis istis. Quibus enim credas hac de re si non credas talibus?

1010 Certe multum tibi sumis, quum quam rem isti tantopere laudant, tu magnifice vituperas. Quid quod Summus Pontifex, quod tu vituperas, bis iam accurate probauit? Quod Christi Vicarius velut diuinae vocis oraculo pronunciauit vtile, id tu puer propheta Altissimi vaticinaris esse damnosum. Quod ex arce religionis
1015 summus ille Christiani orbis princeps suo testimonio cohonestat, id tu monachulus et indoctus et obscurus ex antro cellulae tuae purulenta lingua conspurcas. Hic tibi nimirum curandum est, vt facias ipse quod Erasmo consulis, nempe ne plus sapias quam oportet sapere, sed sapias ad sobrietatem. An non hoc quod facis, istuc
1020 ipsum est quod illi rursus obiicis, iusticiam Dei ignorare, ac tuam velle constituere: quum quod Summus Pontifex studiosis omnibus pio toties affectu commendauit, id operis ipse non dubitas improbe condemnare?

Quam in rem velut fundamentum substernis Erasmum prorsus
1025 esse Scripturarum inscium, tu videlicet omniscius, in quas ille

1002. *sic Jortin*; Landland *Ep. aliq. erud.* 1004. seu *Jortin.*

---

993. For Bishop Fisher's praise of Erasmus' edition of the New Testament, cf. Allen II.432. Colet's letter to Erasmus is found *ibid.*423, but More evidently quotes Colet's letter to another correspondent.

1002. John Longlond (1473-1543) was educated at Magdalen College, Oxford, and was later principal of Magdalen Hall. He was ordained priest, proceeded doctor of divinity, and in 1514 was made dean of Salisbury, which preferment he held until his consecration as Bishop of Lincoln in 1521. He was very severe in putting down heresy, but supported royal supremacy and, for a time, the royal divorce. (D.N.B.)

1012. cf. Allen II.519 from Leo X, praising Erasmus' erudition, and *op. cit.* III.864, which speaks particularly of the New Testament.

pernoscendas haud multo pauciores insumpsit annos quam tu vixisti; quem an tu ingenio superas, aut diligentia, non excutio: hoc certe scio, quod mihi fas est etiam saluo honore tuo dicere: non vsque adeo superas, vt tam longe minore tempore possis efficere quod ille tam longe maiore non possit. Et tamen illum iam in 1030 Scripturarum studio senescentem, mirum est quod immodeste tu iuuenis *αὐτοδίδακτος*, imo cui nunquam vacauit discere, *γερονταγωγεῖς*; mirum est quam tibi videre sciolus quoties talibus agis argumentis, quae te manifeste produnt rem non intelligere. Sed tum demum praecipue rem te fecisse magnam putas, quoties e 1035 Sacris Voluminibus corrasis hinc inde centonibus in illum lusitas: et non aliter verbis Sacrae Scripturae scurraris quam in comoediis parasiti solent ludere dicteriis. Qua re vt nihil est improbius, ita nihil est vsquam facilius.

Vsque adeo vt quidam nebulo mimicus, cum nuper imitaretur 1040 habitu, voce, vultu, gesticulatione, concionantem Fratrem atque in medio sermone, quem totum concinnarat ex Sacris Literis obscoenum atque ridiculum, narrationem quoque de more quibusdam solemni Fratribus insereret, sed impudicam, nempe de fraterculo procante ac viciante mulierculam. Is nebulo illam ipsam 1045 tam foedam spurcamque fabulam tamen adeo infarsit centonibus Scripturarum, vt neque dum procatur fraterculus, neque dum conspurcatur adultera, neque dum res superueniente marito deprehenditur, neque dum deprehensus comprehenditur, neque dum comprehenso vterque testis execatur, interim aliud verbum vllum 1050 quam e mediis Scripturae Sacrae codicibus depromeretur; atque ea omnia quamquam ad rem ex diametro diuersam, tamen applicata tam commode, vt nemo tam seuerus esset qui risum continere posset; quum nemo contra tam esset ridiculus, qui non indignaretur ad illiusmodi nequitias Sacris illudi Literis. Nec deerant 1055 tamen, qui dicerent occulta quadam Dei dispensatione contingere, vt quando Fratres plerique iam diu Verbum Dei adulterare consueuerint, existerent aliquando Fratromimi, qui contra fratres et fratrissarent, suoque ipsos exemplo confunderent, et velut suo, quod aiunt, gladio, iugularent. 1060

Verum si nefas est, vt certe est, abuti Sacris Literis ad lasciuiam, aliquanto adhuc magis nefas est, si quis, quod tu facis, in alterius abutatur infamiam. Quod nihilo facis excusatius quia mihi scribis, quem illi scis amicum esse. Imo tanto peccas impensius. Etenim

1031. quam *Jortin.*　　1038. luderere, *Ep. aliq. erud.*

1060. Ter. *And.*958.

1065 si ista praedicasses apud quempiam, cui Erasmus esset odio, alienasses duntaxat eum, qui iam ante fuisset alienus. Nunc vero quoad per te fieri potest, auulsisti coniunctissimum. Quam ob rem, quod ante dicebam, quum adolescentiae tuae mitem illam ac modestam indolem animo mecum reuoluerem, non potui profecto, vt non 1070 dolere satis, ita nec satis vsque admirari nascentem istam tibi maturioribus annis, in eo vitae statu, quae tota non humilitatem modo, sed et despectum sui profitetur, (vt ne quid dicam grauius), immodestiam. Cuius ego rei causas, dum tacitus atque admirabundus inquiro, praeter hostem illum communem, cuius occulto sug-1075 gestu, prope vniuersa vicia, velut ab impuro fonte permanant, praeterque satellites eius quosdam, quorum inuidiam video, simplicitatem tuam, suis infecisse virulentiis, sentio certe nonnullam huius veneni partem, ex affectu quodam suboriri tibi, non nouo quidem illo, nec inusitato mortalibus. Caeterum quo non alius 1080 humanas res grauioribus malis afflixerit. Is est affectus ille quo quisque fere occulto quodam fauore sui, sic in suum propendet ordinem, vt eius vicia nec ipse cernere, nec ferre possit indicantem. Hoc ipso affectu hallucinatum te zelo quodam video, sed imperito stimulari, vt religionum studio de illo dicas male, qui de religiosis 1085 omnibus impendio meretur bene, nec vsquam tamen impensius, quam quum idipsum agit, quod tu calumniando conaris in odium atque inuidiam trahere. 'Nam quoties oblatrat,' inquis, 'contra sacra religionis instituta, contra deuotas religiosorum ceremonias, contra vitae asperitatem, contra sanctam solitudinem, demum 1090 contra omnia, quae suae vagabundae minime correspondent vitae et conuersationi?' Haec tua verba quum legerem facile certe deprehendi, quod te calcar extimulet, nempe zelus in religionem tuam. Equidem haud dubito neminem esse virum vsquam bonum, cui non religiosorum ordines omnes eximie chari cordique sint, 1095 quos et ipse certe non amaui modo semper, verum etiam perquam reuerenter colui, vtpote suetus praehonorare pauperrimum commendatione virtutis, quam si quem vel nobilitent diuitiae vel natalium splendor illustret. Verum enimuero quemadmodum cupiam reliquos mortales omnes vos, ac vestros Ordines eximia 1100 quadam charitate prosequi, exigentibus id meritis nimirum vestris, quorum ego suffragiis huius orbis miseriam nonnihil leuari crediderim. (Nam si multum valet oratio iusti assidua, quantum necesse est valeat oratio tam indefessa tot milium?) Sic e diuerso

1075. *sic Jortin*; permaneant *Ep. aliq. erud.* 1103. *correxi*; indefesso *Ep. aliq. erud.*

1084. For Erasmus' opinion of monasticism, cf. his letter to Lambertus Grunnius (Allen II.447; translated by Mangan, *Erasmus of Rotterdam*, i, pp.9-28.)

1103. Multum enim valet deprecatio iusti assidua. Jas.5:16.

optauerim, ne vos quidem ipsos tam prauo studio vobis indulgere, vt si quis res attingat vestras, laboretis aut benedicta narrando depprauare, aut perperam interpretando bene cogitata corrumpere. 1105

Nescio quid eius verba tuo palato sapiant sic adfecto, verum hoc certe scio, neminem hactenus repperisse me, qui quae scripsit ille, sic acciperet, tanquam religiosorum reprehendat ceremonias, sed eos potius, qui vel superstitiosius abutuntur, vel innituntur periculosius, ac rem ex se non malam sua freti stulticia, vertunt in perniciem. Qua ex sorte plus satis esse multos, tu quoque, opinor, quantumuis in tuos propensus, non inficiabere, neque enim quicquam est vsquam tam sanctum, quod callidus hostis non satagat aliqua semper techna viciare, qui vt est Deo omnibus in rebus oppositus, conatur haud aliter ex nostris bonis operari mala, quam ex malis nostris bona peragit Deus. Quam multos inuenies, qui suae sectae ceremoniis haud paulo plus quam ipsis Dei praeceptionibus incumbunt? An non integros reperias Ordines, qui propter suos ritus cum aliis digladiantur Ordinibus? Dum semet inuicem student non esse quidem, sed haberi sanctiores, idque de priuatis vtrinque ceremoniis, iisdemque crebro non vsquequaque necessariis, quum de seriis interim magisque ad rem pertinentibus, tam omnes in commune consentiant, quam non admodum anxie quidam curant obseruare. In quas factiones, in quot sectas idem se scindit ordo? Tum qui tumultus? quae consurgunt tragoediae, vel ob alium colorem, vel ob aliter cinctam vestem, aut aliud quippiam ceremoniale, si non omnino despuendae, at certe non satis dignae, propter quam exulet charitas? Quam multi sunt, quod multo certe deterrimum est, qui religionis freti fiducia, sic intus cristas erigunt, vt spaciari sibi videantur in coelis, ac solaribus insidentes radiis humi repentem populum tanquam formicas e sublimi despicere, nec id prophanos modo, verum sacerdotum quoque quicquid est extra septa illa claustrorum? ita plaerisque nihil est sanctum, nisi quod faciunt ipsi. 1110 1115 1120 1125 1130 1135

Multum prouidit Deus, cum omnia institueret communia, multum Christus cum in commune conatus est rursus a priuato reuocare mortales. Sensit nimirum corruptam mortalitatis nostrae naturam non sine communitatis damno deamare priuatum; id quod res omnibus in rebus docet. Nec enim tantum suum quisque praedium amat, aut suam quisque pecuniam, nec suo duntaxat generi studet, aut suo quisque collegio, sed vt quicque est quod aliquo modo vocamus nostrum, ita in se illud affectus nostros 1140

1122. *sic Jortin*; deprauatis *Ep. aliq. erud.* vsquequaque *Ep. aliq. erud.*
1123. seriis] *sic Jortin*; sociis *Ep. aliq. erud.*
1143. *sic Jortin*; vocemus *Ep. aliq. erud.*

a communium cultu rerum seuocat. Sic nostra quoque ieiunia
1145 publicis anteponimus. Sicubi diuum quempiam selegimus nobis,
pluris illum saepe, quam decem potiores facimus, nempe quod ille
sit noster, quum reliqui diui sint omnium. Iam si quis taxet huiusmodi, non is plebeculae damnat pietatem, sed admonet potius, ne
pietatis praetextu surrepat impietas. Nam vt nemo gentem aliquam
1150 reprehenderit, quae diuum quempiam nominatim idonea de
causa coluerit, ita nonnullis fortasse videbuntur suae pietati plus
satis obsequuti quidam, qui in sui diui peculiarem gratiam diuum
hosticae gentis praesidem detractum templo proiecerint in coenum.
Atqui ritus huiusmodi priuataeque ceremoniae, vt interdum male
1155 cedunt apud nos, ita non semper, opinor, apud vos cedunt bene.
Sed apud plaerosque, vt quicquid magis est proprium, ita plurimum habetur in precio. Hinc pluris multi caerimonias aestimant
suas, quam coenobii, coenobii quam ordinis; tum quicquid est
ordini proprium, quam quae sunt omni religioni communia, sed
1160 ea tamen quae sint religiosorum, pluris aliquanto faciunt, quam
vilia illa atque humilia, quae non sint illis vllo modo priuata, sed
cum omni prorsus populo Christiano communia, cuiusmodi sunt
virtutes istae plebeiae, fides, spes, charitas, Dei timor, humilitas,
atque id genus aliae.

1165 Nec enim nouum est istud. Imo iamdiu est quod Christus populo
exprobrauit electo. 'Quare et vos transgredimini mandata Dei
propter traditiones vestras?' Negabunt ista, non dubito, etiam
hii qui faciunt. Quis enim tam vecors est, vt fateatur pluris se
facere ceremonias suas, quam praecepta Dei, quibus nisi paruerit,
1170 illas ipsas nouit inutiles? Verbis, haud dubie, si rogentur, recte
responderint, factis, fidem dictis abrogabunt. Mentiri credar, ni
sint religiosuli quidam certis in locis tam obstinati silentii, vt in
quadris ambulacris illis magno conduci non possint, vt vel sum-
missi mussitent, qui pedem latum in alterutrum subducti latus
1175 haud vereantur atrocibus intonare conuiciis. Non desunt qui
metuerent superventurum Daemonem, qui viuos in orcum auferat,
si quippiam consuetarum demutarent vestium, quos nihil mouet,
quum pecuniam congerunt, aduersantur Abbati, ac subinde sup-
plantant. An paucos esse putas, quibus habeatur multis lachrymis
1180 expiandum piaculum, si versiculum omitterent in precibus horariis,
quibus ne scrupulus quidem timoris vllus oritur, quum sese pessimis, atque infamatricibus impiant fabulis, iisdemque longissimis
etiam precibus longioribus. Ita nimirum culicem comminuunt,
elephantem deglutientes integrum.

1167. Matt.15:3.

1184. Matt.23:24; camelum autem glutientes.

Sane multo sunt plures quam vellem, qui vel ipso religiosi titulo 1185
longe supra mortalium sortem sibi videntur ascendere. Sed horum bona pars deliri magis quam mali, qui tam suauiter insaniunt, vt quicquid illis amens dictat animus, id protinus sic accipiunt velut inspiretur a Deo, et sese credunt interim in tertium rapi coelum, quum verius arrepti sint in tertium gradum phrenesis. At illi 1190
multo furunt periculosius, qui vsque adeo superbiunt, ac sibi videntur sanctuli, vt non contemnant modo, verum condemnent etiam reliquos mortales omnes prae se, nec alia fere de causa quam quod superstitiose nimium suis inhaerent ritibus, suis gloriantur obseruantiolis, quibus nonnulli sibi tum quoque videntur tuti, 1195
quum talibus fulti patrociniis quodlibet armantur ad facinus.

Equidem noui quendam instituto vitae religiosum idque ex eo genere quod hodie ducitur, et vere ducitur, vt ego certe sentio, religiosissimum. Is quum non iam nouicius, sed qui multos annos in regularibus, vt vocant, obseruantiis insumpsisset, eoque promo- 1200
uisset in illis, vt etiam praeficeretur coenobio, Dei tamen praeceptorum quam monastici ritus indiligentior, e vicio in vicium prolabitur, eo tandem progressus, vt scelus omnium atrocissimum, et supra quam credi possit execrandum destinarat animo, imo non simplex scelus, sed multiplici foecundum scelere, vt qui decreuerit 1205
addere caedibus et parricidio sacrilegium. Qui quum tot patrandis facinoribus impar sibi solus videretur, aliquot ad se sicarios ac sectores asciscit, conficiunt facinus omnium, quae quidem ego audierim, immanissimum. Comprehensi coniiciuntur in vincula. Neque rem tamen explicare decreui, et nominibus abstinebo noxio- 1210
rum, ne quid obsolescentis inuidiae, ordini renouetur innoxio. Verum (vt quam ob rem institui narrare persequar) ab illis ego sceleratis audiui sicariis, cum ad religiosulum illum ventitarent in cubiculum, nunquam ante tractasse de flagitio quam in priuatum eius introducti sacrarium Diuam Virginem, flexis de more popliti- 1215
bus, Angelica salutatione propitiassent. Ea re rite peracta, tum demum pure pieque consurgunt ad infandum facinus. Atque vt illud quod dixi facinus multo fuit atrocissimum, ita quod nunc dicam longe quidem in speciem mitius, ipsa re fortasse, nec multo minus nocuit, certe multo nocuit latius. 1220

Erat Conuentriae fraterculus quidam ex eo Franciscanorum numero, qui nondum ad Francisci regulam sunt reformati. Is in vrbe, in suburbiis, in finitimis, in circumiectis oppidulis praedi-

1191. *sic Jortin*; furiunt *Ep. aliq. erud.* 1200. *sic Jortin*; obseruatiis *Ep. aliq. erud.*

1189. II Cor.12:2.

1221. More so spells, but the name Coventry is from O.E., "tree by the cove," or "tree of Cofa." Convent, M.E. couent, is impossible. (Jas. B. Johnston, *Place Names of England*, p.217.)

cauit: Quicunque Psalterium beatae Virginis oraret quotidie, nunquam posse damnari. Pronis auribus audita res est, et libenter credita, quae viam tam procliuem aperuisset in coelum. Ibi pastor quidam, homo probus et doctus, etsi stulte dictum esse censebat, tamen aliquantisper dissimulat, ratus ex ea re nihil etiam oriturum mali. Populum enim quo effusius in beatae Virginis cultum sese daret, eo plus hausturum pietatis. At vbi tandem recognoscens ouile deprehendit ea scabie vehementer infectum gregem: pessimum quenque in illo Psalterio maxime religiosum esse, non alia mente, quam quod sponderent sibi, quiduis audendi licentiam; neque enim phas habebant quicquam dubitare de coelo, quod tam grauis autor, fraterculus e coelo lapsus, tanta cum fide promiserat. Tum vero tandem coepit admonere populum, non minus esse fidendum, si Psalterium psallerent, etiam si vno die decies, bene certe facturos, qui bene dicerent, modo non ea dicerent fiducia, qua iam nonnulli coeperant; alioqui satius esse vti et preces ipsas omitterent, modo et facinora quaedam, quae sub earum patrocinio fidentius committebantur, omitterentur simul. Haec quum e suggestu diceret, mirum quam indignanter aditur, exibilatur, exploditur, passimque velut hostis Mariae traducitur, frater alio die conscendit pulpitum, orditur ab eo themate, quo maxime perstringat pastorem, 'Dignare me laudare te, Virgo sacrata; Da mihi virtutem contra hostes tuos.' Nam eodem themate Scotum quendam disputaturum Parisiis, de Virginis immaculata conceptione ferunt vsum, qui Lutetiam in momento delatum, periclitante scilicet alioqui beata Virgine, milia passuum plusquam trecenta mentiuntur. Quid multis opus est verbis? facile persuadet volentibus frater, et fatuum et impium esse pastorem.

Dum res flagrabat maxime, fors accidit, ipse vt Conuentriam peterem, visurus ibi sororem. Vix equo descenderam, quum proponitur et mihi quaestio. 'An qui quotidie precaretur Psalterium beatae Virginis, damnari possit.' Irrisi problema ridiculum. Admoneor illico periculose factum, quod sic responderim, Sanctissimum quendam Patrem eundemque doctissimum contra praedicasse. Contempsi rem totam, vt quae nihil attineret ad me.

1234. *sic Ep. aliq. erud.*; *sc.* fas. 1247. immaculatae *Ep. aliq. erud.*

1247. The doctrine of the Immaculate Conception was denied by Bernard of Clairvaux, Thomas Aquinas and Bonaventura, but the arguments advanced in its favor by Duns Scotus gradually prevailed. The bull *Ineffabilis Deus* of Pope Pius IX in 1854 stated, "The doctrine which holds that the Blessed Virgin Mary, from the first instant of her conception, was, by a most singular grace and privilege of Almighty God, in view of the merits of Jesus Christ, the Redeemer of the human race, preserved from all stain of Original Sin, is a doctrine revealed by God, and therefore to be firmly and steadfastly believed by all the faithful."

Protinus inuitor ad conuiuium; promitto, venio. Ecce intrat frater senex, silicernium, grauis, tetricus; puer a tergo sequitur cum codicibus. Illico sensi mihi paratas lites. Accumbimus, et ne quid periret temporis, extemplo res proponitur ab hospite. Frater quod ante praedicarat, idem respondit. Ipse tacebam. Neque enim libenter memet disceptationibus et odiosis et infructuosis immisceo. Tandem rogarunt, et quid mihi videretur. Qui quum tacere non licuit, respondi quod sentiebam, sed paucis et neglectim. Ibi infit Frater oratione meditata longaque, et quae binis ferme concionibus essent satis, eblaterabat in coena. Summa rationum tota pendebat a miraculis quorum nobis iam effutiebat e *Mariali* multa, tum quaedam ex aliis eiusdem farinae libellis; quos afferri iubet in mensam, quo narrationi maior accedat autoritas. Quum aliquando tandem perorasset, ego modeste respondi, primum nihil esse toto illo sermone dictum quo res persuadeatur illis, si qui forte quae recensuerat miracula non admitterent, quod fors accidere salua Christi fide possit. Quae tamen vt maxime vera sint, ad rem haud quaquam satis habere momenti. Nam vt facile reperias principem, qui condonet interdum vel hostibus aliquid ad preces matris; ita nullus est vsquam tam stultus qui promulget legem qua suorum audaciam in sese prouocet, impunitate promissa proditoribus, quicumque genitricem eius certo demereatur obsequio. Multis vltro citroque dictis, effeci tandem vt ille tolleretur laudibus, ipse pro stulto riderer. Quin eo res euasit denique prauo hominum studio suis viciis persona pietatis fauentium, vt vix aliquando cohibita sit adnitente quantis maxime posset viribus Episcopo.

Non haec eo commemoro, quod vel religionem velim religiosorum quorundam degrauare sceleribus, quum et salutares herbas, et pestiferas eadem terra progerminet, neque quod eorum ritum improbem, qui subinde Diuam salutant Virginem, quo nihil potest esse salubrius, sed quod vsque adeo quidam sibi fidunt in talibus, vt ab his potissimum securitatem sibi sumant ad flagitia. Haec sunt atque huiusmodi, quae taxanda censet Erasmus, cui quisque irascitur. Cur non Diuo succenset Hieronymo? Cur non aliis item sanctissimis Patribus, qui religiosorum vicia et vberius multo commemorant et multo insectantur acerbius? Vt callidus est antiquus serpens? Vt aconita semper oblinit melle, ne quis reformidet toxicum? Vt gustum nobis inficit, ac citat nauseam, quoties offertur antidotum? Qui nos admirantur et nostra facta collaudant, qui beatos appellant, et sanctos, hoc est, qui nos sedu-

1260 1265 1270 1275 1280 1285 1290 1295

1278. *sic Jortin*; quam *Ep. aliq. erud.* 1279. semet *Jortin.* 1280. demereantur *Ep. aliq. erud.*

cunt et ex stultis reddunt insanos, hi nimirum candidi sunt atque
1300 beneuoli, hi vicissim boni piique vocantur a nobis. At qui multo
magis vtilem nobis impendunt operam, qui vt quales vere sumus,
tales vere nos nobis indicent, canes illi sunt latratores, arrosores,
maleuolentes, inuidi; et haec audiunt qui nullius vitia perstrin-
gunt nominatim, et audiunt ab hiis qui suis ipsorum sordibus
1305 aperte conspergunt alios.

Itaque nunc non alibi modo locum esse video, sed ne claustrum
quidem dicto clausum esse Comico: 'Obsequium amicos, veritas
odium parit.' Hieronymo quondam veritas opprobrata est a
calumniatore Ruffino, quum eam omnes aequi bonique lectores,
1310 aequi bonique consulerent. Quod Erasmus vero non vere tantum,
verumetiam tanta scripsit cum gratia, vt ei per literas vndique
magnae sint actae gratiae, ab ordinis cuiusque religiosis et praesertim tui. Id nunc tandem satis insulse superbeque calumniis, et
conuiciis oppugnatur abs te, cuius professio tota fundamentis
1315 humilitatis innititur, qua videlicet humilitate tu, non tuam tantum
sectam magnificis effers laudibus, nempe sacris institutis, sancta
solitudine, deuotis ceremoniis, vigiliis, asperitate vitae, ieiuniis.
Sed illum quoque pedibus tanquam canem calcas, dum latrantem
facis, et vagabundae conuersationis. Quae verba, cum lego tam
1320 religioso perscripta calamo, videor mihi propemodum humiles
illas sancti Pharisaei preces audire, 'Gratias tibi ago Domine, quia
non sum sicut caeteri hominum, sicut et Publicanus iste.'

Tametsi paulo sanctius esse putem in bonorum laude virorum
quam criminatione versari. Non est tamen in praesenti consilium,
1325 vt Erasmi scribam encomion. Nam et nostrae vires, tanto sunt operi
impares, et vbique gentium optimi atque doctissimi, pro sua quisque virili certatim faciunt, quibus alioqui tacentibus, sua illum
benefacta cunctis fructuosa mortalibus, vt viuum commendant
bonis, ita sublata cum fatis inuidia, quod sero precor obtingat,
1330 vita functum commendabunt omnibus facientque vt aliquando
desideretur etiam his quorum nunc liuore lippientes oculi, velut
illustri fulgore perstricti, contra tueri non sustinent. Ego certe,
quandoquidem apud bonos laudatione non indiget, ita temperabo
mihi, ne vel eorum per me turgescat inuidia, quorum tam impro-
1335 bum est ingenium, vt et quibuslibet alantur obtrectationibus, et
bonorum laudibus intabescant.

Quibus ipsis inoffensis, puto, fas est hoc saltem dicere. Si quis
diligenter expenderit, quam assidue, quam magna, quam multa,

1307. Ter. *And.*1.1.41.
1309. Jerome, *Ep.81 ad Rufinum.*
1322. Lk.18:9f.

quam bona volumina vnus aedat Erasmus, quibus vel exscribendis tantum, non vnus satis fuisse videretur, is, opinor, perpendet 1340 facile, etiam si non totus esset in virtutibus, non multum certe superesse temporis, quod impendatur in vicia. Iam si quis aequos oculos admoueat propius, atque operum pensitet fructum, ad haec eorum attestationes aestimet, quorum vel studiis lux est addita, vel feruor accessit affectibus, huic ego certe reor non ad- 1345 modum fore probabile pectus illud, vnde velut ignis quidam pietatis exiliens, aliorum animos inflammat, ipsum in semet vsquequaque frigescere. Has, opinor, laudes non ad inuidiam vsque benignas nemo est adeo malignus, vt abnuat, quibus ego tamen ipsis abstinuissem, nisi quod tua me petulantia, ne sic quidem 1350 sinit sistere, verum necessario tecum longius aliquanto prouehit. Nam quis tam patientes aures habet, vt te tam petulanter insultatem ferat, quum vagabundi nomine insectaris, quod aliquando sedem, quod nunquam fere facit, nisi quum publici boni poscit ratio, demutet. Perinde quasi desidere perpetuo, atque ostreorum 1355 in morem, aut spongiae, eidem semper affigi saxo, ea demum sit absoluta sanctitas! Quod si verum est, haud satis recte institutus est Ordo Minoritarum, quo (nisi me fallit opinio) nullus est ordo sanctior, quorum plaerique tamen idoneis de causis, totum peruagantur orbem. Non recte fecit Hieronymus, qui quod Ro- 1360 mam atque Hierusalem interiacet viae permensus. Multo intra vestram sanctitatem sanctissimi fuerunt Apostoli, qui sedentibus vobis, imo nondum sedentibus, totam vndique terram peragrarunt. Nec istud eo dico, quod eis Erasmum comparem, ne quis id cauilletur ad calumniam, sed vt ostendam tibi quemadmodum loci 1365 mutatio saepe sine vicio contingit, ita non esse praecipuam in sedendo semper sitam sanctimoniam.

Etenim vt ad Erasmum veniam, quoquo pacto sese habeant caetera, quae sese habent optime, vagationem interim, quam tu tam procaciter inuadis in illo, profecto non dubitauerim, cuiquam 1370 vestrarum parti virtutum, quacunque vobis maxime placetis, anteferre. Neque enim quenquam hodie esse vsquam puto, qui quidem suum curet genium, ac laborem horreat, quin is vobiscum sessitare malit, quam vagari cum illo. Qui seu spectetur labor, plus nonnunquam in uno die laborat quam vos in multis mensibus. Seu 1375 laboris aestimetur vtilitas, plus in vno mense nonnunquam Ecclesiae toti profuit, quam vos in annis plurimis, nisi cuiuspiam vel ieiunia putes, vel preculas tantum, et tam late conducere, quam tot egregia volumina, e quibus totus eruditur orbis ad iusticiam,

1372. quenquam *om. Jortin.*

1380 aut nisi deliciari videtur is, qui maris hyemes, saeuiciam coeli, labores omnes in terra, dum prosit in commune, contemnit. An non delicata quaedam res est e nauigatione nausea, e iactatione cruciatus, e tempestate periculum morsque ac naufragium semper obseruans oculis. Quum toties per syluas horridas, per inculta 1385 nemora, per crepidines asperas, per montes perreptaret praecipites, et vias obsessas latronibus, quum quassus ventis, conspersus luto, complutus ac madidus, a via fessus, a labore lassus, malo subinde acceptus hospitio, vestrum cibum, vestrum cubile desiderat, an non voluptuari videtur? praesertim cum haec tot mala, quae 1390 virentem quoque ac robustum iuuenem facile defatigent, obeat atque sustineat, senescente iam et studiis ac laboribus fatiscente corpusculo, vt sit pene perspicuum, iam olim necessario fuisse tot malis succubiturum, ni Deus eum (qui solem suum facit oriri super bonos et malos) etiam in ingratorum commoda conseruasset. 1395 Nam vndecunque reuertitur, caeteris omnibus egregios affert secum itinerum suorum fructus, sibi vero nihil vsquam quicquam nisi detritam valetudinem et suis beneficiis excitata maledicta pessimorum.

Quam ob rem tales ille profectiones tam gratas habet, vt nisi 1400 studiorum causa postularet, hoc est, publicum omnium commodum, quod ille priuato toties incommodo redimit, perquam libenter omitteret. Interim vero non nisi cum his versatur, quos et doctrina commendet, et vita, semper aliquid parturiens, quod post in illis, quae tu sic incessis itineribus, non absque publico studio- 1405 rum fructu pariat, quem si posthabuisset ille suis ipsius commodis, cum corpus haberet hodie minus aliquanto fractum, tum vero multo magis vberem locupletemque fortunam, Principibus omnibus, omnibus fere magnatibus eximia conditione certatim illum ad sese pellicientibus. Quanquam certe par ac iustum fuerat, vti 1410 quemadmodum ab illo, vbi vbi viuat, eximius fructus in omnes orbis partes, velut e sole radii diffunduntur, sic ab omni parte vicissim commoda refunderentur ad illum. Quam ob rem quando ille sese totum alienis vtilitatibus impartitur nec emolumenti quicquam sibi deposcit in terris, dubitare certe non debeo, quin 1415 ei Deus illic benignissimus, vbi satius erit accepisse retribuet, eoque quum illum, abs te contemptum tecum comparo, et vtriusque merita compono simul, quantum videlicet humana fas est coniectura consequi, spes indubitata suboritur, quum vtrique

1382. iactione *Ep. aliq. erud.*

1394. Matt.5:45.

tandem illa dies affulserit, qua vestris virtutibus suum reddetur praemium, quanquam vt tuum permagnum fore spero, sic opto fore quam maximum, tamen expensor aequus vtriusque Deus, quod sine tuo damno, atque vt tum affectus eris, etiam te libente fecerit, non vagationes eius tantum praeferat sessitationi tuae, sed quoniam bonis omnia cooperantur in bonum, loquentiam eius anteferet tuo silentio, silentium eius tuis praeponet precibus, cibos eius tuis ieiuniis, et somnum tuis vigiliis, ac denique quicquid in illo tam superbe despicis, pluris omnino faciet illis omnibus, quaecunque vita in tua tibi tam suauiter adblandiuntur. 1420 1425

Nam haud dubie, quanquam fateri pudor impediat, nunquam tamen potuisset accidere, quenquam, vt tam arroganter impeteres, ni mira persuasione sanctitatis impense placeres tibi, qua vna re nihil est vsquam religioni periculosius, aut a qua longius abesse te pro meo in te amore cupio. Etenim mihi meique similibus, qui misero fluctuamur orbe, vos profuerit velut inferne suspicere, vestraque instituta non aliter atque Angelicae vitae exemplar admirari, quo quasi stupore quodam virtutis alienae nostra nobis vita vilescat impensius. At vobis contra non admodum fuerit vtile aliorum viam contemnere, et condemnare prae vestra nonnunquam etiam meliorem. Verum assuescas potius in aliis, vel inferiora suspicere, de tuis vero non modo sentire modestius, verum omnia suspectare quoque, trepidumque semper viuere, et quanquam in bona spe, tamen omnino sollicitum non tantum, ne post hac aliquando corruas, iuxta id quod dicitur, 'Qui stat, videat ne cadat,' sed ne iam olim cecideris, ac tum potissimum, cum tibi maxime videbaris ascendere, nempe quum religionem ingredereris. Nec istud eo dico, quod quicquam dubitem, quin meliorem partem delegerit sibi Maria, sed quoniam omnis iusticia mortalium velut pannus est menstruatae, eoque etiam bona sua cuique merito debent esse suspecta, tibi fortasse non insalubre fuerit addubitare, timereque tecum, ne tu vel in Mariae parte non sis, vel Mariae partem perperam delegeris, dum aut eius munus, cui Christus Marthae postposuit officium, tu Apostolorum officio anteponis, aut ne tibi visus, dum leuiter temet examinas, in sanctam fugiens solitudinem, noxiis te subducere voluptatibus, in Dei secretiore conspectu, qui nos multo penitius introspicit, qui corda nostra profundius quam nos ipsi rimatur, cuius oculis imperfecta nostra 1430 1435 1440 1445 1450 1455

1422. libenter *Ep. aliq. erud.* 1453. exanimas *Ep. aliq. erud.*

1424. Rom.8:28.
1444. I Cor.10:12.
1447. Lk.10:42.
1448. Isaiah 64:6 (Vulgate).
1455. Ps.139:1.

videntur, deprehendaris fortasse negocia detrectasse, et te subtraxisse laboribus, et pietatis vmbra quaesiuisse voluptatem quietis, et molestiarum fugam appetisse, talentumque tibi creditum in-
1460 uoluisse sudario, quod ne foras emitteres, intus perderes.

Huiusmodi cogitationibus hoc saltem facies lucri, quod suggeretur occasio, ne (quo nihil est pernitiosius) de tua tecum secta superbias, neue in priuatis nimium confidas obseruantiis, spemque vt in religione colloces potius Christiana, quam tua, nec innitaris
1465 illis quae per te facere potes, sed quae nisi per Deum non potes. Ieiunare potes ex te, vigilare potes ex te, precari potes ex te, quin potes et ex Diabolo. Caeterum vere Christiana fides, qua Christus Iesus vere dicitur in spiritu, vere Christiana spes, quae de suis desperans meritis in vna Dei benignitate confidit. Vere Christiana
1470 charitas, quae non inflatur, non irascitur, non suam quaerit gloriam, nulli prorsus, nisi sola Dei gratia, et gratuito fauore, contingit. Quo plus fiduciae posueris in communibus istis Christianismi virtutibus, eo minus assuesces fidere priuatis ceremoniis, vel ordinis tui, vel tuis, in quibus quo minus fides, eo tibi magis
1475 conferent. Nam tum demum Deus te fidelem seruum ducet, quum tu te duces inutilem. Quod merito certe poterimus, etiam si fecerimus omnia quaecunque possumus, quod ego Deum precor, vterque vt aliquando faciamus, et Erasmus etiam, nec faciamus tantum, sed vel multo potius, si multa fecisse contingat, nihil vt
1480 nos omnino fecisse censeamus. Nam ea via potissimum eo conscenditur, vbi neque nos quicquam virtus aliena torquebit, neque lachrymam vllam lippientibus oculis excutiet aliena charitas.

Quod in calce tandem scribis meae fore modestiae, ne tuas literas cuiquam ostendam, non video, qui id pertineat admodum
1485 ad modestiam meam: fuisse⟨t⟩, haud dubie, tuae vel modestiae vel certae prudentiae ostendisse paucioribus Modestiae, si quales tibi videntur, tales essent. Prudentiae, si quales vere sunt, tales etiam tibi viderentur. Nunc vero noua est ista modestia, exigere a me silentium, quasi vel tua tibi non placeret epistola, vel
1490 declinares laudem, ac temet illico, quum te gloriolae pruritus incenderet, quaerere quosdam simili titillatos scabie, vt iucundo fructu pariter et scabereris et scaberes. A quibus, quum audirem passim esse iactatum tuis elegantissimis, et a Spiritu Sancto dictatis epistolis, ita mutatum me, vt Erasmica scripta reiecerim, arbitra-

1460. sudario *om. Jortin.* 1472. *correxi*; contingunt *Ep. aliq. erud.* 1482. charitatis *Ep. aliq. erud.* 1485. fuisse⟨t⟩] *corr. Jortin.*

1460. Lk.19:20. 1477. Lk.17:10.
1471. I Cor.13:4f.

tus sum conuenire mihi meam sententiam, literis vt testatam red- 1495
derem eorumque vel stulticiam, si credidere, vel maliciam, si con-
finxere, conuincerem. Etenim iudicare non possum, quonam pacto
literae tuae affecerint illos, quando asinino palato placentes car-
dui, locum etiam fecerunt adagio; mihi certe nihil in eis visum est
vsqueadeo splendidum, vt nobis oculorum sic perstringeret aciem, 1500
quin quod album esset, album etiamnum videretur.

Hunc itaque meum animum quum propter vanissimam siue
tuam siue tuorum iactantiam declarandum esse censuissem, hactenus tamen statui habere semper famae tuae rationem, vt neque
nomen tuum, alioqui mihi percharum, meis literis insererem, et e 1505
tuis ipsius, quae quidem in mea manu essent, expungerem. Atque
istoc pacto fiet, vt quicquid hoc de facto tuo vel dicent vel sentient
homines, (de quo boni doctique sentient dicentque omnes, procul
dubio, pessime) nihil te tamen pudoris ac ruboris attingat. Illud
mihi vehementer placet, quod vbi satis debacchatus es, redditus 1510
tandem tibi, factus es in fine placatior, insinuata spe irae in Erasmum conditione non admodum difficili componendae. Nam hunc
in modum scribis: 'Nec tamen vsque adeo inimicus sum Erasmo,
quin facile cum eo in gratiam redeam, si ille sua correxerit erratula.' Papae! beasti hominem, qui alioqui periculum erat, ne 1515
moerore misere maceraret sese, si spes omnis prorsus adempta esset,
fore vt aliquando te tanto videlicet viro magis vteretur propicio.
Verum nunc quandoquidem tam facilem pacem offers, in qua
tam aequa postulas, haud dubie parebit auide, corrigetque protinus, simul atque tu errores eius ostenderis. Nam hactenus tan- 1520
tum ostendisti tuos. Quanquam ea ipsa quae tu vocas erratula,
nempe 'verriculum' pro 'sagena,' et 'remitte,' pro 'dimitte,' et 'discumbentibus,' pro 'discumbentium,' atque eius generis alia, sicubi
Latinum vocabulum pro barbaro supposuit, aut sermonem purum
pro soloeco, aut perspicuum pro ambiguo, sicubi vel interpretis 1525
errorem correxit, vel scriptoris lapsum restituit, vel Graecitatis
idioma Romanae linguae figuris enunciauit. Haec, inquam, ipsa,
potius quam te inimicum habeat, immutabit omnia, ac barbarismos omnes, omnes soloecismos, quicquid vsquam fuit
obscurum, quicquid aut dormitanter versum, aut inemendate 1530
transcriptum. Erasmus hunc thesaurum omnem, quandoquidem
non furtum tantum (vt video) sed sacrilegium quoque dum haec
auferret e templo commiserat, in sanctuarium rursus bona cum
fide reponet. Nihil eo deterritus, quod bonos doctosque omnes
ab se alienare videbitur, quos illo officio deuinxerat, quando il- 1535

1503. declarandam *Ep. aliq. erud.* 1507. de *add. Jortin.*

lorum vice omnium, te tandem atque Apologastrum illum, hoc est, populi vice primarios quosdam principes, ac veluti literatorum omnium Duumuiros conciliabit sibi.

Sed, omisso ioco, hoc vnum certe sicuti abs te probe pieque
1540 factum est, ita ego quoque vere atque ex animo laudo, quod dum erratula tantum fateris esse, quae sint corrigenda, fateris interim verecunde quidem pro tua modestia, sed vere tamen, quo te mendacio liberes tam scelesto, confiteris, inquam, falsa fictaque esse omnia, quae de haeresi, de schismate, deque Antichristi praeconio
1545 initio praeferuidus obieceras. Neque enim vsque adeo mihi deploratus es, quin melius de te sentiam, quam vt haeresim, schismata, atque Antichristi praeconium, quorum atrocitatem scelerum, nulla malorum moles exaequat, pro leuiculis habeas erratulis. Quamobrem, quum te videam quicquid erat graue recantasse,
1550 non est animus de leuibus tecum contendere. Vt vtrinque pariter quae dicta sunt habeantur indicta omnia, tumultusque omnis, vt de nihilo natus est, ita in nihilum vicissim desinat, atque haec tragoedia tandem exeat in comoediam. Vale, et si Claustro nolis frustra claudi, quieti potius spirituali, quam istiusmodi rixis
1555 indulge.

84. To Edward Lee.

Epistolae Eruditorum Virorum, 1520, p. 79 — Greenwich
Jortin II, p. 658 — 27 February ⟨1520⟩

[The full title is *Epistolae aliquot eruditorum virorum, ex quibus perspicuum quanta sit Eduardi Lei virulentia.* Basle, Froben, 1520.

The letter was written after Lee had published c. 15 February 1520. cf. the introduction to Ep. 75.

For Erasmus' account of the whole quarrel, see his *Apologia qua respondet duabus inuectiuis Eduardi Lei,* in Ferguson, *Erasmi Opuscula,* and the introduction to it, pp. 225-235; also Preserved Smith, *Erasmus,* pp. 176-177, 400.]

THOMAS MORUS EDUARDO LEO S.D.

Neminem esse mortalium arbitror, charissime Lee, cui sua consilia perpetuo constent; mihi certe (neque enim vel constantior affecto vel prudentior videri quam sum) saepe sic vsu venit, vt quod alias impense placet, alias impense displiceat. Nec
5 istud vnquam tamen verius validiusue mihi contigisse memini,

1550. vtrunque *Ep. aliq. erud.*

1536. Evidently a contemptuous diminutive: "tedious teller of tales"—ἀπόλογος is a fable, or dull story.

quam in hoc tuo negocio, in quo minime omnium putassem eam animi mei mutationem accidere potuisse, non ideo tantum, quod mihi videbar ipse pulchris rationibus esse confirmatus (nam mea mihi semper suspecta sunt). Sed quod tam multos habere me videbam, eosque ex prima classe prudentium, qui meae sententiae 10 non modo suffragarentur atque subscriberent, verum autores quoque profiterentur sese. Quos quum nunc videam vniuersos sui poenitere suffragii, quod meum vna calculum, quem reuocare non possum, testari cogor in vrnam etsi fideliter parum tamen caute coniectum, vel tantorum certe virorum societate memet, vel 15 communi sorte mortalium, quibus nihil satis prouisum est, vndique consolabor.

Nam quis non putasset id quod tam multi, tam docti, tam amici tibi putauerunt, vtiliter me suasurum, vt inter te atque Erasmum rediretur in gratiam, libellusque, quem nunc aedidisti, premeretur 20 perpetuo? At nunc res indicat idipsum consilium non satis consulte consultum. Fuisset enim, quandoquidem perpetuo premi non potuit, quod quo minus potuerit, neque iudico neque disputo per vtrum steterit. Fuisset, inquam, etiam si non satis commodum, at certe minus incommodum, si liber esset olim editus priusquam ad 25 caetera mala tantus iste rixarum cumulus, et conuiciorum immensa moles accessisset, quorum nescio, an vos adhuc pigeat, caeteros certe omnes iam dudum pudet. Vter in causa fuerit in praesente non excutio. Literis meis olim declaraui tibi quid mihi partim, partim aliis, ad eum vsque diem de vtriusque facto videretur. Post 30 eum vero diem quo pacto res tractata sit inter vos, nec satis certe comperio, nec de re parum comperta pronuncio. Verum postquam tu significaras, meo te suasu perpetuo pressurum librum, quieuistis paululum. Caeterum haud multo post Erasmus huc scripsit ad nos, te, quum aperte prae te ferres concordiam, occultis quotidie 35 cuniculis plusquam hostilia moliri. Tu contra negabas, et contendebas illum falsis duci opinionibus. Iterum ergo illum, iterum te admonuimus vtrique cauendum esse, ne prauis aliorum dolis inter vos committeremini. Ille postea saepe velut nouis ac nouis abs te laesus technis querebatur, cui ego semper eadem respondebam, 40 aliorum malitiam vestrae inuidere quieti, quibus studium fuerit ex duello vestro voluptatem capere. Te vero, a quo nihil accipiebam literarum, nolui nostris obtundere, praesertim quae non aliam cantilenam possent, quam toties ante cantatam occinere.

Nunc tandem libellus annotationum tuarum (qui iam ante 45 quoque coeperat a quibusdam apud nos adseruari negligentius, et

20. *sic Jortin*; promeretur *Ep. ad Leum.* 25. editus *add. Jortin.*

permitti pluribus) offertur excusus typis, sed non nisi vnum volumen aut alterum. Hic et a frontispicio conspicor, et a postico magis virulenta conuicia, quam quae modestiorum ferant aures. Quorum
50 omnium initia causasque, cum in Erasmum coniicias, vt te non refello ita nec illum adhuc inauditum condemno. Hoc vnum, mi Lee, scio, quod quum idoneis argumentis docere possim, dissimulare non debeo, literas illas, quibus te commonebat ab impotentibus Germanorum animis tibi cauendum esse, quas literas velut
55 minaces videris in odium trahere, ab animo in te syncero, et de tua salute sollicito profectas. Caetera quo pacto gesta sunt, tum demum expendam, quum illum quoque audiero. Quae tamen seu vera sint, vt dicis, omnia, seu te nonnunquam imago quaedam veri deceperit, seu tua coniectura (vt est animus in sua cuique re
60 suspicax) longius interdum sese, quam quo ducebatur euexerit, non adeo immemor sum humanae sortis, vt non conniuendum putem, siquis interdum dolori suo, seu veris e causis orto, seu creditis indulgeat. Sed optassem tamen, mi Lee charissime, pro meo in te amore (quo non est in te cuiusquam syncerior), optas-
65 sem, inquam, ita tibi temperatum esse, vt modestiae potius laudem, quam acerbitatis veniam consequerere. Verum haec sera querela est. Nunc quod reliquum est, oro te, mi Lee, vt redire properes ad nos, a quibus vtinam nunquam fuisses digressus. Etenim siue tu vera narras, ab ipso te impulsum Erasmo, siue ille recte suspi-
70 catur incitatum te a suis aemulis, nunquam hic tumultus inter vos exortus esset, si tu perpetuo mansisses in patria, in qua vt breui te reducem videam, saluum atque incolumem precor. Interea vale. Grennici, xxvii. die Februarii.

85. To Edward Lee.

Epistolae Eruditorum Virorum p. 82 — Greenwich
Jortin II, p. 660 — 29 February ⟨1520⟩
[cf. also notes to Ep. 48, 75, 84.]

THOMAS MORUS EDUARDO LEO S.D.

Nudius tertius ad te, mi Lee charissime, literas dedi, statim ab allatis huc paucissimis annotationum tuarum voluminibus, quae nescio quis e Parisiis scholasticus huc festinarat mittere, vt amicis quibusdam primo flore gratificaretur; heri mihi redditus
5 est abs te libellus vna cum literis, quibus auguraris me non boni consulturum, quod librum ad me mittas excusum typis. Ego certe,

58. sunt *Jortin.* 70. te *add. Jortin.*

quod mihi donas, habeo gratiam; quod nunc excusum curasti, quanquam perpetuo maluissem premi, tamen vt res habet, non tam tuum factum, qui nunc aedideris, quam meum damno consilium, per quem effectum est, ne tum esset aeditus, quum minore vtriusque damno potuisset, dum adhuc minus acribus odiis vtrinque laborabatur. Sed quoniam scripsi tam nuper hac de re, non erit opus eadem repetere. 10

Vnum praeterire non debeo, quod ais longa me et prope minaci epistola tecum egisse, vt premeres. Profecto, mi Lee, vt fateor esse longiusculam, ita quantum recordor, minarum nihil habebat epistola. Certe nihil habebat animus, aut habebit vnquam, neque enim natura sum toruus. Memini scripsisse me pro mea virili conaturum, vt ista taxatio translationis Erasmicae, tuum potius factum, quam patriae nostrae videretur, salua mihi semper tecum, quoad per te liceret, amicitia, quae verba nolim te (qui mihi videris interdum plus aequo suspicax) ad minas trahere, quibus ego nihil aliud sensi, quam quoad possem, effecturum me, vt innotesceret exteris, factum illud tuum apud nos, vt quibusdam fortasse placeat, certe non omnibus placere. Si nihil aliud possem, illa ipsa epistola saltem testaturum, non placere mihi, vt labores Erasmi in communem studiorum vsum tanto cum studio collocati, tuo libello traducerentur, atque haec me vel ideo facturum obnixius, quod verebar, si ab Anglo impeteretur opus omnibus tam charum gentibus, ne nostra patria traheretur apud aeruditos omnes vndique in inuidiam. Nec vno pilo minus hanc inuidiam pertimescebam, quod istic sentiebam opus a nonnullis, vel inuidis vel imperitis infamari. Quum augurer atque praesagiam, aut euictis hostibus aut desistentibus, Erasmi labores aeternum esse victuros. Nec tamen omnes vel inuidiae damno, vel imperitiae, quibus fortassis opus displicebit; liberum erit per me suum cuique iudicium, et poterit interdum zeli feruor etiam peritis imponere: hoc certe fidenter pronuncio, neque sanctiores adhuc, neque doctiores, ab aduersa parte, quam ab Erasmo perstitisse, vt nihil interim dicam de Summo Pontifice, cuius in hanc partem suffragium idemquę bis iam honorifice praebitum, quamuis mihi videatur irrefragabile, nescio tamen quanti ponderis sit istic apud quosdam, quos ego (si modo vera audio) sane vehementer admiror, tam 15 20 25 30 35 40

32. illic *Jortin.*

19. cf. also Preserved Smith, *Erasmus*, pp.159-188.

41. This evidently refers to Pope Leo X's private letter to Erasmus of 26 January 1516/7 (Allen II.519) which speaks of Erasmus' "eruditio rara," and to the formal breve approving the second edition of the Greek New Testament, 10 September 1518 (Allen III.864.)

leuem ipsos eam autoritatem ducere, pro qua aduersus alios ferro
45 flammaque depugnant; certe si potestatem illam tam rigide ab se
defensam, tam facile cum libet negligunt, cui non fidem faciant,
non pro Pontifice sese, sed pro suis potius affectibus dimicare?

Nam quod audio iactare quosdam, propediem sese facturos, vt
Pontifex reuocet calculum, dispeream ni cupiam suauium homi-
50 num miram illam audire facundiam, qua sic Pontifici demulceant
aures, vt persuadeant ei ex honore esse pontificiae maiestatis, vt in
malorum gratiam bonorum detrahat commodis, et opus iam tandem reprobet, quod bis iam ex interuallo probauit, et toti se declaret
orbi, cuius curam habet, Christi negocium, cuius vicem gerit, tam
55 negligenter agere, vt dominicum gregem, pro quo rationem redditurus est, semel atque iterum pastorali voce dimiserit in perniciosa pascua. Certe Lutherus ipse prae istis videri potest pius in
sacrosanctam Romanam sedem, vt cui aliquo saltem modo tribuit
vniuersam potestatem, quam isti vt verbis subleuant, ita re videntur
60 tollere, si iudicium eius in approbandis scriptorum operibus adeo
ducunt leue, atque vt illud ad sedem pertinet, sic istud pertinet ad
Pontificem, de quo scelerate sentiunt, si censent eum per incuriam
id operis bis iam accurate commendasse fidelibus, quod haberi
legique sine fidei detrimento non potest. Iam quod tu ais nescire
65 te an Pontifex approbauerit, vt ad Graecam fidem excutiantur
Latini codices, certe non probasse saltem exemplar Erasmicum,
quod ipsum probetur esse mendosum, vt primam partem prorsus
abiicio, ita secunda delector, vt belle atque acute excogitata per te;
neque enim illorum quenquam audiui hactenus, qui tantum sibi
70 inuenerit suffugii, qua totum opus impune liceret impetere, quod
approbasset Pontifex. Itaque non conabor tibi hoc iumentum tollere. Cupio profecto aliquod tibi effugium patere, quo quod facis,
fecisse possis, inoffenso Pontifice.

Verum misere metuo, ne ex hoc asylo quoque te deturbet Eras-
75 mus, qui etiam si per se tanto bonorum consensu satis in tuto sit,
non feret tamen vnquam tantam ignominiam, vt clipeus ei Pon-
tificius, velut ancile de coelo datum, excuti videatur e manibus.
Quod si censeas, agrum in summa frugiferum, aliquot adhuc
tamen continere frutices, qui manum desiderent agricolae, nec
80 autoritati Pontificis obsistis, non me modo, sed ipsum etiam Erasmum habebis adstipulatorem, qui non eam ambit laudem, vt

76. clypeus *Ep. erud. vir.* 77. *sic Jortin*; ancyle *Ep. erud. vir.*

76. The shield that was believed to have fallen from heaven in the reign of Numa, and on whose preservation the prosperity of Rome depended. Ov.*F.*3,377; Liv.1,20; Verg.*A.*8,664; Tac.*H.*1,89; Suet.*Oth.*8.

quod nemini vnquam contigit, nempe vt nusquam in longo dormitet opere, id illi deferatur vni, atque vtinam sic aperte modereris tuam, mi Lee, sententiam, quod videri potes alicubi sensisse, vtpote cum fateris non omnia damnare te, in quibus ab Erasmo dissentis; 85
id si quo forte loco (nam totum librum non legi) abs te sit aperte factum, nihil erit tibi negocii cum quoquam, nisi vt de solis annotationibus disputetur, e quibus vt reiicientur, haud dubie, multae, ita quaedam fortasse consisterent, quibus vtilis videretur liber, quae nunc alioquin in idem recident periculum, quod intentant; 90
nempe quoniam malae sunt quaedam, damnari vt debeant omnes, vel eo iustius id subiturae discriminis, quod legem ferant ipsae, qua pereant. At cum dicis periculum esse, ne quis in posterum laedatur ab his, quae tu reprehendis in illo, diuinatio quidem est ista. Atque in diem est, quem tibi fingis, timor, etiam si vera metueres, 95
et cui multis modis possit occurri.

Etenim qui malam ab illo stabilierit opinionem, hactenus nullum vidi, at cotidie video passim studiosos, qui se laboribus eius mire iam nunc fatentur adiutos in campo Scripturarum. Nec hac in parte dubito quin mecum, mi Lee, sentias, et sis aliquando fas- 100
surus. Habes hominem doctissimum atque integerrimum, florem ipsum Theologicae scholae, Dorpium, vtriusque vice praeuium tibi ducem, vt qui et tuam sententiam diu tenuerit, et post excus⟨s⟩am diligentius reliquerit; qua veritatis agnitione, immane quanto plus verae peperit gloriae, quam vlla vnquam victoria potuisset. Et 105
mihi plane polliceor, quemadmodum literis illum refers, et eidem succedis in certamen, ita non vllo pudore cunctaturum quin aliquando quod verum videris (quod visurum non dubito) ingenue sis agniturus. Cuius bonitatis mihi spem facit, quod idem iam nunc vno atque altero loco fecisse te, non sine laude video; idemque vt 110
Erasmus faciat, ex animo certe consulam.

Quod vero me, mi Lee, rogas, ne quid amoris erga te mei minuam, confide, mi Lee, mihi, etiam si in hac causa aequior in eam partem sum, quae oppugnatur, at sic vt optem ab vrbe salua, saluas abduci copias, te tamen amabo semper, et amorem abs te 115
meum tanti fieri gaudeo, nec in tuam rem sicubi causa postulet incumbam segnius, quam in hanc inclino, vsque adeo, vt cum quid aedideris aliquando tuum (nam aediturum certe multa, non dubito), si vel Erasmus in alienum opus curiosos iniecerit oculos, atque opus totum opposito conetur opusculo demoliri, quanquam 120

88. *sic Jortin*; disputentur *Ep. erud. vir.* 103. excussam] *scr. Jortin.*

83. cf. Hor. *Ars Poet.*359. - - - quandoque bonus dormitat Homerus. 104. cf. Ep.15.

aliquanto meliore loco videretur, quod non nisi retaliaret iniuriam; ipse tamen tecum, quantumuis infirmis viribus, firmissima voluntate perstabo. Vale, mi Lee charissime, ac, si nos amas, ad nos aduola. Grennici, vltima Februarii. [Anno. M.D.II.]

86. To Germanus Brixius.

Epistola ad Brixium, 1520 1520
Lond. in Auctario Mori Ep. 4.
Jortin II, p. 627

[Published by Pynson, London, ⟨April⟩ 1520: cf. Allen IV.1045, 1087. Reply to Brixius' *Antimωrus*, P. Vidoue, Paris, ⟨c. February 1519/1520.⟩

Germain de Brie (or Brice) was born of a good family of Auxerre. He was in Italy as a servant-pupil to John Lascaris at Venice, as student of Greek under Marcus Musurus at Padua, and was later in Rome. He was ordained priest, was archdeacon of Albi under Amboise, Cardinal Bishop of Albi, and became almoner to the King and canon of Notre Dame, Paris. He did much to introduce Italian taste into France. He showed notable hospitality to all scholars.

His *Chordigerae nauis conflagratio,* published by Badius in 1513, commemorated an engagement with the English on August 10, 1513, honored the bravery of the French commander and attacked the English. More was injured in his national pride and replied with his epigrams on the incident, quoting passages of Brixius, which he scorned. They were included in his *Epigrammata,* published by Froben, Basle, 1518. Brixius then wrote the *Antimωrus,* which he published in 1519, despite Erasmus' protests. More's too lengthy letters to Brixius and Erasmus concluded the literary dispute.

In later years, Brixius edited Chrysostom's *Contra Gentiles* and sermons on the Epistle to the Romans. He wrote epitaphs on the death of Anne of Brittany to whom he had been secretary. (Jöcher; Allen I.pp.447-8; Chambers pp. 190-191; Marsden, *Philomorus*, pp. 74-78; de Vocht pp. 527-528.)

The correspondence about the controversy includes More's letter to Erasmus of 3 September 1516 (Ep. 20), Erasmus to Brixius, August 1517 (Allen III.620), which Brixius did not see until it was published in the *Farrago,* replying then to Erasmus, ⟨December⟩ 1519 (Allen IV.1045), More's Epistles 86, 90, 91, Erasmus to Brixius, 25 June 1520 (Allen IV.1117) Erasmus to Haio Hermann, c. August 1520 (Allen IV.1131), Erasmus to Budaeus, 9 August 1520 (Allen IV.1133) and again 16 February 1521 (Allen IV.1184) and Erasmus to Beraldus of the same date (Allen IV.1185). It was through Erasmus' fault that the epigrams concerning the *Chordigera* were included in More's published volume. More bought up copies to end the circulation. (Allen IV.1096, ll.117ff.)]

T. MORUS GERMANO BRIXIO. S.

Non adeo tenere mihimet Brixi faueo, vt quod nemini vnquam contigit mortalium, id dedigner ac doleam non contigisse mihi. Quis enim vllo vnquam saeculo tam inoffense transegit

TIT. Thomas add. *Jortin.* 3. vnquam *om. Jortin.* seculo *Lond.*

vitam, vt ei nullus aliquando inimicus exoriretur, quum haberet amicos? Quamobrem, quando illud mihi video communi mortalitatis sorte negatum, vt penitus inimico caream, gaudeo saltem fortunae beneficio, amicos mihi perquam egregios, inimicum vero contigisse talem, quem neque amicum quisquam velit, neque inimicum curet, vt qui neque iuuare beneuolens, neque nocere possit iratus. Et tamen mihi certe succenserem, si vel talis merito me odisses meo. Nunc vero eo aequiore animo fero, quod non dubito quin omnibus inclarescat facile ineptum istud ac plusquam muliebre iurgium, non aliunde quam ex animi tui morbo natum. Quin eo quoque minus mihi displicet hoc certamen, quod vt nihil inde boni potest accidere, ita praeter chartae iacturam et temporis, quorum ego neutrum statui multum perdere, nihil alioqui queat alterutri nostrum magni euenire mali; quando tales vterque sumus, vt neque mihi quicquam tu nocere possis, neque tibi quisquam; quum sis eiusmodi, in quo nihil fieri detrimenti queat.

Qua vna fiducia te impulsum video, vt quaqua versus apud literatos omnes (si qui tamen tam nugaces nugas dignabuntur legere) libello illo tam elegante, tam egregio indolis tuae specimine, morumque tuorum tam graui teste temet ipse traduceres; vt qui ante satis docuisses, cuiusmodi poeta sis, nunc demum, aedito in id libello, qualis etiam vir sies ostenderes. Ostendisti vero tam insigniter, ac temet ita depinxisti graphice, vt ego tot tantaque in te probra spargere, quam quibus tute temet totum oblinis, neque si velim, queam; neque, si queam, velim. Et tamen vt eiusmodi laudibus te gestire doces, ea videatur vna atque vnica via placandi propitiandique tui, si quis in te foedis velit probris debacchari. Verum ego non vsque adeo tuam amicitiam ambio, vt non ea potius mihi dicta cupiam, quae vel vni placeant bono atque honesto viro, quam quae trecentis Brixiis, eoque praeclaram illam ac diuitem probrorum tuorum sup[p]ellectilem, qua te sic ostentas ac iactitas, haud contrectabo; neque, quoad abstinere licebit, attingam: tantum, si quid in ea fuerit iucundioris insaniae, quod qui perpenderint ridere possint, odisse non debeant, eo non grauabor lectoris leuare fastidium; quod necesse est multum subeat in legendis eiusmodi rixis, ac nihil vnquam profuturis iurgiis. Caetera vero, quibus te conspurcas foedius, aut prorsus valere sinam, aut sicubi cogar attingere, sic attingam leuiter, vt omnibus faciam perspicuum, non minus libenter me tua probra contegere, quam tute, Brixi, detegas, ac velut insigne prae te feras. Nam quae vitio vertis

4. exorietur *Lond. et Jortin.* 25. edito *Lond. et Jortin.* 36. perpenderit *Lond.*

mihi, tam insulsae sunt calumniae, vt non fuissem dignatus rescri-
45 bere, si non hoc vnum dumtaxat diluere visum esset, quod tu tam frequenter inculcas, quam nunquam probas, huius tui iurgii authorem esse me. At istud non dicere, Brixi, verum docere debueras.

Quod si eam rem satis declarare videbantur Epigrammata mea, ea saltem abs te tuo libello conueniebat adscribi; ne vel illis
50 videreris impudens, quibus meum carmen non esset in manibus. Et fecisses, haud dubie, nisi sensisses e re non esse tua, meos versus legi. Qui si com⟨m⟩inus conferantur tuis, etiamsi cui videantur alii, quod videntur tibi, tuorum scilicet splendorem carminum reueriturі; hactenus tamen aduersariorum luce fruerentur, vt res
55 redderetur illustris, et ipsos magis obiurgatos esse quam victos; et tibi non satis commodam ansam nunc demum debacchandi rursus arreptam. Quae res, quo fiat dilucidior, quando te libenter obliuisci video, praeclari istius duelli caput tibi redigam in memoriam. Sed ita redigam, vt potius omittam quaedam, quae ad rem
60 meam faciant, quam vt ob causae commodum attingam quicquam, quod absque gentis cuiusquam contumelia tangi non possit.

Quum ergo tumultus esset olim Lodouico Regi vestro, cum Rhomano Pontifice, ac Princeps noster inuictus Henricus, eius nominis octauus, ab illa sacrosancta sede rogatus, labantibus Ec-
65 clesiae rebus ferre statuisset auxilium; naues aliquot emisit in mare, quae classem perquam potentem, quam Lodouicus adornarat, arcerent atque compescerent. Quae quum sibi mutuo occurrissent, reliquis omnibus vtrinque bona fortuna seruatis, duae tantum (quae primo congressu protinus, iniectis harpagonibus, ita sunt
70 colligatae, vt tabulatis igne correptis, dirimi non potuerint, triste belli praeludium) perierunt.

Hanc naualem pugnam, quum tu ita descripsisses versibus, non

45. duntaxat *Lond.* 48. *coni. Jortin*; Quam *Ep. ad Brix. et Lond.*

63. Henry VIII in 1511 joined the "Holy League" of Julius II, Emperor Maximilian and Ferdinand of Aragon against Louis XII. The King intended to invade Guienne, with the aid of Ferdinand, and to gain the mastery of the sea. He appointed Sir Edward Howard admiral 7 April 1512. He was to have 3,000 men and another 700 soldiers, mariners and gunners in the ship *Regent*. (Spont, *War with France 1512-1513*, pp.x-xii, H. A. L. Fisher pp.167-180.)

72-117. Hanc naualem pugnam - - - aequor, printed in London as one long sentence.

72. Sir Edward Howard was instructed to cruise from London and Calais to Brest, the "Trade." He plundered friends and enemies alike, captured 26 Flemish hulks and c.40 small Breton ships. He landed at Bertheaume Bay, 6 June 1512, and the next day set fire to the house of Hervé de Porzmoguer. The Bretons asked for a truce, and the French made preparations for war. Sir Thomas Knyvet was appointed captain of the *Regent* and was to revictual the English fleet. (*ibid.* pp.xiv-xxiv.)

Spont quotes (pp.xxv-xxvi) Holinshed's account of the engagement of the ships—Sir Thomas Knyvet "caused the *Regent* (in the which he was aboard) to make to the carrack (the *Cordelière*) and to grapple with her along board. And when they of

vt vera falsis inuolueres, sed vt rem ferme totam meris mendaciis fingeres, atque ex arbitrio tuo concinnares nouam; quum Regis nostri pietatem, nomine deprauares inuidiae, Angliamque totam velut foedifragam atque periuram, maledictis falsis perquam petulanter incesseres. Quum Herueum plusquam Herculeum, mendaciis plusquam poeticis in mare deduceres. Quum nostras naues, quibus aequor instraueras, vna tu inuectus Chordigera, parua comitante caterua, fretus Herueo bellipotente disiiceres, ac veluti muscas quocunque tibi libebat abigeres, plerasque vero fluctibus, homo crudelis, immergeres, quas paulo tamen postea Neptunus misericors incolumes remisit domum. Quum Regentem nostram, lepusculi more fugientem, tu generosus canis insequereris Chordigera. Quum Chordigeram, cui remigii nullus vsus erat, validis remigum lacertis impelleres, ne tibi periret operosum illud hemistichium, 'Validis impulsa lacertis'; quum Heruei clamoso flatu proflares vela. Quum nauis aduersae ducem, virum magni nominis et loci, praeterires tacitum, idque ex arte videlicet; quum Herueum ferme facticium caneres non fortiter modo, verum etiam prodigiose pugnantem. Quum eum in Regentem, in qua nunquam pedem posuit, in medios hostes imperterritum intruderes. Quum Regentem, occupatis eius speculis, horrenda aedita strage, victam vinctamque traheres. Quum e victa naue non satis obseruatus in victricem iaceres ardentis flammae bolidem (quae res fuisset victis vinctisque difficilis). Quum Herueum adhuc in Regente relictum, memoria lapsus (quae res mentientibus facile solet obrepere), subito velut bicorporem, in conflagrante Chordigera, mediis in flammis, faceres longis logis concionantem, non in aliud (opinor) mortem differens, quam vt interea te videlicet alumnum Phoebi suis aliquando fatis vatem vaticinaretur futurum. Quum Heroes

75 · 85 · 90 · 95 · 100

Chordigera nauis erat Gallica, quae cum Regente naue britannica conflagrauit.

83. dimisit *Jortin*. 95. βολίς.

the carrack perceived they could not depart, they let slip an anchor, and so with the stream the ship turned, and the carrack was on the weather side, and the *Regent* on the lee side. The fight was cruel between these two ships, the archers on the English side and the crossbows on the French part doing their uttermost to annoy each other. But finally the Englishmen entered the carrack, which being perceived by a gunner, he desperately set fire to the gunpowder, as some say, though there were that affirmed how Sir Anthony Ughtred, following the *Regent* at the stern, bowged her in divers places, and set her powder on fire. But howsoever it chanced, the whole ship, by reason of the fire, was set on fire, and so both the carrack and the *Regent*, being grappled together so as they could not fall off, were both consumed by fire at that instant."

72. cf. More, *Epigrammata 1518*, p.77.

76. Brixius, *Herueus; siue Chordigera flagrans* ll.12-18 (lines not numbered).

77. Hervé de Porzmoguer commanded the *Cordelière*.

77. The text divides into incomplete sentences.

79. cf. *Herueus*, ll.19-27.

83. *ibid*.l.160ff.

87. *ibid*.l.39.

94. *ibid*.l.37f.

95. *ibid*.l.153.

vniuersos in cinerem decoqueres, meritoque adeo decoqueres, qui maluerunt exuri quam in Regentem sese transferre quam coeperant, quam victam vinctamque trahebant, passisque ad sydera
105 palmis. Quum Herueum describeres, suis superstitem sociis, iam iamque euolaturum ad superos, (nimirum quicquid mortale gerebat excocto flammis, maximeque, mortalium perniciosis affectibus, cuiusmodi sunt ira cum primis et odium) tum demum ita purgatum, Diui opinor Laurentii (ad cuius exemplar fortissimi viri
110 pectus effinxeras) exemplo prouocatum; captam nauem fingeres, et tot egregia deditorum corpora, per inuidiam atque vindictae libidinem, nullo suo fructu concremantem secum. Quum demum non homines tantum ac naues vsque adeo deuorares ignibus, vt ne deus quispiam e machina (quod fieri solet in tragediis) vnum
115 saltem seruarit incolumem; qui te rei quam decantas ordinem doceret, verum etiam flammis illis corriperes, 'Sydera cum caelo, cumque ipsis piscibus aequor'; nec illud breui hyperbole, sed pluribus versiculis accuratissime stolidis, pulchre videlicet emulatus Ouidium, hoc etiam vincens, quod quum ille ab Solis equis absque
120 rectore deerrantibus, orbis finxerit incendium; tu perquam scite scilicet, caelum, terras, ac mare comburas a conflagrante nauicula. Quum sic victo Nasone ferox, Maronem quoque lacesseres; et quoniam is effinxerat demissam a Ioue pluuiam, quae flagrantem Aeneae classem respergeret atque seruaret, tu perditis iam atque
125 consumptis incendio nauibus, imbrem e caelo copiose deplueres, ne, velut aqua perennis e pumice scaturit, sic ignis ex aqua iugiter eructatus, flammas eiacularetur in caelum. Haec ita cum tractares, ipse casu tuum nactus librum (haud scio an etiam tum excusum typis), quum tam immania portenta viderem, tam foeda, tam
130 pudenda mendacia, fictiones tam absurdas, purpureos aliorum

102. meritoque adeo decoqueres *om. Jortin.* 116. coelo *Lond. et Jortin.* 118. aemulatus *Lond. et Jortin.* 121. coelum *Lond. et Jortin.* 125. coelo *Lond. et Jortin.* 127. coelum *Lond. et Jortin.* 130. obsurdas *Ep. ad Brix.*

---

102. Spont (*op. cit.* p.xxviii) points out that Clermont, the French admiral, sent a false report of the battle with the English. He was later accused of cowardice by Berquetot and the other French captains. He was not sentenced, however, and still held office in the spring of 1514.

It would seem, then, that part of the bitterness of the quarrel between More and Brixius was due to differing accounts of the battle, and that the English had had one more true to the facts.

105. cf. *Herueus*, l.168f.

109. The martyr St. Lawrence, burned to death. cf. *Herueus*, l.153f.

114. cf. *ibid.*l.252f.

116. cf. *ibid.*l.266f.

119. Publius Ovidius Naso, 43 B.C.-17 A.D.

119. *Metamorphoses* II.1-343—Phaeton drives the horses of his father Phoebus.

121. cf. *Herueus*, l.278f.

122. Ovid.

122. Vergil.

124. Verg., *Aen.* v.687-699.

129. Plaut. *Pers.*1,1,42.

130. Hor. *A.P.*15.

pannos, hinc atque inde insutos illi tuo crassissimo bardocucullo, quibus ne locus non esset, habitum totum in eam compositum formam, quam 'Non sani esse hominis non sanus iuret Horestes,' vno atque altero epigrammate me significaui in narratione tua fidem rerum, in poemate desyderare consilium, tum plures abs te 135 congestos, quam pro horrei tui modulo alieni farris aceruos.

Eodem tempore Epigramma luseram in nostratem quendam, qui vt parum tempestiue, sic non admodum feliciter, affectabat Gallicitatem. Quo in Epigrammate, si quid est mordacius, id in ridiculum recidit affectatorem, non in Gallos; de quibus, vt 140 maxime torqueas Epigramma, non aliud excuties dictum, quam quod heri sitis in ministros paulo duriusculi. Quod nec vos opinor, admodum diffitemini, et ego sicut non insector in vobis, ita quum sui cuique genti sint mores, in illo nostrate displicuit quod apud nos preter consuetudinem nostram, durius tractaret vestratem. 145 Haec ego quum illa tempestate scriberem, qua belli fremitu flagrabant omnia, etiam si quid asperius mihi venisset in mentem, non credidissem certe, nec tam iniquum quemquam, nec ipsum te tam improbe fauentem tibi, vt libris in nos debacchati; tamen exigeretis a nobis, vti ne versiculo quidem vicissim tangeremini. 150 Quamobrem si ego prior in te scripsi, prouocasse conuincar; sin tu prius in nos, quid habes quod isti tam inhonesto facto possis honeste praetexere? Quum ipse librum epigrammate rependerim, tu rursus epigramma iocosum retaliaris, mirum quam virulento volumine? Ad haec, cum ego statim illa mea rebus nondum pacatis 155 luserim, tu nunc tot annis postea, in summa pace, arctissima necessitudine coniunctis Regibus, mira concordia conglutinatis populis, post sancitam sanctissimis vtrinque caeremoniis saluberrimam ----------------, nunc exoriris denique, qui sopitas atque obliteratas simultates renoues, coalescentia diuellas vulnera, et 160 obductas cicatrices refrices, qui nobis in os ingeras, foedas nostrorum fugas, dispersas et obrutas classes, inuidiam, foedifraga periuria, quas res ipse foede confingis.

Atqui haec abs te omnia videri vis concinne fieri, quod me strenuus videlicet nunc aggrederis, qui tecum sim olim aliquando 165 luctatus. At cui non perspicuum est, quam ridicule sit facturus athleta, qui prodiens in palaestram, semelque vniuersos prouocans,

135. desiderare *Lond.* 140. incidit *Jortin.* 145. praeter *Lond.* 153. Cum *Lond.* 157. necessitate *Jortin.* 159. tranquillitatem *suppl. Jortin; fortasse* pactionem pacis.

---

131. Gallic overcoat with hood.

133. Orestes slew his mother Clytaemnestra, to avenge the death of his father Agamemnon.

137. cf. *Epigrammata* 208 (Basle 1563); *Philomorus*, pp.223-224 (tr.)

quum forte sit deiectus a quopiam, tandem soluto coetu dimissoque ludo, aliquot post annis redeat denique, atque rebus animisque
170 omnium immutatis, et in quidlibet potius quam eiusmodi certamina versis, inopinus assiliens, antagonistam, quo cum olim luctatus est, de repente corripiat medium, prouocatum etiamnum sese clamitans, quasi vel prouocet qui prouocanti respondeat, vel initum semel certamen duraret aeternum—quam ridicule sit,
175 inquam, eiusmodi facturus athleta, cui non est perspicuum, etiamsi fors congressu fuerit superior? Quod si sic insiliens, cum huc atque illuc verterit sese, brachiaque iactans ac tibias, alios eiectis pugnis, alios calcibus feriat, atque in his fortassis etiam prioris ludi agonothetas; denique vbi diu frustra sese torserit, quum prosternere non
180 possit aduersarium, ne frustra processisse videatur, in vultum conspuat, crapulaque ac sanie totum ebrio eiecta stomacho conuomat, itaque gestiens, tanquam re praeclare gesta discedat, egregium scilicet triumphum in ganeis ac popinis acturus; hiccine palestrita coronandus? an dignus potius fuerit, cui talos aliquis et crura
185 perfringat?

Iam quis non videt, Brixi, quam tu sis huic athletae similis? quanquam hoc fortasse dissimilis, quod non athletico certamine totam gentem nostram sed hostilibus prouocasti conuiciis; nisi forte contendas periurium non habendum pro contumelia, quod
190 simile est, ac si disputes, asinum non habendum pro quadrupede. Qua in prouocatione, quum ego tecum vno atque altero telo, sed exarmato, non tam dimicarem quam luderem, (nam is videbare quem non esset operae precium laedere), tamen nescio quo pacto (vt facile penetratur pustula) tanto cum dolore ictum recepisti,
195 vt nunc demum tot elapsis annis, toties facta firmataque pace, tam multis modis constabilita concordia, tam necessaria iunctis affinitate Principibus (quae res vna debuit inter vtriusque populos pristinas omnes simultates tollere) tu tamen, tanquam neque prior prouocasses, et adhuc duraret bellum, in me repente rursus
200 insurgas, et omnibus in amorem, amicitiam, societatem, ac iam quoque hospitalitatem mutuam intentis, hostilibus armis inuadas; et telis non acutis admodum, sed (quod amplius est quam inter homines, non omnino barbaros ac syluestres, belli iura permiserint) impetas venenatis; non stupide minus quam improbe clamitans
205 interim, te prodire prouocatum, tanquam responsurus esses ad ea, quae nos in te dum tibi responderemus, iniecimus; quae certe fuerunt eiusmodi, vt ea respondendo non possis, quantumlibet sudaris, effugere. Quod quum verum esse sensisses, sic instituisti

203. syluestres] *sic et Lond.*; siluestres *Jortin.*

libellum tuum, vt tuam defensionem timide, ac velut obiter attingens, totus in me confodiendum conuertereris; qua in re quum quicquid tibi virium fuerit intenderis, quid aliud effecisti denique, quam vt effutitis infacetis facetiis, euomito furiali veneno, me tandem, quum non potuisti laedere, ne nihil egeris, perspuisti? atque ita demum discessisti victor ac triumphator egregius? Verum in me quam lepide dicax fueris mox videbimus. 210 215

Interea pensitemus isto tam operoso libello, in quo elaborando plures perdidisti dies, quam liber habet versiculos, quanto cum artificio quae tibi sunt obiecta dilueris. Ego igitur quum in te taxassem alia furto subrepta veteribus, alia perabsurde tractata, omnia denique sic abs te narrata, vt neque in rebus veritas esset, neque in verbis fides, ad primum sic respondes, tanquam ego sim criminatus, quod tui versiculi nimis redoleant antiquitatem, a quo ego crimine (ne quid excusando te torqueas) facile te absoluo. Nam quod idem crimen alibi rursus attingens obiter, rursus dissimulas obiectum furtum, rursus velut obiectam aemulationem defendis, ac non contentus si reprehensione careas, laudem etiam ab re tam illaudata vendices, quod ita videlicet veteres aemulatus sis, quod eorum assidue vestigiis inheseris, quod Herculi denique clauam e manibus eripueris, non potui, hercle, sine risu legere, e facto tam pudendo tam magnifice vendicatam gloriam. Nam quum omnia pessime sis imitatus, quum aliorum vel hemistichia vel integros versus, vno interdum verbulo male commutato, interdum ne commutato quidem, passim vsurpes pro tuis, hoc non est, opinor, aemulari, Brixi, sed contaminare, foedare, polluere; hoc non est Herculi clauam vi eripere, sed repositam furto subripere. Quanquam negare non possum quin hoc sit veterum inherere vestigiis. Verum enimuero, Brixi, nimis inheres importune, quum sic inheres vestigiis, vt eorum decutias calceos, quibus tuos pedes haud quaquam aequales, obuestias. Nec tibi satis patrocinii fuerit, si quid tale de se dixit Vergilius, quale tu de temet iactas. (Neque enim cuiusque est, Corynthum petere.) Ille de se dixit, quod abunde praestitit; tu de te gloriaris in eo, quod praestare non sufficis, nisi simile putes esse pereuntes Ennii versiculos Vergilii 220 225 230 235 240

227. aemulatis *Lond.* 235. inhaerere *Jortin.*
237. inhaeres *Lond.* importunae *Ep. ad Brix. et Lond.* 238. inhaeres *Lond.*

241. Corinth was famed for its luxury, hence the proverb: οὐ παντὸς ἀνδρὸς εἰς Κόρινθον ἐσθ' ὁ πλοῦς.

243. Quintus Ennius (239-170 B.C.) in his narrative poem, the *Annales*, used the national destinv of Rome as the motive for an epic, and employed the dialect of Latium for the Homeric hexameter. Vergil imitated him, and by taking the spirit and phraseology of Ennius gave his own epic an antique feeling.

poematis aeternum victuris inserere, et aeternos Vergilii versus
245 tuis infulcire pereuntibus. Illum aliorum carmina interclusisse
melioribus. Te splendidissima quaeque vetustiorum sordibus im-
miscuisse tuis. Illum sic certare cum Graecis, vt vbique sese parem
probet, plerumque etiam superet. Te cum Latinis congressum non
hoc agere, vt aemuleris aut certes, sed vt ex insidiis aliquid auferas,
250 quod in tuam sup[p]ellectilem conferas integrum, si clam fore
furtum speres—alioqui, velut equi furtiui caudam atque auriculas
amputes, vt vel deformato possis vti potius quam careas. Qua in
re adeo te industrium praebes ac plane frugi furem, vt frequenter
ne vel hemistichio alieno contineas manum, si quod tibi videatur
255 eximie bellum, mire absurda commenta, fictiones ineptissimas,
quas locus aut res neque petit neque patitur, a caelo ad terras
vsque, sed quae neque caelum (quod aiunt) neque terram attin-
gant, accersas. Quod si in explicanda pugna, si tempestate reprae-
sentanda, vel si quid aliud erit eiusmodi, Veterum quempiam
260 proponas aemulandum tibi; sic illius verba pleraque, sic versus
plerumque totos, in versus inculcas tuos; sic quicquid variaris,
immutas in deterius, vt si quis parteis conferat seorsum, hinc
nihil illi similis, hinc ille ipse videaris. Sin vtrinque simul contem-
pletur totum, tum vero videri possit, ira quapiam Superorum,
265 mira metamorphosi, pulcherrimus heros quispiam in ridiculum
commutatus simium.

Ergo quum obiecta tibi tua furta, ratione tam elegante, nempe
dissimulatione, diluisses, ad tam pudenda mendacia (quibus
Chordigera tua non aliter scatet quam cadauer vermibus) velut
270 Aiacis clipeum aut Palladis aegida, poetices opponis priuilegium,
quo videlicet historica lege tradendae veritatis eximitur. At ego
profecto, Brixi, vt poeticen, augustam sane ac perquam liberam
diuam, non adeo angustis limitibus obsepserim, quin vt verborum,
ita rerum quoque fingendarum detur licentia, modo sumpta
275 pudenter; ita plane non patiar, vt quidlibet impudenter ementiens,
idemque tractans absurde, totam rerum seriem atque adeo summam inuertat atque demutet. Quam si alioqui statueris, omnibus
prorsus Historiae legibus tam absolute liberam, vt et debellasse
cantitet, qui non conflixerint, et vicisse pronunciet, qui victi sint,
280 hostesque fugasse, qui fugerint; iam non Didonis tantum miseranda fata (quae tu profictis affers) irriserimus (quae nescio an

249. emuleris *Lond.* 256. coelo *Lond. et Jortin.* 257. coelum *Lond. et Jortin.*
258. *scr. Jortin*; quam *Ep. ad Brix.* 270. *sic Lond.*; cliperum *Ep. ad Brix.*
274. *sic Lond.*; deter *Ep. ad Brix.* 276. *sic Lond.*; totum *Ep. ad Brix.*

257. cf. Otto, p.60. 269. cf. *Herueus*, l.57.

satis confutata, certe trahuntur in dubium non sat indubitatae fidei authoribus), verum etiam falsa esse bella omnia, falsa fictaque coniugia, aut Aeneam certe a Turno, Turnum a Pallante superatum, omnia denique contra gesta, quam sunt a Marone tradita, 285 crediderimus. De Vergilio videlicet accedentes tibi, de Homero vero Dioni, homini tam infenso poeticae, vt totum Troianum bellum contenderit, atque ipsam propemodum Troiam, figmentum esse Homericum, idque obstinate contenderit, infinitis victus argumentis. Quod non alio consilio fecisse videtur, quam vt id ipsum 290 infensus ageret, quod agis nunc ipse propitius; hoc tantum diuersus, quod quam rem ille studio conabatur, vt nemo poetas haberet in precio, hoc tu procures imprudens, non faber fabro inuidens, sed arti prorsus ipsi suam inuidens gloriam, ipsique adeo tibi tuam, si quantus haberi postulas, tantus vere vates esses, cui an non 295 praecipuam gratiam decusseris, si nemo sua facta dignabitur poeticis versibus commendari memoriae? Nemo certe dignabitur, qui mentem habeat, qui quidem habeat persuasum, habenda pro fictis omnia, quaecunque Poeta cecinerit, idque eo fatente ipso cecinit. 300

Caeterum hac in parte (vt vere tecum loquar ac libere) non vnus es, qui res nobiscum gestas a vobis, si non falso recenseas (nam id dicere apud tam teneras aures religio est), at certe nimi[r]um recenseas libere. Prodiit opusculum Pillei Turonensis satis canoris versibus (nam reliqua libens praetereo, ne is quoque 305 se prouocatum clamitet), cuius in libello tamen quisquis aduerterit, in re narranda, quam passim vtatur Brixiana poetice, quam honoratis titulis nostram exornet Angliam, quam venerandis epithetis inclytas honestet Hispanias, is, opinor, certe iudicabit, si quis Pilleum, aut Hispanus, aut Anglus, non tantum epigram- 310 mate remorderet, nihil habiturum causae Pilleum, cur se quaeratur lacessitum esse, quum prior laeserit. Quod si quis tam iniquus esset vsquam, vt contra sentiat, non dubitassem, vel ipse eam subiisse calumniam, si liber olim mihi venisset in manus. Nunc vero non est consilium antiquatis amicitia noua simultatibus tumul- 315 tuari de integro.

Quamobrem omisso libro, titulum tantum proponam, cum vt

283. fidis *Ep. ad Brix.* 289. *sic Jortin*; victis *Ep. ad Brix.* 295. habere *Lond.* 304. nimirum *Lond.* 311. *sic Jortin*; remorderit *Ep. ad Brix.*

---

284. Pallas, King of Arcadia, was slain by Turnus, a King of the Rutuli. *Aeneid.* x.439-509. Turnus was slain by Aeneas, to avenge the death of Pallas. *Aeneid.* xii.887-952.

287. Dio Chrysostom (Dio of Prusa). *Oratio.*ii.

304. By metonymy, Protector.

ex vngue liceat estimare leonem, tum vt si cui libeat legere, nomen habeat saltem, quo vestiget librum. Is ita inscriptus est, *De Anglo-* 320 *rum e Galliis fuga, et Hispanorum e Nauarra expulsione.* Quis non uel absque cribro diuinet facile, cuius farinae reliquus siet liber, quum istiusmodi furfuris legat titulum, qui cum reliquo libro tam concinne concinit, quam ab historia tota discordat? Nam quis non rideat, quod Anglos prelio iactat e Galliis esse 325 fugatos? Quos, opinor, satis constat (vt nihil amplius dicam) certe non fugatos e Galliis; quod si fugatos sentit ab Aquitanis, quomodo fugari poterant ab hiis, cum quibus nec eo ventum est, vt liceret congredi? At istud multo adhuc magis insigniter est ridiculum, quod Hispanos buccinet Nauarrae possessione depulsos, 330 qui Nauarram tum ingressi, perpetuo post possederint, hodieque possideant. Sed donentur ista poetice, qua Pillei Musa, quod ad fictiones attinet, ita belle refert tuam, vt nusquam terrarum sit, simia simiae similior. Quin et is, opinor, hanc obtundet poeticen, per quem haud ita pridem Parisiis excusus est fasciculus temporum, 335 vere comburendus fasciculus, vt in quem congesta sint li[n]gna quaedam, quae, nisi noster Princeps tam bene sibi conscius esset, vt se suaque facta non dubitet clarius latiusque testata, quam vt sint obnoxia latratibus inuidorum, potuissent aliquem fortassis ignem inter duos populos accendere. Nam ei libello cum alia 340 quaedam nuper indita sunt seditiosa mendacia, tum coronis adiecta multo seditiosissima; qua legitur Princeps vester, iam ab hinc biennio fuisse moturus aduersus Turchas, nisi ei fuisset infidelitas Regis Angli suspecta. Quis haec ferat, qui norit, neque de tali expeditione tum fuisse cogitatum vobis, neque quenquam aut 345 minus fuisse suspectum Principi vestro quam nostrum, aut qui minus commiserit, quare suspectari debuerit? Iam quid illo scriptore vel dici vel fingi potuit impudentius, qui vestra lingua perscripsit Iacobum Scotorum Regem, interea dum Rex noster in armis esset in Gallia, Britanniam ingressum, rebus feliciter gestis, 350 ingente cum gloria sese recepisse domum? nec reueritus est scriptor improbus, totius orbis conscientiam, qua satis superque cognitum omnibus sciret esse mortalibus, fusos fugatosque Scotos, ipsum

324. praelio *Lond.* 327. iis *Lond.* 335. ligna *Lond.* 342. Turcas *Lond.*

318. Eras., *Adag.*1934.

320. In 1512 Henry VIII sent an army under his cousin the Marquis of Dorset to attempt the reconquest of Gascony. He hoped that the Spanish under Ferdinand of Aragon would cooperate, but Ferdinand was intent on his own conquest of Navarre. The English troops were kept inactive, were disgusted at their poor food and drink, and finally mutinied and forced Dorset to allow their return to England. (*Philomorus*, p.72; but the authorship of the poem is not given.)

348. James IV, who had married the King's sister Margaret, was defeated and killed in the battle of Flodden Field, 1513.

Regem cum tota fere nobilitate peremptum, corpusque eius, quod moreretur Christianae communionis expers, insepultum, iubente Pontifice, tot annos adseruatum. 355

Haec atque alia quaedam eiusmodi, quum huc subinde proficiscantur istinc, tamen postquam tam alta pax coaluit, maluimus conticescere, patique potius ingestas indies contumelias, quam cum aliqua animorum offensione regerere; simul sperantes fore vt Paulus Emilius, tam sanctus et incorruptus enarrator historiae, vt 360 iureiurando putes obstrictum; tam elegans, vt nisi recentiora rescriberet videri possit haud infimus antiquorum, res vtriusque populi (quas quidem inter se gessere) syncera fide sit aliquando traditurus posteris.

At tuus liber, quando mihi iam tum in ipso rerum tumultu 365 fuit oblatus, haud quaquam existimaui maioribus victimis expiandum piaculum, si librum eum, qui et tam acerbus esset et impudenter mendax, Epigrammate saltem per ludum iocumque perstringerem. Et tu tamen, qui (vt es vndique mire facetus) ludis in dominationem meam, nisi qui te attigerim, me vicissim tangi 370 paterer, quum totam gentem meam et conuitiis improbis et mendaciis impudentibus prior exagitasses, tam indigne tulisti, vel ioco contra tangi sacrosanctam Maiestatem tuam, vt annos aliquot, in hoc vnum totus perdius ac pernox incubueris, vt aliquando posses accurato volumine cum Epigrammate plusquam extemporali con- 375 fligere. Qua in re quum duo tibi proposueris; primum vt tua defenderes, deinde vt inueohereris in mea; alterum tam praeclare praestitisti, vt ex his, quae tibi obiecta sunt, alia dissimularis, alia non intellexeris; illud vero, quod maius erat quam vt praeterire, notius quam vt dissimulare, verius quam vt euitare potueris, 380 tamen diffinitione declinasti commode, vt quicquid ego te mentitum argueram, tu non mentitum quidem te, sed finxisse contenderes.

Quamobrem quum hoc congressu sentiam tam acutum esse te, vt Tenedia bipenni fictum a falso disseces, hoc est, ita temet 385 erroneo mendacio explices, vt implices vltroneo, haud amplius tibi molestus fuero, quin hac sane parte peruiceris; modo hoc vnum inter nos conueniat, quod alioqui iuratis euincam testibus, qui abs te exusti adhuc supersunt tamen, tuasque fictiones arguunt atque

355. *sic Lond.*; adseruatam *Ep. ad Brix.* 362. describeret *coniecit Jortin.* 371. conuiciis *Jortin.* 379. magis *Lond. et Jortin.* 381. definitione *Lond. et Jortin.*

---

360. Paulus Aemilius (d.1529) an Italian who enjoyed the patronage of Charles VIII and Louis XII and wrote the history of the kings of France—*De Rebus Francorum.*

385. According to the strict justice of King Tenes, cf. Otto, p.343.

390 derident—conueniat, inquam, excepto duntaxat hoc vno, quod vnum poteras vno clausisse versiculo, nempe quod duae naues incensae sunt, caetera quae volumen tuum tanto decantat hiatu, esse abs te ficta omnia. Nunc igitur a tuis castris ita reiectus, atque depulsus, impellor ad mea tutanda refugere. In quibus horreo, ne 395 tam acrem hostem, tam indigne prouocatum, tam capitaliter offensum, tam recente victoria ferocientem, ab suis vsque munitionibus a me tam ignauiter oppugnatis, ab illo defensis tam fortiter, ad mea vsque castra me persequentem, quae ego tam effusa fuga repetiuerim, nequeam sustinere. Quod quo magis exhorream, 400 machinae illae tuae me commouent; quibus in me tam valide non ista torques minutila, quae, quum coniicerentur in te, ne declinare quidem ferme dignatus es, veterum compilatos versus canoris nugis insertos, ingenii stuporem tenuibus verborum bracteis (per quas pellucet totus) obductum, et (quod laudi quoque ducis tibi, 405 modo vocetur fictio) mendacissimam petulantiam; sed barbarismos ac soloecismos, et non satis consistentes syllabas, res, bone Deus, quam atroces, quam impias, quam (si cum illis conferantur) immanes! Nam quae re obiectas ista sunt, caeterum verbis et conuiciis meris, stultum, insanum, furentem vocas, idque plusquam 410 centies; sed ea conuicia sunt Mopsopii sales tui, in hoc adhibiti, vt insulsum per se libellum tali condimento reddas insulsiorem. At syllabis illis et soloecis omnino me fortiter oppugnas, ac stringis. Sed est adhuc, Brixi, quiddam, quo me constringis durius, verum tu profecto praeter aequum ac bonum durior, qui non oppugnasse 415 contentus, postules praeterea quo me armorum genere defendam ipse praescribere. Ita pro imperio iubes, ne quid ex hiis, quae tu impingis mihi, reiiciam in Frobenium. Qua in re vide quam sis inciuilis atque adeo iniustus etiam, qui quum scires opus impressum esse Basileae, quum ipse morarer in Anglia, nec dubitare 420 possis, quin eo tempore fuerim occupatior, quam vt mihi liceret, e Londino Basileam, quotidie bis transcurrere, quicquid errati tamen inueneris in opusculo, potius quam excusori quicquam imputes, omnia improperare malis authori.

Enimuero si legem, quam in me tulisti, ferre debes et ipse, 425 futurum non dubito, quin si quid tuorum posthac excudatur vspiam, vbi tibi non sit accessus ad impressorum praelum, satis in te nobis huiusmodi ministrabis telorum, qualia nunc in nos, tanquam vno quoque plane tran⟨s⟩fixurus, intorques. Cuius rei

401. minutula *Jortin.* 408. inanes *Lond.* 412. σόλοικον.

410. cf. Otto, p.44, *s.v.* Atticus. 417. cf. Ep.67, introd.

satis insigne documentum hic ipse quoque libellus exhibet, quo mihi tam security aliena impingis errata, vt interdum etiam im- 430 pingas tua, qui quum excuderetur adsistente te, et subinde raptas a praelo formas reformante, tamen absoluto volumine, si non aut tute librarii lapsus emendasses, aut alius quispiam tuos, futurum fuerat, vt errores neque pauciores, neque minus ferendos, tuus haberet liber, quam quibus nunc insulse sic insultas in meo. 435 Quanquam ne nunc quidem ita repurgasti tuum, quin hinc atque inde naeuos aliquot quouis foediores polypo reliqueris.

At ego hac in re sic meam causam tutari possum, vt nec in Frobenium quidem vllam culpam deriuem, etiamsi ipse literis ad me datis, a suis cessatum operis fatetur, ac pollicetur sese dili- 440 gentius excusurum denuo. At ego certe quicquid esset, etiamsi corrupta quaedam sine mea culpa videbam, illi tamen protinus imputare non poteram, conscius exemplar a me nullum quod sequeretur accepisse Frobenium, neque enim eorum ego carminum, praeter ea quibus Regis auspicia veneratus sum, eaque quibus 445 in te luseram, vel aedidi fere quicquam, vel aedere adhuc decreueram. Quod si vel amici mei, vel pueri sibi descripsere libellum, aut apud me seruatum negligentius, aut apud quempiam fortasse, cui non in hoc credideram, atque ita contigerit, vt quibus liber adriserit, putarint euulgandum; neque miri quicquam est, si ali- 450 quid mendarum substruxerit scriptor, aliquid adstruxerit typographus exemplari videlicet vsus, et corrupto non nihil, et fortasse perplexo; neque aequum ipse feceris, si vitio vertas mihi quicquid alienus vspiam vel error vel incuria peruerterit, atque ex aliena imperitia, me condemnes inscitiae. Nisi protinus pronuncies illi- 455 teratum, et doctis prorsus omnibus explodendum, si quis indiligentius occluserit literarum suarum capsulas.

Quod si dubitari non potest, quin alienis mendis infectus sit liber, vtpote et excusus typis, et ante non ab vno transcriptus, haud facile adducor, vt credam, quin et ipse me tacitus absoluas apud 460 te, de quibus apud alios tam aperta calumnia traducis; sin tibi penitus insederit fixa atque offirmata sententia, quicquid inemendatum reperisti, vicio prorsus id contigisse meo, quid aliud, quam laterem lauem, si tibi me purgare contendero. Vide ergo, quam ciuiliter agam tecum. Etenim quanquam (vt vides) possum apud 465 aequos optinere iudices, vt quae mihi impingis, eorum pleraque deriuentur in alios (nisi quae res nulli vnquam libro contigit, nus-

431. excuderentur *Jortin.* 437. *sic Lond. et Jortin*; polipo *Ep. ad Brix.* 446. edidi *Lond.* edere *Lond.*

---

460. "Ill expressed." Jortin. 464. cf. Otto, p.187.

quam vt typographus, nusquam scriptor errauerit, id nunc demum contigisse videatur meo). Tu quanquam in quibus, vt certissimis
470 exultas maxime, in his te vel calumniari maxime, vel certe maxime falli, certissimis mihi liceat argumentis euincere, partim productis authorum testimoniis, quibus erit perspicuum recta esse plurima quae reprehendis, partim prolatis illis ipsis chartulis, quibus olim aedidimus pauca illa, quae diximus, quibus liquido constiterit,
475 aliter a me composita quaedam et aedita, aliter post excusa Frobenio; siue id exemplaris cuiusdam perplexitate contigit, siue euenit incuria, siue a meo describenti libro, placuit scriptori quidpiam, quod ipse interlito versu mutaueram—quis enim satis diuinare possit, quam multis casibus irrepat mendum, aut qua fortuna
480 propemodum omnibus obtingat authoribus, vt vetustis etiam collatis exemplaribus lectio nonnunquam variet?—Quanquam haec, vt dixi, possum; ego tamen, Brixi, quandoquidem tu tam ciuiliter temet in te tuendo gessisti, vt in eam rem nihil fere prorsus attuleris, quod quidem ad rem pertineat, seu te ingenuus quidam sic
485 obstupefecit pudor, vt non posses cogitata proloqui; seu festinatione praepeditus es obiurgandi mei, statui tecum simili contra ciuilitate contendere, et quod ad errata pertinet, huiusmodi defensionem meam in presente praetermittere, vtpote cum erga te inutilem, cui nullo posset vnquam pacto satisfieri, tum erga caeteros omnes
490 minime necessariam, quorum ego neminem fore suspicor, cui tu persuaseris ea mihi prorsus imputanda, quae taxas, sed Lector aequus haud dubito quin quiduis potius comminiscatur ex sese, quam vt me praesumat tam insigniter inscium, vt neque positionem in carmine, neque soloecismum in sermone cognoscam.
495 Quod si mei lapsus esse vincerentur maxime, tamen quando ipse librum non aedidi (quae res manifestior est, quam vt liceat tergiuersari vel tibi), quo iure possis obiicere, si quid adhuc meditanti subductum est atque vulgatum ei, qui dicere possit illud Ouidii, 'Emendaturus, si licuisset, eram?' Quo mihi versu, si cuiquam alii,
500 meritissime licet vti. Nam ego totum librum, preter ea quae iam olim aedideram, pressurus eram perpetuo, vt qui nec illa ipsa fueram aediturus, nisi literatioribus quam ipse sum, magis adrisissent quam mihi, cui nihil meorum vnquam salsum visum est admodum, nisi quod nunc ex tua bile sentio aliquid habuisse salis,
505 quo frictus es. Quod si librum aliquando publicare statuissem,

474. edidimus *Lond. et Jortin.* 475. edita *Lond. et Jortin.*
482. *sic Jortin*; tu iam *Ep. ad Brix.* 485. *Lond., recte*; obstupefacit *Ep. ad Brix.*
488. praesente *Lond. et Jortin.* 496. edidi *Lond. et Jortin.*
501. edideram *Lond. et Jortin.* 502. editurus *Lond. et Jortin.*

499. Ovid.*F*.4.596.

certe quaedam immutassem, non quod errorem syllabae tam valde magni penderem, quam quod essent aliqua minus aliquanto seuera quam vellem. In syllabis vero, si quid hallucinatus essem, quanquam non fuissem grauatus emendare, tamen in vna fortassis et altera, non nimis anxie me torsissem, presertim sicubi commode 510 mutare sine sententiae damno non possem; quandoquidem non eos duntaxat authores, qui tanto te doctrina superant, quanto tu illos superbe despicis, verum vetustissimos quoque non vsquequaque seruasse reperio, eodem tenore semper easdem syllabas, qua ex re natus est nimirum aceruus ille communium. 515

Postremo vel eo minus haec me remordet cura, ne quis ea putet mea esse omnia, quae tu carpsisti, quod in his ipsis videam nonnihil eiusmodi, vt quanquam non sit meum, tamen pro meo me non puderet agnoscere. Neque quicquam dubito, quin cuique inter legendum succurrant exempla, quibus eorum pleraque, quae tu 520 pro soloecismis in nos adnotasti, reperiantur pure puteque Latina. Porro futurum denique, vt si quid reprehendisti rectius, id in me tamen certe non possis impingere, qui nec aderam castigationi, nec exemplar vnde excuderetur exhibui, nec librum prorsus aedidi. Contra vero, in quibus ipse aut deciperis aut calumniaris vltro, 525 quae sunt haud dubie supra dimidium, temet ipse traduxeris, vel ignorantiae vel sycophantiae, vtrobique certe insignis impudentiae, qui tam superbe, tam nulla causa, tam longo tibi expensa tempore, ad eum scribens, quem iam secundo prouoces, atque ad inquirendum in te quoque arrogans, ac securus excites, tamen tam multa, 530 quae recta sunt, vel imprudens per inscitiam, vel per inuidiam prudens, reprehendas. At tu quum hunc ad modum strenue mea omnia velut vno deflauisti spiritu, de te securus, et meras efflans glorias; iubes vt excutiam vicissim tua, nimirum certus, ita tibi pulch⟨r⟩e instructa omnia, vt ne Momus quidem, vel syllabam 535 possit inuenire quam vellicet.

Ego profecto, Brixi, multo velim libentius eos libros excutere, e quibus aliquid excuti possit boni. Quanquam et hunc tuum, etiamsi nihil inde frugis vel expectaui vel reperi, tamen quoniam in me scriptus est, eo legi studiosius, quod quae mutari conueniat, quae 540 vel amicis interdum commendat amor, vel ne quod offendant, obticent, ea plerumque solet inimicus iratus effundere. Itaque sic attentus legi, vt quo tu me vocas (nempe vti in syllabis excutiendis essem curiosus) eo nusquam respexerim; si quid vero inesset rerum, id certe non indiligenter expenderim. Et tamen quan- 545

507. *sic Jortin* (*vel* sed quod); quod *Ep. ad Brix.* 510. praesertim *Lond. et Jortin.* 524. edidi *Lond. et Jortin.* 539. exspectaui *Jortin.*

tumuis abhorream ab eo, vt ociosus occuper aucupio syllabarum, certe monosyllaba, illa mens, quam in *Chordigera* desyderaueram, in *Antimoro* quoque sedulo quaesita, nec mihi tantum quaesita, sed multis, adeo nusquam inuenta est, vt libelli titulus, etiamsi breuis, tamen videatur omnibus dimidio longior esse quam debet; opusque tuum non *Antimoron* appellandum sed *Moron;* eoque iustius, quo tu insulsius in meum nomen affectas haberi salsus, quasi non in Hermolaum Barbarum fortuna dederit hoc scurrandi genus, vel impense barbarus, et in Thomae Mori nomen Germano 555 Brixio, qui vere germaneque Moro sit, vere germaneque germanus. Eum ego librum quum perquam attentus inspicerem, nihil aliud vidi quam delira conuicia; quae vel recte scripta reprehenderent, vel mihi alienos lapsus obiicerent, vel tuum caput recta repeterent. Porro multa tam belle competebant in me, vt potius quadrare 560 videantur in quemlibet. Latratus audio plusquam caninos, sed elatratos inaniter, morsus plusquam rabidos, sed qui temet vnum mordeant; virus plusquam vipereum, sed vni tibi noxium. Quae quum sint eiusmodi, non miror admodum vereri te, ne forte non sustineam legere, quae nemo certe durare queat; vt perlegat, nisi 565 haec omnia (qui Brixii lepor est) amoenis condulcarentur deliriis. Quae mihi tam vehementer in Morico isto adrident *Antimoro*, vt quum primum mihi dabitur ocium, sim curaturus, vt accuratius aliquanto quam nunc excusus est, excudatur denuo, fortassis et illustretur commentariis; tantum abest, vt isti gloriae tuae inui-570 deam, qua tibi factus videre Deus, si Mori dispuibile tibi nomen exsibiles, ac venerabile nomen Brixii libro isto tam elimato, tam erudito, tam lepido, tam festiuo, tam sacro denique aeternae consecraris infamiae. Cuius libri dotes admirandae, ne quid oscitantem forte Lectorem lateant, nos exempli causa quasdam indicabimus, 575 vt his, veluti stimulis, excitatus, penitius in librum penetret; atque aduertat attentius, quam lepidi ioci, sales, delitiae, mel, et saccarum, ac plane lacteum suadele flumen ex amne Gallo scaturiat.

Antimorus nomen libelli Brixii, quem sine mente nuper emisit.

Exordiar igitur, vnde tu exorsus es, ab endecasyllabis illis, quos scripsisti Macrino. In quibus tanquam in operis frontispicio in-

547. desiderauam *Lond. et Jortin.* 553. barbaro *coniecit Jortin.*
565. *sic Ep. ad Brix.* qui Brixii leporem *Lond.*; lepores *correxit Jortin.*
569. *sic Lond.*; glotiae *Ep. ad Brix.* 570. cf. Du Cange: despuo.
577. σάκχαρον.

553. Ermolao Barbaro (1454-1493) Italian scholar, professor of philosophy at Padua 1477-1479, and later long resident at Rome, author of *Castigationes Plinianae*, 1492.

570. dispuibile: More's coining from despuere.

579. Salmon Macrin, a member of the household of Antony Bohier, Cardinal, and Archbishop of Bourges. Some of Macrin's verses were included in the *Antimorus*. (Allen IV, p.228, n.439.) cf. *Brixius Macrino*, ll.1-6.

signem stuporis tui titulum praescripsisti. Nam quum initio Macri- 580
num Stentorem tibi fecisses Homericum, eundem etiam Nestorem,
olim poetam optimum, iam vero et oratorem derepente prodeuntem,
tam venustum, tam vehementem, vt sua Suada, cui tot charites,
tot lepores Venus afflauerat, ita quolibet tuum perpelleret animum,
vt illi reluctari non possis flagitanti, vti quam primum 585
exiret *Antimorus*, eoque ipsius auspiciis volumen emiseris, cuius
hortatibus non valuisti resistere; paulo post oblitus tui, negas eum
vnquam flagitando atque orando extorquere potuisse, vt elephantis
ille praeclarus partus aederetur ante completum nouennium.
Verum ne Venus inuenti tui deperiret tibi, libellum tam venustum 590
subprimenti diutule, quando scommata, nisi statim retorta, non
habent gratiam, coactus es properare, et quo libellus aduersus epigramma
posset subito paucis annis exire, necesse tibi fuit, singulis
fere biduis, singulos versus absoluere. In quibus quum ne tantulum
quidem tibi suffragetur ingenium, vt vel primam paginam 595
potueris eo tenore progredi, quin tibi statim tam insigniter excideres,
ac memoria lapsus, ipse sic pugnares tecum, vt quem tam
potentem oratorem feceras, qui te in suam sententiam impulerit,
eundem proximo fere versu diceres nihil persuasisse; cuius impulsu
librum te scripseras aedere, quando videlicet non potuisti tam mel- 600
litae suadelae resistere, eum protinus affirmares, nunquam tam
commode potuisse dicere, vt librum tibi possit elicere. Quum
igitur, quod dicebam, Brixi, in ipsis offendas foribus, et tam diu
limatis ac relimatis versibus, tam longo labore, non alia scribas
deliria, quam quae subito solent effutire moriones; quis non assen- 605
tiat illis versiculis, quibus lectorem tibi velut voluptatis illecebra
concilians, promittis ei paruo e carmine sedulo legenti magnam
demum voluptatem fore? Erit haud dubie, nisi quis adeo sit
agelastos, vt ne ad id quidem rideat, quo vno fere mouent risum
hi, quibus natura negauit ingenium; nempe nihil vt dicant, quod 610
consistat secum, sed diuersa omnia, atque pugnantia, tanquam
vigilantes somnient. Quanquam non dissimulabo esse quidem, qui
putent non esse stultum istud, sed nasutum, tanquam lepide
volueris irridere Macrinum: quem tam dulcem oratorem, tam
vehementem facias, ita denique tibi vim adferentem sua suauilo- 615
quentia, vt quod vnum tibi venusta illa Suada suadeat, persuadere

584. propelleret *Lond. et Jortin.* 591. supprimenti *Lond.* diutile *Ep. ad Brix.* 600. edere *Lond. et Jortin.* 602. posset *coniecit Jortin.*

---

581. cf. *Iliad*, E785 and A247f.
583. Persuasion (personified). cf. Brixius, *Macrino*, l.7; Ennius *ap.* Cic. *Brut.*15.59.
589. cf. Eras., *Adag.*1911.
591. *scilicet* σκῶμμα.
605. *scilicet* μωρός.
609. *scilicet* ἀγέλαστος.

non possit. Ego certe non ita suspicor. Nam et is videtur Macrinus esse, qui tuo sit amore dignior, quam quem ridere debeas; et reliquus liber ad diuersam longe virtutem propius, quam ad eius-
620 modi vafricies accedit, eoque causa non erat cur arte sic laborares tegere, quam diu tibi tuus liber haesit in manibus; nam vt scommatibus gratiam deterit mora, sic istius generis omnia, tempus et labor commendant admodum. Nam si quid dicas insigniter stolide, id quo maiore conatu parturieris, eo pepereris gratius.

625 Quin mire facetum et illud, quod veritatem quoque tuis mendaciis asseris iterato mendacio, dum rursus Herueum seruantem facis patriam, rursus victorem tua tuba buccinas, rursus nostras rates agitantem vexantemque decantas, quae tam vera sunt omnia quam tu. Iam vero probatio, quam adfers, mirifica est. Ais enim ea
630 quae narras, Anglorum testata funeribus. Si aliorum funera loqueris, quam qui in Regente perierunt, tam vera sunt illa funera, quam vera fuit illa victoria; sin eos exprobras peremptos, quos Regentis incendium absumpsit, non adeo stultus sum (quantumuis tu me stultum voces) quin tuum istud acumen sentiam pis-
635 tillo quouis obtusius, quo sic nobis exprobras exustam nauem, quasi dum arderet nostra, vestra interim alserit, aut quasi eo victorem probes Herueum, quod etiam prior arserit. Hoc Brixianum acumen est. Haec est Brixiana victoria!

Sed operae precium est videre, quanto cum artificio tractes eum
640 locum, in quo ego inter Principis nostri laudes commemoro restitutam ab illo reformatamque remp., quorundam ante sceleribus, auaritia, rapinis, delatione, calumniis deformatam. Ergo quum statuisses nihil meorum relinquere ab ineptis intactum calumniis, in hunc locum praecipue tumultuaris ineptissime. Hunc
645 miris merisque sycophantiis exagitas. In hunc praeclaras omneis atque admirabileis effundis ingenii tui virulentias. Hic temerarius tibi visus sum, qui rem tantam meis viribus tam longe imparem, sim ausus adgredi. Quasi mihi Principis enarrandas laudes omneis desumpserim, ac non potius, quod erga superos quoque citra cul-
650 pam pro suo quisque facit affectu, id ipse fecerim in venerandis Principibus, vt tam felicia principatus auspicia, primo statim die, tam salutaria, quum idem certatim facerent omnes, ego quoque pro mea virili qualicunque poteram carmine concelebrarem. Qua in re, vt nihil dubito quin et vberius laudari potuissent a peritiori-
655 bus, et dignius a praestantioribus; ita neque meo satisfecisset officio,

---

630. *Herueus*. l.197ff.
642. Thomae Mori - - carmen gratulatorium. *Epigrammata*. cf. Ep.6.

quod fecissent alii; neque mea carmina cuiquam obstiterunt, quo minus et alii fecerint, et quibus facere libuisset, licuerit.

Denique quisquis iusserit a nullo nostrum laudari Principem, nisi qui parem praestare sese tantae rerum moli possit, is admirationis praetextu, Regis virtutibus inuidet; quas, quum omnes praedicare debent, omnes semel iubet conticescere. At hic Apellem nobis (si superis placet) reuocas ab inferis, quod quidem tibi facile est, si, quemadmodum scribis, tam familiares habeas infernaleis Furias; ipse tam egregius pictor interim, vt quum istud in primis ei sit curandum, quisquis os cuiusquam pingendo velit exprimere, vti eas parteis, eum respiciat situm, qui ita sit cuique proprius, vt is repraesentatus faciem reddat maxime cognobilem; tu sic depingi Regem postules, vt amabile decus reuerendi vultus, idque adeo tam rarum, ipsique suum, quoque vno maxime possit agnosci, delere prorsus e pictura iubeas. Nam tibi caeco prorsus pictori videor vel stipite plane stupidior, qui non praeuiderim, eas fuisse laudes omittendas, quas fere solas, vel publica causa vel sua, Principem referebat audire; vtpote tales, quas (vt fateor) non fuisse Brixiano more poeticas, qui nihil poeticum censet nisi fictum; ita nemo fuit Anglorum, qui non suo bono senserit esse veras; nec quisquam adeo sine sensu viuit, vt non sentiat esse vere regias, nisi tu nobis aliud inuenias magis regium, quam regnum ab omni parte fatiscens reficere, prosperumque rursus ac felix reddere.

At nec praesentis honor Principis quicquam decessori detrahit, cuius aduersa valetudo fuit in causa, ne annis aliquot ante mortem proximis vel publicis rebus posset vel domesticis sufficere, eoque nec mirandum, nec ipsi certe imputandum, si quorundam perfidia, quibus ille nimis credidit, sit labefactata resp., quam filius eius fere collabentem feliciter exortus erexit, idque tam celeriter, vt correptis coercitisque repente maleficis, quorum scelere calamitas illata fuerat, omnia reformarit illico, priusquam se pateretur insigniri diademate. Nec sibi visus est, neque sano certe cuiquam contumeliosus in patrem, quod illius valetudine aliorum malitia labentem erigeret patriam, aut quod seuere animaduerteret in eos, quorum perfidia in patriae perniciem fefellerat patrem; aut quum quaedam etiam patris instituta, quanquam non incommoda populo, maiore tamen commodo rescinderet, bonumque mutaret in melius.

Et tibi videtur immanis impietas, si quod patris felicitati negauit

660 665 670 675 680 685 690

666. partes *Lond.* 683. respublica *Lond. et Jortin.*

661. Distinguished Greek painter of time of Alexander the Great. cf. Brixius, *Antimorus*, l.206f. 664. *ibid.*l.323.

695 morbus, hoc filii statim regia virtus effecit, si patriae compilatores, deceptores patris, euersores legum, in patriae bonum, in legum robur, in patris honorem coercuit; aut si quid denique prudentissimo patre prudentior filius, in administranda rep. vidit acutius? Quae quum Princeps ageret non ad praesentem tantum rerum 700 statum feliciter, verum in futurum quoque tam salutare sanciret exemplum, vt facile declararet sese, principalium esse artium omnium Principem, non fuissem profecto deterritus, quo minus ea laudassem, etiamsi culpa quaepiam recidisset in patrem.

Nec a nobis vnquam tantum patris impetrasset pudor, vt eius 705 facti laudem subriperet filio, quo facto nullo vnquam saeculo princeps vllus quicquam fecit laudatius, aut quod magis publicae interesset rei, commendari memoriae. Nec fortunae vnquam tribuissem tantum, ac ne naturae quidem, vti vanum alterutrius fulgorem, tam inclytae virtutis verae praeferrem gloriae. Quibus enim paren- 710 tibus nascamur, illis in manu est. Virtus vna vere commendat bonos.

'Nam genus et proauos, et quae non fecimus ipsi,
Vix ea nostra voco.'

Qua Nasonis sententia, neque Maro quicquam, neque Homerus, 715 quos opponis mihi, aut verius vnquam dixit, aut salubrius. Quorum etiamsi vtrunque valde suspicio, nunquam tamen hactenus apud me valebunt, vt ambobus hac in parte tribuam, quantum vni tribuam Platoni; qui optabile quidem censet, quantaque potest cautione curandum, vt filii nascantur honestis parentibus, quod velut 720 seminarium quoddam indolis atque virtutis indatur occulte nascentibus, et tamen, vt fortunatiores aliquanto censet, bonos prognatos bonis, ita multo laudatiorem iudicat mali patris bonum filium, idque adeo merito. Nam si sit eo turpior quo magis claro patre degeneret, an non vicissim conuenit, eo plus cuique laudis 725 esse, quo magis in diuersum tractus improbi parentis exemplo, sua ipse virtute benefactisque claruerit? Haec igitur quum senserit, haud dubie non alium poetam exturbare sua debuit vrbe Plato, quam tui palponem similem; qui vel a fortunae iubes, vel a naturae commodis adulari principibus, a virtute laudare non sus- 730 tines; quae, vel cum dispendio popularis aurae laudanda sit, et contra vulgi receptos sensus, cui fere placent pessima, mellitis numeris essent opiniones bonae sensim inferendae pectoribus.

Quamobrem, ego quod dixi, etiam si qua culpae pars haesisset

698. republica *Lond. et Jortin.* 729. laudari *coniecit Jortin.* 732. inserendae *coniecit Jortin.*

---

713. Ovid. *Met.* XIII.140-141. 720. Plato, *Rep.*, Bk. v, ix.

in patre, non reticuissem tamen filii laudes, quae tum fuissent eo certe ipso cumulatiores, quod paternum errorem emendare potius quam imitari delegisset; atque id ita fecissem, rationi vni parens atque obtemperans, etiamsi poetas omneis, si vulgus vniuersum sentirem longe sentire diuersa; tantum abest, vt nunc ea non obticuisse poeniteat, quorum reprehensio ad eos pertinet, qui patris fide ad suum quaestum et malum publicum sunt abusi; gloria vero et immensa et aeterna pertingit ad filium, qui tam celeriter affectis poena nocentibus, ac restituta republica, patrem simul et patriam pius in vtrunque vindicauit. At tu laudator egregius, quae potissima regiae laudis portio sit, quam et priuatim et publice, velut omnium laudum principem, et ei Principi in primis propriam, totus agnoscit populus, quae adeo patri nihil detrahit, vt praecipuum ei decus adiiciat, quod pater sit eius Principis, qui regnum vere regiis administret artibus, eam censoria virgula iubes expungi, non ob aliud, opinor, quam quod vera sit; adeo nihil tibi placet, nisi poeticum tuum, ex ficto falsoque conflatum totum. Nam poesis tua, (testante temet), 'Id si sustuleris, nulla poesis erit.' 735 740 745 750

At Princeps quum ea faceret, non in tenebris occulte, quasi benefacti puderet, sed in clarissima luce, in oculis tractaret omnium, in priuatis, publicis iudiciis, in com[m]itiis, in amplissimo totius regni conuentu, cum plebe, cum proceribus, quum omnis aetas, ordo, sexus, rem tam illustrem videret, tam salubrem sentiret, tam egregiam laudibus in caelum veheret; ego videlicet, quod potissimum praedicare debebam, solum solus omitterem, vt quod nunc dictum incessit Brixius, id indictum riderent etiam pueri, quibus ipsis vel stupidissimus, si non sensissem; vel improbissimus, si non probassem; vel inuidissimus, si non laudassem, merito videri poteram. Et tamen hunc locum tu nescio ineptius exagites, an inuidiosius; adeo caeco praeceps impetu, vt te non sentias inscitiae propemodum notare Principem nostrum; atque adeo, quum ei parem facias, paris inscitiae notare etiam tuum. 755 760 765

Nec interea tamen (quod tibi certe perpetuum est) quicquam consistis tecum. Nam primum ita curam ei tribuis Camoenae Latiae, vt tamen leges ignoret carminis; mox adeo facis inscium, vt ne quid verba quidem sibi velint sciat, et tamen tuum Regem cum eo copulas, vt ex aequo sint, 770

'Ambo Cecropiae numine plena deae.'

737. omnes *Lond.* 754. in publicis *coniecit Jortin.* comitiis *Ep. ad Brix. et Lond.* 757. coelum *Lond.* 759. rident *Lond.*; rideant *siue* riderent *Jortin.*

751. cf. *Antimorus*, l.38. 771. cf. *Antimorus*, ll.405-414.
767. *Antimorus*, l.77ff.

Numnam haec pulchre cohaerent? Sed non est istud nouum, vt altero quoque versu excidas tibi. At me condum laudatorem vocas, et parcum, ipse laudator adeo non profusus, vt eam laudem, quam
775 Vergilius tribuit pastoribus, tu quum velles applicare Principibus, aliquid tamen tanquam nimis sumptuosa foret abraseris, atque in deterius, quod semper imitando soles, immutaris. Nam quum illius versus sic habeat in pastores duos, 'ambo florentes aetatibus,' tuus habet in duos Reges, 'ambo pares aetate': atque ita Vergilius
780 in illis exprimit aetatis florem, tua laudatio quum his aptetur Principibus, qui vere florent aetate, tamen sic est anceps, vt duobus possit conuenire decrepitis ac silicerni⟨i⟩s senibus.

Porro, quam de virtute quoque subiungis, non admodum prodiga laus; quandoquidem ita virtutem vtrique tribuis, vt tibi
785 relinquas liberum, vtrique simul ac libeat adimere. Nam quum pronuncias 'pares virtutibus ambos,' neutri tamen affirmas inesse, sunt enim pares (si nescis) tam qui pariter carent, quam qui pariter habent. Nec tamen istud eo dico, quod in eam partem te sensisse censeam; sed vt ostendam, si quis ad eum modum tuas
790 excutiat laudationes, quo tu calumniaris meas, quam facile locus reperiatur obnoxius. Nec ego tamen huc Apelles atque Alexandros euoco, non Cherilos, pugnos, exilia, neque taleis tibi moueo tragoedias, qualeis tu mihi cies. Quod si et res minus esset illustris, et Princeps noster tam esset inscius, quam tu eum facis, in quantum
795 fors periculi coniecisses me, quum vix fieri possit, vt qui versatur in publicis negotiis, non aliquem habeat aliquando, qui libenter optet calumniari, si vel res pateretur, vel ignoratione Principis liceret abuti; praesertim si qui sint, qui rursum cupiant rerum statum in deterius trahi, vt quem nunc aegre ferant magis in
800 summam prosperare publice, quam seorsum sibi! Verum hi, si qui sint huiusmodi, sic rem viderunt ipsi non clanculariis machinis, sed actam et tractatam publicitus, sic in suis artibus sentiunt praestare Principem, qui iterum atque iterum prorepentes viperas, ac velut post hyemem nouo sole apricantes sese, et calumniae vetus
805 virus denuo tentantes effundere, denuo retudit, compressit, elisit, vt facile sentiant noxiis votis suis nullam relictam spem.

At tu quum istiusmodi scribas, Brixi, quae sint non absurda modo atque inepta, verum scelesta quoque, et (quoad per te fieri

782. silicernis *Ep. ad Brix.* 785. *sic Jortin*; libebit *Ep. ad Brix.*; libebat *Lond.* 792. tales *Lond.* 793. quales *Lond.*

---

779. *Ecl.*7.4.
786. Brixius, *Antimorus*, l.407.
791. cf. *Antimorus*, l.115f. cf. *Antimorus*, l.323ff.
792. Choerilus, a wretched poet in Alexander's train. cf. *Antimorus*, l.81ff.

potest) perniciosa, tamen Deloinum, Budeum, Lascarem, viros literarum et virtutis gratia toti commendatos orbi (quorum nominibus maior debebatur honor, quam vt libello contaminares istiusmodi, tanquam gemmas collocares in luto) nominas; eosque tecum velut in parteis attrahis, quos et castigatores praedicas, et consultores adhibitos inconsultissimis consiliis. At ego, quanquam de syllabis illis ac soloecismis, quos obiectas mihi, non possum spondere quod sentiant, quorum, vbi me audierint, nec in illis quidem detrectabo iudicium; certe taleis esse eos persuasum habeo, et philosophicae rei scientia, et rerum prudentia publicarum, vt si tu cuiusquam eorum calculum hac sane parte possis extundere, quo se (quod ad regias laudes attinet) sentire testetur tecum, ego tibi et in reliquis concedam omnibus, et laudem vltro deferam, qui nunc aliud suspicari non possum, quam quod videtur omnibus, illas inferni Furias (quas scribenti tibi fateris adfuisse) tale tibi inspirasse consilium, quod, seu furorem spectes seu virulentiam, haud obscure Tartaream refert originem. At aliquando tandem, velut per antrum Trophonium emergens ab inferis, exhilaratus, in iocum solueris, et risu canis irritati, meam subsannas epistolam, qua libelli dilationem confero in pictorem, cuius podagra fecerat, vti serius aliquanto, quam statueram, veniret ad Regem. Haec tibi causa non placet; homo supersticiose poeticus ferre non potest, vt dicantur vera; et ciuilitate plusquam aulica deridet, si quis apud Principem de re nihil obscoena, verbis vtatur iisdem, quibus vtitur populus. Quis ita ridentem non rideat?

Porro quid illud sibi scomma velit, non intellego; videtur enim sapere nescio quid salis reconditi, quo significas meis officere studiis curam rei domesticae; quo dicto nescio an tuis arte vendices praerogatiuam, quasi tibi nulla sit domus, sed liber et expers curarum alienas paropsides velut parasitus obambules; eoque necesse sit tuum poema praecellere, quod ocium et cibus excolat alienus. Ego certe de te sentiebam honestius, hodieque sentio; quanquam libellus tuus (vt vere dicam) et Pyrgopolinicen refert et Artotro-

810 815 820 825 830 835 840

811. debebarur *Ep. ad Brix.* 813. partes *Lond. et Jortin.* 816. quid *coniecit Jortin.* 817. tales *Lond.* 826. *sic Jortin, recte*; Tryphonium *Ep. ad Brix. et Lond.* 828. *sic Jortin, recte*; delationem *Ep. ad Brix.*

809. Francis Deloynes (d.1524) studied law at Orléans c.1483 and in that period established his friendship with Budé, with whom he was afterwards connected by marriage. He remained at Orléans longer than Budé, and later taught in that university. He went to Paris in 1500 as member of the Parlement. (Delaruelle, pp.66, 82; de Vocht, p.528; Allen II, p.405.)

809. cf. Ep.65, introd. cf. Ep.68, n.1.

823. *Antimorus*, l.363ff.

826. Τροφώνιος, a deity that imparted oracles in a cave near Lebadia in Boeotia.

841. "Tower-town-taker," the hero of Plautus' *Miles Gloriosus*, and "Bread-gnawer," a parasite in the same play.

gon. Neque video quid ad rem pertineat exprobrare mihi, quod habeam domum, nisi tu domum non habeas. Nam alioqui iocus ille festiuus, et (vt Plautinus ait parasitus) dictum de dictis melio-
845 ribus in te recideret. Certe quemadmodum te persuadeo mihi non esse plane parasitum (quantumuis istud liber prae se ferat tuus), ita vere te suspicor Cynicae Sectae philosophum, non a latratu tantum, verum etiam quod vbique te video ad diuitias ludere, vbique ad mendicitatem, vbique ad famem applaudere. Nam ita
850 ludis in liberos meos, vt eorum describas miseriam, si tantum versus meos haereditate, ac non etiam numos essent habituri; quasi tui sint futuri solis paternis versibus felices. At ego liberis tuis, si quos aut habes aut habiturus es vnquam, longe laqueos, longe mendicitatem deprecor, quae mala tu facete scilicet ominaris meis;
855 atque ex animo precor, vt vberior eis affulgeat alicunde fortuna, quam ex versiculis tuis, quorum ego neminem esse vsquam tam insanum censeo, qui trecenta milia redimat teruncio; quae quidem huius generis sint cuius effutiuisti hactenus.

Eiusdem salis et illud est, quod lupo temet assimilas famelico,
860 tanquam, nisi meo bono Reges duo sanxissent pacem, me miserum agnellum semel deuorasses integrum, nunc vero nefas ducis, facta pace, litigare, eoque libellum istum nunc demum aedidisti blandulum. Sed illud demum diuinum fuit inuentum, quod Diras omneis, ac bellas illas Charit[at]es, inferorum Furias, tam formo-
865 sulas amiculas adfinxisti tibi, quibuscum lusites atque ocium oblectes tuum, imitatus videlicet quosdam non imperite ridiculos, qui quum esse sibi quaedam vel corpore deformia, vel moribus foeda sentiant, quae vel obnoxia dicteriis sint vel criminationibus, homines scurrandi solertes in sua vicia ludunt ipsi, vt quando
870 euitare non possint obprobrium, ansam saltem carpendi praeripiant aemulis, ipsique potius de se triumphum ducant. Ita quum tu videres *Antimoron* tuam, non Moriam modo, sed Maniam quoque spirare, quando nemini futurum videbas ambiguum, vnde sit ille furor emissus, maluisti in tuas furias ipse praeludere,
875 quasi eas vltro sese offerentes tibi, amico videlicet tam necessario et iuratissimo mystae, fueris emissurus in me.

Illud, opinor, nemo leget vnquam, qui non insignem ingenii

851. nummos *Lond. et Jortin.* 862. edidisti *Lond.* 864. omnes *Lond.* *sic Lond. et Jortin*; Charitates *Ep. ad Brix.* 865. amicas *Jortin.* 870. opprobrium *Lond.*

845. Plautus, *Capt.* I.482.
858. cf. *Antimorus*, l.60ff.
863. cf. *Antimorus*, l.362ff.
864. Charites is better, as sarcastic; cf. Allen IV.1087.582.

tui notam iudicabit, et plane Brixianam facetiam, quod quum te dignis versibus, ad tuam ipsius me pinxisses effigiem, veritus ne non dum satis expressisses te, 'rabulam' adnotasti in margine, 880 quod talem me diceres esse in patria. Ego, Brixi, qualis domi sim non dico, ne similis tibi sim; cuius gloriam, siue quam ipse tibi tribuis, non mereor, siue quam tribuunt alii, non affecto. Tu vero qualis domi sis, effecisti tandem foris vt cognosci possis. Quem (quum te videri velis a secretis esse Reginae) non pudet eiusmodi 885 rabia rabire in Consiliarium Regis, qua nec in rabulam quidem quisquam rabit nisi rabula.

Et tu quum hunc in modum toto te libello gesseris, operaepreclum est videre, quomodo sumpta scilicet auguriis persona, diuines fore, vt me pro hoc tam amico in me officio, sis habiturus 890 inimicum, cuius tu pudendos lapsus, pia cura, tollas in authoris honorem, relaturus tamen ab ingrato malam gratiam; atque ita tractas istud admirabile atque ex intimis rhetorices penetralibus depromptum schema, vt fere concionantis quoque personam induas, et iniecta frequentius mentione Christiani, atque identidem 895 peccatoris nomen inculcans, tanquam animae res agatur, propemodum soloecismorum velis agam poenitentiam, quod appropinquet (credo) regnum caelorum.

Ego certe, Brixi, tuum illud augurium de me non dubitabo fallere; qui nunquam tibi statui inimicus esse. Nec vsqueadeo 900 sum inhumanus, vt tam amicum in me officium non agnoscam, hominis tam officiosi in famam meam, vt aeditis atque excusis in me famosis libellis, aliena errata pro meis mihi insusurret in aurem; tam indulgentis in honorem meum, vt potius quam me non impetat falsis calumniis, suum ipse nomen veris inhonestet obpro- 905 b⟨r⟩iis, tam propensi in salutem meam, vt Principem meum vel impietatis insimulet vel inscitiae, ni me prorsus exterminet. Nec vsque adeo sum stupidus, vt non sentiam quanto precio redimendus sit eius viri fauor, qui sit tam prudens, vt altero quoque versu obliuiscatur sui, tanquam Lethaeum poculum interbiberit; tam 910 generosa palma, vt non erigat modo se aduersus maledicta aliorum, verum ipse quoque sese oneret suis. Tam fortis et inuictus pugil, vt Herculi surrepta claua, perpetuo pugnet secum. Tam oculatus ac lynceus, vt non videat sua in se redire scommata; tam vrbanus, vt insanum, stultum, furiosum, canem, rabulam, habeat in facetiis; 915

900. Neque *Jortin.* 902. editis *Lond.* 906. obprobiis *Ep. ad Brix.* 914. linceus *Lond.*

885. Anne of Brittany, 1477-1514.
899-938. Ego certe - - - - - infernaleis Furias is one long sentence, but printed by More in shorter, incomplete sentences.

tam placabilis ac tranquillae indolis, vt fidefragos, perfidos, et periuros inclamans, tamen abstineat conuiciis; tantus adsertor poetices, vt eam contemni postulet, praemonens ne quis ambiat ab ea laudari, quae sibi vetat credi. Tam vehemens orator, vt de-
920 fendat eum prouocare, qui responderit, prouocatum vero, qui prior laeserit. Tam pulchre oliuam mediis gerens in armis, vt in media pace de bello litiget. Tam aequus vt insaniat, quod ipsius liber vere sit taxatus mendacii ab illo, cuius totam gentem eodem libro falsus insimularat ante periurii. Tam fructuosus Encomiastes, vt
925 Principes a corporis dotibus laudari postulet, a fortunae muneribus ferat, a virtute non sinat, nisi si quid dicatur in genere, sic vt dici possit in quemlibet, si quid vero factum sit eiusmodi, vt id viri, mulieres, pueri, lapides prope collaudent, eius rei Pythagoricum indicat silentium. Tantus Apelles, vt (nisi tabula eius
930 cum fauore spectetur) duos videatur Principes ex eadem propemodum denigrare fidelia. Tam anxie Christianus, vt nisi mihi duo Reges ab illo (precibus, opinor) impetrassent veniam, nunquam potuisset obtinere Christus, quin acerbe olim debacchatus in nos, quoniam vno sit repercussus verbulo, me misellum agni-
935 culum homo plus vllo lupo famelicus totum deglutiret. Tam lepidus denique, tam festiuus, tam solers, et vndique tam consummatae sapientiae, vt sibi ipse familiareis esse fateatur infernaleis Furias.

Eas ergo quum habeas, Brixi, domesticas, vt sis fortassis ambien-
940 dus aliis, sicubi sint, quibus cum eiusmodi sodalibus libeat ludere, ego te profecto nec inimicum horreo, nec amicum expeto. Nam hostem tuum nihil timendum est, ne (quod tu minaris) vnquam inuadant Furiae, nempe trabalibus clauis arctius ferruminatae tibi, quam vt a tam charo capite queant auelli quoquam. Amicis vero
945 ac familiaribus eiusmodi pestis possit nocere contagium. Contra, inimicus ipse tibi non ero, neque enim eum odisse possum, cuius sic obsessi misereor, immo adamarem certe, ni vererer, ne me redamares mutuo, vt qui frequenter audierim, quam sit molestus ac noxius amor eiuscemodi spectrorum.

950 Proinde quoad licet, erga te sic neutro memet affectu geram, vt nec dignaturus vnquam sim albusne sis an ater inquirere. Quanquam nec opus est istud inquirere; tam atrum enim tuum te atramentum reddidit, quam carbo est. Tantum ne tam grati officii

916. foedifragos *coniecit Jortin.* 917. conuitiis *Lond.*
937. familiares *Lond.* infernales *Lond.*

---

922. cf. Brixius, *Lectori* (*pref. ad Antimorum*), l.11.
931. cf. Otto, p.265; from the proverb: duo parietes de eadem fidelia dealbare.
951. cf. Cat.93.2.

prorsus oblitus videar, quo meorum versuum mendas adnotasti sedulo, nec eas cuiusquam pateris errores haberi quam meos, Diris 955 interim tute ac Furiis (si vera fateris) obnoxius, vtrique nostrum supplex quod sit salubre comprecor; vti superi mihi tibique tam propitii sint, amborum vicia vt corrigant, ac mihi soloecam orationem castigent, tibi perpurgent soloecismos ingenii; mihi barbara verba velint e sermone tollere, tibi barbaros istos mores e 960 pectore; denique benigni largiantur et mihi sanos pedes in carmine, et tibi sanum caput in corpore.

87. To Erasmus.

Allen IV.1087 — ⟨Greenwich?⟩
Mori Lucubrationes p. 429 — ⟨March-April 1520⟩
Lond. in Auctario Mori Ep. 1; Jortin II.384

88. To Erasmus.

Allen IV.1090 — ⟨Greenwich?⟩
Epistolae ad diuersos, p. 544 — ⟨April 1520⟩
HN: Lond. xiv.15: LB. 553

[Answered by Ep. 92.]

89. Henry VIII to Ruthall, Tunstall, Pace, More.

Brit. Mus. MS. Galba. B.v.425v. — Greenwich
L.P. III.731 — 8 April 1520

[Draft, pp. 2, mutilated.

This commission is part of the arrangement of an interview of Charles V with Henry VIII and his queen on English soil. The Bishop of Elna had long valued the English alliance. (*Spanish Calendar* II.246.) As early as August 1519, Charles thanked Henry for his wish that he pass by way of England. (L.P. III.419.) The Bishop of Elna and John de la Sauch arrived in London in September, and proposed with much secrecy a marriage between Charles and the Princess Mary (*ibid.* 449), though Mary had been betrothed to the Dauphin in 1518, and Charles was at pains to deny the rumor of his proposed marriage to Renée of France. (*ibid.* 551.) Margaret of Savoy, regent of the Netherlands, was of great help because she took over a part of the negotiations for this interview for her nephew Charles and was far quicker than the stately, cold Spanish. (L.P. III, pp. xliv-xlv; no. 672.)

At the same time, the English commissioners arranged a commercial treaty with the Emperor, and this was drawn up in London on April 11 and sworn to in the chapel at Greenwich on the 12th. (L.P. III.739.)

On April 11, a treaty was signed that Charles should meet Henry at

958. *sic Lond.*; solecam *Ep. ad Brix.*

Sandwich, on returning from Spain to Flanders, on or before 15 May, or between Calais and Gravelines on 22 July. (*Span. Cal.* II.274, 275; L.P. III. 740; for account of the negotiations, L.P. III.742.) Charles landed at Dover 26 May, was received by Henry and rode with him to Canterbury to see the Queen, and embarked at Sandwich on the 31 May. (L.P. III, pp. lxvi-lxvii; *Span. Cal.* II.280, Charles to the Pope.)

Henry immediately sailed to meet Francis I, but after the Field of the Cloth of Gold, met Charles at Gravelines and made a treaty with him, that within the space of two years neither should conclude any treaty with the King of France which should render his alliance more intimate. (*Span. Cal.* II.287; L.P. III.914; an account to the French, *ibid.* 936; for the whole question, cf. *ibid.* pp. xxxix-lxxxviii; the treaty is in Rymer XIII, p. 714.)

Thomas Ruthall. cf. Ep. 5 introd. Cuthbert Tunstall. cf. Ep. 10 introd. Richard Pace (1482?-1536) was brought up in the house of Thomas Langton, Bishop of Winchester, and later served as the Bishop's amanuensis. He was probably at the Queen's College, Oxford, before the Bishop sent him abroad to study at Padua, Ferrara and Bologna. After some years' foreign study he returned to Queen's College. He took holy orders, c.1510, and in that year received the prebend of South Muskham in Southwell. In 1509 he went to Rome with Cardinal Bainbridge, Archbishop of York. After the Cardinal's death by poison, he made every effort to identify the assassin. As this loyalty impressed Leo X, he returned to England 1515 with the Pope's recommendation of him to the King. The King made him his chief secretary. Pace was employed on important and secret diplomatic missions: to the Swiss in 1515, to persuade them to attack France; to Germany 1519 to work for Henry's election as emperor; to the Field of the Cloth of Gold, 1520; and twice (1521 and 1523) to try to secure the papal election for Wolsey. His last diplomatic mission in 1523 was to attempt to detach Venice from France if Francis I should wage war with Charles, constable of Bourbon. The Doge urged his recall, as Pace was now ill in body and mind. He had been appointed Dean of St. Paul's, on the death of Colet in 1519, was Dean of Exeter 1522-1527, and was certainly Dean of Salisbury for several years. He held many other church livings. He was learned in Latin, Greek and Hebrew, and as reader in Greek at Cambridge, 1520, joined with More to interest the King in the establishment of Greek chairs at the two universities. During the later stages of his mental malady, he had to be closely guarded. He was not imprisoned at the instance of Wolsey as is sometimes said. Brewer says that he is "reckoned by some as scarce inferior to Wolsey himself in ability or in the favour of Henry." (Brewer, *Henry VIII*, vol. I, p. 112f.; cf. also D.N.B.) Pace's best-known work is the *De Fructu*, 1515, written at Constance during his mission to the Swiss. He delivered an oration, *De Pace*, 1518.]

HENRICUS DEI GRACIA, ET CETERA, SALUTEM.

Notum facimus quod cum super⟨bissimus et⟩ excellentissimus Princeps Carolus, diuina fauente clemen⟨cia Roma⟩norum Rex, Imperator, semper Augustus, et cetera, dum de recessu suo

2. Charles was on a visit to Spain when the death of Maximilian created a vacancy in the Empire. Charles was elected Emperor in 1519 and in the spring of 1520 left Spain to prepare for his coronation, which took place at Aix-la-Chapelle, 23 October 1520. (L.P.III.1043,1044.)

ex H⟨ispania ad⟩ Germaniam ad sacri imperii solempnia de more
peragenda - - - - - - - - ex mutuo amoris et sanguinis vinculo mutua- 5
que amic⟨icia - - - -⟩ nobiscum deuincitur de vtriusque nostrum
conuentu ac de terra - - - - Romanorum Regis per hoc nostrum
regnum Anglie tractatum - - - - - - - - nos qui summo afficimur
desiderio ipsum serenissimum Roman⟨orum⟩ Regem in hoc nostro
regno videre et conuenire eique gratificare et eius dulci praesencia 10
frui simulque disserere ea que vtriusque nostrum honori et com-
⟨m⟩odo ac reipublice saluti et quieti conueniunt cupientes quantum
in nobis est huiusmodi conuentum ad effectum perducere ac omnia
ad ipsum conuentum necessaria preparare confisi,

De fide, legalitate, prudencia et dexteritate ac rerum experiencia 15
quibus fideles, nobis dilecti et consiliarii nostri Thomas Dunol-
mensis Episcopus, Priuati Sigilli nostri Custos, Cuthbertus Tunstall, Vtriusque Iuris Doctor, Vicecancellarius noster, et Custos
Rotulorum nostrorum, Ricardus Pace, Primarius Secretarius noster et Thomas More ac ipsorum quilibet praedicti sunt eosdem 20
omnes, vel tres, aut duos ex eis, qui melius infrascriptis peragendis
vacare et personaliter interesse poterint, fecimus, constituimus,
decreuimus, et ordinauimus, ac pro praesencium literarum nostrarum tenore facimus, constituimus, creamus, decreuimus et ordinamus nostros oratores, procuratores ac negociorum gestores, ad 25
tractandum et concludendum, cum venerabili viro Bernardo Episcopo Elnensis et magnificis viris, Domino Girardo de Plana,
Magistro Requestarum Hospicii Romanorum Regis, Ordinario
Phillippo Haneton eiusdem Audienciario ac Primario Secretario,
ac Ioanne de Salice etiam Secretario, vel eorum tribus seu duobus 30
oratoribus, procuratoribus ac negociorum gestoribus dicti excel-
lentissimi Principis Caroli eiusdem Romanorum R. et cetera, de
designacione loci seu portus, in quo simul cum dicto Romanorum
Rege commodo conuenire valeamus, simulque ad tractandum de

17. Cuthberti *MS.*

---

27. Fray Bernaldo de Mesa was Bishop of Tripoli (now Drin) in Illyria, and envoy extraordinary from Ferdinand of Aragon to the King of France, and then standing ambassador to England from 1514. (*Span. Cal.*II, pp.226,250.) Charles continued him in that post and doubled his salary. (*ibid.*II. nos.247,248,249.) He was Bishop of Helna (now Elne in s.w. France) from 1516 (*ibid.* p.278) and in 1520 bought the bishopric of Badajoz from Wolsey. (*ibid.* pp.cxvi,322.) He died in 1524. (*ibid.* p.649.)

27. Gerard de la Pleine, seigneur of Maigny and de la Roche, was a commissioner for the Emperor-elect Maximilian in 1513 (*Span.Cal.*II, pp.162,179) and for Charles in 1520 (*ibid.* p.296) and imperial ambassador in England. (*ibid.* p.321.) He was sent to Rome and Genoa in 1524 (*ibid.* pp.629,640) and died very suddenly in Rome, 30 August 1524. (*ibid.* p.665.)

29. Philip Haneton was Treasurer of the Order of the Golden Fleece, Audiencier, and first Secretary of State. (*Span.Cal.*II, p.299.)

30. Jehan de la Sauch, a royal secretary (*Span.Cal.*II, p.299) had been sent as ambassador to join de Mesa and Hesdin in England, August 1519. (L.P.III.419.)

35 ipsius conuentus praeparatoriis ac aliis omnibus ad huiusmodi conuentum necessariis, et potissime de hiis, que ad mutue nostre amicitie conseruationem et augmentum expedire dinoscuntur, siue id in confirmandis et renouandis federibus retro initis agendum putent, siue in ipsorum antiquorum federum interpretacione, 40 seu declaracione siue in illorum ampliatione vel restriccione aut alio quouismodo superque predictis quodlibet licitum iuramentum in animam nostram et nostro nomine prestandum et subeundum bona eciam nostra quecumque si expedierit oligandum et yppotecandum.

45 Et generaliter ad omnia alia et singula in praemissis et circa dicend⟨um⟩, gerendum et exercendum, que nosmet dicere et exercere possemus, si praemissis personaliter interessemus, etiam si talia forent, que mandatum exigerent magis speciale,

Dantes et concedentes eisdem plenam et amplam ac liberam 50 potestatem, cum pleno, amplo et libero mandato in omnibus et singulis antedictis,

Promittentesque nos ratum et gratum habituros quicquid per dictos oratores et procuratores nostros, aut tres, vel duos ex eis in praedictis et circa actum et gestum fuerit etiam si talia forent 55 que mandatum exigerent magis speciale quam presentibus est expressum. Que omnia hic intelligi et pro expressis haberi volumus non secus acsi de verbo ad verbum hic ascripta essent.

In quorum omnium et singulorum praemissorum fidem et testimonium hiis praesentibus literis manu nostra signatis, mag-60 num sigillum nostrum duximus apponendum, datum in manerio nostro de Grenewyche, octaua die mensis Aprilis, anno regni nostri vndecimo. 1519.

90. From Erasmus.

Allen IV.1093
Epistolae ad diuersos p. 579
HN: Lond. XV.15: LB. 503

Antwerp
26 April 1520

91. To Erasmus.

Allen IV.1096
Epistolae ad diuersos p. 581
HN: Lond. XV.16: LB. 555

⟨Greenwich?⟩
⟨May init.⟩ 1520

[Answering Ep. 90.]

43. *sic. MS.*; obligandum.

49. esdem *MS.*

92. From Erasmus.

Allen IV.1097 — Antwerp
Epistolae ad diuersos p. 544 — 2 May 1520
HN: Lond. xiv.16: LB. 505

[Answering Ep. 88.]

93. To Erasmus.

Allen IV.1106 — Canterbury
Epistolae selectae, 1520, fol. M²(a) — 26 May ⟨1520⟩
F. p. 520: HN: Lond. xiii.37: LB. 433

[Answered by Ep. 95.]

94. Henry VIII to Knight, Husee, More, Hewster.

R.O. C.82.491 — Calais
Rymer XIII.722 — 10 June 1520

[Knight, cf. Ep. 13.

Sir John Husee (or Hussey) (1466?-1537) was comptroller of the King's household to Henry VII and was a knight before 1503. Under Henry VIII he was pardoned, probably for a share in the extortions of the preceding reign. He received large grants of land, served on various diplomatic missions, was made chief butler of England in 1521 and a baron in 1529.

He sympathized with Princess Mary when she was declared illegitimate in 1533, but though he was loyal to the King in the Lincolnshire rising of 1536 he did not obey the King's orders to raise men to put down the rebels. For this he was convicted of treason and executed in 1537. (cf. D.N.B.; for this period, L.P. III.703, 804, 925.)

John Hewster, a mercer of London (L.P. III.1324), was governor of the English merchants in the Low Countries as early as 1518. (*ibid.* II.4210.) He is last mentioned in the Calendar in November 1525. (*ibid.* IV.1794.) cf. also Ep. 13.]

HENRICUS, DEI GRATIA REX ANGLIAE ET FRANCIAE ET DOMINUS HIBERNIAE, VNIUERSIS ET SINGULIS, AD QUORUM NOTITIAS PRAESENTES LITTERAE PERUENERINT, SALUTEM.

Cum nuper, inter nos et magnificos spectabiles et egregios viros Dominos Hansae Theutonicae Socios, tractatum sit de quadam dieta in opido Brugarum in Flandria constituto ad eum finem habenda, vt ibi per probos viros, commissarios vtrinque deputandos omnes dissensiones lites et controuersiae inter nostros 5
et dictae magnificae Hansae Theutonicae subditos ortae tollantur amoueantur et componantur,

Nos,

TIT. Rex vniuersis et singulis *Rymer*. — 4. vbi *Rymer*.

De fidelitate, industria et prouida circumspectione dilectorum
10 et fidelium consiliariorum nostrorum, et Willielmi Knyght
Legum Doctoris, Johannis Husee Militis, Thomae More Armigeri,
et Johannis Hewester Gubernatoris Societatis Mercatorum Angliae, plurimum confidentes,

Ipsos, aut tres, vel duos ipsorum nostros veros legitimos et in-
15 dubitatos oratores, ambassiatores, legatos, commissarios, procuratores et nuncios speciales facimus, constituimus, ordinamus et
deputamus per praesentes,

Dantes et concedentes eisdem, aut tribus, vel duobus eorum
plenam et omnimodam potestatem auctoritatem et mandatum
20 speciale, pro nobis et nomine nostro, cum dictae magnificae societatis Hansae Theutonicae oratoribus, ambassiatoribus, legatis,
commissariis, procuratoribus, seu nunciis, plenam et sufficientem
potestatem et auctoritatem ab eadem habentibus, de et super priuilegiorum quorumcumque, dictae Hansae Theutonicae a nobis aut
25 praedecessoribus nostris concessorum, abusionibus, seu iniustis
eorumdem de re ad rem persona ad personam seu de loco ad locum
vsurpationibus, extensionibus, ampliationibus, interpretationibus
et restrictionibus per eosdem mercatores seu eorum aliquem seu
aliquos, contra verum intellectum dictae concessionis ac tractatus
30 habitis et factis, tollendis, amouendis, et componendis,

Ac insuper quascumque pecuniarum summas, ea ratione nobis
debitas, quantumuis immensas, petendi, exigendi et recipiendi, et
de et super eisdem summis tractandi, paciscendi, transigendi et
componendi,

35 Ac pro conuentis, si opus fuerit, litteras obligatorias validas et
sufficientes petendi et recipiendi,

Necnon pro nobis et nomine nostro, pro receptis summis, si
quae fuerint, acquietandi,

Ac insuper de et super aliis controuersiis, discordiis, litibus,
40 differentiis, exactionibus, attemptatis, seu dissensionibus, inter
nos seu subditos nostros et dictam Hansam Theutonicam vel
eorum subditos quomodocumque ante hac exortis, ac etiam de et
super mutuo et amicabili mercatorum commercio merciumque
exercitio et intercursu, inter nos, haeredes et successores nostros,
45 atque regna, terras, patrias, ditiones, dominia et loca nostra et
ipsorum et subditos nostros et ipsorum quoscumque tractandi,
conferendi, continuandi, firmandi, concordandi, et concludendi,

Ac praesentem dietam seu conuentum et congressum in aliud
tempus quodcumque prorogandi,

50 Ac super huiusmodi tractatis, collatis, continuatis, firmatis,
concordatis, conclusis, seu prorogatis litteras validas et efficaces pro

parte nostra tradendi et liberandi, aliasque consimilis effectus et vigoris ab altera parte petendi, exigendi et recipiendi,

Et generaliter in praemissis omnia alia et singula praedicta qualitercumque concernentia gerendi exercendi et expediendi, quae nos ipsi faceremus seu facere possemus si praemissis personaliter interessemus, etiamsi talia forent quae mandatum exigerent magis speciale quam praesentibus sit expressum; 55

Promittentes, bona fide et in verbo regio, nos ratum gratum et firmum habituros id totum quicquid per dictos oratores, commissarios, procuratores, nuncios, et deputatos nostros, seu eorum tres, aut duos actum, gestum, aut factum fuerit in praemissis, et contra ea vel eorum aliquod nullo vnquam tempore contrauenire, immo ea manutenere et inviolabiliter obseruare. 60

In cuius rei testimonium hiis praesentibus, manu nostra signatis, magnum sigillum nostrum duximus apponendum. 65

Datum apud oppidum nostrum Calesii, decimo die Junii, anno regni nostri duodecimo.

95. From Erasmus.

Allen IV.1107 ⟨Louvain⟩
Epistolae selectae, 1520, fol. M³v.(*a*) ⟨June 1520⟩
F. p. 522: HN: Lond. xiii.38: LB. 496

[Answering Ep. 93.]

96. To William Budaeus.

Tres Thomae p. 209 ⟨Calais⟩
⟨c. June 1520⟩

[Written after meeting Budaeus at the Field of the Cloth of Gold.]

Literas tuas, quibus hanc absentiam tuam faceres mihi minus grauem, nisi vehementer me cupiditas vrgeret, non auderem petere, quando vereor, neque tibi nunc in Christianissimi Regis negocia pertracto multum superfuturum ocii; et mihi conscius sim in hoc officii genere meae pigritiae, quoties rescribendum sit ad quenquam. Ad te vero, mi Budaee, ne scribam, infantiae meae non nescius, eruditionis tuae admiratione distineor vsqueadeo, vt 5

52. *sic Rymer, recte*; consimiles *MS.* 54. alia *om. Rymer.* 57. exigant *Rymer.* 67. Dat. *Rymer.*

67. The commission was dated at Calais, as the King was abroad for the Field of the Cloth of Gold.

4. Budé was summoned to court by Francis I in 1519. (Allen II, p.227.) The court followed the King on progress and was seldom at Paris. (Delaruelle, *Repertoire*, p.xv.)

ne has quidem literas extorquere potuerim a pudore meo, nisi eas alius extorsisset pudor. Nempe ne meae literae, quas nunc
10 habes in manibus, cum tuis euulgentur vna, quae si incomitatae exirent, satis superque conspicua deformitate viderentur, vt non tuarum splendor admotus mearum pudendae formae velut facem quandam claram praeferat. Nam memini dum colloquebamur, incidisse mentionem de epistolis meis olim scriptis ad te, quas
15 videbaris editurus, si id te putares mea voluntate facturum. Qua in re, quoniam obiter tractata est, quid tum respondi, nescio. Nunc vero, quando rem recogito mecum, video tutius esse, vt tantisper premas, quoad recognoscam saltem, non tantum ne quid insit forte parum Latine dictum, verum etiam quia de pace, de bello,
20 de moribus, de coniugatis, de sacerdotibus, de populo, etc., quaedam vereor ne non sint tam caute ac circumspecte scripta, vt expediat obiici calumniatoribus.

97. To William Budaeus.

Tres Thomae p. 67 — ⟨Calais⟩
Jortin II, p. 669 — ⟨c. June 1520⟩

[Somewhat later than Ep. 96.]

Nescio, mi Budaee, quae valde cordi charaque sunt, an praestet vnquam possidere, nisi possis retinere. Nam ego me putaui plane faelicem fore, si Budaeum contingeret (cuius effigiem pulcherrimam lectio mihi delinearat) coram aliquando cernere,
5 et postquam voti sum factus compos, visus sum mihi ipsa faelicitate faelicior. Verum quum neque per vtriusque negotia licuerit tam saepe congredi, vt meum illud desiderium colloquendi tecum posset expleri, et intra paucos dies (auocantibus Reges ditionum negotiis) nostra illa consuetudo vix iam coepta simul abrupta sit;
10 nosque (quos necesse erat suum quemque principem comitari) in diuersa distracti simus, haud scio an vnquam reuisuri mutuo; quanto laetior occursus fuerat, tanto nimirum mihi ex hoc digressu maior est obortus moeror. Quem ita demum nonnihil potes leuare, si te digneris interim literis praesentem reddere, quas tamen, nisi
15 vehementior me cupiditas vrgeret, non auderem petere.

3. foelicem *Stapleton 1612.* 4. deliniarat *Stapleton 1612.*
5. foelicitate *Stapleton 1612.* 6. foelicior *Stapleton 1612.*
8. regis *Jortin.* 11. *correxi*; sumus *Stapleton et Jortin.*

---

15. *Epistolae Gulielmi Budaei.* Paris, J. Badius, 20 Aug. 1520. (cf. Delaruelle, *Repertoire*, introd. and Ep.83.)
8. Henry VIII and Francis I.

98. Knight, More, Wilsher, Sampson, to Wolsey.

Brit. Mus. MS. Galba. B.vii.126 — Bruges, 15 September ⟨1520⟩

[Cranevelt's letter to Erasmus (Allen iv.1145) confirms this date.]

Pleasyth it youre Grace to vnderstond that all th'Ambassadors of the Haunz that beth deputed for this present dyete dyd assemble at Bruges the xii^th^ day of this moneth. And the nexte day ensuyng we dyd mete togydre at the place accustomed. Where we shewid vnto theym the Kinges benevolent mynde in 5 forme and manier as ys conteigned in owre instruccions, and that done dyd exhibit owre commissions which were thowght by eythre of bothe parties ample and sufficient.

Aftyr this we shewid vnto theym that there hath bene grete and meny complaynetes made vnto the Kinges Highnesse and 10 youre Grace of robberies, despoyles and othre iniuries doone vnto the Kinges subgiectz, which complayntes we dyd aggrauate bothe bi estymacion of grete sommes and allso by exhibiting certaine bookes and meny billis of complayntes, saiyng that in consideracion that the saide complaynauntes doith daily desyre iustice, and 15 that there beth allso meny particulers on thair parte.

We thought good first to dyvise sum ordre how and by what meanys the saide despoiles myght be conuenientli redressed and then to entre communicacion vpon the generals and in this the saide oratours desired respicte to take deliberacion till the next 20 day, saying that yf we wolde in the meane tyme thynk what way were moost conuenient, they wolde doo likewise on thair parte, and at the next meting, the dyuises of bothe parties knowen, that way shuld be taken that were thought by bothe parties moost redy and expedient. 25

The xiiii^th^ day we returned and purposed vnto theym that that we thought good to enduce theym to owre entent and in conclusion brought theym to this poynte, that they desyred that we wolde treate vpon the generals and particulers to gydre, because meny of the particulers dependeth vpon the generals, and this 30 doing we folow the contentes of youre gracious instruccions.

Immediatli vpon the foresaide agrement we requyred thoratours of the Haunz to specifye vnto vs bi writing the numbre and names

---

4. For commission, cf. Ep.94. For biographical notes on the Commissioners, cf. introductions to Eps.13,10.

12. These complaints do not appear elsewhere in L.P.

of the citese and townes that made the body of the Haunz at the
35 first tyme of the graunt of thowd privileges. Thei answerid that they meruayled that we wolde demaunde any like thing of theym, which was neuyr put in dowte at any dyete before this, and moreouyr that it was not vnknowen to the King and his cownsel, and thowgh it were likewise weale knowen to dyuers of the chiefe
40 citese of the Haunz, yet that notwithstonding they myght probabli be ignoraunt in the same, promising that thowgh it cowde not be done at this tyme bi theym withowte grete difficulte, they wolde do thair best to gyue vs knowlege.

We replied that the declaracion of this poynte was veari neces-
45 sarie to be knowen meruayling that they wolde afferme theymselves to be Oratours for the bodye of the Haunz and cowde not shew what membres made the saide bodye, protesting that thowgh we made digression from this dowte at this tyme and entred communicacion vpon othre matiers, we wolde at tyme con-
50 uenient returne vnto the same. We vse and shall vse such dayli diligence for the briefe expedicion of this dyete that youre Grace shall briefeli know what towardnesse ys in the saide oratours.

Moost humbli beseking youre Grace that where it is so that wee youre moost bownde bedesmen haue bene at grete charges
55 and must dayli contynue in the same and moreouyr that the dayes of oure dyettes beth passed and exspired yt may please youre Grace to commaunde sum provision to be made for vs, and we shall daili praye for the contynuel encrease of youre Graces honour. Thus the blessed Trynyte preserue youre Grace. At Bruges
60 this xvth day of Septembre.

Youre moost humble oratours and bedesmen

William Knighte   Thomas More
Iohn Wilsher K.   Richarde S⟨ampson⟩

To my Lorde Legate's Grace.

99. From Erasmus.

Allen IV.1162 — Louvain
Epistolae ad diuersos p. 589 — ⟨c. November⟩ 1520
HN: Lond. xvi.1: LB. 554

---

35. This may refer to the treaty with the Hansa made under Edward IV, 1474. (cf. Rymer XI.793.) It gives the names of Hanseatic commissioners, their towns and official positions, but not the towns making the agreement.

60. Endd. in modern hand: 15 Sept., Bruges. Knight, More, Wilsher, Sampson, Hannibal, Howst (Hewster?)

100. To the Deputy Chamberlains of the Exchequer.

R.O. Exchr. T.R. Misc. Books, vol. 253, p. 17 ⟨c. May 1521⟩

[Dated by More's appointment.
The titles of the documents are written by Sir Brian Tuke (then secretary to Wolsey) and the rest is in More's hand.
The Chamberlains of the Exchequer "have their place next in Court to the four Barons" of the Court of Exchequer. "They have the charge of the Treasury with the Lord Treasurer, and keepe the keyes thereof, where all the ancient leagues betweene the Kings Progenitors, and other Princes and States, either do or should lye, and where the booke of Doomsday and the ancient Records and Pleas - - - do remaine; into which Treasury, neither they nor their Deputies can come with their keyes, untill the auditors of the Receit come with the Lord Treasurers key to the same that remaineth in his keeping to my Lords use." (*Practice of the Exchequer Court.*) I owe this reference to my colleague, Professor Dora Mae Clark.]

TO THE CHAMBERLAYNS DEPUTIES OF THE KNYGHTIS EXCHEQUER.

The Ratificacion of the perpetual peax taken bitwene King Henry the vii[th] and King James of Scotlande deceaced.
Item the Treatie for reformacion of attemptat*is* concluded bitwene the said King*is* with the commyssion of the King of Scott*is* for the same, and an Endenture of the said ii King*is* Ambassadors. 5
Delyver these parcellis to this bryngher, Mr. Vdale to be brought in all hast to my Lord Legat to the More.

Tho. More
Vndertresorer.

101. To His School.

Tres Thomae p. 229 At Court
23 March ⟨1521?⟩

THOMAS MORUS TOTI SCHOLAE SUAE SALUTEM.

En quod compendium salutationis inueni, quo mihi

---

2. The treaty of 24 January 1502 arranging for the marriage of Henry VII's daughter Margaret to James IV of Scotland, which took place 7 August 1502. (H. A. L. Fisher, p.94; Rymer, *Foedera* XII, p.787f.) The second treaty is found in Rymer, *op. cit.* p.800f.; the third, *ibid.* p.793f.

6. Mr. Udale is not otherwise mentioned in L.P.

7. Cardinal Wolsey.
The More was a palace between Rickmansworth and Northwood, belonging to St. Albans Abbey, and occupied by Wolsey. (Pollard, *Wolsey*, p.148, n.1, p.325, n.2.)

8. More was appointed under-treasurer in May 1521. His salary was charged on the Customs, the safest of the King's revenues. (E. M. G. Routh, *Sir Thomas More and his Friends*, p.107n.; Allen IV. Ep.1210.)

101. TIT. More's "School" included others beside his own children and Margaret Gyge. Alice Middleton, his step-daughter,

temporis et chartae dispendium redimerem, quod alioquin erat in singulorum nominibus recensendis in salutatione subeundum. Qua in re meus labor eo superuacaneus fuerit; quod quum mihi
5 sitis alius alio nomine chari, quorum nullum in ambitiosa salutatione omitti conueniebat, haud vllo tamen fere quisquam charior quam scholastico quisque. Adeo me doctrinae studium vobis arctius propemodum quam ipsa sanguinis necessitudo constringit. Gaudeo itaque D. Druum redisse sospitem, de cuius eram (vt
10 scitis) incolumitate sollicitus. Nisi vos tam vehementer amarem, inuiderem plane vobis tantam istam faelicitatem, quibus tot et tanti praeceptores obtigerunt. Sed D. Nicolaum nunc superesse vobis puto, ita quicquid habet astronomicarum rerum edidicistis. In quibus adeo vos prouectos esse audio, vt non iam polarem tan-
15 tum stellam, aut caninam, aut aliud quiduis e gregariis astris, verum etiam (quae res peritum et absolutum Astrologum postulat) in praecipuis illis ac primariis syderibus, solem dinoscatis a luna. Macte igitur noua ista et admiranda peritia vestra, qua sic conscenditis astra. Quae dum assidue suspicitis, cogitetis interim
20 sacrum hoc ieiunii tempus admonere vos, atque auribus vestris occinere carmen illud optimum ac sanctissimum Boetii, quo docemini mentem simul in coelum ferre, ne animus belluarum vita

11. foelicitatem *Stapleton 1612.* 19. *correxi*; suscipitis *Stapleton.*

---

was educated in it. She was married very young to Thomas Elrington, Esq. (L.P.IV., p.155) and after his death married Giles (later Sir Giles) Alington (before 1524). More speaks of both. (More, *Englysh Workes*, p.1435; cf. Bridgett, *Life of More*, p.121; Allen IV.1233, l.59.) Her affection for her step-father shows in her correspondence with Margaret Roper about More's imprisonment. (Eps.205,206.) Another pupil was Margaret, daughter of John à Barrow, of North Charford, Hampshire, who some time after 1522 married Thomas Elyot, later ambassador to the Emperor Charles V. (D.N.B.; H. H. S. Croft, long introduction to Elyot's *The Governour*; Roper's *Life*.) Ann Cresacre, who married John More, must also have been included.

9. Drew is not mentioned in the list of tutors to the More children given by Roper (p.45), by Cresacre More (pp.100-101) or by Erasmus (Ep. to Budaeus, Allen 1233). He is perhaps the Roger Drew (Drewe or Drewys) who was B.A. of Oxford 1512, M.A. 1514, and a Fellow of All Souls from 1512. (Boase, *Register of the Univ. of Oxford*, p.76.) A Roger Drewe, clerk, received the prebend in St. Stephen's, Westminster, vacant by the death of Hugh Aston, in January 1523. (L.P.III.2807, g. 15.) The same Drewe was presented to the church of Highbray in Exeter diocese in May 1524. (L.P.IV.390, g.10.)

12. Nicholas Kratzer (1486/7—3 August 1550) of Munich. He was a distinguished mathematician and astronomer, educated at Cologne (B.A. 1509) and Wittenberg, of which also he was B.A. He went to England late in 1517. In 1519 he became astronomer to Henry VIII, for which he received a quarterly salary of 100s. (L.P. III.1114.) In October 1520 he was on a visit to Antwerp, where he met Erasmus and also Tunstall (the later Bishop of London, and then of Durham), who wrote to Henry VIII asking to retain Kratzer's diplomatic services in promoting the King's interest in the imperial election. (L.P.III.1018.) In 1523 he went to Oxford to lecture on astronomy and geography, as one of Wolsey's readers. He was incorporated master of arts at Oxford in that year. He remained in Henry's service as astronomer for many years. He probably married about 1535. His portrait by Holbein, painted in 1528, is in the Louvre.

(Allen, *op. cit.* II, p.431n.; D.N.B.; *Athenae Oxonienses*, ed. Bliss, I, col.190-1.)

21. Boethius.

pronus feratur in terram corpore celsius leuato. Valete, omnes charissimi. Ex Aula 23. Mart.

102. From William Budaeus.

Epistolae Budaei Posteriores, 1522, fol. 11v — Dijon
Budaei Epistolae, 1531 — 23 May ⟨1521⟩

[The year-date is added by Delaruelle (p. 147 n.2), as the court did not reside at Dijon before 1521.]

GULIELMUS BUDAEUS THOMAE MORO. SAL.

Facis (vt opinor), More suauissime, non de industria et instituto, sed naturali quadam natiuaque aptitudine, atque ex ingenio tuo, vt et scribendo et disserendo similem te tui semper praebeas, id est lepidum et perurbanum, etiam si eiusmodi esse interdum nec constitueris nec mediteris. Id adeo cum alias tum 5 nuper animaduertere mihi subiit, quum literas tuas mihi Theobaldus olim noster, nunc vester, reddidisset: quibus propemodum in ipsis hominem me mediocris industriae, accuratum in neglectis, elaboratum in tumultuariis facis, absolutumque in inchoatis, cum tute in compositis inconditus videri non nolis, et velut in affectatis 10 et elucubratis similis securo et dissoluto, hoc enim literae tuae significare videntur, cum interim stilus ipse tuus in vniuersum, non dico prae se ferre anxiam diligentiam (quippe qui ductili et quasi cerea facilitate succedat) sed tamen redolere scriptitandi certum atque expeditum vsum formulamque videatur. 15

Mea vero illa epistola quam Rich. Imigefeldus, vir grauis ac multis nominibus commendabilis, legatione hinc decedens, ad te tulit, cuiusmodi fuerit non commemini: hoc scio, eiusmodi eam fuisse, vt apud me exemplum eius nullum manserit. Tua autem ista siue ironia congenita quidem ipsa et candida, siue vrbanitas 20 festiua, et figuris innocuis condita, ita per omnem sermonem tuum (vt coram ipse sensi) perque orationem fusa est, nihil vt minus esse te in iis doceas quam quod in fronte epistolarum tuarum aliorumque vocaris.

Nam cuius docti tandem hominis sermocinatio acriorum salium 25 illecebris aures colloquentium disserentiumque ductitat? Cuius-

9. *correxi*; incohatis *Ep.Budaei.*

7. Delaruelle (*Repertoire*, p.149 n.1) asks whether this may be Theobaldus Pigenatus, who had been a pupil of Aleander.

16. Evidently Sir Richard Wingfield. His name has several spellings in English, and in French also appears as "Sieur de Dongefyl" and "Monsieur de Wimphilde." He was ambassador to France from 31 January 1520 to c.14 August 1520. (cf. Ep. 42; *Some Records of the Wingfield Family*, pp.171-180.) Delaruelle does not identify. (*Repertoire*, p.149 n.2.)

modi salibus ipse etsi breuiter quidem et scite affrictum esse me existimare possem, si suspicax esse vellem, non mediocri tamen laetitia his ipsis literis affectus sum, vtpote qui non nescius sim
30 iocandi tibi libidinem hactenus incessisse, vt in extemporali scriptione argumenti iusti seriique vicem tibi suppleuerit, ne non scribendi officio quoquomodo defungerere.

Porro quando tu me prouocare ad epistolarum vicissitudinem videre in posterum vsurpandam, pacta vtrinque iusta familiaritatis
35 venia, vndecunque securae siquid imprudentibus incautisque exciderit quasi in sinu mutuo fabulantibus procul arbitratu obseruatorum, ne causari alter apud alterum possit scribendi tempus non suppetere, cum tabellarii aut viatores praesto sunt, age—quod bene ac feliciter cedat—vel accipio vel fero conditionem, in eamque
40 legem vel libertatis vel licentiae pactum iam hinc tecum ineo.

Legis elegantiae obseruatricis et stili meditati vacationem mihi posco, donoque tibi vicissim, in iis quidem epistolis, quae internunciae rerum erunt ad amicitiam tuendam pertinentium. Ex cuius legis formula agere cum amicis saepissime ipse soleo, commercia-
45 que arcana transigere sanctioris amicitiae. Memoriam ad te scribendi paene intermortuam exuscitauit hominis tibi omnia cupientis singularis humanitas, qui tibi has literas redditurus est; is est Catillonius, eximia morum suauitate gratiosus, hominumque beneuolentiae lactator, atque inter paucos nobilium martialium
50 literatus, quibus rebus accedit anceps vitae ratio in vestratem ciuilitatem ambigens et nostratem. Quem cum ipsum natura nostrum natalesque fecissent, benignitas Principis vestri nobis amici et foederati, semel (vt video) in istum incolatum pignerata est. Quo fit vt nullum potiorem nancisci me posse putem, quo vtar
55 interprete atque interuentore tuendae amicitiae: quam tecum aliquando coram, et cum aliis doctissimis viris clarissimisque contraxi, ex quorum numero velim vt Polygraphum mandato meo salutes, virum egregia comitate doctrinaque praeditum, ac tibi

---

48. Chatillon was Marshal of France (one of four). He had had much responsibility for the arrangements for the Field of the Cloth of Gold. (L.P.III.677,702.) Delaruelle gives no note on this.

57. Polydore Vergil (1470?-1555?) who had indeed written much. He was born in Urbino, Italy, and came to England in 1501 or 1502 as subcollector of Peter's Pence. He held also a number of English benefices. He was naturalized in 1510. In 1514 he made a visit to Rome, which Wolsey hoped he would use to support Wolsey's candidacy for the Cardinalate. On his return he was accused of having vilified Wolsey and of forging dispensations. He was imprisoned for a time, but was released. He lost his subcollectorship, but not his benefices. The affair made him the determined enemy of Wolsey.

He is best known for his *Anglicae Historiae Libri XXVI*, Basle, Bebelius, 1534. He tried to weigh authorities, and to give a connected account. His work on the reign of Henry VII is very good; on Henry VIII's reign, his account is prejudiced by his hatred of Wolsey, and has had an effect on history-writing almost to the present day. (cf. D.N.B.)

studio fauentem non mediocri. Vale. Diuione, quae statiua nunc sunt Aulae. X. Calendas Iunias. 60

103. From Erasmus.

Allen IV.1220 — Anderlecht
Epistolae ad diuersos p. 637 — ⟨c. 5 July? 1521⟩
HN: Lond. xvii.7: LB. 556

104. From John Fisher.

Tres Thomae p. 62 — ⟨1521?⟩

[Answered by Ep. 105. More was knighted August 1521.]

Sit per te, quaeso, nobis Cantabrigiensibus apud Regem florentissimum aliqua spes, vt nostra iuuentus itidem beneficiis tanti Principis ad bonas literas excitetur. Paucos in Aula fautores habemus, qui rem nostram et velint et possint Regiae Celsitudini commendare, inter quos et te praecipuum numeramus qui semper 5 antehac (et quum inferioris ordinis esses) nobis fauisti plurimum. Nunc ergo in Equestrem sublimatus dignitatem et Regi tam intimus effectus (de quo sane et tibi vehementer gratulamur, et nobis exultamus) ostendas quantum faueas. Iuua iuuenem istum, qui et theologiae studiosus est et assiduus apud populum de- 10 clamator. Sperat enim et te tanta apud illustrissimum Regem authoritate pollere vt possis, et meam tibi commendationem adeo acceptam vt velis.

105. To John Fisher.

Tres Thomae p. 63 — ⟨1521?⟩

[Answering Ep. 104.]

Sacerdos hic, R. Pater, quem proximum esse scripsisti consequendo sacerdotio, si apud Maiestatem Regiam strenuum quenquam precatorem esset nactus, effeci, credo, ne stet per Principem quo minus consequatur.

[Et in fine epistolae.]

Apud Regem si quid possum (certe perparum possum) sed 5 tamen si quid, id tuae paternitati scholasticisque tuis omnibus (quorum ego tam egregiis in me affectibus quam ipsorum ad me testantur literae, perpetuam debeo gratiam) non minus profecto

Ep. 105. 5. *Stapleton.*

Ep. 104. 9. Identity unknown.

10 libere quam sua cuique domus patebit. Vale, Praesul optime atque humanissime, meque, vt soles, complectere.

106. To Margaret Roper.

Tres Thomae p. 244 ⟨1521?⟩

[Dated by Margaret's marriage to William Roper (c. July 1521.)]

THOMAS MORUS MARG. FILIAE DULCISSIMAE S.P.D.

Non erat causae quicquam, dulcissima filia, cur vnum diem scribere distulisses, quod tibi nimis diffisa verereris, ne non eius generis tuae forent epistolae, quae citra nauseam nobis legerentur. Etenim si non emendatissimae prodirent, tamen et
5 sexus honor a quouis impetraret veniam, et patri solet in liberorum facie vel naeuus videri formosus. Nunc vero istae, mea Margareta, tuae tam elegantes, tam politae, adeo nihil habebant quamobrem formidare debebant parentis indulgentissimum iudicium, vt Momi quoque censuram contemnere quantumuis irati possent.
10 Quod Nicolaus et amantissimus nostri et astrologicarum rerum peritissimus, iterum vobis caelestium corporum sphaeram auspicatus est, et illi gratias ago et vobis istam gratulor faelicitatem; quibus intra vnum mensem continget minimo labore pernoscere tot et tam sublimia Opificis aeterni miracula, quae tam multa, tam
15 praeclara fereque supra mortalium sortem ingenia, tot sudoribus et studiis, imo tot algoribus et sub dio peruigilatis noctibus multarum aetatum decursu repererunt.

Placet igitur illud vehementer mihi quod te decreuisse tecum scribis, tam diligenter philosophiae nunc incumbere, vt quod
20 antehac per negligentiam periit tibi, imposterum diligentia resarcias. Ego certe, Margareta charissima, quum nunquam te cessasse deprehenderim—imo progressam gnauiter eruditio ista tua minime vulgaris, sed ferme per omne literarum genus absoluta praedicet—velut eximiae in te modestiae specimen amplector, quod desidiam
25 potius accusare falso maluisti, quam vere iactare diligentiam. Nisi tua fortassis isthuc spectet oratio, tam sedulo posthac incubituram te, vt praeteriti temporis industria, quanquam et illa fuit egregia, tamen si cum futura comparetur, videri possit ignauia. Quod si ita, mea Margareta, sentis, (id quod plane te sentire puto) nihil
30 reor posse contingere aut animo meo iucundius aut tibi, dulcissima nata, faelicius.

12. foelicitatem *Stapleton 1612.* 31. foelicius *Stapleton 1612.*

9. The personification of censoriousness, in Greek mythology.

10. cf. Ep.101, n.12.

Etenim vt totam ferme vitam reliquam vehementer opto te in rem medicam et literas sacras impendere, quo nusquam tibi desint ad humanae vitae scopum adminicula (nempe vt sit mens sana in corpore sano), quarum literarum et aliqua iam fundamenta 35 iecisti, et nunquam deerit superstruendi facultas; ita primos aliquot annos efflorescentis adhuc aetatis, existimem in humanis literis et liberalibus, quas vocant, disciplinis, magno cum fructu collocari posse, quum quod haec aetas commodissime potest per eas difficultates eluctari, tum quod incertum est, an alias vnquam futura 40 sit praeceptoris tam seduli, tam amantis, tam eruditi copia; vt interim taceam quod ab his literis vel paratur, vel certe iuuatur iudicium.

Liberet, mea Margareta, mihi diu tecum his de rebus colloqui, sed ecce subito nos interpellant auocantque hi qui iam iam coenam 45 inferunt, mihi certe, nisi aliorum esset habenda ratio, multo minus suauem quam hoc colloquium tecum.

Vale, charissima filia, et coniugem tuum, filium mihi dulcissimum, meo nomine saluta, qui quod eadem iam tecum legit, dici non potest quam vehementer exulto. Iam qui semper tibi suadere 50 soleo vt omnibus in rebus marito cederes, contra potestatem facio vt in pernoscenda sphaera maritum superare contendas. Iterum vale, et totum saluta sodalitium, sed praeceptorem in primis.

107. To His Children and Margaret Gyge.

Tres Thomae p. 231

At Court
3 September ⟨1522?⟩

[The year-date is quite uncertain.]

THOMAS MORUS CHARISSIMIS LIBERIS SUIS AC MARGARETAE GYGE, QUAM INTER SUOS NUMERAT LIBEROS, S.P.D.

Literas vestras Bristoliensis ille mercator postridie quam a vobis tulit, ad me pertulit, quibus vehementer sum delectatus. Nihil enim ab illa vestra proficisci potest officina quantumuis rude sit, quamtumuis illaboratum, quin mihi plus voluptatis adferat quam quicquid scripserit alius accuratissimum. Ita meus 5

35. Juv.x.356.

48. Margaret More was married in July 1521 to William Roper (Philip Norman, *Crosby Place*, p.21). Roper (1496-1578) was the eldest son of John Roper of Eltham, in Kent, and of Canterbury, and was a graduate of one of the universities and later prothonotary or clerk of the pleas of the court of King's bench for fifty-four years. He was a Member of Parliament under Mary, remained a devoted Catholic under Elizabeth, and though for a time under the suspicion of Elizabeth's privy council was allowed to remain prothonotary. He is best known as the author of the first and most charming life of More.

After their marriage Margaret and Roper continued to live in More's home and were still members of the "school." (cf. D.N.B. *art. William Roper.*)

in vos adfectus vestra mihi scripta commendat. Quanquam et citra illam merito placere possint suis aestimata virtutibus, lepore videlicet ac pura Latinitate sermonis. Itaque nulla fuit epistolarum vestrarum quae mihi non perplacuerit. Sed tamen vt ingenue
10 dicam quod sentio, praecipue mihi arriserunt Ioannis literae, tum quod erant longiores reliquis, tum quod in eas plusculum laboris ac studii videtur impendisse. Nam non solum belle depinxit, et castigate satis est elocutus omnia, verum suauiter etiam et non inepte ludit mecum meosque iocos non inconcinne retaliat, nec
15 id amaene solum sed etiam temperanter, quo se declaret memorem esse se cum patre ludere, quem ita studeat oblectare, vt tamen vereatur offendere.

Nunc expecto a singulis in singulos ferme dies epistolas. Nec excusationes has accipiam, si qua vestrum (nam Ioannes nihil
20 tale solet praetexere) vel temporis angustiam causabitur, vel praecipitem discessum tabellarii vel argumenti inopiam. Nam vobis adeo nullus obstat scribentibus, vt etiam inhortentur omnes. Tabellarium vero ne quid remoremini, an non praeuenire licet, biduoque ante peraratas atque obsignatas in promptu habere
25 literas, quam offerat se vobis quisquam qui afferat? Materia porro quo pacto deesse vnquam poterit quam scribatis ad me? cui vel de studiis vestris vel de ludis audire libet, cui vel tum placebitis maxime, si quum nihil est quod scribatur, id ipsum scribatis effusissime, quo nihil est facilius vobis, praesertim faeminis, nempe
30 natura loquaculis, et quibus assidue.

[Maxima de nihilo nascitur historia.]

Verum hoc vnum moneo seu seria scripseritis, seu meracissimas nugas, omnia tamen diligenter et meditate scribi volo. Neque nocuerit si primum Britannica lingua scribatis omnia, quae postea
35 multo commodius multoque minore labore transferetis in Latinam, dum animus ab inueniendi studio liber solo intendet eloquio. Quanquam vt illud arbitrii vestri facio, sic istud omnib. modis iniungo vt quicquid effeceritis, id priusquam exscribatis in mundum, diligenter examinetis; primumque dato ordine considerate
40 sententiam, deinde singulas partes excutiatis. Ita fiet, vt si qui vobis exciderint solaecismi, facile deprehendatis; quibus expunctis, et tota epistola de integro exscripta, tamen rursus examinare ne

29. foeminis *Stapleton 1612*. 31. *Stapleton*.

10. John More (c.1508-1547) evidently did not have as marked intellectual gifts as his sisters, but he was very well read and studious. Erasmus dedicated his edition of Aristotle to him (Ep.172) and Simon Grynaeus, the later Reformer, his *Plato* (Ep.183). About 1529, he married Anne Cresacre (1511-1577), the only daughter and heiress of Edward Cresacre of Baronborough in Yorkshire, who at her father's death had become More's ward.

pigeat. Nam solent interdum dum rescribimus vitia quae deleueramus irrepere. Hac diligentia effeceritis breui, vt vel nugae vestrae seria videantur. Nam vt nihil est tam concinne salsum quod non reddat insipidum futilis ac secura loquacitas, ita nihil suapte natura tam insulsum quin meditando facile gratia et lepore condias. Valete, liberi dulcissimi. Ex Aula, 3. Septembris.

108. To Margaret ⟨Roper⟩.

Tres Thomae p. 241

At Court
11 September ⟨1522?⟩

[The letter must post-date Veysey's consecration (cf. l. 5 n.); but in 1520 and in 1521 (cf. L.P. III. App. 31) More was abroad on this date.]

THOMAS MORUS MARGARETAE FILIAE SUAE CHARISSIMAE S.P.D.

Epistola tua, dulcissima filia, qua me voluptate perfuderit, supersedebo dicere. Poteris, opinor, plenius aestimare quam impense placuerit patri, quum intelliges quos affectus excitarit alieno. Sedere mihi contigit hoc vespere cum R.P. Ioanne, Episcopo Exoniae, viro et literatissimo et omnium confessione integerrimo; quum inter confabulandum, vt fit, schedulam quandam quae faciebat ad rem e loculo meo depromerem, epistolam tuam extraxi casu. Delectatus manu coepit inspicere; vbi ex salutatione depraehendit esse mulieris, legere coepit auidius. Sic eum inuitabat nouitas. Sed quum legisset et (quod nisi me affirmante non erat crediturus) tuam ipsius manum esse didicisset, epistolam, vt nihil dicam, amplius talem—quanquam cur non dicam quod dixit ille? —tam Latinam, tam emendatam, tam eruditam, tam dulcibus refertam affectibus, vehementer admiratus est. Id quum sentirem, protuli declamationem. Eam vero legens et simul carmina, re tam insperata sic est affectus, vt ipse vultus hominis minime fucati facile planum faceret, animum eius verba, quanquam in tuas laudes effusa, longe superare. Protinus exemit e loculo nummum aureum Portugalensem, quem his inclusum literis accipies. Eum quin me reciperem ad te missurum pro signo ac monimento animi erga te sui, nullo modo quiui declinare; quanquam id omnibus profecto modis conabar. Ea res impedimento fuit ne caeterarum etiam literas ostenderem. Verebar enim ne videri possem in id ostendisse, vt simili in caeteras quoque benignitate vteretur; qua

5. John Veysey or Voysey (?1465-1554) was consecrated Bishop of Exeter by Archbishop Warham on 6 November 1519.

19. A portague was a Portuguese gold coin, the great "crusado." bearing the figure of a cross, struck under Alphonso V c.1457, when Pope Calixtus III urged a crusade against the Turks. Its value ranged between £3.5s and £4.10s. It became often an heirloom or keepsake.

25 ego vel in te vsum esse moleste ferebam. Sed est, vt dixi, talis vt ei placuisse faelicitas sit. Scribe ad eum gratias accurate, et literas quam potes elegantissimas. Gaudebis aliquando tali viro placuisse. Vale. Ex Aula xi. die Septembris, fere media nocte.

109. To Wolsey.

Brit. Mus. MS. Calig. B.I. fol. 320 — Newhall
St.P. I, p. 104; Delcourt p. 321 — 14 September ⟨1522⟩

[After the death of James IV at Flodden Field, Queen Margaret, the sister of Henry VIII, was made regent for her infant son James V. A few months later, 6 August 1514, she hastily married the Earl of Angus, and thereby forfeited the regency, as provided by James IV's will. One unfortunate result of this marriage was that it divided the nobility and people of Scotland into two great parties, one of which, led by the Queen and Angus, looked to England and to alliance with the policy of Henry VIII; the other looked to France and to the leadership of the Duke of Albany.

John Stewart, 1481-1536, was the son of Alexander Stewart, Duke of Albany, a son of James II and his second wife, Anne de la Tour d'Auvergne and next heir to the throne after James V. He succeeded to the title at the death of his father in 1485, but was brought up in France, married a French lady, and continued to reside there, becoming finally Admiral of France. His French tastes and inclinations interfered largely with his service to Scotland, and prevented him from taking full advantage of the Scottish desire for revenge on England after Flodden, and of the Scottish dislike of Henry VIII's influence over Margaret.

In May 1515, Albany returned to Scotland and was proclaimed soon after as regent (L.P. II.494, 777) and accepted the comprehension of Scotland in the treaty between England and France, as received by the King and his kingdom. (*ibid.* 494.) He took the surrender of Margaret's children and ruled ably and unselfishly. He had to struggle against the English party in Scotland, who were abetted by Lord Dacre, Henry's warden of the marches. From 1516 on, Dacre had four hundred Scotch outlaws in his employ "that burneth and destroyeth daily in Scotland" (L.P. II.2293, quoted by Tytler II.157). The Duke was able to restore peace on the borders, but to end the civil strife he needed the aid of France against the secret plots of England, and returned to France to try to secure that aid, in June 1517.

France, however, was now eager for the friendship of England, and Francis I refused to intrigue with Scotland, nor would he allow Albany to return to Scotland. Francis' ambassadors even made some effort to end the strife between the English and French parties in Scotland.

Francis failed to retain the friendship of England, for Wolsey's policy favored the Empire after the accession of Charles V. Francis was then free to allow Albany's return to Scotland.

Meanwhile, a reconciliation took place between Margaret and the Duke of Albany. A breach had occurred between Margaret and her husband Angus, and Albany, who was very influential at Rome, was aiding Margaret in her divorce suit.

26. foelicitas *Stapleton 1612.*

(cf. D.N.B. on the Duke of Albany, and Pinkerton's and Tytler's histories of Scotland, and Brewer's *Henry VIII.*)

Albany returned to Scotland 18 November 1521 (L.P. III.1853). He was received at Edinburgh 3 December and the keys of the castle were given to him as token of his guardianship of the young James V. He governed Scotland, but always subject to instructions from Francis I.

Dacre maintained Henry VIII's attempt to gain control in Scotland and to that end corresponded with Albany and Margaret. He was evidently the source of the rumors against Margaret in her relations with Albany which he reported to Wolsey. (*ibid.* III.1883, 1886.) The English party was now led by Gawin Douglas, Bishop of Dunkeld (*ibid.* III.1917), the Earl of Angus, Lord Home, and John Somerville. (*ibid.* III.1864.) They brought serious charges against Albany and suggested that he intended to marry Margaret when she should be divorced from Angus, and would then succeed to the throne by the murder of James V. Henry made a formal charge against Albany in a letter to the Estates of Scotland, 13 January 1522 (*ibid.* III.1962), but the Chancellor and Estates of Scotland replied that Albany was "repeatedly called to the government" and that they would not dismiss him. (*ibid.* III.2039.) Margaret wrote a personal letter to Henry, in her own defence, and expressed her desire for peace (*ibid.* III.2038), but the truce expired in February and both sides prepared for war.

Margaret soon cooled in her attachment to the regent, and by the end of August was in secret correspondence with Dacre against Albany, and also with the view of making peace with Henry. (*ibid.* III.2476.) Albany was already advancing from Edinburgh on Carlisle, 2 September, with an army reported to be 80,000 Scots. When the proposed truce was delayed, he marched to Lauder on 7th, to Annan on 9th, and on 10 September he was less than five miles from Carlisle. (D.N.B.; also L.P. III.2518, 2523, 2532.)

Albany's invasion was probably encouraged by Francis I, to divert English troops from France. (Pinkerton II.202, 204.) The situation was extremely critical for England, as the best of the English forces had been sent to France, and Dacre did not have an adequate army to meet the invasion.]

Hit may lyke your good Grace to be aduertised that this day I received your Grac*is* lettres dated yisterday, and with the same vi lettres devised by your Grace and addressed to certayn noble men of th'Emperors army, which I do send vn to your Grace at this present tyme, signed as your Grace commaunded. 5

Hit may lyke your Grace ferther to be aduertised that yesterday the King*is* Grace received a lettre fro my Lord of Shrousbery, wherof your Grace shall perceive the content*is* by the lettre selfe

2. L.P.III.2537. Wolsey informs Henry that Albany has retired, though he had an army of 80,000 and Carlisle could not have resisted him. It was a "felix culpa" of Dacre's which had saved the day, for Dacre, without any authority, had arranged a truce for one month. Albany's army has disbanded and cannot reassemble but, as Dacre had acted without authority, Henry is at liberty to make war with the Scots when he pleases, and to invade Scotland.

7. L.P.III.2523. Shrewsbury's letter shows how inadequate were the preparations against Albany. 20,000 were sent to reinforce Dacre, but Shrewsbury cannot advance for want of money, which has also made impossible the moving of his ordnance from Nottingham. Dacre's letter to Wolsey, 12 September (*ibid.*III.2536) declares that Carlisle and Cumberland must have been destroyed if the Scots had persisted.

which I do send vn to your Grace with these presentis. And ffor
10 as mych as the same bare date the viiith day of this present moneth,
at which tyme his Grace perceiveth no thyng done but such as
he was aduertised of byfore by lettres of my sayed Lord sent vn
to his Grace by yours; his Grace therfore estemed the lettres the
lesse, savyng that in as mych as hit appered by the same, that in
15 consideration that the Kingis ordonauns could not passe over
Staynes More towardis Carlile, hit was therfore by my said Lord
and the Kingis counsaile there thought good that my Lord with
his cumpany shold avaunce theym selfe vn to thest marchis, and
there, if they myght haue all thingis requisite, entre in to Scotland
20 and so to proced forward in doing the hurt that they could till
such tyme as they shold mete with the Duke in his retourne fro
the west borders towardis Edenborogh, onles they were by necessite forced to repaire to my Lord Dacre toward Carlile for his
relief. How be it they rekened that he shold not nede, for he shold
25 haue with hym vppon XX Ml. men which my Lord Steward
thought were resorted vn to hym, in convenient tyme.

In that point the Kingis Grace commaunded me to wryte vn
to my Lord Steward that his Grace thought great dowt therin as
well for that if it shold happen my Lord Dacre to be distressed
30 with his cumpany, than my Lord Steward and his cumpany myght
peradventure cum over late to theyre reliefe, as also for that his
Gracis armye being so divided either of the both partis sholde
be compelled to encountre with thentier army of his enemyes.
Wherfore his Grace thought hit best that my Lord Steward shold
35 advaunce forth and bryng his hole army as nere to gether as he
myght in such wise as every parte agaynst theyre enemyes myght
helpe other. And than if God geve theym the victorye, after that
they had defended this land, advaunce ferther and do what dammage they could in Scotland.

40 Thus mych the Kingis Grace commaunded me to wryte vn to
my Lord Steward of his opinion in that point leving nevertheles⟨se⟩
the finall ordre therof to my Lord Steward and his Gracis counsaill
there if theyre wisedomys shold perceive that it were bettre for

13. esteemed litle, litle *del. MS.* 21. with the King, King *del. MS.*
34. commyng D th, D th *del. MS.*

30. George Talbot, Earl of Shrewsbury, lord steward of the household, was appointed lieutenant general of the North in July, 1522. (L.P.III.2412.)

It is hard to understand why Albany was willing to give up the invasion of England. It may have been due to lack of support by Francis I, who had used Albany's expedition in lieu of another army against England in the Continental struggle. (*State Papers* I.108.) Albany's army disbanded itself, and refused to fight outside Scotland. The Scots perhaps followed Robert I the Bruce's advice against offensive war with England. (Pinkerton II.211, Tytler II.169.)

surtie and furtheraunce of thaffayres to pursiew theyre said devise or eny other that shold vppon the circumstaunces considered be 45 seene more available. As towching the lacke of money mencioned in my said Lordis lettre he was answered that the King*is* Grace doughted not but by this tyme the XMl. li was cummen to hym and knowleg also of the VI Ml. VC li by your Grace sent after, which with that that shold rise of the lone in those parties shold 50 be such furnitur for hym that the King*is* Grace veryly trusteth that he was by this tyme well avaunsed forward, considering that his Grace was sure that my Lord Steward hade geven knowlege to the cuntre that the money was in the way commyng byfore hit cam at hym and than his Grace thought his loving subgiett*is* wold 55 not lett to advaunce forward a days jorney or twayne being by hym acerteyned that theyre money shold be paied theym ere ever they shold be farre goon on. And specially synnys theyre avauncyng forward shold be in the defence of theyre cuntre agaynst theyre mortall enemyes, agaynst whom somme of those cuntrees 60 haue bene vsed both to defend and make invasions at theyre awne cost and charge, ffor as mych as they haue bene and yit be for that consideration discharged of taxis and other charg*is* vniuersally borne thorow the remanaunt of the realme.

Finally, the King*is* Grace caused me to write hym ferther that 65 hit shold be provided that vppon his aduertisement fro tyme to tyme he shold haue money sent in tyme convenient so that he shold not nede to stoppe or lett therfore. Thus mych I remembre of the lettre wrytten vn to my Lord Steward which the King*is* Grace caused me whan his Grace had redde hit to deliver it forth- 70 with to my said Lord*is* seruant tarying and incessauntly callyng vppon hit. So that I could not wryte hit owte agayne to send your Grace the copie, as knoweth our Lord whose grace long preserve yours in honor and helth.

At Newhall the xiiiith day of Septembre. 75

Your humble orator and dayly bounden beedman

⟨Thomas More⟩

To my Lord Legat*is* good grace.

110. To Wolsey.

Brit. Mus. MS. Galba. B.vi. fol. 236
Ellis, II.i.83; St.P. I, p. 110
Delcourt p. 323

Newhall
21 September ⟨1522⟩

[The edges of the manuscript are much burnt.
Henry VIII desired to break the treaty of peace concluded with Francis I

68. to to *MS.*

at London, 2 October 1518 (L.P. II.4469), and was anxious to have as his allies the Emperor and the Venetians, who, with the Pope, were signatories to that treaty. English sympathies were usually imperialist because of the wool-trade with Flanders. War with France was popular, because of the memories of Henry V's success, and because of the hope of French pensions in commutation of towns taken in the war. (For discussion of Henry's motives, compare Brewer's *Henry VIII,* I.498 and Pollard's *Henry VIII,* 68-69.)

In the Conference at Calais, August to November 1521, Wolsey wanted to gain time and get the French pensions as usual. He had been instructed to make pretence of hearing the grievances of Francis and Charles, and when it was evident that Francis would not accept the proposed terms, he should conclude the treaty with Charles. (L.P. III.1395.)

Charles was desirous of such an alliance with England, as English gold would help him in putting down the revolt in Spain, regaining possession of Navarre, defending the Netherlands and paying Swiss mercenaries for their aid.

Francis, when convinced of English intentions, sent Albany to Scotland, and refused to pay the pensions to Henry and Wolsey.]

Hit may lyke your good Grace to be aduertised, that yesterday in the mornyn⟨g⟩ I received from your Grace your honorable lettres wrytten vn to my selfe, dated the xixth day of this present moneth and with the same as ⟨well⟩ the lettres of
5 congratulation with the minute of a lettre to be wrytt⟨en⟩ with the King*is* awne hand to th'Emperor and thinstructions to the King*is* Ambassador there as also those lettres which your Grace received f⟨rom⟩ Maister Secretary, with the lettres by your Grace also devised for the expedition of the gentleman of Spruce.
10 Which thyngis with diligenc⟨e⟩ I presented furthwith vn to the King*is* Grace the same mornyng, and to thentent that his Grace shold the more perfaitely perceiv⟨e⟩ what weighty thing*is* they were that your Grace had at that ty⟨me⟩ sent vnto hym and what diligence was requisite in thexpedit⟨ing⟩ of the same, I redde vn
15 to his Grace the lettres which it lyk⟨ed⟩ your Grace to wryte

4. [well] *sic St.P.*

8. Of this correspondence, only the instructions to the English ambassador to the Emperor, Sir Thomas Boleyn (1477-1539) (L.P.III.2567), and the letter from Pace, written 2 September from Venice (*ibid*.III.2498) have been preserved.

Wolsey's letter to Henry VIII is preserved in the *State Papers*, I, p.101f. This is probably of the 19 September, as it is evidently one of the letters which More is answering. The *State Papers* date it August, which would be impossible because of the mention of Lascano setting sail against the French, with seven ships, which seems to have taken place on 7 September (L.P.III. 2543). Brewer, however (L.P.III.ccxxiiin. and III.2567), dates it c.25 September. The instructions to the English ambassador with the Emperor are of course of about the same date.

9. The "gentleman of Spruce" (Prussia) was evidently Theodoric de Schonberg, who had been sent with credentials to Henry VIII by Albert of Brandenburg, Grand Master of Prussia, on business of the Order, in September 1521. (L.P.III.1554.)

to me. In which it mych lyked his Grace that your Grace so well alowed and approved his opinion concer⟨nyng⟩ thovertures made by the Frenche King vn to th'Emperor. After your Grac*is* said lettre redde, whan he saw of your Grac*is* awn hand tha⟨t⟩ I shold diligently sollicite thexpedicion of those other thing*is*, fo⟨r⟩ as mych as your Grace entended and gladly wold dispach the p⟨remissis⟩ this present Soneday, his Grace lawghed and saied, 'Nay by my s⟨oul⟩ that will not be, ffor this is my removing day sone at Ne⟨w Hall⟩. I will rede the remanaunt at night.'

Whervppon after that his Grace was cummen home hither and had dyned, beyng vi of the clokke in the nyght, I offred myselfe agayne to his Grace in his awne chambre, at which tyme he was content to signe the lettres to th'Eymperor and thother lettres for thexped⟨ition⟩ of the gentilman of Spreuce, putting over all the remanaunt t⟨ill this⟩ day in the mornyng.

Whervppon at my parting from his Grace yisternyght I received from your Grace a lettre addressed vn to his, with which I furthwith retorned vnto his Grace in the Quenys chambre, where his Grace redde openly my Lord Admirall*is* lettre to the Quenys Grace, which mervelously reioiced in the good newis and specially in that that the French Kyng shold be now toward a tutor and hys realme to haue a governor.

In the communication wherof which lasted abowt one howre, the King*is* Grace saied that he trusted in God to be theyre governor hym selfe, and that they shold by thys meanys make a way for hym as King Richard did for his father. I pray God if hit be good for his Grace and for this realme that than it may preve so, and ellis in the stede therof I pray God send his Grace one honorable and profitable peace.

This day in the mornyng, I redde vnto his Grace as well thinstructions moost politiquely and moste prudently devised by your Grace and therto moost eloquently expressed, as all the lettres of Mr. Secretary sent vn to your Grace, to whom as well for your

22. p(remissis) *sic Ellis.* 23. s(oul) *sic St.P.* 24. Ne(w Hall) *sic Ellis.* 30. t(ill this) *sic St.P.*

---

34. Surrey's dispatch to Wolsey, 16 September. (L.P.III.2549.) Surrey wrote that it was reported that the council of Paris are "minded to put a (governor) in authority to rule the realm, and the King to (go to) his estate, without meddling further."

48. Wolsey had often sent Pace, royal secretary since 1519, on diplomatic missions abroad. In August, instructions were sent to Pace, then in Italy, to proceed to Venice, to induce the Venetians to join in the war against France. If they should complain of the seizure of their galleys, Pace is to reply that the galleys will be retained by the King until their favorable answer be known. (L.P.III.2497.) The Emperor's ambassador thinks that the embargo "will produce a good effect." (*Span. Cal.*I.473.)

spedy aduertisement in the tone, as for your great labor and
50 payne taken in the tother, his Grace geveth his moost hartie
thank*is*.

In the reding of thinstruction among thincommoditees that
your Grace there most prudently remembreth if th'Emperor shold
leve thestat of Myllayne vp to the French King, the King*is* Grace
55 saied that th'Emperor shold bysidis all those incommoditees sus-
tayne a nother great dammage, that is to witt the losse of all his
frendis and favorers in Italy withowt recovery for ever whic⟨h⟩
shold be fayn to fall hooly to the French Kyng, vttrely dispay-
⟨ring⟩ that ever th'Emperor leving the Duchie whan he had hit
60 wo⟨ld⟩ after labor therfore whan he had lefte hit. Which consideration his Grace wold haue planted in to thinstructions with
his awne ha⟨nd⟩, saving that he saied your Grace could, and so
he requyreth you to do bettre ffurnish hit or sett hit forth.

As towching Mr. Secreta⟨ry's⟩ lettres his Grace thinketh as your
65 Grace moost prudently wrytet⟨h⟩, that they do but seke delayes
till they may se how the world ⟨is⟩, wherin he mych alloweth
your most prudent opinion that they shold be with good rownd
wordis to theire Embassador and o⟨ther⟩ quykke wayes prykked
forth.

70 And for as mych as your Grace to⟨cheth⟩ an ordre, that no
Venicians shold be suffred to shipp eny of th⟨eyr⟩ good*is* owt of
the realme, and that it is now shewed vn to his Grace that one
Deodo a Venician is about to shipp, pre⟨tending⟩ hym selfe to be
denison, which his pretence whither it be trew ⟨or⟩ not his Grace
75 knoweth not, and also thinketh that he shall vn⟨der⟩ the color
of his awne send owt of the realme the good*is* of o⟨thers⟩ his
cuntremen, ffor which causis his Grace requyreth yours to ⟨haue⟩
a respect therto and cause hit to be ordered as to your Gracis
wisedom shall seme expedient.

80 For as mych as the King*is* G⟨race⟩ hath not yit written of his
awne hand the minute to th'Empe⟨ror⟩ which I delevered his
Grace in thys mornyng, therfore I suppose t⟨hat⟩ this lettre wrytten
this present Soneday the xxi day of Septembre i⟨n⟩ the nyght

70. to(ok) *St.P.* 73. *Ellis*: to shipp goods pretendyng hymselfe - - .

68. Wolsey took the King's advice to use "good rownd wordis," for the Venetian ambassador, Antonio Surian, wrote to the Signory 23 September of Wolsey's abuse, calling the Venetians "promise-breakers" and the "lowest of all potentates," and threatening war by the King and Emperor against them if they refuse the demands made on them. (*Venet.Cal.*III.555.)

Surian wrote that Wolsey would not allow any export by aliens, lest the Venetians should profit by it (*ibid.*). The embargo was not removed until late November. (*ibid.*593.)

can not be delevered to the post till to morow abowt ⟨ ⟩, as knoweth our Lord, who long preserve your Grace in honor and helt⟨h⟩.

Your humble orator and moste b⟨ounden⟩ beedman

Tho⟨mas More⟩.

To my Lord Legat*is* good Grace.

111. From Cuthbert Tunstall.

De Arte Supputandi, 1522, fol. A²

London
⟨c. October 1522⟩

[The preface to the *De Arte Supputandi libri quattuor,* London, Pynson, 14 October 1522. This book is the first Arithmetic printed in England. (cf. Charles Sturge, *Cuthbert Tunstal,* c.ix. For English arithmeticians before the invention of printing, cf. Yeldham, *The Story of Reckoning in the Middle Ages,* pp. 91f.) A second edition, Paris, Stephani, 1529.]

CUTHEBERTUS TONSTALLUS THOMAE MORO SALUTEM P.D.

Iam ante aliquot annos, mi More, cum mihi cum argentariis negocium interuenisset, nec satis inter nos de ratione conueniret, vt fraudem mihi magnopere suspectam vitarem, coactus sum rationes non admodum expeditas paulo propius inspicere, atque artem supputandi quondam adolescenti mihi degustatam iterum repetere, qua ratione cum me a callidorum hominum molestia explicuissem, coepi mecum cogitare, futurum mihi in reliqua vita non modicum operae precium, si numerandi artem sic in promptu tenerem, vt a quantumuis versuto falli attentus non possem.

Itaque vt penitius rem cognoscerem, omnes omnium scriptos de ea re libellos, eruditos, ineptos, Latinos, barbaros, quorum callerem linguas (nam nulla pene natio est, quae non eam artem vulgi lingua scriptam habeat) perlegi, et ne saepius toti libelli, quorum magna pars interdum non placebat, non sine fastidio relegendi essent; si quid in his alicubi, quod gratum esset, occurreret, obiter annotaui. Quo factum est, vt ex multis multorum scriptis multa etiam ipse colligerem: quae dum reposita apud me aliquandiu asseruassem, subibat animum, conducibile fore, si sermone Latino, paulo magis perspicua reddere ea possem, idque dum tentarem, et res parum procederet, fatigatione deuictus libellos saepe abieci, desperans quod destinaram, a me praestari posse, tum quod res ipsa per se obscura esset, tum quod multa saepe occurrerent, quae nec Latinum sermonem nedum eloquentiam admittere videbantur. Contra incepto desistere post auspicatum opus oneri succumbentem pudebat. Itaque subinde tentabam, si quid virium adderet repetitus labor. Interdum cum ipsis certare difficultatibus iuuabat, et quae molestiam non modicam afferebant, contra quam fieri solet, obstinatum ad laborem augebant 30 animum. Nonnunquam cogitabam, postquam id quod maxime optabam, consequi non possem, vt cuncta cum gratia quadam niterent, non inutile futurum, si quae barbarie quadam inculta squalebant, minus horrida redderem. Sic tandem certus propositi deuoraui tedium, ac per multas difficultates eluctatus e compluri- 35 bus excerpta haec qualiacumque notaui, quae apud me iam diu de industria pressi, cogitans ad vrsi exemplum foetus ipsos informes aliquando per ocium lambendo figurare.

Nunc ad pontificatum Londinensem vacantem homo omnium maxime eo honore indignus, benignitate tamen Regis cum de 40 omnibus bonis, tum de me supra quam dici potest meriti, designatus, et quod superest vitae, sacris addicturus literis, prophana omnia scripta longe releganda putaui, atque in primis illos apud me reconditos de numerandi arte commentarios Vulcani quam Mineruae scriniis digniores abiiciendos censui. Neque enim vel 45 dignos esse, qui in doctorum venirent manus, vel vllam posterum vitae meae partem sacris suffurari literis, vt limam eis inducerem, fas esse existimaui. Rursus in mentem venit, aliquid in his non inutile Arithmeticae operam daturis posse deprehendi: nec satis consultum fore, si quae mihi tot noctium lucubrationibus 50 constiterunt, flammis absumenda committerem. Nec tamen vt Regi longe supra regum fortunam erudito, deque me supra omnes mortales merito rude atque impolitum opus dedicarem, animum inducere potui, ne publica tantisper negocia remorarer, dum ille ineptiis his legendis daret operam; neue gratiam, quam referendi 55 spes nequaquam datur, ingrato officio corrupisse viderer.

Itaque circumspicienti mihi, cuinam potissimum ex amicorum cohorte collectanea haec dicarem, tu pro nostra consuetudine atque animi tui candore visus es ex omnibus maxime idoneus, qui, si quid in hoc opere placeret, gratum habere: si quid esset ieiunius, 60 boni consulere: si quid vsquam offenderet, ignoscere paratus esses. Cui enim aptiora haec quam tibi esse possunt? qui totus in sup-

---

61. More was appointed Under-Treasurer on 2 May 1521, in succession to Sir John Cutte, who had died a month earlier. More evidently did not take up his duties until Michaelmas. He received the usual large salary of £173.6s.8d., paid from the Customs. More held office until 24 January 1525/6. (Routh, p.107 and n.3.) Erasmus speaks of the appointment in a letter to Pace (Allen IV.1210) and in a letter to Budé says that the King gave it to More and not to his rival, though it was without his seeking. (Allen IV.1233, ll.23f.)

The office of Under-Treasurer was created by Henry VII. His duties were partly financial—the responsibility to report

putationibus excutiendis occupatus in regni aerario post praefectum primas tenes, quique liberis tuis, quos liberalibus institui disciplinis curas, legenda ea relegare potes; illis enim vel maxime profuerint, si modo essent lectu digna, cum nulla re iuuenum 65 magis vegetetur ingenium quam numerorum arte discenda. Vale.

112. From Conrad Goclenius.

Luciani Hermotimus, tit. v. Louvain
29 October 1522

[Preface to Goclenius' translation of the *Hermotimus,* Louvain, 1522.

Conrad Goclenius (c. 1489-1539) was educated at Deventer, Cologne and Louvain, taking his master's degree at the last in 1515. In December 1519 he was appointed to replace Adrian Barland as professor of Latin in the Collegium Trilingue. He received extra salary to prevent him from being enticed away from this teaching post. About 1533 he received a canonry at Antwerp. He was also influential in the University of Louvain and was admitted to its Council 1524. Because of his devotion to teaching, he wrote little—this translation of the *Hermotimus,* which More rewarded with a cup full of gold coins, some notes on Cicero, taken by his students from his lectures, notes on Cicero's *De Officiis,* published with Erasmus' work at Basle, 1528. Erasmus praises highly his literary work and teaching.

Erasmus introduced him to More in anticipation of More's visit to the Netherlands in 1521. (cf. Ep. 103, Allen IV.1220.)

(For Goclenius' life, cf. Allen IV.1209, *introd.*; and de Vocht, Ep. 95, *introd.*)

Lucian of Samosata on the Euphrates (c. 120 to 125-c. 210 A.D.) was born in the extreme northeast of Syria, but soon trained himself to a thorough knowledge of classical Greek literature and the vernacular of the period. He wandered through Asia Minor, Greece, Syria and Egypt, interesting himself in law and in rhetoric. He visited Rome A.D. 150, spent two years in Italy, and then ten in Gaul as a public lecturer. He eventually established himself in Athens and there wrote the greatest of his Dialogues. He was saved from poverty in his later years by appointment to the clerkship of the law-courts in Alexandria, but a deputy performed the duty.

The *Hermotimus* is Lucian's serious pronouncement on philosophy and ethics.

(cf. Allinson, *Lucian, Satirist and Artist;* Loeb Classics: *Lucian's Dialogues.*)]

CONRADUS GOCLENIUS CLARISSIMO VIRO THOMAE MORO, SERENISSIMI REGIS ANGLORUM A THESAURIS, SALUTEM DICIT PLURIMAM.

Oppido me pudet, More doctissime idemque humanis-

---

the receipts of the Treasury every term and to check the contents of the chests in which it was kept. He was also Chancellor of the Court of the Exchequer. (*The Practice of the Exchequer Court,* 1658, pp. 21-23.)

63. The Treasurer was the Duke of Norfolk.

sime, quoties memoria reputo, quam amanter me non semel ad mutuam amicitiam prouocaris, qui hactenus nihil tibi responderim. Nec sane in promptu est, quo me colore ab inhumanitatis vitio 5 expurgem. Si dicam non fuisse tabellarios opportune ad manum, metuo ne faciat quorundam vanitas, qui se hoc praetextu solent defendere, sicubi in officio cessent, vera narranti vt non habeatur fides. Si culpam in occupationes reiiciam, causorque minimum ocii, in hac publice docendi prouincia, fortasse videbitur excusatio 10 in speciem, quam re vera iustior. Quis enim tanta negociorum sarcina premitur, aut cui tam sunt angusta temporis spacia, cui non tantillum relinquatur, quod eiusmodi amiciciae conciliandae impartiat, cuius gratia vel vadimonium erat deserendum.

Sin autem ita agam: me, quod in hac causa vnicum poterat esse 15 defensionis praesidium, non ignarum mediocritatis meae, nec ignarum angustae in re literaria supellectilis, non ausum literis interpellare Morum, eruditionis gloria in primis clarum, omnibus ingenii dotibus eximium, omni virtutum genere excultum; deinde, quod in egregia virtute solet esse rarissimum, paribus fortunae 20 muneribus subnixum, quae indies nouis quibusdam incrementis a Regis potentissimi beneficentia augeatur, nimirum formidasse, ne repudiarer, nouus et impar hospes, ne non esset locus nouo amiculo, inter tot veteres, eosque vniuersi orbis, et virtute, et rara doctrina primarios. At hanc arcem mihi iam olim tua humanitate 25 candoreque subuertisti funditus, qui tua sponte mihi, id vix sperare auso, amiciciae fores vltro inuitans, aperuisti. Proinde etiam atque etiam vereor, ne iure parum humanus habear, qui ad limen vocatus, non sim ingressus, et manu vtraque non arripuerim, obuiis vlnis excipientem hospitem, nec datum acceperim id, quod summis 30 erat mihi votis expetendum.

Caeterum vt aliquando tandem veram silentii mei rationem accipias. Gestiebat animus non epistola tantum, verum maiori aliqua literarum tessera, amiciciam tecum auspicari. Iamque in id toto pectore incubueram, vt dispicerem quippiam, quod instar arra-35 bonis esset initae recens amicitiae, et perpetuae meae in te symbolum obseruantiae. At cum plaeraque aut parum tractatione arriderent, nonnulla tardius opinione procedant, optimum factu sum arbitratus, si non quali ipse cuperem, certe quali in praesentia possem argumento, animum erga te meum testificarer.

40 Deprecaturus igitur culpam diutini silentii, misi ad te Luciani Samosatensis Hermotimum, siue de Philosophorum familiis Dialogum, mira festiuitate, cuiusmodi sunt eius autoris omnia, refertum, quem ego, ingenii et styli exercendi gratia, e Graeco in

Latinum sermonem conuerti. Quod quidem genus studiorum, cum videam tantopere laudatum a Plinio Iuniore in epistolis, a Quintiliano, ab ipso denique M. T. Cicerone, deinde excultum ac frequentatum ab omnibus, qui vllo vnquam saeculo verae eruditionis famam sunt assecuti, speraui me quoque facturum operae precium, si maiorum exemplis ad optima conniterer emicare. Quod si conatum frustraretur euentus, nonnihil esse laudis, praestantiora sequi, etiam si assequi nequeam. Saepius tentanti posse tandem succedere. Cessantes abesse tantum a progressu, quantum absunt ab industria. Qua in re si eruditioribus a me non est factum satis, dabo operam vt aliquando *δευτέρων ἀμεινόνων*. Illorum candoris est, fauore egregios conatus et industriam persequi, nec obstare sequentibus, sed potius faustis acclamationibus torpentes adhuc animos, ad alacritatem excitare, magisque in hoc anniti ne quis praecedat, quam vt nemo subsequatur.

Tametsi hac in parte mihi sane debetur venia, iuxta prouerbium nunc *πρωτοπείρῳ*, maxime quod in hoc commentario vnus et alter locus, aut temporis iniuria, aut scriptorum oscitantia, sunt deprauatiores, de qua re si quis doctior submoneat, ingentem sim habiturus gratiam. Sic tamen a nobis sunt expleti, ne quis hiatus relinqueretur. Atque illud in causa fuisse suspicor, cum plurimi in Latinam orationem Luciani dialogos traduxerint, in qua tu parem cum primis laudem es assecutus, nemo tamen Hermotimo hactenus, quod ego quidem sciam, admolitus sit manum, cum haud dubie non solum argumenti festiuitate, sed et disserendi argutia sit habendus inter venustissimos. Verum id me vehementius alliciebat cogitantem illud, *δύσκολον τὸ καλόν*. At si qui erunt, vt nunquam desunt, quibus imperitia confidentiam parit, quibusque nihil nisi quod ipsi fecerunt rectum putant, qui et ista reprehendant, illorum iudicium tum demum alicuius esto ponderis, cum ipsi aliquid melius ediderint, quo suae eruditioni faciant fidem; quod si aut recusent, aut non possint, quis non videbit haud quaquam eos veritate duci, sed *ἐσθλοῖς ἐπὶ ἀλλοτρίοις τὸν κρύφιον θυμὸν βαρύνεσθαι*.

Porro hoc in dialogo Lucianus idem agit, quod in plerisque aliis, philosophorum inscitiam prodit, autoritatem eleuat, personam detrahit, sectas, opiniones, ac dissidia detestatur. Palam ostendens id, quod est verissimum, in multa opinionum varietate minimum esse scientiae. Alterum enim fieri posse vt nulla, alterum non posse, vt plus vna vera sit. Hinc fieri vt propemodum nihil comperti habeant philosophi, interim nihilominus sui compendii gratia ignaris fucum facere. Reliquis in rebus a vulgo nihil differre, et

plaerumque esse tum magis inscios rerum, tum etiam deteriores. Caeterum non ignoro quam male ob veritatem a plurimis iamdudum audiat Lucianus, quod philosophiae videatur esse infensior, verum siquis pressius consyderet, et rem ipsam exactiori iudicio
90 expendat, non philosophiae inimicum reperiet, sed quorumdam moribus hostem, qui nomen quidem gereba⟨n⟩t philosophorum, caeterum vitą aut cum multitudine erat communis, aut sub specie virtutis et vmbra, grauiora etiam flagitia designabant. Quanquam hoc illi commune cum Lactantio, Tertulliano, Hieronymo,
95 Chrysostomo, caeterisque primariis nostrae religionis doctoribus, et quod ipsi parum aequi sunt philosophis. Horum ille vitam detestabatur, non reprobaturus philosophiam, sicubi comperisset incontaminatam. At cum exploratum haberet, vitam nulla in parte cum doctrina et libris consentire, cum videret assidue, data occa-
100 sione, fraudere, peiurare, fallere, voluptatibus esse emancipatos, impotentia mentes huc illuc rapi, cum interim in congressibus preter virtutem, honestum, decorum, iustitiam, temperantiam, aequanimitatem nihil creparent, non tulit scilicet egregius ille *παρρησιαστής* illorum imposturas, mysteriaque in apertum ex
105 abdito prouulgauit, non iratus philosophiae, sed, vt dixi, philosophis, quorum fere neminem licet reperire, praesertim apud Graecos, cuius nationis philosophos ille potissimum insectatur, cuius vita non fuerit inquinatissima, quantumcumque aut ingenio aut eruditione excelluerint quantumcumque sanctimoniae eorum
110 libri per se ferant.

Ac ne quis hoc falso predicari existimet, age, de ipso Aristotele non traducendi hominis gratia, sed tantum exempli causa dispiciamus. Huic nunc consensus scholarum, vel soli sapientiae cognitionem, et ingenii laudem attribuit. Et apud vetustiores sine
115 controuersia magistrum Platonem proximo ordine sequibatur. Huius itaque innumera illa volumina si lustres, quae de moribus instituendis, de gubernanda republica, de reifamiliaris administratione, si, quae de officio virtutum praecipiunt, videbitur quantiuis esse precii. Sin vitam intro[a]spicias, palam erit illico, quam hic
120 mirificus monitor sua illa egregia praecepta sit secutus, credas te in Lernam malorum incidisse, vitam tantum a scripto abesse, vt nihil possit fingi diuersius. An non insigni infamia laborat, quod eius inuento magnus ille Alexander, a praeceptore discipulus,

121. Lerna was the name of a forest and a marsh near Argos. Through these flowed the river Lerna. Hercules slew the Lernaean Hydra and then drained the marsh.

veneno traditur esse extinctus. An non luxu et auaricia tam insolenti erat, vt Plinius de eo scribens testetur, deperditos etiam Rhomanorum mores, Graeciae philosophis tamen fuisse meliores. Iam quae Athenaeus libro Dipnosophistarum tertiodecimo in Phaselitum eius discipulum perpatrata refert, ob nefandum scelus pudet commemorare. Interim de viri boni officio nemo videtur exactius disserere. At idem tamen Hermian familiarem suum turpiter loco excedere fecit, quemadmodum docet Tertullianus Apologetici aduersus Gentes, capite vltimo. De vno rerum omnium opifice ac moderatore ita disputat, vt sibi etiam videatur persuasisse, quod docet. Sed exige vitam ad doctrinam, hic *σεμνότατος*, vt Graece dicam, et Philosophorum *κορυφαῖος* meretriculae, cuius a more tenebatur, rem diuinam fecit, tanquam Eleusinae Cereri. Id quod docet apud Diogenem Laertium in eius vita Aristippus, Considera mortem, comperies vitae magis, quam professioni consentaneam. Nam sese in Euripum fastu animi praecipitauit ac submersit, quod assiduarum reciprocationum, quibus mare illud redundat, causam nequiret deprehendere. 125 130 135 140

Quod si tales fuerunt optimates, ac philosophorum principes, quid existimandum de inferioris notae philosophis, inter quos sunt, qui rerum finibus constitutis, ne possint quidem vnquam officio fungi, sed ii palam animi sui morbum profitentur, alii e grege Stoicidarum, Platonicorum, Peripateticorum ferme tales fuerunt, cuiusmodi Graeco quodam epigrammate verbis quidem sesquipedalibus, verumtamen elegantissime depinguuntur. 145

Ὀφρυανασπασίδαι, ῥινεγκαταπηξιγένειοι,
σακκογενειοτρόφοι καὶ λοπαδαρπαγίδαι, 150
εἱματανωπερίβαλλοι, ἀνηλιποκαιβλεπέλαιοι,
νυκτιλαθραιοφάγοι, νυκτιπαταιπλάγιοι,
μειρακιεξαπάται καὶ συλλαβοπευσιλαληταί,
δοξοματαιόσοφοι, ζηταρετησιάδαι.

---

124. The false report that Alexander died of poison administered by Antipater on the advice of Aristotle. (cf. Plutarch, *Alexander*, LXXVII.)

127. Athenaeus of Naucratis in Egypt (end of second and early third century)—*Deipnosophistae* (viz. dinner-table philosophers). The book contains much miscellaneous information on the table, music, dance, etc. The *Editio Princeps* did not appear until 1524.

132. *Apologeticus*, cap.L.l.13. Diogenes Laërtius (third century A.D.) wrote the biographies of the Greek philosophers, and gives much on their private life. The *Editio Princeps* appeared in 1533, so Goclenius must have used a manuscript copy.

137. Aristippus (c.435-356 B.C.) had been a pupil of Socrates. He settled in Cyrene and founded the Cyrenaic school of philosophy, teaching the two Socratic principles of virtue and happiness. As he stressed the latter, he allowed himself much external luxury, but nevertheless had self-control.

139. Euripus was the channel between Boeotia and Euboea. Its waters were believed to ebb and flow seven times a day.

155 Quae cum ita sint, mirabimur extitisse libero ingenio homines, qui dolerent sanctissimum philosophiae nomen quorumdam impuritate contaminari? Nec puto alia ratione permotum fuisse Lysimachum et Regem et philosophiae studiis in primis memorabilem, cur preconis voce iusserit omnes philosophos regno suo
160 excedere. Neque vero solus Lysimachus hac contumelia eos fuit insecutus, sed etiam Athenienses ipsi, apud quos philosophia nata, educata, perpagataque fuerat, non vrbe solum, sed vniuersa Attica philosophis interdixere. Idem aliquoties factitatum est a Rhomanis. Quin etiam Lacedaemonii, quorum reipublicae instituta omnium
165 literis celebrantur, hoc genus hominum in ciuitatem non admiserunt, non opinor philosophiae odio, sed quod animaduerterent *τοὺς μὲν λόγους θαυμαστοὺς, τοὺς δὲ λέγοντας ἀπίστους*, vtpote quorum doctrinae vita esset contraria.

Sed quo feror? Iamdudum enim video extra septa me transilire,
170 oblitumque mei, cum id vnum dicere statuissem, Lucianum nec citra legitimam causam, nec absque exemplo, adumbratum hoc philosophantium genus, qui Curios simulant, et bacchanalia viuunt, conuiciis fuisse insectatum. Tu vero, mi More, suscipe hilari vultu hunc libellum tibi inscriptum, mnemosynon noui
175 amici, sed qui officio, amore, et obseruantia nulli veterum sit concessurus.

Vale. Louanii e Collegio Trilingui, quarto calendas Nouembres. Anno Christi Millesimo quingentesimo Vicesimo secundo.

113. To Conrad Goclenius.

Brussels MS. Varia Societatis Iesu, no. 20 — London
⟨c. November 1522⟩

[An original letter, in the Royal Archives at Brussels: cf. *Revue des Bibliothèques et Archives de Belgique,* ii (1904), 352, no. 10.]

Misit ad me pridem Petrus meus Egidius Lucianicum Hermotimum, Gocleni doctissime, a te versum et nomini meo dicatum. Quem cum acciperem valde sum equidem delectatus et tua in me humanitate et operis tum festiuitate tum stili elegantia; in quo
5 mihi videris etiam cum Greco perquam feliciter certare. Quocirca

174. *μνημόσυνον*.

152. Hegesander Delphus, *Fragmenta Historicorum Graecorum*, ed. Carolus Müllerus, vol.III, p.413. I owe the reference to Mr. Lobel of the Bodleian Library.

156. One of the generals of Alexander the Great and, after his death, King of Thrace and founder of Lysimachia.

1. cf. Ep.25n.

2. cf. Ep.112, introd. note.

nihil me fefellit Erasmus noster, cuius illustri et crebra de tua virtute et doctrina predicatione prius mihi factus es charus quam notus. Iam vero postquam hoc accessit tanquam tuae vicissim erga me charitatis ac beneuolentiae pignus, nec sane ob vllum meritum meum, etsi ante sic te dilexi, vt supra non posse mihi viderer, 10 tamen nescio quo modo illi priori erga te amori meo, cumulum non exiguum accreuisse sentio. Itaque effeci, tuis eruditis lucubrationibus aliis quoque apud nos compluribus ostensis, vt plures preterea hic amicos habeas ac admiratores ingenii tui. Ego autem siquid vsu venerit in quo vel tibi vel tuorum vlli gratificari aut 15 commodare potero, declarabo quam mihi fuerit officium erga me tuum gratum et iucundum. Vale, charissime Gocleni, mei omnes plurimam tibi salutem ab se asscribi rogarunt Londini.

Tuus quantulus est

Thomas Morus. 20

Eruditissimo bonarum literarum professori, Conrado Goclenio. Louanii.

114. From the University of Oxford.

Bodleian MS. Bodl. 282, fol. 61

Oxford

⟨c. 8 June 1523⟩

[The manuscript is a contemporary copy in the University Letter-book, in which the letters are roughly chronological. This is between letters in the same strain to Wolsey and Henry VIII, dated 8 and 20 June.]

Domino Thome Moro, equiti aurato, cum primis illustri ac serenissimo Regi nostro a consiliis, Oxoniensium senatus S.

Quantum tibi debemus, More amicorum nostrorum fidissime, et humanitas tua in nos vniuersos crebro exhibita, et beneficiorum tuorum numerus satis declarant. Quippe quo in omnibus causis vtimur ingenioso oratore, et apud Regem singulari intercessore. Id quod non nostro merito. Nihil enim vnquam fecimus, quod aut tibi aut tuorum cuiquam vsui esse possit. Sed 5 syncera charitate qua prosequeris Academiam nostram de nobis benemereris. Cuius animi tui clementiae quibus modis vel vlla ex parte respondere possimus, certe non videmus. Nemo vtique nostrum est, qui non magnas habeat tibi gratias, que etsi parum 10 faciant ad hoc vt par pari referatur, at voluntas et affectus ipse

Ep.114. 9. possumus *MS.*

Ep.113. 6. As in Ep.103.

quo inflammamur in hoc multum pollet. Meminisse itaque debebis Artaxersem illum, apud Plutharcum, a paupere quodam nihil aliud habente, aquam vtraque manu allatam libenter accepisse, et illius
15 qui dederat voluntate, non rei date vtilitate, gratiam esse meritum.

Tu igitur Artaxersem referas oramus, et animum nostrum maximam remunerationem ducas. Pauperes enim sumus. Olim singuli nostrum annuum stipendium habuimus, aliqui a nobilibus, nonnulli ab his qui monasteriis praesunt, plurimi a presbyteris
20 quibus ruri sunt sacerdotia. Nunc vero tantum abest vt in hoc perstemus, vt illi quibus debeant solitum stipendium dare recusant. Abbates enim suos monachos domum accersunt, nobiles suos liberos, presbiteri suos consanguineos. Sic minuitur scholasticorum numerus, sic ruunt aule nostre, sic frigescunt omnes liberales dis-
25 cipline. Collegia solum perseuerant, que si quid soluere cogantur, cum solum habeant quantum sufficit in victum suo scholasticorum numero, necesse erit aut ipsa vna labi, aut socios aliquot eiici. Vides iam, More, quod nobis omnibus immineat periculum. Vides ex academia futuram non academiam, nisi tu cautius nostram
30 causam egeris. Proinde vniuersi te obsecramus, vt quantum possis, enitare, inuigila et cogita, quo minus [nostra] collegia nostra sentiant onus huius exactionis. Vale.

27. vna] cum *del. MS.* 29. futurum *MS.*

---

13. Plutarch, in the Life of Artaxerxes (Plutarchi, *Paralellum* (sic), Junta, Florence 1517, p.164.) This, the *Editio Princeps*, might quite well have been known in Oxford. There were also editions in Latin in 1470, 1478, and later. "Artaxerxes was so much pleased that he sent the man a gold cup and 1000 darics."

32. A property tax, as loan, was arranged in the autumn of 1522, without summoning Parliament. As Oxford college statutes bound the heads and fellows not to divulge the amount of property in their possession, Wolsey was himself to fix the rate of their payment. (L.P.III.p.cclxxii, no.2484.) The University wrote 9 October to Wolsey, asking for exemption (*ibid.* 2604) and Wolsey replied, promising to treat of the matter with the King's Council. (*ibid.*2631.) Large grants were expected from individual colleges, as £336 from New College, £330 from Magdalen, £133.6s.8d. from Corpus Christi, founded only in 1516, and £40 from Exeter, Balliol and Queen's. The modern equivalent would be about 15 to 20 times those amounts. In April 1523, Parliament met and elected More as Speaker, in deference to the King's high opinion of him and because of his character and ability. Parliament then passed an act for a four years' subsidy for the war against France. (L.P.III. 2956.) The University's letters to Wolsey, More and the King follow in the Letter-book. That to Wolsey states their difficulties in more detail, pleading the poverty of all the students, less liberality from benefactors, the poverty of almost all the colleges so that they can hardly bear their daily expenses, and fear that the number of scholars will decline unless "your most worthy majesty" (thus to Wolsey!) may avert it. (MS. Bodl.282.f.60v.) The University seems not to have known that the Act specifically exempted the Universities. (14/15 Henry VIII. c.16; L.P.III.2956. For text of exemption clause, see J. E. Thorold Rogers, *Oxford City Documents*, p.60.) In 1524, the University wrote to Veysey, Bishop of Exeter, thanking him for securing their exemption from paying tribute. (MS. Bodl.282, f.66v and f.78.)

115. To Wolsey.

Brit. Mus. MS. Titus B.I, fol. 329 — Easthampstead
St.P. I, p. 125; Delcourt p. 326 — 26 August ⟨1523⟩

[The right margin of the manuscript is burnt.]

Hit may lyke your good Grace to be aduertised, that the King⟨*is*⟩ Highnes yisterday received a lettre from his Viceadmira⟨ll⟩, dated on the see the xiiiith day of August; which lettre your G⟨race⟩ shall receive with these present*is*.

And forasmych as the val⟨iaunt⟩ acquitaill of Mr. Fittzwilliam and his cumpany singularly well conte⟨nteth⟩ the King*is* Highnes, as a thing mich redounding to thonor of h⟨is⟩ Grace and his realme, with high reproch and rebuke of his enem⟨yes⟩ he requireth your Grace therfore, that as well his Viceadm⟨irall⟩, as other gentilmen of his cumpany, such as your Grace shall thi⟨nk⟩ convenient, may haue sent vn to theym lettres of thank⟨*is*⟩, by which they may to theyre cumfort and ferther corage vnderstand how acceptable theire good service is vn to h⟨is⟩ Highnes. 5 10

Ferthermore as towching the twoo shippis which your Grace hath devised to be sent vn to Sir Anthony Pointtz, albe⟨it⟩ that Mr. Viceadmirall, as your Grace may perceive by his lettre, moveth iii thing*is* which he thinketh wolde ⟨be⟩ considered therin, yit sith your Grace hath had a politique foresight to the provision of the vitail, which is the grettest thing that his Grace regardeth, his pleasure is according to your moost prudent advice that for to put the mater in the more surtie, the said twoo sh⟨ip⟩pis shall in eny wise goo forth and that they shall there continue till halfe the moneth of Septembre be passed, after which tyme his Grace thinketh hit good that Sir Anthony Pointtz and his cumpany, shold be discharged, ffor after that tyme his Grace beleveth that the Duke of Albany either shall not goo in to Scotland, or ellis shall goo to late to do either them good or vs hurt, and therfore 15 20 25

3. Henry's letter from Fitzwilliam is apparently lost, but the duplicate to Wolsey is preserved at the Record Office. (L.P.III. 3237.) Fitzwilliam reported the fortunes of a fleet of twelve Scotch ships which had left Dieppe. Two had been lost at Dieppe and two at Boulogne, and Fitzwilliam had driven seven into Boulogne harbor. He had been unable to destroy them as the wind was unfavorable to an attack, but he had left enough ships to guard the harbor. "I would be glad to do the Scots some displeasure for their cracks and high words." Wolsey was evidently anxious lest Henry should think that Fitzwilliam had not done all that was possible in the circumstances, and wrote in his support to the King. (St.P.I.121.)

14. Wolsey had planned to send two ships as reinforcement to Sir Anthony Poyntes, who had been ordered to try to capture the Duke of Albany off the west coast. (St.P.I.122; L.P.III.3256.) Surrey had written in April that nine ships had left Scotland and had gone between Ireland and Wales to fetch Albany. (*ibid*.III.2937.)

hit semeth to his Grace good that he shold after the myddis of this next moneth discharge hym selfe of that coste.

30 In the mean while his Highnes requireth your Grace that those shippis may be so spedily and sufficiently vitailled for the hole tyme of theyre abode vppon theyre entreprise there, as he dowteth not but your Grace hath and will provide therfore, that no lacke of vitaile hyndre or empech theire purpose.

35 Hit may ferther lyke your good Grace to vnderstand that the King*is* Grace mych alloweth your prudent answere made vn to th'Emperors Embassiator vppon the saufconduicte. For his Grace thinketh it a great hinderaunce to the co⟨m⟩en affeires that th'Emperor shold graunt eny such saufconduicte, wherby there shold be 40 eny mutuall entrecors bitwen his subgiett*is* and theyre comen enemyes, and the commoditees of Fraunce having vent and vtteraunce, thenemy therby the bettre furnyshed of mony, shold be the more able the lenger to mayntayn the warre. And so shall hit be the lenger ere he shall incline to eny resonable conditions 45 of peace. Wherfore his Grace for his part according to your Grac*is* politique advice is as yit in mynd neither to ratifie that saufconduicte, nor to graunt eny lyke, and is glad that your Grace so shewed vn to th'Emperors embassiator.

Hit may ferther lyke your good Grace to be aduertised that one 50 Thomas Murner, a Frere of Saynt Francisce o⟨rder⟩, which wrote a boke agaynst Luther in defence of the King*is* boke, was owte of Almaigne sent in to Engl⟨and⟩ by the meane of a simple person,

32. entreprise] that *del. MS.*

36. "Commends," from Latin *allaudare.* This follows Wolsey's advice, 20 August. (L.P.III.3256; St.P.I.122.)

47. August 2 Henry received a petition from several merchants, asking for a licence to trade with France, such as the Emperor had already given them. The trade was to be "in all sorts of merchandize not expressly forbidden, except herrings." (L.P. III.3216.)

50. Thomas Murner (1475-1537) was already forty-four years of age when he began his defence of the Church against Luther. He could never forgive Luther for destroying the unity of the Church, and therefore stressed the authority of the Church in his pamphlets against Luther. In a sermon on Palm Sunday 1524 he admonished his hearers "Glaubt ihr dem Evangelium, so glaub' ich ihm nicht, sondern allein was die Kirche angenommen hat." (Kawerau p.88.) He claimed to have written thirty-two pamphlets against Luther, but many of these, if ever written, were never published. He also translated some of Luther's Latin works into German, to Luther's great annoyance. In 1522 he translated Henry VIII's *Assertio Septem Sacramentorum*, and supported it by his *Ob der König aus England ein Lügner sei, oder der Luther.* The invitation to visit England came at a most auspicious time, when he had just been warned by the Strassburg Council to moderate his writings. The visit was on the whole profitable, as the King not only gave him the gift of £100 but also a letter of warm recommendation to the Strassburg Council, even adding that Murner had come to England on *his* invitation! (Jöcher, *Allgemeines Gelehrten-Lexicon;* Waldemar Kawerau, *Thomas Murner u. die deut. Reformation;* for Henry's letter to the Strassburg Council, cf. Wencker, *Collecta archivi iure*, 1715, p.144; Allen V.350n.)

an Almaigne namyng hym selfe seruant vn to the King*is* Grace and affermyng vn to Murner that the King had gevyn hym in charge to desire Murner to cum over to hym into En⟨gland⟩, and 55 by thoccasion therof, he is cummen over and hath n⟨ow⟩ bene here a good while. Wherfore the King*is* Grace pitiyng that he was so deceived and having tendre respecte to the good zele that he bereth toward the Feith and his good hart and mynd toward his Highne⟨s⟩, requyreth your Grace that it may lyke you to caus⟨e⟩ 60 hym haue in reward one hundred pownde, a⟨nd⟩ that he may retourne home wher his presence is ve⟨ry⟩ necessary, ffor he is one of the chiefe stays agaynst t⟨he⟩ faction of Luther in that parties, agaynst whom he hath wrytten many bokis in the Almayng tong and now sith his cummyng hither he hath translated 65 in to Latyn the boke that he byfore made in Almaigne in defence of the King*is* boke. He is Doctor of Divinite and of bothe Lawis and a man for wryting and preching of great estimation in his cuntre.

Hit may lyke your Grace ferther to wite that the same simple 70 person which caused Murner to cum in to Englan⟨d⟩ is now cummen to the Cort and hath brought with hym a barons son of Almaygne, to whom he hath also persua⟨ded⟩ that the King*is* Grace wold be glad to haue hym in his service. He hath also brought lettres from Duke Ferdinand vn to the King*is* Grace, 75 which lettres I send vn to your Grace, wherin he desireth the King*is* Highnes to take in to his service and to reteyne with some convenient yerely pention Ducem Mechelburgensem, of which request the King*is* Grace greatly merveileth and veryly thinketh that this simple felow which brought the lettres, lykewise as he 80 caused Murner to cum hither and persuaded the barons sone that the King wold be glad to haue his service, so hath, by some simple ways brought the Duke of Mechelborough in the mynd that the King*is* Grace wold at the contemplatio⟨ne⟩ of Duke Ferdinandis lettres be content to reteign the Du⟨ke⟩ of Mechelborough with a 85 yerly pention. The felow hath brou⟨ght⟩ also fro the Duke of Mechelborough lettres of credence written in the Duche tong. He bare hym selfe in Alma⟨ygne⟩ for the King*is* seruant and bosted that he had a yerely pent⟨ion⟩ of his Grace of fiftie mark*is* and that the King had sent h⟨ym⟩ thither to take vpp seruantz for 90

83. vays *MS.*

78. Henry Duke of Mecklenburg (1479–1552). Nothing further of this correspondence has been preserved. Mecklenburg was already a supporter of Luther.

hym. And now he saith he is seruant vn to th'Emperors Mageste and is going in to Spaigne with lettres to hym and in dede he hath diverse lettres to his Magestie, and so was it easie f⟨or⟩ hym to gete, if he entend to deceive and mocke, as t⟨he⟩ King*is* Grace
95 thinketh that he doth. For his Grace neve⟨r⟩ saw hym byfore, but he vnderstandeth now that byfo⟨re⟩ this tym he was in England whan th'Emperor was h⟨ere⟩ and slew a man and escaped his way. Wherfor h⟨is⟩ Grace requyreth yours to geve hym your prudent advic⟨e⟩ as well in a convenient answere to be made both to D⟨uke⟩
100 Ferdinand and the Duke of Mechelborough as also in wh⟨at⟩ wise hit shalbe convenient to ordre this simple fellow, that so hath deceived menne in the King*is* name.

Ferthermore hit may lyke your good Grace to vnderstand that at the contemplation of your Grac*is* lettres, the King*is* Highnes is
105 graciously content that byside the c li for my fe, for thoffice of the Speker of his Parleame*n*t, to be taken at the receipte of his Exchequer, I shall haue one other hundred poundis owt of his cofres, by thand*is* of the Tresorer of his Chambre, wherfor in moost humble wise I besech your good Grace that as your graciouse
110 favor hath obteigned hit for me so it may lyke the same to write to Mr. Wiatt that he may deliver hit to such as I shall send for hit, wherby I and all myne, as the manyfold goodnes of your Grace hath all redy bound vs, shalbe dayly more and more bounden to pray for your Grace, whom our Lord longe preserve in
115 honor and helth. At Esthamstede the xxvith day of August.

Your humble orator and moost bounden beedman

Thomas More.

To my Lord Legat*is* good Grace.

116. To Wolsey.

Brit. Mus. MS. Vesp. F. xiii. fol. 243 — Woking
Ellis i.i.71; Delcourt p. 331 — 1 September ⟨1523⟩

Hit may lyke your good Grace to be aduertised that according to your Grac*is* commaundement, geven me by your lettres dated the xxxth day of Auguste, I haue shewed vn to the

91. The Emperor Charles V was the first ruler to assume this title. (St.P.i.127n.)

105. Wolsey had reminded Henry VIII of the extra fee usually paid to the Speaker of the House of Commons. "I am the rather moved to put Your Highnes in remembrance thereof, because he is not the most ready to speake and solicite his own cause." (L.P.iii.3267; St.P.i.124. See also Brewer's correction of Roper's account of the relations between Wolsey and More in this Parliament. L.P.iii, pp.ccxxxixf.)

111. Sir Henry Wyatt, Treasurer of the King's Chamber.

King*is* Grace the byll devised for Sir Richard Wyngfeld, subscribed by your Grace, and the old bill, also aduertisyng his Grace 5
of such thing*is* as your Grace in the new bill caused to be lefte owte for thadvantage of his Highnes, which point*is* I shewed his Grace cancelled in the old bill and omitted in the new, ffor which his Highnes, with hartie thank*is* to your Grace for your labor taken therin, hath signed the new, which I haue delivered to hym 10
of whom I received hit.

And thus our Lord long preserve your good Grace in honor and helth. At Okyng the ffyrst day of Septembre.

Your humble orator and moost bounden bedeman

⟨Thomas More⟩ 15

117. To Wolsey.

Brit. Mus. MS. Calig. B.I, fol. 319 — Woking
Ellis I.i.72; St.P. I, p. 128; Delcourt p. 329 — I September ⟨1523⟩

Hit may lyke your good Grace to be aduertised that I haue received your Gracis lettres directed to my selfe dated the last day of Auguste with the lettres of my Lord Admirall to your Grace sent in post and copies of lettres sent bytwene the Quene of Scott*is* and his Lordishipp concernyng the maters and affeires of 5
Scotland with the prudent answeris of your Grace as well to my said Lord in your awne name as in the name of the King*is* Highnes to the said Quene of Scott*is*. All which lettres and copies I haue distinctely redde vn to his Grace. Who hath in the reding therof substancially considered as well the Quene his sisters lettre 10
with the lettres agaynward devised and sent by my Lord Admirall to her and his lettres of aduertisement to your Grace as your moost

7. name] of his, his *del. MS.*

4. The instructions to Sir Richard Wingfield are not extant. He was on the expedition with the Duke of Suffolk, but his letter from the "camp of Awske," I October, gives no clue to what his instructions had been. (L.P.III.3378.)

2. Wolsey's letter to More of 31 August is lost.

4. Surrey to Wolsey. (L.P.III.3277; St.P. IV.11.) Surrey explains the reasons for his delay in not making an attack on Gedwourth (Jedburgh), and thinks that an attack after harvest will make possible the destruction of all the Scottish wheat, rye and barley. If the Scottish parliament should terminate the regency by the coronation of James, the expedition would be unnecessary.

5. Queen Margaret's letter to Surrey is found in L.P.III.3268 and St.P.IV.2. Margaret was won over by Henry's plan to have James formally assume the power, while Margaret should rule with the help of a council. She hopes also for refuge and welcome in England.

11. Surrey's letters to Queen Margaret (L.P.III.3271,3272,3273; and printed in full, St.P.IV.6,8,10.) "All the articles hereafter ensewing be devysed to thentent that the Scottes may be encoraged to take out the Kyng and to reffuse the French faccion."

politique devises and answeres vn to all the same among which the lettre which your Grace devised in the name of his Highnes 15 to the Quene his sister his Grace so well lyked that I never saw hym lyke thing bettre, and as helpe me God in my pore fantasie not causeles, ffor hit is for the quantite one of the best made lettres for wordis, mater, sentence and cowching that ever I redde in my life.

20 His Highnes in your Grac*is* lettre directed to my Lord Admirall marked and well lyked that your Grace towched my said Lord and my Lord Dacres in that that theire opinions had bene to the lett of the great roode, which if hit had bene ere this tyme made in to Scotland, as by your prudent advice hit had, if theyre opinions 25 with other had not bene to the contrarie, hit shold as by the Quenys lettre appereth haue bene thoccasion of some great and good effecte.

His Highnes also well allowed that your Grace noteth not onely remisse dealing but also some suspitione, in that the Lord Dacres so 30 litle estemede the mynde and opinion of the King*is* sister wherof he had by his seruant so perfait knowledge.

Finally his Highnes is of the mynde of your Grace and singularly commendeth your policie in that your Grace determineth for a finall way that my Lord Admirall shall sett fforth his entreprises 35 without eny lenger tracte of tyme not ceacing to preace theym with all the annoyaunce possible till they fall ernestely and effectually to some bettre trayne and conformite. And veryly his Highnes thinketh as your Grace writeth that for eny lakke of those thing*is*, which as he wryteth are not yit cummen to hym, he shold not haue 40 neded to forbere to haue done theym with smaller rood*is* at the leste way some annoyauns in the meane season.

I redde also to his Highnes the lettre of Mr. Doctor Knyght written vn to your Grace, with your Grac*is* lettre written to my selfe, by the tenor wherof his Grace well perceiveth your moost 45 prudent answere devised and made, as well to his said Embassiator as to th'Embassiator of th'Emperor, concernyng the disbursyng of such money as his Highnes shold lay owte for thentretenement of the XMC lance knight⟨s⟩, wherin ⟨hi⟩s Grace highly well ap-

21. my] sed *del. MS.*

13. Wolsey's letter to Surrey and Wolsey's letter in the King's name to Queen Margaret are lost.

42. Knight to Wolsey (L.P.III.3274.) Wolsey's letter of comments to More is not found.

45. The instructions to Sir John Russell for his conference with the Duke of Bourbon. (L.P.III.3217,2; printed in full, St.P. VI.163.)

proveth as well your moost politique foresigh⟨t⟩ so wisely dowting leste this delay of the declaration myght happen to be a device, 50 wherby th'Emperor myght spare his awne charge and entreteigne th'Almaignes with thonly coste of the King*is* Grace, as also your moost prudent ordre taken therin by which his Highnes shalbe bounden to no charge excepte the Duke ffirste passe the articles sent by S*ir* John Russell and that the XM Almayns be levied and 55 ioyned with the Duke and he declared enemy to the French King.

I red, also, to his Highnes the copie of your Grac*is* lettre devised to Mr. Doctor Sampson and Mr. Jernyngham; wherin his Highnes well perceived and marked what labor and payn⟨e⟩ your Grace had taken as well in substantiall aduertising his said Embassiators 60 at length of all occurraunt*is* here, with the goodly rehersall of the valiaunt acquitall of his army on the see not onely there done but also descending on the land with all his preparations and armyes sett forth and ffurnyshed as well toward France as Scotland as also in your good and substantiall instructions geven vn to theym for 65 the semblable avauncyng of th'Emperors army and actuall invasion to be made on that side for his part.

His Highnes hath also seen and signed the lettres by your Grace devised in his name as well to Don Ferdinando and to the Duke of Mechelberge in answere of their late lettres sent vn to his 70 Grace as also to the Duke of Ferare in commendation of the King*is* orators in case the Duke accepte the Ordre.

In the reding and advising of all which thing*is* his Highnes saied that he perceived well, what labor, studie, payn⟨e⟩ and travaile your Grace had taken in the device and pennyng of so 75 many, so great thing*is*, so high, well dispached in so briefe tyme, whan the onely redyng therof held hym aboue twoo howris; his Highnes, therfore, commaunded me to write vn to your Grace that for your labor, travaile, study, payn*e* and diligens, he geveth your Grace his moost harty and not more harty than highly well- 80 deserved thank*is*. And thus our Lord long preserve your good

73. Highnes] said *del. MS.*

56. Incorrectly bound—turn to f.322.
58. L.P.III.3281; printed in full, St.P. VI. 168.
70. Wolsey's letters in the King's name to the Archduke Ferdinand, the Duke of Mecklenburg and to the Duke of Ferrara are lost, but the instructions to the councillors sent to present the Order of the Garter to the dukes are preserved. (cf. L.P. III.3275.) For the Duke of Ferrara's hesitancy in accepting the Garter, in preference to the Order of St. Michael of France, with the alliance with France, see the last paragraph of Wolsey's letter to Henry VIII, 17 August. (St.P.I.121.) The Duke's name does not appear among the Knights of the Garter. (*ibid.*n1.)

Grace in honor and helth. At Okyng the first day of Septembre.
Your humble Orator and moost bounden beedman
⟨Thomas More.⟩

85 Mr. Th. More prima Septembris.
To my Lord Legat*is* good Grace.

118. To Wolsey.

Brit. Mus. MS. Harl. 6989. fol. 16 — Woking
Delcourt p. 332 — 3 September ⟨1523⟩

Hit may lyke your good Grace to be aduertised that I haue received your Grac*is* lettre to me directed, wrytten the ii[de] day of Septembre, and with the same the lettres congratulatory by your Grace devised in the King*is* name to the Duke of Venice.
5 Which I redde vnto his Grace, who mych commending your substantial drawgte and ornate device therin, hathe signed and with his harty thank*is* remitted the same vn to your Grace agayne.

---

3. Wolsey's letter to More of the 2d of September is lost, but the letter which he drafted and enclosed is known to us in Henry VIII's letter to the Doge Andrea Griti, preserved in the *Venetian State Papers.* (ed. Rawdon Brown, III.749.) This is an original, dated at "Okyng," 6 September 1523, and signed "Henry Rex." It is a letter of congratulation on the conclusion of the peace between the Emperor and the Signory of Venice, and "by means of this confederacy, he relies on bringing to reason - - such princes as perchance from mere ambition might act to the detriment of the Christian commonwealth."

This treaty was a great diplomatic success for Pace, who was English ambassador to the Signory, and the correspondence of both English and Venetians praises him highly. The Council of Ten voted 800 gold ducats for a collar of gold to be given to Pace on his return to England, and the Senate voted 50 gold ducats to his secretary. (*ibid.*III.719,725.)

Pressure was put on the Venetians to force them to conclude this treaty with the Emperor, by the seizure of their galleys trading in England. (Ep.110, and L.P.III. 2863.) Antonio Suriano, the Venetian ambassador in England, reported to the Signory that Cardinal Wolsey "also abused the Venetians grossly," threatening to make war if they refused the proposed treaty. An embargo was placed on exports, so as to make Venetian trade impossible. (*Venetian State Papers*, III.555. See also *ibid.*567,571, 590,608.) In January 1523, the Venetians were trying to effect the release of the galleys by means of a bribe through Wolsey's physician, who was Agostini, a Venetian. (*ibid.*614 and note.) The sailors left England (*ibid.*618) and their merchandise was seized by English merchants (*ibid.* 632). The ships were released in March 1523 (*ibid.*637), which, Wolsey writes to Pace, "ought to be by them thankfully accepted and substantially regarded." Wolsey adds this astonishing announcement, "I of myself, without any consent of their ambassadors here resident, or the patrons of the galleys, willing, for the love that I bore them, to show a confirmation of their good mind towards the King's Grace, took upon me to borrow out of the said galleys six great pieces of artillery, that is to say, of every galley two pieces, trusting that the said Duke and Senate will be contented." (L.P.III.2863.) For the discussion of the negotiations, see Brewer, *Reign of Henry VIII*, vol.I, pp.498-502.

The terms of the treaty between the Emperor and the Venetians are given in L.P.III.3207. The treaty was signed 29 July 1523, and on 10 August, Wolsey writes Henry VIII of good news received from Pace, and sends the above summary of the treaty. (*ibid.*III.3231 and *State Papers*, I, no.lxvi, and *State Papers*, I, p.120, for the celebration of the event in London.)

Hit may lyke yo' good grace to be advertysed that I have receyved
yo' grace lettre to me directed wrytten the v day of September
and wt the same the lettres congratulatory by yo' grace devysed
in the Kyngs name to the Duke of Venice which I redde unto
his grace who myche comending both yo' substantiall [illegible] &
ornate devise therin hath signed & wt his harty thanks remitted the
same unto yo' grace agayne
I redde also to his highnes yo' said letters wrytten to me which his
highnes very gladly herd and in the redyng sayed that yo'
grace was worthy more thanks than he could geve you. And
as touching the venyson which he sent yo' grace he was
very gladde that hit lyked yo' grace so well & wold that hit
had bene myche better. And thus o' lord long preserve yo' good
grace in honor & helth At Woking the vi day of September

Yo' humble orato' & most
bounden bedeman

Thomas More

Letter of Sir Thomas More

I redde also to his Highnes your said letters wrytten to me which his Highnes very gladly herd and in the reding saied that your Grace was worthy more thank*is* than he could geve you. And as 10 towching the veneson which he sent your Grace, he was very gladde that hit lyked your Grace so well and wold that hit had bene mych better. And thus our Lord long preserve your good Grace in honor and helth. At Oking the iii[de] day of Septembre.

Your humble orator and moost bounden bedeman. 15

Thomas Mor⟨e⟩.

119. To Wolsey.

Brit. Mus. MS. Galba B.viii. fol. 59 — Woking
St.P. i, p. 130; Delcourt p. 332 — 5 September ⟨1523⟩

Hit may lyke your good Grace to be aduertised that I haue receiv⟨ed⟩ as well your Grac*is* lettres written to my selfe dated the iiii[th] day of this present moneth, as also the lettre of my Lord of Suffolke directed vn to the King*is* Highnes, with a lettre of my Lady Margaret vn to my said Lord. All which lettres I 5 haue redde vn to the King*is* Grace, whoo moost hartely thanketh yours, not onely for your spedy aduertisement, but also for your substantiall provision for the vitaile of his army, and your prudent advice concernyng the demurre or marching of the same, which your politique counsaile his Grace in every point well pondered, 10 and the same so well lyked, that saving for the plage reignyng at Calice and in the March of the same, wherto your Grace hath also right especiall regard, his Highnes wold be the lesse mynded to make haste in the removing of his army owte of his awne pale, in to the ffrontiers of his enemyes. 15

But now the dayngeor of the plage standing thoug⟨h⟩ hit were in his towne and marches right remisse, which is as his Highnes is enformed very fervent, yit ere his Grace wold eniubarde his peple in thenfection therof, some what wold he rather remoue theym thense toward theire enemyes, as your Grace in thend of your 20 lettre for the same cause politiquely concludeth. Wherin his Grace

18. euieob *del. MS.* 21. of the th'Englishe, the *del. MS.*

5. Only Margaret of Savoy's letter to the Duke of Suffolk, asking him to consult with the Count de Buren, the Emperor's commander, has remained of this correspondence. (L.P.iii.3294.)

8. For Wolsey's provision for the army, cf. L.P.iii.3260,3261.

9. It will be seen in Letter 123 that this plan was abandoned.

12. Calais.

requyreth yours that my Lord of Suffolke with condigne thankis for his good endevoir may be aduertised of his opinion and yours, so that he may with diligence march owte of th'Englishe pale
25 in to some more holesome place vppon the ffrontiers of thenemy, providing that he neither marche ffer⟨th⟩er than ⟨he⟩ may marche and abide surely, nor eny such way, as thenemy therby may perceive, what place he specially purposeth to invade, so that after the Burgonyons ioyned with theym, which thing he requyreth
30 your Grace with your lettres to my Lady Margaret in your prudent maner to accelerate, they may the lesse loked for and therby the lesse provided for, sodaynly tourne to Boleyn, where our Lord send theym good spede.

Where hit lyketh your good Grace so thankfully to accepte my
35 pore devoire in doing right small part of my bounden dutie, ye shew your accustumede goodnes and bynde me that that in my service lakketh, in my pore prayor to supplie. And thus our Lord long preserve your good grace in honor and helth. At Oking the fifthe day of Septembre.

40 Your humble orator and mooste bounden beedman

Thomas More.

120. To Wolsey.

Brit. Mus. MS. Galba B.VIII. fol. 67 — Woking
St.P. I, p. 131; Delcourt p. 334 — 12 September ⟨1523⟩

⟨Hit may lyke your good Grace to be aduertised that yester⟩nyght late after his sowper ⟨I⟩ presented vn to the King*is* G⟨race⟩ as well my Lord of Suffolk*is* lettre wrytten to your Grace with the copy of the lord Iselstens lettre to the same and his lettre

31. lesse loked for for, for *del. MS.*

32. Boulogne.

3. The Duke of Suffolk's letter is not found among the State Papers.

4. Count De Buren, the Emperor's Commander, to Wolsey. (L.P.III.3315.) De Buren writes from Gravelines, where he is in conference with Suffolk, and advises against the siege of Boulogne, as he considers it impregnable, and thinks that to undertake such a siege would leave Francis I free to invade imperial territory. With this letter is preserved "an article written from the Emperor to his ambassador here resident" (Loys de Praet) which is much mutilated, but evidently gives the same advice. Loys de Praet, 11 September, writes to Wolsey (L.P.III.3318) that the Emperor advises against the siege of Boulogne or Therouenne, as he hopes so fully to engage Francis I on that side that Henry can invade France as far as he likes. Margaret of Savoy counselled the Duke of Suffolk against the siege of Boulogne, preferring that of Montreuil (*ibid.*3317,3319) though her letter of 10 September and Knight's of the 11th could not be as yet known in England.

Charles was anxious to use English troops as well for the defense of the Netherlands. If this were done for him, he could

directed to the King, as also your Grac*is* lettre wrytten to my selfe 5
dated the xith day of this present Septembre and as towching the
consultation of the siege to be layed to Boloyn or abandon⟨ed⟩,
his Highnes hath commaunded me to wryte vn to your Grace that
notwithstanding the reasons of the Lord Isilsten, with the mynd
of my Lady Margarete and th'Emperor to, his Grace is for the 10
prudent reasons mencioned in your Grac*is* lettre determinately
resolved to haue the said siege experimented, wherof, as your Grace
wryteth, what may happe to fall who but God can tell. And all the
preparations purvayed for that way to be now sodenly sett aside
or converted where they can not serve, sendinge his army farre 15
of in to thenemyes land, where we shold trust to theyre provision
of whose slaknes and hard handeling profe hath bene had ere this.
And yit no prove had of the Dukes fastene⟨s⟩, his Highnes veryly
thinketh as your Grace hath moost pruden⟨tly⟩ wrytten that there
were no wisedom therin. And his Grace saith that your Grace 20
hit the nayle on the hed where ye wry⟨t⟩ that the Burgonions wold
be vppon theire awne fr⟨on⟩tiers to thend our money shold be
spent among theym an⟨d⟩ theyre frontiers defended and theym
selfe resort to theyre ⟨hou⟩ses.

⟨Howe be it⟩ as towching the ⟨defence of the Low Cu⟩ntrees 25
his Grace saith that they shall not if all thing*is* be well ordred
on theire part so greatly nede to fere as well for th. reasons prudently mencioned in your Grac*is* lettre as also for that the cuntre
contributeth vn to an aide for theire awne defence wherof this
cumpany either is, or as his Grace thinketh shold be, none but of 30
th'Emperors charge byside, so that if the tone mater ete not vppe
the tother his Highnes saith they shold be sufficiently furnyshed
for both.

Finally his Grace for your substantiall counsaile and prudente
advice in this point his moost affectuouse thank*is* geving to your 35
Grace, hartely requyreth the same that as well my Lord of Suffolke
as the Lord Iselsteine may be with diligence aduertised of his
Grac*is* resolute pleasure and yours. And thus our Lord long preserve your good Grace in honor and helth. At Okyng the xiith day
of Septembre abowte mydnyght. 40

The lettre for th'Embassiator of Venice I shall send vn to your

7. to Boloyn] of *del. MS.* 25. *scr. Delcourt.*

concentrate his attention on the war in the south and take Navarre and Pampeluna. (cf. Brewer, *Henry VIII*, I.p.505f.)

41. Antonio Suriano was elected ambassador to England in November 1517. He was LL.D., a Knight, and late ambassador in Hungary. (*Venetian Cal.*II.991.) A delay in sending him was voted by the Signory,

⟨Grace⟩, as sone as hit shall please the King*is* Highnes to take the leysor to signe hit which I trust his Grace will do to morow.

Your humble orator and moost bounden beedman

45 Thomas More.

To my Lord Legat*is* good Grace.

121. To Wolsey.

Brit. Mus. MS. Galba B.VIII. fol. 69 — Guildford
St.P. I, p. 133; Delcourt p. 335 — 13 September ⟨1523⟩

⟨Hit may⟩ lyke your good Grace to be aduer⟨ti⟩sed that I haue received from your Grace a pacquet conteynyng as well your Grac*is* lettre directed to my selfe, dated the xiith day of this present Septembre, as twoo lettres of Sir John Russell, one 5 to the King*is* Grace, another to yours, with the copie of the lettre of Chasteau, seruant of Monsieur de Beaurayne, directed to th'Emperors Embassiator here, all which I haue presented and redde vn to the King*is* Grace, whoo moost affectuousely thanketh your Grace for your spedy aduertisement and specially for your stu- 10 diouse consideration of the same so diligently declaryn⟨g⟩ by your moost prudent lettres such thing*is* of waight and substaunce as to your high wisedome semed wurthy to be notede.

All which his Grace well and depely considering, thinketh in every point as your Grace taketh hit, that the Duke neither coulde 15 otherwise do than dissimule his purpose for the while, nor is at this day nor hereafter lykely to be in eny harty peace or concord with the French King. But all the dayngeor and harme is as your Grace well notethe that it is lykely to be so longe ere he declare hym selfe enemye. His Highnes is glad that he is deceived in his 20 fere that he conceived lest the French King had happe⟨ly⟩ by some meanys somwhat perceived of this practice. Whic⟨h⟩ his Grace now perceiveth well he doth not ffor if he had he wold eyther not

9. Grace *supra.*

---

as the embassy "would cause suspicion to Sultan Selim." (*ibid.*II.1146.) He was commissioned 25 January 1519 (*ibid.*II.1147) and was received in England in June. (L.P. III.321.) He was present at the Field of the Cloth of Gold in 1520. (*Venetian Cal.*III, p.14.) He contracted gout in England, was ill for some months in 1523, and was recalled by vote of the signory in August. (*ibid.*III.773,730.) He returned home in November and was elected State Attorney. (*ibid.*III.772.) In 1524 he was Podesta of Brescia. (*ibid.*III.886.)

6. Du Chastel to De Praet, 19 August (L.P.III.3254), reports that Bourbon has an understanding with the company of horse with Francis, and that Francis has no mistrust of Bourbon, and has made him excellent offers of preferment. His later letter is lost. (*ibid.*3318.)

haue commen in his house or not so depar⟨ted⟩ thens. But his Grace greatly fereth that sith this mater is now in somwhat moo mennys mowthis than hit was in the bygynnyng, leste hit will 25 not long be kepte so secrete, but ⟨th⟩at the French King may be well lykely to comme to the ⟨suspicion⟩ therof, which if he shold happen to do, the Duke thinki⟨n⟩g the contrary, he shold not faile to be sodaynly distressed a⟨s⟩ his Grace thinketh, and all this conclusion quayled; which were to the comen affayre so great a lakke that his 30 Grace thinketh thestewing therof a thing right depely to be considered and thought vppon. Wherin his Gracis opinion is, if your Grace think hit good, that your Grace shold by your high wisedome devise some goodly way by which Sir John Russell myght with all diligence convenient to be vsed aduertise the Duke vn the 35 King*is* byhalfe, that his Grace perceiveth, that in Flaunders and other plac*is* moo folke know of this mater than were lykely long to kepe hit close, the knowlege wherof the King*is* Grace fering leste by some meanys cummyng to the French King, ere the Duke suspecte hit, myght put hym in dayngeor and perell, hath of his 40 tendre zele to the Dukis saufgard thougth it necessary to aduertise hym therof, geving hym his ffrendely loving counsaile either to declare hym selfe or at the lest wise in the mean season to make no lesse provision for his awne saufegard and suretie than he wold do if he were by undowted meanys acertayned that the French 45 King knew his purpose. By some such maner aduertisement his Grace estemeth that the Duke shall either be moved to declare hym selfe the souner or at the leste wise to kepe hym selfe the surer. And th⟨us hath⟩ his Grace in this point commaunded me to wryte ⟨vn to⟩ y⟨our⟩ Grace of his opinion, remitting the ferther 50 consideration of the same to your high prudence.

His Grace lyketh not that th'Emperor setteth on so slowly, ffor he think⟨eth⟩ that if th'Emperor entre in it wold geve good corage to the Duke to declare. And as for thintelligence that th'Emperor wryteth of to hys Embassiator here, that he hath in Guyen with 55 hope to attayne certayne townys wherof he fereth the losse by strenger garnysons to be sent in to theym, in case his army descended ere he haue theym; the King*is* Grace saith he hath small trust in that mater, estemyng hit an excuse of theyre vnforwardnes. And thus our Lord long preserve your good Grace in honor and 60 helth. At Guldeforde the xiiith day of Septemb⟨re⟩ late in the nyght.

39. French King]es knowlege *del. MS.*

---

28. The Duke of Bourbon.

His Highnes persevereth in your Grac*is* opinion that for eny sollicita⟨tion⟩ of th'Emperor or my Lady no money be debursed
65 till the declarat⟨ion⟩ be made.

I eftesonys moost humbly thanke your good Grace that hit lyked your Grace in so goodly wise to geve thank*is* to the King*is* Highnes for his bounteouse liberalite at the contemplation of your Grac*is* lettres vsed vn to Mr. Tuke and me. Whom your Grace hath by
70 your manyfold benefit*is* byfore and therby newly bounden to continue your perpetuall beedmen.

Your humble orator and moost bounden beedman

Thomas More.

To my Lord Legat*is* good Grace.

122. To Wolsey.

Brit. Mus. MS. Titus B.I. fol. 276 — Easthampstead
Ellis I.i.73; Delcourt p. 337 — 17 September ⟨1523⟩

Hit may lyke your good Grace to be aduertised that the ⟨King*is*⟩ Highnes this nyght going to his souper called me to hym secretely and commaunded me to wryte vn to your Grace that where as hit hath pleased our Lord to call to his mercy Mr. Myr-
5 fyne, late Aldreman of London, his Grace very greatly desireth for the speciall favor which he bereth toward Sir William Tyler that the same Sir William shold haue the widoo of the said late Aldreman in mariage. For the ffurtheraunce wherof his Highnes

65. Knight writes to Wolsey 14 September (L.P.3332) in answer to Wolsey's of the 9th that he has told Margaret of Savoy that the money, 48,000 guldens, would not be paid to the "duke of B." until he had acceded to the King's requests.

6. Sir William Tyler (d.1527) was one of the deputies of the Warden of the Marches, Gentleman-Usher to Henry VII (Batten, *Life of Fox*, p.42; Brewer, *op. cit.* I, p.13) and received from him a legacy of £100 (*ibid.*I.59), evidently as an executor (*Will of Henry VII*, ed. Astle, p.46). At Henry VIII's coronation he was appointed Groom of the Chamber (Brewer I, p.42). From then on he is often mentioned in L.P., in connection with gifts of livery or grants of annuities, lands and advowsons. He was knighted at Tournay, September 1513 (*ibid.*I.2301) and accompanied the King on other important occasions, as at the Field of Cloth of Gold (*ibid.*III, p.244) and at the King's reception of Charles V at Canterbury, May 27, 1522. (*ibid.*III.2288.) In August of that year he built a "bulwark on the sands" in the fortifying of Berwick-on-Tweed. He also held civil posts, as customer and collector of subsidy in the port of London, 1510 (*ibid.* I.357) and as tester of spices and drugs in London and other ports, 1521 (*ibid.*III. 1379). He was evidently a person of some substance as he paid a subsidy in lands and fees, of £280 in March 1527, when Sir Thomas More paid £340. (*ibid.*IV. 2972.) He died later in 1527. (*ibid.*IV. 3540.)

It may perhaps be inferred that the marriage arrangements planned by Henry VIII were not successful, as in the account of his lodging in the King's house in 1526, there is no mention made of his wife. (cf. Harpsfield, *op. cit.* p.15 and note.)

considering your Grac*is* well approved wisedome and dexterite in thacheving and bringing to good passe his vertuouse and honorable appetites commaunded me with diligence to aduertise your Grace that his Highnes in moos⟨t⟩ hartie wise requyreth your Grace that hit may lyke you at the contemplation of this his affectuouse request by your high wisedome to devise, put in vre and pursue the moost effectuall meanys, by which his Grac*is* desire may in this mater best be brought abow⟨t⟩ and goodly take effecte, wherin his highnes saith that your Grace sha⟨ll⟩ do hym a right speciall pleasure and bynd the said Sir William dury⟨ng⟩ his life to pray for your good Grace. 10 15

Thus mych hath his Grace in this byhalfe commaunded me to wryte to yours whom both our Lord long preserve in honor and helth to gether. At Esthamstede the xviith day of Septembre. 20

Your humble orator and moost bounden beedman

Thomas Mor⟨e.⟩

To my Lord Legat*is* good Grace. 25

123. To Wolsey.

Brit. Mus. MS. Galba B.VIII. fol. 77 — Abingdon
St.P. I, p. 135; Delcourt p. 338 — 20 September ⟨1523⟩

Hit may lyke your goode Grace to be aduertised that the ⟨King*is*⟩ Highnes by thandis of his seruant Sir John Russell, of whose well acheved erand his Grace taketh great pleasure, hath received your moost prudent lettre conteignyng your wise and substantiall counsaile and advise concernyng the siege of Boleyne to be lefte of at this present tyme, and his army, with proclamations of libertie and forbering to burne, to procede and marche fforwarde vn to the placis devised by the Duke of Burbone, which plac⟨*is*⟩ as your Grace vppon credible report from all parties is enformed, shall easily be taken without eny resistence, wherin your Grace perceiveth great apparence of wynnyng some great part of France or at the lest wise all that is vn this side the water of Some, which shold be as honorable and beneficiall vn to his Grace and also more teneble than all Normandie, Gascoigne and Guyen, requyring his Highnes therfore that your Grace myght with all possible diligence be aduertised of his mynde and pleasure in the premissis 5 10 15

9. as your Grace] fo *del. MS.*

3. cf. Brewer, *Henry VIII*, I, p.506f., for comment on this tribute to Henry's generous treatment of his ministers.

12. River Somme.

to thende that ye myghte aduertise my Lord of Suffolke of the
same.

And that it wold lyke his Grace to take in good part your
20 foresaid advice and opinion without arrecti⟨ng⟩ eny lightnes to
your Grace though the same were of a nother sort now than was
conteyned in your late lettres addressed vnto me, ffor as mych as
this declaration of the Duke of Burbone and his counsaile thervppon geven with the good semblauns and groundes ⟨and⟩ con-
25 siderations therof causeth your Grace to chaung your opinion.
Th⟨e King*is* Highnes also commaunded me to⟩ wryte vn to your
Grace ffirst concernyng this point, that his Highnes not onely
doth not arrecte the chaunge of your Grac*is* opinion to eny lightnes
but also right well considereth that hit procedeth of a very con-
30 stant and vnchaungeable purpose to the fortheraunce and advauncement of his affayres. And as his Highnes estemeth no thing
in counsaile more perilouse than one to persever in the mayntenaunce of his advise bycause he hath onys geven it, so thinketh he
that counsaillor very commendable, which, though there were
35 no chaunge in the mater, yit forbereth not to declare the chaunge
of his awne opinion, if he either perceve or thinke that he pe⟨r⟩-
ceiveth the contrary of his formar counsaile more profitable.
Wherfore in the chaunge of your Grac*is* opinion in this mater his
Highnes not onely seeth no maner lykelihed of lightnes but also
40 pe⟨r⟩ceiveth, commendeth and moost affectuousely thanketh your
faithefull diligence and high wisedome so diepely pondering and
so substantially aduertising his Highnes of such considerations as
(the mater so greatly chaunged) move your Grace to chaunge your
opinion and to geve your prudent advise to the chaungyng of the
45 maner and fashion of his affayres.

His Highnes hath ferther commaunded me to wryte to your
Grace that as towching the resolution of his mynd and pleasure
vppon your consultation, your Grace hath alledged so many good
and substantiall reasons on the tone part and yit those notwith-
50 standing, some ⟨considera⟩tions so move hym to the tother, that
his Highnes ⟨hath thought hit convenient - - - - - - - - - - - - hym⟩
selfe first to communicate his said considerations with your Grace
to thende that those thing*is* by your high wisedome well wayed
and pondered, his Highnes may vppon your ferther aduertisement
55 take with your Grac*is* good advice and counsaile such finall determination as may God willing be best and moost conducible to the
desired ende and effecte of his purposed entreprise.

First his Highnes in thabandonyng of the siege and sending

his army forward in to Fraunce, is not so mych retarded and letted in his opinion for the hoope of the good that he thinketh 60 could be now done at the siege, as for the dowt*is* that rise vn to his Highnes of the marching to the plac*is* devised and in the maner mencionned. For as for the siege albe it his Grace yit despayreth not but that if hit were experimented as late as hit is, some good myght yit with Godd*is* Grace grow therof, yit hath he myche the 65 lesse truste thervnto for as mych as a great part and the beste parte of the tyme in which his Highnes rekened that hit shold haue bene in doing is now and ned*is* muste be by the slaknes of the Burgonyons provision passed and consumed ere the⟨y⟩ can bygyn. By whose onely remysse dealing, his Highnes rekeneth the good that 70 of that siege myght haue growen at this tyme, hindered, empeched and in maner loste. Wherfore the case so standing albe it that his Grace seeth not now so myche hoope of eny great effecte of the siege as myght haue growen if theire promises had bene kepte, yit some considerations move hym to thinke that of the marching for- 75 ward ⟨- -⟩ litle profit with more charge daynger and perel than of the siege.

First his Grace fyndeth the tyme of the yere as far passed for the good to be done in the marching forward as in the lying at the siege, and yit by reason of wete wether and roten ways rather 80 more incommodiouse to that feat in which they shold some tyme lye still and some tyme march than to that feat in which they shold onely place theym selfe and ly still. Specially his Highnes thinketh that the wetenes of the cuntre vppon the rivers side shall not suffre his army to march with artillery either groce i nough 85 for batery or sufficient for the feld, without which his Grace thinketh it were a great vnsurtie to send theym thither as they may be percase constrayned to strike bataill with a more puissaunt hoost than is rekened on.

His Grace saith also Corbyn or Campien or other townys vppon 90 the river of Some be not so facile and easy to be taken as some men make theym that wold gladly bryng vs fro Boleyne, or as the Burgonyons make theym, being desirouse to bryng vs to theym. In whose report what trust ther is, his Grace saith they made a profe the laste somer at Hesdyne, which was in theyre 95 mowthes very weke till they cam at hit and in theyre Ien very strong till they gate from hit. And if these townys happen to

---

90. Corbie on the Somme.

90. *State Papers* I.137n. suggests Compiègne, which is, however, on the Oise.

95. Hédin in Artois. cf. Sandys' letter to Wolsey, 22 September 1522. (L.P.III. 2560.)

prove lyke, so that withowt long siege and great batery they will not be ⟨wo⟩nne, than the grownd being over softe to cary so
100 grose ⟨artillery as a full⟩ batery wold requyre, his army shall, as he saith ⟨of necessite -
- - - - - - - - - - - - -⟩ and not withowt perell, such townys and garnysons lefte byhynd theym as may distresse theyre vitaill.

And vn the tother side, if the townys be so easy to be wonne
105 as the Burgonyons and other make hit, than thinketh his Grace that after his army withdrawen and discharged, they wilbe as easy to be loste, if the French King approch theym with an army riall, which is more easy for hym to do in his awne realme than for the King*is* Grace to rescue theym with a lyke army thorow a
110 nother princ*is* land, though he be his ffrend. And if he were otherwise, than myght his army never cumme at theym but by force and fight ere they cum to theym. And his Highne⟨s⟩ thinketh that it were not so mych honor shortely to wynne theym as hit wold be dishonor shortely to lese theym.

115 Where as your Grace thinketh that by the meanys of this maner of marching with the sees well garded, Monstrell, Tyrwayn, Hesden and Bolayne shold be secluded vttrely fro vitaill, and therby constrayn⟨ed⟩ of necessite to rendre theym selfe either some part of this wynter or by thentre of a mean army in to Fraunce
120 in the bygynnyng of the next somer, the King*is* Grace saith that he wold of this thing be moost ioyouse if hit myght in such wise cum to passe, but his Highnes in the lett therof dowteth twoo thing*is*, one that it wold be right hard for hym to ffynd the money that shold suffise to the continuall keping of his army so longe
125 both by see and by londe, namely so great as thobte⟨ygnyn⟩g of ⟨the towns should require, the other that it wold be im⟩possible excepte the townys aforesaid were continually besieged to withstand it ellis but that they shold allway now and than either by land or see be revitailled considering that they be so furneshed
130 all redy that keping therin but thordinary or litle aboue (as they wold kepe no more withowt constreynt of a siege with right small refreshing they shold endure righte long.)

His Highnes also mych bendeth vppon a substantiall reason alledged by your Grace in your late lettres addressed to me, which
135 yit semeth to his Grace sore sownyng to the dayngער and perell of his hoost in case they shold marche fforward as is devised, that

125-126. *suppleuit St.P.*

116-117. Montreuil, Thérouenne, Hédin, Boulogne.

is to witt the dowte of their vitailling. For wher as your Grace right prudently answereth the dowte which ye made byfore of thinterceptione if hit shold be convayed to other place than Boleyn, the Duke not havyng declared hym selfe nor the French King*is* army sent owte of his realme. Which vitaile your Grace estemeth to [mow] be now convaied fro Calais after tharmy, sith the French King*is* puissauns is passed and the Duke declared enemy agaynst whome namely purposyng to invade with the XMl Almayns and his awne power, the French King shalbe forced to convert all the power he can make. 140 145

The King*is* Highnes in this point fyndeth twoo difficultees, one that sith the convaiauns of vitaill with artillery and other thing*is* in the marching ferder forward muste nedis requyre dowble the cariage that it shold nede tharmy lying at the siege still, where fewar cart*is* by ⟨half m⟩yght soner and more saufely cum and goo in that way shorter and lesse day⟨ngerous, seeing the Burgonyons with⟩ all the diligent solliciting that can be made haue not yit or scantly yit provided that cariage that were sufficient for the siege, his Highnes sore dowteth that his army shold be right hardly bestedde in theyre vitaill and cariage ere the Burgonyons provided sufficiently for the residew. Wherfore his Grace thinketh if they shold marche far, ther wold be great difficultie in the vitailling; ffor our awne, he thinketh, wold not well folow so far and our ffrend*is* how we may trust therin we haue had experiens, than in our enemy is yit mych more vnsurtie. 150 155 160

The tother difficultie that his Highnes fyndeth is this. His Grace thinketh that the French King is not vnlykely to do as his Highnes wold hym selfe if he were in (as our Lord kepe hym owte of) the lyke case. Than wold he appease his awne realme ere he wold invade a nother. So if the French King do (as he hath of lyklyhed all redy done) revoke the puissuns of his army, being yit at the tyme of the declaration not passing six days iorney from hym, if they were so far, and with theym ioynyng the VMl Almayns with the CC men of armys whome he hath with hym all redy abowt Lyons, he myght happely invad⟨e⟩ the Duke byfore the XMl. Almayns were ioyned with hym, or peradventure be to strong for hym whan they were ioyned with hy⟨m⟩ or ellis if he sodenly vppon the first sure knowledge of the mater ⟨unite the⟩ VMl Almayns and the CC menne of armys with such other power as he could shortely make at hand, he was not vnlykely, the 165 170 175

142. fro Calice fro Calais *MS.* 152-153. *suppleuit St.P.*

172. hym] theyn *del. MS.*; hym *supra.*

King thinketh, to distresse the Duke ere he shold assemble power
sufficient to withstand hit. Than if by eny of these ways hit shold
mysshappe or be by this all redy myshapped that the Duke be op-
180 pressed, than shold the French King, as he may easyly march in
his awne realme, cum downe and convert his hole power agaynst
the King*is* army and the same being far entred in to the bowell*is*
of his realme he shold haue, the King*is* Grace thinketh, good
oportunite with great nombre of his horsemen to cutt of our vitaill
185 at our bakkis.

For which causes hit semeth to the King*is* Grace that ere ever
his army shold march far of, sith hit can neither ioyne with the
Duke to make hym the strenger, nor cum so nere as they myght
releve his overthrow, if he so myshapped, nor the French King of
190 lykelyhed will not divide his power but with his hole power
encountre first the tone, hit were therfore, his Grace thinketh,
expedient somewhat to perceive first how the Duke were able
hym selfe with the aid all redy geven hym to susteyn thimpression
of thenemy.

195 Finally wher the Duke adviseth that the King*is* army shall in
the marching proclayme libertie, sparing the cuntre fro burnyng
and spoile, the King*is* Highnes thinketh that sith his army shall
march in hard wether with many sore and grevouse incommoditees, if they shold also forbere the profite of the spoile, the bare
200 hope wh⟨ereof⟩, though they gate litle, was great encoraging to
theym, ⟨they shall haue⟩ evill will to march far forward and theyre
capitayns shall haue mych a doo to kepe theym from crying,
Home! Home!

The Kyng*is* Highnes, albe it he well considereth that the yere
205 being so far passed, ther is no tyme to be lost, but all the celerite
to be vsed that conveniently may, yit sith his army will in the mean
while be somwhat doing, hath demed hit requisite these considerations that move hym to signifie to your Grace, to thentent that
the same by your high prudence advised and considered, such
210 finall determination may be taken by his Grace and yours as shall
with Goddis grace bryng his affayres to good and honorable
effecte.

His Grace is very glad and right hartely thanketh your⟨s⟩ that
ye haue provided by commaundement sent to Mr. Knyght, that

201. *suppleuit St.P.* 213. your *MS.*

185. For Francis' probable attack on his enemies singly, cf. Brewer, *Henry VIII*, I, p.509.

the money shalbe payed owt of hand for the monethis wag*is* of the 215
XM Almayns and the remanaunt at tymes and place convenient,
for ellis he thinketh now for lakke of that money the conclusion
myght all quayle.

After that his Grace had red and reformed the mynut of this
present lettre, he commaunded me to wryte vn to your Grace vn 220
his byhalfe that it myght lyke you to take the payne to devise a
good round lettre vn to my Lady Margaret in your awne name to
styr theym forward in the provision of such thing*is* as theyre
slaknes hither to mych hath hyndered the co⟨m⟩en affayres. His
Highnes saith that such dealing so often vsed and never otherwise, 225
may well geve hym cause ⟨hereafter⟩ bettre to be advised ere he
entre in to a charge agayne for theyre defence iff this be not
amended. And so he requyred your Grace to wryte vn to her.
And thus our Lord long preserve your good Grace in honor and
helth. At Abyn⟨g⟩don the xxth day of Septembre. 230

Your humble orator and moost bounden beedman

Thomas More.

To my Lord Legat*is* good Grace.
Maister More xx Septembris.

124. To Wolsey.

Brit. Mus. MS. Calig. B.vi. fol. 532 — Woodstock
Ellis i.i.74; St.P. i, p. 140; Delcourt p. 345 — 22 September ⟨1523⟩

Hit may lyke your good Grace to be aduertised that
I haue this nyght, after that the King*is* Grace had souped, presented and distinctely redde vn to his Highnes as well your Grac*is*
lettre dated the xxith day of this present Septembre addressed vn
to my selfe, as the iiii lettres of the Quene of Scott*is* directed twayne 5
to the King*is* Grace and thother twayne to my Lord of Surrey.
And also the twoo lettres by your good Grace in the King*is* name
moost politiquely devised vn to the said Quene of Scott*is* ffor
which your labor, payne, travail, diligence, and study therin vsed

---

215. Margaret of Savoy had demanded immediate payment of the 10,000 lang-knechts, early in September. cf. Knight's letter to Wolsey asking for authority (L.P. iii.3308). Knight had Wolsey's reply by the 13th inst. (*ibid.*3332.)

5. Wolsey's letter to More is not found.

6. Queen Margaret to King Henry, 13 September (L.P.iii.3327 and St.P.iv.16) and the same to the same, but evidently secret (L.P.ii.4430, wrongly calendared under year 1518, see *ibid.*iii, p.1386n.). Queen Margaret to Surrey, 13 September (B.M.MS. Calig.B.i.170, see St.P.i.140n.; evidently not calendared) and the same to the same (L.P.iii.3328, St.P.iv.19).

8. Wolsey's letters to Margaret are lost.

10 his Grace geveth vn to yours his moost affectuouse thankis. And
for as mych as in the reding of my Lord of Surreys lettre directed
vn to your Grace, the King noted that my said Lord had all redy
wrytten vn to the Quene of Scott*is* answer vn to both her sai⟨d⟩
lettres, his Grace requyreth yours that it may lyke you to send hym
15 the copies which his lettre specifieth to haue ⟨been⟩ sent vn to your
Grace.

His Grace also thinketh hit right good that the Humes and
Duglas be received vppon convenient hostag*is*, and that as well
the Chancellor as the other lord*is* mencioned in the Quenys lettre
20 shold be attempted by promessis, g⟨ifts⟩ and good policie, to be
wonne from the Duke and his faction.

And for as mych as his Grace mych desireth in these thing*is* to
be aduertised of your moost politique advise and counsail, which
he thinketh your Grace entendeth to declare by way of instruc-
25 tions to be gevyn vn to my said Lord of Surrey, his Highnes
therfore hartely requyreth your Grace, that it may lyke the same
to send vn to hym the said instructions that his Grace may by
the same be lerned of your Grac*is* prudent advice and counsaile in
the premissis.

30 His Highnes thinketh hit very necessary not onely that my
Lord of Surrey were in all possible haste aduertised of the declaration of the Duke of Burbon but also that the same were insert
within the lettre which the Quene of Scott*is* shall shew to the
Lordis with good exaggeration of the tyranny for which he re-

19. Quenys] K *supra, del. MS.*

11. Surrey's letter to Wolsey, 17 September (L.P.III.3338 and St.P.IV.25) enclosed copies of his letters to the Queen of 16 September (L.P.III.3336 and St.P.IV.23; L.P.III.3337 and St.P.IV.21). Of these the first was secret, the second was to be shown also to the Scotch lords. In writing to Wolsey, Surrey explained that he had learned from the bearer, Patrick Sinclair, that one of Margaret's letters to the King was "devised by the Lordes, whiche letter I was soo bold to breke up." In the secret reply to Margaret he assures her, "I think it not possible that the seid Duke (*scil.* Albany) shall come either with men or money. For assuredly the realme of Fraunce was not in noo suche danger in noo mannys days leving, as it is at this day; and in that case the Frenche King maye neither forbere men nor money - - -"

17. In a letter to Wolsey 14 September (L.P.III.3330; St.P.IV.20) Surrey asked whether he should desist from hostilities, if David Hume and George Douglas will come to England, in case Albany reaches Scotland. On the 17th he writes that he has their promise. (L.P.III.3338; St.P.IV.25.) Hume had worked against Albany in 1517, abetted by Lord Dacre.

21. In accordance with this Wolsey instructs Surrey (L.P.III.3361; St.P.IV.32) to win the Lords "with money promyse and giftes reasonable."

25. Wolsey's instructions to Surrey were submitted to Henry, as they are evidently referred to in Letter 125 as "your lettre of new devised at this tyme."

29. Wolsey points out the hopelessness of getting help from Francis for the Duke of Albany, because of the treason of the Duke of Bourbon, the Emperor's invasion of Guienne and Languedoc, and Suffolk's expedition with the Burgundians. (St.P.IV. 36.)

nounceth the French King and of the harme and ruyne that is 35
lykely to fall to Fraunce therby.

His Highnes also requyreth your Grace to paise and considre the clawse of the Quenys lettre by which she desireth with her trustie seruant*is* to be received in to his realme and how your high wisedome thinketh good that mater to be ordered or an- 40 swered. And to thentent in all these thing*is* your Grace may the more conveniently send hym your moost prudent advise he hath commaunded me with these present*is* to remitt all the said wryt-ing*is* vn to your good Grace to be by your good Grace agayne sent vn to his Highnes with your moost politique counsaile ther- 45 vppon. And thus our Lord long preserve your good Grace in honor and helth. Wrytten at Woodstok, the xxii[th] day of Septembre at mydnyght.

Your humble orator and moost bounden beedman,

⟨Thomas More.⟩ 50

To my Lord Legat*is* good Grace.
Maist⟨re⟩ More xxii[th] Septembris.

125. To Wolsey.

Brit. Mus. MS. Calig. B.I. fol. 323 — Woodstock
Ellis I.i.75; Delcourt p. 346 — 24 September ⟨1523⟩

Hit may lyke your good Grace to be aduertised that I haue this nyght received and presented vn to the King*is* Grace as well your Grac*is* lettre wrytten to my selfe dated this present day as also the copies of my Lord of Surreis lettres wrytten to the Quene of Scott*is* with the copie of your Grac*is* formar lettre 5 wrytten and sent vn to my said Lord and your lettre of new de-vised at this tyme to be sent, by all which his Highnes well per-ceiveth not onely your Grac*is* high polycie in the devising and ordering of his affeires and busynes comprised in the same but also your mervelouse diligence and celerite in thexpedition and 10

10. thepedition *MS.*

37. Paise, "weigh."

38. Margaret desired leave to come to England in her letter of 18 September to Surrey. (L.P.III.3341; St.P.IV.26.)

4. Wolsey's letter to More is not found.

5. More's letter of 22 September had requested the copies of Surrey's letters to Queen Margaret. (cf. Letter 124, note 11.)

5. Wolsey's "formar lettre" must be lost.

6. "Yor lettre of new devised at this tyme" is Wolsey's of 25 September to Surrey (L.P.III.3361; St.P.IV.32), answering Surrey's dated from Morpeth, 17 September (L.P.III.3338; St.P.IV.25). This is a good instance of Henry's check on the work of his ministers.

spede of the same, ffor his Highnes seeth all such thing*is* as he commaunded me to put your Grace in rememberaunce of on his byhalfe by your high diligence anticipated and all redy done ere his Grace thought theron. Wherfore his Highnes with moost 15 harty thank*is* vn to your Grace ffor your great labor, payne and diligence vsed therin hath signed the lettres in his name by your Grace devised vn to his sistre the Quene of Scot⟨t*is*⟩, commaunding me forthwith to depech the post agayne vn to your Grace with the same. And thus our Lord long preserve your good Grace in 20 honor and helth. At Wodestok the xxiiiith day of Septembre.

Your humble orator and moost bounden beedman.

⟨Thomas More.⟩

126. To Wolsey.

Brit. Mus. MS. Calig. B.I. fol. 317 Woodstock
Ellis I.i.76; St.P. I, p. 142; Delcourt p. 347 26 September ⟨1523⟩

Hit may lyke your good Grace to be aduertised that I haue this nyght after the King*is* Grace had souped, presented and redde vn to his Highnes, as well your Grac*is* lettre wrytten vn to me dated yesterday, as the lettres of the Quene of Scott*is* 5 wrytten to my Lord of Surrey with the lettres of his Lordishippe as well answeryng her Grace as advertising yours.

The King*is* Highnes is glad that my Lord of Surrey now bygynneth savourely to perceive that the Lord*is* of Scotland entend but onely to dreve over the tyme of theyre annoyaunce and mych 10 wold his Grace haue bene gladder that my Lord had savored hit byfore, ffor than his Grace thinketh that as well the feat that shall now be done, or is by this done, myght haue bene long synnys done, and peradventur mych more. His Highnes also

5. Suffol Surrey, Suffol *del. MS.*

17. The King's letters to his sister are not extant.

4. Not extant.

6. More's letter makes references to two reports received by Wolsey from Surrey. In the first, 21 September (L.P.III.3349; St.P.IV.28), Surrey encloses a copy of Margaret's letter of 18th September, "aunswering my letters that I sent hir last" (L.P.III. 3341; St.P.IV.26) and the copy of his reply 20 September (L.P.III.3344). The second, 22 September (L.P.III.3354; St.P.IV.31) encloses two letters from Margaret, both written on 20 September (L.P.III.3342 and 3343; the latter printed in full, St.P.IV.27). The second states that the first was written "by the counsel of the Lords." Surrey replied 21 September to Queen Margaret (L.P.III.3353; St.P.IV.30) and appointed Jedburgh as a meeting place if the Lords were willing to treat.

7. Surrey must have been before Jedburgh when he wrote. He captured it on the 24th, but the news had not reached the King when More wrote.

lyketh not all the beste, that my Lord of Surrey in his lettre wrytten to the Quene, which he wold she shold shew to the Lord*is* of 15
Scottland, appointteth theym the tyme and place where they shall send to hym, to Gedeworth. For his Grace thinketh the tyme and place so certaynly knowen, it shalbe a good occasion to the Scott*is* the more surely to withstand his entreprise. How be it his Grace trusteth in God hit shalbe or is by this tyme well inough. 20

His Highnes is very sory of the plage and the ferfent agues fallen in his army to so great minishing of the same ffor the remedy and reenforcing wherof his Highnes thinketh no thinge more profitable than for the causes in your Grac*is* lettres moost prudently remembred that the plac*is* of theym that are departed 25
to God, or sent bakke to Calais to be cured, shold be and so is he content they shalbe supplied with as many horsemen of those parties. And therof his Grace requyreth yours that my Lord of Suffolke may be aduertised.

Finally that hit lyketh your good Grace so benygnely to accepte 30
and take in worth my pore service and so far aboue my merit*is* to commende the same in that lettre, which of myn accustumed maner your Grace foreknew the King*is* Grace shold se, wherby his Highnes shold haue occasion to accepte hit in lyke wise and so lyked your Grace in one lettre both geve me your thank*is* and 35
gete me his. I were my good Lord very blynde if I perceived not, very vnkinde if ever I forgate, of what graciouse favor it proceedeth, which I can never otherwise reanswere than with my pore prayor, which, duryng my life shall never faile to pray to God for the preservation of your good Grace in honor and helth. At 40
Wodestoke the xxvi^th^ day of Septembre.

Your humble orator and moost bounden beedman.

⟨Thomas More.⟩

To my Lord Legat*is* good Grace.

127. To Wolsey.

Brit. Mus. MS. Galba B.viii. fol. 94 Woodstock
Delcourt p. 348 30 October ⟨1523⟩

Hit may lyke your good Grace to be aduertised that I haue presented and red vnto the King*is* Grace your Grac*is* lettre wrytten vnto my selfe, dated the xxvii^th^ day of this present moneth

17. Jedburgh, taken 24 September 1523.

with the lettre of my Lord Admirall, directed vn to the King*is*
5 Highnes, dated at Newcastell the xxiiiith day of this moneth. And
twoo copies of your Gracis lettres one answeryng the said lettre
of my Lord Admirall the tother addressed vn to my Lord of Suffolke, which lettres for as much as his Highnes well considered by
your high wisedome so singularly well devised, that excepte his
10 onely thank*is* vn to your Grace for your labor, payn and study for
the same, which his Highnes in his moost harty maner geveth
vn to your Grace, ther requyred no ferther aduertisement, he being
than redy to ride, deferred thanswere of the same vn till the morow
at his cummyng to Woodstok, at which he thought he shold perad-
15 venture receive some new lettres, as he hath in dede.

For this day cam the post with your Gracis lettre wrytten vn to
me, dated the xxixth day of this present moneth with the lettre
of my Lord of Suffolke, dated in the campe at Camppy*en*, with
diverse other lettres and copies conteyned in the same pacquet,
20 all which I remitt vn to your good Grace agayne with these
present*is*. After the receipte wherof forthwith this nyght, I redde
all the same distinctely to his Highnes, wherby he perceived not
onely the goodly victory that his army hath had agaynst the
enemyes at Ancre and Bray, and wynnyng the passage over the
25 water of Som⟨m⟩e, with fre entre in to the bowell*is* of Fraunce
withowt apparence of eny great resistence with demonstratio⟨n⟩
and good lyklyhed of thatteynyng of his auncient right and title
to the corone of France to his singulare comfort and eternall
honor, but also the mervelouse diligence and inestimable industrie
30 of your good Grace by your high polycy, labor, travaile and study
not onely providing for the reenforcement of his said army, being
by siknes, deth and otherwise diminished and enfebled, but also
for the sufficient furniture as well of money as other necessaryes
for the same, which saving for your high prudens and polytique
35 provision his Highnes wold not well haue thought fesible wherfor
his Highnes ffor your accustumed fervent zele and goodnes geveth
[------] * * * * * * * * * * * * * * * * * *
passed the King*is* high and great maters, so mych depending
vppon his honor, suretie and reputation on all parties, being in
40 soo good trayne with such apparence of notable effecte to ensue,

29. and also, also *del. MS.*; but also *supra.*
37. *deficit pagina.* passed this the, this *del. MS.*

8. None of the letters, to which More refers, have been preserved, but Surrey's to Wolsey, 24 October, will probably give the same news of the war in Scotland, as was contained in Surrey's letter to the King. (L.P.III.3466.)

that hit myght please his highnes to resort vn to some place and there estableshe hym selfe, where your Grace myght conveniently haue often recourse and repaire to the same for the bettre fortheraunce and avauncement of his affaires, which as your Grace moost prudently wryteth, may be more perfitely communicate and more spedely set forth by groundely consultation in presence, than by lettres in absence, his Highnes ensuyng the moost prudent aduertisement of your Grace, proceding of speciall tendre zele to the fortheraunce of his affaires, entendeth as sone as he shall haue herd of the good and prosperous ende of his affeires agaynst Scotland, which, God willyng, he trusteth shalbe shortely, than forthwith to repaire to Wyndesore and ther to demurre vn till his Grace and yours deliver and determyne ferther. Whom both our Lord send well and shortely to gether and long preserve you both in helth and mych honor. 45 50 55

At Woodstoke the Fryday byfore All Hallowen Evyn.

Your humble orator and moost bounden beedman

Thomas More.

To my Lord Legat*is* good Grace.

128. To Margaret Roper.

Tres Thomae pp. 61, 240 ⟨Woodstock?⟩
⟨Autumn 1523⟩

[The two extracts are put together by Stapleton and Cresacre More. Pole, however, was abroad, studying in Italy, from early 1521 till late 1526. (Allen VI.191.) The first extract must then have been written not later than February 1521. The second is dated by the mention of the approaching birth of Margaret's first child. It seems impossible to reconcile this discrepancy in dates. We cannot go back of Stapleton and can only suppose that he put together two extracts of different periods. As he was writing more than sixty years later, he might well slip up on the dates of Pole's study in Italy.]

Explicare calamo non possum, vix etiam cogitatione complecti, quanta me voluptate perfuderunt elegantissimae literae tuae, Margareta charissima. Aderat legenti iuuenis vt nobilissimus, ita in omni literarum genere doctissimus, nec virtute minus quam eruditione conspicuus, Reginaldus Polus. Huic miraculi vice fuerunt, etiam priusquam intellexit, quanta temporis angustia coartabaris, quib. aduersae valetudinis auocamentis distinebaris interea, dum tam longam scribebas epistolam. Vix etiam sibi persuaserat, praeceptoris tibi non corrogatam operam, quoad 5

7. coarctabaris *Stapleton 1612.*

10 bona fide didicit neque praeceptorem quemquam esse domi nostrae, neque prorsus hominem quenquam, qui non in scribendis literis tua magis opera egeat, quam sua quicquam tibi possit commodare.

Ego vero interea reputabam mecum quam id nimium verum 15 esse comperiebam quod aliquando memini dixisse quasi per iocum tibi, quum id in tua fortuna miserebam quod ignoratio veri nonnihil esset de meritissima vigiliarum tuarum laude detractura, suspicantibus qui tua lecturi forent in labores tuos alienae aliquid operae insparsum atque impensum esse, quum tu vna omnium 20 minime digna sis de cuius laude debeat aliquid tali suspitione decedere, quae ne tantilla quidem vnquam sustinere potuisti vt te alienis plumis ornares. Sed tu, Margareta dulcissima, longe magis eo nomine laudanda es, quod quum solidam laboris tui laudem sperare non potes, nihilo tamen minus pergis cum egregia ista 25 virtute tua cultiores literas et bonarum artium studia coniungere; et conscientiae tuae fructu et voluptate contenta, a populo famam pro tua modestia nec aucuperis nec oblatam libenter velis amplecti, sed pro eximia pietate qua nos prosequeris satis amplum frequensque legenti tibi theatrum simus, maritus tuus et ego; qui vicissim 30 tibi quam maximo possumus affectu comprecamur faustum istum ac facilem partum, quem tibi tam cito scribis instare, quo faxit Deus ac Diua Virgo vt leniter ac faeliciter enixa prole familiam augeas matri per omnia praeter sexum simillima; quanquam vel faemella certe, modo quae sit eiusmodi vt quod sexus ei conditione 35 deteritur, id olim aliquando studeat maternae virtutis et eruditionis aemulatione rependere. Nam ego certe puellam talem pueris tribus praetulerim. Vale, dulcissima filia.

129. Erasmus to John More.

Allen v.1402 ⟨Basle⟩
Commentarius in Nucem Ouidii, fol. A2 ⟨c. December 1523⟩
Lond. xxix.26: LB. i.1189

32. foeliciter *Stapleton 1612.*

30. Margaret's first child was born in the autumn of 1523. It is interesting that her younger daughter Mary Roper, later lady-in-waiting to Queen Mary, fulfilled More's wish, for she was skilled in Latin and Greek and gifted in translation. (Ballard, *op. cit.* p.152.) William and Margaret Roper had five children: two sons, Thomas and Anthony, and three daughters, Elisabeth, Mary and Margaret (Stapleton p.252.)

130. Erasmus to Margaret Roper.

Allen v.1404 — Basle
Commentarius in Nucem Ouidii, fol. D[5] — Christmas 1523/4
Lond. xxix.65: LB. v.1337

[In one calendar, the new year began at Christmas.]

131. From Nicholas Leonicus.

Vatican MS. Rossiano 997 — Padua, 19 January 1524

[Paraphrase in Gasquet, *Cardinal Pole and His Early Friends,* p. 58. Nicholas Leonicus Thomaeus (1456-1531) studied Greek with Demetrius Chalcondylas and taught Greek at Venice 1504-1506. He spent the rest of his life at Padua in the teaching of philosophy. He was the first to teach Plato and Aristotle in the Greek. In June 1523 he published translations from Aristotle's *Parua quae vocant naturalia: de sensu et sensili*, and in 1531 *Variae historiae*. The former was dedicated to Pace, the latter to Tunstall, and his *Dialogi*, as well as a posthumous volume of Aristotle's *De part. animalium* bk. 1 to Pole. His English pupils included these scholars and also William Latimer and Linacre. (cf. Allen v, p. 520, Delaruelle, p. 137 n. and Legrand. Several of the statements in Legrand apply not to Leonicus but to Leonicenus, the medical humanist.)]

NICOLAUS LEONICUS THOMAE MORO S.

Etsi mi antehac nulla tecum intercessit familiaritatis et amicitiae iunctio, que non esse potuit, cum toto pene orbe discludamur καὶ πολλὰ μεταξὺ οὔρεά τε σκιόεντα θάλασσά τε ἠχήεσσα, εὔνοια nunc illa, quae secundo censetur loco et absentibus virtuteque conspicuis viris commode praestari potest, me tibi adeo deuinxit, vt nihil arctius plane constringi copularique possit. (5)

Nec immerito, me hercule, quum apud nos excellentium virtutum tuarum eximii sunt praedicatores, inter quos precipuus est Rainaldus Polus, vir non eruditione magis quam veri praestans iudicio, qui non minus efficaciter quam vere tam de te incessanter loquitur et asseuerat, quae de eruditissimo viro omniumque bonarum artium studiis ornato iure et merito dici possunt. (10)

Adductus sum, igitur, ὥσπερ οἱ φιλοστόργως πρὸς τὰ φιλητὰ ἔχοντες, vt iis te primis literis salutem et tibi cognitus esse studeam, ita vt munusculo isto meo, quod tibi mitto, te demeream, nisi (15)

2. jiunctio *MS.* qui *MS.* 5. comode *MS.* 10. ta *MS.* 13. φιλοσόργως *MS.*

---

4. cf. *Iliad* 1.156-7.
9. cf. Ep.71, introd.
15. His *Parva Naturalia*, Venice 1523. (Gasquet, *op. cit.* p.58.)

fortasse eiusmodi esse videbitur, quod te potius auertere et alienare quam demerere possit, donatoremque ineptum magis quam ciuilem plane ostendat. Verum vtcunque fuerit, quae tua est humanitas, boni consulas oro, et dantis sane animum, non rem, ipsum per-
20 pendas, pro quo si inuicem ἀντὶ ξενίων ἀποφόρητα τινὰ mihi remiseris, item si pro nugis istis quas ad te mitto egregios illos tuos de reipu⟨bli⟩cae gubernatione commentarios mihi referendos curaueris, χρύσεα ὄντως ἀντὶ χαλκέων, rem profecto mi gratissimam feceris, et me perpetuo obligaueris, quod vt facias, te vehementer
25 iterum atque iterum rogo. Bene vale.

Patauii, xiiii Kalendis Februariis. M.D.xxiiii.

132. From the University of Oxford.

MS. Bodl. 282, fol. 67v. Oxford
20 June ⟨1524⟩

[Answered by Ep. 133.]

SPLENDIDISSIMO DOCTISSIMOQUE VIRO THOME MORO, EQUITI AURATO, CONSILIO REGIO INCLITO, OXONIENSIS ACHADEMIE CENSORI, VNIUERSITATIS EIUSDEM REGENTIUM SENATUS FOELICITATEM IMMORTALEM.

Cum ad aures nostras perlatum esset, Vir ornatissime, Thomam Louellum, Aduocatum ac in causis nostrae reipublicae salubre regimen concernentibus Judicem, vitae cursum peregisse, graui quidem dolore sed iusto sumus perculsi, non illius causa,
5 quippe quem speramus vitam caducam immortalitate commutasse, verius quam mortuum esse, sed nostra ipsorum, qui patronum tanta in omnibus negotiis nostris diligentia ac fide amiserimus. Verum quum consideraremus vnicuique mortalium prescriptum esse ineuitabile fatum, putantes iuxta illud Publiani fortiter feren-

23. praefecto *MS.* gratissimum *MS.*

22. *Utopia.*

23. Leonicus writes to Pole 26 June 1524 (cf. Gasquet pp.69-71) that Clement had called while he was out and had left the *Utopia* for him, whether as a present or merely to read he did not know. He writes the highest praise of it and wishes that it was "not merely a fiction, but written as sober history."

2. Sir Thomas Lovell played an important role in the reigns of Henry VII and Henry VIII. He was M.P. and Speaker of the House of Commons 1485-1488, and probably was in Parliament even later. In 1485 he was made Chancellor of the Exchequer for life, and was continued in this post by Henry VIII at his accession. He was knighted in 1487 and made a Knight of the Garter in 1503. He was also Constable of the Tower of London, a member of the King's Council and Treasurer of the Household. He was elected High Steward of the University of Oxford, c.1504. He died 25 May 1524. (L.P. *passim*; D.N.B.)

9. A *sententia* of Publilius Syrus (less correctly Publius), a writer of mimes in the first century B.C. It is given in Aulus Gellius, *Noctes Atticae*, XVII.xiv, as "Feras, non culpes, quod vitari non potest." cf. Otto p.134.

Portrait of Erasmus, by Holbein

dum esse quod mutari non potest. Cepimus dolore paulatim 10
mitigato, de nouo in illius locum subrogando cogitare. Vbi in consilium venissemus, tu primus atque adeo solus occurrebas omnium calculis eligendus. Quis enim omnium hodie in hoc regno florentium prius occurreret nobis, quam is cuius diuini ingenii litteraria monumenta nostris quotidie manibus terimus? 15
Aut quis eo munere dignior videretur Moro, quem, iam ante experti, plurimum nobis velle prodesse, et posse quoque plurimum non ignoramus, tum quod ipse magnus sis, tum etiam quod apud Regem et Cardinalem aliosque magnates magna sit tua vel gratia vel autoritas? Quare si non reiicias, optime More, 20
hoc quantulumcunque est quod in te conferimus, maiora etiam si potuissemus libentissime collaturi, tu nobis iacturam, quam ex Louelli morte fecimus, magno cum lucro compensabis. Istud preterea occasionem tibi dabit Oxoniam crebrius visendi, quod et nobis erit iucundissimum et tibi, vti speramus, non iniucundum. 25
Super hac etiam eadem re ad R^m^. Cantuariensem Archiepiscopum, Cancellarium nostrum, litteras patentes iam dudum transmisimus, quas cum nostro et illius sigillo obsignatas, aut te iam recepisse aut certe breui recepturum non ambigimus. Vt igitur accipias bonique consulas, obtestamur etiam atque etiam, si non pro rei magni- 30
tudine, que propemodum nulla est, certe pro tuo in nos amore, qui parua munuscula reddere magna solet. Bene vale, Doctissime More.

Cum iam pararemus has litteras emittere, ecce domum reuersus procurator noster te vltro (obuiis, quod aiunt, vlnis) communem 35
nostrae reipublicae censuram amplexum fuisse nunciat; idque recusata Cantabrigiensi, quae etiam prior cum non contemnendo stipendio offerebatur, quod per Deum immortalem, quid aliud est, quam nobis gratificari tuo etiam incomodo velle. Ad hec quanta cum diligentia causas nostras istic (vt idem retulit) trans- 40

28. recipisse *MS.* 37. qui *MS.*

13. Ep.133 gives More's acceptance, which is welcomed in Ep.134. In the same month (August 1524) the University wrote to Wolsey in appreciation of his assistance to them in persuading More to accept, "non modo non grauatim sed libenter ac obuiis etiam vlnis amplexus sit." (MS.Bodl.282, f.69.)

Lovell had also been High Steward of the University of Cambridge, and this vacancy was promised to More. In October, however, Hugh Latimer wrote to Dr. Greene, the Master of St. Catherine's College, that he had "learned - - - that nothing would more gratify Mr. Wingfield (Sir Richard) than to succeed to Lovel's place among us - - - -" More has been persuaded, though only at the King's intercession, to give way to him. (D.N.B. article *Wingfield;* L.P.IV. App.14; J. M. Wingfield, *Some Records of the Wingfield Family.*)

29. cf. f.67^v^ of the University Letter-book.

35. Eras., *Adag.*2954.

egeris quamque paratum in eisdem tete nobis prestiteris amicum, integra ad explicandum vix suffecerit epistola. Vix preterea suffecerit epistola, si explicare tentemus quanta nos omnes leticia affecerit ista tua in eosdem propensissima pietas, hanc interim
45 appendicem vt boni consulas obtestamur. Iterum vale.
Ex Domo nostra senatoria 20 die Junii.

133. To the University of Oxford.

MS. Bodl. 282, fol. 68 London
26 July ⟨1524⟩

[Answering Ep. 132. Answered by Ep. 134.]

CONCILIO ET MAGISTRIS ACHADEMIAE OXONIENSIS, AMICIS MAXIMIS SUIS.

Post obitum praeclarissimi Viri Thomae Louelli, qui istius Achademiae patronus et negotiorum actor fuerat, venit ad me vestro omnium nomine, Viri Doctissimi, procurator a vobis, qui mihi nunciauit quam illius summi Viri mortem grauiter fer-
5 retis; deinde, cum de alio in eius locum sufficiendo coieratis, me in primis habitum idoneum, que vestra est in me benignitas ac amoris magnitudo, quem in eum magistratum crearetis. Quem equidem magistratum, tam candidis tamque fauentibus suffragiis delatum, lubens admodum laetusque suscepi, quippe qui viderem
10 inter tot praestabiles ingenio viros, qui et prudentia et authoritate vobis plurimum prodesse possent, me potissimum esse delectum, cui vestra negotia, causas ac raciones omnes committere velletis. Que res indicio mi[c]hi, et quid de mea diligentia iudicaretis et quanti meam operam semper faceretis, manifesto fuit. Quocirca,
15 viri prestantissimi, quanquam antea semper tantam e vestra beneuolentia voluptatem cepi, vt maiorem non posse mihi ipse viderer, vosque ego contra tanto prosequebar affectu, vt quicquam ad eum accedere posse non existimarem, tamen post hanc recentem erga me benignitatem vestram, ita sum erga vos affectus, ac nouo quo-
20 dam gaudio ex vestro beneficio perfusus, vt propemodum nec vobis dilectus prius, nec vos dilexisse, viderer. Nam antehac ea vestra omni tempore extitere merita in me, que non nisi a summo amore proficisci soleant, atque hec singula ego haud aliter accepi, quam ab ingenua mente et grato animo talia officia accipi debeant.
25 Verum haec proxima beneficentia, caeteris (veluti colophon) imposita, omnia superiora beneficia vestra simul ob oculos mihi

46. 1524 *in margine*. Ep. 133. 5. curatis.
8. candidis] atque *del. MS*. 25. colapho *MS*.

adduxit atque deposuit, quae tamen animum meum nihilo segnius commouebant, quam quo die collata primum fuere, pro quibus cunctis ita gratias debere me existimabam et habebam vt si tum vniuersa primum accepissem. Neque id eo accidebat, quod muneris 30 eius habendi vlla cupiditate ducebar, sed quia mihi in mentem ita veniebat eos viros, quos ego ab adolescentia vsque admiratus sum et colui, quos ego semper demerere studui, eisque charus esse in votis habui, sic de me ornando certatim laborare quasi id vnum sibi studio haberent. Quamobrem, viri laudatissimi atque humanis- 35 simi, ago vobis gratias quantas possum maximas. Voloque de Moro, qui totus vester est et semper erit, sic vobis promittatis ac ea expectetis, que vel vniuersi ab adiuratissimo fautore et amico, vel singuli a sodali aut fratre charissimo vellent optare. Ego omni studio, opera ac diligentia conabor ita me probare vobis, tum simul omni- 40 bus, tum cuique priuatim, vt nec quisquam hac spe sibi falsus esse videatur. Valete, viri omnium mihi charissimi. Londini vii calend. Augusti.

Totus ex animo vester

Thomas Morus. 45

134. From the University of Oxford.

MS. Bodl. 282, fol. 71 ⟨Oxford⟩ ⟨c. August 1524⟩

[Answering Ep. 133.
Ep. 129 in the University Letter-book (fol. 69) thanks Wolsey that he persuaded More to accept the office of High Steward in the University. Ep. 133 (fol. 71), addressed to the Judges at Westminster, makes formal complaint against Robert Carver.]

CLARISSIMO VIRO THOMAE MORO, NEGOTIORUM ACTORI ET PATRONO.

Accepimus iamdudum literas a te, Vir vndecunque clarissime, que vt eloquentiam redolebant maximam, ita quoque amoris tui erga nos erant indiciis plenissime. Adeo vt cumprimum in senatu lecte essent, noua quisque leticia perfusus videretur, tantoque melius ferrent omnes mortem veteris patroni, quanto te 5 scirent illo esse eruditiorem et nostris malis (si que aliquando inciderint) antidotum presentius [posse] esse. Viderunt quidem omnes languescentem Academiam et patrono destitutam, sed litere tue, doctissime More, et nos omnes recrearunt mirifice et

30. vniuersum *MS.* 39. vellet *MS.* 43. 1524 *in margine.*
8. languescentem] languscentem *MS.*, e *suprascript.*

10 antiquas vires Academie nostre restituerunt. Itaque si significare tibi contenderemus quam ingenti leticia ex literis tuis afficiebamur, rem inenarrabilem susciperemus enarrandam. Certe tantam fuisse eam leticiam ac voluptatem arbitramur, quantam vel ex re etiam desideratissima quispiam capere posset. Jason cum e Colchis nactus
15 aureum vellus rediisset non in paruum gaudium Peleam coniecit. Tu vero cum nobis tam suauiter indicasti eum magistratum te libenter suscepisse, quem nos cum maximo amoris affectu tibi detuleramus, in eo nos gaudio collocasti, vt quantum hoc gaudium illud superet dici non potest. Quis enim non summe letaretur talem
20 se habere patronum, qui eam habet in absoluendis conficiendisque causis, tum publicis, tum priuatis, dexteritatem quam neminem tot seculis antea assecutum esse non dubitamus? Tanta est tua singularis prudentia, solertia vnica, fertilissima simul et vberrima sagacitas, tam torrens et exuberans facundia, quibus qui est preditus
25 quid non potest illustrare, quid non illustribus hisce (vt caeteras sileamus) virtutibus decorare, quid tandem non assequi, quod homini fas sit optare? Harum comparacione sordescunt diuiciae, pecunie in contemptum abeunt, neque opulentiam Cresi cum his vllo pacto conferre fas est. Proinde tu quum nostrorum nego-
30 tiorum actorem te fore literis tuis promisisti, donum longe munificentius contulisti nobis, quam Jason Peleae, quippe quod ille aureum vellus attulit Pellee, sed inanimum, sine sensu, sine vita, tu vero et viuaces ad nos, ne dicam aureas, dedisti literas, et intimum amoris affectum insinuasti nobis, tam benigne, tam
35 humaniter, vt nichil in humanis rebus cum tanto amore conferri vel debeat vel queat. Quam ob rem si minus poterimus pro tua in nos ingenti beneuolentia tibi gratum quicquam referre, nostri saltem erga te amoris officia indies auctum iri (vt speramus) experiundo persenties.

40 Jam exponenda res est in qua tua ope egemus. Audiuimus nuper quosdam huius academie scolasticos incidisse in hominem peruerse agendi cupidum (quod tibi dicendum siet) et omnia turbandi auidissimum, Robertum Caruer loquimur, Westmon. agentem. Ab illo accusantur quidam, sed minus iuste, inuoluuntur iuris
45 laqueolis, et nimis atrociter et longe aliter quam nostris priuilegiis congruat. Siquidem magna esse nostra priuilegia non ignoras. Si quid sceleris perpetrauerint, si quid flagiciose fecerint, apud nos,

---

11. Syntax requires afficeremur.
15. Pelias, guardian of Jason.
28. cf. Eras., *Adag.*4148.
31. Jason, leader of the Argonautic expedition, which brought the Golden Fleece from Colchis.

non istic, res agitanda est. Habemus nos qui de nostris vbi vbi quid minus recte admiserint supplicium sumant. Ad nos sunt adducendi atque hic accusandi. A Cancellario nostro vel a te etiam 50 quandoque de illis sententia petenda est, non a quibusuis iudicibus. Verum enim vero nihil eos sceleste egisse aut commeruisse quicquam accepimus. At ille alter magnam dat operam, quo eos vel dedecore afficiat vel graui damno, ita est erga eos ceterosque Oxonienses omnes infestissimus. Cur ista fecerit nescimus prorsus, 55 nisi id sit quod dicit Therentius, mala mens, malus animus. Quocirca tuum auxilium imploramus et vehementer petimus, vt ita apud Judices rem agas, ne insontes, istic deserti a suis, malicia illius hominis opprimantur, non iniuste modo verum etiam contra que priuilegia nostra postulant. Nos totis viribus enitemur vt ita 60 nos erga te geramus, vt neque te penituerit vnquam nostra causa labores suscepisse, neque nos te in patronum delegisse. Optime vale.

135. To Francis Cranevelt.

De Vocht, Ep. 115 — London
Louvain MS. II.31 [fol. 42 ⟨& fol. 43⟩] — 10 August ⟨1524⟩
Tres Thomae p. 77

[The letter was written by a secretary with only the last line and signature in More's hand. De Vocht identifies the secretary as John Harris, a pupil, whose hand is known in later papers at Louvain. (cf. Ep. 142.) De Vocht conjectures that Stapleton printed from a copy made when the manuscript had already been torn at the edges. (cf. de Vocht, pp. 311-312.)

For the history of the Cranevelt manuscripts, see de Vocht, pp. vii-xxii.

De Vocht uses Roman numeral for number of the bundle, Arabic numeral for number apposed by him, and, in brackets [ ], Cranevelt's original foliation. Variants between original (A) and Stapleton's text are noted.

Francis of Cranevelt (1485-1564) was educated privately and at the College of the Falcon in the University of Louvain, taking the degrees Lic.A. and M.A. 1505 (as first among the graduates), J.U.Lic. by 1506, and J.U.D. 1510. In 1506 he was admitted to the University Council as a member of the Faculty of Arts. In undergraduate study he was much influenced by Adrian of Utrecht (the later Adrian VI); as a young graduate he made many literary friendships, including Martin van Dorp, Peter Gilles, Erasmus and John Louis Vives.

In July 1509, Cranevelt married Elizabeth de Baussele, who is mentioned in much of his correspondence and who won the deep affection of his friends. Their large family included seven daughters and four sons.

After his marriage, Cranevelt perhaps did private tutoring, he certainly practised law, and was probably interested in the press of Thierry Martens.

---

56. Ter., *And.*1,1,137.

In 1515 he was appointed town pensionary of Bruges. Bruges was already much changed by the receding of the sea, and the Court now seldom resided there, but it was still a busy place for a lawyer and Cranevelt was much esteemed.

Erasmus visited Bruges in the autumn of 1519 and in the summer of 1520. At the latter time he introduced Cranevelt to Thomas More, and began a friendship for which the correspondence of both expresses gratitude.

In August 1521 there was a state visit to Bruges of Charles V, Christian II of Denmark and Wolsey. Cranevelt represented the Town Council in making the Latin orations to these important guests. He met More, Tunstall and Mountjoy in the English embassy.

Cranevelt was appointed to the Great Council of Mechlin by Charles V, 17 September 1522. His duties there did not prevent his study of the Humanities—he continued Greek, probably begun at Louvain, and translated 1532-1535 four of St. Basil's Homilies and Procopius' *Justinianus*. In 1531 he began Hebrew, but probably did not go far with it.

His wife died in 1545, and he not long after married Catherine de Plaine. His own death occurred in 1564. (De Vocht, pp. xxxiii-lxxxii.)]

S.D.P.

Quantum tibi debeam, mi Craniueldi, video et agnosco! Ita nunquam intermittis id facere quod est animo meo rerum omnium iucundissimum, id est, de tuis rebus et amicor⟨um⟩ ad me scribere! Quid enim Thomae Moro aut debet aut potest esse vel
5 in aduersis gratius, vel in letis iucundius quam Craniueldii *τοῦ φιλτάτου ἀνδρ⟨ῶν⟩ ἁπάντων* epistolas accipere? Nisi quis ipsius hominis colloquium praestare mihi p⟨ossit!⟩ Quamquam quoties tua scripta lego, ita ab illis afficior vt coram tecum interim colloqui ipse mihi videar! Quamobrem nihil disserte doleo quam tuas
10 lite⟨ras⟩ non esse longiores, quamuis et huic quoque malo qualecunque remedium inue⟨niam:⟩ eas enim quas accipio, perlego sepius, idque lente facio, vt ne citata le⟨ctio⟩ nimium cito voluptatem auferat. *Καὶ ταῦτα μὲν δὴ ταῦτα.*

Quod de Viue n⟨ostro⟩ scribis, *καὶ περὶ γυναικῶν διαλεγόμενος*
15 *τῶν κακῶν* dico, adeo tuae sent⟨entiae⟩ accedo, vt ne cum optima quidem sine omni incommodo viui posse putem. *Κα⟨ὶ γὰρ⟩ ἐάν τιν' οὖν ἔχῃς γάμον, οὐκ ἀμέριμνος ἔσσεαι*, vereque Metellus Numidicus m⟨ea⟩ opinione de vxoribus dixit! Verum id tum magis dicerem si non nostrapt⟨e culpa⟩ prauae magis redderentur plerae-

1. Craneueldi *Stapleton.* & agnosco *A2, Stapleton*; magno - - - *A1.*
9. nihil ita disserte *Stapleton.* 11. inueni *Stapleton.*

14. Vives married Margaret Valdaura, 26 May 1524. (cf. de Vocht, Ep. 102, l.7.ff.)

18. Aulus Gellius, *Noctes Atticae*, I.vi: - - - - quoniam ita natura tradidit, vt nec cum illis satis commode, nec sine illis vllo modo viui possit; saluti perpetuae potius, quam breui voluptati consulendum.

que! Verumtamen Viues eo ingenio, e⟨aque pru⟩dentia est, talemque est coniugem nactus, vt non solum omnem coniugii mo⟨lestiam,⟩ quoad eius fieri potest, vitare queat, quin magnam quoque oblectatio⟨nem⟩ indidem percipiat! Porro iam omnium animi sic publica cura tenentur occ⟨upati,⟩ dum belli furor ad hunc modum vbique ardescit, vt nemini va⟨cet ad⟩ priuatas sollicitudines respicere! Quocirca si quem domestica nego⟨cia vnquam⟩ grauarunt, ea communi malo obscurata sunt. Sed de his satis.

[Ad te] redeo, cuius humanitas et amicitia erga me quoties subit ⟨menti (subit⟩ autem sepissime), omnem mihi tristiciam excutit! De libello que⟨m ad⟩ me misisti habeo gratiam; et gratulor tibi vehementer no⟨ua pro⟩le aucto, neque sane tua magis quam Reipublicae causa, cuia refert plur⟨imum⟩ qui parentes numerosissima procreatione ipsam adaugeant: ex te ⟨enim n⟩isi optimum nasci non potest. Vale et ⟨vxor⟩em tuam optimam ex me diligentissime atque officiosissime saluta, cui faustam ac felicem valetudinem ex animo precor. Vxor mea et liberi salutem tibi comprecantur, quibus nostra praedicatione non minus notus et charus es quam mihi ipsi. Iterum vale. Londini, iiii. Idus Augusti.

Plus quam totus tuus

Thomas Morus.

136. To Wolsey.

Brit. Mus. MS. Galba B.viii. fol. 150 — Hertford
Ellis i.i.88; St.P. i.151; Delcourt p. 350 — 29 November ⟨1524⟩

Hit may lyke your good Grace to be aduertised that yisterny⟨ght⟩ at my cummyng vn to the King*is* Grac*is* presence, after that I had made your Grac*is* recommendations and his Highnes shewed hym selfe v⟨ery⟩ greatly glad and ioyfull of your Grac*is* helthe; as I was abowte to declare ferther to his Grace what lettres I had brought, his Highnes perceiving lettres in my hand prevented me ere I could bygyne and saied, 'Ah! ye haue

23. indidem] ibidem *Stapleton*. 26. negotia ante *Stapleton*. 30. menti] mihi *Stapleton*. tristitiam *Stapleton*.

27. Invasion of France by the Imperial army. (cf. Ep.136n.)

32. Born on 26 May, Vives' wedding day. (cf. Cranevelt, Ep.105, l.4; Ep.112, l.23.)

33. De Vocht: "Probably the secretary first wrote cui, which on rereading he mistook for qui, as the mark of abbreviation ∼ over ipsam (*MS.*: ipam) of the following line seems to belong to it, and to make a q with the c; he thought of correcting it into quia by adding a, and so made it cuia."

lettres nowe by Joh*ne* Joachym and I trow sum resolution what
they will do.' 'Nay veryly, Sir,' quoth I, 'my Lord hath yit no
10 word by Joh*ne* Joachi⟨m⟩ nor John Joachim, as far as my Lord
knew, had yit no wo⟨rd⟩ hym selfe this day in the mornyng whan
I departed from his Grace.' 'No had?' quoth he, 'I mych mervaile
therof for John Joachim had a seruaunt come to hym two dayes
agoo.' 'Sir,' quoth I, 'if hit lyke your Grace this mornyng my
15 Lor⟨*dis*⟩ Grace had no thing herd therof, ffor yisterday his Grace
at afternone dispeched me to your Grace with a lettre sen⟨t⟩ from
Mr. Doctor Knyght and the same nyght late his Grace sent a
seruant of his to myn howse and commaunded me to be with his
Grace this mornyng by eight of the clokke, where at my cummyng
20 he delivered me these other lettres and aduertisement*is* sent vn to
hym fro Mr. Pace, commau⟨nding⟩ me that after that your Highnes
had seene theym, I shold remitte theym to hym with diligence,
as well for that he wold shew theym to other of your Grac*is*
Counsaile as also to John Joachym, for the content*is* be such as
25 will do hym litle pleasure.' 'Mary,' quoth his Grace, 'I am well a
paied therof.'

And so he fell in meryly to the redyng of the lettres of Maister
Pace and all the other abstract*is* and wryting*is*, wherof the conten-
t*is* as highly contented hym as eny tiding*is* that I haue sene cum
30 to hym, and thanked your Grace moost hartely for your good
and spedy aduertisement; and furthwithe he declared the newes
and every materiall point, which vppon the reding his Grace well
noted vn to the Quenys Grace and all other abowt hym who were
mervelouse glad to here it. And the Quenys Grace saied that she
35 was glad that the Spanyerd*is* had yit done somwhat in Italy in
recompence of their departure owt of Province.

I shewed his Highnes that your Grace thought that the French

37. his G. Highnes, G. *del. MS.*

8. Giovanni Gioachino Passano, Seigneur de Vaux, a Genoese merchant, was often employed in secret negotiations between France and England. (*vide* Brewer, *Henry VIII*, II, p.14f. and L.P.IV, p.1715.)

17. Dr. William Knight, at this time ambassador resident at the court of Margaret of Savoy, Charles' regent in the Netherlands.

21. The St.P.I, p.151n. takes this as referring to Pace's letter of 2 November, but More evidently refers to later news. The assaults on Pavia had taken place 8 and 9 November, and are reported in Pace's letters to the King and Wolsey of 19 November. (L.P.IV.839,840.) Knight writes the same news from Brussels on the 27th. (*ibid*.871.) I consider that More replies to No.839. The posts *could* have brought it in that short time, as L.P.IV.5846 reports the arrival of a courier in Rome from England in nine days.

36. Sampson wrote to Wolsey from Valladolid, 13 November, that the Emperor's army, which had invaded France from Catalonia, had retreated. (L.P.IV.827.) Pace's letter, on the other hand, gives the encouraging news that the Imperialists in Italy have been more diligent because of their distrust of the Pope. (*ibid*.IV.840.)

King passed the mountaignys in hope to wynne all with a visage in Italy and to fynd there no resistence and his sodayne cummyng vppon mych abashed the cuntrees putting eche quarter in dowt 40 of other and owt of suertie who myght be well trusted, but now sith he fyndeth it otherwise, myssyng the helpe of money, which he hoped to haue had in Mylleyne, fyndyng his enemyes strong and the fortressis well manned and furnyshed and at Pavia, by thexpugnation wherof he thought to put all the remanaunt in fere 45 and drede, being now twyes reiected with losse and reproche, his estimation shall so decay and his frend*is* fail, his enemyes confermed and encoraged, namely, such aide of th'Almaignes of new ioynyng with theym, that lyke as the French King byfore wrote and bosted vn to his mother that he had of his awne mynd passed 50 in to Italy, so is it lykly that she shall haue shortly cause to wryte agayn to hym that it had to be mych bettre and more wisedome for hym to abide at home than to put hym selfe there where as he standeth in great parell whither ever he shall gete thense. The King*is* Grace lawghed and said that he thinketh it wilbe very 55 hard for hym to gete thense, and that he thinketh the maters going thus the Popis Holynes will not be hasty neither in peace nor treuix.

Vppon the redyng of Mr. Knyght*is* lettre his Grace saied not mych, but that if Bewreyne cum to his Grace he wilbe playne with 60 hym. And if he do not, but take hi⟨s⟩ dispache there of your Grace, which thyng I perceive his Highnes wold be well content he did, excepte he d⟨esire⟩ to cum to his presence, his Grace requyreth yours so to talke with hym as he may know that his Grace and yours well perceive how the maters be handeled by th'Emperors 65 agent*is* in thentreprise.

44. at the Pavia, the *del. MS.* 49. that the lyke, the *del. MS.*

---

46. Pace reported the failure of two assaults made on Pavia by Francis I. (*ibid.* 839.)

50. Louise of Savoy was regent for Francis during the campaign.

58. The Pope had secretly given aid to Charles de Lanoy, Viceroy of Naples. (*ibid.* IV.840.) Pace considered that the Pope would favor the winning side (*ibid.*IV.839) and this would deter him from making any truce with the French.

59. Knight's letter to Wolsey of 27 November (which would be received later in England) makes no mention of De Buren, but recounts the news from Italy which had just come to Brussels. (*ibid.*871.) Adrian de Croy, Sieur de Beaurain, the Emperor's lieutenant, had refused to obey the orders of Henry's lieutenant, and would do only what was decided by mutual consent. This "shall of likelihood do great hindrance to their enterprise, considering how they have been accustomed always to pass by the confines of their own countries, and no further to enter into the enemy's lands than as they may at all seasons, within one day or little more, return home at their pleasure." (Wolsey to Sampson, 26 September, L.P.IV.684.)

The King*is* Grace is very glad that the maters of Scotland be in so good trayne and wold be loth that they were now ruffled by th'Erle of Angwishe and mych his Highnes alloweth the mooste
70 prudent mynde of your Grace myndyng to use th'Erle of Angwish for an instrument to wryng and wreste the maters in to bettre trayne if they walke a wrye, and not to wrestle with theym and breke theym whan they goo right.

Hit may lyke your Grace also to be aduertisede that I moved
75 his Grace concernyng the suit of Mr. Broke in such wise as your Grace declared vn to me your pleasure, whan Mr. Broke and I were with your Grace on Soneday. And his Grace answered me that he wold take a breth therin, and that he wold fyrst onys speke with the yong man and than his Grace departed, but I perceived
80 by his Grace that he had taken the yong mannys promise not to mary without his advise, bycause his Grace entended to mary hym to some one of the Quenys maidens. Iff it wold lyke your good Grace in eny lettre which it shold please your Grace here after to write hither, to make some mention and rememberaunce of that
85 mater, I trust it wold take good effecte. And thus our Lord long preserve your good Grace in honor and helth.

At Hertford the xxixth day of Novembre.

Your Gracis humble orator and moost bounden beedman

Thomas More.

90 To my Lord Legat*is* good Grace.

137. From Wolsey to ⟨More?⟩.

Brit. Mus. MS. Calig. E.II. fol. 45
Printed in L.P. IV.1018 ⟨c. January 1525⟩

[Corrected draft, 2 pp. holograph, mutilated.]

* * *

67. Archibald Douglas, Earl of Angus, Margaret's second husband, made agreements with Wolsey that he should return to Scotland to negotiate for the release of James from the influence of Albany. He was long detained by the English authorities on the border, because the impossibility of reconciling Margaret to her husband made serious difficulties with the political negotiations. (L.P.IV.*passim*, especially nos. 532,571,662,713-714,783,800.) The Parliament of Scotland, 14 and 16 November, took the governorship from Albany as he had not returned, and gave the direction of affairs to the Queen and Council. (*ibid.* 836.) On 23 November, Angus with Lennox and other lords entered Edinburgh, but Angus retired to Dalkeith on Margaret's order, and without injury to anyone. (*ibid.*854, and Pinkerton II.253f.)

"Angwish" was Queen Margaret's nickname for her husband. (D.N.B.)

75. L.P. give nothing further of interest with regard to Mr. Broke.

------ ⟨th⟩at my Lord Depute of Calys hath by hys letters ⟨notified that⟩ the Chancellor of Allanson aryuyd at Calyse ------- ⟨la⟩st past accompanyd with xx^{ti} hor⟨ses, waiting with⟩ all dyllygence to passe ouyr into thys the Kyngs real⟨m. And in exe⟩cucion and declaracion of hys charge, the seyd Chanc⟨ellor hath brought⟩ certayn letters of Robert Tets, dyrectyd to John Joachym the ⟨copies⟩ wherof ye shall receyue herewith. They conteyn how there shu⟨ld b⟩e a confederacion et alyance tractyd and publyshyd bet⟨ween the⟩ Pope, the Senory of Veneyce, Sene and Luces and th⟨e French Kyn⟩g, wych newys, yf they be trewe, be of gret weyght ⟨and⟩ consequence; for yf the seyd lege be offensyue and yf the sa⟨me gyue ai⟩de clerly to exspelle the Imperyall*is* and Spanyard*is* owt of Ytally,—f⟨or⟩ nowe they be scant of abyllyte to withstand the Frenc⟨h in⟩ Myllayne and defende the realme of Napyll*is*,—the Pope, V⟨enecyans, Fl⟩orentyns, Sennenses and Lucenses takyng parte ⟨with th⟩eyme, they shall not onely be farre

2. Calyse] *del. MS.*; there *MS.* 8. et] *sic MS.* 13. albyllyte *MS.*

---

1. John Bourchier, second Baron Berners, 1467-1533, was chancellor of the exchequer from 1516, and also served Henry VIII in diplomatic missions—to Spain in 1518, and to the Field of the Cloth of Gold. He became deputy of Calais in 1520. He used his leisure for historical and literary pursuits, and is well known for his translation of Froissart's *Chronicles.*

He was succeeded by Sir Robert Wingfield in October 1526 (L.P.IV.2518) but evidently continued to live in Calais and died there in 1533. (cf. D.N.B.)

2. John Brinon, President of Rouen and Chancellor of Alençon.

6. Florimond Robertet, Treasurer of France—called by the English Robert Tete.

9. Siena.

9. Lucca.

10. Francis in person invaded Italy in the autumn of 1524, hoping to take Milan, Pavia and Naples. Pavia was the most difficult, and yet Francis determined on its siege, appearing before it 28 October. The siege continued until February, and this letter reflects English opinion on the Italian situation. The Pope hoped to maintain the balance of power by the establishment of Francis in Milan—for which he would renew the struggle, if defeated this time—and by the defence of Naples by Charles V. (Clerk to Wolsey, from Rome, 12 December, 1524, L.P.IV.924.) The Venetians were angered by the cruelty of the Spaniards in Italy, and so inclined to the French, but Wolsey desired Pace, then English ambassador in Venice, to show the danger to Italian peace if the French were not expelled, and to urge the long friendship between Venice and England. (L.P.IV.911.) Clement VII felt compelled to make terms with the French, to protect the Papal States, but desired to continue his "paternal affection for the Emperor and the King of England." (L.P.IV.994; also 992.) Clerk wrote to Wolsey that he had advised the Pope to confine the terms to Milan, but showed his suspicion that the matter was already settled. He thought Florentines and Venetians and "other mean power of Italy" would soon enter the league. (*ibid.*1002.) Wolsey's letter to Pace, written before the receipt of Clerk's letter, insisted on the danger to peace if Francis should gain the upper hand in Naples, and urged that the Venetians remain loyal to the Emperor. (*ibid.*IV.1002.) Wolsey warned the Pope against Francis who "would not then fail to use and dispose of the Pope as of his chaplain." (To Clerk; IV.1017.) Clerk replied that it would "be hard to cause him to help the Imperialists, either openly or secretly, in the defence of Milan. He himself wishes, and he has brought the Venetians to the same opinion, that the French King should have the duchy. . . . The Pope, the Venetians and the other Italian powers are determined that the Emperor shall make no monarchy here."

to weke to ma⟨ke re⟩systens, but compellyd clerly to abenne
Myllayn and Napyl⟨l*is* and c⟩onsequently all Ytally. Howbeyt I
can not thyncke ⟨th⟩e Pope and Venecyans be so ferre destytute
20 and ⟨farre⟩ from reason that they would suffyr the French Kyng,
⟨who, t⟩hey perfyȝtly know, allways hath couettyd and asspy⟨red
vnto⟩ the monarchy of Ytally, to haue by expu⟨lsion⟩ of the Imperyall*is* suche a gret fote in the sa⟨me as⟩ ondowtydly he shuld at-
teyne to hys ambyssyous appetey⟨te; for⟩ they beyng intercludyd
25 betwen Napyll*is* and - - - - the Pope shuld be as a chappleyne and
the Venecyans as - - - - - and trybutorys. Thys maner of lege also
ys ⟨farre⟩ dyscrepant from the Popys purposse wych for the in
- - - - - - - - - - - - - - - so moche to hert as - - - - - - - - - - - - - - - - ⟨es-
tab⟩lyshyd peace amonst Crysten princes, wich ⟨ys not⟩ lycly to
30 succede yf the realme of Nap⟨yll*is* be takyn⟩ from th'Empror, but
that the same shal be semy - - - - *⟨cas⟩us belli et discordie*. But I
suppose yf any - - - - - - - be made betwen the forseyd part*is*, the
same conteynyth ty - - - - - - - - e Venecyans, Florentynys, Senens
and Lucens shall ta - - - - - - - - - - te nor geue any ayde ageynst the
35 French Kyng in - - - - - - the duchy of Myllayn, and percas the
same s - - - - - - - haue bownden them sylf to geue - - - - - - defense
therof, and the French Kyng semblybly (?) of lyc - - - - - - e alle-
gyd - - - sylf no thyng to attempte ageynst the seyd Pope - - - - - - -
- - - - dorys, ne also perauenture agenst Naplys, yf th⟨at⟩ the Pope,
40 trustyng that by the exspuls⟨ion⟩ - - - - - owt off the duchy of Myllayne th'Empror ch - - - - - - - - hytherto hath dyrectyd all hys mynde
and co - - - - - - - - - - t regard of hys suerte or profyȝt*is* of - - - - - -
hys frend*is* to the maters of Myllayne onely shal be ⟨more f⟩acylle
to trewxe or peaxe than he hath hytherto - - - - - - ys the lest that
45 may be jugyd in thys matter - - - - - - - s too (?) yll, I pray God
that good resystens may be ma⟨de ageyn⟩st the French Kyng,
wyl we shal be treattyng with ⟨the Ambassador⟩ that comyth nowe
owt of France, our bargayne sh⟨all be lyke⟩ to be the better wherin
to haue some good successe - - - - - in desspere by reason of one
50 clause in - the [he] hede wherof I
haue set a tot. As sone as t⟨he Chanc⟩ellor shal be aryuyd, I shall
not onely aduertyse the Kyng⟨s Grace⟩ therof, but also of suche
communicacion as shal be ⟨had⟩ betwen vs. And th⟨us⟩ fare ye well.

17. abenne] abandon.
48. Wolsey mentions the conference with the Chancellor of Alençon in a letter to More of 5 February. (L.P.IV.1063; St.P. I.153.)
53. The great victory of Charles V over Francis at Pavia, and the imprisonment of Francis in Spain, changed Wolsey's policy, and we turn to the negotiations which ended in the Treaty of the More with France, 30 August 1525. (cf. Ep.140.)

138. To Francis Cranevelt.

De Vocht, Ep. 151 — London
Louvain MS. II.74 [fol. 94] — 16 May ⟨1525⟩

[The letter is written by a secretary; without doubt, John Harris. More himself wrote the last line and signed it.]

Literas tuas, mi Craniueldi, suauissimas letus accepi quas Gandaui ad me dedisti, ex quibus intellexi et te, et tuos omnes recte valere, id quod mihi fuit gratissimum. Ego quoque, vt vicissim de me cognoscas, meique omnes belle valemus, Superis gratia.
Viues noster, cum tuas accepi, ad vxorem decesserat. Libellus ille 5
ineptus de quo scripsisti, aduersus Erasmum nostrum editus, iam pridem apud nos erat; qui et mihi et multis aliis visus est sub ementiti authoris titulo emissus; quamobrem cuperem per te inquiri quis verus author fuerit; quis ad typographos attulerit: potest enim forsan ab eis disci. Quod si comperiri potest, quaeso certiorem 10
facias me, vt mihi innotescat etiam iste asinus qui alterius ferae pelle sese texerit. Feuinum conualuisse tam gaudeo quam morbum sensisse doleo; cui, atque vxori tuae optimae, salutem ex me dicas rogo plurimam. Noui in meis rebus nihil est. Mitto tibi et coniugi annulos aliquot consecratos munusculo, et salutem multam. Vale, 15
vir charissime.

Londini, postridie Idus Maias.

Plus quam totus tuus,

Thomas Morus.

Praestantissimo viro Francisco Craniueldio, Gandaui. 20

8. authoris] *supra*. 10. forsam *MS.* comperiri *A2*; comperi *A1*.
12. polle *MS.* Feninum *MS.* 18. Plus - - - *Mori manu*.

---

6. *Apologia in eum librum quem ab anno Erasmus Roterodamus de Confessione edidit, per Godefridum Ruysium, Taxandrum, Theologum. Eiusdem Libellus quo taxatur Delectus Ciborum, siue Liber de Carnium Esu, ante biennium per Erasmum Roterodamum enixus.*

The authorship is still uncertain. Erasmus at first attributed it to Vincent Dierckx Theodorici, but later to four Dominican friars, whose names formed the pseudonym —Godfried Strirode of Diest, Walter Ruys of Grave, Cornelius of Duiveland (Duvelandus), who was possibly called van Kempen, Campensis or Taxander, and Vincent Theodorici, called *the* Divine, Theologus. (cf. de Vocht, pp.405-408, Allen, Ep.1603, ll.36-52 and Ep.1655.) The book was published by S. Cocus and G. Nicolaus, Antwerp, 21 March 1525. The dedication, in the name Taxander, was to Edward Lee, Erasmus' former English antagonist, now Royal Almoner. (Allen, VI.1571,65n.; cf. also More's Ep.75.)

12. John de Fevyn (1490-1555) had been a fellow-student of Cranevelt's at the College of the Lily, Louvain, matriculating in 1506, and proceeding M.A. c.1510. He became Dean of the Collegium Baccalaureorum Vtriusque Juris. He spent some time in Italy, at Bologna, Pavia and Rome, and returned a Doctor of both laws. In 1510 he became Canon of St. Donatian's, Bruges, and in later years, also Scolasticus, with responsibility for the Chapter School. He wrote little and the philosophical treatises attributed to him have not been traced, but his work in teaching was of

139. To Francis Cranevelt.

De Vocht, Ep. 156 — London
Louvain MS. II.68 [fol. 88] — 6 June ⟨1525⟩

[The letter is entirely in More's hand. De Vocht dates it in 1525 partly because of its place in the bundle of letters to Cranevelt, and partly because the jesting reference to Cranevelt's wife indicates an acquaintance of some length of time. More had expected to go to the Netherlands in the spring of 1525, with regard to the plan of Charles V and Henry VIII to make a joint invasion of France. This was given up because England's policy changed completely after Charles V's great victory at Pavia. (cf. de Vocht, pp. 431-432, Ep. 153 and notes; also More's Ep. 137 and notes.)

The reference to Luther then relates to his changing attitude to the Peasants' Revolt.]

MI CRANEUELLI, SALUE.

Litteras tuas breues accepi, quibus cogor respondere breuioribus. De Luthero quod audisti verum est. Aduentus meus dilatus est, sed in Augusto spero me futurum tecum. Interim vale cum vxore, diurna mea, nocturna tua, domina vero communi.
5 Londini, celeriter; vi Iunii.

Tuus Thomas Morus.

Ornatiss*imo* viro D. Francisco Cranauellio, Brugis.

140. Commission to More and Others.

R.O. E.30. 923 — The More
Rymer, XIV.56 — 28 August 1525

[Louise of Savoy, Regent of France after her son was defeated and taken prisoner (L.P. IV.1120) at Pavia, commissioned John Brinon, president of her council, first President of Normandy and Chancellor of Alençon, and John Joachim de Passano sieur de Vaulx, master of her household, on 9 June 1525, to treat for peace with Henry VIII. (L.P. IV.1398.) Secret negotiations had probably been going on for some time with Joachim, a "wily, cautious, noiseless intriguer." (*ibid.* pp. lxxxix-xc.) Charles V protested

TIT. Craneuelli] *M2*; Crauelli *M1*. — 6. Tho. *MS.*

great importance. He lived with his cousin, Philip de Hedenbault, who was Gate-Ward of the Princenhof, and his sister Eleanor kept house for them.

More met him when in Bruges in August 1521 for the state visit of Charles V. Vives describes him as "iuuenis pectore et in primis cordato, et ad musas earumque studiosos omnes amandos a natura factus, studio educatus atque appositus"—a youth after More's own heart. (de Vocht, pp. xxxvii,xciff.,56-58.)

15. The imprints of the rings still show in the manuscript. Vives, in sending similar rings for More to Cranevelt's wife says: "sunt enim sacri more Britanniae." (de Vocht, p.276, l.68.) They had been blessed by the King and were considered a safeguard against cramp. (*ibid.* p.34,69n.)

against Joachim's position, as he feared Joachim would reveal all his negotiations with Francis for his release. The Emperor hoped to keep Henry and Francis apart (*ibid.* p. lvi) and so secure better terms with Francis. Wolsey wished the treaty with France, in order to preserve the balance of power after Charles' victory in Italy (p. cxii).

The treaty of the More (L.P. IV.1600) was signed 30 August 1525 (*ibid.* 1617).]

HENRICUS OCTAUUS, DEI GRATIA, ANGLIE ET FRANCIE REX, FIDEI DEFENSOR ET DOMINUS HIBERNIE, OMNIBUS, AD QUOS PRESENTES LITTERAE PERUENERINT, SALUTEM.

Sciatis quod nos,

De probitate, legalitate, circumspectione, fidelitate et industria, dilectorum et fidelium consiliariorum nostrorum, R⟨euerendissi⟩mi in Christo Patris Guill*iel*mi Cantuarien*sis* Archiepiscopi, totius Anglie Primatis et App*osto*lice Sedis Legati, charissimorumque consanguineorum nostrorum, Thome Ducis Norfolch*ie* Thesaurii Anglie, Henrici Marchionis Exon*ie*, Caroli Comitis Wigornie Camerarii nostri, ordinisque nostri Garterii militum, R*euerendissimi* in Christo Patris Nicolai Episcopi Elien*sis* et Thome More Militis, Sub thesaurii Anglie ad plenum confidentes, 10

TIT. octauus *om. Rymer.* Angliae *Rymer.* Franciae *Rymer.* Hiberniae *Rymer.* 2. Reuerendissimi *Rymer.* 8. Reuerendissimi *Rymer.* 10. Thesaurii *Rymer.*

4. cf. n. to Ep.31.

6. Thomas Howard II (1473-1554) was created Earl of Surrey in 1514, when his father was created Duke of Norfolk. He served as Lord-Lieutenant of Ireland, as commander of the fleet in operations against France in 1521-1522, and in 1523-1525 on the Scottish border. He was made Lord High Treasurer in 1522, in succession to his father. On his father's death in 1524 he succeeded as Duke of Norfolk, the third of the house of Howard.

He was Wolsey's enemy, plotted his fall, and favored the King's divorce from Catherine of Aragon.

With his son Henry, Earl of Surrey, he narrowly escaped execution for treason in 1547, remained in imprisonment in the Tower during Edward VI's reign, but served Mary as a member of the Privy Council. (D.N.B.)

7. Henry Courtenay, Marquis of Exeter and Earl of Devonshire (1496?-1538), was the son of Sir William Courtenay by Princess Catharine, youngest daughter of Edward IV, and therefore a first cousin of Henry VIII. He was created K.G. in 1521 and in 1525 had just become Marquis of Exeter. (L.P.IV.1432.) He served in the navy, in the Privy Council, in diplomatic missions, and aided the King in the divorce suit. But his great power in Devon and Cornwall and his independent attitude brought him the enmity of Thomas Cromwell, and led to his sentence and execution for treason in 1538.

7. Charles Somerset, Earl of Worcester. cf. Ep.42n.

9. Nicholas West (1461-1533) was educated at Eton and King's College, Cambridge, becoming fellow in 1483, and LL.D. before 1486. Richard Fox, bishop of Winchester, became his patron and secured diplomatic appointments for him. One of his early successes was as a commissioner for securing a commercial treaty with the Netherlands in 1506, so advantageous to English merchants that it was called the "Intercursus Malus" by the Flemings.

In 1509, West became dean of Windsor and completed St. George's Chapel.

West with other commissioners secured a defensive alliance with France in 1515, and for this service was rewarded with the bishopric of Ely. In 1516 he was a commissioner for a treaty with Scotland and in

Ipsos coniunctim, et eorum tres diuisim, nostros veros et indubitatos commissarios, oratores, deputatos et nuncios speciales et generales constituimus et ordinamus per presentes,

Dantes et concedentes eisdem coniunctim et tribus eorum 15 diuisim, vt prefertur, tenore presentium, potestatem, facultatem, auctoritatem et mandatum generale et speciale, pro nobis, heredibus, et successoribus nostris, cum oratoribus, ambassiatoribus, procuratoribus, deputatis et nunciis quibuscunque illustrissimi ac serenissimi principis Francisci Francorum Regis fratris et consan-20 guinei nostri charissimi, siue cum oratoribus, ambassiatoribus, procuratoribus, deputatis, et nunciis quibuscumque illustrissime domine Ludouice ipsius Francisci Francorum Regis Matris eiusque in absentia Francie Regentis, ad hoc sufficientem potestatem et auctoritatem habentibus, de et super pace, concordia, liga, con-25 federatione, vnione et amicicia, inter nos ex vna parte, et prenominatum Franciscum Francorum Regem seu dictam eiusdem Regis Matrem in absentia ipsius Francie Regentem ex altera, regna, terras, dominia, patrias, subditos, vasallos, fauentes, alligatos, confederatos, amicos et adherentes nostros et suos quoscunque, 30 nostrorumque et suorum heredes et successores, cum talibus pactionibus, legibus et conuentionibus que nostris, et dicti Francorum Regis aut eius Matris Francie Regentis oratoribus, ad id potestatem habentibus, pro commodo et vtilitate tam nostri quam dicti Francorum Regis successorum et subditorum nostrorum et suorum 35 videbuntur hinc inde opportune, conciliand*is* et ineund*is*, tractandi, concordandi, paciscendi, conueniendi et finaliter concludendi,

Nosque heredes et successores nostros, terras, patrias, dominia, subditos, et vasallos nostros quoscumque, ad conuentorum et con-40 clusorum inuiolabilem obseruantiam astringendi et obligandi, ac super huiusmodi conuentis concordatis et conclusis cum prefati illustrissimi Francorum Regis aut serenissime domine Regentis oratoribus ad id potestatem habentibus litteras efficaces et validas pro parte nostra tradendi, aliasque consimilis effectus et vigoris 45 ab ipsis seu eorum altero petendi et exigendi,

Plenamque preterea potestatem iuramentum in animam nostram faciendi et prestandi quod tenebimus et perimplebimus, tenerique et adimpleri curabimus realiter et cum effectu, omnia et singula

18. et *Rymer*.

1518 negotiated a treaty of universal peace with Francis I and Leo X.

In doctrine, West was a conservative. He built the beautiful West chapel in Ely Cathedral, in which he was later buried. (cf. D.N.B.)

22. Louise of Savoy.

que in predictis et circa ea nomine nostro concordabunt et conuenient, iurabunt, firmabunt et concludent, atque illa ratificabimus 50
et nullo vnquam tempore reuocabimus, nec contra ea vel eorum aliqua quicquam faciemus vel quouis pacto veniemus; simileque iuramentum a dicto illustrissimo Francorum Rege, seu a dicta seren*issi*ma domina Ludouica Francie Regente, eiusue aut eorum oratoribus et commissariis ad id sufficientem auctoritatem haben- 55
tibus, prestari videndi, petendi, et exigendi,

Ac generaliter omnia et singula alia nomine nostro faciendi, gerendi, exercendi, et firmandi, cuiuscunque nature aut importantie fuerint aut esse poterunt, in predictis et circa ea necessaria et quomo*do*libet opportuna, et que tanti negocii qualitas cum eius- 60
dem circumstantiis, dependentiis, et annexis exigit aut requirit, etiam si expressis longe maiora sint aut talia forent que de sua natura ad ea perficienda mandatum exigant magis speciale quam presentibus sit expressum;

Promittentes, bona fide et in verbo regio, quicquid actum, ges- 65
tum, aut conuentum fuerit per dictos nostros oratores commissarios coniunctim, vel tres eorum diuisim, nos ratum gratum et acceptum habituros, neque contra ipsorum aliquid vel aliqua contraueniemus, imo ipsa manutenebimus inuiolabiliter obseruabimus, manuteneri et obseruari faciemus, et per litteras nostras patentes 70
ratificabimus et confirmabimus.

In cuius rei testimonium hiis litteris nostris patentibus manu nostra signatis magnum sigillum nostrum apponi fecimus.

Dat. apud More xxviii die Augusti, anno regni nostri decimo septimo. 75

141. From Wolsey.

Brit. Mus. MS. Titus B.I. fol. 78
Calendared, L.P. IV.1696 ⟨c. October 1525⟩

[Dated by the reference to the Jubilee.]

Master Moore, I commende me hartely vnto you, and right ioiesly and glad I am to vnderstonde, howe most consolingely, and with what reuerence, humilite and devocion the King*is* Highnes receyved the holy Jubile, to the gret merite, as I trust in God,

54. serenissima *Rymer*. 60. quomodolibet *Rymer*. 74. vicesima octaua *Rymer*.

4. The Jubilee, instituted by Boniface VIII in 1300, to be celebrated every century, was now observed every twenty-five years. (Paul II, *Ineffabilis*, 1470.) The special ritual was drawn up by Alexander VI in 1500. Plenary indulgence was granted for confession with penitence, and visiting churches a stated number of times.

5 of his Grace, and to the most holy, religiouse and honorable example, comfort and reioyse aswel of al those that wer present at the beholding and doing therof, as to al other his subgett*is*. And semblably glad I am that his Grace, like a most kind and gracious prince and master, tendering moore the helth of his seruaunt*is*, 10 officers and ministres thenne his owne priuate and particuler profit, is contented by your good mediation, to adiourne the terme, which vndowtedly is not oonly to the comfort of al such as shuld attende therat, but also the King*is* Grace haue goten therby many prayers, gret and most humble thank*is* ⟨for⟩ the same. And ther 15 shal noo losse nor hindraunce to his affayres ensue therby.

Ye shal also aduertise the King*is* Grace, howe Monsieur John Joachim hath been with me, and communicate such newes as be wryten vnto the President and him in cyphres sent owt of Fraunce, wherby doth appere that, by reason of th'Emperors high 20 demaund*is,* the French King*is* deliueraunce is not like to be soo sone as the President reaported vnto the King at his being here, for nowe th'Emperor, perceyving that the French King is owt of parel of deth, and perfitely recouered, requireth the hol Duchie of Burgon, the same to be holden of th'Empire, all Picardye, and 25 other plac*is* on this side the water of Somme, with disharge.

142. To Francis Cranevelt.

De Vocht, Ep. 177 — London
Louvain MS. II.97 [fol. 118] — 22 February ⟨1526⟩

[The letter is an autograph, except for the address added by a secretary, probably John Harris.

17. John Joachim de Passano, Sieur de Vaux and John Brinon, President of Louise of Savoy's council and Chancellor of Alençon, had come to England again in June 1525, and remained until late December. (L.P.IV, pp.xc,xcii; 1398,1850.)

23. Francis was ill of fever and ague on the 11 September. When his sister, the Duchess of Alençon, came on 19 September on a mission to him and Charles V, news of his death was hourly expected, but by the 1 October, he was much better. (L.P. IV, pp.civ-cvii; nos.1694,1783,1788; 1799 reports a second and more severe illness.)

The terms discussed were the marriage of Francis to Eleanor the dowager Queen of Portugal, Charles' sister, and the acknowledgment that he held the Duchy of Burgundy in the Emperor's name, who would settle it on Eleanor and the eldest son of the marriage. Francis was to renounce all claim to Milan, Genoa and Ast, Naples, Tournay, Arras and Hesdin. (L.P. IV.1735.) Francis' sons were to be hostages for his liberation. (*ibid.*1799.) These terms were accepted in the Treaty of Madrid, 14 January 1526. (*ibid.*1891.)

25. The discharge of Charles' proposed marriage with the Princess Mary. Instructions to the ambassadors Tunstal and Sampson of 21 September agreed to this, but with provision for payments. Charles now proposed to marry the Infanta Isabella of Portugal and, as her dowry would be very large, the ambassadors were enjoined to get a first payment as large as possible, and another instalment when the marriage money was paid.

Charles Harst (1492-1563), often a messenger for Erasmus, carried the letter. He was educated at Cologne, Orléans, and Louvain. In 1524 he was in Erasmus' service. In August 1525 he went as messenger to Rome and in December took letters to England. For a time he taught privately at Louvain, and there married Catherine van der Clusen. In March 1530 he entered the service of John III, Duke of Cleves and Jülich. He went on diplomatic missions to Ferdinand of Austria 1538, to Spain 1539, and to Charles V 1544. He attended Anne of Cleves to England and remained 1540-1544. He became Councillor to the Duke of Cleves and settled in Düsseldorf. He died at Xanten 1563. (Allen IV.532.)

The letter is dated by the reference to the Treaty of Madrid.]

Dulcissimae mihi fuerunt literae tuae, Craneuelde charissime, quas mihi reddidit Harstus. Picturas coniugum cum tua descriptione conferens, perspexi plane id quod gaudeo, vel dominae causa te nondum senescere, quum adhuc sis tam egregius formarum spectator. 5

Conuenit inter Monarchas pax, quam diu duratura nouit Deus; ego perpetuam opto, nec omnino despero. Sic sunt edocti bellorum mala, vt satis videant ex re sua non esse vt repetant. Sperarem tamen securius, si paulo mitioribus conditionibus quam quae, non satis certo, feruntur, inita fuisset concordia. Nebulones qui conspirarunt in Taxandri nugas, velut serpentes euomito veneno, sese abdiderunt in tenebras, sed infamia scurrarum versatur in luce. 10

In morte Dorpii plurimum profecto perdiderunt bonae literae; cui quod tam elegante carmine iusta soluisti, vehementer, mi Craneuelde, laudo. Dominam vxorem tuam et item meam, meo nomine, rogo, saluta plurimum. Vale, doctissime Craneuelde, et animo meo charissime. 15

Londini, xxii Februarii; raptissime.

D⟨omi⟩no Cranephfeldio, Mechliniensi consiliario.

143. To John Bugenhagen.

Epistola, in qua -- respondet literis Ioannis Pomerani, Louvain, 1568 ⟨c. 1526⟩

[*Doctissima D. Thomae Mori clarissimi ac disertiss. Viri Epistola, in qua*

4. *sic M2*; quum tam *M1*. 7. *sic M2*; edocto *M1*.
14. vehementer vehementer *MS.*; *del. MS.*
15. Dominam] D. *MS.* 16. *M2*; salutem dicas plurimam *M1*.

2. Cranach's woodcuts of Luther and Catherine von Bora (de Vocht, p.481n.).
6. Treaty of Madrid, 14 January 1526. (cf. notes to Ep.135.)
10. cf. Ep.138, notes.
13. cf. Ep.15, notes.
14. cf. De Vocht, Ep.175 and notes.
16. cf. Ep.139.
19. Addressed by the secretary, as shown also by the misspelling.

non minus facete quam pie, respondet Literis Ioannis Pomerani, hominis inter Protestantes nominis non obscuri. Louvain, John Fuller, 1568.

John Fuller (or Fowler) printed from More's manuscript, probably among the papers in the possession of his father-in-law, John Harris, once More's secretary. (cf. Bridgett, p. 218n., de Vocht, Ep. 115 *introd.*) The marginal notes are Fuller's, not More's.

John Bugenhagen was born 24 June 1485 at Wollin in Pomerania, the son of a town councillor. He matriculated at the University of Greifswald in 1502, then at the beginning of its interest in Humanism, and still influenced by the teaching of Hermann Busch. Bugenhagen studied the Latin classics, wrote Latin prose and verse, and began Greek, laying the foundation for his classical culture and exactness, which won from Melanchthon the title "Grammaticus."

In 1504 he was appointed rector of the town school of Treptow on the Rega. Under the influence of Humanism, he turned from the Scholastics to the Fathers, and on reading Erasmus' works, began a close study of the Bible. He gave public lectures on St. Matthew, I and II Timothy and the Psalms, stressing religious and rather allegorical interpretation, rather than scholarship. In 1509, he was ordained to the priesthood.

Under Bogislav X's authority, he gathered materials for his history of Pomerania, which is still important for its comments on folk ways and the situation in the Church.

Bugenhagen was at first shocked by Luther's *De captivitate Babylonica,* but on second reading agreed with its point of view, and wrote to Luther, who replied and sent the *De libertate Christiana.* Desiring to know Luther personally, he moved to Wittenberg, and for the rest of his life was connected with its work. He shortly became a member of the theological faculty of the university, and in 1523 city pastor. His preaching was constructive and sympathetic with the needs of the people, but his sermons were far too long.

He supported Melanchthon during the controversy with Carlstadt and the Zwickau prophets, during Luther's absence at the Wartburg. He opposed the iconoclasts, but wanted changes in the Mass by orderly means. He opened the controversy against Zwingli, and denied the Eucharistic doctrine of the Sacramentarians, as he did that of the Roman Catholics. He desired a simple celebration of the Holy Communion in German, but like Luther made the changes in the service very slowly. His doctrinal position was that of consubstantiation.

His later ministry in Wittenberg was interrupted by years of absence in the organization of the church in Brunswick, Hamburg, Lübeck, Pomerania, Denmark, and Schleswig-Holstein.

During his service in Wittenberg he was most closely associated with Luther, and was Luther's confessor as well as colleague. He died 1558.

(cf. Karl Vogt, *Johannes Bugenhagen Pomeranus,* 1867; Kawerau's article in the Herzog-Hauck *Realencyklopädie*; Bugenhagens *Briefwechsel*, ed. O. Vogt. These mention the *Epistola ad Anglos,* and Cochlaeus' reply, but not More's long letter to Bugenhagen.)]

DOCTISSIMA SIMUL AC ELEGANTISS. D. THOMAE MORI CLARISSIMI VIRI EPISTOLA, IN QUA NON MINUS PIE QUAM FACETE RESPONDET LITERIS CUIUSDAM POMERANI, HOMINIS INTER PROTESTANTES NOMINIS NON OBSCURI.

Redeunti domum ex itinere tradidit e ministris quidam literas mihi, quas accepisse se dicebat ab ignoto quopiam. Vbi resignaui, reperio, Pomerane, haud scio cuius manu, sed nomine scriptas tuo: verum ita scriptas tamen, vt neque nominatim, neque in genere missae viderentur ad me. Inscripseras enim: *Sanctis qui sunt in Anglia.* At ego quam procul inuitus ab illis disto, in quos vere tantus competat titulus: tam longe libens absum ab iis, qui soli sancti sunt, Pomerane, tibi: cui nihil sanctum esse, praeter Lutherani sectam, video.

Barlous is erat, pseudo-episcopus Cicistrensis.

Itaque primum demirabar mecum, quid ei, quicquid erat hominis, venisset in mentem, vt epistolam talem potissimum curaret obtrudendam mihi, qui me Lutherano negotio nunquam immiscueram. Verum pressius expendenti rem subiit dubitatio, ne, quod in ea re nihil hactenus me commouissem, id ipsum fortassis in causa fuerit, vt idoneus existimatus sim, qui tali tentarer epistola. Nam quum omnes hic mortales passim aduersus execrabiles eius haereses clamarent, nec ego ea de re quicquam fere loquerer, quod neque Theologus eram, nec vllam personam gererem, ad quam eius vlceris cura pertineret; Lutheranum quempiam spem concepisse reor fore, vt aequitatem meam facile talis Epistola, tam in speciem pia, pelliceret in partes suas.

Haec ego mecum reputans, tametsi nihil responsi tuae requirebant literae, et ego plane decreueram ab eiusmodi pestis attactu noxio semper abstinere, tamen quia mihi res obtrusa est, et fors tacendo forem spem improbam porrigentis aucturus, statui potius ad literas tuas rescribere, quo testatum reddam omnibus, me quantumuis rudem rei Theologicae, constantius tamen esse Christianum, quam vt sustineam esse Lutheranus. Respondebo igitur

---

1. For further comment, cf. my "Sir Thomas More's Letter to Bugenhagen," *The Modern Churchman,* March 1946.

2. The marginal notes are by the editor. William Barlow (d.1569?) was educated by the canons regular of St. Austin at St. Osyth's, Essex, and in Oxford, where he proceeded to his doctorate. He became a Canon of St. Osyth's, held successively several priories, and by 1530 was writing heretical pamphlets. These were prohibited by the bishops, and he begged for pardon. In 1531 he published an anti-Lutheran pamphlet and was rewarded with preferments. By 1535 he was a zealous Reformer, and was successively Bishop of St. Asaph, St. David's and Bath and Wells. Under Mary he was imprisoned, but escaped to the Continent. Under Elizabeth in 1559 he became Bishop of Chichester.

6. As in the Epistle to the Colossians 1:2.

singulis Epistolae tuae partibus, quo facilius scire possis, quantum
30 quaque parte profeceris. Hunc ergo in modum incipis:

Gratia vobis et pax a Deo Patre nostro, et Domino nostro Iesu Christo.

Nihil est his in verbis mali, sed fecisse modestius videreris, si mores Apostoli potius esses imitatus, quam si tibi arrogasses Apos-
35 tolicum stylum. Nam Apostolicum est propemodum et illud:

Non potuimus non gaudere, quando audiuimus et in Anglia Euangelium gloriae Dei apud quosdam bene audire.

An non haec dum legit, interim lectori subit Apostolus Ecclesiae quondam in cunis adhuc lactenti congratulans? Quem tu, Pome-
40 rane, demum quam concinne nunc imitaris, scilicet? Quasi velut olim, tempore Apostolorum, Corinthiis Euangelium praedicari coepit aut Galatis, ita nunc tandem praedicantibus vobis, Euangelium audiri coeperit et placere Britannis; atque id tamen tam nuper et parce, vt ne adhuc quidem in Britannia bene audiat
45 Euangelium Dei, nisi apud quosdam.

Verum Christi Euangelium, ac eius pulchra quaedam descriptio.

Quid tu appelles Euangelium, nescio: verum id scio, si id fateris esse Euangelium quod in mundum protulit Christus, quod quatuor olim Euangelistae scripserunt, Matthaeus, Marcus, Lucas et Ioannes, sic intellectum quomodo veteres omnes Ecclesiae Proceres interpretati sunt, et totus Christianus orbis annos iam plus quam mille et quingentos et intellexit, et docuit: istud, inquam, Euangelium annos plus minus mille perpetuo bene audiit in Anglia, vsqueadeo vt illis etiam passim hic placeret ac probaretur Euangelica fides, quorum fragilitas erat infirmior, quam vt mores
55 praestarent Euangelio dignos. Sin Euangelium videri postulas noua ista, perniciosa et perabsurda dogmata, quae velut Antichristus, nuper Lutherus inuexit in Saxones, quae Carolostadius,

---

32. Col.1:2.

57. Andreas Bodenstein von Karlstadt (1480-1541) was B.A. Erfurt, 1503, and after a year's study at Cologne, went to Wittenberg to teach philosophy. He was at that time a Thomist. In 1508 he was made Canon of All Saints and in 1510 Archdeacon. In the same year he became Dr.Theol., and theology lecturer at the university. He visited Rome 1515, studied law there and became J.U.D. He broke with Scholasticism 1516, writing 151 theses on the Impotence of the Will.

The disputation at Leipzig with Eck showed Karlstadt that his views were incompatible with those of the church.

In 1521 he published 66 theses on clerical celibacy. Luther had attacked the question 1520 in his tract *To the Christian Nobility of the German Nation respecting the Reformation of the Christian Estate*, and in the *Monastic Vows*, 1521. This was followed early in 1521 by the marriages of several clergy. One of these, Jakob Seidler, was put in prison by order of Duke George, and was surrendered to the Bishop of Meissen. Karlstadt's tract was part of the controversy in Wittenberg, and demanded absolute freedom of choice for priests with regard to matrimony. Karlstadt himself married Anna von Mochau in January 1522.

During Luther's absence at the Wartburg, the Augustinians abjured obedience

Lambertus, Œcolampadius, ac tute, non aliter ac Lutheri Cacangelistae promouetis, ac per orbem spargitis: sunt in Anglia profecto, id quod nos non gaudere non possumus, vix quidam apud quos adhuc bene audiat istud Euangelium vestrum.

Vtinam et hoc quoque nunc tam vere dici liceat.

Caeterum et illud nobis annuntiatum est, multos infirmiores adhuc auerti, propter rumores nescio quos qui istic feruntur ab illis, qui Euangelio Dei aduersantur, de nobis. Haec est gloria nostra: tantum abest, vt mendacia in Euangelii professores iactata 65

---

to their prior, refused to celebrate Mass, and to administer the sacrament under one kind only. Karlstadt was one of a commission of four theologians to consider these changes. At Christmas 1521 he administered the communion in both kinds and went on to give up auricular confession, elevation of the host and fasting requirements, and the use of images. Frederick the Wise was opposed, and Luther returned secretly from the Wartburg to assure a slower and more conservative reformation. Karlstadt lost all influence and turned from practical leadership.

He laid aside his clerical garb in 1523, denying the indelible character of the priesthood and even its position as a profession. For a time he worked as a peasant, but soon took up pastoral charge at Orlamünde, introducing radical Protestant changes. Luther's visit to Orlamünde failed, but Karlstadt was outlawed. In this period came his denial of Christ's corporeal presence in the Eucharist, based on the exegesis that with the τοῦτο Christ pointed to His own body. This is incorrect grammatically, but it is only fair to say that it was not put in the center of his teaching.

He recanted and returned to Saxony for a time, but later withdrew his recantation and fled. After a period of wandering, he was called in 1534 to Basle as preacher at St. Peter's and professor at the University. He died there of the plague in 1541. (cf. Barge, *Andreas Bodenstein von Karlstadt*, 2 vols., and his article in Herzog-Hauck.)

58. Francis Lambert (1486-1530), an itinerant preacher of the Franciscan Observants, left his order in 1522, as the result of the reading of Luther's works. After visits in Berne, Zürich and Wittenberg, he accepted the views of the Reformers. He married in 1523, the first French monk to marry, and in 1524 wrote a tract against celibacy. He tried in 1524 to introduce the Reformation in Metz, and failing, went on to Strassburg, where he preached to the French residents. In 1525 he published his *De arbitrio hominis vere captivo* against Erasmus. For a time he followed Luther, but he finally gave up the title of Lutheran, though keeping his respect for the Reformer. In 1527 he became professor at the new university of Marburg. His Eucharistic doctrine was that of a commemoration, not a repetition of the sacrifice of Christ; the elements are visible signs of the substance of Him, Who is invisibly present. (cf. the article by Wagenmann and Carl Mirbt in Herzog-Hauck, and that by Stieve in the *Allgemeine deutsche Biographie*; biographies by F. W. Hassencamp and Roy Lutz Winters.)

58. Œcolampadius (Heussgen) (1482-1531) was educated at Bologna in law and at Heidelberg in theology. He studied not only Latin and Greek but also Hebrew. In 1515, he was called to Basle by the bishop, Christopher von Utenheim as preacher, where he made the acquaintance of Erasmus, but this was broken by his interest in Luther. He soon entered the monastic life but left it in 1522. For a time he was chaplain to Franz von Sickingen, but in November 1522, he was again called to Basle. The council appointed him professor 1523, but as the university was more and more the center of the old faith, his lectures on Isaiah were given outside the academic guild. In 1524 he became preacher at St. Martin's and made slight changes in the service with the consent of the council. Influenced by the introduction of the Reformation in Berne in 1528, Basle began Evangelical services early in 1529 and called Œcolampadius as the first pastor at the Minster. He was responsible for the Reformation Order of the church of Basle.

His sacramental views were similar to those of Zwingli, and are shown in his *De genuina verborum Domini "hoc est corpus meum" - - expositio*, 1525, and in the Colloquy at Marburg. He taught that Christ is truly present and is received in the Eucharist, but not corporeally. (*art.* by W. Hadorn in Herzog-Hauck.)

refellenda duxerim: alioqui in quo videretur illa beatitudo? Beati eritis, quum maledixerunt vobis homines.

Auertuntur a vobis haud dubie non infirmiores, sed multo firmiores in fide: non propter vlla mendacia, quae iactantur in
70 Euangelii professores (sic enim vocas Lutheranos) sed propter assidua scelera, quae nimium vere designatis vos Euangelii peruersores. Nam quaeso te, quae mendacia feruntur de vobis? Aut quomodo Euangelium profitemini? An mendacium esse contendes, si quis factionem vestram dicat bonam Germaniae partem
75 tumultu, caede, rapinis, incendio deuastasse? Audebis eos mendaces dicere, qui vestram doctrinam impiam, tot scelerum, tot damnorum, tot vastitatum causam esse testantur? An seditiones mouere, laicos in Clerum concitare, plebem in Magistratus armare, populos aduersus Principes incendere, pugnas, ruinas, bella, strages procurare, idem esse probabis, quod Euangelium profiteri? Dic, obsecro, nobis, egregie professor Euangelii, destruere Sacramenta Christi, Sanctos Christi spernere, Matrem Christi blasphemare, Crucem Christi contemnere, vota Christo facta vilipendere, dicatum Christo caelibatum soluere, virginitatem Christo consecratam
85 polluere, monachos ac velatas Christo virgines ad coniugium, hoc est, ad perpetuum stuprum hortari, nec hortari solum verbis improbis, sed exemplo quoque foedissimo prouocare: Dic, inquam, praeclare professor Euangelii, vel tu Euangelista Lutheri, vel Christus tuus Lutherus ipse, an haec flagitia facere et docere, id
90 demum sit Euangelium profiteri?

Fructus doctrinae Lutheranicae. Pietas ac religio quam nouum Lutheri Euangelium peperit.

Auertuntur igitur a vobis haud dubie (quod dixi) non infirmiores, sed multo firmiores in fide: non propter ea tantum, quae vere narrantur de vobis, id est, ob ea quae tam scelerate passim vestra designat factio, propter quae Deus vltione manifesta facino-
95 rosam sectam persequitur; verum etiam quod talia vident esse vestra dogmata, quae pugnent exitialiter aduersus doctrinam Christi.

Qua in re quanquam habeant contra conatus vestros in plerisque omnibus aperta Scripturae verba, tamen quo minus dubitent in
100 Scripturae sensu non hallucinari se, habent aduersus inconditos clamores vestros (quibus nimirum solis probata vultis haberi, quae dicitis) primum sanctissimos quosque Patres, quotquot olim illustrati diuinitus, et Scripturas elucidarunt, et optimorum exemplo morum, Christiani populi promouerunt pietatem. Habent

---

67. Matt.5:11.
75. The Peasants' Revolt 1524-1526.
85. With regard to these clerical marriages, cf. note to lines 57,58.
87. cf. notes to lines 57,58.

deinde totius Orbis Christiani per tot aetates, quot a Christo passo fluxerunt adusque vestra tempora, perpetuum consensum: quem si contenditis absque Sancto Spiritu conspirasse, qui facit vnanimes in domo; si videri vultis Ecclesiam totam per tot secula, seducente Diabolo, in vnum consensum potuisse coalescere aduersus Euangelium Christi; quid aliud agitis, quam vt funditus omnem adimatis Christi Euangelio fidem? Quippe quod (vt ipsi fatemini) nec agnosci quidem posset, nisi commonstraret Ecclesia. 105 110

Habent aduersus vos et illud, quod ea quae iam docetis vos, pleraque omnia docuerunt ii, quorum errores iam olim damnarunt Patres, quorum conuictum semper explosit Ecclesia, quorum impietatem supplicio detexit Deus; quum vos e diuerso nihil habeatis omnino, quod aduersus beatorum Patrum vitas (quorum memorias tot aetates Ecclesia veneratur) prorsus possitis hiscere. Illi ergo quum vniuersi nostram fidem propugnent, vestraque prosternant dogmata, quis non se declaret insanum, qui vestros velit authores eo sequi, quo suus eos demersit error, ac non iis malit adiungi, quos cum Christo regnare, nec vos dubitatis, qui, quoad potestis, per odium illis atque inuidiam detrahitis? Nam initio, quum falso vobis esset persuasum, vos omnia solos scire, orthodoxae fidei studiosis nihil vsquam legi praeter concertationes scholasticas, tum freti (vt videbatur vobis) aliena ignorantia, profitebamini sanctorum Patrum sententiis vos staturos. At posteaquam vos vidistis vestra spe atque opinione falli, et iam decreta vestra passim sanctissimorum virorum testimoniis redargui, tum vero vobis e superbia tam immanis natus est liuor, vt dum Superis pudet cedere, statueritis inferis omnia deuouere. Sic ea demum nata est apud vos et impia simul et insanissima blasphemia: *Non curo decem Hieronymos, non curo centum Cyprianos, non curo mille Augustinos, non decies mille Chrysostomos.* 115 120 130

Luterus eiusque sectatores noui Gnostici et omniscii.

Ipsius Lutheri verba.

Denique ne quid officeret luminibus vestris Sanctorum cum Christo regnantium gloriosa maiestas et splendor, aggressi estis conceptam de illis opinionem reuellere, dignationem lacessere, autoritatem detrahere, cultum omnem atque honorem, quoad potuistis, auferre. Sed illi, Pomerane, fortes et inuulnerabiles, et iam in sublimi petra collocati, conatus vestros inualidos, vt paruulorum sagittas, irrident. Honorantur enim, et honorabuntur semper amici Dei, et viuet eorum memoria in seculum seculi; quum eorum interim omnium, quos vester error tam multiplex, ab haere- 135

Psal. 63.

Psal. 138.

134. I cannot identify.
141. Ps.63:8. (Vulg.)
142. Ps.138:17.

tico quisquis erat primo, per tot aetates habet autores, memoria
Psal. 9. perierit cum sonitu. Nam cum tot orthodoxi libri, per tot saecula
sic seruati sint, vt pretium cum tempore creuerit; haereticorum
omnium, paulo post suam cuiusque mortem, sic interierunt opera,
vt hodie nullius antiqui quicquam prorsus extet vsquam. Nec
tamen olim, quum peribant illa, legibus adhuc erat cautum, vt
150 addicerentur ignibus: vt plane testatum sit, ipsius Dei manu factum,
vt haereticorum telae velut aranearum casses deciderent, et
per se neglectae sordibus et situ funditus exolescerent. Nec dubium
est, quin vestris quoque laboribus (qui multo maiorem moliuntur
Christianae pietati perniciem) haud minus pernix instet atque
155 incumbat interitus, quum sanctorum interim Patrum (quantumuis
ringatur inuidia) et venerabilis erit memoria et in manibus
florescent opera, e quibus aduersus vestra venena (quibus almum
Scripturae fontem inficitis) assidue sugat populus fidelis antidotum.
Quorum consensus Patrum, vt fortiter aduersus vos con-
160 sistit, ita non minus fortiter vestra vos oppugnat dissensio, qua
non singuli solum pugnant inter se, verum etiam quisque passim
dissentit sibi. Verum vt ista, quae dixi, multaque itidem alia
Catholicos auertunt a vobis, ita procul dubio cordatos viros abstrahunt
et illa factionis vestrae plusquam scelerata facinora.

165 Qua in re rursus ac rursus miror, ita me amet Deus, qua fronte
possis scribere, mendacia confingi de vobis, et eam esse omnem
gloriam vestram. Adeo tibi fugit pudor omnis, vt sustineas dicere,
ea falso factionis vestrae sicariis impingi, quae nec ipse nescis,
nimium vere passim magno cum Germaniae tumultu, et tot mil-
170 lium internecione patrari? Et quum tam immania sint sacrilega
illa facinora, quibus grassatur in praeceps effraenata licentia praetextu
libertatis Euangelicae, vt vix vlla sit vrbs in bona parte Germaniae,
vix oppidum vllum, villa, domus, rusculum, vbi non ista
vestra factio rapinae, stuprorum, sanguinis, sacrilegii, caedis, in-
175 cendii, ruinae ac vastitatis tristissima monumenta reliquerit; tu
nobis interim, Pomerane, quam Euangelice succinis? *Haec est
gloria nostra.* Nec dignaris refellere, sed beatos praedicas esse vos,
quum vobis maledicunt homines. Recte ista, si mendacia in vos
confingerentur. Recte, si ideo vobis maledicerent homines, quia
180 vos bene faceretis. At nunc quid dicere possis ineptius, quum vos
vere tanta mala et facitis, et docetis, vt maiora de vobis ne fingere
quidem quisquam possit? Et quam praeclare gloriaris, quasi beati
sitis, scilicet, quod vobis maledicant homines propter iustitiam:

---

145. Ps.9:7. 178. Matt.5:11-12.

quum re vera propter iniquitates vestras, propter scelera, seditiones, caedes, rapinas, haereses, et perniciosa schismata meritissimo iure vobis et homines maledicant, et Deus? 185

Sed istud videlicet animos tibi facit, quod ista Wittenbergae non fiant: nam ita videris tibi praeclare moderari sermonem, quum statim ista subiungis:

Neque tamen defendimus, si qui alibi praetextu Christianae libertatis quid designent non Christianum: quandoquidem non omnes Christum induerunt, qui Christi nomen sibi vendicant. 190

Quam modeste, quam parce moderaris istud, Pomerane? Si qui, Si quid, Si alibi, Si non Christianum: quum intelligas, et vbique ferme, et omnes, qui quidem vestri sint, et omnia, non solum non Christiana, verum etiam passim designare plusquam Diabolica. Quod si Wittenberga sibi temperaret ab istorum societate facinorum, an id satis esse causae censes, vnde vestris dogmatibus accrescat autoritas: e quibus videamus reliquam Germaniam totam concuti, periclitari, subuerti? Verum quis credat integram scelerum Wittenbergam esse, qui videat ex illo fonte profluere totam istam lutulenti coeni colluuiem, quae tam late terras omnes tetra peste peruasit? 195 200

Integra scilicet Wittenberga sit, in qua Lutherus scelerum caput, malorum machinator et artifex, truculenti Dux exercitus castra sibi fixit; vbi legatis assidentibus vobis in horas initur consilium, quo non aliud quam de mouenda seditione, de subruenda fide, de extirpanda Religione, de prophanandis sacris, de corrumpendis moribus, de prostituendis Virginibus, de populanda virtute tractatur. Vnde velut e Praetorio datur signum, petuntur tesserae, mandata mittuntur, et summittuntur auxilia. Vos ardentem facem in totam immisistis Germaniam. Vos ingentem flammam, qua nunc ardet orbis, accendistis. Vos adhuc flatu noxio sceleratum promouetis incendium. Et quum haec et illustriora sint, quam vt latere, et sparsa latius, quam vt negari, et magis perniciosa, quam vt tolerari queant; tu, Pomerane, tamen quam sancte nobis ista praescribis? 205 210 215

Scopus consilii Lutheranorum.

Hoc certe miramur, cur sacrum Christi Euangelium quidam isthic verentur suscipere: propterea quod de nobis mala dicuntur, ignorantes quod oportet Filium hominis reprobari a mundo, et stultitiam haberi praedicationem Crucis. 220

Desine, Pomerane, mirari, et omnes vobis desinite tam impense

192. cf. Gal.3:27.
220. Mk.8:31.
221. i Cor.1:18.

placere, quam falso. Neque sic insaniatis, vt velitis e duobus aut tribus Apostatis, et a Christi fide transfugis, totam aestimare
225 Britanniam. Si minus tibi notus est populus (quem si pernosses, aliter sentias) si minus noti Pontifices, (qui si cuiusmodi sunt, intelligeres, improbam istam spem deposuisses), at vel ex eruditione notior tibi sit necesse est, quam vt eius ditionem debeas tibi corrumpendam sumere, huius inclyti regni Princeps, non magis
230 inuictus, quam pius, quum sit inuictissimus. Is quum iam pridem praeceptorem tuum Sacramenta Christi oppugnantem clarissimis Scripturis et euidenti ratione prostrauerit: vnde tibi tandem fiducia creuit, vt eius populum te speres posse seducere? An quod absque manuum impositione, contra sacras literas, contra Sanctorum dog-
235 mata, contra totius Ecclesiae perpetuam consuetudinem, ausus es Episcopi tibi nomen arrogare Wittenbergae, ibique, velut officii sancti doctrinam salutarem, praeter inuectas haereses alias, adiuncta tibi, quum Sacerdos esses, ac vouisses castitatem, libidinis tuae socia, docere sis ausus homines, Deo dicata vota negligere: idcirco
240 viam tibi factam censuisti, qua Pontificis munus obires apud Anglos, atque id tam valde magnifice? Tanquam apud nos successus omnis Euangelici negocii prorsus penderet a vobis, velut si vos hic bene audiatis, prosperet Euangelium: sin laboretis infamia, res Euangelica simul abeat retro.

245 Nae vos profecto magnifice fallimini. Nam nec Euangelium hic tam parui sit, neque vos tam magni, vt propter vos aut recipiatur, aut repudietur Euangelium. Sed nec Filius Hominis reprobatur a nobis, nec habetur pro stultitia praedicatio Crucis. Imo (quae scandalum Iudaeis est, et stultitia gentibus) ea Christi Crux gloria est
250 Christianis nobis. Sed profecto ridiculum est, quoties audimus Lutheranos magnifice loquentes de Cruce, cum in Crucem ipsam Christi (quae sacrum et venerabile corpus eius in sua Passione, nostra vero redemptione gestauit) ipsorum Christus Lutherus, homo non vna tantum cruce dignus, tam impias passim blas-
255 phemias euomat.

---

232. Henry VIII, *Assertio septem sacramentorum*, 1521.

236. This perhaps has its origin in a jest of Luther's, like his reply to the papal legate, Paul Vergerius in 1535, acknowledging their Evangelical ordinations: "Freilich tun wir's, denn der Papst will uns keinen weihen und ordiniren. Und sehet, da sitzt ein Bischof, den wir geweihet und ordinirt haben, und wies auf den D. Pommer." (Vogt p.364.)

Pomeranus was appointed by the Elector as General-Superintendent only in 1536. (*ibid.*)

He had been ordained to the Roman priesthood in 1509 (*ibid.* p.9), but in 1522 had married Eva Rörer, sister of Georg Rörer. (*ibid.* pp.57-58.) In 1525 he wrote his tract, *De coniugio episcoporum et diaconorum*.

249. i Cor.1:23.

255. *Vom hailigen Creütz in den Kirchen.* Wittenberg, 1522.

Quas ne quis me putet fingere, legat, qui volet, execrandam eius concionem de Cruce. Quae scelerata concio, vna cum aliis eiusdem, et aliorum item e vobis, multo adhuc sceleratioribus libellis, quum nusquam fere non prostent, nusquam non odorem tetrum et tartareum virus exhalent; tu tamen, perinde ac si codices omnes vestri dilaberentur e coelo, merum nectar, meram redolentes Ambrosiam, non erubescis hoc pacto scribere: 260

Quid si verum esset, quod de nobis mentiuntur propter Christum: ipsi scilicet ideo non susciperent a Deo oblatum Euangelium salutis? Quid stultius quam vt magis curiosus sis ad meam iniquitatem, quam ad tuam salutem? Ideo tu nolis esse Christianus, quia ego sum peccator? 265

Pape, quam praeclare simul et facete, scilicet! Quasi mentiantur, qui te, cum sacerdos esses, et coelibem castitatem promisisses Deo, nunc duxisse dicant vxorem, id est, quum videri velis Episcopus, publicum et perpetuum esse scortatorem. Aut quasi mentiantur, qui de Lamberto vestro, qui Franciscanus erat, ac de multis praeterea Lutheranis aliis idem praedicarent; aut mentiantur denique, qui Lutherum ipsum dicerent, quum Augustinianus erat, per stuprum iunxisse sibi, velut coniugem, diu iam dicatam et Deo direptam Monacham; aut qui vos omnes dicat haereses impias et insanas inuehere, aut vestram factionem clamitet multa passim flagitia designare. Quam rem nimium veram esse, vtinam non tot locorum miserae vastitates, non tot millium doctrina vestra seductorum strages miseranda comprobaret. 270 275 280

Sed ista tot scelera vestra tamen obstare non debent, quo minus recipiamus a vobis Euangelium salutis, quasi nunc primum per vos offerat nobis Deus Euangelium salutis. Euangelium ergo Christi, quod Euangelistae scripserunt, quod praedicarunt Apostoli, quod Sanctissimi Patres interpretati sunt, non erat Euangelium salutis? Nec hactenus a Christo passo quisquam seruatus est, quoad nunc demum vos elegit Deus, per quos seruaret mundum, ac miseries, et hactenus per Apostolos et Euangelistas, perditis et seductis mortalibus, offerret Euangelium salutis? Certe, Pomerane, si vera sunt ista (vt sunt profecto verissima) quae tu mentiris, nos mentiri de vobis, haberi non debet absurdum, si respicientes im- 285 290

270. cf. biographical notes on Bugenhagen, introd. and l.236, and Lambert, l.58.

275. Luther married Catherine von Bora, 13 June 1525. She had been a nun in a Cistercian convent near Grimma, reserved for ladies of noble birth. Most of these nuns were convinced by Luther's writings that vows were unlawful, and asked aid in escaping from their convent. Luther entrusted the responsibility to Leonhard Koppe of Torgau, and the nuns made their escape 4 April 1523.

pietatem vestram, non satis fidamus vobis, nec satis credamus idoneos, qui (quum tam foedis vlceribus laboretis ipsi) salutem afferatis aliis. Nam si hactenus per tot saecula non habuissent
295 Christiani verum Euangelium Christi, sed in fide Christi tota tot aetates errasset Ecclesia; non esset dubitandum, quin bonos et pios esset electurus Deus, quibus hoc demandaret negotii, vt in nouitatem spiritus a carne reuocarent mundum, additurus haud dubie tantae rei, quae fidem facerent praedicationi, miracula. Nec
300 tantam rem tam negligenter ageret, vt quos olim suam fidem praedicare vetuit (quum per Prophetam peccatori dixit Deus:
Psal. 49. Quare tu enarras iustitias meas, et assumis testamentum meum per os tuum?) eos nunc demum solos, per quos praedicaretur, eligeret. Et cum eis credi vellet ab omnibus, nihil tamen omnino
305 faceret, cur eis credere quisquam aut deberet, aut posset.

Nam quod Lutherus haberi postulat pro miraculo, quod tantum Christiani populi tam breui tempore a Christi fide in ipsius desciscat haereses; facit certe absurditas earum et insania, vt nonnihil monstri simile videatur, quenquam, cui scintilla sit vlla
310 sensus humani, tantum vnquam posse furiosae persuasionis admittere. Caeterum ad propositam vitae libidinosae licentiam populum praecipitem ruere, id habet tantam miraculi speciem, quam saxa deorsum cadere.

Iam quod ita, Pomerane, quaeris, cur non sequuntur Pauli
i Thess. 5. regulam: Omnia probate, quod bonum est tenete. Hoc vnum Pauli verbum vestra subuertit omnia. Nam quum omnia probando, vestra comperimus pessima, tenemus quod bonum est, nempe quod eos docuisse legimus, quorum sibi placuisse Deus et vitam testatur et fidem. Respuimus vestra, quoniam sanctorum Patrum
320 sunt et moribus et doctrinae contraria, et, quod est adhuc amplius, aduersa publicae fidei tot aetatum totius Ecclesiae. Cuius fidem nisi regat Deus, et Euangelii vacillat authoritas, et non est verax in verbis veritas, quae se promisit cum ea futuram vsque
Matt. vlt. ad consummationem seculi.

325 Sed iam operae pretium fuerit, considerare paululum: quam tecte, quam timide doctrinae vestrae vlcus attingis.

Verum aiunt, inquis, *rudiores: quis ista tam varia capere poterit? Disputatur enim de libero arbitrio, de votis et sectis monasticis, de satisfactionibus, de abusu venerandae Eucharistiae, de cultu Sanc-*
330 *torum, de statu defunctorum, de purgatorio. Alii aiunt: veremur, ne sub ista varietate lateat venenum.*

---

302. Ps.49:16. (Vulg.)
315. i Thess.5:21.
324. Matt.28:20.

Non recte rem accipis, Pomerane. Neque enim veretur quisquam, ne sub ista varietate lateat venenum. Imo videmus et scimus, verissimum esse et manifestum toxicum, quod vos his de rebus omnibus, non sobrie quidem disseritis, sed impie atque arroganter decernitis. Nam quum eo nomine soleatis insectari Theologiam scholasticam, quod illic cum periculo veritas trahatur in dubium; a vobis falsitas pro indubio aduersus verum asseritur, et quod illic pro argumento proponitur, id vnum apud vos pro veritate concluditur. 335 340

Theologia scholastica a calumniis vindicata et eiusdem vtilitas.

Quaeritur in scholis, sitne aliqua libertas arbitrii, an omnia temere agantur, an regantur fato: An diuinae maiestatis voluntas indeclinabilis ab aeterno sic decreuit omnia, vt in tota rerum natura nihil admittat omnino, quod in vtramlibet partem sese possit conuertere: An pugnent inter se humani arbitrii libertas, et Dei praescientia: Nostrae voluntatis libertatem an Adae peccatum peremerit, an perimat Christi gratia. Haec atque huiusmodi talia quum proponuntur in scholis, si sobrie disserantur et proposito pio, non exiguum certe fructum affert disputatio. Conueniunt enim in disceptationem nihil de fine dubii, quippe qui conclusiones earum rerum omnium firmas et inconcussas semper circumferunt secum, impressas videlicet cordibus Fidelium omnium ex fidei Christianae dogmatibus, plerasque etiam publico quodam communis sensus proloquio. Nam quotusquisque est, qui quidem sensum aliquem habet rationis humanae, qui non sibi persuadeat, et Deum, qui facit omnia praescire omnia, et sese tamen experimento sentiat, actiones suas non aliena vi, sed sua voluntate peragere? Iam quum rationes aut Scripturae proferuntur aduersus eam partem, quam illi veram habent atque infallibilem, vtiliter exercent ingenia, et adspirante Deo, qui pios conatus promouet, multa perspicue soluunt, de quibus et Deo gratias agunt, et non ipsi modo iucundissimam atque honestissimam, addo etiam sanctissimam, animi voluptatem capiunt, verum aliis etiam doctrinae scitu dignae salubres fructus afferunt. Scripturas enim in speciem veritati contrarias clariorum collatione scripturarum dilucidant. Quod si quis in sacris literis textum alicunde quempiam ita durum arbitretur ac difficilem, vt ipsi nullius, neque veteris cuiusquam, neque recentioris interpretatio satisfaciat, quo minus publico alicui fidei Catholicae articulo videatur occurrere; statim succurrit illi, quod beatissimus pater Augustinus admonuit, aut aliquam librorum mendam impedire, aut eius loci sensum se non satis assequi. Neque enim quisquam sacrarum literarum locus adeo me commouere debet, vt si quid 355 360 365 370

In disputatione de rebus sacris quae sint obseruanda.

aduersus ea dicere videatur, quae pro certis et indubitatis articulis
375 amplexa est Ecclesia Christi Catholica, a gnisiis et germanis fidei
Christianae dogmatibus dimouear atque depellar. Quippe quae
certo persuasum habeam, eundem Spiritum cordibus inscripsisse
fidelium, qui affuit scribentibus Euangelia, atque ideo quicquid
illi scripserunt, Ecclesiae fidei esse consentaneum: si quale scrip-
380 tum est, tale perseueret, et quo sensu scriptum est, eodem queat
intelligi. Quod si aut vitium literis obuenerit, aut textus ex se
sit obscurior, non est cur quisquam debeat minus habere pro
certis, quae Christus docuit Ecclesiam suam, quam per Spiritum
Ioan. 16. sanctum docuit omnem veritatem, et se cum ea promisit ad finem
Matt. 28. vsque seculi futurum: curaturum nimirum (quod precibus impetrauit a Patre) ne vllis librorum mendis (quas per studiosorum
hominum laborem sanctum repurgat indies) nullis literarum ambagibus (quas, quibus ipsi temporibus visum est, per eruditorum
calamos virorum explicat) nullis tyrannorum persecutionibus
390 (quos Martyrum suorum victoriis subiugauit) nullis haereticorum
conatibus (quorum ora per orthodoxorum Patrum libros obstruit)
nullis denique machinamentis Diaboli (quem ipse prostrauit in
cruce) fides Ecclesiae possit deficere.

Quod si quid humanae rationis inter disputandum videatur op-
395 pugnare veritatem, nihil ex ea re deperit pietati, quando ea quae
fidei sunt, certum sit atque exploratum, vt diuina reuelatione ful-
ciri, sic rationem omnem mortalium longissime superare. Itaque
sicut quaedam tanto spectamus iucundius, quanto minus eorum
causam rationemque possumus deprehendere. Sic eo magis in
400 suauissimam diuinae maiestatis admirationem subuehimur, quo
magis ea dissidere videntur et inter se pugnare, quae simul tamen
consistere et consentire sit indubitatissimum. Sic et sine noxa,
Pomerane, et non absque fructu, talia disputari possunt in scholis,
quum vos interim, qui Scholasticas disputationes tanquam veritatis
405 altercatrices, et mysteriorum temeratrices inuaditis, conclusiones
absurdissimas, et haereses insanissimas aduersus homines omnes,
aduersus Deum ipsum credendas omnibus absque seria vlla dis-
ceptatione praescribitis. Et quicquid vanitatis asserit Lutherus,
illud irrefragabile, et quod Graeci dicunt ἀκίνητον, haberi pos-
410 tulatis; vt rationem poscentibus impii atque insani dogmatis, satis
haberi debeat, quod αὐτὸς ἔφα, nimirum, quia se certum clamat
ipse, dogmata sua se habere de coelo. Et quum praeter ipsius commenta stolidissima, contra perpetuam totius Ecclesiae sententiam

---

375. Evidently from γνήσιος. 383. John 16:13; Matt.28:20.

nihil habeatis, tu tamen, Pomerane, vt conclusiones istas pulchre videaris adstruere, omnia fingis vobis apertissimis sacrarum literarum testimoniis esse comprobata. 415

Quasi vero nos agamus, inquis, *persuasibilibus humanae sapientiae verbis, et non manifestissimis Scripturis, quibus ne portae quidem inferorum hactenus praeualere potuerunt; aut quasi aduersarii nostri aliud contra nos producant, quam statuta et traditiones humanas, quas damnat Dominus, Esaiae. 20. et Christus, Matthaei. 15. Quid ergo veneni hic timebis, dum in occulto agimus nihil, et omnia nostra toti mundo proponimus iudicanda?* 420

Dixti, Pomerane, pulchre, quasi non Dei traditiones sint, quibus Ecclesia Dei nititur in Sacramentis et Articulis fidei. Quasique non istud vobis et alii praeterea viri docti, et Rex illustrissimus Angliae, ratione, scripturis et concordibus orthodoxorum Patrum sententiis probasset apertissime, ad quae nemo vestrum hactenus verbum respondit vllum. Aut quasi vos Scripturis probetis omnia, ac non potius glossematum vestrorum somniis, aduersus veterum omnium doctissimorum et sanctissimorum sententias, sacrarum literarum Authoritatem ad sacrilega dogmata vestra detorquentibus. Aut quasi non omnes haeretici semper idem fecerint, quod nunc facitis vos; nempe vt venena sua toti propinarent orbi, et poculum circumferrent palam Scripturarum melle circumlitum, quas ipsas non minus fidenter, quam vos, clamabant esse clarissimas. Nam quid aliud olim clamabant Ariani, quam quod nunc clamatis Lutherani: Scripturas esse pro se manifestissimas, aduersarios humanis tantum statutis inniti, quae damnaret Dominus? Quid aliud clamabant et haeretici omnes reliqui, et ipsi cum primis Pelagiani? Quorum vos Lutherani tam stulte Scyllam fugitis, vt recta vos auferat error in Charybdim. Quanquam sicuti vos intelligere non vultis, Dei traditiones esse, non hominum, quibus Ecclesia nititur in rebus fidei: ita nescio an ipse satis intelligam, quod tu scribis, nempe vos manifestissimis Scripturis agere, quibus ne portae quidem inferorum hactenus praeualere potuerunt. Nam quod non agitis admodum persuasibilibus humanae sapientiae verbis, id vero et intelligo satis, et verissimum esse confiteor. Caeterum illud alterum vtram in partem sumi velis, addubito. Vtrumne sic accipias, vt aduersus Scripturas ipsas non potuerint hactenus inferorum portae praeualere; an aduersus positiones vestras, quas adornatas et Scripturis palliatas a vobis, haberi vultis 425 430 440 445 450

Vide Hilar. lib. 4. de Trinitate, et item lib. ad Constantium Augustum.

419. Matt.16:18.
421. Is.29:13.
422. Matt.15:1-9.
433. *Hil de Trin.*IV.1; *ad Constantium Augustum* 1.2.
446. Matt.16:18.

Euangelium salutis, quod nunc primum per vos oblatum coelitus, gaudetis apud quosdam bene audire etiam in Britannia.

455 Quanquam non admodum magni refert, in vtram partem sumpseris, vtrobique certe tantundem profeceris. Nam si dogmata vestra vera sunt, et apertis firmata Scripturis, quum ea nunquam hactenus Ecclesia Christi crediderit, quum ea semper exploserit, damnarit, exusserit, necesse est fatearis, portas inferorum aduersus 460 Scripturas Dei, hactenus praeualuisse perpetuo. Sin e diuerso verum est quod dixisti, portas inferorum nunquam praeualuisse contra Scripturas Dei, tum tu fateris, Ecclesiae fidem semper fuisse consonam Scripturis Dei.

Quam ob rem quum eadem semper fuerit dogmatibus vestris 465 aduersa, nonne vides, Pomerane, consequi, vestra ista praeclara dogmata Scripturis esse contraria? Alioqui si contendas Ecclesiam hactenus eadem sensisse, eadem credidisse semper, quae iam creditis vos (imo quae iam praedicatis vos: nam credere quae praedicatis, ita me amet Deus, nec vos opinor) ostende quaeso, quae 470 fuit illa Ecclesia? Dic ante vos quando fuit? Dic quibus in terris, et eris mihi magnus Apollo. Nam etsi vestrarum Haeresum alios aliae diuersis locis ac temporibus habuerunt authores, tamen qui tam multa simul et tam absurda crediderit, vt vobiscum in fide consenserit, non modo nullus vnquam populus, sed nec vllus 475 vsquam homo, aut tam impius, aut tam stolidus ante Lutherum fuit.

Quod si contendas fuisse quidem semper aliquos, quanquam tam paucos, vt orbem latuerint, tam dispersos, vt coetum nullum fecerint, tam illiteratos, vt nihil scripserint, tam infantes, vt nihil 480 dixerint, quorum tamen dispersio, vera semper Ecclesia fuerit; necesse est tamen fatearis, aduersus istam Ecclesiam tuam, eos perpetuo scripsisse Patres, quos Ecclesia Christi veneratur in Sanctis.

An tu igitur, Pomerane, speras, adeo stipites esse Christianos 485 omnes, vt eis persuadere possis, quum Deus in Synagoga Iudaeorum curarit, vt sanctissimi aliqui viri post mortem haberentur in pretio, ne populo suo redderetur ambiguum, quos sibi proponerent imitandos; nunc in Ecclesia Filii sui permitteret, sanctos et fideles omnes inhonoratos iacere, coli vero pro Sanctis impios et haereticos 490 curaret, qui suis scriptis orbem totum seduxerint, atque ab Euangelii vero sensu praedicatione falsa distraxerint, eorum aliquot etiam decoraret Martyrio, omnes insigniret integritate vitae, nullos non illustraret miraculis, ne quis dubitare posset, eorum fidem placuisse Deo, quorum pietatem prodigiis salutaribus orbi declara-

rit. Quid istud, obsecro, fuisset aliud, quam id egisse Deum, vt 495
ipsius opera sua falleretur Ecclesia? Necesse est ergo, Pomerane,
velis nolis, eam fatearis Ecclesiam, cuius pars erant et Doctores
illi, quos veneramur, sanctissimi Patres; quos si contendas in fide
cunctos errasse, necesse est id concedas etiam, quod ante negasti,
aduersus Scripturas inferorum portas annos plus mille praeualuisse. 500
Quamobrem si tibi perstandum censes in eo quod ante dixisti,
portas inferorum hactenus aduersus Euangelium praeualere non
potuisse, omnino fatearis oportet, sanctissimos illos Patres recte
sensisse de fide; quod vbi semel concesseris, quum et illud negare
non possis, illos ista damnasse, quae vos docetis, quantumuis ter- 505
giuerseris, tandem tibi fatendum est ista, quae tam obstinate velut
Euangelium obtruditis, esse falsissima dogmata.

Sed quam varietate doctrinae belle dogmatum vestrorum late
confusam colluuiem cogas et constringas in arctum, operaepretium
est cognoscere, ais enim: 510

*Et ne varietatem doctrinae excuses, breuiter dico: vnum tantum
Articulum a nobis doceri, vtcunque quotidie multa praedicemus,
multa scribamus contra aduersarios nostros, vt et ipsi salui fiant; est
autem Articulus ille: Christus est Iusticia nostra. Nam is factus est
nobis a Deo sapientia, iusticia, satisfactio, redemptio. Quisquis hoc* 515
*non dederit nobis, non est Christianus: quisquis fatebitur nobis-
cum, apud eum statim cadit omnis iustitia humana.*

O compendium! Nihil igitur omnino scribitis, nihil omnino
docetis, nisi Christus est iusticia nostra? Hoc vnum Pronuntiatum
tam sanctum, omnia dogmata vestra tam varia, tam inter se dis- 520
sona, tam absurda, tam impia complectitur? Sic vt si quis istud
concedat vobis, quod Christus est Iustitia nostra, idem sit necessario
concessurus, in Eucharistia restare panem? nihil cuiquam prodesse
Missam? Ecclesiam totam hactenus perperam sacrificasse, hactenus
vsam impio et sacrilego Canone, et Ordinem inane esse figmen- 525
tum? Et haec erit bona consequutio, Christus est iusticia nostra,
ergo mulier idonea est cui fiat peccatorum sacramentalis Confes-
sio? Et mulier potest conficere corpus Christi? Et item haec,
Christus est iustitia nostra, ergo nullum est Purgatorium? Et nullum est liberum arbitrium? Et nulla lex humana Christianum 530
quenquam obligat? Et, Christus est iustitia nostra, ergo sola fides
sufficit ad salutem, et non est opus bonis operibus? Et nihil damnare potest Christianum, nisi sola incredulitas? Et Christus est
iustitia nostra, ergo Monachus ducere debet vxorem? Haec omnia

514. Rom.10:4.

Quam apte et apposite haec singula totidem Scripturae locis refellit. Matt. 10. Rom. 6.

dogmata, et multa itidem alia, nihilo minus absurda, necessario scilicet consequuntur istam, Christus est iustitia nostra? Quid ni? Nam si is factus est vobis a Deo iustitia, quid opus est vobis iustitiam quaerere et persequi eam? Si factus est vobis sapientia, quid opus est vobis esse prudentes sicut serpentes? Si satisfactio, quid opus est vobis, sicut exhibuistis membra vestra seruire immunditiae et iniquitati ad iniquitatem, ita nunc exhibere membra vestra seruire iustitiae in sanctificationem? Si redemptio, quid opus est animam redimant viri diuitiae suae? Et tam perspicue rem explicasti, postquam hunc articulum protulisti, vt illico, velut 545 re dilucide probata quibus oportuit iudicibus, subiungas:

Quisquis autem fatebitur nobiscum, apud eum statim cadit quaecunque alia iustitia humana. Nihil erit hic Pelagianae haeresis, qua, licet mutatis verbis, infecti sunt, qui vel solos se gloriantur Christianos, nihil valebit omnis sectarum quae hodie sunt, et operum 550 *fiducia, quam (abnegato Crucis Christi scandalo) nostri iustitiarii nobis inuexerunt, dum opera pro Christo venditarunt, contra quos et contra totius Sathanae regnum hoc argumentum fortissimum cum Paulo producimus: Si ex operibus et nostro arbitrio iustificamur, ergo gratis Christus mortuus est. Iustitia haec quae Christus* 555 *est, testimonium habet in lege et Prophetis, ad Rom. 3. Qui autem suam iustitiam sequuntur, ad veram iustitiam, vt Iudaei, non perueniunt. ad Rom. 9. Iustitiae Dei subiici non possunt. ad Rom. 10. Haec iustitia Dei tua est, dum per fidem suscipis Christum. Non enim pro se mortuus est, aut pro suis delictis, sed pro te et tuis* 560 *delictis. Igitur quicquid aliud tentaueris ad iustitiam, id est, unde iustificeris, et liber sis a Dei Iudicio, peccatis, morte et inferis; hypocrisis erit, mendacium, et impietas, quacunque pietatis specie fulgeat. Pugnabit enim contra Dei gratiam, et Christi erit abnegatio.*

565 Non dubito, Pomerane, quin tibi videaris oppido quam praeclare dixisse; sed interim non aduertis, quod totus hic speciosus sermo duobus mendaciis mendacissimis innititur, quibus impudenter aspergis Ecclesiam, vt sacrosancta ista praedicatio vestra verum videatur Euangelium. Nam primo falsissimum

---

539. Matt.10:16.
542. Rom.6:19.
547. Pelagianism (5th century) teaches the freedom of the will and the freedom to choose the good. Man can resist sin. The human will, not the divine, takes the initiative in the attainment of salvation. Grace will aid goodness, but is not absolutely necessary. Christ came because man had so great a habit of sinning, but Christ aids by example and teaching. Julian of Eclanum sums up this aspect of Pelagianism in the phrase, "Homo libero arbitrio emancipatus a Deo."
554. Gal.2:21.
555. Rom.3:21.
556. Rom.9:30,31.
557. Rom.10:3.

est, quod nos fingis haeresi Pelagiana, mutatis verbis, infectos. 570
Deinde, quod nos mentiris, abnegato Crucis Christi scandalo, operum et sectarum inuexisse fiduciam, et opera venditare pro Christo, nos interim nunc appellans pro tua libidine Iustitiarios, nunc eos qui se solos esse Christianos gloriantur. Et profecto quanquam nihil magis abhorret ab Ecclesiae doctrina, quam vt quisquam sibi quicquam tribuat, tamen communi totius Ecclesiae nomine Catholicis Christianis licet verissime sancta quadam superbia gloriari, se solos esse iustos, se solos esse Christianos. Inter mortales enim extra Ecclesiam neque sancti quicquam est, neque Christianus quisquam. 580

Sed ad rem reuertar: Ecclesia quemadmodum non credit Pelagio, ad bene faciendum naturae vim ac facultatem sufficere cum generali quodam influxu gratiae, sed opus esse fatetur ad actum quenque bonum gratia quadam peculiari; sic vel magis dissentit vobis, qui gratiam Dei subdole studetis attollere, vt penitus auferatis humanae voluntatis arbitrium, dum eius libertatem nihil aliud asseritis, quam (vt vestris verbis vtar) *rem esse de solo titulo,* et nihil agere prorsus, sed duntaxat pati, nec aliter a Deo formari, quam ceram a manu artificis. Qua in re admodum errarunt Pelagiani, sed multo tamen perniciosius erratis Lutherani. Nam illi, quum nimium tribuebant naturae, honorem tamen inde tribuebant Deo, quem agnoscebant naturae conditorem. Praeterea quum faterentur difficulter admodum operari naturam relictam sibi, facilius vero suffultam gratia, necessitatem etiam relinquebant implorandae gratiae. At vos contra nihil relinquitis, quur habeatur Deo gratiae quicquam naturae nostrae gratia: quam, si vobis credimus, habemus talem, vt etiam post Baptismi gratiam satius esset ea caruisse, quippe quae quum hoc habeat, vt assidue labatur et concidat, ad resurgendum porrigenti gratiam Deo nec surgere contra sese, nec conniti possit. Deinde dum pati tantum voluntatem nostram, et nihil omnino facere praedicatis: an non humanam omnem industriam, et conatum omnem ad virtutem tollitis? An non omnia manifeste trahitis ad fatum? Quum voluntas per se

(585) Lutheri sunt verba in Assertionibus suis. Artic. 36.

Lutherani perniciosius errant quam Pelagiani.

(595) (600)

580. "Salus extra ecclesiam non est." Cypr. Ep.73.21.

603. Erasmus' *Diatribe de libero arbitrio* of 1524 was answered by Luther 1525 in his *De seruo arbitrio*. In it he says, "The human will is like a beast of burden. If God mounts it, it wishes and goes as God wills; if Satan mounts it, it wishes and goes as Satan wills. Nor can it choose its rider, nor betake itself to him it would prefer, but it is the riders who contend for its possession - - - - This is the acme of faith, to believe that God, who saves so few, and condemns so many, is merciful; that he is just who has made us necessarily doomed to damnation - - - If by any effort of reason I could conceive how God, who shows so much anger and iniquity, could be merciful and just, there would be no need of faith - - - God foreknows nothing subject

secundum sectam vestram non solum sit malefica, verum etiam
605 vertere non possit ad bonum, sed mera voluntate Dei alius fingatur ad bonum, alius relinquatur ad malum, non alio quam naturae merito, quam citra peccatum suum talem sortitus est homo, et is qui ad bonum sumitur, ita fingatur ac formetur a gratia, vt nihil interea faciat aut cooperetur ipse, sed velut arbor folia producit
610 et fructus, sic peragente in electis Deo, in reprobis natura, cuius etiam author Deus est, illi bona, hi mala proferant. Iam quis non videt consequi, vt hac ratione vestra neque voluntas voluntas sit, sed electione sublata homo nihil distet ab arbore, neque scelerum quicquam homini possit imputari, sed vt bonorum, ita malorum
615 quoque omnium causae necessario referantur in Deum, et clementissima illa natura Dei punire credatur flagitia quae fecit. Quae opinio tam impia est et sacrilega de Deo, vt dispeream, ni malim decies esse Pelagius, quam semel ista credere, quae docet Lutherus. Sed Ecclesia quam improbatis, vtriusque vitans errorem et vicissim
620 improbans, voluntatem bene facere non credit absque gratia, sed gratiam credit omnibus non aliter ac lumen solis esse propositam, malos oblatam negligere, bonos amplecti, vtrosque vero suae voluntatis arbitrio. Sic et per gratiam seruatur, quisquis seruatur, nec tamen otiosum est interim liberum voluntatis arbitrium, nec enim
625 video quicquam, nisi per lumen. Et tamen aliquid ad id adiuto, dum oculos aperio et intendo aciem. Si quis in puteum demisso fune extrahat eum, qui per se non posset emergere, an non vere dicetur suis viribus non ascendisse de puteo? nec tamen ad id nihil ipsius vires contulerunt, cum et amplexus est funem, et non
630 est passus elabi. Ad hunc se habet modum libertas arbitrii. Nihil enim potest absque gratia, sed cum eam liberaliter offerat Diuina beneficentia, in bonis viris arbitrium voluntatis amplectitur, et bene cooperatur cum ea, in malis respuit voluntas, et marcescit in malitia. Hoc est, Pomerane, quod credimus, neque vt tu mentitus
635 es, Pelagio credentes, nec Pelagio deterioribus vobis, sed et diuinae gratiae debitum seruamus honorem, et facinorosis hominibus amputamus ansam, quam vos porrigitis, qua suae voluntatis obstinatam maliciam in Diuinae voluntatis reiiciant ineluctabilem necessitatem.

640 Iam de operibus agemus paululum, in quibus quam impie erras ipse, tam improbe falso sugillas Ecclesiam, quam docere mentiris,

---

to contingencies, but he foresees, foreordains, and accomplishes all things by an unchanging, eternal and efficacious will. By this thunderbolt free will sinks shattered in the dust." (Quoted by Preserved Smith, *Erasmus*, c.XII.) More is evidently fair to Luther's viewpoint.

621. Matt.5:45.

abdicato Crucis Christi scandalo, fiduciam in sectis et operibus esse collocandam, et opera venditare pro Christo. Primum quod ad Religiones attinet, quas vos sectas vocatis et schismata: non opinor magnum esse flagitium, si sub vno duce Christo, alii sub aliis diuersis veluti Tribunis militent, et dum omnes bene atque ad Euangelicam normam ex praescripto Euangelico viuant, alius tamen aliter tempus transigat, et diuersis virtutum generibus vnusquisque in suo sensu abundet, praesertim quum satis constet, et a sanctissimis viris inuenta et tradita, quae vos improbatis, instituta viuendi; et non solum plurimos insigni sanctitate viros inde prouenisse, verum etiam quantumuis aut aliquot Monachorum suo non satisfecerint Ordini, aut aliquot degenerarent Ordines ad mores circumfusi sibi seculi, tamen purissimam populi Christiani partem perpetuo fuisse apud Religiosos. Qui tantum abest, vt alium sequantur pro Christo, vt ii sint potissimum, qui vendentes quicquid habebant et erogantes pauperibus, Crucem tollunt, et sequuntur Christum, dum vigiliis, ieiuniis et orationibus totam dedicantes vitam, et Agnum in castitate sequentes, carnem suam crucifigunt cum vitiis et concupiscentiis.

Religionum institutio et vita defensa.

650

655

660

Quod vitae genus si est, vt vos videri vultis, aduersus Euangelium, oportet Euangelicam vitam huic esse contrariam, hoc est, esse talem, vt se curet molliter, bene comedat, bene bibat, bene dormiat, libidinetur, et voluptate diffluat. Quod vitae genus si sit Euangelicum, negare profecto non possumus, quin vestri vitam viuant Euangelicissimam, nisi quod ad virtutes istas tam praeclaras addunt vim tyrannicam, et plusquam ferinam feritatem, qua contra Christianos et Deo deditos Fratres ferocius fere quam vlli vnquam Gentium Tyranni saeuiunt.

665

Sed iam, vt dixi, veniamus ad opera, quae tu nos fingis venditare pro Christo: nec id te pudet scribere, cum nos et credere scias, et docere, opera nostra neque bona fieri sine misericordia Dei, neque merere quicquam sine fide Christi, at ne sic quidem coeli esse capacia de natura sua. (Neque enim condignae sunt passiones huius temporis ad futuram gloriam quae reuelabitur in nobis) sed immensae benignitati Creatoris ita placuisse, vt operibus nostris, suapte natura tam vilibus, tantum strueret pretii, et operas nostras, qui quum omnia fecimus, serui tamen inutiles sumus, neque quicquam supra quam debuimus facere, fecimus, tam pretiosa mercede conduceret.

670

Rom. 8.

Luc. 17.

680

---

657. Mk.10:21.
660. Gal.5:24.
675. Rom.8:18.
678. Lk.17:10.

Alioqui si nihil omnino valent opera nostra, quantumuis in fide facta, quantumuis imbuta charitate, quantumuis adiuuante gratia (nam alioqui nihil esse, tute scis nos fateri), verum si ne sic quidem valent quicquam; cur paterfamilias denario diurno otiosorum hominum operas conducit in vineam? Si nihil valent ad homines liberandos ab ira, iudicio, peccatis, morte, et inferis: quorsum illud Baptistae? genimina viperarum, quis ostendit vobis fugere a ventura ira? Facite fructus dignos poenitentiae. Quorsum illud Sapientis? Sicut aqua extinguit ignem, ita eleemosyna extinguit peccatum. Quorsum illud Apostoli? Si nosmetipsos diiudicaremus, non vtique iudicaremur. Quorsum illud eiusdem? Sicut exhibuistis membra vestra seruire immunditiae et iniquitati, ita nunc exhibete membra vestra seruire iustitiae. Quorsum illud Christi? Fac hoc, et viues. Quorsum illud denique quod in finali iuditio coelum daturus est operibus misericordiae et eorundem omissionem ac neglectum reprobis exprobraturus?

Matt. 20. Luc. 3. Eccles. 3. i Cor. 11. Rom. 6. Luc. 10. 695 Matt. 25.

Si non sunt ista, Pomerane, mendacia (nec sunt opinor, si verum sit Euangelium) nunquam potes effugere, quin istud sit mendacium, quod ipse scribis: hypocrisim esse, mendacium, et impietatem, pugnam contra gratiam Dei, et esse prorsus abnegationem Christi, quacunque sanctitatis specie fulgeat, si quis praeter fidem tentarit aliud: hoc est, si fidei iungat charitatis opera, sine quibus fides mortua est; si per fidem simul et opera conetur ad iustitiam, neque per opera pugnat contra gratiam, qui se fatetur absque gratia bene operari non posse, neque velut Pharisaeus confidit in operibus, qui et ea nouit nihil absque fide valere, nec aliunde pretium quam ex mera Dei largitate sumere. Sed illi plane pugnant contra gratiam, et Christum prorsus abnegant, qui in hoc duntaxat extollunt gratiam, et fidem Christi commendant, vt ablato bonorum operum (non damnosa fidutia, quam nos abunde tollimus, sed) bonitate prorsus et fructu, reddunt homines ad bene faciendum tepidos. Ex qua segnitie et fidem breui perdunt et gratiam, praesertim quum (vt nunc mores sunt) magis propemodum inhortandi sint homines ad bonorum operum frugem, quam ad ipsam, sine qua nihil valent opera, fidem, quando non paulo plures inuenias, qui malint bene credere, quam bene facere.

700 705 710 715

Sed hac in parte quam malam causam foueatis, vel illud indicat, quod tam nihil omnino constatis vobis, sed ita perplexe loquimini,

---

685. Matt.20:1-16.
688. Lk.3:7.
689. Ecclesiasticus 3:33.
691. i Cor.11:31.
693. Rom.6:19.
694. Lk.10:28.
696. Matt.25:46.

vt cauere de industria videamini, ne quis vos intelligat; ita posterius quodque verbum pugnat priori. Nam paulo post ita subiungis: 720

At hoc forte interrogabis: Quid de moribus, cultu Dei, Sacramentis, et huiusmodi sentiamus, et docemus. Respondeo, Christus est iustitia nostra, factus est et Doctor noster: quicquid is suo ore nobis prodidit, hoc docemus, quemadmodum et praecepit. Matthaei vltimo. 725

Et nos idem, Pomerane, fatemur, et docemus idem. Sed tu, obsecro, nihil docebis aliud, imo dedocebis omnia, quaecunque Christus non docuit ore suo? Ergo quicquid ante Christum natum per Moisen et Prophetas docuit Deus, ea dedocebis omnia, nisi quicquid eorum Christus docuit rursus ore suo? Ergo dedocebis rursus quae Christus Ecclesiam docuit per tot sanctos Patres, Euangelistas, Martyres, et Apostolos, nisi quicquid docuit ore suo? 730

Dic igitur, vbi te docuit istud ore suo, nihil aliud esse credendum, quam quod docuit ore suo? Dic, vbi docuit ore suo, dogmata ista, quae vos docetis orbem? Dic vbi docuit ore suo, homini non esse liberam voluntatem? Vbi docuit ore suo, ei ducendam vxorem, qui ante vouerat castitatem? Vbi docuit ore suo, amicam Lutheri aequalem esse Matri Christi? Vbi docuit ore suo, Missam nihil prodesse defunctis? Vbi docuit ore suo, nullum esse Purgatorium, sed animas etiam mortuorum dormire vsque ad diem extremi iudicii? Vbi docuit ore suo, abiiciendam Crucem suam, et in tenebras quolibet abstrudendam, ne videlicet in suum cultum absumat aurum, quod alioqui recta ad pauperes isset, scilicet? 735 740

Haec, opinor, Christus Lutherum non docuit ore suo, cum dixit: pauperes semper habetis vobiscum. Sed ore suo docuit Frater Lutheri Iudas, quum dixit: vt quid perditio haec? Potuit venundari multo, et dari pauperibus. 745 Matt. 26 et Ioan. 12.

Ecce, Pomerane, qui tantum ea credi postulatis, quae Christus docuit ore suo, caetera tollitis omnia, quae Deus Ecclesiam docuit per Spiritum Sanctum, tamen ea docetis interea, quae neque Christus docuit, neque bonus quisquam homo possit tolerare. 750

Nam quod subiungis: *Primum autem docuit Christus, hoc esse opus Dei, vt credamus in illum, quem Pater nobis misit:* fatemur esse verissimum. Sed illud non fatemur esse verum, cuius unius causa tu istud allegas in medium. Allegas enim, vt occulte persuadeas, solam fidem sufficere; verum timide tamen rem attingis, 755

726. Matt.28:20.
746. Matt.26:11.
747. *ibid. et* John 12:5.
754. John 17:3.

pleraque subticens mysticae doctrinae vestrae, quae frustra subtices Magistri vestri libellis totum vulgata per orbem. Lutherus
760 hoc scholae vestrae placitum declarat apertius, et rem definit aliquanto fortius. Nam is aperte scribit, quod nullum peccatum damnare potest hominem Christianum, praeter solam incredulitatem. Caetera omnia, si stet aut redeat fides, qua salui erimus per promissum Dei, protinus in momento prorsus absorberi a fide; ne
765 quis necesse putet aut peccata confiteri, aut de commissis dolere, aut malefacta benefaciendo rependere, quae omnia manifeste tollit. Tu, quod dixi, timidius attingis rem, et quam callidissime potes, declinas eius assertionis inuidiam, dissimulans, quod ita praedices fidem, vt homines interim animes ad vitia, virtutem dedoceas,
770 sed tanquam sic intelligas, quod ais solam fidem sufficere, quasi qui fidem habeat, is necessario fugiat vitia et amplectatur virtutes.

Quae res si sic se haberet, tamen stultissimus esset hic tumultus vester, quo aduersus opera bona tumultuamini. Nam si bona sunt opera, quae necessario producat fides, quid aliud facitis, disputantes
775 aduersus opera bona, quam deblateratis aduersus fructum fidei? Quod si nullum est bonum opus omnino, id quod plane vestra contendit factio, quomodo consistis tecum, quum dicis eum qui fidem habet, arborem esse bonam, quae non poterit suo tempore non ferre fructum bonum?

780 Quanquam istud si ita praecise verum est, vt qui fidem habet, is necessario proferat opera bona; quur ait Apostolus? Si habuero omnem fidem, ita vt montes transferam, charitatem autem non habuero, nihil sum. Quur illud ait? si fidem habeam sic, vt dem corpus meum vt ardeam, Charitatem autem non habuero: nihil
i Cor. 13. mihi prodest.

Frustra dicerentur ista, si fides absque charitate non esset. Quod
Iacobi 2. fides absque operibus mortua est, quod daemones credunt et contremiscunt: frustra vobis allegem Epistolam Iacobi, quae quoniam vobis incommoda est, desiit esse vobis Apostolica. At Adam,
790 opinor, Deo credidit, nam, vt ait Apostolus, Adam non est seduc-
i Tim. 2. tus, et tamen peccauit. Quod si cum fide potest consistere operari male, potest haud dubie cum fide consistere non operari bene.

Sed tu fortasse non credis Apostolo, qui nihil credis aliud, quam quod prodidit ore suo Christus. Age igitur, an non hoc
795 prodidit ore suo Christus, quod aliquando venturi forent multi,
Matt. 7. qui dicerent ei: Domine, Domine, nonne in nomine tuo propheta-

---

785. i Cor.13:2,3.
786. James 2:26.
788. James 2:19.
791. i Tim.2:14. Luther had called James an "epistle of straw."

uimus, et in nomine tuo daemonia eiecimus, et in nomine tuo virtutes multas fecimus? Et tunc confitebor illis, inquit, quia nunquam noui vos. Discedite a me, omnes qui operamini iniquitatem. An non hic locus aperte docet, fidem, etiam tam ingentem, 800 vt sufficiat ad edenda miracula, tamen in quibusdam hominibus bonum fructum non ferre, nec eos homines propter immensam fidem arbores esse bonas, sed ficus prorsus aridas, radicitus excidendas, et coniiciendas in ignem? Non est ergo, Pomerane, verum, fidem solam sufficere, et quicumque fidem habet, eum necessario 805 producere fructum bonorum operum.

At quid ego tibi allego Christum? Quin allego potius Lutherano Lutherum? Audi igitur quid ille dicit, cuius apud te irrefragabilis est authoritas. *Nihil,* inquit, *damnare potest hominem praeter solam incredulitatem. Nam caetera omnia, si stet aut redeat fides,* 810 *absorbentur,* inquit, *a fide.*

Si decennium totum meditatus esset, quonam pacto clarissime posset explicare, non aliud sentire se, quam scelerum genus omne patrari posse, salua atque incolumi fide, non video profecto, quibus istud verbis potuisset enunciare lucidius. Nam verba illa, *si stet* 815 *fides,* alio torquere non potes, quam vt manere fidem sentiat, dum fiunt scelera. Qua ex re facile vides consequi, non eam necessario bonum opus producere, quae potest cum malo consistere.

Apage igitur, Pomerane, fucos istos, quibus impium dogma sic adornare studes, vt, dum solam fidem praecipis, bona simul omnia 820 videaris imperare, tanquam habeatis persuasum, fide non arceri solum peccata necessario, sed etiam produci virtutes. Apertissime siquidem docet, vt audisti, Lutherus, peccata omnia non illaesa tantum fide patrari, sed patranti quoque propter insitum fidei meritum non officere. *Nam si stet,* inquit, *fides, peccata omnia* 825 *absorbentur a fide.*

Quanquam si te fortasse nunc praeceptoris tui pudeat, cuius impiam sententiam tam aperte vides omnibus renudatam inuolucris, et videri velis ipse sentire sanctius, verba tua profecto, Pomerane, non adeo concinnasti callide, quin omni luce clarius eluces- 830 cat, illius impietatem te vel aequare certe, vel vincere. Nam primum aliquot Scripturae propositionibus aduersus bona opera deblateras, nempe illo: *Si ex operibus et nostro arbitrio iustificamur, Christus pro nobis gratis mortuus est.* Quo in versu illud de libero arbitrio addidisti ex arbitrio tuo, ne sacris in literis non ageres sacrilegum 835

---

800. Matt.7:22-23.
804. cf. Matt.3:10.
834. Gal.2:21.

falsarium. Quem Scripturae textum nemo non videt, nihil derogare meritis bonorum operum, quum nihil velit aliud, quam Christum gratis mortuum, si ex operibus absque fide iusti redderemur. Neque enim gratis mortuus est Christus, si nihil valent
840 opera sine fide, etiam si fidei copulata valeant plurimum, vt ne adiiciam id dictum ab Apostolo de operibus legis Mosaicae.

Tum illud adiecisti: quod *qui suam iustitiam sequuntur, ad veram iustitiam, vt Iudaei, non perueniunt.* Et illud: *Iusticiae Dei subiici non possunt.* Vbi illud, *vt Iudaei,* de tuo rursus, ne quam
845 Scripturam videri possis Iudaeo citare syncerius, admiscuisti. Porro Pauli verba quum in his locum habeant, qui aut sola putent opera legis iustitiam conferre sine fide Christi, aut qui de suis operibus inani efferantur gloria; quid faciunt ad Christianos, qui nulla credunt opera quantumlibet bona, quantumlibet multa, compotem
850 quenquam coeli reddere, nisi fiant in fide? Sed ne sic quidem aut fieri posse sine gratia, aut sui natura mereri beatitudinem, sed tam immensum ac supra meritum meritorum humanorum pretium a mera Dei gratuitate largientis et paciscentis proficisci.

Igitur vbi bona opera tam fabrefactis machinis oppugnasti, iam
855 (tanquam expugnaris quae non attigisti) transis ad iustitiam Dei, qui Christus est: cui, tanquam id quisquam neget, testimonia corrogas ex Lege et Prophetis. Sed quorsum tandem affers ista? nempe, vt reiectis atque explosis operibus, mortales vniuersos inuitares ad solam fidem.

860 *Haec,* inquis, *iustitia Dei tua est, dum per fidem suscipis Christum.* Verum quidem istud est, neque mali haberet quicquam, nisi quod quam solicite commendas fidem, tam solicite repulisses opera.

Iam quod statim subdis: *Non enim pro se, aut suis delictis mortuus est Christus, sed pro te, et delictis tuis:* fatemur esse verissi-
865 mum. Sed de te veremur, ne in hoc afferas, vt ex eius fidei fiducia confirmes peccandi licentiam, libidinemque reiiciendi seuerioris vitae sanctimoniam. Non recuso quin curiosus videar ad calumniam, nisi tua ipsius verba quae sequuntur, non tenuem quidem aliquam suspicionis eius coniecturam insinuent, sed apertissima
870 documenta proponant. Sic enim subiicis: *Igitur quicquid aliud tentaueris ad iusticiam, id est, vnde iustificeris, et liber sis a Dei iudicio, peccatis, morte, et inferis; hypocrisis erit, mendacium et impietas, quacunque pietatis specie fulgeat, pugnabit enim contra Dei iustitiam, et Christi erit abnegatio.*

875 Haec tua verba perspicue te declarant, in hoc fidem docere, vt

843. Rom.10:3f.

opera bona dedoceas. Qua in re perspicuum faciam, Lutherum, qui impietate caeteros omnes vnus antecellit, abs te tamen vno longe lateque superari. Nam is (quod ante recensui) ne quis putaret quicquam sibi curandum quam flagitiose viueret, fidem scripsit omnia absorbere peccata.

Luthero ipso magis impius Pomeranus.

880

Cui tu sententiae vt calculo tuo suffragareris, vbi quasdam commemorasti virtutes, quas vos docere praedicas, (quam rem paulo post efficiam, vt intelligant omnes, quam falso praedicas) ita protinus adiunxisti: *Et quia in carne sumus, quicquid ex iis non fit, aut non satisfit, et quicquid adhuc peccatur, docemus cum Christo, vt iugiter oretur delicti venia, quemadmodum orare praecepit: Dimitte nobis debita nostra. Et propter istam fiduciam in Deum docemus, non imputari peccatum quod est in carne reliquum. Non enim inuenio in me, id est, in carne mea bonum, sed gratia Deo, quod Christus venit, non propter iustos, sed propter peccatores. Et publicani et meretrices praecedent iusticiarios Pharisaeos in regnum coelorum.*

885

890

His tu, Pomerane, verbis, quod Lutherus ait, nihil hominem damnare posse praeter solam incredulitatem (nam fidem solam caetera absorbere peccata), eandem rem aliter explicas: nempe non imputari peccata, si quis eam habeat fiduciam in Deum, vt credat propter solam fidem suam peccata sua sibi non imputari. Ais tamen vos docere, vt fidei iungatur oratio, videlicet ista: Dimitte nobis debita nostra.

895

In his ergo duabus, nempe sola fide cum oratione breuissima, tota vobis vel non imputandorum, vel absorbendorum peccatorum omnium summa consistit, vt mortalibus per vos pateat per vitam in terra licentissimum mirum ad coelos compendium: quippe quibus deflendi peccati lachrymas, confitendi taedium, satisfaciendi fastidium, homines perquam benigni sustulistis. Atque in hac re nihil me narrando deprauare, nihil interpretando calumniari, tum verba tua testantur, tum ea, quae de Poenitentiae Sacramento scribit magister tuus in Captiuitate Babilonica, liquidius omni luce demonstrant.

900

905

Nemini igitur potest obscurum esse, eam esse non Lutheri modo sententiam, sed etiam, Pomerane, tuam: quod non solum absque bonis operibus, sed etiam cum flagitiis et sceleribus, sola fides sufficiat ad salutem. Caeterum vt coepi paulo ante dicere, tu non

910

---

887. Matt.6:12.
888. Rom.4:8.
889. Rom.7:18.
890. Matt.9:13.
892. Matt.21:31.

hac impietate contentus, vlterius tibi procurendum statuisti, nec
915 ante desistendum, quam docuisses, bona opera non floccifacienda
modo, verumetiam velut nocitura nobis et auersura Deum, sedulo
cauteque fugienda. Tua enim verba, sicuti commemoraui, sunt
ista.

Haec iusticia Dei tua est, dum per fidem suscipis Christum. Non
920 *enim pro se mortuus est, aut pro delictis suis, sed pro te, et delictis*
tuis. Quicquid aliud igitur tentaueris ad iustitiam, id est, vnde
iustificeris, et liber sis a Dei iudicio, peccatis, morte, et inferis;
hypochrisis erit, mendacium et impietas, quacunque pietatis specie
fulgebit. Pugnabit enim contra Dei gratiam, et Christi erit ab-
925 *negatio.*

Non vtar hic oratorio more, vt in istorum tuorum verborum
impietatem inuehar. Neque enim oratione cuiusquam opus est,
vt bono cuiquam viro reddatur inuisus, qui tanto spiritu, tanto
Serpentis antiqui sibilo, tanto cum tartareo fremitu caeteras vir-
930 tutes omnes, praeter solam fidem, tam aperte, tam impudenter,
tam odiose blasphemat, vt eas vocare atque appellare non dubitet
hypochrisin, et impietatem, quacunque pietatis specie fulgeant, et
eas omnes non modo pugnare contendat aduersus gratiam Christi,
sed ipsum etiam Christum prorsus abnegare.

935 Quum ista, Pomerane, dicis, quaeso te, quid dicis aliud, quam
Deum Patrem, vnigenitum suum non ob aliud in terram destinasse,
quam vt doceret mortales, in hoc venisse se, vt eos omnes ab omni
virtutum cura, et labore liberaret, atque in omne flagitiorum genus
indulgeret impunem atque irrefrenatam licentiam? et tandem post
940 vitam talem in terris actam, aeternam daret in coelo beatitudinem;
tantum illud contra poscere, ne dubitaret ei quisquam hac in
promissione fidere, ne forte si minus fideret, aut magis bonus,
aut minus malus esset?

Quum haec, Pomerane, non solum tam impia sint, sed etiam
945 tam absurda, quae sentis, vt nisi clarissimis verbis istam animi tui
sententiam declarasses, nemo futurus esset, cui videri posses, quum
esses homo, tam plane belluina sentire; adhibui profecto cogitationem et studium, si quid forte possem reperire, quod colorem
saltem aliquem reciperet, quo putari queas, aliud quippiam sen-
950 sisse; quod tametsi nihil boni haberet aut honesti, at minus tamen
aliquanto perniciosum ac sacrilegum videretur.

Quam in rem et tui causa simul et mea, quum memet diligenter
darem (tua, quod me vehementer puderet tui, ac misereret: mea,
quod cupiebam omnibus reddere testatissimum, illo me animo

esse quo semper fui, vt aliorum scripta, quantum possem, omnia in meliorem partem cupiam et benigniorem flectere), nihil tamen profecto nec inuenire quiui, nec comminisci quicquam, quod impietatis tam absurdae non opinionem quidem aliquam de te conceptam, sed certissimam hominum ex apertissimis verbis tuis natam scientiam leniret. 955 960

Etenim dum tento omnia, dum nullum non saxum moueo, succurrebat istud: Quid si fingamus illum sensisse sic. Quum dicit, *hypochrisin esse, si quis aliud quaerat praeter fidem,* non id quidem velle, quod sit hypochrisis, aliam virtutem vllam cum fide coniungere, sed si quis aliam sibi sumat loco fidei, in qua sibi fidat ac spem reponat absque Christi fide. 965

Sed haec interpretatio statim apparuit impudentior, quam vt eam pudor meus vnquam sustineret defendere. Videbam illico vniuersos mihi reclamaturos, improbissimum ac nugacissimum effugii genus frustra me esse commentum. Nam quaesituros protinus, qui fieri possit, vt ita, Pomerane, senseris, quum eos omnes quos reprehendis, idem sentire non nescias. 970

Siquidem quis est eorum, inquient, omnium, aduersus quos ille scribit, quos Iustitiarios appellat, quos pro Pharisaeis insectatur, qui virtutem vllam credit sine fide prodesse? Itaque vel inuiti cogamur oportet fateri, nihil te minus quam illud, Pomerane, sensisse. 975

At fortasse tandem simulabis, hoc voluisse te: non vetuisse videlicet, nequis praeter fidem solam alias praeterea virtutes persequatur. Sed istud monuisse tantum, ne vllam quis caeterarum virtutum omnium, ne quod opus hominis, quantumuis bene factum, quantumuis praeditum et formatum fide, persuadeat sibi, vel ad salutem consequendam, vel ad vitandum gehennae supplicium, vllius omnino momenti fore; imo si quis eo animo bene statuat facere, quod illud sibi credat vel ad obtinendum coelum, vel ad declinandam gehennae flammam quicquam profuturum, eum non modo sese frustrari prorsus et fallere, verum etiam ob id ipsum, quod ita credat, et foelicitatem perditurum, et ad inferos praecipitem, velut abnegato Christo, ruiturum. 980 985

Si sic te, Pomerane, velis intelligi, quid aliud quam e fumo (quod aiunt) in flammam incidisti? Nam ego statim, Pomerane, abs te quaeram: si quis bona opera negligat, et committat mala, vtrum ea res ei coelum claudat, vel aperiat inferos? Si negas istud, nemini relinquis ambiguum, quod valde cupias tegere, eum esse te, qui

Expedi te, si vir es, Pomerane.

991. cf. Otto p.137.

995 mundum totum in vitia, proposita scelerum impunitate, prouoces. Sin illud, sicut est necesse, concesseris, nunquam negare poteris, quin si operum nostrorum malitia demergat ad inferos, eorum bonitas, quae diuino operamur auxilio, ab inferis nos adiutet, atque aliquatenus reddat idoneos ad coeli promissum praemium. 1000 Etenim perquam absurdum fuerit, ita tibi persuadere de Deo, tanquam natura tam clemens, quum vitiis decernat supplicia, nullo virtutes praemio remuneret.

Verum quam absurda sit haeresis ista, quam aperte repugnet Scripturae sacrae locis aliquot, supra demonstrauimus. Etenim 1005 tametsi fatemur, neminem debere de sua virtute superbire, sed agnoscere bonorum operum pretium, non ex operum natura, sed liberalissima Dei aestimatione manare, nec ad ea ipsa facienda potuisse quenquam solis naturae suae viribus absque peculiari gratia sufficere, denique merito quenque posse de suo facto 1010 metuere, ne forte latente quopiam vitio sit infectum; tamen de bene factis nostris et bene sperare possumus, et semper conari debemus, non vt sola fide seruemur, sed etiam declinando mala, et bona faciendo, ad vitam veniamus aeternam.

Nam infinitum illud et incogitabile praemium, quanquam 1015 nemini promisit infideli Deus, adeo non promisit tamen soli fidei, vt non vno loco non vnus fateatur Apostolus, fidem solam quantumcumque magnam nihil omnino proficere, sed absque bonis operibus prorsus haberi pro mortua.

Porro quod operibus ipsis in fide factis tribuatur praemium Prover. 13. aeternum, an non illud aperte testatur quod ait Scriptura: Redemptio animae viri diuitiae suae? Non illud Euangelicum: Date elee- Luc. 11. mosynam, et omnia munda sunt vobis? Non illud iudicaturi Matt. 25. quondam Christi, quo se daturum praedicat aeternam beatitudinem, velut mercedem praemiumque praestitiae liberalitatis in 1025 pauperes?

Vides ista, Pomerane, tam aperta esse Scripturae sacrae testimonia, vt quantumcunque te torseris, nihil vnquam inuenturus sis, quod contra possis opponere. At tu fortassis homo sanctus ferre non potes nomen mercedis et praemii, sed ita gratis hominem 1030 iubes seruire Deo, vt nihil inde prorsus retribuendae mercedis expectet, tanquam mercenarii sit ac non filii, non inseruire gratis et libere, sed stipe seruire conductum.

Quis terram coelo non misceat, et mare coelo, quum Lutheranus Episcopus, qui votum rupit, qui fidem fregit, qui sacerdotalem

---

1018. James 2:17. 1025. Matt.25:31-46.
1021. Prov.13:8. Lk.11:41.

castitatem violauit, qui coniugii nomine perpetuo volutatur incestu, qui de virtute loquutus clunem agitat, subito nobis velut e coelo demissus grauem istam ac seueram de colendo Deo normam edictumque proponat, ne quis bene factorum suorum vllum expetat aut expectet praemium? Si quis id optet ac speret, eum Christo non habendum pro Christiano, nempe mercenarium esse, non filium. 1035 1040

Pudet, vt video, Pomeranum virum supra communem sanctimoniae sortem sanctulum inter eos connumerari mercenarios, quos paterfamilias denario conducit in vineam. Hic vero tam generoso est animo, vt potius quam in vineam sese conduci sinat denario, extra vineam velit perire suspendio. Quis non videt, quam ille sit e sublimi velut illiberalem seruum despecturus contempturusque Prophetam, quem non puduerit aperte profiteri, Deo se seruire propter retributionem? Matt. 20. 1045 Psal. 118.

At non videt interea prudentissimus pater, in quas se coniicit et compingit angustias. Nam aut nihil praemii sperat atque expectat retribuendum fidei, et fidem iam non minus inutilem infructuosamque praedicat, quam ante praedicauit opera, aut fidei praestolatur mercedem, et in idem iam discrimen incidit. Propter quod ab operum bonorum praemio abhorruit, nempe vt fidem sibi faciat mercenariam. 1050 1055

Quod si respondeat non deberi, ne fidei quidem, beatitudinem ex natura fidei, sed Dei benignitate sola sequuturam, nec sequuturam dubitandum quicquam, quum ita pepigit ac promisit Deus, et tamen haud ideo credendum esse Deo, vt praemium quod credenti promisit consequamur, sed eo animo et cogitatione accedendum, vt etiam si nihil vnquam commodi reportandum esset, nihilo tamen minus et eius dicto fidem haberemus, et ineffabilem eius Maiestatem coleremus. Haec si mihi respondeat Pomeranus, fatebor illum tam vere sancteque dicere, quam rem nihil attingere. 1060 1065

Siquidem non est, opinor, tam stupidus, vt non intelligat, nihil hoc sermone se de fide loqui, quod non ex aequo competat in opera. Nam nec illa dicimus suapte natura talia, quae coelum sibi possint arrogare, sed liberaliter idem promisisse operibus nostris Deum, quod nostrae promisit fidei; nempe ita demum vtrisque se daturum coelum, si in amborum capacibus ambo coniungerentur. Alioqui qui ipsius adiuti gratia vtrumque possent, altero tantum niterentur, nempe qui vel sola fide, vel solis ingrederentur operibus, eos non in vitae via progredi, sed errore deceptos regredi. 1070

1044. Matt.20:2.

1075 Neque tamen quicquam impedit, si quis ieiunio, castitate, precatione et caeteris se virtutibus exerceat, quas tu, Pomerane, cum Luthero tuo destruere atque demoliri contenditis, quin eo pietatis euadat aliquando, vt sibi videatur ea facturus omnia, etiam si Deum sciret nihil mercedis omnino perpetuis eius laboribus red-1080 diturum.

Atque ego quidem vt animum istum pium, et cogitationes eiusmodi sanctas esse confiteor et exoptandas, ita non solum fidei atque operibus communes esse contendo, verum etiam plane confirmo, quisquis—id quod tu, Pomerane, facis—operibus bonis 1085 praedicat nihil inesse boni, nihil opera bona sequuturum praemii, nihil aduersus inferos opera bona prodesse, sed per ea oppugnari gratiam, et Christum prorsus abnegari; eum non id conari modo, vt populum ad opera bona, velut rem inutilem atque infrugiferam, frigidum reddat ac segnem, verum etiam vt tanquam pestem ali-1090 quam noxiam ac laethiferam, mortalium omnium pectoribus bene faciendi studium reuellat atque reiiciat, et quo dogmata sua magis adblandiantur plebi, libidinis et licentiae lenocinio, facillimam illis in omne flagitii genus facultatem securitatemque indulgeat.

Igitur quum ea quae tu proponis tibi, manifeste, Pomerane, sint 1095 eiusmodi, quumque videres istud ex verbis tuis, quae supra commemoraui, tam aperte clarescere, vt vereri coeperis, ne nimium id liquidum esset, ac foret fortasse tam inuidiosum, vt ne malis quidem atque improbis hominibus ferendum videretur, exoriri quenquam tandem tam absurde nebulonem nequam, vt contra 1100 communem omnium tot seculorum sensum audeat, tam acerbe virtutes inuadere, et promouere flagitia; coactus es ipse dissidere tecum, et, quo venenatum spiculum, exertum iam plus satis et conspicuum, aliquo fuco tegeres, tam apertis vitiorum suasionibus et virtutum dehortamentis adiungere vos etiam virtutes, docere.

1105 Quod tu quam falso dicis, quanquam et ex sectae vestrae dogmatibus appareat, nec verba tua, quae supra nunc excussimus, ambiguum esse permittant, statim tamen quum ea ipsa verba ventilabimus, magis adhuc euidens atque illustre reddetur. Interim operaepretium est videre, quam pulchro et spetioso putamine fruc-1110 tuum vestrorum marcidam plane putridamque carnem conuestias. Ais enim hoc pacto:

Quisquis in illum crediderit, arbor bona est, et non poterit suo tempore non ferre fructum bonum: non quem fructum hypocrisis fingit, sed quem Spiritus Christi illic sua sponte producit. Qui

---

1112. Matt.7:16-20.

enim Spiritu Christi aguntur, hi sunt Filii Dei. Sobrie, atque pie, 1115
et iuste adorabit Deum in spiritu et veritate, non in elementis mundi, cibis et vestitu, aut alia hypocrisi. Sentiet de Sacramentis quod Christus docuit et instituit, formabit proximes doctrina, consilio, oratione, rebus, etiam cum dispendio vitae, nec solum amicos, sed etiam inimicos. Haec docuit Christus, ad haec trahit natura spiritus 1120
corda credentium, et nos haec omnia docemus facienda. Et quia in carne adhuc sumus, quicquid ex his non fit, aut non satisfit, et quicquid adhuc peccatur, docemus cum Christo, vt iugiter oretur delicti venia, quemadmodum orare praecepit: Dimitte nobis debita nostra. Et propter istam fiduciam in Deum non imputari peccatum, 1125
quod est in carne reliquum. Non enim inuenio in me, id est, in carne mea bonum, sed gratia Deo, quod Christus venit, non propter iustos, sed propter peccatores, et Publicani et meretrices praecedent Iustitiarios Pharisaeos in regnum coelorum, quicquid hic obganniet os iniquum, quod nos alia docemus. Deus per Moysen dicit: 1130
Quisquis Prophetam illum, id est, Christum, non audierit, ego vltor existam. Audiant hoc contra se Dei iudicium, Euangelii hostes. Et Pater clamat super Christum: Hunc audite. Et Christus: Oues, inquit, meae vocem meam audient, et non alienorum.

Paulo post excutiemus ista, quae sunt in speciem tam sancta, 1135
an tam vere sancta sint, quam videntur esse. Nam quod orandum sit pro peccatis, miror id afferre te, tanquam partem huius nouae Doctrinae vestrae, quasi nos, qui vobis per contumeliam tam falso quam saepe Pharisaei vocamur et Iustitiarii, non dicamus orationem Dominicam, neque nos fateamur esse peccatores. Illud 1140
certe magis adhuc miror, quod tu vel orare suades, vel eorum quicquam facere, de quibus ais, *Nos haec omnia docemus facienda.*

Nam cur suades quicquam, si nulla est libertas arbitrii? Cur hortaris, vt orem, vt proximos consilio formem, doctrina promoueam, rebus adiutem, nec vitae meae parcam dum aliis prosim, 1145
si mihi nullo modo sit in manu, vt horum quicquam faciam? Deum duntaxat orare debes, vt haec in me peragat omnia, non etiam adhortari me, vt in istorum quicquam connitar, si nec adiutus gratia quicquam cooperor, sed omnia duntaxat patior.

Quis hortatur lapidem, vt sese formet in statuam? Quis aerem 1150
hortatur, vt pluat? Terram quis hortatur, vt germinet? Si fato procedunt omnia, neque quicquam prorsus libere sit ab hominibus,

Contra fati patronos.

1136. videnter *Ep. ad Bugenhagen.*

1115. Rom.8:14.
1132. Deut.18:18,19.
1133. Matt.17:5.
1134. John 10:27.

id quod mordicus tenetis Lutherani, nihil profecto causae reliquisti tibi, quur aut quenquam ad virtutem commoueas, aut
1155 castiges noxium. Nec habes omnino quicquam quod obiicias aduersariis, si nihil libere faciunt, sed omnia coacti fato, nisi te
Facete. fortasse respondeas, nec ista quidem, quae scribis ipse, tua⟨p⟩te sponte scribere, sed instinctu fati.

Sed et hoc, Pomerane, miror, quum ista quae tu facienda suades
1160 (si modo suades, vt dicis) eadem pleraque sint, quae suademus et nos, et quae bona sunt opera, cur nominatim toties aduersus
Dic colorem Pomerane. bona opera deblateras? Nam si contemnis, cur suades? Si suades, quur contemnis?

An fieri quidem talia permiseris, sed eadem vetabis opera bona
1165 vocari? At quur tu sic vocari prohibeas, quum sic appellet et
Marc. 14. Deus? Haec, inquit, mulier bonum opus operata est in me. An ideo displicet, quia quum bonum sit, vocatur opus hominis? At hoc ipsum ipse testatur Christus, cui vni te scribis credere. Nonne dixit: Bonum opus operata est mulier? An non idem dixit simi-
Ioan. 8. libus vestri Iudaeis: Si filii Abrahae estis, opera Abrahae facite?

Iam vos qui omnibus in rebus exigitis manifestas Scripturas, quur hic tergiuersamini in locis Scripturae manifestis? Quam multis in locis et iubet, et vetat Christus? Quorsum ista, si nihil facimus?
Mat. 25. Esuriui, inquit, et dedistis mihi manducare. Sitiui, et dedistis mihi
1175 bibere. Hospes eram, et collegistis me.

Christus eos dedisse dicit, et collegisse; vos vtrunque negatis. Deum enim fecisse dicitis omnia, ipsos nihil omnino, sed tantum passos in se facientem Deum. Ille crudelitatem exprobrat immitibus, imputans quod esurientem non cibarint, sitientem neglexerint,
1180 hospitem sub dio contempserint. Quam inclementer imputabit omnia, si aut nihil horum facere, ne adiuti quidem gratia queant, aut, ne valeant, citra demeritum suum subtrahatur gratia?

Quid vos ad haec Lutherani? Quid aliud quam loca quaedam contra congeritis e Scriptura sacra, quaecunque libertatis humanae
1185 vires videntur adimere, et referre peccatorum nostrorum causas in Deum? Deinde vel citatis illis perperam, vel intellectis nequiter, triumphum buccinatis aduersus Pharisaeos et Iustitiarios, dissimulantes interim tot loca turpiter, quae vestras acies obruunt atque prosternunt, et vestra subinde succinentes, ad ea quae vel soluunt
1190 vestra, vel proferuntur contra, nihil respondetis omnino. Nisi quis forte sic insaniat, vt ab Luthero belle putet esse responsum ad

1166. Mark 14:3-9.
1170. John 8:39.
1175. Matt.25:35.

Scripturas illas, quas eruditissimi viri et de Christi Ecclesia bene meriti *Diatribe pro Arbitrii Libertate* protulit. Quibus sic omnino respondit Lutherus in eo libro quem inscripsit de *Seruo Arbitrio,* vt interim plane declararit, quam furioso daemoni, dum illa scriberet, ipsius seruiebat arbitrium. 1195

Quid enim affert aliud aduersus clarissima illa verba Scripturae: Si vis ad vitam ingredi, serua mandata, et alia eiusdem generis innumera, quibus tam aperte quam passim arbitrii nostri libertatem sacrum testatur Eloquium; quam quod illa ironice dicta sint omnia? Quod Deus ideo scilicet hominem iussit facere, quia sciebat hominem facere, quod iussit, non posse, commentum tam insanum, vt (si hos excipias, qui libenter in istud dogma velut perniciosae licentiae viam discedunt, et necessitatis istius opinionem cupide amplectuntur in scelerum suorum patrocinium) neminem sis inuenturus alium, qui non stolidissimum istud responsi genus irrideat, detestans et subsannans interim vanissimi viri glorias insanissimas, quibus tam assidue Sardonio cum risu gestiens, victorias, trophaea, triumphos buccinat, et se tam praeclare praedicat respondisse, vt nec Diabolus nec Angelus possit euincere. Quasi vero difficile sit nebuloni, vbi meras eblaterauit insanias, illico furiose clamare, tam egregia disseruisse sese, vt nemo possit dissoluere.

Matt. 19.

O vocem Lutheri impiam et blasphemam.

1205

1210

Quin Luthero ipsi quam absurda videantur ista, quae respondet Diatribae, et ipsius praedamnata conscientiae, tum quam indigna censeat, quae aliud quam risum aut stomachum cuiquam moueant alii quam haeresis suae fautoribus, lucidissime declarat ipse, quum aperte fatetur responso suo, neminem capi posse, nemini persuaderi quicquam, nisi qui legendis ipsius libris hausisset spiritum. Quod quid aliud est, quam ea quae respondet omnia, caeteris, qualia sunt, vniuersis fore conspicua, nempe absurda, insana, sacrilega; eis duntaxat visum iri formosula, quorum oculis caliginem haeresis Lutheranae studium et fauor offuderit, quosque ex lectione Lutheranorum librorum spiritus idem, qui Lutherum furiis agitat, reiecta fide Christi, dementauerit? 1215 1220 1225

Ita vides, Pomerane, quam pulchre soluitis eas Scripturas, quae pro arbitrii libertate proferuntur aduersus vos. Quibus aut dissimulatis omnino, aut insanissime refutatis, aliquot vicissim loca pro vobis aduersus Ecclesiam proponitis. Quorum quum quaedam efferantur per hyperbolen, omnia vero (quod ex constanti sanc- 1230

1193. cf. l.603 note.
1198. Matt.19:17.
1208. cf. Otto p.308.

torum Patrum interpretatione constat liquidissime) nihil aliud velint, quam et quosdam immani voluntatis prauitate meritos, tandem destitui gratia, (quos obdurare dicitur Deus, quod eis omnino decreuerit gratiam suam nunquam offerre denuo, quae
1235 saxea corda remolliat) et neminem prorsus esse mortalium, qui quicquam possit sine Deo; id quod nos plane fatemur.

Ioan. 15. Quis enim neget quod affirmat Veritas, quae dicit: Sine me nihil
Ioan. 6. potestis facere, et, Nemo potest venire ad me, nisi Pater, qui misit me, traxerit eum. At vos eo vesaniae progredimini, vt hominem
1240 contendatis nihil omnino facere, ne cum Deo quidem, nec ad Patrem venire cum tractu, sed trahi duntaxat inuitum, non connitentem cum trahente conscendere; quum Christus contra manifeste monstret, se paratum semper trahere, sed non trahere, si quis nolit trahi. Quoties, inquit, volui congregare filios tuos,
Luc. 23. quemadmodum gallina congregat pullos suos sub alas, et noluisti?

Quin quo in loco maxime videtur opera nostra deprimere, vt humanam retundat arrogantiam, tamen ibi quoque vires et libertatem nostrae voluntatis ostendit. Quum feceritis omnia, in-
Luc. 17. quit, quae praecepta sunt vobis, dicite: serui inutiles sumus. Quod
1250 debuimus facere, fecimus. Ecce, qui soli Christo credere vos iactatis, iam nec illi creditis. Ille nos ait facere; vos contra quod dicit ille negatis, et vos asseritis duntaxat pati.

I nunc et iacta, Pomerane, vos docere quaecunque prodidit ore suo Christus. Quin et hoc demiror, si formare proximos oratione,
1255 consilio, et rebus adiuuare, etiam cum vitae dispendio docetis; quo id consilio docetis: Si non modo nihil valent ista aduersus Iudicium, peccatum, mortem, et inferos, sed etiam recta deducunt illuc. Sic enim paulo supra scripsisti: *hypocrisin esse, mendacium, et impietatem, et impugnationem gratiae, et abnegationem Christi,*
1260 *si quis aliud tentet, quo liberetur a peccatis, morte, et inferis, praeter solam fidem.*

Quae res, si sic se habet, quur non solam doces fidem? Quur ista simul doces opera, si aut sola per se sufficit fides, aut haec necessario fidem sequuntur? Nam quis eum hortatur, qui stat in sole, quis
1265 hortatur, inquam, vt edat vmbram? quam, velit nolit, est editurus, quam diu perstat in sole.

Vides ergo, Pomerane, haec doctrina vestra (quam vos tam constantem videri vultis, et nouum prorsus haberi Euangelium) quam

---

1237. John 15:5.
1239. John 6:44.
1245. Marginal note incorrect; Matt.23:37.
1249. Lk.17:10.
1258. cf. above, ll.919ff.

multis modis tam foede secum pugnat, vt alia pars conficiat aliam. Quae res non alia de causa vobis accidit, quam quod aliud docetis ex animo, aliud videri vultis docuisse. 1270

Nam cum serio praedicatis, et quanta potestis vehementia contenditis, vt mortales cuncti solius fidei fiducia liberos sese persuadeant ab omni cura et solicitudine caeterarum virtutum omnium, tutos item et coeli certos in omni flagitiorum licentia, tamen quo declinetis aliquantulum tam insani dogmatis inuidiam, quaedam interdum obiter interseritis, his quae scripsistis ante contraria, quibus controuersum reddatis, an tam insane, quam sunt illa vobis scripta, senseritis. Quam rem tamen non ita callide tractasti, Pomerane, quin fucus istarum virtutum, quem tibi cura fuit allinere, facillime possit abstergi. Quod quo dicto citius factum videas, expendemus illico, cuiusmodi fructus isti sunt: quos vestrae factionis homines, arbores videlicet tam bonae, non proferre non possunt. 1275 1280

Quisquis, inquis, *in Christum crediderit, arbor bona est, et non poterit suo tempore non ferre fructum bonum. Non quem hypocrisis fingit, sed quem Spiritus Christi illic sua sponte producit. Qui enim Spiritu Christi aguntur, hi sunt Filii Dei.* 1285

Haec tametsi, Pomerane, pleraque verba sint Christi, et quae si quis afferret Orthodoxus, nihil non haberent salubre; tamen quoniam tuis intermixta sunt, qui omnia trahis et detorques ad Lutherana dogmata, merito nos ipsa res excitat, vt ipsum etiam mel habeamus, offerente Lutherano, suspectum, ne quod sub melle venenum lateat: veluti id quod ais, fructum bonum in credentibus Christi spiritum sua sponte producere. 1290

Quod quanquam verum fatemur esse, tamen non fatemur esse verum in eo sensu, quo tu videris accipere. Neque enim in homine credente, bonorum operum fructum sua sponte sic producit Christus, vt eum producat absque sponte et voluntate hominis. Quod vnum sentire te declarat haeresis, qua prorsus aufers arbitrii libertatem. 1295 1300

Iam illud quod sequitur satis ostendit quem fructum sentias. *Sobrie,* inquis, *pie et iuste adorabit Deum in spiritu et veritate.* Recte istud quidem. Sed perge paulo quid amplius. *Non in elementis mundi, cibis et vestitu, aut alia hypocrisi. Sentiet de Sacramentis, quod Christus docuit et instituit.* 1305

At hoc illud est, hinc illae lachrymae. Nam vos homines spirituales, consilio, quod Christus prodidit, (qui Deum adorare velit, in spiritu et veritate oportet adorare) sic decreuistis obtemperare, Ioan. 4.

1269. faede *Ep. ad Bugenhagen.*

1308. John 4:24.

vt Deo prorsus auferatis omne carnis obsequium. Sed hoc est,
1310 Pomerane, sic adorare spiritu, vt non adores in veritate, neque enim vere adorat Deum, qui sic sibi blanditur oratione spiritus, vt interim carnem negligat lasciuientem subdere et domare ieiuniis.

Vobis omne corporis obsequium, quod Deo praestatur, hypocrisis Luc. 6. est. At Mariae non erat, quae lachrymis lauit pedes Christi, et Ioan. 12. capitis capillis extersit. Vobis omnis vestitus horridior est hypo- Mar. 1. crisis: at idem Baptistae non fuit, qui pilis cameli vestitus est. Hypocrisis est vobis omnis abstinentia ciborum: at illi non erat, Matt. 3. qui tantum vescebatur locustis. Sed nec Paulo quidem, qui se optabat omnem diem posse ieiunare. Vobis sunt hypocrisis omnia, 1320 per quae vota sua Deo pietas Fidelium effundit in templis. At non idem sensit Propheta, quem regia celsitudo non vetuit coram ii Reg. 6. archa foederis et psallere, et saltare cum populo. Nec impune tulit stulta et superba mulier, quae genus id cultus tunc reprehendit in illo, quod vos Lutherani nunc, nec minus stulti, et magis super- 1325 bi, sugillatis in grege Christiano.

Profecto, Pomerane, si cuius ita pietas tepet, vt caro eius non efferuescat in cultu Dei; is verissimus erit hypocrita, si sese dicat feruenter adorare spiritu.

De Sacramentis, inquis, *credet quod Christus docuit et instituit.* 1330 Satis profecto breuiter, verum haud satis dilucide. Nam vos in quaestionem trahitis quid docuerit Christus. Nos non dubitamus Christum docuisse, quicquid Ecclesia Christi credit, in quo sine Christi contumelia non posset errare: alioqui frustratus esset promissum Christus, quo se cum ea promisit futurum vsque ad con- Matt. 28. summationem seculi.

Vos omnia negatis praeter manifestas Scripturas, et quae sunt manifestae, vocatis obscuras, aut, quod est impudentius, quod clarum est aduersum vos, id clarum clamatis esse pro vobis. Ecclesia demum ipsa quaenam sit, altercamini, et ita redditis ambiguam, 1340 vt in terra statuatis omnino nullam. Denique sic tractatis, vt nisi, quod magis verisimile est, ipsi sitis impii, impios fuisse necesse sit, quicunque hactenus a Christo passo habiti sunt vsquam pii.

Nam quis vnquam bonus Ordinem habuit pro figmento? Quis vnquam blaterauit aduersus Contritionem? Imo quis non hortatus 1345 est ad dolorem pro peccatis? Quis mulieres permisit audire Confessionem? Quis aduersus opera bona contendit? Quis floccifecit

---

1315. Lk.7:38; John 12:3.
1316. Mk.1:6.
1318. Matt.3:4.
1319. i Cor.8:13.
1322. ii Sam.6:14f.
1335. Matt.28:20.

ieiunia? Quis contempsit preces Ecclesiae? Quis templis detraxit ornatum? Quis inuidit Sanctorum cultui? Quis negauit ignem Purgatorium? Quis Eucharistiam in Missa non habuit pro Sacrificio? Quis panem restare sensit cum carne Christi? 1350

Quanquam hoc aliquot e primariis vestrae factionis hominibus Lutherano more iam recantauerunt. Nam vt is dogmata sua semper mutare solet in peius, quod et de Veniis fecit, et potestate Pontificis, et ipsa item Eucharistia; sic Carolostadius et Suinglius,

---

1354. Huldreich Zwingli (1484-1531), the leader of the Reformation in Zürich, was educated in arts and theology at the universities of Vienna and Basle and took his M.A. at Basle, 1506. He was ordained to the priesthood and became rector of Glarus. From 1516-1518 he served the church at Einsiedeln, the greatest center of pilgrimage for Switzerland and south Germany. January 1, 1519, he became people's priest at the Great Minster in Zürich. He was already a profound student of the Bible, brought to it by the influence of Humanism and of Erasmus' Greek New Testament, and his eloquent preaching at Einsiedeln and Zürich was Biblical and expository.

It is from this Humanistic approach rather than from a deep personal religious experience, that he comes to the problems of the Reformation. At Einsiedeln he was amused at the sale of indulgences, at Zürich he preached against it, and as a result the Diet complained to Leo X, who withdrew the commission for sale.

In 1522 petitions asking for permission for priests to marry were sent by "certain preachers of Switzerland" to the Bishop of Constance and the government of the Confederacy. Zwingli signed the former, and probably drew up both. He had in that year contracted a "clerical marriage" with a widow, Anna von Reinhard, and in 1524 he acknowledged it openly.

Pope Adrian VI called upon Zürich to abandon Zwingli, but after a public disputation in 1523, based on 67 theses drawn up by Zwingli, the council upheld him and separated from the bishopric of Constance. Zwingli took part in the disputation at Berne in 1528, which resulted in the establishment of the Reformation in that canton.

Civil war followed between Catholic and Protestant cantons, and Zwingli, serving as chaplain, was killed at the Battle of Kappel October 10, 1531.

Zwingli's theology is briefly expressed in the 67 theses of 1523, and his most distinctive doctrine is that of the Eucharist, which brought him into such sharp conflict with Luther at the Marburg Colloquy in 1529. (cf. S. M. Jackson, *Huldreich Zwingli.*) Luther much misunderstood Zwingli's point of view with regard to the sacrament, largely because he did not read Zwingli's writings, but depended on the opinions of them expressed by Pirkheimer, Brenz and Bugenhagen. Luther therefore confused his view with Karlstadt's, and it is noteworthy that More seems to do the same. Zwingli denied the repetition in the Mass of the sacrifice on Calvary, opposed the presence of Christ's body in the consecrated bread, but believed in the Presence of Christ in the sacrament, and taught that His body is eaten in the Communion "sacramentally and spiritually." (cf. Köhler, *Zwingli und Luther: ihr Streit über das Abendmahl*, pp. 810-840; Barclay, *The Protestant Doctrine of the Lord's Supper*, pp.41-106.) Barclay points out three periods in Zwingli's sacramental development, of which the middle one, 1524-1528, was influenced by controversy with Bugenhagen, who had published his *Contra novum errorem de sacramento corporis et sanguinis Christi.*

The reference to Luther seems to be to a paragraph in the *Address to the Christian Nobility* (§24. Edit. Wace and Buchheim, p.227). "If I knew that the only error of the Hussites was that they believe that in the Sacrament of the altar there is true bread and wine, though under it the body and the blood of Christ—if, I say, this were their only error, I should not condemn them; but let the Bishop of Prague see to this. For it is not an article of faith that in the Sacrament there is no bread and wine in substance and nature, which is a delusion of St. Thomas and the Pope; but it is an article of faith that in the natural bread and wine there is Christ's true flesh and blood. We should accordingly tolerate the views of both parties until they are at one; for there is not much danger whether you believe there is or there is not bread in the Sacrament."

1355 quibus se tandem iunxit Œcolampadius, carnem Christi penitus abstulerunt, merum linquentes panem. Quod ipsum plane moliebatur olim Lutherus, fecissetque procul dubio, nisi Carolostadius eum praeuenisset et Suinglius.

Nam quorsum tendebant illa, quod prius liberum permisit omni-
1360 bus, vt citra periculum crederent panem cum corpore simul esse in Eucharistia, nihil tamen damnans, si quis panem mutari credat in carnem. Deinde pro haeretico habebat, si quis panem crederet in carnem verti.

Quorsum illud, quod Missae mutauit Canonem, Sacrificium
1365 aut oblationem vetuit appellari, ceremonias et cultum detraxit, contrectandum permisit Laicis, conficiendum foeminis, in templis honorandam seruari Eucharistiam prohibuit: asserens eam non institutam, vt honoraretur, sed vt reciperetur tantum. Imo ne reciperetur quidem, nisi cuique semel voluit in Babilonica, videlicet e vita migranti, sicut Baptismus duntaxat semel confertur ingredienti.

Luther in Capt. Babil.

An non haec eo pedetentim se ferebant omnia, vt Christi corpus ex Eucharistia prorsus aliquando tolleret? Et ita sibi viam struxerat, vt aperte statim rem esset aggressurus, nisi iam iam facturientem
1375 scelus auocasset a scelere. Nam ab haereseos impiae propera et aperta praedicatione sola retraxit inuidia. Carolostadio enim et Zuinglio eum inuidit honorem, quod alteruter ipso magis haberetur impius. Nec minus id honoris post inuidit Œcolampadio. Ita quam rem eum vident omnes olim vehementer molitum, eam contra
1380 demoliri maluit, quam vt alium quenquam praeter se permitteret impiae cuiusquam sectae Haeresiarcham esse.

Verum quid refert, quem is animum habeat de Eucharistia, cuius libri satis ostendunt, quam sacrilegum habeat animum de Christo? Quis enim dubitet, quam impie de Christo sentiat, qui
1385 et Sanctos eius blasphemat, et Crucem eius conspurcat, et venerabilem eius Matrem suae meretrici coaequat? At quid refert adeo, quid ei videatur de Christo, cuius animum spurcissimum aduersus naturae Diuinae sublimitatem foedissima testatur haeresis, qua

---

1369. This is hardly a fair interpretation of Luther's point of view: "Baptism, however, which we have assigned to the whole of life, will properly suffice for all the sacraments which we are to use in life; while the bread is truly the Sacrament of the dying and departing, since in it we commemorate the departure of Christ from this world, that we may imitate Him. Let us then so distribute these two sacraments that baptism may be allotted to the beginning and to the whole course of life, and the bread to its end and to death; and let the Christian while in this vile body exercise himself in both, until, being fully baptised and strengthened, he shall pass out of this world as one born into a new and eternal life and destined to eat with Christ in the kingdom of His Father." *Babylonian Captivity,* at end.

clementissimum atque Optimum Deum, adempta voluntatis libertate, scelerum omnium non vltorem magis facit quam authorem? 1390 Qua vna haeresi vt nulla potest excogitari magis impia atque sacrilega aduersus sacrosanctam Maiestatem Dei, sic nulla potest ad animandos in omne flagitii genus mortales excogitari perniciosior. Et cum tam impia et tam absurda doceatis, non pudeat interim ita loqui, quasi Lutherani soli sint idonei, qui proximos forment 1395 doctrina. Videlicet, opinor, quia docet Lutherus, Christianos omnes omnibus solutos esse legibus: tum autem consilio, quia sancte et seuere consulit, vt qui coelibem vouit continentiam, contempto voto prouolet ad vxorem, et maritorum si quis est inualidus ad libidinem, consulit, et perquam comiter, vt vxori 1400 conducat adulterum.

Nam quod rebus Lutherani iuuent proximos vsque ad dispendium vitae, idque non amicos modo, sed inimicos quoque; quis sic audire potest, vt in re atrocissima simul et miserrima risum tamen queat continere? Quum videat vestrae factionis facinorosas 1405 cohortes passim conglobari, demoliri pulcherrimas domos, sacratissimas aedes incendere, sanctissima templa diripere, miseros et innocentes Fratres bonis et fortunis omnibus exutos, omni vitae subsidio nudatos, corpore plerosque male mulctatos eiicere. Hoccine est, Pomerane, rebus adiuuare, etiam cum dispendio vitae? 1410 Idque non solum amicos, sed inimicos quoque? Sic, opinor, videlicet, quum eos tractatis vbique pessime, quicunque sunt vbiuis optimi.

Nam si quis leuis sit et inconstans nebulo, paratus vltro seueritatem vitae strictioris abiicere, hunc obuiis vlnis amplectimini, hic 1415 sanctissimus est in Christo Frater, et sceleratis turmis sceleratus miles adiungitur. At si quis amplexus veram pietatem constanter insistat proposito, et abominetur facinorosam licentiam, hic statim Pharisaeus vobis, et Iustitiarius, et hypocrita proscinditur non aliter a Lutheranis, afficitur, exturbatur, affligitur, quam ab Ethnicis 1420 olim Tyrannis solent innocentissimi Martyres. Et tamen interim, si superis placet, ita loquimini, quasi soli sitis Christiani, et grauiter obiurgatis Ecclesiam, tanquam non audiat Christum, obgannientes extra locum verba Dei patris de Deo filio: Ipsum audite. Sed interim vides, quod non dixit Pater, Pomeranum audite, nec 1425 Lutherum audite.

Nam quod ex Mose profers: *Quisquis Prophetam illum non* Deut. 18.

1399. *Von dem Eelichen Leben*. 1522. fol. Aiij, concerning vows of celibacy. Below, fol. Aiijff. A first edition of this sermon appeared in Basle 1519. It is much less important for Luther's point of view.

1415. Eras., *Adag.*2954.

audierit, ego vltor existam, dicit Dominus, vobis ipsis minatur exitium. Ecclesia siquidem, quia Christum audit in se loquentem,
1430 seruat eandem fidem, quae Christi morte per Apostolos, Martyres, et Confessores sanctissimos ad haec vsque tempora perpetuo Christi flatu deriuata est, ad finem vsque seculi, inuitis haereticis omnibus atque omnibus haereticorum sociis Daemonibus, duratura.

1435 At vos, qui Ecclesiam Christi contemnitis, quos ob id ipsum
Matt. 18. tanquam Ethnicos et Publicanos haberi iubet Christus, vos estis, inquam, qui in Ecclesia sua Christum spernitis, qui Christum Ecclesiae suae loquentem audire negligitis, atque ideo Deum aliquando sensuri estis vltorem.

1440 Nam etsi diuina bonitas interdum per tales Daemonum satellites vel bonorum qui sunt in Ecclesia probet patientiam vel
i Cor. 10. castiget peccata fidelium, tamen fidelis erit, et dabit cum tentatione prouentum, et omnem aliquando lachrymam absterget ab oculis
Apocal. 7. emendatorum, sed eius ira atque indignatio vos, vos, inquam,
1445 impios et truculentos Fidelium carnifices, spiritu oris sui difflabit
i Thes. 2. in cinerem, ac velut puluerem proiiciet a facie terrae.

Psal. 1. Cuius vindictae nuper edidit perhorrendum specimen, quum miserrimi nebulones illi rustici doctrina vestra seducti, postquam demoliti sunt tot Religiosorum Coenobia, atque aliquantisper huc
1450 illuc caedibus et rapinis impune grassati sunt; quum iam se fere
Psal. 28. consequutos crederent improhibitam atque indomabilem scelerum omnium licentiam, ecce autem Deus maiestatis intonuit, et subitus
i Thes. 5. superuenit interitus. Inuoluit eos mare miseriae velut pecora, passim perempti sunt plusquam septuaginta millia; tum reliqui,
1455 quotquot erant, omnes in acerbissimam seruitutem sunt redacti.

Qua in re non vos Lutheri pudet Imperatoris vestri, qui ex sceleratissimo duce turpissimus factus transfuga, quos prius vnus ad omne nephas accenderat, armauerat, stimularat; eos, vbi vidit fortuna destitui, sceleratis suis scriptis truculenter proscidit, ac
1460 proscripsit, et lacerandos prodidit Nobilibus, vt nepharius adulator miserorum sanguine, quos et excitauit, et mactauit ipse, suscitatam in se inuidiam restingueret.

Quis, qui vel guttam haberet humani cruoris in pectore, non decies potius elegisset mori, quam adulatione tam foeda et palpa-
1465 tione tam dira vitam Diis et hominibus inuisam viuere? Et tamen

---

1428. Deut.18:19.
1436. Matt.18:18.
1442. i Cor.10:13.
1444. Rev.7:17.
1446. ii Thess.2:8, *recte*.
1446. Ps.1:5.
1448. Peasants' Revolt.
1452. Ps.28:3. (Vulg.).
1453. i Thess.5:3.

fieri potest, vt non sit inuenturus tam parum cordatos Nobiles, vt vnis literis emolliti statim obliuiscantur, per quem effectum est, vt pene in extremam perniciem sint adducti. Nam rusticis, opinor, omnino nunquam excisurum, per quem bis perierunt. Hic homo impius et vltione diuina caecus, dum vtramque partem studuit 1470 demereri, nec alteram lucrifecit, et alteram plane perdidit.

Quanquam ego profecto et Nobiles illi, et rusticos optem ignoscere, modo ita se statuat gerere, maxime vt ignoscat Deus, id est, si resipiscat ab haeresi, si sine fuco pessima recantet dogmata, si per ignominiam suam quaerat gloriam Christi, nec improbam 1475 sinat superbiam obsistere, quo minus in honorem Dei suam fateatur insaniam.

Quod si Lutherus ita de se desperat, vt salutem negligat suam, Epilogus. tu tuae tamen, Pomerane, consule. Impiam istam sectam, et omnium quae fuerunt vnquam flagitiosissimam, desere. Ecclesiae 1480 Catholicae redde ac restitue te. Denique quod tua praedicatione iam diu corrupisti, quantum potes, omnibus modis corrige. Episcopatum, quem per nefas occupas, relinque. Miseram illam puellam, in quam coniugii titulo scortaris, ablega. Et vitae quod reliquum dabitur tibi, in ante actae poenitentia consume. 1485

Haec, Pomerane, si feceris (quae Deum precor vt facias) tum demum vere gaudebis de nobis, et nos vicissim, qui te perire dolemus, inuentum esse gratulabimur.

Haec Epistola insignis et praeclari Martyris Thomae Mori dignissima mihi videtur, quae imprimatur. 1490

Cunerus Petri, Pastor S. Petri. 7. Aprilis. Anno. 1568.

144. From Wolsey.

R.O. State Papers, Henry VIII, §39, pp. 106-107.
State Papers I.173 ⟨late September 1526⟩
L.P. IV.2445, calendared

[A minute in the handwriting of Thomas Cromwell, corrected by Wolsey.]

Master More.

Albeit I am very joieuslx that my proceding*is*, devises and conferenc*is* with the Ambassadeurs, haue been to the King*is*

1-2. devises and conferenc*is* *post* contentacion *MS.*

1466. Luther's *Address to the Christian Nobility of the German Nation respecting the Reformation of the Christian Estate.* 1520.

contentacion, [with th'Ambassadors] in putting ouer, without discoraging of the confederat*is*, his Grac*is* entre in to the liege;
5 yet nowe I am in noo smal perplexite howe the same may be continued, forasmoch as commissions and auctorites, aswel from the Popes Holynes, as from the Seniory of Venise, be arrived here, and howerly the Ambassador of Fraunce lokith for the semblable from his master. For nowe, if vpon the exhibition of
10 the said commissions, I shuld not fal in treaty with them, vpon the King*is* said entree, there might therby be goven vnto them vehement cause of suspition; which, percase, might dryve them the rather in to th'Emperors deuotion, and the lesse herafter to esteme the King*is* Highnes.

15 Wherfor I purpose, if it shal soo stand with the King*is* pleasure, wherof I pray you I may be aduertysed by your next lettres, after the French King*is* commission shalbe here arryuyd, if they vehemently presse me, to begyne to commone with them vpon the King*is* said entre, for the avoyding of the said suspition. Howbeit,
20 aswel for the ordering of matiers bitwen vs and Fraunce, as for the assuraunce of the King*is* pention, with other thing*is* that I shal reasonably laye in the waye, I dowte not soo to entrete the articules of this newe treatie, that the tyme of doing any thing this yere shalbe wel passed, or any conclusion may be taken therin in the
25 same. And in my poore opinion, it shal more stande with the King*is* honnor and reputacion thus to procede with the said Ambassadors thenne not to treate with them; considering they be furnished with such commissions, as was or is devised and desired by the King*is* Highnes.

30 Better it shalbe thus to passe the tyme, and dalye with them, thenne nowe to make any expresse refusal, eyther of the King*is*

22. reasonably *om. St.P.* entrete] put over and entrice *St.P.* 28. or is *om. St.P.*

---

4. The Clementine League, concluded at Cognac, 22 May 1526. It comprised Francis I, Clement VII, the Doge and Signory of Venice, and Francesco II Sforza of Milan. (St.P.I, p.173n.4; L.P.IV.2236.)

7. Bull nominating Henry protector of the Italian league, dated Rome, 15 August 1526. (L.P.IV.2398.) The Pope sent John Baptista Sanga to England in July. (L.P. IV.2327.)

7. Andrea Gritti, the Doge, to Wolsey, asking credence for Marc' Antonio Venier, dated Venice 23 July 1526. (L.P.IV.2336. Printed in Rymer, XIV, p.185.)

8. John Joachim's general commission as Ambassador from France, to make a treaty of mutual obligation with England. It is dated at Angoulême, 20 June 1526. (L.P. IV.2265; Rymer, XIV, p.177.)

Joachim and More made this treaty 8 August 1526. If Francis treat with the Emperor for the recovery of his sons he shall not do anything prejudicial to the Treaty of the More, with England, 30 August 1525. Francis also promises not to aid the Emperor if Henry makes war on him to recover the moneys due to him. (L.P.IV. 2382; to Catherine: Rymer, XIV, p.185.)

21. This pension was promised in the Treaty of the More. (L.P.IV.1600.6; Rymer XIV.58.)

said entre, or else to delay to commone and treate vpon the same; nam inter tractandum varia occurrere et incidere possint, que rem, vt tua prudentia facile perspicit, citra suspitionem, differe et protelare queant. 35

It is sumwhat to my marvel, that the King*is* Highnes, as I haue by myn other lettres signified vnto you, makith difficulte for the lending of the Peter Pumgarnet to the Ambassador of Fraunce, considering the manifold good desert*is* of the said Ambassador, and the gret profit and commodite that shal arrise vnto his Grace 40 therby. And in my jugement, it is not to be suspected or feared that she shall or may be vsed by the said Ambassador against the King*is* Highnes, in any hostilite, considering that the suerties shalbe bounde aswel for that point, as for her rediliuerey at the yeres ende; and then there is more lightlynes of strayter collection with 45 Fraunce, thenne of any brech. And where as your lettres purportith, that the King*is* Highnes may haue fyve hundred mark*is* for the loone of the said ship, besides the advauntage of his custumes of his owne subgett*is*; and therunto it is to be considered, that the custumes of the straungers amountith far aboue the custumes of 50 his owne subgett*is*. Wherfor for oon hundred pownde payde by the Englishemen, the straungers payith nyne hundred. Besides this, I suppose if the King haue, for the loone of her, fyve hundred mark*is*, his Grace must newe rigge, trymme and tacle her at his owne coste and charge, which percase wol surmounte the somme 55 of the said fyve hundred mark*is*; wher as the Ambassadour offrith to doo the same at his owne proper exspress cost and charge. Moore thenne this I cannot saye, remitting al to the King*is* noble pleasour and gratitude; most humbly beseching his Grace to haue consideration of such good office, as the said Ambassador hath, 60 and dayly may doo, for the advauncement of his present affayres.

I sende vnto the King*is* Highnes by my Lord of Exceter, berer herof, certain of the Crownes of the Roose as be newly stryken and coyned in the King*is* Mynte; which be of like fynesse and poise as the Crowne Soleil, and as ye doo knowe, the same be 65 proclamed to be curraunt after the rate of iiii s. vi d. apece. I trust

45. collection] conjunction *St.P.* 51. Wherfor] For *St.P.* 57. propre exspenses *St.P.* 63. the Crownes] such Crownes *St.P.* 65. Soliel *MS.*

---

38. A galley, "good for the wars or else for the King's pleasure." L.P.IV.2635.

62. Henry Courtenay, Marquis of Exeter and Earl of Devonshire. (1496?-1538.) cf. Ep.140, l.7 note.

64. A proclamation dated Hampton Court 22 August 1526, fixed the prices of these coins at their current values in foreign parts, in order to check the exportation of English coin. (L.P.IV.2423; also *ibid.* 2467,2595.)

the facion of them shal please the King*is* Highnes. You may shewe vnto his Grace, that I wold suffre noon of them to passe out of his Mynte, and be curraunt, vnto such tyme as his Grace
70 had seene the prynte and facion of the same, and his pleasor notified vnto me therupon, accordingly.

And where as you haue notified vnto me, that the King*is* pleasor is, that his Grac*is* aunswer to Luthers lettre shold be immedietly sent forth to the princes of Almayne, without abiding or tarying
75 for the copie therof, I thinke therin that meseemeth it is not convenient that this shuld be doon, in my poore opinion; aswel for that Luther, who is ful of sutelte and craft, herafter might percase denye that any such lettre hath been sent by hym vnto the King*is* Highnes, as that the said answer, not having the said copy
80 adioyned therunto, shuld be, for want therof, to the reders and herers therof, sumwhat diminute and obscure and not perfitely perceyved by them that shal rede the same.

145. To Wolsey.

Brit. Mus. MS. Calig. B.vii. fol. 69 — Stony Stratford
Ellis ii.i.82; Delcourt p. 352 — 21 September ⟨1526⟩
L.P. iv.2500, calendared

Hit may lyke your good Grace to be advertised that I haue presented and redde vn to the King*is* Grace your honorable lettres directed vn to my selfe and written the xviith day of Septembre, wherby his Highnesse very greatly reioyced the valiaunt
5 acquytaill and prosperouse successe of th'Erlis of Anguysh and Arren agaynst theire enemyes and the disturbours of the peace

72. haue *om. St.P.* 73. immedietly] incontinently *St.P.*
75. I thinke therin that *om. St.P.* 81. and not perfitely - - - the same *om. St.P.*

73. Henry's letter is printed with the *Assertio Septem Sacramentorum.* He had at length received Luther's letter of 1 September 1525. (L.P.iv.1614.) He asserts that he wrote the book on the sacraments, defends Wolsey, and calls on Luther to give up his wife, to bewail his errors and the fate of those whom his doctrine has destroyed. (L.P.iv.2446.) Wolsey wrote to Henry 4 August 1526 that he had not yet received Luther's letters nor any copy. (*ibid.*iv.2371.) On 21 August, however, Knight wrote Wolsey that the King had told him that More had the copy of Luther's letter. (L.P.iv.2420.)

4. Wolsey's letter to More is not preserved. The Earl of Angus' report to Wolsey was not written until September 16 and could not have been received by Wolsey at this date, but it does give us a clue to the news of the Battle near Linlithgow of September 4, which Henry and Wolsey would receive. (L.P.iv.2487.)

6. Though the first attempt by the Earl of Angus in November 1524 had been unsuccessful (cf. Ep.136, l.67 and note), he was soon able, with the assistance of a party which included the Earl of Lennox and the Chancellor, James Beton, Archbishop of St. Andrews, to gain the custody of the young king and assume the supreme power. Power was exercised by a Council

and quiet of Scotland, dayly devising such entreprises as shold, if they mought haue obtayned theire entent and purpose, haue extended in conclusion to the great parell and iubardy of the yong Prince his nephieu, not without sum busignes and inquietenes 10 also to this realme.

Wherfore his Highnes mych approveth your Grac*is* moost prudent device concernyng the said Erlis to be entreteyned with sum good lettres and pleasuris frome his Grace with good advise and counsaile to be geven vn to theym for such good, vertuouse and 15 politique ordre to be taken and vsed by theym for the good bringing vppe of the yong King, to the weale and suertie of his noble persone and commodite of his realme, that he and his realme may herafter be glad and dayly more and more delite and reioice in theire late good chaunce and victorie agaynst theym that late 20 were assembled agaynst theire King present in the feld; and the King*is* Highnes thinketh that sith the said Erlis haue now sufficient open profe that the Archebishoppe of Saynt Andrewis putteth all his possible power to procure theire destruction and to rere broilerie, warre and revolution in the realme, to the no litle perell 25 of the yong King theire maister, it were good that they were advised in this theire victorie so substantially to provide for the saufgard of their King and theym selfe by theffectuall repressing of theire adversaries, that the said Archebishoppe and his adherent*is* in eny tyme to cum shold not be able either by craftie prac- 30

14. lettres and - - - with good *om. Ellis.*

of Regency, under the perpetual presidency of the Queen. Margaret, though professedly accepting this, continued to sue for her divorce from Angus, and negotiated with Albany and France. Francis was taken prisoner at his defeat at Pavia in February 1525 and was therefore unable to give Margaret any assistance. Wolsey made peace with France, as he was temporarily vexed with the Emperor for his lack of support of Wolsey's candidacy for the Holy See. These two events ended for a time the hopes of the French faction in Scotland, and Angus was able to make a truce of three years with England. Arran, though seeming to support Angus, in reality joined Margaret in opposition to this truce.

Angus increased his power by persuading Parliament to declare James' majority. He was able to heap honors and dignities on his own family, and the Douglases again seemed rivals of the royal house. Archbishop Beton resented Angus' dismissal of him from the chancellorship (L.P.IV.2442), which office he himself assumed, and the undue influence over the King, and took revenge by persuading James to write to his mother, to the Archbishop, and to Lennox, expressing his fear of Angus and his desire to be freed from his control. The Queen also wrote to her brother, albeit in vain, asking his support of the Chancellor. (L.P. IV.2414.) Lennox planned to save James from the Douglases and in the recruitment of a force of over 10,000 he was aided by the Queen and Beton. (*ibid.*IV.2449.) Angus sent Arran, who was nephew to Lennox, to treat with him, but when negotiations failed, Angus forced James to lead the troops against Lennox. Angus was victorious, and Lennox was killed in the battle, near Linlithgow, 4 September, after he had yielded. Angus had consolidated his power, by the defeat of Beton's party, but he failed to capture either the Queen or Beton, who were in hiding. (L.P.IV.2487; Tytler II.182-183; Pinkerton II.251-281.)

Henry's congratulations, then, are for this victory.

tises to deceive theym, or open rebellion to distresse theym, but without eny trust or credence to be geven to the blandishing of the said Archbishoppe which this adverse chaunce shall peradventure dreve hym to vse for the while with purpose and entent of
35 revenging whan he may fynde occasion, they provide and se so substantiall ordre taken for the surtie of the King, the realme and theym self that none evil wede haue power to spring vppe to high.

And thus mych the King*is* Highnes hath commaunded me to wright vn to your good Grace concernyng this mater, geving to
40 your Grace his moost affectuouse thank*is* for your diligent aduertisement of those good tiding*is* with your labor taken in the lettre by your Grace devised in his name to the Chauncellor of Poile. His Highnes also thinketh that it were neither honorable to his Grace nor to the French King that th'Emperors Embassiator shold
45 be deteigned in Fraunce, and it semeth to me that the King*is* Grace somwhat dowteth whither he be there deteigned agaynst his will or not, but his Grace greatly alloweth and thanketh yours in the solliciting of his enlarging.

I remitt vn to your Grace the lettres of Mr. Magnus and Sir
50 Christofer Dacre, and shall in lyke wise send vn to your Grace the lettre to the Chauncellor of Poile as sone as the King*is* Grace shall haue signed it. As knoweth our Lord whose goodnes long preserve your good Grace in prosperouse helth and honor.

At Stony Stratford the xxi day of Septembre.

55 Your Grac*is* humble orator and moost bounden bedeman.

Thomas More.

146. From ⟨Wolsey⟩.

R.O. State Papers, Henry VIII, §39, pp. 210-11
L.P. IV.2535, calendared ⟨September-October 1526⟩

[The Papal, French and Venetian armies had been overthrown by the Imperialists (L.P. IV.2484) and Rome had been besieged September 20 by Don Hugo Moncada, the Viceroy of Naples, and the family of Colonna. (*ibid.* 2585, St.P. I.179n.) The Pope had then sent a commission, including

50. Christofer] X*pofier MS.*

---

42. Chr. de Schidlowijecz, Palatine and Chancellor of Poland, had written to the King 11 June, sending several falcons as a gift. (L.P.IV.2241.)

45. Iñigo Mendoza, sent by the Emperor to England, had stopped at the French court, and in spite of 'licence to repaire' to England, had been detained at Dieppe. (L.P.IV.2497 and 2455, the latter printed in St.P.VI.545, with note.)

49. Magnus to Wolsey, 13 September (L.P.IV.2483; St.P.IV.457) which recommends that James be directed to look for support to the Earls of Angus and Arran. Magnus encloses Sir Christopher Dacre's letter to himself (which does not appear to be now extant).

the Bishop of Worcester, to England to treat for the entry of the King into a new league (L.P. IV.2461, 2515) and had written to Henry on 22 September (*ibid.* 2504). The English in their negotiations insisted on the pension agreed on in the Treaty of the More, and repayment of their contributions (*ibid.* 2479).

On 11 October, Knight wrote to Wolsey (*ibid.* 2558, St.P. I.181), answering a letter to More, which he had opened in More's absence. He had read the Pope's breve (L.P. IV.2504) to the King. Henry had liked Wolsey's letter of consolation, but asks Wolsey to cancel it and write another, praying the Pope not to remit his courage, "but to gather himself with wisdom," and adhere to the League. Henry doubts the meaning of the word "auxiliis" in one clause, and asks that it be qualified. He approves the advice that the Pope should not quit Rome, and supports Wolsey's proposal to send Clement VII 30,000 ducats. The King thinks the Pope should bestir himself to proclaim a general peace.

On 23 October, Henry wrote to Clement promising to join a crusade when other princes have agreed. (L.P. IV.2584.)

Charles V meanwhile assured Henry that the outrages at Rome were without his cognizance, and that he had made due apology to the Pope. (*ibid.* 2662.)

The gift to the Pope had caused "incredible joy" and had saved the Pope from accepting the most unjust conditions. (*ibid.* 2868.)]

MASTER MORE.

Forasmoche as in thys my letter be conteynyd maters of gret importance, requysyte to be maturely consyderyd and ponderyd, I therefor pray yow hertyly so to take your tyme that ye may dystyncly rede the same to the Kyng*is* Hyhnes. And as to the lettres of consolation to the Popys Holynes I trust I haue so cowschd and qualyfyd them that they shalbe to the satysfaccion of the Popys Holynes and such other as shall here and rede the same, without byndyng the Kyng to any thyng that myȝth redownde to hys charge or pardon odre.

And thus hertyly fare ye well. Reverse—Send to Mr. More. 10

147. Henry VIII to Tunstall and More.

R.O. Pat. C.66.649 — Westminster
Rymer XIV.192 — 19 November ⟨1526⟩

REX OMNIBUS, AD QUOS, ET CETERA. SALUTEM.

Sciatis quod nos, de gratia nostra speciali ac ex certa sciencia et mero motu nostris, dedimus et concessimus, ac per praesentes damus et concedimus Reverendissimo in Christo Patri Cutb*er*to London. Episcopo, ac dilecto et fideli nostro Thome

9. odre] other, *obs.* 4. Londoniensi *Rymer.*

4. cf. n. to Ep.10.

5 More Militi et eorum alteri et assignatis suis aduocacionem, collacionem, et liberam disposicionem et auctoritatem et potestatem conferendi siue donandi cuicumque idonee persone canonicatum et praebendam in libera capella nostra siue ecclesia collegiata Sancti Stephani infra palacium nostrum Westm. quandocumque 10 per mortem, resignacionem, cessionem, permutacionem, vel dimissionem, seu quocumque alio modo eosdem vacare contigerit, pro vnica vice tantum;

Ita eciam quod bene liceat eisdem Episcopo et Thome, et eorum alteri, et assignatis suis, aut eorum alterius assignato, virtute vigore 15 et auctoritate dicte concessionis nostre, canonicatum et praebendam praedictos, cum proximo vacauerit aut quandocumque deinceps vacare contigerit, donec et quousque eorum aut eorum alterius, eorumue aut eorum alterius assignati et assignatorum, collacio et donacio sua semel consequuta fuerit effectum, idonee persone 20 cuicumque conferre seu donare, ac omnia et singula que circa praemissa necessaria fuerint et requisita ac quomodolibet oportuna agere et perimplere, adeo bene plene et integre prout nos faceremus si presens concessio nostra facta non fuisset;

Prouiso quod, quamprimum virtute donacionis, per eos vt prae- 25 fertur fiende, aliquis semel et vnica vice possessionatum, dicte prebende aut canonicatus fuerit essecutus, hec praesens nostra concessio statim euanescat irrita censeatur aut reputetur.

In cuius etcetera.

Teste Rege apud Westm. xix die Nouembris.

148. To Erasmus.

Allen VI.1770 — Greenwich
Breslau MS. Rehd. 254.112 — 18 December ⟨1526⟩
LB. App. 334

[Answered by Ep. 152.]

149. From Henry VIII.

R.O. Pat. C.66/649 — Westminster
Rymer XIV.192 — 23 January ⟨1527⟩

REX OMNIBUS, AD QUOS ET CETERA. SALUTEM.

Sciatis quod nos, de gratia nostra speciali ac ex certa sciencia et mero motu nostris, dedimus et concessimus, ac per

9. Westmonasteriense *Rymer*. 19. suum *MS*. 26. assecutus *Rymer*. 29. Westmonasterium, decimo nono *Rymer*.

9. The palace of Westminster was much injured by fire in 1512, and was not again used as a royal residence. St. Stephen's chapel, originally built by King Stephen, was, from 1547, used for the meetings of the House of Commons.

presentes damus et concedimus, predilecto consiliario nostro Thome More Militi Cancellario Ducatus nostri Lancastrie, custodiam et regimen tam corporis Johannis Moreton, Gentilman, quam omnium et singulorum bonorum, catallorum ac dominiorum, maneriorum, terrarum et tenementorum suorum, cum pertinentiis, infra quemcumque comitatum nostrum siue quoscumque comitatus nostros huius regni nostri Anglie existentium, 5

Qui quidem Johannes Moreton idiota est et lucidis gaudet interuallis, racione cuius donacio⟨nis⟩ regiminis et custodie tam corporis predicti Johannis Moreton quam omnium et singulorum bonorum, catallorum, dominiorum, maneriorum, terrarum et tenementorum suorum predictorum, cum pertinentiis, nobis de iure pertinet aut pertinere debet, 10 15

Habenda, gaudenda et tenenda tam custodia corporis predicti Johannis Moreton quam omnium et singulorum bonorum catallorum ac dominiorum, maneriorum, terrarum et tenementorum suorum predictorum, cum pertinentiis, prefato Thome More militi et assignatis suis, durante ideocia eiusdem Johannis Moreton, et quamdiu idem Johannes erit ideota et lucidis gaudebit interuallis absque compoto siue aliquo alio nobis aut haeredibus nostris reddendo seu soluendo; 20

Prouiso semper quod praefatus consiliarius noster inueniet praedicto Johanni Moreton victualia et vestituta ac omnia alia sibi necessaria durante ideocia sua praedicta, et quamdiu idem Johannes Moreton erit ideota, ac bona et catalla sua ac dominia, maneria, terrae et tenementa sua praedicta fuerint in custodia praedicti consiliarii nostri, vt racio expostulat; 25

Eo quod expressa mencio de certitudine praemissorum seu eorum alicuius aut de aliis donis et cetera. 30

In cuius et cetera.

Teste Rege apud Westm. xxiii die Januarii.

Per br*eu*e, de priuato sigillo et de date et cetera.

14. suorum *om. Rymer.*
16. Habendum, Gaudendum et Tenendum tam Custodiam - - - *Rymer.*
25. vestita *Rymer.*
28. terras *MS.*
33. Westmonasterium, vicesimo tertio - - - *Rymer.*
34. et de date et cetera *om. Rymer.*

5. This is perhaps the John Moreton, whose estate was settled in May, 1537. The property included possessions in England, Ireland, Wales and Calais and was inherited by his daughter Mary, wife of Francis Smyth, and his son, Thomas. The identification is somewhat confirmed by the fact that in March 1526, Mary "daughter and heiress of John Moreton" became the ward of Christopher More if this was because of her father's insanity. (L.P.xii.i.g. 1330 (14,40); iv.g.2065(1).)

150. To the University of Oxford.

MS. Bodl. 282, fol. 79v. Richmond

[Answered by Ep. 151.] 11 March ⟨1527?⟩

RYȜTHE WORSCHYPFULL SIR IN MY MOSTE HERTY WYSE I RECOMMENDE ME VNTO YOUE.

Signifying vnto youe the Kyngys plesure ys that for certayne consyderations movyng hys Hyghnes, ye schall forthewith vpon the syȜte of thes my letters sende vpp to me on Henry the mancypull of Whyte Hall, in so sur kepyng that he do nott escape, 5 and that ye schall by your wysdom handle the matter so closelye that ther be of hys apprehension and sendyng vpp as lytyll knowleg abrode as may bee. And thys hys Gracys commawndmente, hys hyghe plesure ys that ye schall with all dylygens and dexteryte putt in execution as ye intende the contynuans of hys gracyus favor 10 towerdys youe and that hys Vniuersyte, the priuylegys wherof, hys Grace of hys blessyd mynde entendethe to see conseruyd. And for that intente hys Hyghnes hathe ordred that ye schall sende vppe the sayd Henry to me beyng Stewerde of that his Vniuersyte. And thus hertely fare ye well, at Rychmounte the xith day of Marche.

15 Assuredly your owne

Thomas More.

151. From Thomas Moscroffe.

MS. Bodl. 282, fol. 79v. Oxford

[Answering Ep. 150. c. 12 March ⟨1527?⟩

Dated by Moscroffe's death later in 1527.]

Thomas Moscroffe (or Mostrof, Mostrope, Mosgrowe or Musgrave) was B.A. 1508 and M.A. 1514. In 1510 he was elected Fellow of Merton, and in 1518 and 1519 was senior dean and in 1520 senior bursar. In 1517 he was to lecture on books of astrology (Salter, *Registrum Annalium Collegii Mertonensis*, p. liii) and in 1520 gave fourteen astronomical instruments to the college. (*ibid*. p. 499.) In 1521 he was D.Med. and the following year was appointed by Wolsey to be lecturer in medicine at Corpus Christi College. (Brodrick, *Memorials of Merton*, p. 248.) He was admitted B.D. in August 1524, and

---

4. The manciple was a caterer or purveyor, an upper servant who bought provisions for the college or hall. He was sometimes a scholar, and was of enough importance for it to be necessary for the University to pass a statute forbidding the election of a manciple as principal of a hall. (Macleane, *Pembroke Coll.* p.32.)

Wood names nine halls of this name. The most probable one, at this date, seems to be White Hall in Cheyney Lane, now Market Street, pulled down for the building of Jesus College. We know that it had belonged to St. Frideswide's Convent since the thirteenth century and that it paid 40s. per annum in 1524. The principal in 1527 was a Robert Woods. (Wood, *Antiquities of Oxford*, ed. Clark, pp.72,586.)

evidently was about to become D.D. when he died. (*Univ. Register*, p. 57.) He held also important university posts, being Proctor in 1517 and Commissary (or vice-chancellor) from 1523 until his death. He was Rector of Tisted in 1526 and Vicar of Braintree, Essex 1527. (Foster, *Alumni Oxonienses*, p. 1040.) He died about the end of August (so Foster) or the beginning of September 1527. (Marginal note to this manuscript.)

RYȜTHE HONORABLE AND MY SYNGULER GOOD MASTER IN MY MOSTE HERTYE WYSE I COMMENDE ME VNTO YOU,

Sygnifying vnto you that I haue receuyd your letters the xii day of thys presente monythe datyd the xi day, by the which I perceue the Kynges plesure ys for certayne considerations hys Grace movyng, that I schulde sende vpp Henry the mancypull off the Whyt Hall vnto youe and that I schuld convey hym to 5
you as closely as I myȜte, accordyng to the Kyngys pleasur contaynyd in your letter. I haue sende hym vp with one of the proctors, a bedyll of the Vniuersyte and ii servants, the which I truste schall savely convey and bryng hym vnto your Masterschyp, wherfore I schall desyre you hartely in the name of the hole Vni- 10
uersyte to contynew your goodnys vnto vs as ye haue done in tyme paste in faueryng of our priuylege that this be not a president for the breche of our priuilege in tyme to cum. And also what so euer the matter be to stoppe or mytygate as you conuenyently may the occasion of suche obloquye that schuld redunde to any dyshonor 15
of thys Vniuersyte as ye haue done of your goodnys a fore tyme, and that ytt wolde please you to remember the costys and chargys that the Vniuersyte ys att in sendyng vpp thys parson, and to be mediator to the Kyng*is* hyghnes for the breue dimissyon of them and for other the premyssys as the hole Vniuersyte trustythe in 20
youe, the berer here of can schowe you the priuylege, to whom I

14. mytygate] yu *del. MS.*

5. This arrest was a breach of the privileges of the University, it would seem. A summary of University privileges was drawn up between 1484 and 1523, which states: "All maner of causes, actions, querells and suytts for any mater don or begon withyn the precincte of the uniuersitie, felonye, mayme and freholde onlie exceptid, if a scholar or priuilegid person be that one parte to be harde and determynyd before the chauncellar of thuniuersitie, if he will calenge suche priuilegid person," and this was granted as early as the reign of Henry III. (Salter, *University Archives*, p. 354.) This was confirmed by Edward III, Richard II, Henry IV and finally in a great charter by Henry VIII, granted in 1523 at the request of Wolsey. Henry VIII gave the University sole jurisdiction in all suits affecting privileged persons, except mayhem and felony, and even allowed no appeals to the royal courts. (cf. C. E. Mallet, *History of the University of Oxford*, vol.1, pp.436-437; Turner, *Records of the City of Oxford*, pp.33-35; Salter, *op. cit.* for Latin text of the 1523 Charter, pp.255-272.) Manciples had been included among the persons of privilege since the time of Edward I. (Salter, *op. cit.* p.358) and in this charter (*ibid.* p.256.)

No further record of the case of Henry the manciple appears to remain to us.

pray you geue credens, thus knowythe Ihesus who preserue you long in honor,

Wryten att Oxfforde in Exeter college by hym that ys euer yours 25 to hys lytyll power.

Thomas Moscroffe preste
Commyssary there.

152. From Erasmus.

Allen VII.1804 — Basle
Copenhagen MS. G.K.S. 95 Fol., fol. 249 — 30 March 1527

[Answering Ep. 148.]

153. Henry VIII to More and Others.

R.O. E.30/1468 — Westminster
Rymer XIV.225 gives it in Ratification dated 18 August 1527 of Treaty of 30 April 1527 — 25 April 1527

HENRICUS OCTAUUS, DEI GRATIA, ANGLIE ET FRANCIE REX, FIDEI DEFENSOR ET DOMINUS HYBERNIE, OMNIBUS AD QUOS PRAESENTE⟨S LITERAE⟩ PERUENERINT, SALUTEM.

Sciatis quod nos,

De probitate, ⟨leg⟩alitate, circumspeccione, fidelitate ⟨et⟩industria, dilectorum et fidelium consanguineorum et consiliariorum nostrorum, Thom⟨ae Du⟩cis Norffolchiae Angliae Thesaurarii, 5 Charoli Ducis Suffolchiae magni Marescali Anglie, Thome Bolen Vicecomitis Rochefort, Willi*elmi* Fitz William Hospicii nostri Thesaurarii, ordinis nostri Garterii militum, et Thome More

TIT. - - - Angliae et Franciae Rex, Fidei Defensor et Dominus Hiberniae - - - *Rymer*.

---

27. Marginal note: in contemporary hand: obiit Moscroffius sub initio Septembris a° 1527.

4. cf. Ep.140 n.2.

5. Charles Brandon (c.1485-1545), marshal of the royal household 1511, and Duke of Suffolk 1514, had married the King's sister Mary, widow of Louis XII and was high in the King's favor as ambassador and commissioner in many affairs of state. (cf. D.N.B.)

6. Thomas Boleyn (1477-1539) early occupied an important position at Henry VIII's court, and was employed on diplomatic missions to Francis I and the Emperor. He was created Viscount Rochford in 1525, Earl of Wiltshire and Ormonde in 1529, and Lord Privy Seal in 1530. (D.N.B.)

William Fitzwilliam (d.1542) had been brought up with the King and knew him well. He served in military and naval expeditions and in diplomatic missions. He was at this time already comptroller of the King's household and K.G. In 1529 he succeeded More as Chancellor of the duchy of Lancaster, was Lord High Admiral 1536-1540, and in 1537 was created Earl of Southampton. The D.N.B. incorrectly dates his appointment as treasurer of the King's household in 1537. (D.N.B.; L.P. *passim*.)

Militis, ducatus nostri Lancastrie Cancellarii, ad plenum confidentes,

⟨E⟩osdem et vnumquemque eorum, tam coniunctim, quam diuisim, fecimus, creauimus, constituimus, et ordinauimus oratores, procuratores et ambassiatores nostros generales et speciales, 10

Dantes et concedentes eisdem, et vnicuique eorum in solidum, tam coniunctim, quam diuisim, facultatem et mandatum generale et speciale capitulandi, tractandi, concludendi et concordandi, tam pro nobis, quam heredibus et successoribus nostris, cum illustrissimo et potentissimo principe Francisco, Dei gracia, Francorum Rege Christianissimo, charissimo et dilectissimo fratre et consanguineo nostro, aut eius oratoribus, ambassiatoribus, et procuratoribus ad hoc potestatem sufficientem habentibus, super vno aut pluribus tractatibus tam de et ⟨su⟩per pace perpetua, sub quibusuis condicionibus, etiam si nos, heredes et successores nostres speciali pacto astringerent et obligarent at ne nos heredes aut successores nostri alicuius iuris tituli aut clamii nostri pretextu Christianissimum Regem modernum, heredes aut successores in possessione eorum que nunc possidet turbaremus et inquietaremus in futurum, quam de et super matrimonio pro et nomine carissime et dilectissime filie nostre Marie cu⟨m eo⟩dem Christianissimo Rege, aut filio suo secundo genito Henrico Duce Aurelie alternatiue contrahendo, idque, si ita videatur, sub eiusmodi conditionibus vt illius alternatiue determinatio siue dissolutio per mutuum consensum nostrum et predicti Christianissimi Francorum Regis determinetur, necnon super arctiori coniunctione siue confederatione, ac etiam ligua b⟨elli⟩ defensiui vltra conuen- 15 20 25 30

14. speciale *Rymer*. 15. generale *Rymer*. 16. haeredibus *Rymer*. 17. gratia *Rymer*. 23. nostros *Rymer*. 23. astringent *Rymer*. vt nec *Rymer*.

---

15. Henry had proposed to Francis in January (L.P.IV.2773) that he would give him the Princess Mary in marriage, aid against the Emperor in the recovery of Francis' sons, held as hostages by Charles V since Francis had been freed from imprisonment in Spain, and would renounce his title to France. In return he required a pension, the county of Guisnes, and an annuity of salt.

As the Princess Mary would not be twelve until Lent, the marriage could not take place for some years.

By the Treaty of Madrid, Francis had been forced to promise to marry Eleanor, the dowager Queen of Portugal, sister of Charles V. Francis therefore had first to require Eleanor, and if she were refused he would be obligated to take Mary. As Francis wished Mary for one of his sons, he dared not offend Henry, by refusing her for himself. (L.P.IV.2705.)

Louisa of Savoy, Francis' mother, had hinted that if her son should be compelled to marry Eleanor, the bond between the two kingdoms might be knit by the marriage of the Princess Mary to one of the King's sons, suggesting Henry, Duke of Orléans, the second son, who should be brought up in England and eventually be ruler there. (L.P.IV.2651.)

34. The Holy League was confirmed with Venice in April, although the Pope had withdrawn. (L.P.IV.3105. A new league was made with the Pope in May; *ibid.* 3110.)

35 tiones et capitula in nouissimis tractatibus contenta et ⟨compre-
hensa (illis⟩ tamen ⟨et caeteris⟩ tractatibus nouissimis in suo robore
perpetuo et sine aliqua innouatione manentibus) necnon cum
predicto carissimo consanguineo et fratre nostro, a⟨c e⟩tiam sanctissimo Domino nostro, illustrissimo Dominio Venetorum, et qui-
40 busuis aliis principibus ⟨Christ⟩ianis, deque et super modo et ordine
quibus Cesarem pro redemptione siue liberatione filiorum dicti
Christianissim⟨i⟩ Regis conuenire oportebit, ac etiam ligua federe
et confederatione bel⟨li⟩ offensiui contra Cesarem pro recuperatione, liberta⟨te⟩, et remissione liberorum dicti ⟨Chris⟩tianissimi
45 Regis in man⟨ibus⟩ Cesaris aut aliorum quorumcumque existentium, necnon pro persoluti⟨one⟩ summarum per dictum Cesarem
nobis debitarum, ac damnorum restauratione et recuperatione, ac
etiam al⟨iorum iniuriu⟩m nostrorum satisfactione, necnon de mutuo congressu siue ⟨c⟩on⟨ue⟩ntu nostro et carissimi ac dilectissimi
50 fratris et consan⟨guinei⟩ nostri predicti,

⟨Et general⟩iter omnia al⟨ia et⟩ singula, que ad mutuam nostri
et predicti ⟨Christia⟩nissimi fra⟨tris nostri vnio⟩nem et propiorem
animorum coniunctionem ac arcti⟨orem⟩ intelligentiam q⟨ue eis
conducere⟩ videantur, ac eti⟨am⟩ c⟨irca⟩ predicta et illorum singula,
55 ceteraque omnia ex illi⟨s depe⟩ndentia, tractandi, ⟨co⟩ncordandi,
conue⟨ni⟩endi, et concludendi, sub et cum talibus ⟨conditionibus⟩
et pactis que dictis nostris oratoribus a⟨ut eo⟩rum alteri, tam
coniunctim, quam diuis⟨im, vide⟩buntur oportuna ⟨et⟩ necessaria,
et que nos faceremus aut facere possemus si person⟨aliter⟩ interes-
60 semus, etiam si talia forent que expressis maiora sint, et mandatum
quam ⟨praesentibus⟩ sit expressum exigant magis speciale;

Promittentes, ⟨bo⟩na fide et in verbo regio, ⟨et sub⟩ obligatione
et hypoteca omnium et singulorum bonorum nostrorum, heredum
etiam ⟨et⟩ successorum nostrorum tam praesentium quam futuro-
65 rum, omnia et singula, per dictos nos⟨tros⟩ oratores aut alterum
ipsorum tam coniunctim quam diuisim acta, promissa, conclusa,
conuenta, ⟨et⟩ capitulata fuerunt, nos rata et grata perpetuis temporibus habituros, illaque et singula omnia per patentes nostras
literas, manu propria signatas, confirmaturos,

70 Dantes etiam praedictis oratoribus nostris et cuilibet illorum in

36. *scr. Rymer.* 39. nostro *om. Rymer.* 41. Caesarem *Rymer.*
42. opportebit *Rymer.* foedere *Rymer.*
43. confoederatione *Rymer.* Caesarem *Rymer.*
45. Caesaris *Rymer.* 46. Caesarem *Rymer.* 50. praedicti *Rymer.*
51. quae *Rymer.* 52. praedicti *Rymer.* 53. quae *Rymer.*
54. praedicta *Rymer.* 55. caeteraque *Rymer.* 57. quae *Rymer.*
58. opportuna *Rymer.* 59. quae *Rymer.* 60. quae *Rymer.*
63. hipoteca *Rymer.* 63. haeredum *Rymer.* 65. singula] quae *add. Rymer.*

solidum plenariam et omnimodam potes⟨tatem⟩, pro securitate premissorum et illorum omnium et singulorum, in animam nostram iurandi, omnia bona nostra heredum et successorum nostrorum tam praesentia quam futura obligandi et hypothecandi et sub censuris ecclesiasticis etiam camere apostolice, si opus fuerit, 75 cum clausula de nisi, substituendo vnum vel plures procuratores cum potestate prorogandi iurisdictionem, et confitendi omnia promissa, acta, conuenta, et conclusa per prefatos nostros oratores, aut alterum in solidum consentiendi quod, nisi conuenta, acta, conclusa, et capitulata realiter et de facto adimpleantur, sententia 80 excommunicationis contra constituentem aut confitentem proferatur, a qua non absoluatur nisi prius adimpleuerit que adimplenda forent.

In cuius rei testimonium has litteras nostras manu nostra signatas fieri fecimus patentes. 85

Teste meipso apud Grenewich vicesimo quincto die Aprilis, anno regni nostri decimo nono.

154. From William Budaeus.

Epistolae Budaei, 1531, fol. 138 Paris
25 June ⟨1527?⟩

[First printed in Budaeus' *Epistolae Latinae,* Paris, Badius, February 1531. The year-date cannot be determined from the contents of the letter, except that, as Delaruelle considers, the ideas are similar to those of Ep. 156. (Delaruelle, *Repertoire,* p.237 n.1.)]

BUDAEUS THOMAE MORO S.

Non sum nescius, vir doctissime, regiis te publicisque in rebus, et muneris fungendi necessitate affixum esse, et dignitatis retinendae nexu auctoritatisque complectendae obstrictum, vt tuo non nisi magno incommodo, aut maiore cum molestia, vel digitum (quod aiunt) transgredi a tua statione possis, ad amoenioraque 5 officia vt pridem liberalioraque descendere.

72. praemissorum *Rymer.* 73. haeredum *Rymer.* 74. hipotecandi *Rymer.* 75. camerae apostolicae *Rymer.* 78. praefatos *Rymer.* 82. quae *Rymer.* 84. quinto *Rymer.*

85. Claude Dodieu, councillor of the Parlement of Paris, wrote a long report of these negotiations, which illuminates this commission. (L.P.IV.3105, pp.18f.) The treaty (*ibid.*3080) was signed 30 April 1527. Meanwhile, Charles V protested Francis' engagement to Eleanor, and proposed that, as his wife was not expected to live, he should himself later marry Mary. (*ibid.* 3105.) Henry refused this extraordinary proposal.

Ep.154.5. cf. Cic. *Ac.* 2.18.58.

Haec enim duo genera, vel has duas vitae partes, quanto difficultatis aut molestiae interstitio natura diremerit, vel quam inter se vt dissideant, non natura sed moribus comparatum sit, et plane in
10 diuersum vergant, experimento didici, cum eas inter se sociare ipse cuperem et coniungere. Nam aliquandiu ita me comparaueram, ut *ἅμα, τῷ πολυπραγμονεῖν τὰ πρὸς τὴν φιλοτιμίαν τούτων τῶν τῆς πλεονεξίας ἀντεχομένων*, suaue illud mihi semper et mellitum *τῆς φιλολογίας προσομίλημα, ὅπῃ παρήκοι*, vsurpare posse
15 non diffiderem. Verum experienti non perinde conatus ostendit vt speraueram, non magis quam si, *δουλείαν δουλεύων τὸ γιγνόμενον, ἐλευθεριάσαι μεταξὺ ἐγχειροίην, ἢ σχολάζειν τε καὶ ἀξεμεῖν πολλῶν μοὶ παρενοχλούντων.*

Verum cum te memorem nihilo secius esse amicitiae nostrae ex
20 hominum commemoratione arbitrer, qui redeuntes istinc salutes multas a te mihi dictitant (quas ex eorum asseueratione atque ex tuo ingenio iudico nec ambitiosas esse, nec fuco aulicae comitatis oblitas), officii mei esse duxi ipsam amicitiam nostram iam apud nostros celebrem, hoc epistolio confirmare, ne dicam instaurare
25 labantem aut exuscitare intermortuam. Intra quod epistolium quamlibet breue, velis vt existimes salutem mihi saepenumero a te mandatum, cum foenore refusam.

Vale, vir amicissime bonorumque amantissime. Parisiis. vii. Cal. Iulias.

155. To Francis Cranevelt.

De Vocht, Ep. 242 — Calais
Louvain MS. II.158 [fol. 182] — 14 July ⟨1527⟩

[The letter is autograph throughout, but the seal is lost. The year date is determined by de Vocht by its place in the collection, and by the movements of Erasmus' secretary.]

T. Morus Craniueldio, Amico Dulcissimo, s.p.d.

Inhumanissimus sim profecto, Craneueldi charissime, si tot acceptis epistolis abs te ne literam quidem vllam aliquando velim rependere, presertim hoc tempore, quo tam certum nactus sum tabellarium, vt adempta mihi prorsus ea sit excusatio quam
5 libenter soleo desidiae meae pretexere, desiderari scilicet qui litteras meas perferat. Hic gerulus minister est Erasmi, recta nunc illum repetens, a quo et fidei nomine et taciturnitatis valde commendatur. Huic si quid Erasmo significatum velis, quod litteris

nolis committere, tutissime potes credere. Cetera si qua sunt quae te cupio scire, ex hoc tabellario cognosces. 10

Caleti, celeriter; xiiii^{to} Iulii.

Dominae vxori tue matronae prestantissime millies ex me salutem dicito. Vale, vir ornatissime, et Moro tuo charissime!

Viro clariss*imo* ffrancisco Craneueldio,
Caesareae maiestati a consilio, 15
Mecliniae.

156. From William Budaeus.

Epistolae Budaei, 1531, fol. 138v. Paris
1 September ⟨1527⟩

G. Budaeus Thomae Moro Salutem.

Amicitiam nostram sane auspicato bonaque fide contractam esse oportet, More suauissime, atque animorum nostrorum naturali illo consensu (quam συμπάθειαν vocant) quasi glutino quodam coniunctam tenacissimo, quippe quae tanto interuallo ne tantulum quidem dissuta sit, postquam mutuo scriptitandi 5 consuetudinem intermisimus. Neque vero proposito et consulto id factum est, ne inerti quidem ac dissoluta amicitiae atque officii obliuione; verum vt sunt in vitae agendae partibus institutarum rerum cogitationumque vices aliae atque aliae, mentes vtique nostrae huc illucque auocatae, in huius officii haud immemori 10 immunitate aliquantisper acquieuerunt, cum interim ne scrupulum quidem amicitiae nostrae deteri pari, vt spero, conscientia confideremus.

Eundem vero esse te semper, nec in Circeia ista officina aulicoque diuersorio mutatum esse, nec vero honorum accessione fortuna- 15 rumque augmentis animos insolenter sustulisse, literae tuae argu-

10. cupio scire] M2; scire cupio M4.

9. The letter-carrier is Nicholas Cane or Cannius (1504/5-1555). He was born in Amsterdam, matriculated at Louvain 14 May 1524, and in the summer was sent to Erasmus. He devoted himself particularly to the study of Greek.

In May 1527 he carried letters for Erasmus to England, and returned with Wolsey's retinue as far as Calais, where More wrote this letter to introduce Cannius to Cranevelt.

He left Erasmus' service, because of a misunderstanding following his inclusion in the Colloquy *Evangeliophorus*, as the character parodying Œcolampadius, whom Cannius resembled.

c.1532-3 he was the spiritual director of the Ursuline Convent in Amsterdam. He later became pastor of the New Church there. (Allen VII.1832, introd.; de Vocht, pp.617-619.)

11. More was accompanying Wolsey on the embassy to Francis I. Wolsey landed at Calais 11 July, met Francis at Amiens 4 August (L.P.IV.3524,3337), and returned to England in the latter part of September.

Ep.156. 14. Circe, daughter of the Sun and of Perse, was celebrated for her magic arts.

mento sunt plenoque documento: in quibus iucunda illa simplicitas probique lepos ingenii plane conspicua sunt, iamdiu alioqui mihi animaduersa atque perspecta; quibus etiam consentaneam
20 comitatem in congressu, in sermone familiari, in omni denique functione atque officio cum retinuisse hactenus te audiam, mirari iam desinam in tantam te opinionem probitatis commendationemque venisse apud nostros, qui istic vel Legati fuerunt vel alias aliquandiu immorati.

25 Robertetum quod scribis non mediocribus obsequiis officiorumque exhibitione de tuis amicis causa tua meritum, magnopere mihi gratum est atque iucundum; sum enim illi familiae in aulico commercio sine fuco coniunctissimus, non tam meo quam hominis ipsius merito, qui cum morum elegantia summaque fide praeditus
30 sit (quod coruo candido rarius est in hoc versipellium hominum conuenticulo, in quo ille per omnes aetates mire auctus est secundis hominum votis laetisque ominibus), tum vero aulicarum rerum publice priuatimque callentissimus esse creditur, non sibi magis quam aliis quos dignos esse censet. Cum igitur tu illi
35 externus sis amicus, si quod ille de me et consilio et suffragatione magnopere et feliciter hactenus meritus est, id ad te amicitiae iure pertinere, tum ipse, tum eius liberi, tum is qui tibi literas meas iam alteras reddidit, intellexerint, magnam a me gratiam inaiueris speciosa occasione.

40 Quis enim illud nescit, *τὰ τῶν φίλων κοινὰ* noua esse? aetate autem mihi ingrauescente, ac valetudine iam infirmiore quam vt hospes identidem esse possim, simul animi mei amoribus ac delitiis domum me reuocantibus, *χαίρειν ἐᾶν ἔγωγε τὴν τῆς αὐλῆς ὁμιλίαν διέγνων; οὐ μέντοι πω διαρρήδην τε καὶ καθάπαξ ἀφεῖσ-*
45 *θαί με τῆς λειτουργίας ταύτης ἀξιῶν, προφάσεις δὲ προφασιζόμενος, ὅπῃ ἂν παρείκῃ, τὰς εὐπροφασίστους.* Commeatus temporarios per occasiones impetro, vt qui nondum plane causarius sim, at vero absenti mihi gerere negocium ille vir optimus ac conficere haud aegre potest, id quod memorabili documento oppor-
50 tunoque haud ita pridem ostendit.

Quod de colloquio Regis nostri et illustrissimi Legati Eboracensium scribis, non intelligo quid sit, quod quidem ad me pertinet,

47. temperarios *Ep.Bud.*

25. Florimond Robertet (d.1527, at an advanced age), Treasurer of France and Secretary of France to Charles VIII, Louis XII and Francis I. Under Louis XII he was really head of the government. (cf.Ep. 137,n.6.)

40. Eurip., *Orestes* 735; Plato, *Phaedr.* 279c; but Budaeus changes the order, and so the meaning.

52. More's letter is not extant. For Wolsey's embassy to Francis I, cf. notes to Ep. 155.

neque quem librum nuper edidisse me memorabilem Rex dixerit. Anno superiore ad Annotationes Pandectarias aliquot quaterniones addidi defungendi gratia, quos ad te mitto cum libellis 55 duobus e Graeco sermone versis, non quod dignam rem dixerim, sed ne nihil me misisse in hac occasione indignarere; et haec minora sunt quam vt eorum nomen trans mare audiri debuerit, certe quidem indigna quae ad aures Legati illustrissimi euaserint.

Cuius de ingenio, solertia et prudentia, mira dictu et commemo- 60 randa apud nostros fama prodidit, in administrandis rebus publicis, in dirimendis principum controuersiis, in conglutinandis Regum animis: vnus vt ipse treis Themistocles aequare ingenii acrimonia possit: nec plus Carneades ille nominatissimus disserendo potuerit ac disceptando in vmbra scholastica, quam iste in rerum 65 gerendarum campo, atque in sole regiae vestrae, et vbique locorum solet. Nec vero minus commendationis inter homines nostrae sortis meretur gymnasium nobile ab eo institutum, vt fertur, opimisque redditibus certissimisque fundatum: dignum omnino conditorium in quo tanti animi exuuiae perpetuo asseruentur. 70

Vale. Parisiis Cal. Septemb.

157. From the University of Oxford.

MS. Bodl. 282, fol. 82 ⟨1527?⟩

[The year-date is indicated by the position of the letter in the University Letter-book.

Cases of theft had been tried and punished by the University since the time of Edward I. (Salter, *University Archives,* I, p.358.)]

ILLUSTRISSIMO VIRO, D. THOME MORO, EQUITI AURATO, CONSILIARIO REGIO ET OXON. ACADEMIE NEGOTIORUM ACTORI BENIGNISSIMO, VNIUERSUS EIUSDEM CETUS. S.P.D.

Plurimum veremur, doctissime More, ne nos (qui nostrum erga te obsequium nullo iamdiu externo indicio testati sumus) aut inertis cuiusdam negligentie nota, aut certe (quod deterius est) nephande ingratitudinis vicio, existimes culpandos. Etenim quod talem ac tam eximium patronum obsequentissimo 5

56. dignum *Ep.Bud.* TIT. vniuersiis *MS.*

---

55. cf. introd. to Ep.65.

63. The Athenian statesman, who made his city a sea power, starting a navy in 438 B.C. and fortifying the Piraeus. For an example of his astuteness cf. Bury, *History of Greece,* p.331.

64. The distinguished philosopher who founded the New Academy.

68. For the founding of Cardinal College (later Christ Church) in 1525, cf. C. E. Mallet, *History of the University of Oxford,* II, pp.35-38.

studio ac singulari beneuolentia prosequimur, haud satis esse putamus, nisi id ipsum apertioribus interdum argumentis pro nostra tenuitate commonstrare conemur. Quod institutum (cum votis facultates minime respondeant) aliter commodius absoluere
10 non valemus quam nostris ad te literatissimum hominem datis subinde literis. Quas nimirum dum auide paramus, dumque tue prestantie legendas offerimus, aquam e riuulo vtraque vola arripere, et ipsius Artaxersis munusculi loco elargiri videamur. Et proinde vt magnus ille rex pauperculi aquam donantis animum
15 potius quam ipsum donum attendens benigne suscepit, ita et te, generosissime More, nostram arreptam aquam, literas scilicet tumultuarias, synceras tamen amicitie erga te nostre testes, equissimo animo recepturum magnopere sumus confisi. Itaque quod longo hoc temporis interuallo minime ad te scripserimus, haud
20 vlli quidem ingratitudinis vicio, sed neque negligentie cuiusuis note, ascribi debet, quippe cum hoc officii genus haud alia ratione distulimus nisi vt peculiaris aliqua vrgensque scribendi causa emergeret, per quam negotiorum nostrorum actorem, de nobis semper optime meritum, et literis oportune inuiseremus, et offi-
25 ciose pariter salutando morem eidem gereremus. Ceterum dum longa nimium expectatione ac dilatione rationem scribendi priuatam expectamus et querimus, ipsa profecto nimia protelatio nobis vrgentissimum se facit lucubrandi argumentum, presertim cum nihil vnquam nobis magis vitandum censeamus, quam nos
30 vel nostra culpa in eos minus officiosos videri in quos alioqui officiosissimos esse par est.

Ad presens igitur hac potissimum de causa scribere collibuit vt tuorum scilicet clientulorum beneuolentiam, non languidam, non deficientem aut instabilem, sed viuacem admodum, sed flagras-
35 centem ac plane inexpugnabilem intelligas. Cuius rei certitudo si tanta cum verborum gratia explicaretur quanta nos cum fide ac pietate eandem vtcunque proferimus, prime procul dubio precipueque huius epistolii portioni esset copiosissime satisfactum verum quia nulla verborum quantumuis prolixa series ad illud
40 digne enucleandum sufficiat, cumque tu preterea nostram erga te bene affectam voluntatem vel paucis (que tua est ingenuitas) exponi contentus sis, noluimus in presentia te multis remorari, quamquam et hoc etiam tempore quedam peculiaris (qua tuo egemus prudentissimo consilio) causa scribendi emergeret. Nu-
45 perrime namque infra nostre iurisdictionis ambitum homunculus quidam post furtum ab eo commissum, per officiarios nostros cap-

15. susceperit *MS.*

tus est, deinde carceribus intrusus custoditur. Sed hac in re qualis nostra sit existimatio, quidque circa eandem a tua prestantia petamus, nuncius noster harum tralator (cui nostris in rebus aeque atque hisce literis fidem dabis) abunde satis exponet. Vt 50 te iccirco non multis (quemadmodum diximus) remoremur, vnum hoc addentes vehementer expetimus, nempe vt solita perpetuaque benignitate prosequaris hanc tuam Oxoniensem academiam, quandoquidem ipsa si quo vnquam tibi gratum facere possit, id vt quamprimum prestetur equis velisque (quod aiunt) 55 est et semper erit paratissima.

158. From the University of Oxford.

MS. Bodl. 282, fol. 87 ⟨1528?⟩

[The date is determined by a contemporary marginal note: "Anno, vt videtur, 1528." It is confirmed by the mention of the controversy between the University and the town of Oxford.

The town of Oxford had sent a petition in 1523 protesting against the new royal charter to the University procured by Wolsey, as many of its terms contravened the privileges of the town. The charter seems, as the result of this petition, not to have been enforced for a time. (Turner, *Records of the City of Oxford,* pp.35-41; C. E. Mallet, *History of the University of Oxford,* I, pp.436-7.)

Twyne (quoted by Turner, *op. cit.* p.58) gives an extract from the book of expenses of William Flemming, Mayor of Oxford, which refers to the expenses "touchinge a sute betweene the Univ'sity and the towne concerninge that newe charter . . ." (19 Oct. 1528). The Articles exhibited by the University against the Town to Wolsey in 1528 refer to the Mayor's refusal to do the penance enjoined for St. Scholastica's day, his taking of oath to the King without the accompanying oath to the Chancellor of the University, and the Mayor's breach of University privileges with regard to the Market, and his freeing of their prisoners. The Mayor evidently spoke with boldness, if not impertinence, for when the Chancellor said that the grant was under the great seal, he replied that "many things passed the Kings broad seale that the Kings grace was not ware of" (Turner, p.62).

The letter to More gives nothing of the history of the case, but does add a little color.

In May 1529, Wolsey arranged for arbitration of the matter before Sir Thomas More, but the town refused, "ffor ther hath ben dyvers composicions made bytwen the vnyv'site and the towne bout they of the vnyv'site hath brokyn them, and yet daylly dothe brake in all poynts. . . ." (Turner, *op. cit.* pp.63-64.) Both sides continued to complain, and their grievances are listed in documents in the town records. (*ibid.,* pp.73-93.)

51. *correxi*; duximus *MS.*

---

55. Eras., *Adag.*1417.

The controversy was ended only in 1543 when Wolsey's charter was repealed at the request of the University. (*ibid.*, pp.vii-xi, 116-172.)]

VIRO IN PRIMIS ERUDITO THOME MORO, EQUITI AURATO CLARISSIMO ATQUE INTER CONSILIARIOS REGIS NOSTRI ILLUSTRISSIMI NON INFIMO, TOTUS OXON. LITERATORUM SENATUS S.D.P.

Nonnihil nobismet applaudimus, More doctissime, pariter ac sapientissime, quod nobis contigit talis (vt vulgato nomine vtamur) senescallus, tanta acrimonia ingenii et prosperitate, vt nemo in rebus arduis prudentius nobis consulat, tante eruditionis
5 in omni literature genere, que mirum in modum iuuat ingenii perspicacis iudicium redditque perspicatius, vt non tam possit quam velit ipse literatissimus literarum studio opitulari patrocinarique vel libentissime. Hac tua benignitate, facilitate insignique erga nos beneuolentia freti ad te impresentiarum conscripsimus has
10 inelimatas literas, vehementer obsecrantes vt, si prefectus nostre vrbis cum reliquo oppidanorum cetu regio prouidentissimo consilio de controuersia inter nos et ipsos nuper suborta conquesti fuerint, habens fidem istarum tralatori literarum, procuratorum alteri, qui rem omnem articulatim tibi explicabit, nostrum ius, vt
15 nunquam non facis, hac etiam in causa tueare. Illi enim non dubitamus quin, crocodili in morem lachrymantes, expostulabunt suam iniuriam ipsi iniuriosissimi, inque priuilegia nostra ac libertates nostras sedulo conspirantes, vti ex isto internuncio facile dignosces, qui rem vt habet sine fuco monstrabit.
20 Vale perpetuo bellissime.

159. From Erasmus.

Allen VII.1959 — Basle
Opus Epistolarum p.689 — 29 February 1528
N. p.657: Lond. xix.79: LB. 936

[The year-date is proved by the contents.]

160. From Cuthbert Tunstall.

Tunstall's Register, fol. 138 — ⟨London⟩
G. Burnet, History of the Reformation 1679, pt. 1, Records p.8 — 7 March 1527/8
Wilkins, Concilia III, 1737, p.711

19. dignostas *MS*.

---

16. cf. Eras., *Adag.*2460.

Cuthbertus, permissione diuina London. Episcopus, clarissimo et egregio viro Domino Thome More, fratri et amico charissimo, salutem in Domino, et benedict.

Quia nuper, postquam Ecclesia Dei per Germaniam ab haereticis infestata est, inuenti sunt nonnulli iniquitatis filii, qui veterem et dampnatam heresim Wyclefianam et Lutherianam etiam heresim, Wyclefiane alumnam, transferendis in nostratem vernaculam linguam corruptissimis quibusque eorum opusculis, 5 atque illis ipsis magna copia impressis, in hanc nostram regionem inducere conantur, quam sane pestilentissimis dogmatibus, Catholicae fidei veritati repugnantibus, maculare atque inficere magnis conatibus moliuntur. Magnopere igitur verendum est, ne Catholica veritas in totum periclitetur, nisi boni et eruditi viri malignitati 10 tam perditorum hominum strenue occurrant; id quod nulla ratione melius et aptius fieri poterit, quam si in lingua Catholica veritas in totum expugnans, hec insana dogmata simul etiam impressa prodeat in lucem. Quo fiet vt sacrarum literarum imperiti homines in manus sumentes nouos istos hereticos libros, atque 15 vna etiam Catholicos ipsos refellentes, vel ipsi per se verum discernere, vel ab aliis, quorum perspicacius est iudicium, recte admoneri et doceri possint.

Et quia tu, frater charissime, in lingua nostra vernacula, sicut etiam in Latina, Demosthenem quendam praestare potes, et 20 Catholice veritatis assertor acerrimus in omni congressu esse soles, melius subsiciuas horas, si quas tuis occupationibus suffurari potes, collocare nunquam poteris, quam in nostrate lingua aliqua edas, que simplicibus et ideotis hominibus subdolam hereticorum malignitatem aperiant, ac contra tam impios Ecclesie supplanta- 25 tores reddant eos instructiores: habes ad id exemplum quod imiteris preclarissimum, illustrissimi Domini nostri Regis Henrici octaui, qui Sacramenta Ecclesie contra Lutherum totis viribus ea subuertentem asserere aggressus, immortale nomen Defensoris Ecclesie in omne euum promeruit. 30

tit. Thomae *Wilkins*. 2. *sic Wilkins*; iuncti *MS*.
3. damnatam *Wilkins*. haeresim *Wilkins*. Wycliffianam *Wilkins*.
4. haeresis *Wilkins*. Wycliffianae *Wilkins*. 10. pericletetur *MS*.
11. praeditorum *MS*.; praedictorum *Wilkins et Burnet*.
14. impressa] *sic Wilkins*; ipsissima *MS. et Burnet*.
19. clarissime *Wilkins et Burnet*. 21. Catholicae *Wilkins*.
22. subcisiuas *MS., Wilkins et Burnet*. 22. suffuerari *MS*.
24. quae *Wilkins*. haereticorum *Wilkins*. 25. Ecclesiae *Wilkins*.
27. praeclarissimum *Wilkins*. 28. Ecclesiae *Wilkins*.
30. Ecclesiae *Wilkins*. aevum *Wilkins*.

---

28. *Assertio septem sacramentorum contra M. Lutherum*, 1521.

Et ne Andabatarum more cum eiusmodi larvis lucteris, ignorans ipse quod oppugnes, mitto ad te insanas in nostrate lingua istorum nenias, atque vna etiam nonnullos Lutheri libros, ex quibus hec opinionum monstra prodierunt. Quibus abs te diligenter perlectis
35 facilius intelligas, quibus latibulis tortuosi serpentes sese condant, quibusque anfractibus elabi deprehensi studeant. Magni enim ad victoriam momenti est hostium consilia explorata habere, et quid sentiant quoue tendant, penitus nosse: nam si convellere pares que isti se non sensisse dicent, in totum perdas operam. Macte
40 igitur virtute tam sanctum opus aggredere; quo et Dei Ecclesiae prosis, et tibi immortale nomen atque eternam in coelis gloriam parcs: quod vt facias atque Dei Ecclesiam tuo patrocinio munias, magnopere in Domino obsecramus; atque ad illum finem eiusmodi libros et retinendi et legendi facultatem atque licentiam imperti-
45 mur et concedimus.

Dat. vii° die Martii, Anno domini millesimo quingentesimo xxvii^mo^ et nostrae Cons. sexto.

161. To Wolsey.

Brit. Mus. MS. Galba. B. v. fol. 134 — Windsor
Ellis 1.i.297; St.P. 1, p.284; Delcourt p.354 — 16 March ⟨1528⟩

[The Emperor and Henry VIII were allies in the war against France, as arranged by Wolsey in the conference at Calais, August to November 1521 (cf. notes to Ep. 110, 120, 136 and 145). The Emperor used English troops and English gold to fight his battles, but was unwilling to share the gains equally with England. In the events leading directly to the defeat and capture of Francis at Pavia, February 1525, English promises of aid were, however, not fulfilled, and Charles did not allow England any advantage. Nor would he pursue the war in France, which Henry urged. Instead, he took steps to break his engagement to Princess Mary, and in March 1526 married Isabella of Portugal, who brought him a dowry of a million crowns, and strengthened his claim to Castile.

Meanwhile, Henry and Wolsey carried on negotiations with Louise of Savoy, Regent of France during her son's captivity, and in August 1525 a treaty of amity with France was signed. By it, England gave up all claim to French territory, but was to receive money compensation.

As Charles held Francis a prisoner, he was able to force on the French king the severe terms of the Treaty of Madrid of January 1526, by which

31. Antabatarum *MS. et Wilkins.* 33. naenias *Wilkins.* haec *Wilkins.* 39. quae *Wilkins.* 41. aeternam *Wilkins.* 42. iuues *Wilkins.* 47. consecrat. *Wilkins.*

---

31. Gladiator whose helmet was without openings for the eyes. cf. Otto p.24.

45. Ep.143 shows how much heretical literature More had read before this license.

Francis gave up Milan, Naples and Burgundy, promised to marry the Emperor's sister Eleanor, the widowed queen of Portugal, and to allow his sons to be held as hostages in Spain.

Such an outrage as the sack of Rome by imperial troops in May 1527 and the capture of Clement VII strengthened the Anglo-French alliance.

Henry VIII and Wolsey were forced to prefer a French to an Imperial alliance because of the divorce case. Wolsey, when absent on the mission in France, wrote of it to the King as "your private matter" (as in L.P. IV.3350) but it was already known to Charles. Mendoza, the Imperial ambassador in England, had written of the proposed divorce to the Emperor in May of 1527. Charles therefore knew how much he should discount the friendliness of Henry's ambassadors, Ghinucci and Lee. (L.P. IV, introd. pp. cclxxvi ff. and *Span. Cal.*, vol. III, ii, 69, 75.) The English people always desired an Imperial alliance, because of trade with Spain and Flanders. Wolsey's attempt to make Calais a staple town (*Span. Cal.* IV.66) or the possibility of gaining Boulogne (*ibid.* 83) did not seem to them equivalents. Du Bellay, the French ambassador, considered that Wolsey was "the only Englishman who wishes a war with Flanders." (L.P. IV.3930.) Wolsey quite certainly felt a grievance against the Emperor for failing to secure the papal election for him. Finally, there were sufficient political reasons for an alliance against the Emperor, as his victories had threatened the Balance of Power. (cf. D.N.B. *art.* Henry VIII, Pollard, *Henry VIII*, pp. 137-227, Brewer, *Henry VIII*, vol. II, pp.1-47, 62-100, 128-157, 187-226.)

The final terms between Henry VIII and Francis I were agreed upon in the Treaty of Amiens, 18 August 1527. (L.P. IV.3356.) The English ambassadors at the Imperial Court, Ghinucci and Lee, delayed as long as possible in the intimation of war against the Emperor, but the French ambassadors forced it upon them. Wolsey had warned against arousing French suspicions, and as "the Emperor was indignant with the King on account of the intended divorce, there was much more danger of this." (L.P. IV.3826.) On January 22, 1528, they made the "intimation of war" to the Emperor, declaring that he should surrender his Holiness the Pope, that he should deliver Francis' sons, and that he should pay his debts to England. (*ibid.* 3827.)

Charles defended himself in his answer on January 27. The Pope had already been freed and had left Rome on December 16; he, the Emperor, had never refused to pay his debts; and that if Henry intended to separate from the Queen, he would have better cause to declare war against Henry than Henry against him. He considered it due to Wolsey, because "the Emperor would not employ his Italian army to make him Pope by force." (*ibid.* 3844.)]

Hit may lyke your good Grace to be advertised that yisternyghte the King*is* Highnes commaunded me to advertise your Grace that his servaunt Michael the Geldrois delivered hym a lettre from Monsieur de Iselsteyne which his Grace hath sent

4. Florys, Count de Buren, the Emperor's commander. (cf. Ep.115, note 1.) De Buren "thinks that he (Henry) must have heard that the Emperor - - - had chosen war from those who most desire the ruin of both Princes; for in his letters

5 vn to yours in such maner cowched that it semeth to his Highnes to have proceded not without thadvice of my Lady Margarete and the Counsaile there. And for as mych as the lettre mencioned credence to be geven to the bringer in the declaring of the same he shewed vn to his Highnes vn the byhalfe of Monsieur d'Esel-
10 steyne that my Lady and all the Counsaile there, and among other hym selfe especially were very sory for this warre intimated vn to th'Emperor and mervelouse loth and hevy wold be that eny warre shold arise bytwene theym. And that it were to great pitie and a thyng highly declaring our Lord sore displeased with Christen
15 peple if the thre gretteste princ*is* of Christendom cummyng to so nere point*is* of peace and concord shold in so nere hope and expectatione of peace sodaynly fall at warre, beseching the King*is* Highnes graciously to percever in his godly mynde and appetite of peace, and how so ever it shold happe to fall bytwene hym and
20 Spayne, yit to considre his auncient amite and to continue his good and graciouse favor toward Flaundres and those Lowe Cuntrees which of all folke living lotheste wolde be to have eny enemyte with his Gra⟨ce⟩ or his peple. Adding thervnto, that if his Highnes had of his high wisedome eny convenient meanys by
25 whiche his Grace thought that the peace myght yit be trayned and cum to good point that thing knowen he wold not dowte to cum over hym selfe to his Grace with sufficient authorite to conclude hit.

Whervn to the King*is* Grace answered that no creature living,
30 prince nor pore man, was more lothe to haue cummen to the warre than he, nor that more labor and travaile had taken in his mynde to conduce the peace, which he had vndowtedly brought to passe, if with th'Emperor either resonable respecte of his awne honor, profite and suertie or eny regard of the comen weale of Christen-

---

to my Lady, he agrees to all the articles of peace, except the time of fulfilling them, the French ambassadors insisting on the previous delivery of the children - - - -" (L.P.IV.4036. 8 March.) More writes "deselsteyne."

6. Margaret of Savoy, Regent in the Netherlands, the Emperor's aunt.

The King and More were right in considering that the Regent had had an influence on these negotiations. They did not know, it would seem, that she had done so at Wolsey's suggestion. (*Span.Cal.*IV. 386.) "In consequence of Mons. de Bourgos (D. Iñigo de Mendoza, bishop elect of Burgos), the Emperor's ambassador in England, having at the Legate's request invited Madame to take in hand this business of the general peace, the said Lady - - - has just sent her Secretary, Guillaume des Barres - - that - - he may declare to the Legate her wishes concerning the aforesaid peace to be concluded, if possible, between His Imperial Majesty and the King of France - - -" (This paper is dated 24 March, but the matter appears some weeks earlier in Margaret's papers.) Mendoza had written to Wolsey, 16 February, sending a copy of letters he had received from Margaret of Savoy, expressive of her desire for peace, and had asked Wolsey if he had any reply. (L.P.IV.3931.)

dome myght haue taken place. And sith hit was without his fawte 35
and agaynst his mynde cummen to this point now, his Grace muste
and wold with other his frend*is* and helpe of God defende his
and theire good cause and the comen state of Christendome
agaynste such as by theire immoderate sore dealing shew theym
selfe vttrely sett vppon a purpose to putte all in theire awne subiec- 40
tion. And that as towchyng the Lowe Cuntreis he had for the old
frendeshippe and amite such favor to theym that, as it hath well
appered by his actis synnys thintimation, he hath not bene hasty
to do theym harme nor at the leste wise to breke eny clause of
theire old entrecourse albeit every clause had not bene kepte to- 45
ward hym. Wherin his Grace said that sumwhat thei had now
bygon to loke vn to and he dowted not but more they wold for
their honor. And where as Monsieur d'Eselstayne vppon the hoope
hadde of eny good wais of peace offred hym selfe to cum over with
sufficient authorite, his Grace saied, that both for his great wise- 50
dome and good zele toward peace and old frendely mynde toward
his Grace of long tyme well knowen, and for thacquayntaunce
bytwene theym with the favor that his Grace hath for his well
deserving merit*is* long borne vn to hym, no man shold be to his
Grace more wellcum, nor none could there cum thense to whom 55
his Grace could fynd in his hart more largely to declare his mynde.
In which he had conceived such thing*is* that he dowted not, if he
cam over with sufficient authorite from th'Emperor, either he
shold conclude the peace or playnely perceive and confesse hym
selfe that th'Emperors immoderate hardn⟨ess⟩ shold be the onely 60
lett and defawte.

Vppon this the said Michael saied that Monsieur d'Esilsteyne
wold be glad to know what those devic*is* were, which knowen
he myght se what hope he myght haue of eny ffrute to cum of
his cummyng. Whervnto the King*is* Highnes answered that sith 65
his Grace had made the intimation it wold not well stande with
his honor, after such a sleight fashion to make eny overture of
such point*is*. But if Mon sieur d'Esilstey cam in such sufficient maner
authorised by th'Emperor, he shold not faile to fynde his Grace
such, that having so good zele and desire to the peace, he shold 70
haue cause to be gladde of his iorney. And thus mych the King*is*
Highnes commaunded me to advertise your Grace concernyng
the communication had bitwene his Grace and the said Michael,
desiring your Grace of your high wisedome to considre what were
ferther to be devised or sett forth concernyng the said overture of 75
Mon sieur d'Esilsteyne.

76. desisteyne *et l supra, MS.*

After this whan I was goone from his Highness, hit lyked hym to send agayne for me in to his privy chambre abowte x of the clokke and than commaunded me to aduertise your Grace ferther
80 that he had considered with hym selfe how loth the Low Cuntreis be to haue eny warre with hym and that hym selfe and your Grace, if it may be voided, wold be as lothe to haue eny warre with theym. And for that cause his Grace thinketh it good that albeit he wold there were no slakkenes in putting of my Lord Sand*is*,
85 and his cumpany in a redynesse, yit they shold not over hastely be sent over, leste those Low Cuntrees being put in more dowte and fere of his Grac*is* entent and purpose toward theym for some exploit to be done by land, myght be the rather moved to retayne and kepe still the good*is* of his merchaunt*is* and to bygynne also
90 some busynes vppon th'Englishe pale, which thing the mater thus hanging without ferther fere or suspicion added, his Highnes verily thinketh that they will not attempte, but rather in good hope of peace accelerate the delivery of his merchaunt*is* good*is*, namely perceiving the discharge of the Spanyard*is* whom by your
95 Grac*is* moost prudent advice his Highnes hath condescended shortely to sett at libertie and fre passage.

And his Grace also thinketh that if my Lord Sand*is* with his cumpany were at Gisnes they shold be sore preaced by the French partie to ioyne with them in some exploite vppon the borders of
100 Flaunders, which thyng either they shold stifly refuse to do and therby peradventure move grudge and suspicion, or ioyne in the doing. And therby some hurt done vn to Flaundres vppon the ffruntiers myght not onely exasperat⟨e⟩ the mater and hyndre the peace causyng the good*is* of his merchaunt*is* to be retayned but
105 also geve occasion to haue some broilery made vppon the Englishe

101. and such suspicion, such *del. MS.* 105. to haue broilery, some *supra, MS.*

84. William, Lord Sandys (d.1540) was a great favorite of Henry VIII. He held important positions in the army and joined in the expeditions abroad of 1512, 1514 and 1522. The King made him Treasurer of Calais, K.G. (1518) and Lord Chamberlain (1526). He then resigned the treasurership of Calais and became Captain of Guisnes, which he served usually by deputy. (D.N.B.)

In March, Lord Sandys wrote to Sir Thomas Cheney the reports he had heard of the movements of troops in Flanders under de Buren, Ravenstein and others. He "wishes to know if he shall make more haste by reason ⟨of the⟩ news, and whether he shall bring with him the 60 men hor⟨sed⟩, whom he has ready - - - -" (L.P. IV,4026.) His letter to Wolsey of 25 April makes further arrangements for his expedition to Guisnes. (*ibid.*4199.)

94. Both sides were anxious to have as little interruption in trade as possible. Englishmen were arrested in Flemish ports, but were to be released as soon as Margaret of Savoy should hear of the release of Spanish as well as Flemings arrested in England. (L.P.IV.3958,4009,4018,4071, February and March 1528.)

pale in which his peple myght percase take more harme than they
shold inferre. And whan I was abowte to haue shewed his Highnes
sumwhat of my pore mynde in the mater, he saied this gere could
not be done so sodeynly but that his Grace and yours shold speke
to gether first and in the meane while he commaunded me thus 110
mych to advertise your Grace of his mynde.

Ferthermore his Highnes desireth your Grace at such tyme as ye
shall call the Spanyard*is* by fore you to geve theym libertie to departe, hit may lyke you in such effectuall wise to declare vn to
theym what favor his Highnes bereth to the nation of Spayne 115
and how lothe his Grace wold haue ben to haue eny warre with
theym, that thopinion of his graciouse favor toward theym com-
probate and corroborate by theire discharge and franke deliver-
aunce being by theym reported in Spayne may move the nobles
and the peple there to take the more grevousely toward th'Eym- 120
peror that his vnresonable hardenes shold be the cause and occasion
of the warre.

His Highnes hath also commaunded me to write vn to your
Grace that there is an hospitall in Sowthwarke wherof his Highnes is enformed that the Maister is olde, blynd and feble, and albeit 125
that the hospitall is in the gifte of the Bishoppe of Wynchestre,
yit his Grace is enformed that your Grace may as Legate geve
the Maister in this case a coadiutor. Which if your Grace conveniently may, than his Highnes very hartely requireth your
Grace that it may lyke you to appoint for his coadiutor his Grac*is* 130
chappeleyn Mr. Stanley, which to desire of your Grace he saith
that ii thing*is* move hym, the one that he wold the man were
provided for being a gentleman borne and his Grac*is* chappeleyn,
the tother is that his Grace being therby ridde and discharged of
hym myght, as he shortely wold, haue a bettre lerned man in his 135
place.

Hit may lyke your Grace to receive with this present*is* such
lettres as the King*is* Grace hath yisterday received owte of Ireland,

109. your grace, your *del. et corr., MS.* and his and yours, and his *del. MS.*
128. coaduitos, s *corr. MS.*

131. Thomas Stanley, King's chaplain, however, received in November 1527 a grant of "the pension which the prior elect of the monastery of Coventry is bound to give to a clerk of the King's nomination." (L.P. IV.g.3622.16.)

138. Hugh Inge, Archbishop of Dublin and Lord Chancellor, and Patrick Bermyngham, Lord Chief Justice of Ireland, to Wolsey. (L.P.IV.3952, printed in St.P.II.126.) 23 February 1528. They report the disturbances in Ireland, and regret the absence of the Lord Deputy the Earl of Kildare, as the Vice-Deputy, Lord Delvin, has no power, and yet the people under him are more oppressed than under Kildare. They are perplexed to hear that the Lord Deputy has been committed to the Tower as his mis-

which after that I had by his Gracis commaundemen⟨t⟩ redde and
140 reported vn to his Grace, he commaunded me to sende theym vn to your Grace to be by your high wisedom ferther considered and answeris to theym to be devised such as to your high prudence shalbe sene convenient. And thus our Lord long preserve your good Grace in honor and helth. At Wyndesore this xvi^th^ of
145 Marche.

Your Gracis humble orator, and moost bounden bedisman,

Thomas More.

To my Lord Legatis good Grace.

162. To John Cochlaeus.

Epistola Nicolai Pape, 1536, fol. Dd
Tres Thomae pp. 73, 88, extracts. Jortin II, p. 700 ⟨1528?⟩

[First printed in *Antiqua et insignis epistola Nicolai Pape I, etc. Fragmenta quarundam Tho. Mori epistolarum ad Erasmum Rot. et ad Ioannem Coc⟨hlaeum⟩*, Leipzig, Lotther, 1536. Extracts in *Tres Thomae*. Probably not long after the Disputation at Bern in January 1528.

John Dobneck (1479-1552) was born at Wendelstein in Ansbach, and was therefore nicknamed Cochlaeus (cochlea = Schnecke, and at that time also Wendeltreppe). He was educated at Nuremberg and the University of Cologne, graduating M.A. In 1515 he went to Italy as tutor to Pirkheimer's nephews, took his doctor's degree at Ferrara 1517, and was ordained priest in Rome. He finally secured the deanery of the Liebfrauenstift in Frankfort on the Main.

He devoted his life to work against Luther and the Reformation. This lost him the sympathy of many Humanists and the church authorities distrusted him because of his indiscretion. The spread of the Reformation caused his flight from Frankfort in 1525 and he later held canonries successively in Mainz, Meissen, Erfurt and Breslau.

In 1528 he was called by Duke George of Saxony (the *Princeps* of this letter) to assist him in his work for the church. As a desperate measure, he was later ready to demand the marriage of the clergy, and the administration of the cup to the laity. He set his hopes on the Council of Trent, though he was not to take any part in it.

He wrote a history of the Hussites, and a life of Luther. He was prepared by personal knowledge of the Reformed movement from its beginning but his prejudice and personal vanity warped his judgment, and hate for Luther is too clearly the reason for writing. The correspondence with More seems a compensation for his disappointment with church

---

demeanors "hathe been unknowen unto us." (cf. Bagwell, *Ireland under the Tudors* I.147-149.) The second letter from Sir John Fitzgerald to Henry VIII under date of 24 February (L.P.IV.3953) writes of besieging the Earl of Desmond in the castle of Dungarvan. Desmond took to sea, and sailed into Youghal, when the water-gates were not fastened. (cf. also Bagwell I.182-183.)

authority. He died at Breslau 1552, and after that some of his writings were put on the Index. (Herzog-Hauck, *art.* by Kolde; *Cochlaeus, der Gegner Luthers,* by F. Gess.) For his dislike of his nickname, cf. Allen VIII.2120, ll.79ff.]

Dici non potest, vir ornatissime, quantum tibi me debere sentiam, qui me dignaris toties eorum, quae istic occurrunt, me certiorem reddere. Quae nunc neque minus assidua, et multo magis monstrosa, parit nobis Germania quam olim solebat Affrica. Nam quid monstrosius Anabaptistis et quantum eiusmodi pestium 5 aliquot annis iam continuis exortum est. Ego profecto, mi Cochlee, quum haec in hunc modum video quotidie in peius ruere, expecto propediem fore vt existat aliquis qui Christum prorsus predicet abnegandum. Nec potest exoriri tam absurdus nebulo, vt (qui nunc populo furor est) careat sectatoribus. Bernensium Edicto 10 neque ineptius vnquam quicquam vidi, neque magis improbum. Et disputationem (vt audio) sic adornarunt vt eam reddiderint Edicti sui simillimam. Vtinam mihi, mi Cochlee, foret ea Sacrarum Litterarum et Theologicae rei peritia, vt contra pestes eiusmodi possem non frustra scribere. Quae res tibi, vir Clarissime, Dei 15 benignitate tam habunde contigit, quam vix vni aut alteri praeterea. Nec vacua in te gratia fuit, qui talentum tibi creditum non cessas sic impendere, vt ad id aliquando sis multiplici cum vsura redditurus. Itaque quod valde gaudeo, Deus vicissim declarare coepit, quam gratam habeat tam fideliter abs te impensam operam. 20 Nam post tot aduersa, post tantam secundam carnem calamitatem, respicere coepit aerumnas tuas. Qui Illustrissimo Principi inspirauit in animum vt magno religionis nostrae bono, et fortunae tuae subsidio, te sibi adiungeret et viro olim optimo atque eruditis-

1-10. Dici non potest - - - careat sectatoribus *Stapleton* p.73. 3. me *del. Stapleton.* 13-15. Vtinam - - - scribere. *Stapleton* p.88.

10. The invitation, issued 17 November 1527 summoning to a disputation at Berne in the following January, to settle the religious questions at issue and preserve unity. It aroused much opposition; bishops declined to attend, Eck and Cochlaeus wrote against it, and Murner was so outspoken that he had to leave Lucerne as a result. The Catholic party was not well represented at the disputation, while the Protestant delegation included such leaders as Zwingli, Œcolampadius, Bucer, Capito and Blaurer. The disputation began 7 January 1528 and continued till the 26th. (Herzog-Hauck, *art. Berner Disputation.*)

24. Hieronymus Emser (born at Ulm, 1477, died at Dresden, 1527). He was educated in Greek and Latin at the University of Tübingen, and later studied law and theology at Basle. In 1504 he lectured at Erfurt on Reuchlin's "Sergius vel Caput Capitis" and Luther was one of his hearers. In 1505, he lectured on the classics at Leipzig. He turned from the Humanities to the study of Canon Law and became secretary to Duke George of Saxony, and was ordained in 1512. From the Disputation at Leipzig in 1519, he was Luther's literary opponent. His German translation of the New Testament had a laudatory preface by Duke George, which criticized Luther's translation and refuted his errors. (*Cath. Encyc.*)

25 simo simillimum omnino sufficeret. Vtrique certe gratulor, et Principi tuo talem animum, et tibi talem Patronum.

163. To Francis Cranevelt.

Tres Thomae, p. 78 — Chelsea
De Vocht, Ep. 262 — 10 June 1528

[Like Ep. 135, this was copied for Stapleton by J. Kemmers and M. de Vignacourt c. 1588. The original has since been lost.]

Pudefacit me, ita me Deus amet, mi Craneueldi, tua ista tam ingens humanitas erga me, qui me tam saepe, tam amanter, tam accurate salutas, tam raro resalutantem, praesertim quum tibi liceat non pauciores occupationes tuas praetendere, imo vere
5 non pauciores allegare, quam licet mihi! Sed is est animi tui candor, ea constantia, vt quum in amicis excuses omnia, ipse tam perpetuo perstes, et pergas in instituto tuo, vt nihil cesses quod tibi possit ignosci. Sed hoc tibi, mi charissime Craneueldi, persuadeas, si quid incidat in quo amici partes serio sint ostendendae, ibi
10 me nunquam esse cessaturum. Dominam meam coniugem tuam (nam ordinem non audeo rursus interuertere) quaeso vt ex me salutes, cum tota familia tua, quam mea toto salutat pectore. Vale.
Ex rusculo meo; decimo Iunii, 1528.

⟨Tuus Thomas Morus.⟩

164. From John Cochlaeus.

Chronicon Opus, 1529, fol. 155 — Mainz
11 November 1528

[Preface to an edition of Cassiodorus' *Chronicon,* printed with other chronicles in *Chronicon diuinum plane opus,* Basle, H. Petrus, March 1529.]

[Answered by Ep. 165.]

4. vero *Stapleton 1612.*

---

10. cf. Eps. 139 and 142 for earlier versions of this jest, which Cranevelt had evidently answered humorously.

13. For More's home, cf. Randall Davies, *The Greatest House at Chelsey.* Davies is, however, incorrect in the date of building, for More's residence was in Bucklersbury until after Margaret's marriage. (cf. Ep.106 and references there.)

CLARISSIMO VIRO, DOMINO THOMAE MORO, ANGLIAE BARONI, SERENISSIMI ANGLIAE FRANCIAEQUE REGIS A CONSILIIS, AC DUCATUS LANCASTRIAE CANCELLARIO ETC. IOANNES COCHLEUS S.P.D.

Inueni hic, optime ac eruditissime More, in bibliotheca Diui Stephani Chronicon Cassiodori, libellum quidem paruulum, sed Romana nobilitate insignem, eruditisque omnibus merito desyderabilem. Is tuis potissimum auspiciis in publicam lucem post longas tenebras exire gestit, quia neque inter eruditos neque inter 5 magistratus reique publicae consultores quisquam hodie viuit, qui mihi videatur in omnibus Cassiodori similior quam tu es. Nulli profecto detrahere, nullum contemnere est animus; scio multos eximia eruditione illustrare seculum hoc nostrum; video in republica magna nonnullos autoritate pollere, dexteritate moderari, 10 honoribus fulgere. Sed qui sic coniunxerit eruditioni omnigenae cunctas virtutes politicas, et quidem summa cum pietate ac bonitate, vt olim Cassiodorus, praeter te equidem, bona omnium pace dixerim, neminem noui.

Patere igitur aequo, precor, animo, hunc paruum magni autoris 15 libellum nomini nuncupari tuo, vt per te Romana iuuentus, belli calamitatibus misere nunc afflicta, nonnihil consolationis ex hoc breui libello accipiat, dum antiquae nobilitatis suae pulcherrimam hanc certa, licet longissima valdeque numerosa Consulum serie imaginem intuetur et agnoscit. Habet autor iste eruditionis quidem 20 ac pietatis suae certissima in suis super Psalterium Commentariis testimonia. Probitatis autem et prudentiae iustitiaeque eius integritatem ac omnimodum dignitatum fulgorem ex xii libris Epistolarum eius liquido cognoscet, quisquis felix eorum librorum possessor est. Quos vtique simul cum nonnullis aliis eius opusculis 25 editurus eram, si mihi Romae, vbi eos reliqui, vt cum exemplari

TIT. Loacastriae *Cochlaeus.*

TIT. Erasmus had corrected More's title for Cochlaeus. (Allen VIII, Ep.2120, ll.74f.)

2. St. Stephen's, one of the important churches of Mainz, built 1257-1328.

2. Flavius Magnus Aurelius Cassiodorus, Senator (c.490-585), served the state under Theodoric as quaestor, consul, possibly provincial governor, and at Theodoric's death, was chief of the civil service. Under Athalric he served as pretorian prefect until c.540. He retired from public life after the reconquest of Italy under Justinian.

He founded the monastery of Vivarium, stipulating that the monks should devote themselves to learning and the copying and preservation of manuscripts. He himself collected and emended manuscripts and supervised the translation of Greek books into Latin. It is uncertain whether he himself belonged to the Benedictine order.

17. Rome was sacked in 1527 and again in 1528.

21. Cassiodorus wrote a commentary on the Psalms and short notes on the Pauline epistles, the Acts and the Apocalypse.

23. Evidently the *Variae*, in 12 books, published in 537—the decrees of Theodoric and his immediate successors, regulations of offices of state, and edicts of Cassiodorus as prefect.

quod in bibliotheca Vaticani erat aliquando conferrem, a militum direptione salui permansissent. Ex innumeris autem publicisque de eo eiusque parente testimoniis, vnum aut alterum paucis hic re-
30 feram. De patre quidem eius ita scripsit ad Senatum Rex Theo-
Lib. 1. Epistola 4. dericus, 'Meministis P.C. et adhuc recentium vobis rerum memoria ministratur, qua moderatione Praetoriano culmini locatus insederit, et euectus in celsum inde magis despexerit vitia prospectorum, iunxit bene cum vniuersorum gaudiis nostra compendia,
35 aerario munificus et iuste soluentibus gratiosus. Sensit tunc respublica ex illo coetu Romuleo innocentiae virum, qui ⟨licet⟩ se moderando gloriosum fecerit, hoc tamen maius contulit, quia bonae actionis exemplum sequentibus reliquit. Pudet enim eum peccare qui laudatis videtur potuisse succedere. Fuit itaque, vt
40 scitis, militibus verendus, prouincialibus mitis, dandi auidus, accipiendi fastidiosus, detestator criminis, amator aequitatis' etc.

Ad ipsum autem Cassiodorum filium in Praefecturam Praetorianam mox euehendum, ita scripsit Rex Athalaricus, Theodorici
Lib. 9 Epistola 24. Regis et nepos, et in regno successor, 'Erat plane,' inquit, 'quod in te praedicaret Dominus auus noster eximium, animum ad promerenda beneficia patulum, et contra vitia cupiditatis obstructum, dum nescio quo pacto raro est in hominibus manus clausa et aperta iustitia. Nesciuit quisquam de te submurmurare contraria, cum tamen de principali gratia sustineres inuidiam, derogare cupientes
50 vicit integritas actionis.' Et post pauca, 'Qua propter iuuante Deo, quo autore cuncta prosperantur, ab Indictione xii, in Praefecturae Praetorianae te suggestu atque insignibus collocamus, vt probatum iudicem sine metu Prouinciae suscipiant, quas hactenus cognouimus improborum actione fatigatas. Sed quamuis habeas paternam
55 Praefecturam Italico orbe praedicatam, aliorum tibi tamen exempla non ponimus; vetera moribus tuis et omnium vota complesti.' Et infra: 'Constitue et huic regulam dignitati, qui anteactis fasci-

34. prospectorum *Cochlaeus*; prosperorum *Cassiodorus, ed. Mommsen.*
36. qui *Cochlaeus*; qui licet *Cassiodorus, recte.* 37. quod *Cassiodorus.*
38. dereliquit *Cassiodorus.* 45. Dominus auus noster *add. Cassiodorus.*
47. rara *Cassiodorus.* 49. inuidiam. Derogare - - - *Cassiodorus.*
50. Quapropter *Chronicon, ed. Cochlaeus; sic et Cassiodorus.*
51. omnia *Cassiodorus.* duodecima *Cassiodorus.*
52. *sic et Cassiodorus, ed. Mommsen;* Vt *Cassiodorus, ed. Cochlaeus.*

---

30. The Senior Cassiodorus served Odoacer as controller of the emperor's private revenue and the public exchequer. He later was governor of Bruttii and Lucania under Theodoric.

31. Theodoric (c.454-526) ruled Italy from 493, the date of his victory over Odoacer. Patres et Conscripti, fathers and elect, title of assembled Senate.

34. Several lines omitted in quoting.

48. Several lines of Cassiodorus omitted.

50. Several lines omitted.

57. Thirteen lines omitted.

bus mirabilis continentiae exempla praebuisti. Nam licet omnes pene honores summos aequaliter egeris, habes tamen proposita conscientiae bona, vbi nullam decet esse mensuram' etc. Idem ad Senatum. 'Cumulauimus quidem,' inquit, 'P.C. beneficiis nostris copiosum virtutibus, diuitem moribus, plenum magnis honoribus Senatorem, cuius si merita consideretis, debemus etiam quod soluimus. Qua enim compensatione commendandus est, qui aures Dominantium luculenta saepe praedicatione compleuit? dignitates sibi creditas eximia grauitate tractauit et visus est tempora facere quae merito laudarentur in principe. Credimus P.C. et si adhuc referre volumus, beneficia collata superantur. Nostris quoque principiis quanto se labore concessit, cum nouitas regni multa posceret ordinari? Erat solus ad vniuersa sufficiens, ipsum dictatio publica, ipsum consilia nostra poscebant, et labore eius actum est, ne laboraret imperium' etc.

60

Lib. eodem Epistola 25.

65

70

Haec et id genus plurima extant de huius autoris, qui peculari quodam insigni miroque priuilegio proprie Senator dictus est, quemadmodum Philosophus Aristoteles, Poeta Virgilius, Propheta Dauid, virtutibus testimonia publica. Quae ideo prolixius quam decet, fateor, praeliminari Epistola referuntur, vt eo certior fiat de Consulum serie Lector, quam a tanto viro, qui et ipse Consul ordinarius fuit, collectam esse cognouerit. Atque vt de reliquis opusculis eius ad communem vtilitatem peruestigandis tanto quisque fiat diligentior, quanto autor iste inter omnes doctores Ecclesiasticos dignitatum secularium honore summa cum integritate religioneque et pietate praefulsit. Quamuis enim reges eius essent Ariani, ipse tamen fidelissime perpetuo tenore Catholicae Ecclesiae partes defendit, vti probant diuersi eius in re theologica tractatus, et propria eius verba, quae in Praefectura ad Papam Ioannem II scripsit: 'Mihi filio,' inquit, 'vestro intelligentiae sensus aperiat, vt quae vere sunt vtilia, sequar, quae vitanda, refugiam. Talem denique iudicem excipiat publicus actus, qualem filium Catholica mittit Ecclesia. Sum quidem iudex Palatinus, sed vester non desinam esse discipulus, nam tunc ista recte gerimus, si a vestris

75

80

85

90

63. etiam] omne *Cassiodorus*.
65. saepius *Cassiodorus*. Dignitates *Chronicon, ed. Cochlaeus*.
66. visus] *sic et Chronicon*; nisus *Cassiodorus*.
67. Cedimus *Cassiodorus*. 87. Mihique *Cassiodorus*.
91. - - discipulus. Nam - - - *Chronicon, ed. Cochlaeus*.

67. Twenty-one lines omitted from Cassiodorus.
84. Theodoric, himself an Arian, tolerated Catholics until Justin persecuted the Arians, when he instituted reprisals.
88. Two lines omitted from Cassiodorus.
90. Twelve lines omitted.

regulis minime discedamus.' Et quod adhuc mirabilius est, magisque pium ac religiosum, relicto tandem seculo cum omnibus honoribus dignitatibusque imperii, monasticam vitam ita suscepit,
95 vt monasterium Viuariense, non longe a Rauenna situm, amplissimis censibus donauerit, variis aedificiis ornauerit, ac locupletissima instruxerit bibliotheca. Id quod latius cognoscet digniusque mirabitur, qui introductorios eius ad fratres Viuarienses legerit libros.

100 Huius igitur innocentissimi viri libellum, More disertissime, pro tua erga cunctos humanitate studioque et amore antiquitatis, laeta, vt soles eruditissima quaeque, perlege fronte. Quem, ne paruitate tibi sua intercidat, reliquis Chronographis adiunget Ioannes Sichardus.

105 Bene vale decus seculi nostri singulare. Ex Moguntia III Idus Nouemb. Anno. M.D. xxviii.

165. To John Cochlaeus.

Epistola Nicolai Pape, 1536, fol. Ddv
Jortin II, p. 700 ⟨March-April? 1529⟩

[Answering Ep. 164.]

Litteras tuas, Cochlee doctissime, gratissimas habui vel suo vel autoris merito. Tum hoc quoque nomine, quod nuncupatos mihi Romanos Consules in lucem exiisse nunciarent. Quos etiam multa prorsus cum animi voluptate legi. Cuiusmodi frag-
5 menta vbicunque nactus sum, exosculari soleo, tantum abest vt fastidiam. Nec, quum videam Persarum Regem rustici hominis manu porrectam aquulam, ea prorsus fronte, qua multi precii munera consueuit accepisse, ego porro infra tantum Principem positus tam sanctas vetustatis reliquias vllo possum modo con-
10 temnere, qui gerras quoque Siculas, aut siquid istis despicatius (saltem literarium) nunquam in vniuersum aspernatus sim. Quippe amici contemplatio tantum apud probissimum quenque ponderis habet, vt rebus quam libet minutis gratiam preciumque conciliet. Nec vero haec eo dixerim, quo munus tuum, inprimis
15 magnificum, ex istarum esse rerum classe iudicem. Nec Cassiodoro

103. te *Ep. Nicolai Pape, perperam.* 1. Cochlaee *Jortin.* 7. pretii *Jortin.* 8-10. Ego - - - contemnere? Qui - - - *Epistola.* 10. despicacius *Jortin.* 12. quemque *Jortin.* 13. pretiumque *Jortin.* 14. imprimis *Jortin.*

---

104. Sichard added *Hermanni Contracti Comitis Veringensis Chronicon, De Sex Mundi Aetatibus.*
6. cf. Ep.114 and note 1.

(cui tu similem me amice potius quam vere opinaris) vlla in re sum conferendus. Sed quis istam voluntatem, tam ad gratificandum nobis accinctam, nullo prouocatam beneficio, non plurimi faciat?

166. To John Cochlaeus.

Epistola Nicolai Pape, 1536, fol. Dd[2]
Tres Thomae p. 74 (extract); Jortin II, p. 701 ⟨1529?⟩

[The date is uncertain. The letter evidently refers again to the *Chronicon* and so belongs with letters 164 and 165, but if the reference to church matters is correctly understood, it must date from the latter part of 1530.]

Hoc mihi velim credas, pro amore nostro mutuo, charissime Cochlee, multis annis nullas venisse amicorum litteras iis gratiores, quas a te proxime accepi, quum propter multa, tum ex duabus nominatim causis: priore, quod in eis ingens mei studium perspexi, haud incognitum antehac mihi sed multis partibus solito 5 auctius, quod est eximiae cuiusdam foelicitatis instar (vt enim merita tua seponam, quis non vel fauorem solum taciti amici plurimi faciat?); posteriore, quod iisdem me litteris de Principum actis fecisti certiorem. Quo officio perinde quam si animo tuo parum satisfecisses, misisti eisdem de rebus factos commentarios, quibus 10 ita complexus es vniuersa, ita clare explicuisti ob oculos, vt maiore diligentia curaque persequi nequeris, et eos legens commentarios, coetui vestro mihi sim visus interesse. Haec et videntur mihi et sunt mire euidentia amoris in me tui documenta, quibus manifeste declarasti, quam nullum laborem recuses, vnde voluptas modo 15 aliqua ad me reditura sit. Proinde vix aeque vlla re ac studii tui aduersus me delector memoria. Quid hic pergam sigillatim scriptorum tuorum multiplicem referre gratiam? Quid aggrediar sermone prolixo pro eo merito tibi gratias agere, cuius nullam portionem quantumlibet numerosae gratiarum actiones assequantur? 20

Veniam nunc ad postremam commentariorum partem, vbi eorum recenses nomina, qui sanctissimo isti negotio praefuere; pars profecto mirum in modum mihi iucunda fuit, quod inter caetera Cochlei nomen reperirem. Christum obnixe praecor, cuius beneficio ex pientissimo in Deum Caesareae Maiestatis mandato, 25

18. prouocato *Jortin*; prouocatum *coniecit Jortin*.
Ep. 166. 1-10. Hoc mihi - - - certiorem *Stapleton*, p.74. 10. quasi *Jortin*.
11. ob *Jortin*; ab *Ep. Nicolai Pape*. 12. Et eos legens *Ep. Nicolai Pape*.
17. sigillatim] *sic et Jortin*. 23. quod] qua *Jortin*.

4, 6, 8. Priore, Quod, Posteriore begin sentences, *Ep. Nicolai Pape*.

25. The Emperor had given command to Catholic theologians to reply to the

per vos praeclare coepta res est, vt exterminatis celeriter opinionum dissidiis, per eosdem Ecclesiae suae tranquillitatem reddat, vt inducta, immo reducta iam diu profligata animorum consensione, gaudium nostrum nullo contaminatum metu, nulla sollicitudine
30 vitiatum, ex omni parte absoluatur.

167. From the University of Oxford.

MS. Bodl. 282, fol. 92v

Oxford
⟨1529?⟩

[The year is indicated by the position of the letter in the letterbook.]

DOMINO THOMAE MORO EQUITI AURATO LITERATISSIMO, ET REGI A CONSILIIS, ACADEMIAE NOSTRAE SENESCALLO.

Plurimis argumentis nunc compertum habemus, More candidissime, vere talem te esse, qualem et nos semper autumavimus et publica fama praedicat, hoc est, vt literatissimum ita literarum studiosorum fautorem quam vigilantissimum. Quippe qui non
5 solum nostrarum causarum patrocinationem benigne ac lubens susceperis, ne teruncio quidem indidem futurus ditior, verum etiam, cum opus est, perinde agas et procures eas quasi tue ipsius essent. O terque quaterque beatos, quibus contigit talis patronus, in omni genere eruditionis sic versatus, vt Cyclopediam obsol⟨e⟩uisse
10 vel doctissimis quibusque videatur, fauorem Principis ita demeritus vt apud eum possit quam plurimum, rerum experientiam adeo calleat vt pro mira ingenii sui perspicacitate facile videat in quauis re quid aequum sit, quidque iniquum, quid conueniat, quid dissideat, quid quemque deceat, quid contra dedeceat. His accedit
15 voluntas ad benemerendum tam procliuis, vt magis delectetur beneficiorum collatione quam pauperrimus quisque munere collato. Quam animi tui propensionem erga nostram academiam perpetuam facias, vehementer rogamus, nostramque causam, vt cepisti, procures, nos offensurus pro virili nostra qualibet in re,
20 tue fame atque incolumitati obsequentissimos. Vale.

Oxon.

30. absoluat *Jortin*. 10. ite *MS*. 16. pauperimus *MS*.
18. perpetuum *MS*.

Augsburg Confession of the Protestants, which was received 25 June 1530 at the Diet. Cochlaeus was one of twenty collaborators. Their reply was considered too sharp by the Emperor, and was modified. The original seems to be preserved rather in the first four of Cochlaeus' *Philippicae*. These had been written by 1531, but were printed only in 1534, after much further work. (Herzog-Hauck, *op. cit.*; Gess, *op. cit.* p.39.)

18. This must be the same dispute with the town referred to in Ep.158.

168. From ⟨John Palsgrave⟩.

R.O. State Papers Henry VIII §55, pp. 12-13 ⟨1529?⟩

[John Palsgrave (d. 1554) was educated at Corpus Christi College, Cambridge, proceeding B.A., and then studied at Paris and graduated M.A. He got a thorough knowledge of French, was tutor to Henry's sister Mary, and accompanied her to France on her marriage. He was rewarded for his services with several livings.

In 1525 he was tutor to the Duke of Richmond. In 1531 he went to Oxford, was incorporated M.A. there and took his B.D. His last years were spent in residence as rector of Wadenhoe, Northamptonshire. His principal work was *Lesclarcissement de la Langue Francoyse,* one of the first grammars of French in English. (cf. D.N.B.; L.P. IV.5806, ii, 5807, 5808.)]

DEVISED TO BEE SENTE VNTO MAISTER MORE.

After my most humble recommendations, Where as I vnderstand by the raport off diuers syc⟨he⟩ as be my freend*is*, that you be towerd*is* me nowe, as you haue bene euer, my especiall good master, I do therefore most humbly thanke you, beseching you off your good continuaunce, and where as I, for your sondrye benefites vsed vnto me, esteme my ssellff more bownden to you than to any oone man lyving, whyche hytherto I haue hadde neuer other habilite to recompense, but oonly by my word to declare yt, where I haue sene tyme and place conuenient. I beseche you off your goodnesse, for your accustumyd goodnesse to continu vnttyll syche tyme that I may oones trede vnder fote thys horrible monster pouerty, whyche hytherto hath benne so homely wyth me, that sche hath made me aschamyd off my sellff, and many a hunderd tymes to forbere to do my dutye to you by cause I was lothe to cum to your howse with empty hand*is*.

I vnderstande by Sir Wylliam a Parre, that the Kyng*is* Grace demanded off you and Doctor Stevyns, whyther you thowght yt conuenient that the Duc off Richemont schould lerne Greke and Latyne both at oones, and that bothe you and the saide Doctor

TIT. *altera manu.*

---

16. Sir William Parr was knighted in 1513, was sheriff of Northamptonshire in 1518 and 1522, and was chamberlain to Catherine Parr when she became the consort of Henry VIII. In 1543 he was created Baron Parr of Horton, Northamptonshire, and died in 1546.

At the time of this letter, he was Chamberlain to the Duke of Richmond. (cf. D.N.B.; L.P.IV.1596.) Richard Croke complained to the King of Parr's long absences (L.P.IV.1947) and of his negligence and extravagance. (*ibid.*IV.1954.)

17. Stephen Gardiner, now royal secretary, and later Bishop of Winchester. (cf. *Life*, by J. A. Muller.)

18. The Duke of Richmond, Henry's natural son by Elizabeth Blount, was created Duke in 1525 at the age of six years. He died in 1536.

20 duly approue myne opinion in that behalff. Wherefore I do most humbly thanke you, assuring you that for my discharge in that behallff, I haue not oonly demanded the opinons off Horman, Gonnell, Ryghtwyse and all syche as I thowght cowld any thyng instruct me, howe I schould best acquite me in the charge com-
25 myttyd vnto me, but I haue all so diligently redde Quintiliane, Maphes Vegius, Otho Moguntinus, Baptista Guarinus, and especially Herasmus, whyche all, as you knowe, agree in that thing.

But I remember that you schewyd me oones how a lytyll Latine schould serue so the saide Duc myght haue Frenshe, and to be
30 playne with you, me thynkyth that our schavyn folk wold in no wyse he schoulde be lernyd. Whyche I assure you were a great pytye, for on my faithe I knewe neuer a more singular wytt, nother ryche nor power, than he hathe, and all be hyt that he hathe all redye and euery day schall haue more and more sondry
35 callers vpon hym to bring hys mynde from lernyng, som to here a crye at a hare, somm to kyll a bucke with hys bow, somtyme with grayhowndes and somtyme with buckehow⟨n⟩des, and that yt ys not lefull to depart tyll he haue takyn the same, somm to se a

38. same] saye *MS.*

---

22. William Horman was a clerk and fellow of Eton. (L.P.III.337.)

23. cf. Ep.63, introd.

John Ryghtwyse (d.1532?) was educated at Eton and King's College, Cambridge, and was B.A. 1513. In 1517 he was appointed surmaster of St. Paul's School, under Lily, and in 1522 succeeded Lily as high master. He was in holy orders, but received no preferment. In 1531 he was charged with neglect of duty, and was deprived of his high mastership.

He married Dionysia, Lily's daughter.

He wrote additions to Lily's grammar, and composed plays and interludes for St. Paul's boys, which they presented at court. (cf. D.N.B.)

25. Quintilian (C.A.D. 35-c.118) wrote his treatise on education—*Institutio oratoria*—after many years' experience in teaching. Bk.I deals with the earliest education of a child. This treatise had been printed by Campano at Rome, 1470. (cf. tr. by H. E. Butler in Loeb Library, and J. F. Dobson, *Ancient Education*, pp.133-142.)

26. Maffeo Vegio (1405-1458) wrote a treatise on education, favoring study of a wide variety of subjects at first, followed later by special study of one or two. (Encyc. Brit.—*article* "Classics.")

Otho Brunfels or Brunnfels of Mainz (c. 1488-23 Nov. 1534) wrote several educational treatises, including *De corrigendis studiis seuerioribus*, 1519, and *Aphorismi institutionis puerorum*, 1519. From 1523-1524 to c. 1532 he was headmaster of the town school at Strassburg. In 1532 he became M.D. at Basle, and in 1533 physician in Berne. (Allen IV 1405, introd.)

Guarino da Verona (1370-1460) was one of the leaders in Italy of the revival of the classics. He studied Greek at Constantinople with Chrysoloras, collected Greek Mss. and in 1436 became professor of Greek at Ferrara. He was one of the great educators of the period, and his method was so famous that he drew students from other parts of Italy and from England. He wrote *Regulae grammaticales*, 1470. (*La grande encyclopédie.*)

27. For discussion of Erasmus' influence on pedagogy, cf. Preserved Smith, *op. cit.* pp.305-311.

35. Richard Croke, schoolmaster to the Duke, asked Wolsey that the Duke's council be informed as to the time the Duke should be occupied in learning, and as to the need that he be seldom interrupted. (L.P.IV.1948.)

flyght with a hawke, somm to ryde a hors, whyche yett he ys not gretly combryd with by cause off hys youthe, bysydes many other diuises fownde within the howse, whan he can not goo abrode, yett I trust, so you be especciall good master to me, to bring hym to that lernyng that you schalbe contentyd worthely to approue, but I beseche you, yff any that ys lernyd schall fortune to cum hyther, by whome you may sufficiently be instructed whyther my raport of hym be trewe or not, that you wyll than after your best maner conferme the Kyng*is* Grace in the good opinion that he hath all redye to haue hym lernyd.

And to make the chylde loue lernyng, I neuer put ⟨him⟩ in fere off any maner correction, nor neuer suffer hym to continu at any tyme tyll he schould be weryed, but diuise all the wayes I can possible to make lernyng playsant to hym, in so myche that many tymes hys officers wott not whyther I lerne hym or playe with hym, and yett haue I all redye browght hym to haue a ryght good vnderstanding in the principles off the grammars bothe off Greke and Latine and I haue redde hym an egloga (the fyrst) of Virgile and ii of the fyrst scenes off *Adelphorum*, whyche he can pronownce ryght pretyly, but I fynde Quintiliane and Herasmus trewe, for the barbarus tong off hym that tawght hym hys mattens ys and hath bene a great hindrance to me.

I do therfore most instantly require you, that whan you schall se your tymes conuenient, you wyll nyt saff to move the King*is* Grace, that the saide my Lorde of Rychemont may be browght vppe in lernyng, assuring you that Godd hath gevyn hym a great apptnesse bothe to lernyng and all maner syche qua⟨lities⟩ as schould becum syche noble parson to haue, whyche in my mynde were great pitye but that yt schould be employed to the best effect, where in I schall euer do my best according as for hys aage schalbe requisit, and albe hyt that som here whych be hyghe schavyn murmur agaynst yt, and after putyng off many parellys, lett not to saye that lernyng ys a great hyndrance and displeasur to a nobyll man, I here theym wyth Vlixes eere⟨s⟩, praying you as tyme schall seme to you conuenient to tell a nother tale to the King*is* Grace and my Lord Cardinall, thynkyng veryly that you schall ther in do a greater good ded than you wene off, beseching Godde to send you good lyff and long, and whan your dowghters disputyd in philosophie afore the Kyng*is* Grace, I wold yt hadde bene my fortune to be present.

---

58. Quintilian, *op. cit.* 1.4-5: Do not therefore allow the boy to become accustomed even in infancy to a style of speech which he will subsequently have to unlearn.

72. Hom. *Od.*12,165ff.

169. Commission to Tunstall, Knight, More, Hacket.

Brit. Mus. MS. Galba B.IX.207 — London
L.P. IV.5744 — 30 June 1529

[Draft. Marginal notes by Throgmorton.
Tunstall, cf. Ep. 17 introd.
Knight, cf. Ep. 13.
John Hacket of Waterton (Waterford?) in Ireland resided in the Netherlands for about thirty years. (L.P. V.1502, VII.1515.) When Margaret of Savoy desired an English solicitor to see to the expenditure of Henry VIII's money in the Low Countries, Hacket was recommended as being "in favor here with the best, and acquainted with Latin, French, Spanish, Dutch and Italian." (*ibid.* III.3366.) In May 1526 he succeeded Sir Richard Wingfield as Ambassador to Margaret. (*ibid.* IV.2161.) During his service there, he interested himself much in commercial questions (as in L.P. IV. 2324, 2628), and in exchange problems in the sending of English money to aid the King of Hungary against the Turks. (*ibid.* IV.2492, 2649, 2652, 2653, 2778.) He also reported on the spread of Lutheran errors (*ibid.* IV. 2642) and made inquisitions on the publication and circulation of Tyndale's translation of the Bible. (*ibid.* IV.2652, 2677.) In December 1526 he wrote to Wolsey of the burning of Tyndale's work. (*ibid.* IV.2721.) Endhowen, who had published the N.T., was arrested and found guilty. (*ibid.* IV.2797.) Hacket also tried to secure and burn books bought by Scottish merchants to be conveyed to Edinburgh and St. Andrew's. (*ibid.* IV.2903, 3132.)

In 1528 he daily asked the release of English ships taken because they were reputed to carry French goods. English ships, when known, were set at liberty, but Hacket complained to the Regent Margaret of the arrest of English subjects in time of peace. (*ibid.* IV.4286.)

He was recalled on the death of Margaret of Savoy. He was "beloved by all the great men of these parts, which he has purchased by his wisdom, his gentle humanity and great cost and charge." (*ibid.* V.65.ii.)

In 1530, Henry appointed Hacket ambassador with the Emperor in the room of Sir Nicholas Harvey. (*ibid.* V.99, 100.) In April 1532 he was appointed with Knight and Tregonel to treat of commercial intercourse with the Low Countries. (*ibid.* V.946, 977.) He was knighted in Calais, 31 October 1532. (*ibid.* V.1502.)

Hacket's wife died in 1529. (*ibid.* IV.5461.) His own death occurred at Douay 27 October 1534, and his body was taken to Calais for burial. (*ibid.* VII.1320.) (No notice in D.N.B.)]

HENRICUS OCTAUUS, DEI GRATIA ANGLIE ET FRANCIE REX, FIDEI DEFENSOR, ET DOMINUS HIBERNIE. VNIUERSIS ET SINGULIS, AD QUORUM NOTICIAS PRAESENTES LITTERAE PERUENERINT, SALUTEM.

Cum post bellorum stragem quibus iam aliquot annos Christiani principes inter se concertarunt nihil orbi sit vtilius quam armis depositis pacem reintegrari atque cum hiis principibus concordiam instaurari cum quibus inueterata atque a maioribus accepta amicicia aliquando intercessit, presertim cum regionum vicinitas et mutua subditorum consuetudo multum ad id innitet. Nos qui pace nihil carius nihil bellorum tumultu inuisius vnquam duximus, cum bellum omnia pessundet, pax cuncta promoueat atque augeat, hanc velut Deo gratam ac bonorum omnium altricem amplectendam existimauimus.

Atque ideo de fidelitate, industria et prouida circumspectione dilectorum et fidelium nostrorum, Reuerendi Patris Cuthberti London. Epi*scop*i, Custodis Priuati Sigilli nostri, Domini Wilhi*ami* Knyght, Legum Doctoris, Primarii Secretarii nostri, Domini Thome More, Militis, Ducatus nostri Lancastrie Cancellarii, Mag*ist*ri Johannis Haket, consiliariorum nostrorum, plurimum confidentes

Ipsos nostros veros et indubitatos oratores, legatos, commissarios, procuratores et nuncios speciales, coniunctim et diuisim, facimus, constituimus et ordinamus per praesentes,

Dantes et concedentes eisdem et eorum cuilibet tenore praesencium potestatem et auctoritatem ac mandatum generale et speciale itaque specialitas generalitati non deroget nec e contra, pro nobis et nomine nostro cum illustrissimo principe Carolo Romanorum Imperatore et semper Augusto Hispaniarum et cum Rege, Archiduce Austrie, Duce Burgundie, Brabancie et cum Comite Flandrie et cum eiusue commissariis legatis, ambassiatoribus, oratoribus, procuratoribus et deputatis, ab eo in hac parte sufficientem auctoritatem habentibus, veram, sinceram, puram et perpetuam pacem, amiciciam, ligam, vnionem et confederationem inter nos, heredes et successores nostros, regna, patrias, terras et dominia nostra atque ipsius ac subditos nostros quoscumque tractandi, ineundi, paciscendi, communicandi pariter et concludendi cum illis pactis, conditionibus, promissionibus, obligationibus, securitatibus, iuramentis, litteris et clausulis aliis necessariis, quibus dicti commissarii nostri, oratores, legati, procuratores et deputati coniunctim consentire voluerint et quibus honori nostro et subditorum nostrorum vtilitati consultum putabunt.

Ac super huiusmodi conuentis, concordatis et conclusis litteras, validas et efficaces dictis oratoribus, ambassiatoribus, commissariis, procuratoribus aut deputatis pro parte nostra, tradendi consimilesque litteras ab eisdem eiusdem effectus et valoris pro parte dicti illustrissimi Romanorum Imperatoris petendi et recipiendi.

Ac generaliter omnia alia et singula nomine nostro faciendi et

30. vniorem *MS*.

45 firmandi cuiuscumque nature et importancie fuerint aut esse
poterint in predictis et circa ea necessaria et oportuna et que nobis
facere liceret si premissis interessemus, etiam si expressis longe
maiora sint et que ad ea perficienda de sui natura mandatum
exigunt, magis speciale damus preterea et concedimus eisdem
50 nostris commissariis, legatis, oratoribus, procuratoribus et deputatis
et eorum cuilibet vt premittitur plenam potestatem iuramentum in
animam nostram prestandique tenebimus, obseruabimus et adim-
plebimus realiter et cum effectu omnia et singula que in predictis
et circa ea nomine nostro concordabunt, capitulabunt, iurabunt,
55 firmabunt et concludent.

Ac que illa ratificabimus et nullo vnquam tempore reuocabimus
nec contra ea vel eorum aliquod faciemus vel quouis pacto veniemus simileque iuramentum ab eisdem oratoribus et procuratoribus
nomine dicti illustrissimi Romanorum Imperatoris electi ad hoc
60 potestatem habentibus prestari videndi et exigendi.

Promittentes, bona fide et in verbo regio, nos ratum, gratum
et firmum habituros, id totum et quicquid per dictos oratores,
commissarios, procuratores, nuncios, et deputatos nostros aut
eorum aliquem actum gestum aut factum fuerit in premissis et
65 contra ea vel eorum aliqua nullo vnquam tempore contrauenire sub
hypotheca et obligatione omnium bonorum patrimonialium et
fiscalium.

In cuius rei testimonium, presentibus hiis manu nostra signatis,
magnum sigillum nostrum duximus apponendum, datum in
70 ciuitate nostra London. tricesimo die Iunii anno Domini millesimo
quingentesimo vicesimo nono, regni vero nostri vicesimo primo.
Sic subscriptum Henry.

170. Tunstall, Hacket, ⟨More⟩ to Henry VIII.

Brit. Mus. MS. Calig. D.XI. fol. 71 ⟨Cambray⟩
L.P. IV.5822 (in part) ⟨2 August 1529⟩

[More left England on 1 July (L.P. IV.5775) with the embassy which was to negotiate the treaty of Cambray, and was back at Woodstock 3 September. This letter is dated by Ep. 171.]

* * * ⟨l⟩est they s -
saying that the obligacyons -
re and not reuiued nor renewed in any t - - - - - - - - - - - - - - - -
- - se albeit we tolde them not soo, we intende yf - - - - - - - - - -
5 - - - - - - some clause for your debtes betwene them and vs in - - - -

------- pa⟩yment by the Frenche King for any cause aforesaid,
how⟨beit⟩ we shalhaue moche to do to bring them therto.
After this we ⟨talked⟩ of your indempnitie and of the sommes
of money to your Grace ⟨owed⟩ by th'Emperour and to reken
howe miche it might amounte vn⟨to⟩. Wherof they made with vs 10
none other stikking but that it coude be ----- lenger to endure
the payment therof then vnto the intimacion of th⟨e warre⟩ vnto
th'Emperour. And after a great somme made, therupon they
⟨tolde⟩ vs that the Frenchmen and they were agreed and fully
accorded t⟨hat the⟩ French King shuld discharge the Emperour 15
of that indempnitie, how ⟨great⟩ soeuer it were, ⟨will⟩ing vs to
treat with the Frenchmen therupon wh⟨o, they⟩ were sure, wolde
satisfie vs as they were bounde to do, hereypon ----- to demaunde
the penaltie of breche of the mariage. Wherypon we had ---- and
likewise of the demaunde of Tournaye. And aftre moche reason- 20
y⟨ng on both⟩ sides of those two maters, noo thing agreing in any
point either in ⟨one or⟩ thother, put ouer those two maters vnto
we shuld haue communyd of th⟨e * * * of the clok like
as we did -------------------- ⟨in⟩trecourse. And aftre
ouerture made by vs -------------------- was before the 25
warre they saide that that wa -------------------- and
many of their subiectys did complayne and it tou -----------
----- he must be herde in it, aswell vpon the one side as on the
o⟨ther and that my⟩ Lady in that mater had noo sufficient commission but must aduer⟨tise th'Em⟩perour, wherfore that mater must 30
be put in a surcians vnto hi⟨s pleasure be h⟩ere knowen. Wherunto
we aunswered that we had great maruaile tha⟨t they sh⟩uld make
stikking or make any question therin, wherin yf they wolde stik
------- ersist it were asmoche as to tell vs that they wolde haue
none amitie at ---- with your Grace. 35
As for perticuler maters we were not against, but that the⟨y⟩
might be either remitted to iustice, in the place where they pre-
tende them se⟨lf⟩ to be wronged, orels to be ordered at some
dyet by bothe the princes to be appointed, howebeit the generall
treaties of entrecourse concernyng the ⟨entre⟩cours of the subgiet- 40

---

16. In the treaty of Windsor of 19 June 1522, which provided for the invasion of France by Charles V and Henry, Charles undertook to pay Henry 133,305 crowns of gold as indemnity for the money which Francis had owed him, and which would not be forthcoming after war had been declared. (L.P.III.2333.) Francis now engaged, if his sons were delivered to him by Charles, to accept these obligations contracted by the Emperor and pay for them at the rate of 50,000 crowns per annum. (*ibid.*IV.5832.)

19. Charles V's breach of the proposed marriage with the Princess Mary. cf. Ep.141 and note 4.

29. Margaret of Savoy, Archduchess of Austria, regent of the Netherlands.

tis of either side coude not in any wise be deferred bu⟨t⟩ that it
must of necessitie be ordered nowe with the treatie of peace and
amit⟨ie⟩, wherof thentrecourse is a great part, ffor there coude be
noo good pea⟨ce⟩ nor amitie betwene the princes, yf their people
45 were left in suche case ⟨as⟩ they might not or wiste not in what
wise eche of them to medell with othe⟨r⟩ * * * - - - - - - - - - - - -
iournie as they did - they might write to
th'Emperour and - - - - - - - - - - - - - - ⟨m⟩ater to be reasonably and
indifferently ordered - ted by the
50 Princes therfore. Wherunto aftre a litle ⟨consultation am⟩ong vs,
we gaue them a shorte and plaine aunswere t - - - - - - - - - - - - -
disposed to renouell thentrecourse aswell as the amitie and ⟨in⟩
s⟨uch⟩ case as it was before the warre, your Highnes, for the great
z⟨eal you⟩ beare vnto peace, had sent vs to conclude it. And on
55 the other sid⟨e for⟩ any thing of thentrecourse we had noo
comaundment of your ⟨Grace to⟩ agre to nother. Wherupon they
said they wolde make ferther veh⟨ement⟩ wordes to the Lady
Margarete and therupon giue vs ferther kn⟨owlege of⟩ her pleasure
on the morowe.

60 Wherupon furthwith we shewed vn⟨to the⟩ Chauncellor of
Fraunce what we had done and at what point ⟨we were⟩ at, who
thought their mocion veray vnreasonable and said he tr⟨usted they⟩
wolde come to summe better pointe on the morowe. This mornyng ⟨at our⟩ meting again, we founde all th'Emperials assembled
65 that treated ⟨with vs⟩ excepte onely Monnsieur de Berges, whiche
was as they said by r⟨eason of⟩ raynye wether sumwhat acrased
and deseased. And there the Lor⟨d - - - - - - - - declared vnto vs that
he and other of the counsaill had made re⟨lation⟩ * * *
to moue vnto vs that - come
70 to summe good pointe, howe be⟨it⟩ -
said that the Lady Margarete thought it ver⟨ay - - - - - - - - - - - - -
soo presse her therin as though we wolde force th - - - - - - - - -
- - - - te vnto vs those thinges whiche nowe ar clere at his lib⟨erty
- - - - - forfeyted from vs by the intimacion of the warre. And
75 wher⟨as she had no⟩ power nor commission to speke, whiche
notwithstanding for the g⟨eneral pe⟩ace, she wolde be content to
conclude the amitie and had alredy take⟨n re⟩asonable ordre for
the debtes and yet wolde ferther of her especia⟨l g⟩race be content

72. presse] *altera manu.*

61. Anthony du Prat, cardinal of Sens.
64. The imperial commissioners were Jaques de Luxemburg, lord Fyennes, Anthoine de la Laing, count Hochstrate, John lord Berghes.

to take a surcians of six monethes during whiche the - - - - - - -
subgiett*is* might occupie togidre as they haue vsed before. And 80
th'Empero⟨ur⟩, being aduertised might giue his commission vnto
summe conuenient person, and your Grace in like wise, for a
diete to be appointed and holden for a ferther ordre to be taken
therupon; vppon thies wordes had vnto vs, w⟨hich⟩ demaunded
of them whether they brought vs this from the Lady Margarete 85
for a resolute answere, and the Lorde of Hostrate saide ye⟨a⟩,
for it was the aunswere wherupon she had resolued her self with
the counsaill.

Wherunto we tolde them that we moche maruailed that the
Lady Margarete shuld thinke it straunge that we shulde stikke for 90
* * * parte of that -
- - - - - when they might not be frely c -
- - - - aftre that accustomed maner. And as touch⟨ing the⟩ - - - - -
- - - - - - s therof woll aswell beare the mater as it wold - - - - - - -
- - - - - - - - endauntys of the peace concluded betwene the Frenche 95
- - - - - - - - And ouer that we shewed them that at oure furst commyng ⟨vnto the Lady⟩ Margarete we did among other thinges aswell mencion vnto ⟨her the entrecourse⟩ as the peace and amitie.
Soo that she nedith not nowe soo ⟨maruellously⟩ thinke it straunge
to here speke of thentrecourse nor to laye t⟨he fault vpon the com⟩- 100
mission, in whiche yf they had founde any suche faultes th⟨ey
wolde⟩ haue tolde vnto vs in the begynnyng and not haue kepte
vs ⟨here a⟩ moneth for nought.

Wherunto they aunswered that forasmoch ⟨as, after⟩ their demaunde and question asked vs, we shewed them that ⟨we coude⟩ 105
not conclude any peace with them, but yf the Frenche King had
h - - - - - - - - - - - - - - alsoo, therefore they determined noo ferther
to common with vs, ⟨vntil the⟩ Frenchmen and they were accorded,
and that therfore they h⟨ad forborne⟩ to tell vs this mater before.
And they saide that sithens th'E⟨mperour⟩ was aswell King of 110
Spayne as Lorde of thies Low Cun⟨tries, it⟩ shulde be peradwen-
ture his pleasure not to conclude anie * * * the one parte
to take a - at large; wherupon it
was aunsw⟨ered - - - - - - - - - - - - - - - - - ation for th'Emperour
neuer did nor conuenie - - - - - - - - - - - - - - ⟨your Gr⟩ace and your 115
people one treatie of entrecourse for the - - - - - - - - - - - - - and cus-
tomes being soo dyuers the one from the other - - - - - - - - - - - self,
nether as King of Spayne hauyng any auctoritie in thie⟨s Lowe
Cun⟩tries, nor as Lordes of any of the Lowe Cuntries hauyng any

86. reasonable *del.*, resolute *supra, altera manu.* 92. when] *altera manu.*

120 auc⟨toritie in⟩ Spayne. Besides this, that for Spayne he can makc none entrecours⟨e⟩ but suche as must be concluded aswell in his mother's name as ⟨in⟩ his owne.

Then they saide that the Lady Margarete was not aduertised befo⟨re⟩ that any man for your Grace is parte shulde come to this 125 diete whiche if she had ben she might haue prouided a commission therfore, wherof she is nowe destitute and vtterly cannot treate therof. We shewed vn⟨to⟩ them that I, John Hakett, gaue them warnyng therof at Valencecien, a⟨nd⟩ that her commission was good i nough, whiche might be ferther holpen w⟨ith⟩ a 130 clause *de rato* and a couenaunt of a confirmacion. Wherunto they saide that she might not soo couenaunte, considering that the priuilegys were forfayted by the intimacion of war⟨re, an⟩d that your Grace and the Frenche King had done all that ye could⟨e⟩ * * *

135 --------⟨t⟩he morowe being the th -------------
⟨Coun⟩saill and we met togidre again. At ----------------
an article in writing concernyng thentercou⟨rse ------------
ide that the Lady Margarete by deliberacion taken by ---------
⟨r⟩esolued ⟨herse⟩lf vpon as the vtterest and finall pointe ⟨which 140 she coul⟩de condiscende vnto, whiche article was indede suche as the ⟨same woul⟩de, if it had ben agreed, haue stonde your subgiet⟨*tis*⟩ in litill ste⟨ad⟩ -------- therupon after long debating they condiscended in conclusion that ⟨the F⟩rench ⟨Coun⟩saill shuld se that article of their making, and the article als⟨o⟩ whiche 145 we had deuised; and that therupon we shuld further experime⟨nt⟩ whether we coulde comme to eny nerer pointe.

Wherupon s⟨ince⟩ that tym⟨e⟩ we haue had dyuers metinges, aswell in presence of the ⟨Frenc⟩he Counsa⟨ill⟩ as aparte, and th'Emperials haue brought in concernyng thentercours dy⟨uers 150 c⟩haunges and euer the lenger the worse. Wherupon we had such busynes ⟨wit⟩h them, and founden them soo stifly set vpon the sore impairing of thentercou⟨rse⟩, that surely, for ought we can perceiue, we coulde neuer haue taken an⟨y rea⟩sonable ende with them but they wolde plainly haue broken with vs for --- * * *

155 ⟨P⟩ost scripta. As we were aboute to haue folde vp thie⟨s letters,

130. confirmacion] considering that the priuileg *del. MS.*
151. them] *altera manu.*

---

122. Joan of Castile lived almost to Charles' abdication, and therefore Charles could not act as sole king.

128. A meeting at Valenciennes between Louise and Margaret in July. (L.P.IV.5733, 5741.)

154. cf. next letter, which gives the lines lost here, at l.24.

the⟩ Chaunceller, the Great Maistre and the Frenche Counsa⟨ill
sent for vs⟩, and at our comyng shewed vnto vs, that the Great
M⟨aistre had⟩ infourmed my Lady Regent of the maner of the
departin⟨g⟩ betwene th'Emperours Counsaill and vs and that hym
se⟨lf had⟩ therupon, by her commaundment, spoken with the 160
Lorde Hokstra⟨t in her⟩ name shewing hym expresly that without an ende taken ⟨in this⟩ contentacion there shuld noo thing
goo furthwarde, whiche h⟨ad ben⟩ accorded betwene them, but
that the Frenche Kinge wolde rather ⟨giue vp⟩ the peace, and
neuer haue his children home, then take and ⟨haue⟩ his peace 165
without agreable ende by vs taken for your Highne⟨ss. He⟩
shewed vs ferther that the Lorde Maistre had aunswere aga⟨in
from the⟩ Lorde Hokstrat that the Lady Margarete was mynded
to take * * * olde entrecourse ------------------
--------- they shulde breke of in like wise ------------------ 170
--- ⟨Wh⟩erof we moost hartily thanked them on your ⟨behalf
and d⟩eparted. And in this case standeth the affaires ⟨at present,
vnless⟩ God better them, as we trust he shall. Howebeit, in ca⟨se
it f⟩ortune that this diete shulde breke vp withoute peace con-
clud⟨ed, we pro⟩pose to departe with the Lady Regent and comme 175
home by Fraunce, ⟨and we in⟩tende not, if peace be not concluded,
to comme home by Flaunders.

Please it your Highnes alsoo to vnderstande, that the Chaunceller, the Gr⟨eat⟩ Maistre and the Frenche Counsaill haue dyuers
tymes ben in hande with v⟨s⟩ again for summe capitulacion to be 180
made betwene them and vs for the mutual concurrans of your
Grace with your good brother the Frenche King, in case th'Emperour shulde not perfourme his couenauntes nor deliuer his
childer⟨n⟩; wherunto we haue alway made them faire and curteys
aunswers, withoute any reasonyng that there were noo cause re- 185
maynyng why your Grace shuld soo do, because we were not in
suretie what nede we might happe to haue them, as it nowe
semyth to happe in dede, but we haue shewed them that we
doubte not but that your good brother shall finde your Grace
as willyng ⟨as⟩ he can wisshe. As we shall se the maters procede 190
we shall furth⟨er * * * ⟨t⟩hre monethes and th --------

164. Kinge *supra, altera manu.* 173. he] they *correxit MS.*

---

156. Anne de Montmorenci, count Beaumont, grand master of France 1525-1558.

165. When Francis was freed from imprisonment in Spain, his sons, by exchange, were held as hostages by the Emperor.

175. Louise of Savoy.

181. Concurrence to make war jointly on the Emperor.

---------------- the space of that thre monethes in -----
-------------------- rse togidre.

Wherunto we answered that ---------------------- be
195 taken, the mater coulde be litell amended for -----------
edy; wherunto saide the Lorde Fynes that the truce w --------
------- thre parties, and they concluding peace with Fraunce
whi ----------- the parties, the truce were dissolued, semyng
therby tha⟨t they wolde⟩ make vs a demonstration, and a fere
200 that Fraunce and they s⟨hulde⟩ conclude without vs. We answered
them that if peace were ⟨made by⟩ one, it breketh not the truce
betwene the remnaunte; howe b⟨eit, whether⟩ they shuld make,
breke, or conclude, we nether coulde nor wolde conclude one or
other, excepte the articles whiche we furst p⟨roposed⟩, that is to
205 wite, the amitie, the debtes, and thentrecourse hole ⟨and⟩ vn-
chaunged.

Nowe after oure departing from them, we ⟨went⟩ this after
noone to the Chaunceller, the Great Maistre and ⟨the Frenche⟩
Counsaill, recounting vnto them all the premisses at len⟨gth,
210 wher⟩upon they made vs answere that they wolde make reporte
⟨vnto⟩ my Lady Regient, and that they were sure that she wolde
⟨common⟩ with the Lady Margarete therof, wherupon they
truste⟨d * * *----------- would make a peace with vs worse
t -------------------- intimacion, oure people and theirs
215 haue b ---------------------- were before by the space of
two yere whiche ----------------- s peace they wolde that
they shulde neuer be again p -------------- ⟨s⟩ix monethes;
whiche surceans of six monethes though th⟨ey shulde ma⟩ke it a
surceans for six yeres, and for six hundreth yeres after, ⟨yet w⟩e
220 had noo power to conclude it nor to limite it to any day, nor -----
------ nally concernyng thentrecourse any other thing to do then
to renoue⟨l i⟩t, and put it in the former termes without one sillable
chaunged; wher⟨fore⟩, sithens they had giuen this vnto vs for a
resolute answere, that they might not medell with thentrecourse,
225 they shuld yf they wolde stonde ---- therby take this for oure
resolute answere again, that we coulde not medill with their amitie,
wherof we desired them to aduertise the La⟨dy⟩ Margarete, and
that if she wolde giue vs none other answere, that then we might
knowe her pleasure, whether she wolde admitte vs to her presence
230 to take our leue at her, whiche, if it liked her not, we desired
them to make oure humble recommendations vnto her; whiche

---

196. cf. l.64 note.

⟨they⟩ saide they wolde, and that they wolde alsoo sende vs worde the * * * Guy⟨l⟩ders to make - - - - - - - - - - - - - - - - - - he had said he coulde shewe by your - - - - - - - - - - - - - - -

⟨Whereu⟩nto we aunswered that astouching the - - - - - - - - - 235 - - - - ⟨your⟩ Grace had not don it but vppon grete consideraci⟨on⟩ - - - - - - - - - - - - - r of suche treaties as your Grace had made with the - - - - - - - - - - for the obseruyng of your parte had ben at immesurea⟨ble⟩ charge, hurte and trauaile of your people, yet was ther - - - - - parte almoste neuer of one article nor apointment 240 kepte, w⟨herof we⟩ might well at large entre into many a greate specialitye, w⟨ere it not⟩ that your Highnes had sent vs hither for the furtheraunce and ⟨aid⟩ of peace, and not to entre into the requiting of any displeasa⟨unce⟩ or exprobation of your gratuitie and kindnes; and yet all ⟨this not⟩withstanding your Grace 245 neuer intimated the warre but for a godly purpose for conducyng the peace, as hath well appe⟨ared by⟩ your Grace is procedyng*is* after the intimacion made, whiche ⟨yf the⟩ Lordes well estemed, they shulde well finde not somoche - - - - - to th'Emperours harme as to the sauyng of his and their con⟨tries, how⟩soeuer it 250 liked the duke of Guyldres thus to lye for his pl - - - - - - ferre as euer any of vs had herde we durste well * * *

171. Tunstall, More, Hacket to Henry VIII.

Brit. Mus. MS. Calig. D.xi. fol. 10 — Cambray
L.P. iv.5824, partly abridged — ⟨c.4⟩ August ⟨1529⟩

⟨Please it⟩ your Grace, by the Frenche King - - - - - - - - - - - - - - euery payment six monethes aftre other - - - - - - - - - - - - - - e of Nouembre aftre the delyuerey of their ch⟨ildren⟩ - - - - - - e shalbe in Marche next in euery payment to be pai⟨d⟩ - - - - - - ⟨crow⟩nes of the sonn for thre first paymentes, the fourth 5 pay⟨ment to be⟩ thirty thousande angelotys, or the value in crounes of the sonn, ⟨the fifth⟩ payment to be all the residue, that is to say, ten thousande ange⟨lotys⟩ - - - - xxxv^ti^ thousande crounes, or the value in crounes of the son. An⟨d as for⟩ your fleur de lice, that ye haue in pledge, we haue lefte it to be accor⟨ded⟩ by your 10

234. said] *supra.* 237. suche] soo new *del. MS.* 244. exprobation] ap *correxit MS.*

233. Charles, Duke of Gueldres.
9. The fleur de lis was a very large jewel of gold, pearls and precious stones, originally pawned by the Emperor Maximilian to Henry VII. (L.P.iv.6177,6227, 6231.)

Grace to put what daies of payment ye shall thinke conu⟨enient⟩;
but surely we thinke they will make great instaunce in alleging
necessitie at this tyme, whiche we thinke to be vnfeyned. Albeit in
⟨discours⟩ here late of their maters with th'Emperials they bragyd
15 that they wer⟨e⟩ - - - - - soo riche to mayinteyn their astate, but
the contrarie dothe appere - - - - - - - - they cannot fornysshe the
money to be paide before Marche next o - - - - - - - shulde take
money by exchaunge of merchauntys paying them th - - - - - - - - -
whiche yf they shulde doo, considering the derthe and scasnes
20 - - - - - - nowe being in the worlde, wolde make the Frenche
Kinges rauns⟨om⟩ - - - - - - - - - - that pledge your Graces - - - - - - - -
- - - - - - - - - - - - - ye will, the longer ye gyue the more p - - - - - -
- - - - - and in the shorter the more strein them.

⟨Afte⟩r oure last lettres were closed and gone with the poste, we
25 founde - - - - - - - - ⟨h⟩alf a leffe to haue ben lefte oute for haste of
the writer, whic⟨he was so h⟩astie to write the parte of Post scripta
that he lefte oute a pece of - - - - - - - of oure lettre of the ii^{de} of
August, wherin was conteyned oure aduertis⟨ement⟩ and aduise
in a mater moued vnto vs by the Frenche Counsaill, like as it
30 h⟨athe⟩ ben diuers tymes, and we alweys haue kepte vs within
the termes of ou⟨re⟩ aunswere at that tyme given, the hole aduertisement, wherof onlye the begynnyng and yet that imperfyte,
was in oure saide lettre, is this that folowith.

Pleasith it your Highnes alsoo to vnderstande that the Chaun-
35 celler, the Great Maistre and the Frenche Counsaill haue dyuers
tymes ben in hande with vs again for somme capitulacion to be
made betwene them and vs for the mutuall concurrauns of your
Grace with your good brother the Frenche King, in case th'Emperour shulde not perfourme his couenauntes - - - - - - - shulde soo
40 doo because we were - ⟨e⟩ to haue of
them as it nowe seemeth to hap⟨pe⟩ - - - - - - - - - ⟨we sh⟩ewed them
that we doubte not but that your good ⟨brother will find your⟩
Grace as willing as he can wisshe to anything that h⟨e may requi⟩re
as he hath alredy of your Graces manyfolde gratuities - - - - - - -
45 experience, and we shewed them, according to your Graces moos⟨t
- - - - - - - instructions what perell might insurge yf any capitulacion of con⟨curraunce⟩ of the warre shulde be mencioned or spoken
of here, and that w⟨hat⟩ were requisite to be done concernyng suche
concurraunce was more - - - - - - - - after the peax concluded and

27. cf. Ep.170, l.154.
34. cf. notes to Ep.170, ll.61 and 156.
37. cf. Ep.170, l.181 note.
39. If, that is, Charles does not restore Francis' sons.

this diete absolued to be treated by y - - - - - - - abiding eche with other, with whiche oure aunswere the Chaunceller an⟨d the⟩ Frenche Counsaill appered but meanly satisfied, for the Chaunceller a⟨unswered⟩ sumwhat warmelye, that by this meane they shulde lese force of th⟨e⟩ - - - - - *de bello offensiuo;* at whiche wordes the Great Maistre and other of ⟨the⟩ Counsaill communed secretely with hym; and after that the Greate M⟨aistre⟩ saide that ther was noo doubte of your Graces goodnes, and that ⟨your⟩ brother the Frenche King vnderstode that by the good hartye me- - - - - - - - - - - - - - your saide good brother - - - - - - - - - - - - - - - y to your Grace, whiche, as we here say, sh - - - - - - - - - - - - - se and what other measage that he shal haue - - - - - - - - - - - - - - - parte of his errande shalbe for the foremencioned - - - - - - - - - - - wherof we haue thought it necessarie to aduertise your Gr⟨ace⟩ - - - - ⟨th⟩at vsing your accustumed prudence ye nether put them at the - - - - - dispaire of your concurraunce, nor entre presentlie to any treatie, wherof you might wisshe afterwardes to be discharged. As we sh⟨all⟩ see the maters procede, we shall further aduertise your Grace with a⟨ll⟩ diligence. And thus Almightie God preserue your Grace to his pleasur⟨e⟩. From Cambray the iide day of August.

Thus haue we redintegrate oure lettre late sent vnto your Grace, in the place where it was at that tyme by ouersight of the writer forgoten, and whiche we haue the rather nowe repeted vnto your Grace, because your Highnes may perceyue therin, that your good brother the Frenche King intendith of liklyhode, still to prese vpon your Grace for capitulacion to be made betwene you for mutuall concurraunce in the warre in case the - - - - - - - - - - - *de bello offensiuo* stondeth - - - - - - - - - - - - truste and thinke the contrarie, yet made - - - - - - - - - - - - - - but that we had not the wordes of the treaties - - - - - - - - ⟨we thou⟩ght it not gode to fall into any suche disputions with them, ⟨lest it sh⟩old appere vnto them that we rekened your Grace discharge⟨d, or⟩ that your Grace gladlie soo wolde be.

Pleasith it your Grace ferther to vnderstande, that we haue t⟨aken⟩ leve of the Ladie Margarete who dismissed vs with veray good - - - - and great demonstration of veray good and hartie affeccion ⟨vnto⟩ your Grace and a full determinacion to endeavour her self for th⟨e⟩ entretaynement of the peax and amitie betwene your Grace ⟨and⟩ th'Emperour. And aftrewarde, when we were taking oure leve ⟨of the⟩ Ladie Regent, not intending to haue taried the Frenche Kinge com⟨yng⟩ to Cambray, forasmoche as it was shewed vnto vs that he inte⟨nded⟩ to come secretely and not to haue his being here knowen, the Lady ⟨Regent⟩ desired vs to tary vnto the commyng of her son, for she knewe ⟨he⟩ wolde be glad to speke with vs. Wherupon this daie we haue - - - - hym, who gave vs veray harty thankes for our good and - - - - - - - - - - - - - - - - erred with vs and thus - - - - - - - - - - - - - - - - to your Highnes in veray benigne maner.

- - - - - - - - - - - - - - - - - when we toke oure leve of the Lady Regent in - - - - - - - - - - - - iously and moost humblie recommended her vnto yo⟨ur Grace, with⟩ veray great testificacion of your singuler goodnes, both sh⟨ewed vnto the⟩ King her son in his captiuitie and often sithens from tyme ⟨to tyme re⟩newed, and nowe specially at this present diete well shewed - - - - - - - - - - - seruantes fastelie concurring with the King her son and his Counsaill for ⟨the⟩ concluding of the peax and deliueraunce of the Kinges children, which - - - - - els she recognised and said had not ben brought to soo goode a poynte - - - - - but she said she reconed, and soo did the King her son alsoo, that your Grace was the cause furst of his owne deliueraunce and nowe shalbe by God is grace the deliuerer of his children alsoo, whiche shall eue⟨r⟩, as they growe more and more in age, soo more and more knowlege th⟨em⟩ self depelie bounden and beholden vnto you. And with thies wordes and suche other, in veray benigne maner, she bade vs fare well.

And thus therfore tomorowe, God willing, or els as sone aftre as we can gete cariage for oure stuffe, whiche is here at this tyme veray harde to ⟨ge⟩te, we intende to take oure iourney homewardes towardes * * * folding vp this lettre, the Lady ⟨Margarete sent vs word by a gentlem⟩an of her chamber that th'Emperour w - - - - - - - - - - - - - - - - - - - ⟨whiche⟩ God tourne, yf it be true, to the welthe and com⟨moditie⟩ - - - - - - - - -

By your Grace is moost humble s⟨ubgiett*is*⟩ seruauntes and bedemen,

Cuthbert Londo⟨n.⟩
Thomas More
John Hack⟨et⟩

- - - - - - - ⟨a⟩t the diet of Cambray, - - - - ⟨Au⟩guste.

172. Tunstall, More, Hacket to Henry VIII.

Brit. Mus. MS. Calig. D.xi. fol. 8 — Cambray
L.P. iv.5830, partly abridged. — 5 August 1529

* * * oute they haue in con -
- - he we haue put the treaties of their - - - - - - - - - - - - - - - - - - -
effect suche as it had before the warre beg⟨un⟩ - - - - - - - - - -
- - - - - e almoost asmoche to do to gete any clause wherby y⟨our
Grace⟩ - - - - - - your desirs again of th'Emperour in case your good
bro⟨ther the Frenche⟩ King, for lak of deliuerey of his children,
shulde not be bound⟨en⟩ - - - - - - - howebeit at lenght with moche
worke and with the first com - - - - - - - - - - - Frenche Counsaill, we
haue a clause that for lak of deliuerau⟨nce of his⟩ children, restaureth your obligacions to theire former strenght - - - - - - - - the
indiccion of the warre. Soo that finally your Grace hath the p⟨eace⟩
with thentrecours in maner abouesaide and sealed and sworne
th⟨is day⟩, the fyveth day of August, with veray honorable and
solemne s - - - - - as your good brother the Frenche King is peace
with th'Empero⟨ur like⟩ wise is at the same tyme in the Cathedrall
church of this t⟨owne of⟩ Cambrey, of whiche oure Lorde send
good and long contin⟨uaunce.⟩

Astouching your Grace is debtes, we haue had communicacion
with ⟨the Frenche⟩ Counsaill, in whiche, albeit they desire moche
lenger d⟨ay⟩ - - - - - - - - - - - - ⟨w⟩hole somme into syx paym⟨ents,
yet forasmoche as your good brother shalnot be con⟨tent⟩ - - - - -
- - - - - ent of the deliueraunce of his children - - - - - - - - - - - ⟨n⟩ot
be before Marche next comyng; therfore for your - - - - - - - - - - of
payment we were fayne to give them the half - - - - - - - - - - - - ⟨to⟩
be paide at suche tyme as your Grace is half yeres pens⟨ion must be
p⟩aide. Howebeit this ende haue we agreed vnto but onely for so
⟨moche as⟩ th'Emperours obligacions do amounte vnto. For astouching ⟨the⟩ - - - - - - - thousande crownes for the whiche your
Grace hath the floure dulyse ⟨in⟩ pledge, and whiche floure dulise
your good brother hath expresly bounde hym self to quite oute
and deliuer vnto th'Emperours Orato⟨r⟩ at the deliueraunce of his
children, we refused to medle withall b⟨ut⟩ haue remitted them
for that parcell to make means to your Grace bicause that we
shewed them that we had not that Iuell here. A⟨nd⟩ thus haue
we done to thentent that we wolde leve it to the libertie ⟨of⟩
your Grace is pleasure, whether ye wold compelle them for that
pled⟨ge to⟩ pay redy money in hande, orels of your Grace is
benignitie to give ⟨them⟩ ferther dayes. For whiche we perceyue
your good brother s - - - - - - - - - - - - - - - ⟨dr⟩iuen to forbere their
- of money soner to fur-

6. cf. Ep.170, l.165 note.
29. cf. Ep.171, l.9 note.

34. The jewel was dispatched from England in February 1530. (L.P.iv.6234.)

nysshe the pay - whiche he must pay
at their deliueraunce and - Counsaill
and we accorded, howbeit the writing*is* be - - - - - - - - - - - - - -
ne vs. And yesterday they were in doubte bicause we - - - - - - - -
45 them for the Iuell whether they will couenaunt with vs for any
- - - - - by their orators make their couenaunt*is* with your Grace
and your Couns⟨aill for⟩ all your hole debtes. And if they happe
to retourne ayen to that - - - - - - - Grace can take noo losse therby.

And astouching thindempnitie - - - - - - according to oure in-
50 struccions, put it of to be ferther considered at - - - - - - - - - - - - of
your Grace and of your good brother. And astouching the restit⟨u-
cion of⟩ Tournay and the penalitie of the mariage, forasmoche as
after lo - - - - - - - - we coulde noo thing opteyne therof we haue in
conclusion let it slippe - - - - - - - - in any of oure writing*is*. And
55 thus after the writing*is* ones made ⟨betwene⟩ the Frenche Counsaill
and vs for th'Emperours obligacions due to ⟨your Grace⟩, if they
woll conclude with vs, orels after the remitting of them - - - - - - -
Grace and your Counsaill there for the same; we thus hauyng
t - - - - - - - - * * * ones departing and disse - - - - - - - - - - - - - -
60 - - - - - - - - - - - - - - homewarde and giue attendaunce vp⟨on⟩ - - - - - -
- - - - - - - - - - - - - - - as we suppose that your good brother shall
s - de dispeche summe gentilman of his
chambre vnto - - - - - - - - - - - - - - - - who by reason therof is likely
to be with your Grace before - - - - - - - - - - ⟨hum⟩bly beseche your
65 Grace that it may like you to let hym knowe. - - - - - - ue done oure
duetie in aduertising your Grace of the veray fast fai - - - - ⟨a⟩nd
harty concurrentys of the Lady Regent and the Counsaill here,
sp⟨ecially⟩ of the Graunt Maistre, whiche hath done for the furtheraunce of your Grac⟨e is⟩ affeirs here somoche that in the maters
70 of their owne maistre they coud⟨e⟩ do nomore.

And thus almighty Iesus preserue your Grace to his pleasure
and yours with encreace of moche honnour. From Cambray the
fyueth daie of August.

By your Grace is moost hum⟨ble⟩ subgiett*is*, seruaunt*is* and bede-
75 me⟨n⟩.

Cuthbert London
Thomas More
⟨John Hacket⟩

---

52. cf. Ep.170, ll.16ff. and notes.

173. Tunstall, More, Hacket to Wolsey.

R.O. State Papers, Henry VIII, §55, pp. 46-47 — Cambray
L.P. IV.5840, calendared — 10 August 1529

Please it your Grace to vnderstonde, that forasmuche as we haue here fynysshed all suche thinges as were geven vs in charge, and that the Frenche King, who this night bankytith and feastith the Lady Margarete, intendith tomorowe to departe, and bothe the ladies on the morowe aftre, we haue therfore taken oure leve aswell of the Frenche King as of the bothe ladies. All who in veray affectuous maner desired vs to make their cordiall recommendacions vnto your Grace, as we shall more plenarlie declare vnto your Grace by mouth at oure repairing vnto the same, whiche shalbe, God willing, with as good spede as we can conuenientlie make, aduertising your Grace ferther, that the Ladie Margarete hath sent vs worde by a gentilman of her chambre, that th'Emperour is arived in Geane.

Please it your Grace to vnderstonde, that the Lorde Hokstrate desired vs to make his moost humble recommendacion vnto your Grace, requiring vs ferther to write vnto your Grace, that one Raynyer Cossyn, burgoys of Middelborowe, was spoiled and robbed of his ship and goodes vpon the coste of Flaunders not long agone, by a galion of Biskey, of the haven of Armewe, wherof was capitain one John de Rycanera, whiche brought the said ship and goodes into the haven of Suthampton as a Frenche prise, where as the goodes in dede belonged vnto the said burgois of Middelborowe, being th'Emperours subgiet. And forasmoche as the same goodes be in the handes of diuers the Kinges subgiettys at Hampton, of the deliuerey of the said Spanyerd, the Lorde Hokstrate humbly besechith your Grace, that the saide merchaunte of Middelborough, at suche tyme as he shall come into Englonde and make his humble sute therfore, may haue your Graces fauour in his expedition, according to right and iustice. And thus almighty God preserue your Grace to his pleasure and yours. From Cambray the xth daie of August.

By your Grace is moost humble bedemen.

Cuthbert London
Thomas More
John Hackett.

To my Lorde Legate is Grace.

---

13. Genoa.
14. cf. Ep.170, l.64 note.
19. Biscay.
23. There is no further mention of this case in the papers extant.
24. Southampton.

174. To Lady More.

Brit. Mus. MS. 17 D.xiv, fol. 4 — Woodstock
Englysh Workes, f. 1419 — 3 September ⟨1529⟩
Tres Thomae p. 215 (translation)

[The manuscript is a collection of letters and treatises by More, and is either the source from which Rastell printed or a transcript of that source. (Hitchcock p. 345.) The spelling is quite changed by Rastell. The manuscript is somewhat mutilated and several words are lost. These I have restored from the text in the *Englysh Workes*. The introduction is found only in the *Englysh Workes*. Spelling differences are not noted.]

Sir Thomas More was made Lorde Chaunceller of England in Mighelmas terme in the yere of our Lord 1529, and in the 21 yere of King Henry the VIII. And in the latter ende of the haruest than next before, Sir Thomas More than Chauncellour
5 of the Duchy of Lancaster being retourned fro Cameray in Flanders (where he had bene Embassadour for the Kinge) rode immediatly to the King to the Court at Woodstock. And while he was there with the King, part of his owne dwelling house at Chelsey and all his barnes there full of corne sodenly fell on fier
10 and were burnt and all the corne therin by the negligence of one of his neighbours cartes that caried the corne, and by occasion therof were diuers of his next neighbours barnes burnt also. Vpon which newes brought vnto hym to the Court, he wrote to the lady his wife this letter following.
15 ¶ The copy of the letter.

MAYSTRES ALYCE, IN MY MOSTE HARTIE WYSE I RECOMMENDE ME TO YO⟨U⟩.

And where as I am enformed by my sone Heron of the losse of our barns and our neighbours also with all the corne
20 that was therin, albeit (savyng Goddis pleasuer) it wer greate pytie of so mych⟨e⟩ good corne loste yet sythe it hathe lyked hym to sende vs suche a chaunce, we muste and ar bounden not onely to be content but also to be glade of his visitacion. He sent vs all that we haue loste and sythe he hathe by syche a
25 chaunce taken yt away ageyne his pleasuer be fulfylled; let vs never gruge therat but take in good worth and hartely thanke hym as well for aduersytie as for prosperytie and peraduenture

19. barons *MS.* 26. take] it *add. E. W.*

18. Giles Heron. cf. Ep.43, introd.

Portrait of Dame Alice More, by Holbein

we haue more cause to thanke hym for our losse then for our wynnyng, for his wysedome better seethe what ys good for vs then we do ourselves. Therfore I pray you be of good chere and take all the howshold with you to chyrche and ther thanke God bothe for that he hathe geven vs and for that he hathe taken from vs and for that he hathe lefte vs, which yf yt please hym he can ⟨in⟩crease when he wyll and yf it please hym to leve vs yet lesse, at his pleasuer be yt. 30 35

I pray you to make some good enserche what my poore neyghebors haue loste and byd them take no thought therfore, for and I shuld not leve my selff a spone there shall no poore neghebore of myne berre no losse by eny chaunce hapned in my howse. I pray you bc wyth my children and your howsholde mery in God and devyse somewhat wythe your frendys what way were best to take for provysyon to ⟨be⟩ made for corne for our houshold and for seede thys yere commyng, ⟨yff ye⟩ thyncke yt good that we kepe the grounde stylle ⟨in our ha⟩ndys, and whether ye thyncke yt good that we so ⟨shall⟩ do or not, yet I thyncke it were not best sodenly ⟨thus⟩ to leve yt all vp and to put away our folke of our ferm, ⟨till⟩ we haue somewhat aduysed vs theron, how be yt yff we haue more now then ye shall nede and which can gett them other maysters ye may then dyscharge vs of them but I wolde not that eny man were sodenly sent away he wote nere whyther. At my commyng hether I perceved none other but that I shulde tary styll with the Kyng*is* Grace but now I shall, I thynke, by cause of thys chaunce gete leve this next weke to come home and se you, an then shall we ferther devyse together vpon all thyng*is* what order shall be best to take. 40 45 50 55

And thus as hartely fare you well wythe all our chyldren as ye can wyshe, at Woodestokke the iii[de] daye of September by the hand of

Your lovyng husbond,

Thomas More Kg. 60

52. gyngis *MS.*

31. cf. *Chelsea Old Church* by Randall Davies. The south chapel was rebuilt by More. In the carving on the capital of the column at the west of the archway, were More's crest and arms and the date 1528. The carving seems to have been from the designs of Hans Holbein the younger, then More's guest. (Davies p.5.) The church has been destroyed by German bombs in 1940.

175. From Erasmus.

Allen VIII.2211 — Freiburg
Copenhagen MS. G.K.S. 95 Fol., f.229(a) — 5 September 1529
J. p.90: KN: Lond.xxvi.21: LB.1074

[Answered by Ep. 178.
An autograph rough-draft, with the heading added by a secretary (β). The year-date is amply confirmed by the contents. Allen.]

176. Erasmus to Margaret Roper.

Allen VIII.2212 — Freiburg
Epistolae Floridae p.124 — 6 September 1529
K. p.131: N. p.1048: Lond.xxvi.50: L.B.1075

[Answered by Ep. 179. Contemporary with Ep. 175. Allen.]

177. From the University of Oxford.

MS. Bodl. 282, fol. 97 — Oxford
⟨c. 27 October 1529⟩

[Early marginal note: "Post 25tum octobris 21 H. 8°, quo tempore creatus est cancellarius."]

DOMINO THOMAE MORO, EQUITI AURATO, SUMMO CANCELLARIO ANGLIE, ET SENESCALLO VNIUERSITATIS.

Quoties exundans illud eruditionis tue flumen atque virtutum tuarum omnium riuulos in memoriam reuocamus, Cancellarie dignissime, non possumus certe non vehementer gratulari, cum huic toti regioni cuius, non minus quam nauicul⟨a⟩e in maris
5 aestubus fluctuantis, plurimum interest sagaces ac prudentes esse moderatores, tum huic nostre academie Christiane religionis radici, que tuam praestantiam patrocinatricem beneficentissimam et propugnatricem maxime industriam sit nacta. Multis sua patria in maximum cessit honorem, vt, apud Ciceronem, Themistocli
10 obiiciebat Seriphius. Verum tua eruditio tanquam vnus eloquentie thesaurus, editis nonnullis tue doctrine feturis fecundissimis, adeo totam Angliam illustrauit, vt te superstite Germanie, licet ipsarum literarum genitrici, cedere non videatur. Alios sua clientum manus et promerendi facilitas adeo praeclaros asseruit, vt nihil fere eis
15 ad honorem accedere possit. Tuum autem pientissimum patroci-

13. videatur, alios *MS*. 15. accidere *MS*.

10. Cicero, *de Senectute* III.8.

FAMILIA THOMÆ MORI ANGL: CANCELL:
Thomas Morus A°. 50. Alicia Thomæ Mori uxor A°. 57. Iohannes Morus pater A°. 76. Iohannes Morus Thomæ filius A°. 19. Anna Grisacria Iohannis Mori Sponsa A°. 15. Margareta Ropera Thomæ Mori filia A°. 22.
Elisabeta Damea Thomæ Mori filia A°. 21. Cæcilia Heroina Thomæ Mori filia A°. 20. Margareta Giga Clementis uxor Mori filiabus Condiscipula et cognata A°. 22. Henricus Patensonus Thomæ Mori morio A°. 40

Drawing of the More Family, by Holbein

nium nos tam liberaliter promeruit, et intactos illesos ab aduersariis seruauit, vt nihil aliud ad felicitatem nostram desyderari posse existimemus, quam beneficentiam tuam erga nos beneficentissimam nunquam intercidere. Summos eruditionis ac virtutis antistites summi ciuitatis magistratus et munera ad sydera vsque euehere (apud antiquos) putabantur. Tibi non tam ornamento esse hanc Cancellariatus dignitatem quamuis maximam, adeo pro confesso habemus, vt plus dignitat*is* tibi debere ipsam, quam te ei honoris, non heremus. 20

Non potuimus certe siccis oculis recordari fortunam adeo offensam et iratam tantas iras in Dominum Cardinalem, nostre academie patronum munificentissimum, efflasse et tam crudeliter a sede sua eum sic deiecisse atque humiliasse. Caeterum postquam in eius locum suffectum et ad Cancellariatus vsque dignitatem prouectum fuisse te (quem iuxta eum huic functioni accommodatissimum esse nemo non nouit) audierimus, exprimere non possumus, quanto gaudio et gratulatione simus recreati. Quemadmodum olim Romani Germanici imperatoris studiosissimi, morte nunciata, nullis solaciis, nullo animi consilio, nulla varie eruditionis memoria, neque lenire neque contemperare suum luctum potuerant, ita nos audita hac Domini Cardinalis deploranda ruina non potuimus nobis lugendi modum imperare. Verumtamen non secus quam Romani, quum fama ipsum Germanicum convaluisse percrebruisset, subito et inexpectato gaudio attoniti vndique concurrebant, inuicem sibi gratulantes ac concinentes, "Salua Roma, salua patria, saluus est Germanicus"; ita nos, quum auribus nostris instillatum accepimus te (quem in Cardinalis locum substitui dignissimum putauimus) Anglie Cancellariatus dignitatem adeptum fuisse, insperata leticia (quod in deplorat*is* rebus fieri solet) stupefacti, letari ac canere occepimus, "Saluum Oxonium, salua patria, saluus est noster patronus." 25 30 35 40 45

Neque exinde nobis de tua dignitate sic amplificata gratulandi mensuram praefinire potuimus. Nunc videmur nobis subolfacere preclaram hanc remp., multis hinc annis bene gubernatam, ornatiorem, minus seditiosam, denique omni virtutum ac disciplinarum genere locupletiorem breui futuram. Atque id vel hoc potissimum argumento persuasum habemus, quod librum 50

19. intercedere *MS.* 35. contemperare *MS.*
37. ruinia *MS.* 43. subinstitueri *MS.*

---

28. For Wolsey's fall, cf. Pollard, *Wolsey*, pp.217-263.
33. Germanicus Julius Caesar. cf. Tac. *Ann.*II.82; Suet. *Cal.*6.
41. Suet.*l.c.*

quendam et doctissimum et saluberrimum de optima instituenda
Mori Eutopia. rep., quasi gratissimum et electissimum tue eruditionis fetum
55 multis curis et vigiliis, ipse edideris. Nunc tamen, cum tu modestior sis, quam vt aliquem quantumuis artificiosum ac subtilem tuarum virtutum literarumque pictorem admittas, nos item multo rudiores quam qui vel vmbram earum incondit*is* (vt aiunt) lineis explicare digne valeamus, ad epistolarem breuitatem cala-
60 mum attemperantes, te his litteris, quasi in speculo oratorio, tibi ostendere (quem omnes eloquentie expeditiores longe superiorem fatentur) supersedebimus. Nihil ergo nunc restat, nisi vt nos tuos clientes, tibi omnibus neruis deuotos, perpetuo tuo digneris patrocinio, quem nobis tam diu fuisse patronum non
65 parum superbimus. Neque iam patiaris hanc academiam nostram, omnium tenerrimam ac indulgentissimam matrem, cuius non in paruam commendationem alumnus fueras, commaculari et violari; per eum amorem, quem semper erga bonas litteras et earum studiosos habueris, supplicabundi precamur.

70 Reliqua que tuam excellentiam scire nostra interfuerit, quando-
in litteris missis praecedit clausula notata A litteris eam que notatur b, itaque cum duplice vale.
quidem non est epistolaris compendii omnia complecti, commisimus harum tralatori enarranda, cui rogamus vehementer iterum atque iterum vt fidem habeas. Vale et fauste inceptam hanc cancellariatus dignitatem faustissime et perpetuo (Deo semper fauente) potiare.

178. To Erasmus.

Allen VIII.2228 ⟨Chelsea⟩
Leipzig MS 28 October ⟨1529⟩
EE. 113

[Answering Ep. 175.
An original letter, autograph throughout. The year-date can be supplied from the evident allusion to More's appointment as Chancellor. (Allen.) First printed by J. F. Burscher in his *Spicilegia,* Leipzig 1784-1802; and again by J. Förstemann and O. Günther in *Briefe an Desiderius Erasmus,* Leipzig, 1904, p. 128.]

64. patrocineo *MS.*
70. A: Vale et fauste - - - - potiare. b (sic): Reliqua - - - - habeas. Vale ("duplice.")
71. complicti *MS.*

---

54. The *Utopia.*

179. Margaret Roper to Erasmus.

Allen VIII.2233 ⟨Chelsea⟩
Breslau MS. Rehd. 254.129 4 November ⟨1529⟩
LB. App. 352

[Answering Ep. 176.
An original letter, autograph throughout. (Allen.) First printed by J. Fecht in *Hist. ecclesiasticae sec. xvi Supplementum, Durlach,* 1684, p.822, and thence in LB.]

180. To Conrad Goclenius.

Leyden MS. B.T. 885 Chelsea
12 November ⟨1529⟩

[An original, by a secretary, with the postscript by More. The year-date is determined by the mention of Erasmus' Augustine, just completed. (cf. Allen, VIII.2157, introd.)]

Eruditionis laudem, quam vbertim mihi tribuis, Conrade amantissime, vt mediocritatis meae conscius non agnoscere, ita nec in totum aspernari possum, presertim a te delatam, sic docto homine, sic in colendis amicis syncero, nulla vt vel suspitio adsentationis in istos mores herere queat. Tum illud succurrit, 5 quod, si quis paulo superstitiosius laudari recuset, protinus aucupari eruditionis opinionem censeri consueuerit. Eoque fit, vt superuacaneum arbitrer prolixiorem tecum ista de re sermonem instituere, adque eam potius me epistolae tuae partem conuertam, vbi Christophorum, hactenus tuum, nunc nostrum, omni studio 10 summaque mihi diligentia commendas. Commendas autem? imo ad suspitiendum mirabiliter, validissime diligendum, denique complexandum arctissime inflammas. Nec inflammas modo: verumetiam incomperta mihi antehac ratione adeo cogis petenter, vt tergiuersari nullo modo possim, quum tu animi dotes eius vel naturae 15 tot tantasque percenses, vt aegre crediturus fuerim, ni partim literae tuae, quibus ad quiduis persuadendum nihil efficacius, sentire aliter prohibuissent, partim experimento verissimum esse comperissem. Hoc tamen peccasti (dabis veniam) quod hominem tam multis iisque eximiis ornatum commendatumque virtutibus, 20 ea preditum faelicitate, vt generis splendori humanitatis quoque

10. Christopher Carlowitz (13 Dec. 1507-8 Jan. 1578), born at Hermsdorf near Dresden, was educated at the University of Leipzig. In 1527 he lived for a while with Erasmus. He wished to do State service, and was accepted in Saxony. In August 1529 he was sent on an embassy to England, and became acquainted with More, evidently as a result of Goclenius' introduction. (Allen, vol.VII, pp.417-418.)

gloriam cum literarum exquisita cognitione adiunxerit, ita anxie, itaque commendaris vehementer, quasi encomiaste proba merx quidque egeat. Habet enim hoc vitii plus aequo accurata commen-
25 datio, vt falsi suspitionem comitem secum trahat. Sed quid ego istud vitupero factum: ob quod (si grati esse velimus) laudari merueris? Dum ad hunc modum predicando mihi Christophorum, effeceris vt penitius eum magisque intime inspexerim. Et quanquam fauore non solum nostro sed principum etiam dignissimus
30 est, tamen studii erga illum mei vsuram polliceris, et operam neutiquam segnem, sicubi eius vsus sit. Vnde promptum est colligere, quam vel ex animo bene amico cupias, vel in pensando beneficii liberalis sis.

Erasmus noster, vbi D. Augustinum emendatum more suo,
35 excusumque studiosis dederit, primo quoque tempore (ita enim recens admodum profectus hinc, Quirinus narrauit), quod iam olim concepit de concionandi ratione opus, aggressurus est vt tandem aliquando absolutum enitatur. Vale. Chelcit postridie feriarum D. Martini.

40 Amicissimus tibi Thomas Morus.

Amanuensis meus, mi Conrade, dum nimium diligenter parci voluit meo labori, etiam nomen meum sua manu subscripsit.

Iuxta humano, atque erudito viro, Conrado Goclenio Louanii.

181. From the University of Oxford.

MS. Bodl. 282. fol. 101v — Oxford
[Year-date given by position.] — ⟨1529?⟩

HEROI VNDECUNQUE CLARISSIMO, NULLIUSQUE DISCIPLINARUM GENERIS NON SCIENTISSIMO, DOMINO THOME MORO, REGNI ANGLIE CANCELLARIO SUMMO, OXONIENSIS GYMNASII TOTA SODALITAS AETERNAM COOPTAT FELICITATEM.

Tametsi non ignoramus, illustrissime Cancellarie, tuam dignitatem occupatiorem esse quam vt quibuslibet accommodet

22. The Froben *Augustine*, 10 vols. 1529.

36. Quirinus Talesius (1505-1573) became a servant-pupil to Erasmus c.1524 and served him seven years. In 1531 he returned to his native Haarlem, became pensionary in 1532, and was later often sheriff or burgomaster. He was strongly Catholic and during the siege of the town by the Spaniards he was hanged in reprisal for execution of heretics. (Allen VII. Ep. 1966, introd.)

Erasmus sent him from Freiburg to England, c.2 October 1529. (Allen, Ep.2222, l.25.) He perhaps conveyed, he certainly distributed, the copies of the *Augustine* to Erasmus' friends in England. (Allen VIII. 2157,2227.)

37. The *De concionandi ratione* appeared some years later. It was to have been dedicated to Bishop Fisher, but after his tragic death, was dedicated to Christopher von Stadion, bishop of Basle. (Preserved Smith, *op. cit.* p.409.)

aures, vtpote qui nunquam cesses aliquid grande moliri in Britannice reip., iam multum per nouarum rerum studium labefactate, stabilimentum atque ornamentum non paruum, in tua tamen lenitate, benignitate atque clementia multum spei ponentes, que in te inesse, idque longe supra humanam sortem, neminem latere potest, qui Mori vel personam viderit vel cognomen audierit in omnium omnibus labris tam frequens obuolutum: non sumus veriti tuam praestantiam literis hisce inelimatis interpellare, ad te tanquam antidotum saluberrimum fugere, a te consilium, auxilium, spem implorare, qui vt medendorum malorum optime noris artem, ita vel vltro medicam adhibere manum nunquam non soles.

Res ita habet. Est Londini quidam olim ex Oxoniensium numero Robertus, ab arte sculpendi cognomen habens; is ex nostris quosdam nec semel in ius traxit idque ob meras nugas ac deliramenta, imo hoc nomine dumtaxat quod, quia olim fuerit Oxon. ciuis, putet suarum partium esse, hostile bellum cum literat*is* gerere, homo ne verbulo quidem (quod norimus) a nobis vnquam lesus, sed non deesse suspicamur ex oppidanis nostris, qui ad id facinoris classicum canant et frigidam (vt aiunt) suffundant. Hic modo haut absimili superioribus diebus, venerabilem commissarium nostrum, Johannem Cotisforde, Martinumque Linseium, Theologie professores, in negociis nostris procurandis istic occupatos, in Ius vocauit sub pena, itaque tractauit vt non solum ipsis sed et toti academie magno cum pecunie tum fame dispendio verterit.

Quocirca rogamus tuam dignitatem quam impensissime, primum vt cum fiducia audias harum tralatorem, qui rem fusius explicabit, deinde vt factiosum illum coram tua dominatione convocatum, re pro tua eximia solertia perquisita, cogas tandem vt desinat lacessere hominesque insontes tam iniuste insimulare. Petimusque maiorem in modum vt iste fauor tuus, quem vel vsque ad hodiernum diem singularem experti sumus, nunquam intercidat, tibique persuade, non esse magis tibi deditos quam Oxon. Vale grandis nostra spes atque Anglie totius ornamentum.

6. leuitate *MS.*

---

15. Marginal note in another hand: Robertus Carver, vid.: fol.71.

21. Plaut. *Cistell.*1.1.37.

23. John Cottisford, educated at Lincoln College, was B.A. 1505, M.A. 1510, D.D. 1525. In 1518 he became rector of his college and from 1527 to 1532 was commissary or vice-chancellor of the University. During these years he was engaged in searching out heretics, particularly Thomas Garret. In 1532 the King made him Canon of King's College (now Christ Church), but he continued as Rector of Lincoln until his resignation in 1538. He then accepted the prebend of All Saints in Hungate, Lincoln. He died probably in 1540. (D.N.B.; *Register of the University of Oxford*, I. p.39.)

23. Martin Lyndesay, educated at Lincoln College, B.A. 1508, M.A. 1511, D.D. 1525.

182. To Sir John Arundell.

Brit. Mus. Add. Ms. 19,398, fol. 41 — Chelsea
L.P.IV.6311 — 5 April ⟨1530⟩

[An original.

Sir John Arundell (1495-1561), of Trerice in Cornwall, was twice sheriff of that county. He was knighted at the Battle of the Spurs in 1513. In 1523 he distinguished himself by the capture of Duncan Campbell, a notorious Scottish pirate who had troubled the English coast. Under Henry VIII and Edward VI Arundell was Vice-admiral of the West. (D.N.B.; L.P. I.1524.i; III.1391.)]

MAISTER ARUNDELL, IN MY RIGHT HERTYE WISE I RECOMMENDE ME VNTO YOU.

And whereas I vnderstande that ye be one of the copersioners of the manor of Sharshelberton in the parishe of Stepleberton in the countie of Oxonforde and the fferme of Darneton in the same countie, and that your parte of the same manor and ferme
5 amountith by yere to iiii merke or thereaboute, so it is that a seruaunte of myne, one Edwarde Joones, a man right honeste and whome I specially favor, hath obtayned of my Lorde South and other your parteners theire good willis and graunt*is* for a leace of theire partes in the same. Wherfore and for asmoch as the said
10 manor and ferme cannot be well occupied but by one tenaunte withoute greate vnquietnes of either parte if it were occupyed by dyuers, I therfore hartely requyre yow to be good vnto my said seruaunte, which shalbe as good a tenaunt vnto yow as eny other shall, and as mych to your profyte, of which I will not for eny
15 frende of myne requyre eny parte of your losse. And in being thus good vnto my said seruaunte for my sake, ye shall bynde hym to pray for you, and me to do for eny frende of yours eny such lawfull pleasure as shall lye in my power. And thus hertely fare yow well.

20 At Chelchith the vth day of Aprill.

Your assurede lover,

Tho. More. Kg. Chauncellour.

To the right worshupfull Sir John Arundell, Knight.

2. A co-heir.

3. Steeple Barton, 13 miles north of Oxford. Nearby are Middle Barton and Westcott Barton.

183. Erasmus to John More.

Aristotelis Opera, 1531, fol. a²

Freiburg
27 February 1531

[The preface by Erasmus to the second edition of Aristotle in the Greek edited by Simon Grynaeus, Basle, Bebel, 13 March 1531.]

184. From John Cochlaeus.

Fidelis et pacifica commonitio Ioannis Cochlaei - - - - 1531

Dresden
26 April 1531

[*Fidelis et pacifica commonitio Ioannis Cochlaei, contra infidelem et seditiosam commonitionem Martini Lutheri ad Germanos.* Leipzig, Schumann, 1531.]

Magnifico Viro, Inclyto Angliae Baroni, Domino Thomae Moro, Totius Regni Angliae Cancellario summo, S.P.D.

Ex proximis ad me literis tuis, Magnifice Domine Cancellarie, probe intellexi ac perspexi candorem illum animi tui, a tot iam olim Eruditiss. viris probatum ac decantatum, quo mihi pro frigidis et insulsis litteris ad te meis ex Augusta transmissis, tam benigne gratias egisti, eo presertim nomine, quod ex iis non nihil 5 spei conceperis, tollendi per Caesarem dissidii Germanorum in fide. Sed me miserum, qui spe mea frustratus, tibi falsum gaudium annunciaui, sero enim nunc comperio, Lutheranos nihil illic serio egisse sed comptis verbis tantisper ludificasse Caesarem, quoad in tutum recepti pus omnem ex virulento pectore per Lutherum suum 10 possint euomere, qui nunc fere omnia refutat quae illi per diuersos Tractatus nobis donauerunt. Et res iam agitur non solum seditiosis libellis verumetiam apertis Conspirationibus ac manifesta rebel-

4. The Diet of Augsburg, which met June to November 1530. As Luther was under the ban of the Empire, he could come only as far as Coburg. Melanchthon was therefore the leader of the Protestants. In the Augsburg Confession he minimized differences with the Catholics, and emphasized disagreement with the Zwinglians. Zwingli replied by sending to the Emperor his personal statement of belief, expressed with great boldness. The cities of Strassburg, Constance, Lindau and Memmingen expressed Zwinglian views in the Tetrapolitan Confession, mainly the work of Bucer and conciliatory to the Lutherans. (Camb. Mod. Hist. II.206-212.)

10. Luther opposed Melanchthon's concessions. If the Catholics would not accept the Confession and the Gospel, "let them go to their own place"—a characteristic allusion to Judas (cf. Acts 1:25). He therefore received Bucer at Coburg, 25 September, and favored his attempt to reconcile Wittenberg and Tetrapolitan doctrines of the Eucharist. (Camb. Mod. Hist. II, pp. 213-214.)

13. The Protestants had until 15 April to decide whether or not they would conform. Meanwhile Protestant Princes were not to make innovations, not to put constraint on Catholics in their territories, but to proceed against Anabaptists and Zwinglians. The Protestants protested against this recess and departed from Augsburg.

lione. Graue itaque nobis incumbit periculum, hinc a seditiosis,
15 inde a Turcis, quos hoc Germanorum dissidium animosiores reddit et in exitium nostrum accersit. Et furit inter suos sanguinea face belli Lutherus, quem dira Megaera ad omne facinus saeuo audaciae furore impellit. Id quod Magnificentia tua, vel ex hoc quodlibet breui libello facile pro singulari sua prudentia coniicere
20 atque etiam perspicere poterit, licet non adeo multa illius verba in eo recitentur. Bene vale, Patrone Colentiss.

Ex Dresda Misniae ad Albim. vi. Calendas Maii. M.D.xxxi.

M.T.

Deuotus Clientulus,
25 Ioannes Cochlaeus.

185. To John Sinapius.

Topica Aristotelis, 1556, fol. 145 — Chelsea
2 May ⟨1531⟩

[*In librum octauum Topicorum Aristotelis, Simonis Grynaei Commentaria,* Basle, Oporinus, October 1556.

John Sinapius (Senf) was born at Schweinfurt, studied for a time at Tübingen, and then for several years in Italy. He became professor of medicine at Ferrara, and while there married a French lady. In 1531 he became professor of Greek at Heidelberg. In 1536 he was called to Tübingen, but soon accepted the post of physician to the bishop of Würzburg, Melchior Zobel, and in 1550 was professor at the university there. He wrote *Urbis svinfurtensis Historiam* in the *Münsteri Cosmographia* and *Oratio adversus eorum ignaviam, qui literas humaniores negligunt.* He died 1561. (Jöcher, 1750; Herzog-Hauck, XIII.462.50, 463.54, and his own works cited above.)]

Morus Ioanni Sinapio S.P.D.

[S.P.] Carmen tuum, iuuenis doctiss., non minus elegans quam prolixum et studii erga me summi luculentis plenum testimoniis, dici non potest qua animum meum voluptate affecerit: omnino me tui admiratione impleuit. Varietas in eo, elegantia,

---

The Protestant Powers met at Schmalkalden in December. They must first of all decide on the stand they would take with regard to litigation in the Reichskammergericht for the restoration of church property secularized by the Lutherans. From this they went on to form a league for mutual defense against attacks on account of their faith. (*ibid.* pp. 214-215.)

15. Vienna had made a brilliant defense against the Turks in 1529, and the Emperor was now preparing to meet the attack which Suleiman planned in revenge for his defeat at Vienna and which he carried out in 1532. (*ibid.* pp.207,218.)

17. One of the Furies.

19. Cochlaeus was himself engaged in writing against the Protestants. The Confutation of the Augsburg Confession was drawn up by Eck, Faber, Cochlaeus and others.

facilitas par, hoc est maior quam quae vllo exprimi sermone possit. 5
Miratus sum in argumento maxime conciso tam multiplicem cogitationem, quam aetas tua et temporis tanta breuitas magis etiam reddit admirabilem. Nihil in tanta tamque foelici sermonis copia coactum, nihil conquisitum anxie, nihil dispar aut inaequabile, nihil obscuritate offensum, nihil vagum, nihil interlucens, vel quod 10
rimas agat, nihil elatum, aut humile. Omnia praeclare coniunguntur sibi atque inhaerent, plena affectibus omnia veris, dulcibus. Omnia denique eiusmodi sunt, vt laudari a me carmen tuum supra id quod meretur haud possit.

In cuius vestibulo, protinus illam agnoui pulcherrimam tui 15
imaginem, quam vir doctissimus Simon Grynaeus verbis suis mihi tanquam coloribus scitissime depinxerat, quasique in tabula oculis spectandam praebuerat. Vale.

Ex rure nostro Chelceico, secundo die Maii.

186. From Sir John Lowther.

R.O. State Papers, Henry VIII, §68, pp. 20-21 — Carlisle
16 October 1531

[Sir John Lowther of Lowther, Westmorland, under-sheriff of Cumberland, was Lord Dacre's cousin. Dacre wrote of him, "Lowther holds his lands of the King, and is retained as household servant by the Legate." (L.P. III.3427. 14 Oct. 1523.)

There is no other mention of this case in LP.]

Pleasse it your honorable Lordshipp to be aduertisett, that I haue reasaueyd your honorable letter, delyueride to me the tent day of Octobre by Thomas Talbut, your Lordship seruande, wharein I am commandit to certefye your honorable Lordship, the veraye order of the deithe, and for what cause and by whos⟨e⟩ 5
occasion, Ambrosse Armestrong was slayne, and what hayth ffor-ther ben donne by ony meynes in that matter, sythen the deythe of the sayd Armstrong.

My Lorde, accordyng to the content*is* of the said letter, I haue trauelyd to the beste of my power, to attayne the trewe knowlege 10
thareof, by all ways and meynes that I coulde, aswelle by examynacyon of dyuers persons moste nyeste adyonnyng, with all suche other knowlege as I and my offecers and bailyff*is* could attayne, by whome it doythe appeire to me, that the occasyon of the deythe of

16. cf. Ep.183. Grynaeus visited England from Basle in quest of manuscripts in the spring of 1531.

15 Armestronge was by takyeng and distranyng certayne horssis of John Musgraues within the seueralle grounde of John Armestrong*is*, vpon wiche distrisse takyn, beynge drewyfne toward*is* the pounde by John Armestrong and Willuem Armestrong, John Musgraue, Ingram Musgraue and Richard Musgraue, sones to John
20 Musgraue with fyive seruyng men of the said John Musgraues, withe speres, lances and swordes isschutt furthe of the castell of Bowcastell, and did persewe the said John and Willium, and vpon thayme mayd a fraye, who for feire of thare lywes ffled, vpon wiche stryffe and debayte, the said Ambrosse Armestrong, emonge others
25 commyng to the ffraye, was smyttyn by John Musgraue the younger with a spere throughe the bodye, vpon whiche stroke the said Armestronge instantly dyed, after whosse deythe the sayd John Musgraue, Ingram, Richarde and other seruand*is* of the said John Musgraues fled into the castyll of Bowcastell, beynge
30 ffolouyd by the said John and Willium wythe others wythe thame, intendyng to haue takyn the sayd John Musgraue for the deithe of the said Ambrosse, and so had done, yf the drawe bregge of the said castell had not ben drawne vpp, and when thay persaueyd they could not apprehende the felon ouer, Anthony Armestrong, on of
35 the folowers of the sayd felon, dyd charge John Musgraue, vpon the Kyng*is* Maistis name, that the said felon shuld be furthe commyng.

The said John Musgraue and the felon beyng then presently vpon the walles of the said castell, vnto whome the said John Mus-
40 graue said, "I know the for no offecer, nor will take ony charge at the, but suche as ar in my custodye shalbe furthe commyng at my pleasour," vpon whych ffray and skremmage aswelle the Kyng*is* tennaund*is* of Bowcastell as the landesergant of Gyllisland, wyth the Lorde Dacars tennant*is*, dyd assemble, as coustome is
45 thayre, and cam to the said castell. And thare the landesergant, with certayne of the Lorde Dacres tennant*is* dyd lye abowte the said castell, to the intent the said felon shuld not askaype, to suche tyme as my Lord Connyers was aduertysed, to whome they sent aduertysment strieyhtway, vpon which aduertysment the said
50 Lorde Connyers dyd send hys seruand*is* to the said castell, commandyng all men to depart and to kepe ye pesse whiche thay obayd accordyngly.

And more certanty toching thys matter worthy aduertisment, I can not send your Lordshipe at thys present, as knowythe owr
55 Lorde God, who preserue your Lordship with myche honor longe to endwre.

Wrettyn at Carliell, the xvi^th^ of Octobre, by your Lordshipp*is* at commandement to hys power.

John Lowther.

To the honorable and my moste sengular goode Lorde, my Lorde Chancler. 60

187. From Jerome Perbonus.

Ouiliarum Opus, 1533, Epist. lib. 3, fol. iii — Oviglio ⟨1532?⟩

[Perbonus was privy councillor to Maximilian Sforza. When Swiss mercenaries threatened mutiny because their pay was in arrears, Perbonus advanced funds to pay them. The Swiss then won a victory over the French, which regained the duchy of Milan for the Sforza. Maximilian rewarded Perbonus with the grant of the estate of Oviglio and the marquisate of Incisa, both on the Belbo southwest of Alessandria. (Jöcher, III.1376.)

Giacomo or Muzio Attendolo (cf. l. 42), 1369-1424, founded the house of Sforza, assuming this name in the field. His natural son, Francesco (*ibid.* l.44), 1401-1466, married Bianca, daughter of the last Visconti, and in 1450 overthrew the Ambrosian Republic of Milan. Francesco's fourth son Lodovico il Moro (cf. l.52), 1451-1508, ruled for his nephew Gian Galeazzo from 1480 and received investiture from the Emperor Maximilian in 1494. In that year he summoned Charles VIII to his aid and under his patronage was crowned Duke of Milan. He soon felt that French policy endangered his position and therefore asked and received public imperial investiture May 1495.

Louis XII on his accession laid claim to the duchy, took Milan and imprisoned Lodovico in France in 1500. Lodovico's sons took refuge in Germany with the Emperor. The elder, Massimiliano, was restored to the duchy in 1512, but gave up his claim to Francis I, 1515, for a pension of 30,000 ducats. The second son, Francesco Maria (cf. l.11), was put in possession after the defeat of the French at La Bicocca, 1522. He wrote Henry VIII that he had always considered that he owed his restoration and preservation more to him than to any other prince. (L.P. IV.430.) After the victory of Charles V at Pavia, Francesco II joined the League of Cognac, formed by Clement VII against the Emperor. Imperial troops besieged Milan and the citadel surrendered July 1526. Sforza was not restored until after the Treaty of Cambrai 1529, and during these years he negotiated for English support. His ambassador recommended that the Duke give the King horses and arms, a pension of 10,000 ducats to Wolsey, and transfer the pension promised to More and others. (*Milan. Cal.* 798.) (On this period, see Ady, *Milan under the Sforza,* passim; *Camb. Mod. Hist.* II, pp.42-63; *Calendar of Milanese Papers,* pp.441-465.)]

SUPER ILLUSTRI THOMAE MORO REGIO AYMEGALO: HIERONYMUS PERBONUS INCISAE MARCHIO BENE CUPERE.

Aeternum Dei munus est, doctissime Aymegale, doctorum hominum genus, quod velut alteram lucem dedisse rebus

1. Aymegale] Is this for chancellor? cf. Epist.Lib.II.f.iii^vo^ with title page.

humanis videtur, propterea es bonis omnibus illius insulae inclyte quasi deus, salus, fortuna, lux, laetitia et gaudium; omnes virtutes
5 tuas praedicant et nemo est qui inter bonos connumerari cupiat, sicut ego vehementer desydero, qui ipsas conlaudare non teneatur et gloriam ac munificentiam tui inclyti Regis extollere.

Nam ingrati et segnis animi essem, si extra memoriam esset, quod maximo quodam me beneficio affecerit ipse Rex liberalis-
10 simus pariter et omnes bonos Insubres recte viuere cupientes, quum Franciscum Sfortiam II Ducem nostrum legitimum et naturalem, Rex magnanimus iure antiquissimae amicitiae, cum virtute Sfortiada liberalissime amplexatus est, pro obseruantia iustitiae tanquam alter Zaleucus, qui ne adulterium a filio vnico
15 commissum impunitum transiret, et natum et se vno oculo priuauit, adeo iustus fuit; propterea ipse Dux meus bene memor se omni vinculo beneficiorum erga Regem munificum obnoxium atque deuinctum, profitetur et eius imperio ac opibus si quae supersunt eiusque fide quae non deficit constantissima, tanquam de re
20 ei dicata, pro arbitrio, vti, licet illustrissimum Principem et nos tuo consilio tueatur, vt hactenus tutatus est, semperque faueat, vt sub tutela et clypeo tanti Regis, te impulsore, tutus et quietus, cum subditis suis fidelibus, sine iniuria, foelix in futurum vitam degere possit; is opes et diuitias, si essent, vt iam fuere, in Insubria dedi-
25 caret. Sed omne reliquum eius imperium et quicquid virium est offert et semetipsum destinat.

Equidem fautor fuit optimo Duci cui nihil deest, quod in inclyto Principe atque ornatissimo Duce requiratur, ita vt foelices atque perbeati Insubres essent populi, si Ducem suum Diotrepheum in
30 pace possiderent, quem Leo Pontifex et sacrosancta Ecclesia ope et ingenio diui Clementis nunc Pontificis, Carolus Imperator et inuictissimum imperium, et in primis munificus ac potentissimus Rex Britanniae, auxiliantibus et procurantibus sapientissimis Venetis, totaque penitus Italia in auitum et paternum solium re-
35 posuere; in quo consistunt, quam in quocunque optimo dominante excogitari possunt et desyderari, quae eius dotes et bona animi,

14. Zelancus *Oviliarum Opus.*

---

10. The Milanese. The Insubrians, a people of Cisalpine Gaul, had established their capital at Milan.

14. A celebrated lawgiver of the Epizephyrian Locrians, who first collected the written laws of the Greeks, c.660 B.C. In this code, loss of eyes was the penalty of adultery and Zaleucus himself suffered the loss of one eye, so that his son might not be utterly blinded. cf. Eras., *Adag.*2163.

24. Old name for the country about Milan.

29. A rhetorician of high repute, born at Antioch on the Maeander.

30. Leo X.

31. Clement VII. Charles V.

tanto clariora sunt, quanto dignior animus est corpore, quam ipsam Teutonicam loquelam et varias linguas tanquam alter Mithridates optime callet. Sfortiani duces, quorum praeconia nulla aetas conticescet, a Dalmatiae et Longobardorum regibus, vt multi 40 scribunt originem traxere et recentioribus temporibus viguit Mutius Martis et Bellonae decus, qui postmodum Sfortia appellatus est.

Splenduit et Franciscus I, cuius omnes germanos Achilles aut Epaminundas fuisse existimes, tot Scipiades, tot fulmina belli, 45 inter quos emicuit Conradus, a quo prouenit auo compater meus Pallauicinus verae nobilitatis et probitatis decus et exemplum, cuius prudentiae et fortitudinis gesta non facile quis enarrare posset. Diui autem Francisci facta memoranda qui ignorat, ignarus est omnis historiae. Ab eius primae aetatis modernorum primordiis 50 de ipso scribit mira quidem sed tamen plena veritatis Philelphus.

At Ludouicus eius filius lynceis oculis prouidentiae et subtili ingenii acumine inter omnes floruit mortales; propterea gloriosissimum nobis decus fuit tanti stemmatis conseruatio, quod potentiorum exercitu et viribus nedum circumsessum, sed pene demer- 55 sum fuerat; merito Princeps meus magnanimum ipsum Regem in terris tanquam suum proprium numen colit, obseruat et veneratur, in eumque cogitationes salutis suae et incrementi repositae sunt; nam nedum in dando beneficio liberalis fuit sed in promptitudine exhibendi. Praemium autem tanti beneficii erit quod vt ei man- 60 dauit Rex humanissimus et munificentissimus in ornatissimis suis literis, dum adhuc esset in Germania apud inclytum Caesarem Maximilianum, curabit omni conatu minime esse degenerem maiorum suorum; cui praestabit perpetuo synceram fidem et integerrimam obseruantiam obedientiae perpetuae. Sfortiadum prae- 65 clara, Herculea et heroica gesta vbique historiis et annalibus illustrata sunt; qui ea legunt, plurimum debent Angliae regi conseruatori Sfortianae posteritatis.

Diu bene valeas, doctissime More, cum rege splendidissimo et tota Britannia. 70

Ex Ouiliis.

---

39. Mithridates VI, the Great, knew not less than twenty-five languages, and the dialects of all under his rule.

42. From Italian *sforzare*, to use force with.

44. Grecian hero in Trojan War.

45. Famous Theban general.

45. Leaders in Punic Wars.

45. Vergil, *Aen.*6,843, imitated from belli fulmen, Lucr.3.1034.

47. Niccolò Pallavicini, a "guardian," with Lodovico il Moro, for the young Duke Gian Galeazzo.

51. The humanist Francesco Filelfo (1398-1481) wrote a lengthy epic poem, the *Sforziad*, to curry favor with Francesco I when he became duke of Milan. (Ady, *op. cit.* pp.290-295.)

188. To Erasmus.

De Praeparatione, 1534, p. 103 — Chelsea, 14 June 1532

189. To John Cochlaeus.

Epistola Nicolai Pape, fol. Dd3 — Chelsea
Tres Thomae p.200 (extract). Jortin II, p.701 — 14 June ⟨1532⟩

[The year-date is fixed by the mention of More's resignation of the chancellorship.]

Georgius noster, optime atque amantissime Cochlee, huc reuersus, vna cum literis tuis fascem quoque librorum mihi reddidit. In quo praeter alia illi etiam continebantur libri, quibus aduersus grauem Ecclesiae aduersarium, Lutherum, fortis Euan-
5 gelii religionisque assertor, non minus docte pieque quam strenue pugnas. Postquam Georgius in Angliam rediit, complures diuersis temporibus Epistolas abs te accepi. Postrema ea fuit, quam de Zuinglio et Œcolampadio scriptam misisti, quorum nunciata mors leticiam mihi attulit. Quamquam enim dolendi causas reliquere
10 nobis heu nimium graues, propter multa quae neque sine horrore eloqui possum, et nemini sunt ignota, neque audire homines pii sine profundo gemitu debent. Sublatos tamen e medio esse tam immanes fidei Christianae hostes, tam accinctos ad Ecclesiae excidium, tam intentos vbique in omnem perimendae pietatis
15 occasionem, iure gaudere possumus.

Valetudine aliquot superioribus mensibus, non tam in speciem graui me intuentibus, quam sentienti mihi formidolosa vsus sum. Quam ne nunc quidem, post impetratam omnium munerum vacationem, satis possum excutere. Ita fiebat, vt Cancellarii obire offi-
20 cium haud satis possem, nisi valetudinis malum sinerem indies magis magisque crescere, sanitatem non aliter promittente medico, quam si in ocium recederem. Ac ne sic quidem satis fidenter tamen. Mouit ergo animum meum recuperandae cura sanitatis, sed multo magis publicae vtilitatis respectus, quam multis modis
25 remoraturus videbar, si homo valetudinis impeditae, negocia publica simul cogerer impedire. Ocium, quod Illustrissimi Principis in me prona benignitas precibus meis annuere dignata est, posthac

1. Cochlaee *Jortin*. 9. laetitiam *Jortin*. 25. negotia *Jortin*. 26. otium *Jortin*.

1. I have no clue to the identity of the messenger.

8. Zwingli, as chaplain, fell in the battle of Kappel, 11 October 1531. Œcolampadius died 24 November 1531.

16-18. Stapleton, p.200.

studiis et Deo constitui dedicare. Quod vt mihi contingat foelicius, tu me, Cochlee charissime, precibus apud Deum tuis adiuta. Vale foeliciter, ex aedibus nostris Chelcheicis, quartodecimo die Iunii.

190. To John Frith.

A Letter, 1533, fol. a ii — Chelsea
Englysh Workes p.833 — 7 December ⟨1532⟩

[A pamphlet entitled *A letter of syr Tho. More Knyght impugnynge the erronyouse wrytyng of John Fryth agaynst the blessed sacrament of the aultare,* London, W. Rastell, 1533. In form, it will be noted, it is addressed to the friend who sent More the first copy.

John Frith (1503-1533) was educated at Eton and King's College, Cambridge, taking his B.A. there 1525. In the same year he became a Junior Canon of Cardinal's College (later Christ Church) and incorporated B.A. at Oxford. He assisted Tyndale in the translation of the New Testament, and before the book was published, Tyndale had been forced into exile on the Continent, and Frith and other "Bible readers" in Oxford were imprisoned. Frith was released in 1528 at the request of Wolsey and went to the Continent. He lived at the new University of Marburg, and associated with the exiles there and with German Protestants. He wrote a book on Purgatory, to confute Fisher, More and Rastell. He also married during his exile.

In 1532, Frith returned to England to visit a personal friend, the Prior of Reading, but found him in prison on suspicion of Lutheranism. At Reading, Frith was set in the stocks as a vagrant, and was released by Coxe, the schoolmaster, because of his learned conversation.

Frith intended to return to the Continent, but was arrested by More's command on a charge of heresy and imprisoned in the Tower. During his imprisonment, he formulated his opinions on the Eucharist, but did not intend the statement for publication. More secured a copy through the treachery of Matthew Holt, a tailor. More in reply wrote this long letter, which he took care that Frith and his friends should not see. Frith was able, however, to obtain a MS. copy and answered ably in a long treatise. He was examined several times, and was given an opportunity for flight. He refused escape or recantation of his views on Purgatory or the Eucharist, and was therefore committed to Newgate, and on July 4, 1533, was burned at the stake at Smithfield. He was esteemed for his ability, great learning, piety and simplicity of life, and so won More's sympathy that he softened his controversial style. (cf. D.N.B.; D. Alcock, *John Frith*; Foxe, *Acts and Monuments*; Wood's *Athenae,* ed. Bliss, I, col. 74; Bridgett, *More,* p.292.)

Frith, in his long reply to More, quotes his own earlier statement of Eucharistic doctrine, and as this makes More's letter against Frith clearer, it is here given.

"First I proued vnto hym that it was no artycle of oure faythe necessarye to be beleued vnder payne of dampnacyon.

28. felicius *Jortin.* 29. Cochlaee *Jortin.* adiuua *Jortin.* 30. feliciter *Jortin.*

"Then I declared that Chryste had a naturall bodye euen as myne ys (sauing synne) and that it could no more be in two places at ones then myne can.

"Thyrdlye I shewed hym that yt was not necessarye that the wordes shulde so be vnderstonde as they sownde. But that yt myght be a phrase of scrypture as ther are innumerable.

"After that I shewed him certein suche phrases and maner of speakinges. And that it was well vsed in our Englyshe tongue. And fynally, I recyted after what maner they myght receyue yt accordyng to Chrystes institucion, not fearyng the frowarde alteracion that the Priests vse, contrary to the first forme and institucion." (Preface to *"A Boke made by Johan Fryth . . . answering vnto M. More's letter . . ."* pp.1-2.)

Frith was the first to hold the doctrine of the sacrament, which Cranmer later adopted, and which is expressed in the Book of Common Prayer. "We say, that beside the substaunce of bread, it is the sacrament of Christes body and blood. . . . For albeit hee onely eateth the bread and sacrament with hys mouth and teeth; yet with hys hart and fayth inwardly, hee eateth the very thyng it selfe which the Sacrament outwardly doth represent." (The conclusion of Frith's treatise. Pages not numbered.)]

In my moste harty wyse I recommend me to you, and sende you by thys brynger the wrytynge agayne whyche I receyued from you, wherof I haue ben offred synnys a couple of copyes mo in the meane whyle, as late as ye wote wel it was, wherby men
5 maye se how gredyly that these newe named bretherne wryte it out, and secretely sprede it abrode. So that where as the Kynges gracyouse Hyghnes lyke a moste faythfull Catholyke prynce, for the auoydynge of suche pestylente bokes as sowe suche poysened heresyes amonge his people, hath by hys open proclamacyons
10 vtterly forboden all Englysshe prented bookes to be brought into thys lande from beyonde the see, lest our Englysshe heretykes that are lurkynge there myghte there enprent theyr heresyes among other maters and so sende them hither vnsuspected, and therfore vnperceyued tyll more harme were felte than after were well
15 remedyable: the deuyll hath now taught hys dysciples, the dyuysers of these heresyes, to make many shorte treatyses, whereof theyr

---

1. Spelling differences in Englysh Workes not noted.

2. cf. Introduction. Frith's tract seems to survive only in quotations from it, which he made when he replied to this letter of More's.

5. The term had been used for several years for Protestant heretics, and was also evidently used by themselves.

9. Proceedings for heresy often included charges of printing "detestable English books" beyond the sea, and of causing translations of foreign heretical books. (cf. L.P.IV.4260.) The King's proclamation against buying or receiving such books was issued in June 1530. (cf. L.P.IV.6487; printed in Wilkins' *Concilia* III.740.) More had been present in Council when such proclamations were advised. (cf. L.P.IV. 6402; Wilkins' *Concilia* III.727.)

11. Frith's residence on the Continent is a good example of the activity of these exiled heretics and their correspondence with those in England.

scolers may shortly write out copyes, but in theyr treatyses to put as much poyson in one wryten lefe, as they prented before in fyftene, as it well appereth in thys one wrytynge of thys yong mannes makyng, which hath, I here saye, lately made dyuerse other thynges, that yet ronne in huker moker so close amonge the brethern, that there cometh no copyes abrode. 20

And wold God for hys mercy that syth there can nothing refrayne theyr study from the deuyse and compassyng of euyll and vngracyouse wrytynge, that they coulde and wolde kepe it so secrete, that neuer man sholde se it, but suche as are all redy so farre corrupted, as neuer wold be cured of theyr canker. For lesse harme were it yf onely they that are all redy bymyred, were as the Scrypture sayth myred on more and more, thanne that they sholde caste theyr dyrt abrode vpon other folkes clene clothys. But alak thys wyll not be. For as saynte Poule sayth, the contagyon of heresye crepeth on lyke a canker. For as the canker corrupteth the body ferther and fe⟨r⟩ther, and turneth the hole partes into the same dedely sykenesse: so do these heretykes crepe forth among good symple soulys, and vnder a vayn hope of some hygh secrete lernynge, whych other men abrode eyther wyllyngly dyd kepe from them, or ellys coulde not teche theym, they dayly wyth suche abomynable bokes corrupte and destroye in corners very many before those wrytynges comme vnto lyght, tyll at the laste the smoke of that secrete fyre begynneth to reke oute at some corner, and somtyme the whole fyre so flameth oute at onys, that it burneth vp whole townes, and wasteth whole countrees, ere euer it can be maystred, and yet neuer after so well and clerely quenched, but that it lyeth lurkynge styll in some olde roten tymber vnder cellers and celynges, that yf it be not wel wayted on and marked, wyll not fayle at lengthe to fall on an open fyre agayne, as it hath fared in late yeres at mo places then one, bothe the tone fyre and the tother. And therfore I am bothe sure and sory to, that those other bokes as wel as this is now of thys yonge mannes, wyll ones come vnto lyght, and than shall it appere wherfore they be kept so close. How be it, a wors than this is, though the wordes be smoth and fayre, the deuyll, I trow, can not make. For herein he ronneth a great way beyond Luther, and techeth in few leuys shortely, all the poyson that Wyclyffe, Huyskyn, Tyndale, and Zuinglius haue

25 Apoca. 22. 30 2 Timo. 2. 35 40 45 50

28. Rev.22:11.
32. ii Tim.2:17.
53. cf. Ep.143, l.1354 note, at end.
54. John Wycliffe (c.1324-1384) as a Realist denied the Nominalist view that the bread in the Eucharist is annihilated, leaving "accidence without subject." He continued to use the term transubstantiation

55 taught in all theyr longe bokes before, concernynge the blessed sacrament of the aultare, affermyng it to be not onely very brede styll as Luther doth, but also as those other bestes do, saith it is nothyng els, and that there is neyther the blessed body of Cryst, nor his blode, but for a remembraunce of Crystes passyon onely
60 bare brede and wyne. And therin goth he so farre in conclusyon, that he sayth it is all one vnto vs in a maner whyther it be consecrated or vnconsecrated. And so that blessed sacrament that is and euer hath in all Christendom ben holden of all sacramentes the chyef, and nat onely a sacrament but the very selfe thynge also
65 whych other sacramentes bytoken, and wherof all other sacramentes take theyr effecte and strength: he maketh in maner (takyng the consecracyon so sleyghte and so lyght) no maner sacrament at all, wherein he runneth yet beyond Tyndale and all the heretykes that euer I remembre byfore.

70 And now the mater beyng of such a meruelouse wayght it is a great wonder to se vppon howe lyght and sleyghte occasyons he is fallen vnto these abominable heyghnouse heresyes.

For he denyeth nat nor can nat say nay, but that our sauyour sayed hym selfe. My flesh is veryly mete, and my blode is verily drynke. (Johan. 6.)

He denyeth nat also that Chryste hym selfe at hys laste sowper

---

for a time, but really taught a view similar to the Lutheran doctrine of consubstantiation. He believed in the Real Presence in the Sacrament, but more and more defined it as a spiritual presence. (cf. D.N.B. article and Workman, *John Wyclif*, 2 vols., esp. II, pp.30-45.)

Huyskyn (or Heussgen) is Œcolampadius. cf. Ep.143, l.58 note.

William Tyndale (c.1495-1536), educated at Magdalen Hall, Oxford, was B.A. 1512 and M.A. in 1515. He then resided at Cambridge until 1521. In order to carry on his work of translating the Bible into English, he was forced to reside on the Continent, often in considerable anxiety and danger, and ending in imprisonment by the Emperor, and martyrdom. He knew Frith from c.1523, and gave him constant encouragement in his scholarship and after his conviction for heresy in 1533.

Tyndale's view of the Eucharist seems to have been that of a simple commemorative service. He opposed the Roman doctrine of transubstantiation and the Lutheran doctrine of consubstantiation. He wrote to Frith, "Of the Presence of Christ's body in the Sacrament, meddle as little as you can, that there appear no division among us - - - - - I would have the right use preached, and the Presence to be an indifferent thing, till the matter might be reasoned in peace at leisure of both parties - - - -"

More and Tyndale had been engaged since 1529 in the most important controversy of the English Reformation. More appealed to the authority of the Church, Tyndale to the authority of Scripture, interpreted by individual judgment. (cf. article in D.N.B. and *Life* by Robert Demaus, edition revised by Richard Lovett; *Life* by J. F. Mozley.)

cf. Ep.143, l.1354 note.

58. Frith, in his reply to More, defends this position, concluding, "And therefore with the Scripture, nature, and Fathers, I will conclude that there remaineth the substaunce and nature of bread and wine." (*Workes*, p.117.)

62. "It is euer consecrated in hys harte that beleueth, though the priest consecrate it not." (*ibid.* p.153.)

75. John 6:55.

takyng the bred into hys blessed handes, after that he had blessed hit sayde vnto his disciples, 'Take you this and eate it, thys is my body that shalbe gyuen for you.' And in lykewyse gaue them the chalyce after hys blessynge and consecracyon, and sayde vnto them, 'Thys is the chalyce of my bloude of the newe testamente, whyche shalbe shedde out for many, do you thys in remembraunce of me.' Marci. 14. Luce. 22. 80

The yong man denyeth nat nor can deny, but that our Sauyour here hym selfe sayed that hit was hys owne body, and sayed that hit was hys owne bloude, and there ordeyned that it shulde be in remembraunce of hym contynually consecrated. So that he must nedes confesse, that all they whyche byleue that it is hys very body and hys very bloude in dede, haue the playne wordes of our Sauyour hym selfe vpon theyr syde, for the grounde and fundacyon of theyr fayth. 85 90

But now sayth thys yong man against all this, that our Sauyoure in other places of Scripture, called hym selfe a very vyne, and his dyscyples very braunchys. And he calleth hym selfe a dore also, nat for that he was eny of these thynges in dede, but for certayne proprietes for whyche he lykened hym selfe to those thynges. As a man for some propretees sayth of his neyghbours horse, thys horse is myn vppe and downe, mening that it is in euery thynge so lyke. And lyke as Jacob byelded an aultare, and called it the God of Israel, and as Jacob called the place where he wresteled wyth the angell the face of God, and that the pascall lambe was called the passing by of the Lorde, wyth infinite such other phrases as he saith natte for that they were so indede, but for certayne similitudes in the propretees: soo sayeth thys yonge man, that Cryste though he sayd by hys playne wordes, 'Thys is my body,' and 'thys is my blode,' yet for all that he ment not that it was his body and his blode in dede, no more than that he ment that hym selfe was a very dore or a very vine in dede, though for certeyne propertees he called hym selfe bothe. And he sayth that Cryst ment in lyke wyse here, not that it was or shold be his owne body and hys blode in dede, but that it shold be to them and vs as a remembraunce of hym in hys absence, as veryly as though it were his very body and his very blode in dede, as the pascall lambe was a token and a remembraunce of the passynge by of the Lord, and as a Johan. 15. Johan. 10. 95 Gene. 35. 100 105 110

77. Mark 14:22.
79. Luke 22:19.
82. Luke 22:20.
92. John 15:1ff.
93. John 10:1-10.
98. Gen. 35:15; Bethel means House of God.
100. Gen.15:30.
101. Gen.12:11.

brydegrome gyueth his bryde a rynge yf he happe to go into a
115 farre countre from her, for a remembraunce of hym in his absence, and as a sure sygne that he wyll kepe her hys faythe and not breke her hys promyse.

In good fayth it greueth me very sore, to se thys yonge man so cyrcumuented and begyled by certayn olde lymmes of the deuyll,
120 as we nowe se that he is, when he is fayne for the defence of thys errour, to flyt in conclusyon fro the fayth of playne and open Scrypture and so farre falle to the newe fangled fantasyes of folysshe heretykes, that he wyll for the allegorye dystroye the trewe sense of the letter, in mayntenaunce of a newe false secte, agaynste
125 the hole trew catholyke fayth so fully confyrmed and contynued in Crystes whole Catholyke Chyrche thys xv. C. yere togyder. For these dregges hath he dronken of Wyclyffe and Ecolampadius, Tindale and Zuinglius, and so hath he all that he argueth here besyde; whiche iiii what maner folke they be, is metely well per-
130 ceyued and knowen, and God hath in parte with his open vengeaunce declared. And euer hath God and euer wyll, by some waye declare his wrathe and indygnacyon agaynst as many as fall into such damnable opynyons agaynst the blessed body and blode of hys onely begotten Sonne. From whych perylous opinyon and
135 all his other errours, the great mercy of our swet Sauiour call home agayne, and saue thys yonge man in tyme.

As for hys allegoryes I am not offended wyth, nor wyth symylytudes neyther where they may haue place, though he take one of his neighbours hors as he doth, and another yf he lyste of hys owne
140 cow. Prouyded alwaye for a thyng whyche he lyste to call lyke, he mysconstrue not the Scrypture, and take awaye the very thynge in dede as he doth here.

Now his ensample also of hys brydegromys ryng, I very well allow. For I take the blessed sacrament to be lefte wyth vs for a
145 very token and a memoryall of Cryst in dede. But I saye that whole substaunce of the same token and memoreall, is hys owne blessed body, where as thys man wolde make it onely brede.

And so I say that Cryst hath left vs a better token than this man wolde haue vs take it fore, and therin fareth lyke a man to whom
150 a brydegrome had delyuered a goodly gold rynge with a ryche

---

131. A reference to Zwingli's death at the Battle of Kappel, 10 October 1531, when serving as chaplain to the Zürich troops. Frith defends Zwingli (*Workes*, p. 118), "And if hys mastership meane, that that was the vengeaunce of God, and declared hym to be an euill person because he was slaine: I may say nay, and shew euident examples to the contrary, for sometyme God geueth the victorye agaynst them that haue most righteous cause." cf. Ep.189, ll.8-9.

ruby therin, to deliuer ouer to his bryde for a token, and than he wold lyke a false shrew, kepe away that gold rynge, and gyue the bryde in the stede therof a proper rynge of a rysshe, and tell her that the brydegrome wold sende her no better, or els lyke one that whan the brydegrome had gyuen suche a gold rynge to hys bryde for a token, wold tell her playne and make her byleue that the ryng were but coper or brasse, to mynysshe the brydegromys thanke. 155

If he sayed that the wordes of Cryste myghte besyde the lytterall sense be vnderstanden in an allegorye, I wolde well agree wyth hym. For so maye euery worde almoste thorowe the whole Scrypture, callynge an allegorye euery sense, wherby the wordes be translated vnto some other spyrytuall vnderstandyng, bysyde the trewe playne open sense that the letter fyrste entended. But on the other syde bycause that in some wordes of Scrypture is there none other thynge entended but an allegorye, to go therfore and in another place of Scrypture to take a waye wyth an allegorye, the very trew lytterall sense as he doth here, thys is the faute that we fynde in hym, whyche yf it maye be suffered, muste nedes make all the Scrypture as towchyng any poynt of our fayth, of none effecte or force at all. I meruayle me therfore mych that he is not aferde to afferme that these wordes of Cryste, of hys body and hys blode, must nedes be vnderstanden onely by waye of a symylytude or an allegorye as the wordes be of the vyne and the dore. 160 165 170

Now thys he woteth well, that though som wordes spoken by the mouth of Chryste wrytten in Scripture, be to be vnderstanden onely by waye of a similitude or an allegory: it foloweth nat therupon that of necessite euery lyke worde of Christ in other places was none other but an allegory. 175

For suche kynde of sophisticacion in arguyng, was the very cauillacion and shyfte that the wykked Arrians vsed, whych lyke as thys yong man taketh away now fro the blessed sacrament the very body and blood of Christ, by expounynge hys playne wordes wyth an allegory vnder colour of some other places where such allegoryes muste nedes haue place, and were none otherwese ment: so dyd they take from Christes blessed person hys omnipotent Godhed, and wolde nat graunt hym to be equale wyth almyghty God hys father, but the playne textes of Scrypture whyche proued hys Godhed, they expouned wronge and frowardly, nat onely by some other textes that semede to say otherwyse, but also as thys 180 185 190

153. a rush.

yonge man doth here by some allegories, affermyng that he was called God and the sonne of God in Holy Scrypture, by suche maner of speking, or as thys yonge man calleth it, by suche a maner of phrase as the Scrypture for som propertie calleth certayne other 195 persones goddes and goddes sonnes in other places. As where God sayth to Moyses, I shall make the⟨e⟩ the god of Pharao. And where he saith, thou shalt nat bakbyte the goddes.

Exodi. 22.

Psal. 81.

And where he sayeth, I saye you be goddes and the sonnes of the hygh God be you all.

200 And thus agaynste that that Cryst was God and the Sonne of God, such cauyllacions these Arrians layed in expownyng the playne places wyth false allegoryes, resemblyng them to other places in whych lyke allegoryes muste nedes haue place, as thys yonge man by the necessary allegoryes of Crystes wordes, vsed in 205 the vyne and in the dore, wolde in lyke wyse wyth lyke cauyllacyons as the Arryans vsed agaynste Crystes Godhed, pull away the trewe lytterall sense of Crystes wordes concernyng the trouth of hys very body and blode in the blessed sacrament.

And surely yf this maner of handelynge of Scrypture may be 210 receyued and broughte in vre, that bycause of allegoryes vsed in some places euery man maye at hys pleasure draw euery place to an allegorye, and say the letter meneth no thynge ellys, there is not any texte in all the Scrypture, but a wylfull person may fynde other textes agaynst it, that maye serue hym to tryfle out the 215 trouth of Goddes wordes, wyth cauillacyons grounded vppon Goddes other wordes, in some other place, wherin yf he maye be herde as longe as he lyst to talke be it but a woman: yet shall she fynd chatte inough for all an hole yere. And so dyd those old Arrians, of whome God forbede that thys yong man shulde folowe 220 that euyll ensample.

If euery man that can fynd out a new fonde fantasye vpon a texte of Holy Scrypture, may haue hys owne mynd taken, and hys owne exposition byleued, agaynste the exposicions of the old holy cunnyng doctours and payntes; than may ye surely se that 225 none article of the Christen fayth can stand and endure long. For as holy saynte Hierom sayth of hym selfe, if the exposition of other interpretours and the consente of the commune Catholyque Church, were of no more strenghte, but that euery new man myght

Hierony. aduersus Luciferianos.

200. that the Cryst *E.W.*

196. Exod.7:1.
197. Exod.22:28.
199. Ps.82:6.
210. vre] *obs.*—use.
226. Jerome, Aduersus Luciferianos.

be byleued that coulde bryng som textes of Scrypture for hym expouned as it pleased hym selfe, than could I, sayth thys holy 230 man, brynge vp a new secte also, and saye by Scripture that no man were a trew Christen man nor a membre of the Church that kepeth two cotes. And in good fayth if that way were allowed, I were able my selfe to fynd out fyften newe sectes in one fore none, that shulde haue as moche probable holde of Scripture as 235 thys heresy hathe. Agaynste which, beside the comon fayth of all Catholyque Christen regyons, the expositions of the old holy doctours and saintes be clere agaynste thys yonge mannes mynd in thys mater, as whole as agaynst any heresy that euer was hytherto herd of. For as for the wordes of Chryst of whyche we speke 240 touchyng the blessed sacrament, though he may fynd som olde holy men that byside the lytterall sence doth expoune them in an allegory, yet shall he neuer fynde any of them that dyd as he doth now after Wicliffe, Ecolampadius, Tyndale, and Zuynglius, deny the lytterall sence, and say that Chryst ment nat that it was 245 his very body and hys very bloude in dede, but the olde holy doctours and exposytours byside all suche allegories, do playnly declare and expoune, that in those wordes our Sauyour as he expressely spake, so dyd also well and playnely mene, that the thing whyche he there gaue to hys dysciples in the sacramente, were in 250 very dede hys very flesh and bloud. And so dyd neuer any of the olde exposytours of Scripture expowne any of those other places in whych Christ is called a vyne or a dore. And therfore it appereth well, that the maner of spekyng was nat lyke. For if it had, than wolde nat the olde exposytours haue vsed suche so far vnlyke 255 fashyon in the expounyng of them.

And ouer thys, the very circumstances of the places in the Gospell, in which our Sauiour speketh of that sacrament, may well make open the difference of hys speche in thys mater and of all those other, and that as he spake all those but in an allegory, 260 so spake he thys playnly menyng that he spake of hys very body and his very bloud besyde all allegories. For neyther whanne oure Lorde sayed he was a very vyne, nor whanne he sayde he was the dore, there was none that herde hym that any thynge merueyled therof. And why? for bycause they perceyued well that he ment 265 not that he was a materyall vyne in dede, nor a materyall dore neyther. But whan he sayed that hys flesshe was very mete, and hys blood was very drynke, and that they sholde not be saued but yf they dyd eate hys flesh and drynke hys blood, than were they

233. if the way *E.W.*

270 all in suche a wonder therof, that they coulde not abyde. And wherfore? but bycause they perceyued well by his wordes and his maner of cyrcumstances vsed in the spekynge of them, that Cryst spake of hys very flesshe and his very blood in dede. For ellys the straungenesse of the wordes wold haue made them to haue taken 275 it as well for an allegorye, as eyther hys wordes of the vyne or of the dore. And than wold they haue no more merueyled at the tone than they dyd at the tother. But nowe where as at the vyne and the dore they merueiled nothing, yet at the eatyng of his flesshe and drynkynge of hys blood, they so sore merueyled, and 280 were so sore moued, and thought the mater so harde, and the wonder so greate, that they asked, how coulde that be, and went almoste all theyr waye, wherby we maye well se, that he spake these wordes in suche wyse, as the herers perceyued that he ment it not in a parable nor an allegory, but spake of hys very flesshe 285 and hys very blood in dede.

Many other playne proues myghte a man gather vppon the cyrcumstances of the very textes, where this thyng is spoken of in the Scrypture, but that it is not my purpose now to stycke in argumente of thys mater, that is of it self so clere out of all questyon, 290 but onely a lytle to towche it, that ye may se how lytle pyth and substaunce for hys mater is in all those ensamples of allegorye, whyche Wyclyffe, Ecolampadius, Tyndale, and Suinglius haue brought out agaynst the blessed sacrament, and wherwith those old shrewes haue wyth theyr false symylytudes pytuously deceyued, 295 eyther the symplycyte or the lyghtnesse of thys sely yonge man, whych myght yf he had not eyther of lyghtnesse ouer ronne hym selfe, or of symplenes ben deceyued, or of pryde and hygh mynde in puttynge forth heresyes wyllyngly begyled and blynded, easely haue perceyued hym selfe, that the mo suche allegoryes that he 300 founde in the Scrypture in lyke maner of phrases or speche, the wurse is his parte, and the more clere is it that these places spekyng of the blessed sacrament, were playnely ment as they were spoken, besyde all suche allegoryes. For ellys hadde neuer bothe the herers at the tyme, and the exposytours synnes and all Chrysten people 305 besyde thys xv. C. yere, taken onely in thys one mater the playne literall sense beyng so straunge and meruelouse that it myghte seme impossyble, and declyne from the letter for allegoryes in all suche other thynges, beynge as he sayth and as in dede they be, so many farre in nomber moo.

310 How be it as for this poynt that an allegory vsed in some place, is not a cause suffycyent to make men leue the proper sygnyfyca-

cyons of Goddes worde in euery other place, and seke an allegorye and forsake the playne comon sense and vnderstandynge of the letter, thys perceyued the yonge man well inough hym selfe. For he confesseth that he wolde not so do saue for necessyte, bycause 315 he seeth as he sayth that the comon lyterall sense is impossyble. For the thynge he sayth that is ment therby, can not be trewe, that is to wytte that the very body of Chryste can not be in the sacrament, bycause the sacrament is in many dyuers places at onys, and was at the Maundy, that is to wytte in the handes of Chryste 320 and in euery of hys apostels mouthes, and at that tyme it was not glorifyed.

And than he sayth that Chrystes body not beynge gloryfyed, coulde no more be in two places at onys, than hys own can. And yet he goth after forther, and sayth that no more it can neyther 325 when it is gloryfyed to. And that he proueth by the sayeng of Saint Austayn, whose wordes be as he sayth, that the body wyth whyche Chryste rose, muste be in one place, and that it contynueth in heuen, and shall do tyll he shall come to iudge bothe quycke and dede. And yet at the laste he proueth that the body of Chryste 330 can not be in many places at onys. For yf it myghte be in many places at onys, than it myght, he sayth, be in all places at onys. But in all places at onys he sayth it can not be, and therof he concludeth that it can not be in many places at onys. And thus for thys impossybylyte of the thynge that ryseth vppon the comon 335 lytterall sense of Chrystes wordes, he is, he sayeth, of necessyte dreuen to fall from it vnto some allegorye, whyche he confesseth that he wolde not do, yf the playne lyterall sense were possyble.

But alas for the dere mercy of God, yf we sholde leue the letter and seke an allegorye wyth the destruccyon of the lytterall sense, 340 in euery place where we fynde a thynge that reason can not reche vnto, nor se whyche waye it were possyble, and therfore wolde take it for impossyble: fayne wolde I wytte what one artycle of all our fayth thys yonge man coulde assygne me spoken of in the Scrypture, from whyche hys reason shall not dreue a way the 345 strength of hys profe in makynge hym leue the lytterall sense, wherin hys profe sholde stande and sende hym to seke an allegory

---

327. Frith (*Workes* p.137) says that he had quoted Augustine's *De consecratione*, but in the Tower does not have the "bookes to looke for it."

Aug. *Sermo* 272 has the passage: - - Ibi est modo sedens ad dexteram Patris: quomodo est panis corpus eius? et calix, vel quod habet calix, quomodo est sanguis eius? Ista, fratres, ideo dicuntur sacramenta, quia in eis aliud videtur, aliud intelligitur. Quod videtur, speciem habet corporalem, quod intelligitur, fructum habet spiritualem - - - - -

that maye stande wyth reason and dreue awaye the fayth, where he shold byleue the leter and make his reason obedyent vnto fayth.
350 I meruayle me very mych why the consyderacyon of this impossybylyte, sholde of necessyte dreue this yonge man from the playn open lytterall sense of Chrystes wordes spoken of the blessed sacrament, syth so many good and holy men so longe to gyther thys xv. C. yere, haue byleued the lyterall sense well and fermely, and
355 coulde not be dreuen from it for any suche consyderacyon of suche impossybylyte, and yet beyng as naturall men, as wyse men, as well lerned men, as studyouse in the mater, and men of more age, and more sure, sadde and substancyall iudgement, than thys yonge man is yet, and men at the leste as lykely to se what were
360 possyble and what were impossyble as this good yonge man is. And therfore as for all his reasons grounded vpon impossybylyte, syth I may be bolde to thynke as all those olde holy men haue thought, and as all wyse men I wene yet thynke, that no thynge is impossyble to God: I esteme all those reasons very lytle worth.
365 How be it one thynge he bryngeth in by the waye, that I wolde he hadde shewed in what place we myghte fynde it, that is to wytte the sayeng of Saynt Austayn. For why to seke out one lyne in all hys bokes, were to go loke a nedle in a medew. But surely yf we maye se the place where the yonge man found it, we shall
370 I dowte not make a clere answere to it. And yet euyn as hym selfe hath rehersed it, the sayenge maketh nothynge for the profe of hys purpose. For Saynt Austayne sayth no more but that the body in whyche Chryste arose, muste be in one place, and that it contynueth in heuen, and shall do tyll the daye of dome. As helpe
375 me God excepte thys yonge man in these wordes of Saynt Austayn se forther with his yonge syghte, than I can see wyth myn olde eyen and my spectacles, I merueyle me myche that euer he wolde for his purpose onys brynge them in. For whan Saynt Austayne sayth that the body in whyche Chryst arose, muste nedes be in one
380 place, he myghte mene by those wordes for any thynge that here appereth to the contrary, not that hys body myghte not be in two diuers places at onys, but that it muste be in one place, that is to saye in some place one or other, or that he muste haue one place for hys specyall place, and that place must be heuen, as we say
385 God must be in heuen, and angels muste be in heuen. He speketh no thynge of the sacrament, nor sayth not hys body wyth whyche

362. olde *om. E.W.* 368. medow *E.W.* 371. that sayenge *E.W.*

---

367. cf. note to l.327.

he rose must nedes be so in one place, that it can by no possibilite be in ony mo.

Also thys worde (muste) whyche is in the Laten tonge called *oportet,* whych word Saint Austayne here vseth as thys yong man reherseth hym, doth not alwaye sygnyfye suche a necessyte, as excludeth all possybylyte of the contrary. For our Sauyour sayde hym selfe to the two discyples, *Nonne haec oportuit pati Christum, et ita intrare in gloriam suam?* was it not so that Chryste muste dye, and so entre into hys glorye? And yet hym selfe sayde also, that he myghte for all that haue chosen whyther he wolde haue dyed or no. For hym self sayth that to departe with his soule and to take hys soule agayn, bothe twayne were thynges put in hys owne power. And the prophete Esay sayeth of hym, He was offered vppe bycause he so wolde hym selfe. And therfore thys Latyn word *oportet,* whyche Saynt Austayn hath in that place, is many tymes in the Latyn tonge taken not for full and precyse necessyte, but for expedyent and conuenyent. And therfore it is translated also into Englysshe, not onely by thys worde (muste) whyche yet sygnyfyeth not alwaye an impossybylyte of the contrary, but often tymes by thys worde (it behoueth) whiche worde sygnyfyeth that it is to be done for our behofe and commodyte, and not that it can in no wyse be auoyded but that it must nedes be. And therfore syth all that dreueth this yonge man from the lytteral sense, is as he sayth the impossybylyte of Chrystes body to be at onys in dyuers places, and proueth that thynge impossyble by the wordes of Saint Austayne, that sayth no more but that it muste be in one place, and sayth not that it maye be in no mo but one, nor speketh not of any such necessyte wherof he putteth the contrary for impossyble, nor speketh no worde at all there of the sacramente; syth Saynte Austayne I saye sayth no forther than thys, I meruayle mych in myne hart, what thynge thys yonge man seeth in hys wordes, worthy the bryngynge in for any profe of hys purpose.

And that ye may the more clerely se that Saynt Austayne speketh here of no necessyte, he not onely sayth that the body of Chryst wyth whych he rose must be in one place, but also he determineth that one place in whyche he muste be, yf thys yonge man reherse hym ryght, that is to saye in heuyn, there to contynue styll vnto the day of dome.

But now I trow thys yong man thynketh not, that Saynt Austayne for all hys determynynge that Chrystes body in whyche he

390 | Luce. 24. | 395 | Johan. 10. | Esaie. 53. | 400 | 405 | 410 | 415 | 420 | 425

394. Luke 24:26.
397. John 10:18.
399. Isaiah 53:11.

rose muste be styll in the one place, that is to wytte in heuyn vntill the day of dome, he meneth for all that that it is so faste bounden to abyde onely there, but that he maye whan it pleaseth
430 hym in the self same body, be byneth here in erth an hundreth tymes before the daye of dome. And good storyes are there, testy-fyenge that he so hath bene dyuerse tymes ere thys, synnys the tyme of hys ascensyon.

And therfore thys yong man may perceyue playnely, that Saynt
435 Austayne in those wordes, thowgh he say that Chrystes body wyth whych he rose muste be in one place, that ys to wyt in heuyn, yet he mente no suche precyse necessyte as sholde dreue thys yonge man from the lytterall sense of Crystes wordes vnto the allegory. He ment not by thys worde, it muste be in one place, that is to
440 saye in heuen, that it muste so be in that one place tyll domes daye, that it myghte in the meane whyle be in none other besyde, and that it muste be so of an immutable necessyte by no powre chaungeable, wherof the contrary were by no power possyble. And therfore as for these wordes of Saint Austayne to thys purpose
445 here, I meruayle mych in good faith, but yf he shewe more here-after, that euer thys yonge man wolde speke of them.

Now as for hys naturall reasons be not worth the reasonynge. For fyrste that the body of Chryste vngloryfyed coulde no more be in two places at onys thanne hys awne can, bycause he is a
450 naturall body as Christes was, and Christes body a naturall body as his is; I wyll not examyne any comparysons bytwene theyr two bodyes. But yf Chryste wolde telle me that he wolde make eche of bothe theyr bodyes too be in fyftene places at ones, I wolde byleue hym I, that he were able to make hys worde trewe in the
455 bodyes of bothe twayne, and neuer wolde I soo myche as aske hym whyther he wolde gloryfye them bothe fyrste or not. But I am sure gloryfyed or vngloryfyed, yf he sayde it he is able to do it. Whan our Sauyour sayde, that it was as possible for a camel or a great cable rope to entre thorowe a nedles eye, as for a ryche
460 man to entre into the kyngdome of heuen, and after tolde hys apos-tles that though those two thinges were both impossyble to men, yet all thyng was possyble to God: I thynke that he ment that neyther the sample nor the mater was to God impossyble. Now syth than at the lest wyse that it is not impossyble for hym to
465 conuaye the camel or the cable rope thorowe the nedels eye, what

459. More refers to the variants in the reading of Matt.19:24: κάμηλος and κάμιλος. The Latin Vulgate translates the former.

shall me nede to study now whyther he can brynge them thorow such as they be, or ellys muste of fyne force be fayne to gloryfye the camel or the cable fyrste, as thys yong man sayth of hys body that it were impossyble for God to brynge aboute to haue it in two places at onys suche as it is now, bycause it is yet somwhat 470 groce and vngloryfyed, and than by the comparyson of his owne, he argueth the lyke of the blessed body of Chryst, beyng lyke his at his Maundye no more gloryfyed than he. But I say yet agayn of theyr bodyes both twayne, yf he sayed that he wold do it, I wold not dowt but he could do it. And yf he coulde not do it 475 but yf he glorified them fyrst, than were I sure that he wold gloryfye them both. And therfore yf it were trewe, that he coulde not make hys owne body to be in two places at ones at Maundy, but yf it were than gloryfyed, than syth I am sure that he there dyde it, I am therby sure also that he than for the tyme glorifyed 480 it. For that thynge was in hys owne power to do as ofte as he wolde, as well before hys deth as at hys resurreccyon, and yet to kepe hys gloryfycacion from perceyuynge, as he dyd from his two dyscyples, whyche for all his gloryfyed body toke hym but for a pylgryme. And therefore as I saye, yf Chryste sayd vnto me that he 485 wolde make bothe hys body and this yong mannes to, ech of them to be in a thousande places at ones, I wolde putte no dowte therin, but that by some maner meanes he were able inough to do it.

But here wolde thys yong man peraduenture saye, ye say very well yf God so sayed, and by hys so sayenge so mente in dede. 490 But ye wote wel I deny that he so mente though he so sayed. For I saye that in so sayenge he ment but by an allegorye, as he dyd whanne he called hym selfe a vyne and a dore. But nowe muste this yonge man consyder agayne, that hym self confesseth that the cause for which hym self saith that Chryste in so sayeng dyd 495 not so mene, is bycause that if he shold haue ment so, it was impossyble for God to brynge hys menynge aboute, that is to saye that Crystes body myght be in two places at onys. And therfore but yf he proue that thynge impossyble for God to do, ellys he confesseth that God not onely sayd it, but also ment it in dede. 500

And yet ouer this, yf Cryst had neuer sayde it, yet dowte I no thing but that he is able to do it, or els were there somwhat that he coulde not do, and than were God not almyghty.

Nowe yf thys yonge man wyll saye that to make one body to be in two places, dothe imply repugnaunce, and that God can do no 505 suche thynge: I dare be bolde to tell hym agayne, that many

473. than he] than his *E.W.* 492. so so sayenge *E.W.*

thynges maye seme repugnant both to hym and me, whyche thynges God seeth how to make them stande to gyther well inough.

510 Suche blynde reasons of repugnaunce induceth many men in to greate errour, some ascrybynge all thynge to destyny wythout any power of mannys free wyll at all, and some gyuynge all to mannes owne wyll, and no forsyghte at all vnto the prouydence of God, and all bycause the pore blynde reason of man can not se so farre, 515 as to perceyue how Goddes prescyence and mannes free wyll can stande and agre togyther, but seme to them clerely repugnant.

And surely yf the semyng of oure owne feble reason, may dreue vs onys to thynke that one man to be at onys in two places, is a thynge so harde and so repugnaunt, and therfore so impossyble 520 that God hymselfe can neuer brynge it aboute, the deuyll wyll within a whyle set vs vppon suche a truste vnto our owne reason, that he wyll make vs take it for a thynge repugnaunt and impossyble, that euer one God sholde be thre persons.

I wote well that many good folke haue vsed in thys mater many 525 good frutefull examples of Goddes other workys, not onely myracles wryten in Scrypture, but also done by the comon course of nature here in erthe, and some thynges made also by mannes hand, as one face beholden in dyuers glassys, and in euery pyece of one glasse broken in to twenty, and the meruayle of the makynge of 530 the glasse it selfe suche mater as it is made of, and of one worde comynge whole to an hundred eares at onys, and the syghte of one lytle eye present and beholdyng an whole greate countrey at onys, with a thousande suche other meruayles mo, such as those that se them dayly done and therfore meruayle not at them, shall yet neuer 535 be able, no not thys yonge man hym selfe, to gyue suche reason by what meane they may be done, but that he maye haue suche repugnaunce layde agaynst it, that he shall be fayne in conclusyon for the chyefe and the moste euydent reason to saye, that the cause of all those thynges is bycause God that hath caused theym so to 540 be done is almyghty of hym selfe and can do what hym lyste. And also I can not se why it shulde be more repugnaunt that one body maye be by the power of God in two places at onys, than that two bodyes may be to gether in one place at onys. And that poynt I thynke thys yonge man denyeth not. And I verily thynke 545 there is vnto mannes reason neyther more semblaunce of difficulty nor of repugnaunce, neyther in the beynge of one body be it neuer so groce and vnglorified in twenty dyuers places at onys, than in the makyng of all that whole world, in whyche all the bodyes both gloryfyed and vngloryfyed haue all theyr romys and places, to make, I saye, all that hole world of ryght nought. 550 Whyche artycle of oure fayth we shall fynde folke wythin a whyle not greately force to denye, yf men fall to this poynt, that for impossibylytees of nature, they thynke the thynges impossyble also to God that is the mayster and the maker of nature, and that they wyll vppon that ymagynacyon do as thys yong man doth, flee 555 fro the lytterall sense of the Scripture, and seke some allegorye in the stede, and saye they be dreuen therto by necessyte, by cause of the impossybylyte of the mater. For thus shall as ye maye wel se, by thys meanes none artycle of oure faythe stande.

Now hys laste argument wyth whych he proueth it impossyble 560 for one body of Cryst to be in two places at onys is thys. You can, sayeth he, shewe no reason, why he sholde be in many places at onys and not in all. But in all places he can not be, wherfore we muste conclude that he can not be in many places at onys. Thys is a meruelous concluded argument. I am sure a very chylde 565 maye sone se that thys consequent can neuer folowe vpon those twoo premysses of hys antecedent. For he can no forther conclude vpon them, but that we can shewe no reason why he sholde be in many places at onys. Now yf I sholde graunte hym that no man could shewe a reason why he shulde be in many places at onys, 570 what had he wonne by that? myght he then conclude there vpon that he could not be in many places at onys, as though that it were not possyble for God to make hys body in two places at onys, but if we were able to tell how, and why, and wherby, and shewe the reason? Now in thys argument he begynneth wyth (sholde) in 575 the maior, and than in the minor and the conclusyon turneth into (can) and so varyeth his extremytes, that the argument can neuer be good yf it were but for that. If he wolde enduce the conclusyon whych he concludeth here, he must [haue] rather haue argued thus. If it myghte be in many places at ones, than myghte it be 580 in all places at onys. But in all places at onys it can not be, and therfore it can not be in many places at ones. Thus or in some suche maner must he argue, yf he wyll awghte proue. But here nowe bothe the partys of hys antecedent be very weke. The fyrste is thys, that yf the body of oure Sauyoure maye be in many places at 585 onys, it may be in all places at onys. Though I wold graunt thys causale proposycyon for the trouth of the second part, yet wolde I denye it hym for the forme. For though I graunt it to be trewe, yet the fyrst parte is not the profe of the second, but rather contrary

579. must rather haue *E.W.*

590 wyse the seconde inferreth well the fyrst. For the reason is good: he may be in all places, ergo he maye be in many. But argue the contrary wyse as thys yong man argueth, and than is the forme very faynt. For this hath lytle strength: he maye be in many places, ergo he may be in all, many men ronne, ergo all men ronne,
595 men ronne in many places, ergo men ronne in all places, but yf the mater maynteyne the argument, eyther by the possybylyte of the antecedent or by the necessyte of the consequent, as one man is a stone, ergo all men be stones, one man is a lyuyng creature, ergo all men be lyuyng creaturs. But let thys fyrst proposycyon
600 passe and come now to the seconde, vppon whych all hys argument hangeth, that is, that the body of Chryste can not be at onys in all places. Thys he sayeth, but how dothe he proue it? If he wyll byd me proue the affyrmatyue, I maye answere that I nede not, for it is not the thynge that we haue in hande. For we do not
605 saye that he is in all places, for the sacrament is not at onys in all places. And we be not bounde for thys mater to go any forther, and the poynte for so far I proue by the gospell that sayth it is so. And therfore thys yonge man that sayeth it can not be, lette hym proue that it may not be. For yf it may be, he than confesseth that
610 the wordes of Cryst do proue that it must be. But bycause it can not be, sayth he, therfore he is dreuen to construe these wordes by ani allegorye. And now that it can not be in many places, he proueth by that that he can not be in all places, and therfore muste he proue that, or ellys gyue ouer thargement.

615 How be it as for me though I be not bounden to it, I am content yet to proue that God maye make the body of Cryst to be in all places at onys.

And bycause thys yonge man coupleth the proposycyon with the tother, so wyll I do, to. And I proue therfore that God can
620 make hys body be bothe in many places at onys, and in all places at onys, by that that he is almyghty, and therfore can do all thynge. And nowe muste thys yong man tell vs eyther that thys is nothynge, or els denye that God can do all thynge. And than muste he lymyte Goddes power howe farre he wyll giue God leue to stretch
625 it. But whan this yong man shal come to that poynt, euery wyse man wyll, I wene, suppose and thynke in them self that this yonge man hath yet in hys youth gone to lytell whyle to scole, to knowe all that God can do, but yf he brynge good wytnesse that he hath lerned vppe the vttermoste of all Goddes connyng, which thyng

607. and that poynte *E.W.* 612. ani] an *E.W.* 618. the] that *E.W.* 619. to] too *E.W.*

the apostle Poule for all that he was rauysshed vp into the thyrde heuyn, rekened yet so farre aboue hys reche, that he cryed out, 'Oh the altytude of the rychesse of the wysdome and the connynge of God.' 630 Roma. 10.

But yet thys yonge man goeth about to proue that poynt by Scrypture. For excepte we graunte hym that poynt to be trewe, he sayeth that ellys we make the angell a lyar, that sayd he is not here, and also that ellys we make as though Cristes body in hys ascencyon dyd not go vp in the cloude in to heuen from the erth, but onely hyd hym selfe in the clowde, and played bo pepe and taryed byneth styll. 635 640

I am in good fayth sory to se thys yong man presume so farre vpon his wytte, so soone ere it be full rype. For surely suche lykynge of theym selfe maketh many wyttes waxe roten ere they waxe rype. And veryly if it do decreace and go bakwarde in thys fasshyon, it maye not last longe. For euen here in the ende he forgetteth hym selfe so fowle, that whan he was a yonge sophyster he wolde, I dare saye, haue bene full sore ashamed so to haue oversene hym selfe at Oxforde at a peruise. For ye wote well that thynge whiche he sayth and whiche he muste therfore proue, is that the body of Chryste can not be in euery place at onys, by no meane that God coulde make. And the textes that he bryngeth in for the profe, saye no ferther but that he was not in all places at onys, and saye not that by no possyble power of his Godhed it coulde not be in euery place at onys. And therfore thys poynt is as ye se well of thys yong man very yongely handeled. And therfore ought euery man abhorre as a playne pestylence, all suche vnreasonable reasons made for nature by more then naturall folys, agaynst the possybylyte of Goddes almyghty power. For we maye knowe it veryly, that agaynste these folyes hath specyally a place the good gostely counsayle of Saynte Poule, where he warneth vs and sayth, Beware that no man begyle you by vayne phylosophy. 645 650 655 660 Collo. 2.

God forbede that any man sholde be the more prone and redy to beleue this yong man in thys great mater, bycause he sayth in the begynnynge that he wyll brynge all men to a concorde and a quyetenesse of conscyence. For he bryngeth men to the wurste kynde of quyetnesse that can be deuised, whan he telleth vs as he dothe, that euery man may in thys mater wythout parell byleue whych waye he lyst. Euery man may in euery mater 665

633. Rom.11:33.
648. Academic disputation.
662. Col.2:8.

670 wythout any counsayle of his, soone set hym selfe at reste, yf he lyste to take that waye to byleue as he lyst hym selfe and care not how.

But and yf that way had ben sure, Saynt Poule wold neuer haue shewed that many were in parell of sykenes and deth to, 675 for lacke of dyscernyng reuerently the body of our Lorde in that sacrament, whan they came to receyue hym.

And agaynst thys doctryne of thys yonge brother, is the playne doctryne of the olde holy Fathers interpretours of the Scrypture. And what fasshyon is thys to saye that we maye byleue yf we 680 lyste that there is the very body of our Lorde in dede, and than to tell vs for a trouth that suche a faith is impossible to be trew, for God hym selfe can neuer brynge it aboute to make hys body be there.

I am very sure that the olde holy Doctours whyche byleued 685 Crystes body and his blood to be there, and so taughte other to byleue, as by theyr bokes playnely doth appere, yf they hadde thoughte eyther that it coulde not be there, or that it was not there in dede, they wolde not for all the good in thys worlde haue wryten as they haue done. For wolde those holy men, 690 wene you, haue taught that men be bounden to byleue that the very body and blood of Chryste is there, yf them selfe thought they were not bounden therto? Or wold they make men honoure and worshyppe that thynge as the very body and blood of Cryst, whyche theym selfe thoughte were not it? Thys gere is 695 to chyldysh to speke of.

Yet one greate pleasure he doth vs, in that he putteth vs all at lybertye, that we maye wythout perell of dampnacyon byleue as we byleued before, that is to wytte that in the blessed sacrament the whole substaunce of the brede and the wyne is trans- 700 muted and chaunged into the very body and bloode of Chryste. For yf we may without perell of dampnacyon byleue thus as hymselfe graunteth that we may, than graunteth he that we maye also without any perell of damnacyon byleue that hym selfe lyeth, where he sayth the trouth of that belyefe is impos- 705 syble.

And therfore I shall therin conclude wyth hym, as oure souerayne lorde the Kynges Hyghnes in his most famouse boke of Assercyon of the Sacrament concludeth in one place agaynste Luther, whyche in hys Babilonica confessed that though men in

709. *De Captivitate Babylonica.*

the sacrament of the aulter byleued after the comon fayth as 710
they dyd before, there was no perell therin. Well than sayd the
Kynges Grace, ye do your selfe graunte that in our bylief is
no perell. But all the chyrche byleueth that in your waye is
vndowted dampnacyon. And therfore yf ye wyll as wysdome
wolde ye sholde, dele surely for your selfe, ye shold rather leue 715
your vnsure way whych ye byleue, and come your selfe and
counsayle all other whom ye wold dyd well, to byleue as we do.
Lo thys reason of the Kynges Grace clerely concludeth thys
yonge man vppon hys owne confessyon, and playnely proueth
that excepte he leue hys bylyefe whyche all good Chrysten folke 720
holde for dampnable, and come home agayne to hys olde fayth
the comon fayth of all the Chyrch, in whych as hym selfe
agreeth there is no perell, I wyll not for courtesye saye he is
starke madde, but surely I wyll say that for his owne soule,
the yong man playeth a very yonge wanton pageaunt. 725

Now where as for an other quyetenes of euery mannes conscyence, thys yonge man byddeth euery man be bolde, and
whyther the blessed sacrament be consecrate or vnconsecrate
(for though he moste specially speketh for the wyne yet he
speketh it of bothe) and byddeth care not but take it for all 730
that vnblessed as it is, bycause the preste, he saith, can not deceyue vs nor take from vs the profyte of Goddess institucyon,
whyther he altre the wordes or leue theym all vnsayd, is not
this a wonderfull doctryne of thys yonge man? We wote well
all that the preste can not hurte vs by hys ouersyghte or malyce, 735
yf there be no faute vpon our owne part. For that perfeccyon
that lacketh vppon the prestes parte, the great mercy of God
dothe as we trust of hys own goodnesse supply. And therfore
as holy Saint Chrysostome saith, no man can take harme but
of hym selfe. But now yf we se the thynge dysordered our owne 740
selfe by the preste, and Crystes instytucion broken, yf we than
wyttyngly receyue it vnblessed and vnconsecrated, and care not
whyther Crystes instytucyon be kepte and obserued or no, but
reken it is as good wythout it as wyth it, than make we our
selfe parteners of the faute, and lese the profyte of the sacrament, and receyue it with dampnacyon, not for the prestes faute 745
but for our own. How be it as for hys bylyefe that taketh it no
better but for bare brede and wyne, it maketh hym lytell mater
consecrated or not, sauyng that the better it is consecrate the
more is it euer noyous vnto hym that receyueth it, hauyng hys 750

---

713. *Assertio septem sacramentorum.* [fol.Biiii^{v}.]

conscyence combred wyth suche an execrable heresye, by whyche well appereth that he putteth no dyfference bytwene the body of our Lord in the blessed sacrament, and the comon brede that he eateth at his diner, but rather he estemeth it lesse,
755 for the tone yet, I thynke ere he begynne yf he lacke a preste he wyll blesse it hym selfe, the tother he careth not as he saith whyther it be blessed or no. Frome whych abomynable heresye and all hys other, our Lorde for his great mercy delyuer hym, and help to stoppe euery good mannes eares from suche vn-
760 gracyouse incantacyons as thys mannes reasons be, whyche are vnto such symple peple as wyll be with the wynde of euery newe doctryne blowen about lyke a wethercok, myche more contagyous a greate deale, than was that euyll doctryne whyche Saynte Poule so sore reproueth, wyth whyche the false prophetes
Gala. 3. had bywiched the Galathyes. But as for those that are good and faste faythfull folke, and haue any grace or any sparke of any reason in theyr heddes, wyl (I veryly thynke) neuer be so farre ouersene as in thys artycle (the trouth wherof God hath hym selfe testifyed by as many open myracles as euer he testyfyed
770 any one) to byleue thys one yonge man vpon his barayne reasons, agaynste the fayth and reason, bothe of all olde holy wryters, and all good Christen people thys xv.C. yeres. All whyche without any dowt or question, byleued agaynst his doctryne in thys blessed sacrament, vntyll Berengarius began to fall
775 fyrst vnto thys errour, whyche when he better consydered he

---

762. Eph.4:14.

765. Gal.3:1.

774. Berengar (c.1000-1088), Scholasticus of Tours and Archdeacon of Angers, in his doctrine of the Eucharist, taught that by consecration, a change takes place in the value of the elements, so that they symbolize and make effective the heavenly body of Christ, to exert an influence on the soul of the communicant. He denied the abolition of the elements of bread and wine, distinguished between the sacrament and the "res sacramenti," and taught that the sacrament feeds the body, but the "thing of the sacrament" is received in the inner man, to feed the mind.

Berengar considered his view to be that of Ambrose and Augustine, as well as that of John the Scot, whose writings he so closely followed. He was opposed by Lanfranc, and tried at the Councils of Vercelli, Paris, and Rome. He was forced to read a recantation, and to burn the books which had influenced him. His conscience was hurt by the destruction of the books, but not by the recantation, as his oath had been forced. He certainly later retracted the recantation, and summed up his teaching in the *De sacra coena.* Only one manuscript of this is known to exist. It was found by Lessing in the library at Wolfenbüttel in 1770, but was not published until 1834. It is one of the most important medieval discoveries of modern times, and necessitated the rewriting of the history of the doctrine of the Eucharist. Until this discovery, it was not known that Berengar had replied to Lanfranc's *De corpore et sanguine Domini.*

More does not seem to realize, as did Bishop Fisher, that Berengar's confession was forced, was not his sincere opinion, and that therefore it should not be used in his argument against Frith. (cf. A. J. Macdonald, *Berengar and the Reform of Sacramental Doctrine*; and my *Peter Lombard and the Sacramental System*, pp.34-37; Harnack, *History of Dogma*, vi, pp.45-54.)

fell from it agayn and forsoke it vtterly, and for bycause he had ones holden it, the good man dyd of hys owne good minde vncompelled grete penaunce wyllyngly all hys lyfe after, as ye maye rede in *Cronica cronicarum* the cxc. lefe. And also Frere Barns, albe it that, as ye wote well, he is in many other thinges 780 a brother of thys yonge mannes secte, yet in thys heresye he sore abhorreth hys heresye, or ellys he lyeth hym selfe. For at hys laste beynge here, he wrote a letter to me of hys own hand, wherin he wryteth that I lay that heresye wrongfully to his charge, and therin he taketh wytnesse of God and hys con- 785 scyence and sheweth hym self so sore greued therwyth, that any man shold so repute hym by my wrytyng, that he sayth he wyll in my reproche make a boke agaynst me, wherin he wyll professe and proteste hys fayth concernyng thys blessed sacrament. By whych boke it shall, he saith, appere, that I haue sayd 790 vntrewly of hym, and that he abhorreth thys abomynable heresy, whyche letter of his I forbere to answere tyll the boke come. By whyche we maye se syth he forsaketh thys heresy, what fayth he wyll professe, whyther the trew fayth or some other kynde of heresy. For yf he wyll professe the very Catholyke fayth, he 795 and I shall in that poynt be very soone agreed, and I shall than make hym suche answere therin, as he shall haue cause to be well contented wyth.

But in the meane tyme, it well contenteth me that Frere Barns beynge a man of more age, and more rype dyscressyon and a 800 Doctour of Diuinyte, and in these thynges better lerned than thys yonge man is, abhorreth thys yonge mannes heresy in this poynt, as well as he lyketh hym in many other.

And so I truste wyll euery wyse man, and not be so en-

---

780. Robert Barnes (1495-1540) was an Austin friar at Cambridge, studied for some time at Louvain, and returned to be prior of the Austin friars' house at Cambridge, and in 1523, Doctor of Divinity. For a time he read the classical authors assiduously, and then studied Luther's writings, and was converted to Protestant opinions under the influence of Thomas Bilney.

He took a Puritan attitude to the celebration of the great festivals of the Christian year and to the wealth of the prelates, and after trial before Wolsey and several bishops was imprisoned in the Fleet and later in houses of the Austin Friars.

In 1528 he escaped to the Continent and lived several years in Germany, lodging for a time with Luther. He wrote various tracts on justification, marriage of priests, the origin of the Mass, communion in both kinds and other controversial topics, but the subject referred to by More is not found in his writings.

Cromwell had him recalled to England to assist in the dispute with the Pope, and later sent him on missions to the Continent about the divorce and in 1539 about the marriage with Anne of Cleves.

His heretical views brought him into conflict with Gardiner and he was condemned in 1540 without a hearing, by a bill of attainder. The precise cause for which he suffered is not known. (cf. D.N.B.; life by Foxe; his *Workes*.)

805 chaunted wyth such chyldysh reasons as hys be, that they wolde therby do as the herers of Chryste dyd, that for meruayle of thys mater as thys yonge man doth now, refused our Sauyour and wente theyr waye from hym, but wyll rather let them go that wyll go, and abyde them self with our Sauyour stylle, as wyth hym that hath in the stede of thys yong mannes vayne childysh folosophy, not false apparaunt sophystrye, but the very wordes of eternall lyfe. Whyche wordes I beseche our Lord gyue thys yonge man the grace, agaynste hys owne frowarde fantasyes to byleue, and to the same lyfe brynge hym and vs both, where we shall wythout the vayle or coueryng of any maner sacrament, behold our blessed Sauyour face to face, and in the bryght myrrour of trouth, the very one Godhed of the thre lyke myghty and eche almyghty persons, clerely beholde and perceyue both that it may and in dede is, and also how it maye be, that Cristes one body may be in many places at onys. Whych thyng many that wyll not come there of folysshe frowardnes afferme to be playne impossyble.

Johan. 6.

Lo in stede of a letter haue you almost a boke, longer than I truste good Chrysten folke shall nede in so clere an artycle of the fayth, and to all fast faythfull peple so farre out of all dowt, sauynge that in sendyng you your copy agayne, me thoughte I muste nedes wryte you somwhat what I my selfe thoughte of his wrytyng. In whych whan I onys began, all be it not very well at ease, the abomynacion yet of that pestylent heresye and the parell of hys colorable handelynge, drew me forth ferther and ferther, and scant coulde suffer me now to make an end, but that I was half in mynde to haue towched also the scisme of the Bohemys, whyche he setteth forth here in hys wrytyng, sauynge that it requyreth some length, and that I am in mynde to make answere onys in that mater vnto Frere Barns, whiche hath made therin, ye wote well, an hole treatyce, wherin I wonder yf hym selfe wene he haue sayde well.

And as for that holy prayour that thys deuout yong man as a

811. *sic et E.W.* 821. come of theyr *E.W.*
832. treatyce] therfro *add. E.W.*

807. John 6:66.

811. Evidently an intentional play on words as Stapleton says More did not dictate.

832. The civil war, which followed the death of Huss, resulted in the recognition by the Pope in 1433 of the Utraquists as the National Church of Bohemia. The Utraquists or Calixtins had demanded, and secured, the administration of the Communion in both kinds to the laity.

836. "That all men are bounde to receiue the holy Communion vnder both kyndes, vnder the payne of deadly synne."

new Cryst, techeth to make at the receyuynge of the blessed sacrament all hys congregacion, I wold not gyue the paryng of a pere 840
for his prayour though it were better than it is, pullynge a waye the trewe fayth therfore as he doth. How be it, hys prayour there is such deuysed, and penned, and paynted with laysour and studye, that I truste euery good Chrysten woman maketh a mych better prayour at the tyme of her howsell, by faythfull affeccyon and 845
Goddes good inspyracyon sodaynly. For she besyde Goddes other goodnes, thanketh hym, I thynke, for hys hyghe syngulare benefyte there presentely gyuen her, in that it lyketh hym to accepte and receyue her so symple and so farre vnworthy of her self, to syt at his owne blessed bord, and there for a remembraunce of his 850
bitter passyon suffred for her synne, to suffer her receyue and eate not brede thoughe it seme brede, but his owne very precyouse body in forme of brede, bothe hys very flesh, blood and bonys, the selfe same with whyche he dyed and wyth whych he rose agayne, and appered agayne to hys apostles, and ete amonge his dyscyples, 855
and with whyche he ascended into heuyn, and wyth which he shall descend agayn to iudgement, and with which he shall reygne in heuyn with his Father and theyr Holy Spyryte in eternall glory, and all hys trewe faythfull byleuyng and louyng peple with hym, whom as the mystycall membres of hys gloryous body 860
he shall than, and from thens forth for euer pleasauntly nurysh and fede and sacyate theyr insacyable hunger wyth the beholdynge of hys gloryous Godhed, whose hunger to heuynward he comforteth and fedeth here by hope, and by the sure token and sygne of saluacyon, the gyuyng of hys owne very blessed body vnder the 865
sygne and lykenesse of brede to be eate and receyued into our bodyes, that our soulys by the fayth thereof, and our bodyes by the receyuynge therof, may be spyrytually and bodily ioyned and knyt vnto hys here in erth, and wyth his holy soule and his blessed body, and his Godhed both with his Father and theyr Holy Spyryt, 870
gloryously lyue after in heuen.

Thys lo in effecte though not in wordes, can Chrysten women praye, and some of them peraduenture expresse it mych better to. For God can as the prophete sayth, make not onely women that haue age, faith, and wit, but the mouthes also of infauntes and 875
yong soukyng chyldren, to pronunce his laude and prayse, so that Psal. 8.
we nede not this yong man now to come teche vs how and what we shall pray, as Cryste taught his disciples the Paternoster. Fryth

840. Frith quotes his prayer in his reply to More. Frith's *Workes* p.157a.

845. howsell: to receive the Eucharist.

876. Ps.8:2.

is an vnmete mayster to teche vs what we shold praye at the re-
880 ceyuynge of the blessed sacrament, whan he wyll not knowlege
it as it is, but take Crystes blessed body for nothing but bare bred,
and so lytell esteme the receyuynge of the blessed sacrament, that
he forceth lytell whyther it be blessed or not. I praye God blesse
these poysened errours out of hys blynd harte, and make hym
885 hys faythfull seruaunt, and sende you hartely well to fare. At Chelchith the vii. daye of December by the hand of

more than all your owne,

Tho. More Knyght.

191. To Erasmus.

De Praeparatione, 1534, p.112 — Chelsea ⟨June? 1533⟩

192. To Elizabeth Barton.

Brit. Mus. MS. Arundel 152. fol. 298(α) and Royal 17 D XIV. fol. 380 (β)
Burnet, History of the Reformation, pt.2, Records, ii.21 (1680 edition) — Chelsea Tuesday ⟨1533?⟩

[MS. Arundel 152 is a late 16th century copy. MS. Royal 17 D XIV is a copy of the rough draft.

Elizabeth Barton (1506?-1534) was a servant in the home of Cobb, steward of an estate of Archbishop Warham at Aldington in Kent. She claimed to have visions and trances. The genuineness of these has been much disputed, and the *Catholic Encyclopaedia* does not decide the question. She was, in any case, considered to have "marvellous holiness in rebuke of sin and vice." Her master reported this to Archbishop Warham, and she was observed more closely by the prior and two monks of Christ Church, Canterbury. In 1527 she entered the priory of St. Sepulchre, Canterbury, and was thereafter known as the "Nun of Kent." During 1527-1528 she made a number of prophecies, which More describes as "such as any simple woman might speak of her own wit." From 1528-1532 she worked against the divorce. She was assisted by Bocking, a monk of Christ Church, Canterbury, and others, in theology and legends of the saints, and seems to have been used as a tool to defend the Catholic religion against the Protestants.

On Henry's marriage to Anne Boleyn, she prophesied his death. In September, 1533, Cromwell ordered Cranmer to examine her. She confessed that "she never had visions in all her life, but all that she ever said was feigned of her own imagination, only to satisfy the minds of those who resorted to her and to obtain worldly praise." She and her counsellors were arrested, and publicly degraded and denounced at St. Paul's and at Canterbury. Cromwell wished to implicate others, and More and Fisher, as well as her direct assistants, were included in the Bill of Attainder, January 1534.

More's explanation caused his name to be withdrawn from the bill, as the House of Lords wished. Elizabeth Barton was executed at Tyburn 20 April 1534, declaring herself "a poor wench without learning" who had been puffed up by the praises of learned men. (cf. D.N.B., the Cath. Encyc., and Bridgett.)]

GOOD MADAM, AND MY RIGHTE DEARELIE BELOVED SYSTER IN OUR LORDE GOD.

After my ⟨moste hartie⟩ recommendacion, I shall beseche you to take my good mynde in good worthe, and ⟨pardon me⟩ that I am so homelye as of my selfe vnrequired, and allso without necessitie, to gyve cow⟨ncell⟩ to you, of whome for the good inspiracions, and greate revelacions that it likethe All⟨mighty⟩ God of his goodnes to gyve and shew, as manye wise, well lerned, and very ⟨vertuous⟩ folke testifye, I my selfe haue nede, for the comforte of my soule, to require ⟨and⟩ aske advise, for surelie, good Madam, sithe it pleasethe God sometyme to suf⟨fer such⟩ as ⟨are⟩ far vnder and of litle estimacione, to gyve yet frutefull aduertisement ⟨to⟩ other as are in the lighte of the Spirite, so farre above them, that there we⟨re betwen⟩ them no comparison; as he suffred his highe prophet Moyses to be in some ⟨thinges⟩ advised and cowncelled by Jetro, I can not for the love that in our Lorde I be⟨ar you⟩ refreyne to put you in remembrance of one thinge, which in my poore mynde ⟨I thinke⟩ highelie necessarie to be by your wisdom conscidered, referringe thend and order therof, to God and his holye Spirite, to directe you.

Good Madam, I ⟨doubt⟩ not, but that you remembre that in the begynninge of my communicacione with you, I she⟨wed⟩ you that I neither was, nor wolde be, curious of eny knowledge of other men⟨nes⟩ matters, and lest of all of eny matter of princes or of the realme, in case ⟨it so⟩ were that God had, as to manye good folkes before tyme he hathe eny thinge⟨s⟩ reveled vnto you suche thinges, I saide vnto your ladiship, that I was not onely not desirous to heare of, but allso woulde not heare of. Now, Madam, I con⟨sider⟩ well that manye folke desier to speake with you, which are not all peraduenture of ⟨my⟩ mynde in this poynte; but some happe to be curiouse and inquisitive of thinges th⟨at⟩ litle perteine vnto theire partes; and some mighte peraduenture happe to ta⟨lke⟩ of suche thinges, as mighte peraduenture after turne to muche harme, as I ⟨thinke⟩ you have harde how the late Duke of Buck-

1. commendation *Burnet.*

14. Exod.18:12-27.

ingham moved with the fame of o⟨ne that⟩ was reported for an holye monke and had suche talkinge with hyme as after ⟨was a⟩
35 grete parte of his distruction and disheritinge of his bloude, and greate slaunder and ⟨infamy⟩ of religion. It sufficethe me, good Madam, to put you in remembrance of suche thinge, ⟨as I no⟩ thinge doubt your wisedome and the spirite of God shall keepe you frome talkinge with any ⟨persons⟩ speciallye with ley persons, of
40 eny suche maner thinges as perteyne to prin⟨ces' affeirs⟩, or the state of the realme, but onelye to common and talke with eny person highe ⟨and low⟩, of suche maner thinges as maye to the soule be profitable for you to shew and for ⟨them to know.

And thus⟩ my good Ladie, and derelie beloved suster in our
45 Lorde, I make an ⟨end of this my nedelesse⟩ aduertisement vnto you, whome the blessed Trinitie preserve and increase ⟨in grace, and put in your⟩ mynde to recommende me and myne vnto hyme in your devout ⟨prayers. At Chelseith⟩ this Tuesday by the hand of

Your hartie loving Brother and Beadsman,

50 Thomas More, Kt.

193. From Erasmus.

Lond. xxvii.45: LB. 1256 — Freiburg
12 October 1533

194. To Thomas Cromwell.

Englysh Workes p.1422 — Chelsea
1 February ⟨1533/4⟩

[Thomas Cromwell (1485?-1540) was a soldier in Italy, 1503, a merchant in the Netherlands 1512, and returned to London to practise as a solicitor. He married about 1512. He entered Wolsey's service about 1520, and in

39. ley] high *Burnet*. 41. euery *β*.

---

33. Edward Stafford, third Duke of Buckingham (1478-1521), had been executed for treason, chiefly on the evidence offered by his confessor, Delacourt. (Ellis, *Letters* 1.1,p.177.) Delacourt said that on April 24, 1513, the Duke had sent him to consult Nicholas Hopkins, a Carthusian monk, who pretended to have knowledge of future events. Hopkins sent word to the Duke that he "should have all, and that he should endeavour to obtain the love of the community." He later told the Duke that the King would have no male issue, and that he, Buckingham, would succeed him on the throne. At his trial, Buckingham was allowed no counsel, and could only declare that the charges were false, to secure his death. (H. A. L. Fisher, *Political History of England, 1485-1547*, pp. 236-239.)

Tyndale, in a rare pamphlet, said that Wolsey learned this use of the confessional from Cardinal Morton and Bishop Fox of Winchester. (Ellis, *Letters, op. cit.*)

More, writing the *De quatuor nouissimis* in 1522, refers to Buckingham's fate (fol. 86 B, C) and hints at the unfairness of his trial.

1525 was engaged in the suppression of small monastic houses to endow Wolsey's college at Oxford. He next superintended the building of the colleges at Oxford and Ipswich.

At Wolsey's fall in 1529 he gave the appearance of continued loyalty, but really sought his own ends, and made Wolsey's gifts bring more favor to him than to Wolsey. Even Cavendish records that, "having the ordering and disposition of the landes of these colleges he had a great occasion of suitors, besides the continual access to the King, by meanes whereof and through his witty demeanour he grewe continually into the King's favour." Through the influence of the Duke of Norfolk he got his seat in Parliament.

His plan for the King's divorce was to have Henry declare himself Head of the Church in England. He knew that the position of the clergy had been weakened and that the Commons had many grievances against them. He therefore decided that the clergy were guilty of *Praemunire*, although, ironically enough, they had protested Wolsey's legatine authority exercised in the trial of the divorce. The clergy were pardoned on condition of accepting the Royal Supremacy.

Cromwell was made a privy councillor in 1530. For ten years he controlled the domestic administration of England. The separation from papal authority was only incidental, but he made his own position secure by gaining permanency for the ecclesiastical settlement. Royal Supremacy was therefore asserted by the legislation of 1534, and under it Fisher and More suffered. Merriman concludes "there is every reason to think that he (Cromwell) was the true cause of the ex-Chancellor's death." (Merriman, *Life and Letters of Cromwell*; D.N.B.)]

A letter written by Sir Tho. More to Maister Thomas Cromwell (than one of the Kinges Priuye Counsell) the first day of February in the yere of our Lord God 1533, after the computacion of the Church of England and in the xxv. yere of the raigne of King Henry the VIII.

RIGHT WORSHIPFULL, IN MY MOSTE HARTY WISE I RECOMMEND ME VNTO YOU.

Sir, my cosyn Willyam Rastal hath enformed me, that your Mastership of your goodness shewed him, that it hath bene

---

1. William Rastell (1508-1565) was the son of John Rastell, a lawyer in Coventry, and his wife Elizabeth, More's sister. He was the age of More's children and was probably educated in More's "School," as the Rastells had moved to London. At seventeen he assisted his father in law practice and also learned printing and worked at his father's press. Wood says he was at Oxford, but took no degree.

In 1529 he set up his own press and for five years was busy printing More's books. In 1532 he was admitted at Lincoln's Inn, and in 1539 was called to the Bar. He married Winifred, daughter of John Clement and his wife Margaret Giggs, 1544, and took Skales Inn in Whittington College, the Vintry as his residence. He rose to high office in Lincoln's Inn.

He went into exile after the passing of the First Act of Uniformity 1549, and his possessions were forfeited to the Crown. Winifred Rastell died there of fever July 1553. Rastell returned to England at the accession of Mary. He became a judge 1558.

During the years in England under

reported, that I haue against the booke of certein articles (which was late put forth in print by the Kinges honorable Counsel) made
5 an answere, and deliuered it vnto my said cosin to print. And albeit that he for his part truly denied it, yet because he somewhat remained in doubte, whither your Mastership gaue him therin full credens or not, he desired me for his farther discharge to declare you the very troth, sir, as help me God neither my said cosein
10 nor any man els, neuer had any boke of mine to print, one or other, since the said boke of the Kynges Counsel came forth. For of trouth the last boke that he printed of mine was that boke that I made against an vnknowen heretike which hath sent ouer a worke that walketh in ouer many mens handes named the Souper
15 of the Lord, against the blessed sacrament of the alter. My aunswere whereunto albeit that the printer (vnware to me) dated it Anno 1534, by which it semeth to be printed since the Feast of the Circumcision, yet was it of very trouth both made and printed and many of them gone before Christmas. And my selfe neuer
20 espied the printers ouersight in the date, in more then three wekes after. And this was in good faith the last boke that my cosin had of myne. Which being true as of trouth it shalbe founde, suffiseth for his declaracion in this behalfe.

As touching myne owne self, I shal say thus much farther, that
25 on my faith I neuer made any such booke nor neuer thought to do. I red the said boke ones ouer and neuer more. But I am for ones reading very farre of from many thinges, whereof I would haue metely suer knowledge, ere euer I wold make an answere, though the matter and the booke both, concerned the porest man
30 in a towne, and were of the simplest mans making to. For of many thinges which in that boke be touched, in some I knowe not the lawe, and in some I knowe not the fact. And therefore would I neuer be so childish nor so plaie the proud arrogant fole, by whomsoeuer the booke had bene made, and to whomsoeuer the matter
35 had belonged, as to presume to make an aunswere to the boke, concerning the matter wherof I neuer wer sufficiently lerned in the lawes, nor fully enstructed in the factes. And then while the

18. circumsicion *E.W.*

Mary, Rastell published More's *Englysh Workes* which he had been preparing during his exile. After Elizabeth's accession, Rastell and the Clements fled again to Louvain January 1562/3. He died there in 1565, and was buried beside his wife in St. Peter's Church. (cf. the very interesting account in A. W. Reed's introduction to the *English Works*, 1931, vol. I. pp.1-10 and his *Early Tudor Drama* pp.72-93.)

11. *Articles devised by the Whole Consent of the King's Council.*

16. *Answer to the Poisoned Book* (viz. Tyndale's).

matter parteined vnto the Kinges Highnes, and the boke professeth openly that it was made by hys honorable Counsail, and by them put in print with his Graces licens obteined therunto, I verely trust 40 in good faith that of your good mind toward me, though I neuer wrote you worde thereof, your selfe will both think and say so much for me, that it were a thing far vnlikely, that an answer shold be made therunto bi me. I wil by the grace of Almighty God, as long as it shal plese him to lend me life in this worlde, 45 in all such places (as I am of my duety to God and the Kinges Grace bounden) truly say my mind, and discharge my conscience, as becometh a pore honest true man, whersoeuer I shalbe by his Grace commaunded. Yet suerly if it shold happen any boke to come abrode in the name of hys Grace or hys honorable Counsail, 50 if the boke to me semed such as my selfe would not haue giuen mine owne aduise to the making, yet I know my bounden duety, to bere more honour to my prince, and more reuerence to his honorable Counsaile, than that it coulde become me for many causes, to make an aunswere vnto such a boke, or to counsail and 55 aduise any man els to do it. And therfore as it is a thing that I neuer did nor entendid, so I hartely besech you if you shal happen to perceue any man, either of euil wil or of lightnes, any such thing report by me, be so good maister to me, as helpe to bring vs both together. And than neuer take me for honest after, but if ye 60 finde his honesty somewhat enpaired in the mater.

Thus am I bold vpon your goodness to encomber you with my longe rude letter, in the contentes wherof, I eftsones hartely beseche you to be in maner aforesaid good maister and frend vnto me: whereby you shall binde me to be your bedesman while I liue: 65 as knoweth our Lord, whose especiall grace both bodely and gostly long preserue and kepe you.

At Chelchithe in the Vigile of the Purificacion of our Blessed Lady by the hand of

Assuredly all your owne, 70

Thomas More, Knight.

195. To Thomas Cromwell.

Brit. Mus. MS. Royal 17 D xiv. fol. 385v
Englysh Workes p.1423

Chelsea
Saturday, ⟨February-March⟩ 1533/4

Another letter written by Sir Thomas More to Maister Tho. Cromwell in February or in March in the yere of our Lord

God 1533, after the computacion of the Church of England, and in the xxv yere of the raigne of King Henry the eight.

RIGHT WORSHIPFULL.

After righte hartie recommendacion, so it is that I am enfourmed, that there is a bill put in againste me into the higher house before the Lordes, concerninge my communicacion with the Nonne of Cauntorbury, and my writing vnto her: whereof I not
5 a litle meruaile, the truthe of the mater being such as God and I knowe it is, and as I haue playnely declared vnto yow by my former lettres, wherein I founde you than so goode, that I am nowe bolde eftesonys vppon your goodenes to desier you to shewe me that fauour, as that I mighte the rather by your good meanes, haue
10 a copye of the bill. Which sene, if I finde any vntrue surmise there-in as of likelihode there is, I may make myne humble suyte vnto the Kinges good Grace, and declare the truth, either to his Grace or by his Graces commaundemente, wheresoeuer the matter shall requier. I am so suer of my truthe towarde his Grace, that I cannot
15 mistruste his graceous fauour towarde me, vpon the trouth knowen, nor the iudgement of any honest man. Nor neuer shal there losse in this mater greaue me, being myselfe so innocent as God and I knowe me, whatsoeuer should happen me therein, by the grace of Almightie God, who both bodely and gostely pre-
20 serue you. At Chelsey this presente Saterdaye by the hande of

Hertily all your owne,

Tho. More, Knight.

196. Simon Grynaeus to John More.

Platonis Opera, 1534, fol. 1.2 ⟨Basle⟩
Tres Thomae p.235 (extract) 1 March 1534

[Preface to the second edition of Plato in the Greek, with Proclus, Basle, Valderus, 13 March 1534.

Ep.195. TIT. Worshipful *E.W.* 1. hartye recomendacions *E.W.* 2. enformed *E.W.* 4. mi *E.W.* 5. trouthe *E.W.* 6. plainly *E.W.* you *E.W.* 7. found *E.W.* now *E.W.*
8. bold eftsones upon your goodnes to desire you to shew me *E.W.*
9. as *om. E.W.* might *E.W.* 10. bil *E.W.* 11. liklihode *E.W.* sute *E.W.*
13. commaundement *E.W.* whersoeuer *E.W.*
14. require *E.W.* sure *E.W.* truth *E.W.* toward *E.W.*
15. mistrust *E.W.* graces *E.W.* fauoure towardes *E.W.*
16. iugement *E.W.* 17. greue *E.W.* myself *E.W.* 18. know *E.W.* 20. hand *E.W.* 21. Hartely *E.W.*

4. cf. Ep.192, note on Elizabeth Barton. For the text of the Bill of Attainder, cf. Statutes of the Realm, vol.III, pp.446-451, 25 Henry VIII, c.12; summary in L.P.VII. 70(p.28).

Simon Gryner (or Grynaeus, a name which he took from the epithet of Apollo in the Aeneid) was born at Vehringen in Hohenzollern-Sigmaringen c. 1494-5. He was a fellow-pupil of Melanchthon at school at Pforzheim. He matriculated at Vienna in 1512 when he was already a B.A. and master of the three ancient languages. He studied theology at Vienna and later at Wittenberg. He was early accused of Lutheran beliefs and lost his first position—the rectorship of a school at Buda—because of heresy.

From 1524 he was professor of Greek at Heidelberg and from 1526 also taught Latin. His Zwinglian view of the Eucharist disturbed his colleagues there, and in 1529 he was glad to accept Œcolampadius' invitation for him to become professor of Greek at Basle. He later taught theology as well, giving exegetical lectures on the Greek New Testament.

His visit to England in 1531 profited him as he describes in this letter. More's care of him, as Stapleton explains, was to keep him under constant guard and observation, and to assure that he should not talk on religion with anyone. (Stapleton, tr. Hallett, p.64.) He returned to the Continent to secure the opinion of the reformers on the King's divorce. "A brilliant scholar, a mediating theologian, and personally of lovable temperament, his influence was great and wisely exercised." (*Encyc. Brit.*) In 1536 he had a share in the First Helvetic Confession. His works include Latin versions of Aristotle and Chrysostom. He died of the plague at Basle in 1541. (cf. also Herzog-Hauck; Allen VI, pp.244-245.)]

IOANNI MORO SIMON GRYNAEUS S.

Nullam rem aliam praeclaram magnamque in hominum negotiis versari puto, Ioannes More chariss., quae cum aditus tot, tot occasiones habeat, tam ardua, tam immensa precia cultorib. suis promittat rependatque, tam paucos eadem inueniat vere studiosos et admirantes sui, quam Philosophiam. Id ex eo liquidum est arbitror, quia illi ipsi, quos seculis infinitis non multos numeramus, mortalibus plerisque propemodum tum cum vixerunt, et nunc multo pluribus post abolitam nominis inuidiam contempti iacent. Quod quidem nihil fortasse mirum sit, quando pulcherrimam rem difficillimam esse necesse fuit, nisi nihil aut pulchritudine sua tam potenter allicere, aut varietate perpetua diutius retinere, aut maiestate miranda intimius deuincere mortalium animos incredibili cuncta discendi studio flagrantes posse videretur, quam illa in luculentissimum rerum omnium theatrum Philosophia inducens; ad haec nihil etiam ad rem vllam vel tam factum, quam speculationi rerum mentem humanam, vel contra hominum contemplationi tam expositum esse constaret, quam spatia iucundissima Philosophiae, eodem semper et calore natiuo stimulante, et inexplebili naturae conspectu trahente, ac velut maritali quadam flamma mente Philosophiaque inter se deuinctis, vt mirari merito queas, quid sit cur minus perueniat quo tanto cum desiderio currit mens, et reipsa tam flagranter inuitatur. Estque propemodum incredibile,

cum sint reuera longe hic omnia naturae hominum quam ἵππῳ πεδίον accomoda et idonea magis, quomodo vestigare discereque
25 cupientib. omnib., et eius rei copiam tam largam, tam benignam, Philosophia suppeditante, tam pauci constanter vereque discant.

Fortasse vero deplorare quam disputare, mali tanti causas facilius est. Equidem siue inimitabili veterum scriptorum diligentia victus animus, et ne spem quidem tantarum rerum concipere ausus,
30 languescit, abiuratoque seueriore Philosophiae studio consistit in proximis, inuentisque illorum frui quam de virtute contendere mauult, siue ista tam facili rerum copiose sensib. omnibus vbique se ingerentum velut promissione pollicitationeque allectus, mox summa quaeque natura in immensam abdita profunditatem intel-
35 ligens, tanquam elusus deceptusque prorsus retrosilit; siue quia, praeter seipsam precium aliud nullum Philosophia habens, haud minorib. insuper quam rerum omnium caeterarum impensis comparatur, nemoque philosophus nisi vere philosophus, id est pius sanctusque vir esse potest, pauci cum sapientia commutare vitam
40 et omnia caetera volunt, siue denique quotidianum aeternumque rerum semper earundem, quanquam maximarum spectaculum consuetudine vilescit negligiturque, praesertim securitate humana in isto coeli terraeque conspectu quiescente, ac amplius nihil quaerente, aut quaecunque tandem videri causa potest, vincere tamen
45 hercle egregia Philosophiae praemia, dignitasque summa difficultatem omnem debebat.

Nam vt paucis dicam, quod aut beneficium maius, aut quae res augustior cogitari potest, cum sede et domicilio, cum sensu et luce, genus hominum ignorantia sua velut tenebris inuolutum careat,
50 ac rerum omnium suique imperitum in ignoto vastoque mundo degat, et nec ortum nec exitum sui norit, fines rerum omnium, sedemque et portum animis illata luce, Philosophia singula ceu digito monstrans patefacit. Quo quidem coelesti beneficio vt nunc destituuntur, ad quoscunque penetrare fidelia huius litterarumque
55 monumenta non possunt, ita iam quondam genus hominum caruit vniuersum. Ac non video, quomodo vir bonus aut de hominum genere iam olim toto aut de sua nunc quisque patria mereri praeclarius possit, quam si aut resuscitandis, aut quam latissime propagandis Philosophiae praeceptis mente tota incumbat.

60 Vna via est ignorantiae carcere homines extrahendi, sanctissima Philosophiae doctrina mortalium coetibus illata, ante cuius ortum, qui status, quae tenebrae fuerint hominum, et nisi occurritur studio, futurae sint semper, veris animis si cogitemus, nemo arbitror Philosophiae nobis studium inuideret. Nam vt ex infinitis et nun-

quam satis celebrandis beneficiis pauca quaedam commemoremus, 65
ignotus antea non solum situs terrarum orbis, sed et forma et omnis
habitandi ratio cum esset adeo, vt nec quo loco consisteret, nec
quam in partem tutius iret, nosse quisquam posset, cum intutae
incertaeque omnes terrarum plagae, angulus omnis infestus
videretur, feritate vastitateque passim obtinentibus, aggressa 70
Philosophia totam domuit: ac positum huius in mundo medium,
gentium omnium habitandi inter se diuersitatem, ac latus mundi
quidque priusquam adires, quatenus adiri posset, antequam metirere quantis spaciis porrigeretur admirabiliter inuenit.

Maria quoque cum inhospita prius et inaccessa omnia et rebus 75
humanis hic limes natura positus crederetur, quem egredi nefas
esset, ad extrema mundi peruia reddidit, cum de coelo viam
(mirandam rem) cursumque nauibus per immensum aequor expediret. Iam liquidus ille coeli chorus, leges vicesque mundi, quibus
assidue refici naturam videmus, docere hominem miserum, et 80
aduersus diram necessitatem instituere cupiens, cum frustra diu
mortali stupido radiis velut innueret, motu ceu loqueretur: prima
haec et coeli cardines speculata est, et flexam per obliqua mundi,
solis caeterorumque viam aliam notauit, et reuolutionum coelestium omnium ambages omnes ad amussim ostendit, ac in terris 85
constitutum hominem labentis aeternae coelestisque naturae legum
conscium esse, ac in omnem mundi procurationem multo quam
vlla necessitas incidisset, securum rerum sibi prospicere, nec aut
hyemis inexpectato aduentu obrui, aut repentino aestatis abitu
destitui necesse habere iussit, cum quantum quantaque cum vi, 90
et quo maxime tempore in vnamquamque terrarum et mundi
plagam coelestium globorum quisque virtutis lucisque inferret,
perspicue iam constaret, ac illud tacitum, coelum inter terramque
connubium prolificum, vnde velut inexhausto fonte omnis rerum
copia manet, et mundus assidue instauratur, plane innotuisset. 95

Erat hoc velut domicilii eius, in quo habitandum esset homini,
notitia. In quod, manu praehensum, et animis in illum excelsum
mentis locum, in illud sublime fastigium, vnde natura tota conspici, et subiecta omnia longe lateque cerni possunt, constitutum
hominem induxit, ac arcem suam, coelum inquam et terram, 100
animis quoquouersum perlustrare circumuolitareque secure dedit.
Qua quidem e specula, caeteri quoque conspici iam et eodem mentis obtutu praehendi potuere sinus recessusque naturae innumeri.
Ventorum, fluminum aliorumque miranda vis, cum inter se praecipuae mundi partes de finibus certant, vnde nam erumpat. Qua- 105

95. manat *Platonis Opera.*

rum rerum omnium ingenium tradens, inter istas praeliantum elementorum vices et minas horribiles, consistere tutum rationibus Philosophiae firmatum hominem docuit. Iam animantium per tot classes familiasque digestorum, quaecunque terra mariue degunt,
110 tum illius veluti cultus ornatusque terrae, plantarum, herbarum, radicum, seminum, turbam infinitam sic generibus singulorum naturas perspexerit, vt nosse et ad vsum suum vtiliter omnia conuertere mortales scirent: ac siquidem amplecti Philosophiae beneficentiam vellent, in amoenissimo et rebus omnibus diuite
115 largeque cuncta suppeditante terrarum horto, suauitate commoditateque pari versari possent.

Hominis, vero principis animantum et terrarum domini, quia singularem curam gerebat, nihil autem procliuius erat, quam corpori vel exhausto libidine, vel ocio marcescente, vel foris oblaeso,
120 sic vt domicilio labefactato vitium incidere, ac functionibus necessariis intercludi, et spiritum illum, quem rebus omnibus ad altissima praeparabat, impediri; contra vero nihil intricatius videretur, quam in ipsis visceribus, in ipso meditullio corporis haerentem abditumque morbum extrahere, nitori viribusque suis membra
125 ruinosa restituere, prodigiosam rem, corpus humanum, ingressa Philosophia, ac velut cuniculis intus omnia perreptans, leges moresque inhabitantis naturae penitus cognouit, ac vnum quodque viciorum siue impendens, vt praeuisum auerti, siue iam obtinens vt a grassando coherceri posset, docuit, indignum rata, diuinum
130 animal, hominem, ferarum more arcere domesticum malum industria qua caeteris omnibus consulendum erat, non posse.

Beneficia caetera qualia sunt artium omnium inuentarum, et instrumentis omnigenis velut supellectile certa, in omnem euentum vita instructa, immensum narrare sit, sine quibus manca vita,
135 inutilis industria fuisset. Parum fuit quippe vsu multa, multa necessitate deprehensa, ni ratione adhibita singula Philosophia emendasset, consummasset. Nam qualem aut ἐμπειρίαν istam medicam, aut vsu natam musicen, aut tumultuariam illam belli disciplinam esse credamus, ni iudicium Philosophia suum artium
140 omnium inuentionibus intulisset.

Sunt haec extra hominem, sed quarum ope fragilitas humana fulcitur, quae tamen non tam vtilitatis gratia docuit Philosophia, quam vt dignitatem nosse suam homo posset, reputans qua parte rerum locatus, et inter quam miranda naturae opera spectator
145 aestimatorque sapientiae Dei positus esset. Nam quis, obsecro, non stupor subeat homini, aut mundi situm, aut coeli cum terra connu-

128. impedens *Platonis Opera.*

bium, animis vere contemplanti, aut per immensa maris spacia peragranti, aut naturae theatrum totum rebus omnigenis tam luculenter ornatum consideranti? Atqui haec duo in omni rerum extra nos positarum vera cognitione consequi necesse est, vt et 150 maiestate naturae in Opificem animus excitetur, et ab omni mundi vicium elementorumque vi cum prospicere, tum captatis occasionibus, scienter omnibus vti queamus. Quorum quidem ni singula perfecte tradita Philosophiae monumentis sunt, merito ab inuisoribus suis repraehendatur. 155

Maius illius beneficium est quod sequitur. Consilii sui conscium hominem fecit, et facultatem mirandam illam, qua ipsa in rerum vestigatione vsa, consecuta fuisset singula, sine inuidia communicauit, nec quicquam caelauit hominem, non solum docens omnia, sed se ipsam totam introspiciendam praebens. Equidem exposita 160 naturae rerum omnium conditione et vsu, traditis etiam artibus, et vita in omnia copiose praeparata, cum incumbere homines et Philosophiae inuenta persequi cupientes, partim ruditate et inscitia, partim ignauia et inconstantia repellerentur, alterutrum Philosophiam oportuit, vel et iudicii certitudine et robore virtutis acuere 165 firmareque mentes prius, vel in aedendo naturae spectaculo operam omnem ludere, imperitumque sui hominem et animis huc illucque in illa consideratione rerum fluctuantem destituere.

Frustra quippe in theatrum tantum inducas, nisi oculatum, frustra ad contentionem tam ardentem prouoces, nisi strenuum. 170 Atqui cum aut acuendae aut moderandae mentis ratio, nisi natura ipsius perspecta tradi nullo pacto posset, is vero qui intus residet spiritus ille, non solum membra torquens omnia, et corpus totum regens, sed in oculos, in aures, in linguam vim viuam exercens, et extra corpus procul, ac in immensum sese exerens, propter miran- 175 dam indolem et diuinitatem suam inscrutabilis videretur, tantis animis incubuit Philosophia, vt nisi hac parte confecta, nihil hominum generi commodasse putaret. Nullus igitur angulus mentis, quem quidem consilio quodam istic abdidisse natura videretur inexcussus, relictus. Apprehensionum genera quot omnino sint; 180 quid cuique peculiare, spectra visaque quaecunque foris incumbunt, qualiter intro reuocata et conditione corporea iam nudata, apud sese pensiculetur, vnde consurgat opinio, scientia quibus radicibus orta, quomodo consumetur, ipsa vero mens cogitandi principium vt adolescat, et rerum omnium formis colorata, speciem 185 referat vniuersi.

Quae quidem simpliciter tradere, quanquam dignas maxime memoratu res, parum vtilitatis habebat, ni quoties in vnoquoque

horum aut verus aut falsus animus esset, intellexissemus. Obstu-
190 pescendae res proditae, quae sit illa prima naturae euidentia et lux, quam inferre caeteris quacunque ignorantiae tenebrae occupant necesse sit, quae prima incontrouersa et inconcussa, quae super quam circunspecte, quam sollicite superstruere caetera conueniat, si quis solidum opus moliatur, quot vniuersarum rerum
195 genera capitaque summa, quorum natura ante omnem rerum caeterarum considerationem percepta esse longe prius oporteat, quot rationes aliud de alio pronunciandi, et earum, quae solae verum falsumque insociabiliter diuidant, caeteris tanquam fide non bona citroque nutantibus, quot rationes aliud ex alio colligendi verae,
200 quot verisimiles, quot fucatae et dolosae.

An vero quicquam admirabilius sit quam rationibus, quibus susque deque animus versatur, Lydium inuentum ad quem omnes explorare liceat. Quod quidem beneficium non solum hoc praestat, vt caeca et obscura rationibus praetentare, nisi certum et explora-
205 tum nil diffinire, extra errorem in re qualibet (si quidem adniti velit) se constituere mens possit (quae quidem industriae ipsius su[p]pellex propria est) sed vt collapsa semel Philosophiae documenta, et ignauia mortalium abolita, reuocari restituique hominum coetibus possint. O praeclaram rem. Vt enim naturae opus
210 non solum perfectum est, sed assidue reficitur ex sese, sic naturae aemulatricem Philosophiam decuit, non solum instruere rebus omnibus hominem perfecte, sed hoc cauere, ne vnquam intercidere penitus ipsius inuenta possent. Igitur omni iam ex parte, foris, intus, ad mundi contemplationem adparatus videbatur, si moderari
215 et regere sese homo, ac perplacidam mentis tranquillitatem in Dei opus fixis semper oculis esse posset.

Rursus ingenti conatu, velut a fundamento tumultus illius humani pectoris causae omnes erutae, quo suum quisque morbum et videre, et ratione certa medicari sciret, quot quibusque rebus
220 primis mens incitetur, quaeue illa summa naturae inuitamenta sint, ad quae dum non recte festinat animus, per errorem infinitam affectuum turbam cieat, paulatim in consuetudinem et vitia degenerantum, quam vim et potentiam in imperitos rerum, et veris rationibus non firmatos animos voluptas et dolor exerceant, quae
225 summa vitae mortalium omnium in omnibus negotiis et consiliis proposita, quis ille verus in agendis rebus finis, quis in vnoquoque negotio modus et velut momentum virtutis, quod spectare bonum virum quaerereque per omnia deceat, quod illud in re qualibet decorum, cuius concinnitas sola commendet caetera in vita. In

195. naturam *Platonis Opera.*

quibus quidem rationibus velut anchoris solide mens fixa, inter medios rerum obturbantum fluctus stet inconcussa. 230

Ac quia nec sine hominum nec sine rerum domestico commertio viui recte potest, illud discrepantis multitudinis in vnum coeuntis, velut corporis, temperamentum quam multiplex esset, et quibus maxime de causis vel seruetur vel pessum eat, tum rei suae cuique cum ratione propagandae viae quae sint, ad vnguem omnia pertractauit. O solidum Philosophia beneficium tuum, quae nulla parte necessitatem hominum ope tua destituisti. Stat vita praeclaris inuentis tuis, quacunque propagari potuere, rebus omnibus solide ac ad aeternitatem nixa, quando praeceptis tuis formato homini seruire cuncta necesse est. Tollere se iam vltra humana, ac primas summasque interioris naturae causas, prima summarum disputationum fundamenta speculari, mens, et quo instituta fuit, pure syncereque philosophari potuit, ventumque ad metam humani ingenii fuit, solaque in caelum via restabat, quo cum oculis sese caligantibus Philosophia extulisset, nihil hic ope sua posse fieri confessa, ac ad reuelationem fatidicam, vltroque lucentem de coelo radium, summa cum religione conuersa, summam in his etiam rebus ingenuitate sua fidem merita, multa praeclara iisdem de rebus ore diuino reserauit. De spiritus nostri perennitate, de vniuersorum administratione, de impiorum aeterno excidio, de vera vitae innocentia, summa, solam hanc rectam solidamque de aeterno numine persuasionem virtutum omnium verarum verum fundamentum existere videns, nusquam non pietatem veram prae rebus omnibus inculcat. 235 240 245 250 255

O diuinum vere munus, quod citra nullum solidum homini in terris solatium reperiatur, ferarum etiamnum more sine sensu et luce pulcherrimarum rerum absque te foret vagaturo. O stultam contra mortalitatem, nec decus suum nec vera commoda perpendentem, sed de forte sua falso susque deque queritantem, inde vbi praesens semper sapientia reluceat, procul in terras abiectissimam mundi partem, perpetuum in exilium se detrusam, e circumsepto nubibus globo syluis horrido vix oculos tollere, vix meminisse patriae posse, ac vt meminerit maius aliud e calamitate sua negocium esse, inediae fami mille mortibus occurrere, ac in ista statione, in his excubiis assidue consistere cogi, ne aestu, frigore examinetur, tempestatibus opprimatur, feris laceretur. Ac non solum facultatem vestigandae sapientiae iniquitate loci, perpetuique exilii calamitate et miseria praeclusam, sed omnem praeterea spem ademptam, vincta captiuaque ergastulo corporis mente, et tamen hunc carcerem, hoc exilium dissimulanda fuisse, ni catenatus intus animus 260 265 270 ipsus impediat sese, ipsus sibi repugnet, multisque et grauibus errorum morbis agitetur, congenitis tenebris caecitate, stultitia natiua praematur.

275 Nam quae vel tenebrae vel quod exilium esse queat, vbicunque praesenti luce et ope sua Philosophia regnetur, aut quae non difficultas vitae tolli momento sapientissimis huius inuentis potest, terra, mari coeloque, rebus omnibus homini pacatis? aut quid remorari conatus nostros debet, via homini longe per omnia in 280 ipsam aeternitatem vsque beneficiis ipsius expedita? aut qui non illustrari denique tanta praeceptorum claritate aut non sisti tam firma rationum stabilitate mentem credamus? si quidem post tot tantaque beneficia laudes aeternas meritam, diuinum Dei munus, Philosophiam ingrati mortales agnoscere pergant.

285 Verum enimuero istuc, hercle, est quod videmus, fatali et exitiabili quodam nostro malo, in illa felicissima veterum scriptorum omnium monumenta cateruatim seculo nostro prodeuntia, in quae summa animi religione subire, summa constantia progredi decuit, aut temeritate praecipiti ruimus, aut primo statim congressu victi, 290 turpiter ignauiae c[a]edimus, mox vulpis illius instar negata damnamus suggillamusque. Quod malum quia pertinacissime nunc grassatur, ipse pro mea virili praeclaris veterum monumentis eruendis sic operam hactenus dedi, vt non paucis commodo nostrum in ea re studium futurum sperem.

295 Hos porro Platonis libros, Ioannes More charissime, non nullo aut iure nostro, aut tua gratia et merito, nouos ac praecipuis in locis doctissimi viri Procli commentariis illustratos, sub nomine tuo emittimus. Annus est enim (vt nosti) tertius iam, cum in Angliam, cuius visendae summa me dudum cupiditas ob illustre 300 vetusque gentis nomen et librorum veterum copiam incesserat, veniens ac Erasmi nostri commendatione velut vento secundo ad illas musis totas sacras aedes vestras delatus humanitate mira acciperer, maiori tractarer, maxima dimitterer. Non solum enim amplissimus vir pater tuus, ac tum quidem conditione per caetera 305 vero rebus omnibus egregiis facile toto regno princeps, priuatum hominem ignotumque me, literarum tantum ergo ad colloquium inter tot publica priuataque negotia admisit, mensae suae sceptra regni gerens, adposuit, in Aulam abiens, rediens, secum traxit,

303-327. *Stapleton* p.235. 303. enim *om. Stapleton.*

297. Proclus, the distinguished Neo-Platonist, was born at Constantinople 410 and taught at Athens 438-485. He had vast learning and a gift for organization. He completed the organization of the Neo-Platonic philosophy, but his literary method was mediocre.

laterique adiunxit suo, sed omnem meam de religione sententiam locis non paucis diuersam ab ipsius esse haud difficulter praesen- 310 tiens, placide benigneque cognouit, ac cum ab illa non parum tum quidem discreparet, opera consilioque sic iuuit nos tamen, vt omne mihi negotium sumptibus etiam suis confecerit.

Nam et itineri comitem Harrisium, doctum iuuenem, addidit, et Oxoniensis Gymnasii proceribus sic literis insinuauit, vt ad 315 earum conspectum omnes nobis collegiorum omnium non solum bibliothecae, sed studiosorum etiam animi velut mercuriali quadam virgula tacti patescerent. Magna vero cum primis erga nos viri optimi atque doctissimi Ioannis Claimundi humanitas fuit, qui quidem etiam alia quaedam Procli monumenta mira liberalitate 320 fidei nostrae et publicae studiosorum vtilitati permisit. Itaque bibliothecas, quas circiter viginti schola insignis vestutissimis libris refertas habet, omnes euolui, ac commentationum Procli libros non paucos, quantum intra annum vnum alterumue excudi posse videretur, ipsis annuentibus auexi, quibus de velut thesauro 325 inuento gratulantem, pater tuus, donatum liberaliter ac beneficiis suis plane cumulatum, in patriam remisit.

Inter quae quidem illius officia, de nostris te successibus gaudio quodam singulari semper gestientem vidi. Ad quem cum iure paternarum virtutum omnium fructus redeat, magna necessitas 330 fuit cur hos Procli libros miranda doctrina refertos, nostra quidem opera sed beneficio tuorum in lucem prodeuntes, tibi potissimum dedicarem, tum quod ipsis quidem ornamento te, hos contra maximo tibi vsui futuros sperabam, quem perpetua tanti patris consuetudine et sororum omni doctrinae genere excultissimarum 335 conuictu ad istas iam grauiores disputationes satis instructum scirem. Quid autem cupidis natura pulcherrimarum rerum men-

310. haud *Platonis Opera*; non *Stapleton.* 311. tum *Platonis Opera*; tunc *Stapleton.* 314. Ioannem Harrisium *Stapleton.* 318-321. Magna vero - - - permisit. *om. Stapleton.* 322. vetustissimis *Stapleton.*

314. John Harris was More's secretary and a tutor in the family. He later married Dorothy Colley, Margaret's maid. (Stapleton, tr. Hallett, p.xv.) He was head of a school in Bristol after More's death, and on Elizabeth's accession went into exile in Belgium. He settled in Louvain, matriculated at the university, and earned a living by teaching Latin and Greek, and boarding students in his house. (de Vocht p.311n.) His portrait appears in the "Nostell Priory" painting of the More group by Holbein—Harris is standing in the doorway at the back. (Reproduced in Arthur B. Chamberlain's *Hans Holbein the Younger*, 1913, I.296; cf. Hitchcock p.335.)

319. John Claymond (1457?-1537), educated at Magdalen College grammar school, and as demy at Magdalen, was persuaded by Bishop Fox to resign the presidency of Magdalen for that of Corpus Christi. His gift of manuscripts to Corpus library included *Epistolae ad Simon. Grinaeum, Erasmum et alios Viros Doctissimos.* (cf. D.N.B.)

324. For care of manuscripts, cf. Allen, *Erasmus; Lectures* p.36.

335. cf. Ep.42, notes.

tibus, tibi, inquam, et musis istis sororibus, quas diuinus animi
calor nouo seculi nostri exemplo, tam procul, tam feliciter in istud
340 literarum pelagus egit, vt iam discendi philosophandique difficultatem nullam supra se esse videant, accommodum magis sit, quam
is autor, quo nemo implicatas res melius producere, profundas
penitius inspicere, amplas et copiosas facilius animo complecti,
naturae spectaculum totum intimius penetrare, diuina et coelestia
345 minerua humana felicius speculari potuisse, meritissimo summis
semper autoribus creditus est?

Hos igitur Platonis libros non solum locis (vt dixi) praecipuis
illustratos, sed accurata Ioannis Oporini nostri, vtriusque linguae
peritissimi iuuenis, diligentia nobis hortantibus castigatos, a nobis,
350 Ioannes More, gratitudinis qualecunque signum accipe, et feliciter
philosophari perge. Vale.

Basileae, Calend. Martii, An. M.D. xxxiiii.

197. To Thomas Cromwell.

Arundel 152. fol. 296 (α) ⟨March? 1534⟩
Brit. Mus. MS. Royal 17 D XIV, fol. 376 (β)
Burnet, History of the Reformation, pt.2,
Records, II.21 (1680)
L.P. VII.287

[MS. Arundel 152 is a late sixteenth century copy.
This letter was first printed by Burnet. He considered that Rastell omitted it purposely, as More speaks with disfavor of the nun whom, in the reign of Mary, Catholics regarded as having suffered for the cause of Catherine of Aragon and her daughter.
Bruce (*Archaeologia* XXX, pp. 149f.) argues that Rastell did not know of the existence of this letter. But Dr. Hitchcock (p.345) points out that as it was in MS. Royal 17 D XIV, Rastell could not have been ignorant of it.]

RIGHT WORSHIPFULL,

After my moste hartie recomendacion, with like
tha⟨nkis for⟩ your goodnes in thacceptinge of my rude longe
lettre, I perceyve that of yo⟨ur further⟩ goodnes and favour towarde me, yt liked your Mastership to breake with m⟨y son⟩
5 Roper of that, that I had had communicacion, not onely with
dyvers that w⟨ere of⟩ acquintance with the lewde Nonne of Caun-
terburye, but allso with ⟨her self⟩; and had, over that, by my wrytinge, declaringe favour towarde her, gyv⟨en her⟩ aduice and cowncell; of which my demeaner, that it likethe you to be con⟨tent⟩

6. lewde—villainous.

to take the labour and the payne, to heare, by myne owne wrytinge, 10
⟨the⟩ trothe, I verye hartely thanke you, and ⟨recken⟩ my selfe
therin righte ⟨deeply⟩ beholden to you.

Yt is, I suppose, about viii or 9 yeares agoe sythe I ⟨harde⟩
of that huswife firste; at which tyme the bysshop of Canterburye
th⟨at than⟩ was, God assoyle his soule, sent vnto the Kinges Grace 15
a roll of ⟨paper⟩ in which were wrytten certaine wordes of hers,
that she had, as repor⟨t was⟩ then made, at sundrye tymes spoken
in her traunses; whervppon it p⟨leased⟩ the Kinges Grace to
delyuer me the roll, commandinge me to loke ther⟨on and⟩ afterwarde shew hyme what I thoughte therin. Whervnto, at an other 20
⟨tyme⟩, when his Highenes asked me, I tolde hyme, that in good
faithe I found⟨e⟩ nothinge in these wordes that I coulde eny thinge
regarde or esteme, ff⟨or⟩ sauinge that some parte fell in rime, and
that, God wotte, full rude, els for a⟨ny⟩ reason, God wott, that I
saw therin, a righte simple woman mighte, in ⟨my⟩ mynde, speake 25
it of her owne witt well ynoughe, how be it, I saide, ⟨that⟩ becavse
it was constantlie reported for a trothe, that God wroughte in h⟨er⟩,
and that a myracle was shewed vppon her, I durste not nor woulde
n⟨ot⟩, be bolde in iudginge the matter. And the Kinges Grace, as
me though⟨te⟩, estemed the matter as lighte as yt after proved 30
lewde.

Frome that tyme tyll abo⟨wte⟩ Christmas was tweluemonethe,
albeit that contynuallie, ther was much talkinge of her, and of her
holynes, yet never harde I anye talke reh⟨earsed⟩, ether of revelacion of hers, or miracle, savinge that I had hearde some tymes 35
in my Lorde Cardinalls dayes, that she had ben bothe with his
⟨Lordship⟩ and with the Kinges Grace, but what she saide either to
the ton or t⟨o tother⟩, vppon my faithe, I had never harde anye
one worde.

Now, as I was aboute to tell you, aboute Christmas was twelue- 40
mone⟨the⟩, Father Resbye, Frier Observante, then of Canterburye,
lodged one ⟨night at myne⟩ howse; wher after souper, a litle before
he wente to his ⟨chambre, he fell⟩ in communicacion with me of

11. recken *del.* α. 23. sauinge] seeing *Burnet*. 35. some] *sic* α; diuerse β.

13. Elizabeth Barton was ill in 1525, and the illness produced nervous disorder, which finally took the form of religious mania.

14. huswife—worthless or pert woman.

15. Archbishop Warham.

23. Burnet's use of *seeing* misses the point.

41. Richard Risby (1490-1534) was educated at Winchester and New College, Oxford, and took his degree in 1510. He entered the Franciscan order in 1513 and was finally warden of the Observants at Canterbury. He was included in the Act of Attainder of January 1534 and was executed at Tyburn 20 April. (Cath. Encyc.; D.N.B. art. "Elizabeth Barton.")

the Nonne, gyvinge ⟨her high commendacion of⟩ holines, and that
45 it was wonderfull to see and vnderstand the workes that God wroughte in her; which thinge, I answeryd, that I was verye gladde to heare it, and thanked God therof. Then he tolde me, that she had bene with my Lorde Legate in his liffe and with the Kinges Grace to, and that she had tolde my Lorde Legate a reuela-
50 cione of hers, of three sword*is* that God hathe put in my Lorde Legates hande, which if he ordered not well, God wolde laye it soore to his charge, the firste he saide was the orderinge of the spiritualtie vnder the Pope, as Legate, the seconde the rule that he bare in order of the temporaltie vnder the Kinge, as his Chaun-
55 cellor. And the third, she saide, was the medlinge he was put in truste with by the Kinge, concerninge the greate matter of his marriage. And therwithall I saide vnto hyme that eny revelacion of the Kinges matters I woulde not heare of, I doubte not but the goodnes of God shoulde directe his highenes with his
60 grace and wisedome, that the thinge shoulde take suche end, as God shoulde be pleased with, to the Kinges honor and suretie of the realme. When he harde me saye these word*is* or the like, he saide vnto me, that God had speciallie commanded her to praye for the Kinge; and forthwith he brake ageine into her revelacions,
65 concerninge the Cardinall that his soule was savid by her mediacione; and without anye other communicacion went into his chambre. And he and I never talked any more of anye suche maner of matter, nor since his departinge on the morrow, I never sawe hyme after to my remembrance, till I saw hyme at Paules crosse.
70 After this, about Shrovtyde, ther came vnto me, a lytle before souper, Father Riche, Fryre Observante of Richemounte. And as we fell in talkinge, I asked hyme of Father Resbye, how he did? and vppon that occasion, he asked me whether Father Resbye had anye thinge shewed me of the holye Nonne of Kente? and I
75 saide ye, and that I was verye glad to heare of her vertue. I woulde not, quod he, tell you ageine that you have harde of hyme alreadye, but I have harde and knowne manye greate graces that God hathe

66. mediacione] as I remember add. *β*.

---

65. This the nun claimed in 1531.

69. At the public exposure of the nun and her accomplices, when they were forced to read their confessions. (November 1533.)

71. Hugh Rich was brought before the Star Chamber in November 1530, with the other accomplices of the nun. A conference of judges, bishops and peers was held at Westminster, and sentenced them to public exposure at Paul's Cross and Canterbury. Rich was included in the Act of Attainder, but was not executed at Tyburn—whether he died before the execution of the sentence, or was pardoned, we do not know. (D.N.B. art. "Elizabeth Barton.")

wroughte in her, and in other folke, by her, which I woulde gladlye
tell you if I thoughte you had not harde them allredye. And
therwith he asked me, whether Father Resebye had tolde me anye 80
thinge of her beinge with my Lorde Cardinall? and I saide ye.
Then he tolde you, ⟨quoth he⟩, of the iii sword*is*; ye verelie, quod I.
Did he tell you, quothe he, of the ⟨revela⟩cions that she had concerninge the Kinges Grace? Nay, for sothe, quothe I, ⟨nor if he
woulde⟩ have done I woulde not have gyven hyme the hearinge; 85
⟨nor⟩ verelie no more I woulde in deed, for sithe she hathe byn
with the Kinges Gra⟨ce her⟩ selfe, and told hyme methoughte it a
thinge nedelesse to tell the matter to me, ⟨or⟩ anye man els. And
when Father Riche perceyved that I woulde not heare her revelacions concerninge the Kinges Grace he talked on a lytle of her 90
ver⟨tue⟩ and let her reuelacions alone; and therwith my souper
was sett vppon the ⟨board⟩ where I required hyme to sytt with
me, but he woulde in no wise ⟨tarry⟩, but departed to London.
After that nighte I talked with hyme twise, ones in ⟨myne⟩ owne
house, an other tyme in his owne gardeine at the Fryres, at euerye 95
ty⟨me⟩ a greate space, but not of anye revelacione touchinge the
Kinges Grace, but ⟨onely⟩ of other meane folke, I knew not
whome, of which thinges some were verye ⟨strange⟩ and some
were verye childishe. But albeit that he saide that he had seene
her ⟨lie in⟩ her traunce in greate paynes and that he had at other 100
tymes taken greate spirituall comforte in her communicacion,
yet did he never tell me ⟨she⟩ had tolde hyme those tales her selfe;
ffor yf he had I wolde, for the tale of Marye Magdaline which he
tolde me, and for the tale of the hoste, with which, as ⟨I⟩ harde,
she saide she was houseled, at the King*is* Masse at Calice; if I 105
had ha⟨rde⟩ it of hyme as tolde vnto hyme selfe by her mouthe
for a revelacion, I woulde ⟨have⟩ bothe liked hyme and her the
worse. But whether ever I harde that same ta⟨le⟩ of Riche or of
Resbye or of neither of them bothe, but of some other man sins
s⟨he⟩ was in holde, in good faithe I can not tell. But I wott well 110
when or where so euer I harde it, me thoughte it a tale to mervel-
ous to be trew, and verye likely that she had tolde some man her
dreame, which tolde it oute for a reuelacion. And ⟨in⟩ effecte, I
litle doubted but that some of these tales that were tolde of her
were vn⟨trew⟩; but yet sithe I never harde them reported, as 115
spoken by her owne mouthe, ⟨I⟩ thoughte never the lesse that
many of them mighte be trew, and she a verye vertuous ⟨woman⟩

105. Elizabeth Barton was at Calais in October 1532 when the King, accompanied by Anne Boleyn, met Francis I there.
housel—to receive the Communion.

to; as some lies be peraduenture wrytten of some that be saynt*is*
in heaven, and yet many miracles in dede done by them for all that.
120 After this I beinge vppon a daye a⟨t Syon⟩ talkinge with dyvers
of the Fathers togeather at the grate, they shewed me that she
⟨had bene⟩ with them, and shewed me dyvers thinges that some
of them misliked in her and in this ⟨talking⟩, they wished that I
had spoken with her and saide they woulde fayne see how I
125 shoulde ⟨like her⟩; whervppon, afterwarde, when I harde that she
was there ageine, I came thi⟨ther to see⟩ her and to speake with
her my selfe. At which communicacion had, in a litle chap⟨el,
there⟩ were non present but we too. In the begyninge wherof I
shewed that my ⟨coming to her⟩ was not of enye curiouse mynde,
130 eny thinge to know of suche thin⟨g*is* as folke talked⟩, that it
pleased God to revele and shew vnto her, but for the great ⟨vertue
that I had harde for⟩ so manye yeares, euerye day more and more
spoken ⟨and reported of her, I therefore⟩ had a grete mynde to see
her, and be acquynted ⟨with her, that she might have somewhat⟩
135 the more occasion to remembre me to God in her devotion and
prayres, whervnto she gave me a verye good vertuous answere
that as God did of his goodness farre better by her then suche a
poore wretche was worthie, so she feared that manye folke yet
besyde that spake of theire owne fauorable myndes many thinges
140 for her, farr above the trothe, and that of me she had manye suche
thinges harde, that allredy she prayed for me, and ever wolde,
wher of I hartelie thanked her.

I saide vnto her, 'Madam, one Hellyn, a meyden dwellinge
aboute Totnam, of whose traunses and revelacions ther hath bene
145 muche talkinge, she hathe bene with me late and shewed me
that she was with you, and that after the rehersall of suche visions
as she had sene, you showed her that they were no revelacions, but
pleyne illusions of the devell and advised her to caste them out
of her mynde, and verelie she gave therin good credence vnto you
150 and thervppon hathe lefte to lene any lenger vnto suche visions
of her owne, whervppon she saithe, she findethe your word*is* trew,
for euer since, she hathe ben the lesse visited with suche thinges

137. suche] she *Burnet*. 140. for] of *β*. 145. with me] of *add. Burnet*.
150. leue *α*.

121. The Brigittine Order was founded in Sweden in 1346 and extended to England in 1415. It was particularly for nuns, but monks were also founded that they might provide spiritual help. Until the Reformation, the houses were double, presided over by the abbess, and using a common chapel. Henry V had laid the cornerstone of the house of Syon at Isleworth on the Thames, and had richly endowed it. (Cath. Encyc.)

as she was wonte to be before.' To this she answered me, 'Forsothe, Sir, ther is in this poynte no prayse vnto me, but the goodnes of God, as it appearethe, hathe wroughte muche meeknes in her 155 soule, which hathe taken my rude warninge so well and not grutched to heare her spirite and her visions reproved.' I liked her in good faithe better for this answere, then for manye of those thinges that I harde reported by her. Afterward she tolde me, vppon that occasion how greate neede folke have, that are visited 160 with suche visions, to take heede and prove well of what spirite they cum of, and in the communicacione she tolde me that of late the devell, in likenes of a bird, was fleeinge and flickeringe about her in a chambre, and suffered hyme selfe to be taken; and beinge in handes sodenlye chaunged, in ther sighte that were 165 present, into suche a straunge vglie fashioned bird, that they were all affreyde, threwe hym out at a wyndow.

For conclusion, we talked no worde of the Kinges Grace or anye greate personage ells, nor in effecte, of anye man or woman, but of her selfe, and my selfe, but after ⟨no⟩ longe communicacion had 170 for or euer we mett, my tyme came to goo home, I gave her a dubble ducate, and prayed her to praye for me and myne, and so departed from her and never spake with her after. How be it, of trothe I had a greate good opinion of her, and had her in greate estimacione as you shall perceyve by the lettre that I wrotte vnto 175 her. For afterwarde becavse I had often harde, that many righte worshipfull folkes as well men as women vsed to have muche communication with her, and manye folke are of na⟨ture⟩ inquisitive and curiouse, wherby they faule sometyme into suche talkinge, as b⟨etter were to⟩ forbeare, of which thinge I nothinge thoughte 180 while I talked with her of ⟨charity, there⟩fore I wrotte her a letter therof, which sithe it maye be peradventure, ⟨that she brake or lost, I shall in⟩serte the verye copie therof in this present lettre.

Good madam and my righte dearelie beloved Syster in our Lorde God. - - - 185

[After quotation of letter to Elizabeth Barton:]

At the receite of this lettre she answered my servante that she hartely thanked me. Sone after this ther came to myne house the procter of the Charterhouse at Shene and one brother William with hyme, which nothinge talked with me but of her and of the 190

189. Williams *Burnet*.

185. [cf. Ep.192.]

greate ioye that they tooke in her vertu, but of enye of her revelacions they had no communicacion. But at a nother tyme brother William came to me, and tolde me a longe tale of her, beinge at the house of a Knighte in Kent, that was sore troubled with temp-
195 tacion to distroye hyme selfe; and non other thinge we talked of nor shoulde have done of likliehode, thoughe we had taried togeather muche lenger. He toke so greate pleasure, good man, to tell that tale with all the circumstances at lengthe. When I came ageine an other tyme to Syon, on a daye in which ther was a profes-
200 sion, some of the fathers asked me how I liked the Nonne? And I answered that, in good faithe, I liked her verye well in her talkinge; 'how be it,' quoth I, 'she is never the nerer tryed by that, for I assure you she were likelie to be verye bad, if she seamed good, erre I shoulde thinke her other, tyll she happed to be proved
205 noughte'; and in good faithe, that is my maner indeed, excepte I were sett to serche and examine the truthe vppon likeliehode of some cloked evell; for in that case, allthoughe I nothinge suspected the person my selfe, yet no lesse then if I suspected hyme sore, I woulde as farre as my witte wolde serue me, serche to fynde
210 oute the trothe, as your selfe hathe done very prudentlie in this matter; wherin you have done, in my mynde, to your greate laude and prayse, a verye meritorious deed in bringinge forthe to lighte suche detestable ypocrisie, wherbye euerye other wretche maye take warninge, and be ferde to sett forthe theire owne
215 devilishe dissimuled falshed, vnder the maner and color of the wonderfull worke of God; for verelie, this woman so handeled her selfe, with helpe of the euell spirite that inspired her, that after her owne confession declared at Poules crosse, when I sent worde by my servante vnto the Procter of the Charterhouse, that she was
220 vndoubtedlie proved a false deceyvinge ypocrite; the good man had had so good opinion of her so longe that he coulde at the firste scantlye beleiue me therin. Howe be it hit was not he alone that thoughte her so verye good, but manye an other righte good man besyde, as lytle mervell was vppon so good reporte, tyll she
225 was proved noughte.

I remembre me ferther, that in communication betwene Father Riche and me, ⟨I⟩ cownsayled hyme, that in suche straunge thinges as concerned suche folke as had comme ⟨vnto her⟩, to whome, as she saide, she had tolde the causes of theire comminge, erre
230 the⟨m selves spake⟩ therof; and suche good frute as they saide that manye men had receyved ⟨by her prayer, he and suche⟩ other

209. proue *β*. 219. prior *Burnet*. 229. *sic et Burnet*: he *B*.

as so reported it, and thoughte that the knowledg therof should muche perteyne to the glorie of God, shoulde firste cavse the thinges ⟨to be⟩ well and surelye examined by thordinaries, and suche as had aucthoritie thervnto; so that it might be surelie 235 knowne whether the thinges were trew or n⟨ot⟩, and that ther were no lyes entermingled amonge them or els the lyes might after happe to aweye the credence of those thinges that were trew. And when h⟨e⟩ tolde me the tale of Marye Maudelyn, I saide vnto hyme, 'Father Riche, that she is a ⟨good⟩ vertuous woman, in good 240 faithe, I heare so many good folke so reporte her, that I v⟨erelie⟩ thinke it trew; and thinke it well likelie that God workithe some goode and greate th⟨inges⟩ by her. But yet are, you wott well, these straunge tales no part⟨e of⟩ our crede; and therfore before you see them surelie proved, you shall have my p⟨ore⟩ powncell 245 not to wedde your selfe so farre forthe to the credence of them, as to reporte them verye surelie for trew, leste that if it shoulde happe that they were afterwarde proved false, it might minishe your estimacion in your preachinge, wherof might grow greate losse.' To this he thanked me for my cowncell, but how he vsed 250 it after that, I can not tell.

Thus have I, good Mr. Cromewell, fully declared you, as farre as my selfe can call to remembrance, all that euer I have done or saide in this matter, wher⟨in⟩ I am sure that never one of them all shall tell you enye farther thinge of effecte; for if anye of 255 them, or enye man els, report of me as I truste verelie no man will, and I wott well trulye no man can, enye worde or deed by me spoke⟨n⟩ or done, touchinge enye breache of my loyall trothe and dewtie towarde my most redoubted soueraigne and naturall leige lorde, I will cum to myne answere, and make it good in suche 260 wise as becomethe a poore trew m⟨an⟩ to doe; that who so euer anye suche thinge shall saye, shall therin say vntr⟨ew⟩; for I neither have in this matter done evill nor saide evell, nor so muche as enye evell thinge thoughte, but onelye have byne gladde, and reioyced of them that were reported for good; which condicione I 265 shall never the less⟨e⟩ keepe towarde all other good folke, for the false cloked ypocrisye of enye of these, no more then I shall esteme Judas the trew apostl⟨e⟩, for Judas the false traytor.

But so purpose I to beare my selfe in euerye mans company,

237. lyes] letters *Burnet*. 241. her *add.* *β*. 258. loyall] legall *β et Burnet*.

234. ordinary: bishop in his diocese.

270 while I lyve, that neither good man nor bad, neither m⟨onk, friar nor⟩ nonne, nor other man or woman in this worlde shall make me digresse frome my trothe and faithe, either towarde God, or towarde my naturall prynce, by the grace of allmightie God; and as you therin fynde me trew, so I hartelie therin praye you to con-
275 tynew towarde me your favour and good will, as you shalbe sure of my poore daylye prayor; for other pleasure can I non do you. And thus the blessed Trinitie, bothe bodelye and ghostlye, longe preserve and prosper you.

I prey you pardon me, that I wryte not vnto you of myne owne
280 hande, for verelye I am compelled to forbeare wrytinge for a while by reason of this disceace of myne, wherof the cheiffe occasion ys growne, as yt ys thoughte, by the stowpinge and lenynge on my breste, that I have vsed in wrytinge. And thus, eftesones, I beseche our Lorde longe to preserve you.

198. To Henry VIII.

Brit. Mus. MS. Cleop. E.vi, fol. 176 (α) — Chelsea
R.O. State Papers, Henry VIII, §82, p.254 (β) — 5 March ⟨1534⟩
Brit. Mus. MS. Royal 17 D xiv, fol. 383 (γ); Englysh Workes, p.1423
Ellis I.ii.p.47; Delcourt p.358
Ellis prints from the R.O. MS

[MS. Cleop. E.vi is in the Cottonian collection, but is usually on exhibition among the historical autographs. This and the manuscript at the Record office are both autographs. There are only slight verbal differences. The former is the one sent.

MS. Royal 17 D xiv is the copy of an earlier draft, and it was the source from which Rastell printed or a transcript of that source. It omits the date, which Rastell also did not give. Rastell changed *wykked woman of Canterbery* to *nunne of Canterbury.* (cf. Hitchcock pp.344-345.) Spelling differences between α and β, noted.]

Hit may lyke your Highnes to call to your gracious remembraunce, that at such tyme as of that great weighty rome and office of your Chauncellor (with which so far aboue my meritis or qualitees able and mete therfore, your Highnes had of
5 your incomparable goodnes honored and exalted me), ye were so good and gracious vn to me, as at my pore humble suit to discharge and disburden me, geving me licence with your gracious favor to bestow the residew of my life in myn age now to come,

276. not *Burnet.* 2. remembraunce β. 3. above β. 4. merits β. therefore β.
7. gevyng β. lycence β.
8. fauor β. resydew β. lyfe β. in myn age now *om.* β *et* γ.

abowt the provision for my soule in the service of God, and to be your Gracys bedisman and pray for you. It pleased your Highnes ferther to say vn to me, that for the service which I byfore had done you (which it than lyked your goodnes far aboue my deserving to commend) that in eny suit that I should after haue vn to your Highnes, which either should concerne myn honor (that word it lyked your Highnes to vse vn to me) or that should perteyne vn to my profit, I should fynd your Highnes good and graciouse lord vn to me. So is it now graciouse Soverayn, that worldely honor ys the thing, wherof I haue resigned both the possession and the desire, in the resignation of your moost honorable office; and worldely profit, I trust experience proveth, and dayly more and more shall prove, that I never was very gredy theron.

But now ys my most humble suit vn to your excellent Highnes, partely to beseche the same, some what to tendre my pore honestie, but principally that of your accustumed goodnes, no sinistre information move your noble Grace, to haue eny more distruste of my trouth and devotion toward you, than I haue, or shall duryng my life, geve the cause. For in this mater of the wykked woman of Canterbery I haue vn to your trusty Counsaylour Mr. Thomas Cromwell, by my writing, as playnly declared the trouth, as I possibly can, which my declaration, of his dutie toward your Grace, and his goodnes toward me, he hath, I vnderstand, declared vn to your Grace. In eny parte of all which my dealing, whither eny other man may peradventure put eny dowte, or move eny scrupule of suspition, that can I neither tell, nor lyeth in myn hand to lett, but vn to my selfe is it not possible eny parte of my saied demeanure to seme evil, the very clerenes of myn awne conscience knoweth in all the mater my mynde and entent so good.

Wherfore moste gratiouse Soverayn, I neither will, nor well it can bycome me, with your Highnes to reason and argue the mater, but in my moost humble maner, prostrate at your graciouse feete, I onely byseche your Maiestie with your awne high prudence and

9. provysion β. servyce β. 10. Gracys *om.* β *et* γ. 11. byfore I β. hadd, d. *del.* α.
12. yow β. above β. 13. shold β. have β. vn *om.* β.
14. Grace, that β, γ *et E.W.* 16. fynde β. 17. Soverayne β. 19. desyre β.
22. moost β. 23. partely *om. E.W.* byseche β.
24. how beit β *et E.W.* pryncipally β. accustomed β. synistre β. 25. distrust β.
26. trouth toward, toward *del.* α. trowth β. yow β.
27. lyfe β. *sic MSS.*; nunne of Canterbury *E.W.* 28. Counsailor β.
29. playnely β. trowth β. 30. possible *E.W.* dewty β. 31. understand β.
33. dowt β. 34. scruple β. suspe suspition α, suspe *del. MS.* my β.
35. it is β. sayed β. 36. evyll β. 37. and] an β.
38. moost β. graciouse β. Soverayne β. well *om.* β. 39. and] or β.
41. ownely β. besech β. Majestie β.; Grace *E.W.*

28. Elizabeth Barton, cf. Ep.192 and introd.

your accustumede goodnes consider and way the mater. And than if in your so doing, your awne vertuouse mynde shall geve you, that notwithstanding the manifold excellent goodnes that your
45 gratiouse Highnes hath by so many maner ways vsed vn to me, I be a wreche of such a monstrouse ingratitude, as could with eny of theym all, or with eny other person living, digresse fro my bounden dutie of allegeaunce toward your good Grace, than desire I no ferther favor at your gracious hand, than the losse of all that
50 ever I may lese in this world, good*is*, land*is*, and libertie and finally my life with all, wherof the keping of eny parte vn to my selfe, could never do me penyworth of pleasure, but onely shold than my recomforte be, that after my short life and your long, ⟨which with continuall prosperite to Goddys pleasure, our Lord for his
55 mercy send you⟩ I shold onys mete with your Grace agayn in hevyn, and there be mery with you, where among myn other pleasuris this shold yit be one, that your Grace shold surely se there than, that (how so ever you take me) I am your trew bedeman now and ever haue bene, and will be till I dye, how so ever your pleas-
60 ure be to do by me.

How be it, if in the considering of my cause, your high wisedome and gratiouse goodnes perceive (as I veryly trust in God you shall) that I none otherwise haue demeaned my selfe, than well may stand with my bounden dutie of faithfullnes toward
65 your roiall Maiestie, than in my moste humble wise I bysech your moste noble Grace, that the knowledge of your trew gratiouse persuasion in that byhalfe, may releve the turment of my present hevynesse, conceived of the drede and fere (by that I here such a grevouse bill put by your lerned Counseile in to your high
70 Cort of Perleament agaynst me) lest your Grace myght by some sinistre information be moved eny thyng to thinke the contrary, which if your Highnes do not (as I trust in God and your great goodnes the mater by your awne high prudence examined and considered, you will not) than in my moost humble maner, I
75 besech your Highnes ferther (al be it that in respecte of my

42. accustomed β. consydre β. And if that *E.W.* 43. yow β.
45. graciouse β. mater maner α; mater *del. MS.* wayes β. used β.
46. monstruouse β.
47. with *om.* β *et E.W.* lyving β. from β. 48. dewtie β. desyre β. 49. hands β.
50. in this world *om.* β *et E.W.* goods β. lands β. and *om.* β *et E.W.* finally *om.* β.
52. neuer β. than *om.* β. 53. cumforte β *et* γ. lyfe β. 54. Goddis β.
55. with *om.* β. 56. and be mery agayne with yow in hevyn β *et* γ.
57. pleasures β. 58. bedisman β. 62. wisedom β. graciouse β.
63. nowe β. self β. 64. faithfulnes β. 65. Maistie (*sic*) β. beseche β.
67. persuation β. 68. hevynes β.
69. byll β. Counsaile β. into β. 70. Parleament β. leste β.
71. synistre β. thing β. 74. ye β. 75. beseche β.

formar requeste this other thing ys very sleight) yit sith your Highnes hath here byfore of your mere habundaunt goodnes, heped and accumulated vppon me (though I was therto very far vnwurthy) fro tyme to tyme both wurshuppe and great honor to, and sith I now haue lefte of all such thing*is*, and no thing 80 seke or desire but the life to come, and in the meane while pray for your Grace, it may lyke your Highnes of your accustumed benignite somewhat to tendre my pore honestie and never suffre by the meane of such a bill put forth agaynst me, eny man to take occasion here after agaynst the treuth to slawndre me; which 85 thyng shold yit by the perell of theire awne soulys do theym selfe more hurt than me, which shall, I trust, settle myn harte, with your graciouse favor, to depend vppon the cumforte of the trouth and hope of hevyn, and not vppon the fallible opinion or sone spoken word*is*, of light and sone chaungeable peple. 90

And thus, moste dredde and moste dere soverayn Lord, I beseche the blessed Trinite preserve your moost noble Grace, both in body and soule, and all that are your well willers, and amend all the contrary among whome if ever I be or ever haue bene one, than pray I God that he may with myn open shame and destruction 95 declare it. At my pore howse in Chelchith, the fifeth day of March, by the knowen rude hand of

Your moste humble and moste hevy faithfull subgiett and bedeman,

Tho. More. Kg. 100

199. To Thomas Cromwell.

Brit. Mus. MSS. Cleop. E.vi. fol. 144; (α) Chelsea
Harl. 283, fol. 120v (β); Royal 17 D xiv. fol. 386 (γ) 5 March ⟨1534⟩
Englysh Workes p.1424

[MS. Cleop. E.vi is the corrected copy which More signed and sent to Cromwell. MS. Harl. 283 differs from it only in spelling, and these differences are not noted. MS. Royal 17 D xiv is a copy of More's draft, from which Rastell printed. Rastell, however, made changes (noted below) which

76. formare *β*. is *β*. 78. thowgh *β*. thereto *β*.
79. unworthy *β*. wurshipp *β*.
80. and *om. β, γ et E.W.* left *β*. nothing *β*. 81. desyre *β*. lyfe *β*.
81-82. pray for your Grace the while *β, γ et E.W.* 83. benignitie *β*. 84. byll *β*.
85. vntrewely *β*. slaunder *β*. 86. thinge *β*. theyr *β*. 87. harme *β*. hart *β*.
88. fauor *β*. co cumforte, co *del. α*. cumfort *β*. trowth *β*.
90. and *om. β*. sone] lightsome Ellis. 91. most *β*. soverayne *β*.
93. in *om. β*. wyllers *β*. 94. euer *β*. be] one *del. α*. euer *β*.
96. Chelcith *β*. v[th] *β*.

96. MS. Royal 17Dxiv is not dated, nor therefore, the Englysh Workes.

softened the comments on the Nun of Kent. cf. notes to Ep. 198, and references there given.

It is printed in the *Englysh Workes* with very different spelling (not noted).]

RYGHT WURSHIPFULL.

After my moost harty recommendation, it may please yow to vnderstond that I have perceived by the relation of my sone Rooper (for which I beseche allmyghty God reward yow) your moost cheritable labour taken for me toward the Kyng*is* graciouse
5 Highnes, in the procuryng at his moost graciouse hand, the reliefe and cumfort of this wofull hevynesse in which myn harte standeth, neither for the losse of good*is*, land*is*, or libertie, nor for eny respecte either, of this kynd of honestie that standeth in the opinion of peple and wor⟨l⟩dely reputation, all which maner thing*is* (I
10 thanke our Lord) I so litle esteme for eny affection therin toward my selfe that I can well be content to iubarde, lese, and forgo theym all and my life therwith, withowt eny ferther respite than evyn this same present day, either for the pleasure of God or of my prynce.

15 But surely good Maister Cromwell, as I by mouth declared vnto you, some parte (for all could I neither than say nor now write) it thorowly perceth my pore hart, that the Kyng*is* Highnesse (whose graciouse favour toward me far above all the thing*is* of this world I have ever more desyred, and wherof both for the con-
20 science of myn awne trew faithfull harte and devotion toward hym, and for the manyfold benefyt*is* of his high goodnes continually bestowed vppon me, I thowght my selfe all way sure), shold conceive eny such mynd or opinion of me, as to thinke that in my communication either with the nonn⟨e⟩ or the ffrerys, or
25 in my lettre written vnto the nonne, I had eny other maner mynde, than myght well stand with the dewtie of a tender loving subiecte toward his naturall prynce, or that his Grace shold reken in me eny maner of obstinate harte agaynst his pleasure in eny thinge that ever I sayed or did concernyng his great mater of his mariage
30 or concernyng the prymatie of the Pope. Never wold I wishe other thinge in this world more liefe, than that his Highnes in these thing*is* all thre, as perfetely knewe my dealyng, and as thorowly saw my mynde, as I do my selfe, or as God doth hym selfe, whose sight perceth deper into my harte, than myn awne.

8. neyther γ. 20. harte *add.* γ. 23. mynd or *om.* γ.
25. writinge γ. 30-31. other thinge *om.* γ. 34. thought γ.

For, Syr, as for the fyrst mater, that is to witt my lettre or communication with the nonne (the whole discourse wherof in my formar lettre I have as playnely declared vnto yow as I possibly can), so pray I God to withdrawe that scruple and dowt of my good mynde, owte of the Kyng*is* noble breste and none other wise, but as I not onely thowght none harme, but also purposed good, 40 and in that thing moost, in which (as I perceive) his Grace conceiveth moost griefe and suspition, that is to witt in my lettre which I wrote vnto her. And therfore Syr, sith I have by my writing declared the trowth of my dede, and am redy by myn othe to declare the trowth of myn intent, I can devyse no ferther thing 45 by me to be done in that mater, but onely beseche allmyghty God to put in to the Kyng*is* graciouse mynde, that as God knoweth the thing is in dede, so his noble grace may take it. Now towching the seconde point concernyng his grac*is* great mater of his mariage, to thentent that yow may se cause with the bettre conscience to 50 make suit vn to his highnes for me, I shall as playnely declare yow my demeanure in that mater as I have all redy declared yow in the tother, ffor more playnely can I not.

Syr, vppon a tyme at my comyng frome beyond the see, where I had bene in the Kyng*is* busynesse, I repeyred as my dewtie was 55 vnto the Kyng*is* Grace being at that tyme at Hampton Cort. At which tyme sodaynly his Highnes walkying in the galery, brake with me of his great mater, and shewed me that it was now perceived, that his mariage was not onely agaynst the posytive lawis of the Chirch and the written lawe of God, but also in such wise 60 agaynst the lawe of nature, that it could in no wise by the Chirch be dispensable. Now so was it that byfore my going over the see, I had herd certeyne thing*is* moved agaynst the bull of the dispensation concernyng the word*is* of the Law Leviticall and the Law Deuteronomycall to prove the prohibition to be *de iure diuino,* 65 but yit perceived I not at that tyme but that the greater hope of the mater stode in certeyne fawt*is* that were fownden in the bull, wherby the bull shold by the lawe not be sufficient. And such comfort was there in that point as far as I perceived a good season, that the Counsaile on the tother parte were fayne to bring forth a 70

---

54. Return from Calais in 1527, probably. cf. note to Ep.155.

58. The divorce was commonly spoken of as the "King's matter."

64. Lev.20:21; Deut.25:5.

68. Queen Catherine said that there was a papal brief in Spain which dispensed for the marriage with Henry, even if her marriage with Arthur had been consummated. This, in any case, Catherine denied. (cf. D.N.B.; cf. ll.172ff. and notes.)

brief, by which they pretended those defawt*is* to be supplyed, the trewth of which brief was by the Kyng*is* Counsaile suspected, and mych diligence was there after done, for the tryall of that point, wherin what was fynally fownden, either I never knew, or ellys I
75 not remembre.

But I reherse yow this to thentent yow shall know that the fyrst tyme that ever I herd that point moved, that it shold be in such high degre agaynst the law of nature, was the tyme in which as I bygan to tell yow the Kyng*is* Grace shewed it me hym selfe, and
80 layed the Bible open byfore me, and there red me the word*is* that moved his Highnes and diverse other erudite persons so to thinke, and asked me ferther what my selfe thowght theron. At which tyme not presumyng to loke that his Highnes shold eny thinge take that point for the more proved or unproved for my pore mynd
85 in so great a mater, I shewed never the lesse as my dewtie was at his commaundment what thing I thowght vppon the word*is* which I there red. Whervppon his Highnes acceptyng benignely my sodayn vnadvysed answere commaunded me to commune ferther with Mr. Fox, now his Grac*is* Almoyner, and to reade a booke with
90 hym that than was in makyng for that mater. After which booke redd, and my pore opinion efte sonys declared vnto his Highnes thervppon, his Highnes lyke a prudent and a vertuouse prynce assembled at another tyme at Hampton Cort a good nombre of very well lerned men at which tyme as far as ever I herd there
95 were (as was in so great a mater moost lykely to be) diverse opinions among theym. How be it I never herd but that they agreed at that tyme vppon a certeyne forme in which the booke shold be made, which boke was afterward at Yorke place in my Lord Cardinallys chambre redd in the presence of dyverse byshoppys

71. fawtis γ. 77. such *om.* γ.

89. Edward Fox (1496?-1538) had long been assisting in the negotiations for the divorce. In 1528 he went to Rome to secure a commission from Clement VII, showing the Pope the dangers from a disputed succession. In 1529 his conversation with Cranmer gave him the suggestion of the appeal to the universities, which he reported to the King, thus starting the rise of Cranmer. Fox assisted in securing the opinions of the universities of Cambridge, Oxford and Paris, and for this Anne Boleyn obtained his appointment in 1531 as Almoner. By 1534 he was definitely with the Reformers and in 1535 was made Bishop of Hereford. A mission to Germany, to consult Luther and other divines, proved their lack of sympathy. (D.N.B.)

90. "The Determinations of the most famous and mooste excellent universities of Italy and Fraunce, that it is so unleful for a man to marie his brothers wyfe, that the pope hath no power to dispence therewith." London 1531. Stokesley, Bishop of London, writing to Cromwell, 17 July 1535, said, "Much of what I said is in the King's book that Mr. Ampner (almoner, i.e. Fox), Dr. Nicholas (de Burgo) and I made before my going over sea in embassy, and was afterward translated by my Lord of Canterbury. (L.P.VIII.1054, Hitchcock pp.342-343; D.N.B.) de Burgo was an Italian Augustine friar in the pay of the King.

and many lerned men. And they all thowght that there appered 100
in the booke, good and reasonable causys, that myght well move
the Kyng*is* Highnes being so vertuouse a prynce to conceive in his
mynde a scruple agaynst his mariage, which, whyle he could not
other wise avoide, he did well and vertuousely for the acquyeting
of his conscience to sew and procure to have his dowte decided 105
by iudgement of the Chirch.

After this the suit bygan, and the Legat*is* satt vppon the mater,
during all which tyme I neuer medeled therein, nor was a man
mete to do, ffor the mater was in hand by an ordynary processe
of the spirituall law, wherof I could litle skyll. And yit whyle the 110
Legat*is* were sitting vppon the mater, it pleased the Kyng*is* Highnes to send me in the cumpany of my *Lord of London* now *of
Duresme* in embassiate abowt the peace that at our being there
was concluded at Cameray, bytwene his Highnes and th'Emperor
and the Frenche Kyng. And after my comyng home his Highnes 115
of his onely goodnes (as far vnworthy as I was therto) made
me, as yow well knowe, his Chauncellor of this realme, sone after
which tyme his Grace moved me agayne yit efte sonys, to loke
and consydre his great mater, and well and indifferently to pondre
such thing*is* as I shold fynde therin. And if it so were that ther- 120
vppon it shold happe me to se such thing*is* as shold persuade me
to that parte, he wold gladly vse me among other of his counsailors
in that mater, and never the lesse he graciousely declared vnto
me that he wold in no wise that I shold other thing do or say
therin, than vppon that that I shold perceive myn awne conscience 125
shold serve me, and that I shold fyrst loke vnto God and after
God vnto hym, which moost graciouse wordys was the fyrst lesson
also that ever his Grace gave me at my fyrst comyng into his noble
servyce. This motion was to me very cumfortable and mych I
longed byside eny thing that my selfe either had seene, or by 130
ferther serch shold happe to fynd for the tone part or the tother,
yit specially to have some conference in the mater with some such
of his Grac*is* lerned Counsaile as moost for his parte had labored
and moost haue found in the mater.

Whervppon his Highnes assigned vnto me the now moost 135
reverend fathers Archebyshoppis of Canterbery and Yorke with
Mr. Doctor Fox now his Gracys Almonyer and Mr. Doctor

---

105. sue.
107. Cardinals Campeggio and Wolsey held a legatine court from 31 May to 23 July 1529.
112. Cuthbert Tunstall. For the embassy to negotiate the Treaty of Cambrai, cf. Eps. 169-173, and notes.
117. cf. Ep.177, note.
137. Cranmer, Edward Lee, Edward Fox.

Nicholas the Italiane frere, wheryppon I not onely sowght and redde, and as ferforth as my pore witt and lerning served me, well
140 wayed and consydered every such thing as I could fynd my selfe, or rede in eny other mannys labor that I could gete, which eny thing had written therin, but had also diligent conference with his Gracis counsailors afore sayed, whose honors and wurshippis I no thing mysse trust in this point, but that they both have and
145 will reporte vnto his Highnes that they neuer found obstinate maner or fashion in me, but a mynd as toward and as conformable as reason could in a mater disputable requyre.

Whervppon the Kyngis Highnes being ferther advertised both by theym and my selfe of my pore opinion in the mater (wherin
150 to have bene able and mete to do hym servyce I wold as I than shewed his Highnes have bene more glad than of all such worldely commoditees as I either than had or euer shold come to) his Highnes graciousely takyng in gre my good mynd in that byhalfe vsed of his blessed disposition in the prosecuting of his great mater
155 onely those (of whom his Grace had good nombre) whose conscience his Grace perceived well and fully persuaded vppon that parte, and as well my selfe as eny other to whom his Highnes thowght the thing to seme other wise, he vsed in his other busynes, abyding (of his abundant goodnes) neuer the lesse graciouse
160 lord vnto eny man, nor neuer was willing to put eny man in ruffle or trowble of his conscience.

After this did I neuer no thing more therin, nor neuer eny word wrote I therin to thempayring of his Gracis parte neither byfore nor after, nor eny man ellys by my procurement, but
165 settling my mynd in quyete to serve his Grace in other thingis I wold not so mych as loke nor wittingly lett lye by me eny booke of the tother parte, albeit that I gladly redd afterward dyverse bookis that were made on his parte yit, nor neuer wold I rede the boke that Mr. Abell made on the tother syde, nor other boke

141. that I could gete *om.* γ. 164. eny man ellys by my procurement *om.* γ.

138. Nicholas de Burgo.

153. in gre] in part.

169. Thomas Abell (d.1540) was M.A. of Oxford 1516, and became Queen Catherine's chaplain before 1528. In 1529 he was sent to Spain to secure the original of the brief which had been issued by Julius II in connection with the bull of dispensation. With this letter he presented one of his own stating that Queen Catherine most earnestly desired that the brief should not be sent. This informed Charles V of the Queen's position, of which she could not herself acquaint him.

After the legatine court had ended its trial, Henry secured opinions against papal dispensation for such a marriage. Abell replied in 1532 in the *Invicta Veritas*. He was imprisoned in the Tower for this and his bold sermons. He was released for a time but was included in the act of attainder against Elizabeth Barton, as if really one of her accomplices, and after six years in the Tower was hanged as a traitor July 1540. D.N.B.

which were as I herd say made in Laten beionde the see, nor neuer geve ere to the Popis procedyng*is* in the mater. 170

Moreover where as I had founden in my study a boke that I had byfore borowed of my Lord of Bath, which booke he had made of the mater at such tyme as the Legat*is* satt here thervppon, which booke had bene by me merly gently cast asyde, and that I shewed hym I wold send hym home his booke agayne, he told me that in good faith he had long tyme byfore discharged his mynd of that mater, and having forgoten that copie to remayne in my hand*is* had burned his awne copie that he had therof at home, and bycause he no more mynded to medle enything in the mater he desyred me to burne the same boke to. And vppon my faith so did I. 175 180

Byside this dyverse other wayes have I so vsed my selfe, that if I rehersed theym all, it shold well appere that I neuer have had agaynst his Grac*is* mariage eny maner demeanure, wherby his Highnes myght have eny maner cause or occasion of displeasure toward me, ffor lyke wise as I am not he which either can, or whom it could bycome, to take vppon hym the determination or decision of such a waighty mater, nor boldely to afferme this thing or that therin, wherof dyverse point*is* a great way passe my lerning, so am I he that among other his Grac*is* faithfull subgiett*is*, his Highnes being in possession of his mariage and this noble woman really anoynted Quene, neither murmure at it, nor dispute vppon it, nor neuer did nor will, but with owt eny other maner medlyng of the mater among his other faithfull subgiett*is* faithfully pray to God for his Grace and hers both, long to lyve and well and theyr noble issue to, in such wise as may be to the pleasure of God, honor and surety to theym selfe, reste, peace, welth and profit vnto this noble realme. 185 190 195

175. negligentely γ. 185. graceous β.
192. MS. Royal 17Dxiv, n.: and this noble woman really anoynted Quene, neither grudge nor murmure ther at nor neuer wulde, but withowt any other maner meddling of the matter, hartely pray to God for the contynuaunce of good life and long, and for the preseruacion of the prosperouse state of his Grace and hers both, and of their noble issu. 197-199. to, in such wise - - - noble realme. *Hic deficit MS. Royal* 17Dxiv.

---

173. John Clerk (d.1541), B.A. Cambridge 1499, M.A. 1502, had also taken his doctorate in law at Bologna. As Wolsey's chaplain and Dean of the Chapel Royal, he had served on foreign embassies, and in 1521 had presented the King's book to Leo X. In 1523 he became Bishop of Bath and Wells. In 1528 he became one of Catherine's counsellors, but later joined in pronouncing the King's divorce. (D.N.B.) He is reported to have assisted Cranmer in writing on the divorce and the royal supremacy.

193ff. The whole passage is omitted by Rastell, though it is given in the manuscript which he used. (cf. Bruce *op. cit.* and Hitchcock p.345.)

200 As towching the thyrde point, the prymatie of the Pope, I no thing medle in the mater. Trowth it is, that as I told yow, whan yow desyred me to shew yow what I thowght therin, I was my selfe some tyme not of the mynd that the prymatie of that see shold be bygone by thinstitution of God, vntill that I redd in that 205 mater those thing*is* that the Kyng*is* Highnes had written in his moost famouse booke agaynst the heresyes of Marten Luther, at the fyrst reding wherof I moved the Kyng*is* Highnes either to leve owt that point, or ellys to towche it more slenderly for dowt of such thing*is* as after myght happe to fall in question by-210 twene his Highnes and some pope as bytwene prync*is* and pop*is* dyverse tymis have done. Whervnto his Highnes answered me, that he wold in no wise eny thing minishe of that mater, of which thing his Highnes shewed me a secrete cause wherof I neuer had eny thing herd byfore. But surely after that I had redd his Grac*is* 215 boke therin, and so many other thing*is* as I have sene in that point by this continuaunce of these x yere synnys and more have founden in effecte the substaunce of all the holy doctors from Saynt Ignatius, disciple to Saynt John th'Evangelist, vnto our awne dayes both Latynis and Grek*is* so consonaun⟨t⟩ and agreing in that point, and 220 the thing by such generall counsailis so confirmed also, that in good faith I neuer neither redd nor herd eny thing of such effect on the tother syde, that euer could lede me to thinke that my conscience were well discharged, but rather in right great perell if I shold folow the tother syde and deny the primatie to be pro-225 vided by God, which if we did, yit can I no thing (as I shewed yow) perceive eny commoditie that euer could come by that denyall, ffor that primatie is at the leist wise instituted by the corps of Christendom and for a great vrgent cause in avoiding of scysmes and corroborate by continuall succession more than the space of a 230 thowsand yere at the leist ffor there are passed almoost a thowsand yere sith the tyme of holy Saynt Gregory.

And therfore sith all Christendom is one corps, I can not perceive how eny membre therof may withowt the comen assent of the body departe from the comen hede. And than if we may not 235 lawfully leve it by our selfe I can not perceive (but if the thing were

216. vii yere γ. 224. syde *om.* γ.

203. cf. Roper p.37.

206. *Assertio septem Sacramentorum*, 1521.

213. Is this that the King thought he had evidence from members of Prince Arthur's household, of the consummation of the marriage? (D.N.B., art. "Catherine of Aragon.")

218. Ignatius, Bishop of Antioch, martyred in Rome c.A.D. 115, champion of the monarchical episcopate.

231. Gregory the Great, pope 590-604.

a treating in a generall counsaile) what the question could avayle whither the prymacie were instituted immediately by God or ordeyned by the Chirch. As for the generall counsailis assembled lawfully, I never could perceive, but that in the declaration of the trewthis it is to be byleved and to be standen to, the authorite 240 therof owght to be taken for vndowtable, or ellys were there in no thing no certayntie, but thorow Christendom vppon every mannys affectionate reason, all thing myght be browght fro day to day to contynuall ruffle and confusion, from which by the generall counsailis, the spirite of God assisting, every such coun- 245 saile well assembled kepeth and euer shall kepe the corps of his Catholique Chirch.

And veryly sith the Kyng*is* Highnes hath (as by the boke of his honorable counsaile appereth) appealed to the generall counsaile from the Pope, in which counsaile I beseche our Lord 250 send his grace cumfortable spede, me thinketh in my pore mynd it could be no furtheraunce there vnto his Gracys cause, if his Highnes shold in hys awne realme byfore, either by lawys making, or bokys putting forth, seme to derogate and deny not onely the primatie of the se apostolique, but also the authorite of the 255 generall counsailys to, which I veryly trust his Highnes intendeth not, ffor in the next generall counsaile it may well happen, that this pope may be deposed and a nother substituted in his rome, with whom the Kyng*is* Highnes may be very well content, ffor albeit that I have for myn awne parte such opinion of the popys 260 primatie as I have shewed yow, yit neuer thowght I the Pope above the generall counsaile nor neuer have in eny boke of myn put forth among the Kyng*is* subgiet*is* in our vulgare tunge, avaunced greatly the Popis authorite. For albeit that a man may peradventure somewhat fynde therin that after the comen maner 265 of all Christen realmys I speke of hym as primate yit neuer do I stykke theron with reasonyng and proving of that point. And in my boke agaynst the Maskar, I wrote not I wote well fyve lynys, and yit of no mo but onely Saynt Peter hym selfe, from whose person many take not the primatie, evyn of those that 270

241. wherof γ. 265. somewhat *om.* γ.

262. Stapleton, in using this material in his account of More's constancy under trial omits the words, "yit neuer thowght I the Pope above the generall counsaile." (cf. Stapleton, tr. Hallett p.165 n.2.)

268. The *Dialogue concerning Tyndale*, in the *English Works* 1931—cf. especially pp.143-144, 185. The *Dialogue* was first published 1528. cf. Ep.160 for Tunstall's licence to More to collect, read and refute heretical books.

graunte it none of his successours, and yit was that boke made, prented and put forth of very trowth byfore that eny of the bok*is* of the counsaile was either prented or spoken of. But where as I had written therof at length in my confutation byfore, and for 275 the profe therof had compyled together all that I could fynde therfore, at such tyme as I litle loked that there shold fall bytwene the Kyng*is* Highnes and the Pope such a breche as is fallen synnys, whan I after that sawe the thing lykely to drawe toward such displeasure bytwene theym I suppressed it vtterly and never 280 put word therof in to my booke but put owt the remanaunt with owt it, which thing well declareth, that I never entended eny thing to medle in that mater agaynst the Kyng*is* graciouse pleasure, what so ever myn awne opinion were therin.

And thus have I, good Mr. Cromwell, long trowbled your 285 Maistershipp with a long processe of these maters, with which I neither durst, nor it could bycome me to encumbre the Kyng*is* noble Grac⟨e⟩, but I besech yow for our Lord*is* love, that yow be not so wery of my most cumberouse suit, but that it may lyke yow at such oportune tyme or tymys as your wisedom may fynde, 290 to helpe that his Highnes may by your goodnes be fully enformed of my true faithfull mynde, and that in the mater of that wykked woman there neuer was on my parte eny other mynd than good, nor yit in eny other thing ellys neuer was there nor neuer shall there be eny ferther fawte fownden in me, than that I can not in 295 every thinge thinke the same way that some other men of more wisedom and deper lerning do, nor can fynd in myn hart otherwise to say, than as myn awne conscience geveth me, which condition hath neuer growen in eny thing that euer myght towche his graciouse pleasure of eny obstinate mynd or mysse 300 affectionate appetite, but of a timorouse conscience rysing happely for lakke of bettre perceiving, and yit not with owt tendre respecte vnto my most bownden dutie toward his noble Grace, whose onely favor I so myche esteme, that I no thing have of myn awne in all this world, except onely my soule, but that I will with 305 bettre will forgo it than abide of his Highnes, one hevy displeasaunt loke. And thus I make an ende of my long trowbelouse processe, beseching the blessed Trinitie for the great goodnes ye shew me, and the great cumforte ye do me, both bodely and

291-292. --- that he may the rather by the meanes of your wisedome and dexteritie consider that in the mater of the wicked woman there was neuer on my parte any other mynd than good --- *MS. Royal* 17DXIV.

292. wykked woman] the nonne *E.W.*

goostly to prospere yow, and in hevyn to reward yow. At Chelcith the vth day of Marche by 310

Your diepely bounden,

Tho. More. Kg.

200. To Margaret Roper.

Bodleian MS. Ballard 72, fol. 81v ⟨Tower of London⟩
Brit. Mus. MS. Royal 17 D xiv, fol. 398 ⟨c. 17 April 1534⟩
Englysh Workes p.1428
Tres Thomae p.282

[Bodleian MS. Ballard 72 is of about the middle of the sixteenth century, as is also Brit. Mus. MS. Royal 17 D xiv. Spelling differences are not noted. The translation in *Tres Thomae* does not include the last paragraph.]

Sir Thomas More, vpon warninge geuen hym, came before the Kynges Commissioners at the Archebishop of Canterburies place at Lambeth (the Monday the xiii day of Apryll in the yere of our Lorde 1534, and in the later ende of the xxv. yere of the raigne of Kynge Henrie the viii): where he refused the oth than offred vnto hym. And therupon was he deliuered to the Abbot of Westminster to be kept as a prisoner: with whome he remayned till Friday folowing, and than was sent prisoner to the Tower of London. And shortly after his cominge thither he wrote a letter and sent vnto his eldest dowghter Maistres Margaret Roper, the copye wherof here foloweth.

When I was before the Lordes at Lambeth, I was the first that was called in, all beit, Maister Doctour the Vicar of

---

309. MS. Royal 17Dxiv omits the place, date and signature. This was the source which Rastell used and it therefore explains his uncertainty about place and date.

INTROD. Archbishop Cranmer, Sir Thomas Audeley, Chancellor, Thomas Duke of Norfolk, Treasurer, and the Duke of Suffolk were commissioned to receive the oath to the Act of Succession. (L.P. vii.392.)

William Benson (or Boston), Abbot of Westminster, was born at Boston in Lincolnshire, and was probably educated in a school of the Benedictine order to which he belonged. He was B.D. of Cambridge in 1521, and D.D. in 1528. The university was asked in 1530 to decide on the validity of the King's marriage. Benson was consulted and voted with the majority on its invalidity.

In 1531 he was Abbot of the Benedictine house at Burton-on-Trent and resigned in 1532-3 to be Abbot of Westminster.

He subscribed the Ten Articles of Religion of 1536 and was summoned to the Parliament which passed the reactionary Six Articles of 1539.

In 1540 he surrendered the Abbey to the King, and on the establishment of the Cathedral, became the first dean. The Church was much impoverished by the forced surrender of many of its manors. Benson asked to resign, but died as Dean in 1549. (cf. D.N.B.)

Croydon was come before me, and diuers other. After the cause of my sendinge for, declared vnto me (wherof I some what
5 merueyled in my minde, consideringe that they sent for no mo temporall men but me) I desired the sight of the othe, which they shewed me vnder the great seale. Than desired I the sight of the Acte of the Succession, which was deliuered me in a printed roll. After which redde secretely by my self, and the othe considered
10 with the acte, I shewed vnto them, that my purpose was not to put any faulte eyther in the acte or any man that made it, or in the othe or any man that sware it, nor to condempne the conscience of any other man. But as for my self in good faith my conscience so moued me in the matter, that though I wolde
15 not denie to swere to the succession, yet vnto the othe that there was offred me I coulde not sware, without the iubardinge of my soule to perpetuall dampnacion. And that if they doubted whither I did refuse the othe only for the grudge of my conscience, or for

9. conferred *MS. Royal.* considred *E.W.*

---

3. Rowland Phillips (c.1468-?1538). cf. note to Ep.25. The Vicar of Croydon had found himself in a difficult situation during the religious changes carried out by Henry VIII. He had confessed in 1531 that he had been guilty of *Praemunire* and the King's instructions to Cromwell are that the Attorney is to proceed against him. (L.P.v.394, St.P.I.380.) In November of that year he received pardon for "all offences against the Crown and the Statute of Provisors." (L.P.v.559.34.) On the other hand, he assisted in the examination of the heretic, John Tewkesbury. (L.P.v.589.) In the autumn of 1533, Cromwell's Remembrances include the brief note. "Of the taking of the vicar of Croydon." (L.P.VI.1370.) As prisoner, he wrote to Cromwell, pleading his age, his illness and his loss from absence from St. Paul's. (L.P.VI.1672.) This plea must have been of service to him, for in March 1534 he was free and could hear the sermons before the Court. (L.P.VII.304.) In April he was licensed to dispute with Hugh Latimer. (L.P.VII.441.) But this was done merely for a show of fairness, as Latimer was appointed as Court preacher during Lent, and Phillips seems to have been at least threatened with the Tower. (D.N.B. art., *Latimer.*) There was a rumor that he had been actually committed (L.P.VII.483), but More's letter shows that he did take the Oath to the Succession. In July 1535 he labored "to bring the Carthusians into obedience to the King as head of this Church." (L.P.VIII.1043, XI.186.) In October Cranmer sent for him but he "made sickness his excuse, because he would not appear before him." (*ibid.*IX.583.) He seems to have been much under suspicion and was included as one of "a rabblement of seditious preachers." (*ibid.*XI.325.) His last extant letter was written 18 May 1537 (or 1538?). He "asks Cromwell to surcease his command of personal appearance until he is of more strength." (L.P.XIII.1020.) This letter evidently precedes his long examination before Cranmer in July 1537 (*ibid.*XII, part ii.361). We have no information about the trial, but in May 1538, he resigned the living of Croydon and received a pension "on account of his great age." The whole story is a curious commentary on the difficulties of opinion of the period.

8. For the first Act of Succession (25 Henry VIII, cap.22) cf. Gee and Hardy, *Documents Illustrative of English Church History*, pp.232-243. This did not give the form of the oath. Letters patent contained the form and appointed the commission.

10. The commissioners added to the oath a formula abjuring "any foreign potentate." The clergy had to renounce the pope. More was ready to accept the Act of Succession, but not to take an oath against the authority of the pope. (D.N.B. article *More.*)

any other fantasy, I was ready therin to satisfie them by mine othe. Which if they trusted not, what shoulde they be the better 20 to giue me any othe? And if they trusted that I wolde therin swere true, than trusted I that of their goodnes they woulde not moue me to swere the oth that they offred me, perceiuing that for to swere it was against my conscience.

Vnto this my Lorde Chauncellor said, that thei all were sorie 25 to here me say thus, and see me thus refuse the oth. And they saide all that on their faith I was the very first that euer refused it; which wolde cause the Kynges Highnes to conceiue great suspicion of me and great indignacion towarde me. And therwith they shewed me the roll, and let me se the names of the lordes 30 and the comons which had sworne, and subscribed their names allredy. Which notwithstanding when they saw that I refused to swere the same my self, not blaming any other man that had sworne, I was in conclusion commanded to goe downe in to the gardein, and there vpon I taried in the olde burned chamber, 35 that loketh in to the gardein and wolde not go downe because of the heate. In that time saw I Maister Doctour Lattemer come in to the gardein, and ther walked he with diuers other doctours and chapleins of my Lorde of Caunterbury, and very mery I saw hym, for he laughed, and toke one or tweyne aboute the necke so 40 handsomely, that if they had been women, I wolde haue went he had ben waxen wanton. After that came Master Doctour Wilson forth from the lordes and was with two gentilmen brought

---

25. Sir Thomas Audley than Lorde Chaunceller. (Marginal note, *E.W.*)

32. These were they that were in the parlament. (*E.W.*)

37. Hugh Latimer (1485?-1555), Protestant martyr under Queen Mary, was B.A. of Cambridge 1510, M.A. 1514, and B.D. 1524. He was elected Fellow of Clare Hall just before taking his degree. He was ordained priest at Lincoln. He was suspected of Lutheran tendencies as early as 1525, and his sermons in 1529 were criticized as depreciating the value of "voluntary works" like pilgrimages and gifts to churches. He favored the King's divorce and was evidently for that reason asked to preach at court in 1530, and was given the living of West Kineton in Wiltshire. He was accused of heresy because of his views on purgatory and the worship of the saints, and was called before Convocation in 1532. He submitted and recanted.

In the Lent of 1534 he was invited to preach before the King every Wednesday, and as a show of fairness, the Vicar of Croydon was allowed to dispute with him, but was at the same time under threat of the Tower. Latimer became royal chaplain and in 1535 Bishop of Worcester. He resigned in 1539 because of the reactionary Six Articles Act, tried to escape, but was brought back and put in the custody of Sampson, Bishop of Chichester. He expected execution, but was saved by a friend, probably Cromwell, who is reported to have said to the King, "Consider, sir, what a singular man he is, and cast not that away in one hour what nature and art hath been so many years in breeding and perfecting." (D.N.B.)

43. Dr. Nicholas Wilson was B.A., Cambridge (Christ's College) 1508/9, and D.D. 1533. He was chaplain and confessor to the King, and in 1528 Archdeacon of Oxford and Vicar of Thaxted in Essex. In 1531, he had the living of St. Thomas the Apos-

by me, and gentilmanly sent straight vnto the Towre. What time
45 my Lorde of Rochester was called in before them, that can not I
tell. But at night I herd that he had ben before them, but where
he remayned that night, and so forth till he was sent hither, I
neuer harde. I hard also that Maister Vicare of Croydon, and all
the remenaunt of the priestes of London that were sent for, wer
50 sworne, and that they had such fauour at the counsels hande,
that they wer not lingered nor made to daunce any longe attendaunce to their trauaile and cost, as sutours were somtime
wont to be, but were spedde apace to their great comforte, so farre
forth that Maister Vicare of Croydon, either for gladnes or for
55 drines, or els that it might be sene (quod ille notus erat pontifici)
went to my Lordes buttry barre, and called for drinke, and dranke
(valde familiariter).

When they had played their pageant and were gone out of the
place, than was I called in again. And than was it declared vnto
60 me, what a nomber had sworne, euen since I went aside, gladly,
without any styckinge. Wherin I laid no blame in no man, but
for mine owne self answered as before. Now as well before as than,
they somewhat laide vnto me for obstinacye, that where as before,
sith I refused to swere, I wolde not declare any speciall parte of that
65 othe that grudged my conscience, and open the cause wherfore.
For therunto I had said to them, that I ferid lest the Kinges Highnes wolde as they saide take displeasure inough towarde me for
the only refusal of the othe. And that if I should open and disclose
the causes why, I shoulde therwith but further exasperate his

---

tle, London, and in 1533 was Master of Michaelhouse, Cambridge.

When the divorce case came up in Convocation, Wilson was in the minority which held that the Pope could grant the dispensation which had allowed Henry's marriage to his brother's widow.

Confinement in the Tower caused Dr. Wilson to waver, and in 1537 he took the oath to the succession and was released by a pardon dated 29 May. (L.P.xii.i.1315, 1330; ii.181.) He was soon suspected of communicating with recusants, but wrote to Cromwell that he desired to conform to the King's wishes. (*ibid*.xii.ii.579.)

He was preferred to the deanery of Wimborne, Salisbury diocese, though he "no more expected it than to be bishop of Rome," and retained it until the dissolution of the deanery in 1547. (*ibid*.xii.ii.191, 425.) He was commissioned with Heath, also a King's chaplain, to go abroad to confer with "Mr. Pole" and to secure Pole's submission. (*ibid*.xii.ii.619-620.) The conference was prevented by Pole's sudden return to Italy.

He was present at the christening of Edward VI, preached at court, and agreed with the majority in the lower house of Convocation that the King could decide questions connected with the Six Articles Act. (*ibid*.xii.ii.911; xiii.ii.1280. fol.12b.; xiv.1065.4.)

In June 1540 he was again sent to the Tower "for having maintained the Pope's side." (*ibid*.xv.736,740.) He was released in 1541, received further preferment, including a prebend at St. Paul's, and was appointed, with bishops and other doctors, to examine the New Testament in the English Bibles, as "many things needed reformation." (*ibid*.xvii.176; xix.ii.328, p.172.) He died in 1548. (cf. also D.N.B.—but this dates his first arrest on 10 April 1534.)

45. John Fisher, Bishop of Rochester. cf. Ep.57.

Highnes, which I wolde in no wise do, but rather wolde I abide al the daunger and harme that might come towarde me, than giue his Highnes any occasion of further displeasure, than the offringe of the oth vnto me of pure necessite constrained me. Howbeit when they diuers times imputed this to me for stubbernes and obstinacie that I wolde neither swere the oth, nor yet declare the causes why, I declined thus farre toward them, that rather than I wolde be accompted for obstinate, I wolde vpon the Kynges gracious licence or rather his such commaundement had, as might be my sufficient warraunt, that my declaracion shoulde not offend his Highnes, nor put me in the daunger of any of his statutes, I wolde be content to declare the causes in writing; and ouer that to giue an oth in ye beginninge, that if I might find those causes by any man in such wyse answered, as I might thinke mine owne conscience satisfied, I wolde after that with all mine hart swere the principall oth, to.

To this I was answered, that though the Kynge wolde giue me licence vnder his letters patent, yet wolde it not serue against the statute. Wherto I said, that yet if I had them, I wolde stande vnto the trust of his honour at my parell for the remenaunt. But yet it thinketh me, loe, that if I may not declare the causes without perill, than to leaue them vndeclared is no obstinacy.

My Lord of Canterbury takinge hold vpon that that I saide, that I condempned not the conscience of them that sware, saide vnto me that it apered well, that I did not take it for a very sure thinge and a certaine, that I might not lawfully swere it, but rather as a thinge vncertain and doubtfull. But than (said my Lord) you knowe for a certenty and a thinge without doubt, that you be bownden to obey your souerain lorde your Kyng. And therfore are ye bounden to leaue of the doute of your vnsure conscience in refusinge the othe, and take the sure way in obeying of your prince, and swere it. Now al was it so, that in mine owne minde me thought my self not concluded, yet this argument semed me sodenly so suttle and namely with such authorite comminge out of so noble a prelate's mouth, that I coulde againe answere nothinge therto but only that I thought my self I might not well do so, because that in my conscience this was one of the cases, in which I was bounden that I shoulde not obey my prince, sith that what so euer other folke thought in the matter, (whose conscience and learninge I wolde not condempe nor take vpon me to iudge) yet in my conscience the trouth semed on the tother side. Wherin I

75. declare] shewe *MS. Royal.* 107. bounden that] that *om. MS. Royal.*

had not enformed my conscience neither sodeinly nor sleightley, but by longe laysure and diligent serche for the matter. And of trouth if that reason may conclude, than haue we a redy way to avoyde all perplexities. For in what so euer matters the doctours 115 stande in great doubt, the Kynges commaundement giuen vpon whither side he list soyleth all the doutes.

Than said my Lorde of Westminster to me, that how so euer the matter semed vnto mine owne minde, I had cause to feare that mine owne minde was erronious, when I see the great counsail 120 of the realme determine of my mynde the contrary, and that therfore I ought to chaunge my conscience. To that I answered, that if there were no mo but my self vpon my side, and the whole Parlement vpon the tother, I wolde be sore afraide to lene to mine owne mynde only against so many. But on the other side, if it 125 so be, that in some thinges for which I refuse the oth, I haue (as I thinke I haue) vpon my parte as great a counsail and a greater to, I am not than bounden to change my conscience, and conferme it to the counsail of one realme, against the generall counsail of Christendome. Vpon this Maister Secretary (as he that tenderly 130 fauoreth me), saide and sware a gret oth, that he had leuer that his owne only sonne (which is of trouth a goodly yonge gentilman, and shall I trust come to much worship) had lost his hedde, than that I shoulde thus haue refused the oth. For surely the Kynges Highnes wolde now conceiue a great suspicion against me, and 135 thinke that the matter of the nonne of Canterbury was all contriued by my drift. To which I saide that the contrary was true and well knowen, and what so euer shoulde mishap me, it laye not in my powre to helpe it without perill of my soule. Than did my Lorde Chaunceller repete before me my refusell vnto Mister 140 Secretary, as to hym that was going vnto the Kynges Grace. And in the rehearsing, his Lordship repeted again, that I denied not but was content to sware to the succession. Wherunto I said, that as for that poynt, I wolde be content, so that I might se my oth in that poynt so framed in such a maner as might stande with 145 my conscience.

Than said my Lorde: 'Mary, Maister Secretary marke that to, that he will not sware that neither, but vnder some certaine maner.' 'Verily no, my Lorde,' quoth I, 'but that I will see it made in such

---

116. solves.
129. Cromwell.
131. Gregory Cromwell had just come into public life in 1535. He seems hardly to have deserved More's tribute. cf. Merriman, I, pp.53-54, 145.
135. cf. Ep.192.

wise first, as I shall my self se, that I shall neither be forsworne nor swere against my conscience. Surely as to swere to the succession 150 I see no perill, but I thought and thinke it reason, that to mine owne othe I loke well my self, and be of counsaile also in the fashion, and neuer entended to swere for a pece, and set my hande to the whole othe. How be it (as helpe me God), as touchinge the whole othe, I neuer withdrewe any man from it, nor neuer aduised 155 any to refuse it, nor neuer put, nor will, any scruple in any mannes hedde, but leaue euery man to his owne conscience. And me thinketh in good faith, that so were it good reason that euery man shoulde leaue me to myne.'

201. To Margaret Roper.

Bodleian MS. Ballard 72, fol. 84v
Brit. Mus. MS. Royal 17 D XIV, fol. 393v
Englysh Workes p.1430
Tres Thomae p.291, translation

Tower of London
⟨April-May? 1534⟩

A letter writen with a cole by Sir Thomas More to his doughter Maistres Margaret Roper, within a while after he was prisoner in the Tower.

MYNE OWNE GOOD DOUGHTER.

Our Lorde be thanked, I am in good health of body, and in good quiet of minde: and of worldly thinges I no more desire then I haue. I besech hym make you all mery in the hope of heauen. And such thinges as I somewhat longed to talke with you all, concerninge the worlde to come, our Lorde put them in 5 to your mindes, as I trust he doth, and better to, by his Holie Spirite: who blesse you and preserue you all. Writen with a cole by your tender louinge father, who in his pore prayers forgetteth none of you all, nor your babes, nor your nurses, nor your good husbandes, nor your good husbandes shrewde wiues, nor your 10 fathers shrewde wyfe neyther, nor our other frendes. And thus fare you hartely well for lacke of paper.

Thomas More, Knight.

Our Lorde kepe me continually true faithful and plaine, to the contrary whereof I beseche hym hartely neuer to suffre me lyue. 15 For as for longe lyfe (as I haue often tolde the Megge) I neither loke for, nor longe for, but am well content to goe, if God call

153. entende *MS. Royal.* INTROD. *om. MS. Royal.*

me hence to morowe. And I thanke our Lorde I knowe no person lyuing that I wolde had one philippe for my sake: of which
20 minde I am more gladde than of all the worlde beside.

Recommende me to your shrewde Wyll and mine other sonnes, and to John Harrys my frende, and your selfe knoweth to whome els, and to my shrewde wyfe aboue all, and God preserue you all, and make and kepe you his seruauntes all.

202. To Margaret Roper.

Bodleian MS. Ballard 72, fol. 84v — Tower of London
Brit. Mus. MS. Royal 17 D XIV, fol. 394 — ⟨May? 1534⟩
Englysh Workes p.1431
Tres Thomae p.292 (translation of first half)
[Answered by Ep. 203.]

Within a while after Sir Thomas More was in prison in the Towre, his doughter Maistres Margaret Roper wrote and sent vnto hym a letter, wherin she semed somwhat to labour to perswade hym to take the othe (though she nothinge so thought) to winne therby credens with Maister Thomas Crumwell, that she might the rather gett libertie to haue free resorte vnto her father (which she only had for the most tyme of his imprisonment) vnto which letter her father wrote an answere, the copie whereof here foloweth.

OUR LORD BLISSE YOU ALL.

If I had not ben, my derely beloued doughter, at a firme and fast point, (I trust in God's great mercie) this good great while before, your lamentable letter had not a litle abashed me, surely farre aboue all other thynges, of which I here diuers times
5 not a fewe terrible towarde me. But surely they all towched me neuer so nere, nor were so greuous vnto me, as to se you, my welbeloued childe, in such vehement piteous maner labour to perswade vnto me, that thinge wherin I haue of pure necessite for respect vnto myne owne soule, so often gyuen you so precise
10 answere before. Wherin as towchinge the pointes of your letter, I can make none answere, for I doubt not but you well remembre, that the matters which moue my conscience (without declaracion wherof I can nothinge touche the poyntes) I haue sondry tymes

TIT. all *om. MS. Royal.*

21. William Roper.
22. cf. Ep.196 l.314,n.

INTROD. Margaret Roper's letter is not extant.

shewed you that I will disclose them to no man. And therfore doughter Margaret, I can in this thynge no further, but lyke as 15 you labour me againe to folowe your minde to desire and praye you both againe to leaue of such labour, and with my former answeres to holde your self content.

A deadly grief vnto me, and moch more deadly than to here of mine owne death, (for the feare therof, I thanke our Lorde, the 20 feare of hel, the hope of heauen and the passion of Christ daily more and more aswage), is that I perceiue my good sonne your husband, and you my good doughter, and my good wife, and mine other good children and innocent frendes, in great displeasure and daunger of great harme therby. The let wherof, while it lieth 25 not in my hand, I can no further but commit all vnto God. (Nam in manu Dei) saith the scripture (cor regis est, et sicut diuisiones aquarum quocunque voluerit, impellit illud) whose highe goodnes I most humbly besech to encline the noble harte of the Kynges Highnes to the tender fauor of you all, and to fauour me no better 30 than God and my self knowe that my faithfull hart toward hym and my dayly prayour for hym, do deserue. For surely if his Highnes might inwardlie see my true minde such as God knoweth it is, it wolde (I trust) sone aswage his high displeasure. Which while I can in this worlde neuer in such wise shewe, but that his 35 Grace may be perswaded to beleue the contrary of me, I can no further go, but put all in the handes of hym, for feare of whose displeasure for the saue garde of my soule stirred by mine owne conscience (without insectacion or reproch laieng to any other mans) I suffre and endure this trouble. Out of which I besech 40 hym to bringe me, when his will shall be, in to his endelesse blisse of heauen, and in the meane while, gyue me grace and you both in all our agonies and troubles, deuoutly to resort prostrate vnto the remembraunce of that bitter agony, which our Sauiour suffred before his passion at the Mount. And if we diligently so do, I 45 verily trust we shall find therin great comfort and consolacion. And thus my deare doughter the blessed spiritt of Christ for his tender mercy gouerne and guide you all, to his pleasure and your weale and comfortes both body and soule.

Your tender louynge father, 50

Thomas More, Knight.

28. impellit illud] *Hic deficit Stapleton.*

---

27. Prov.21:1.

203. From Margaret Roper.

Bodleian MS. Ballard 72, fol. 85v
Brit. Mus. MS. Royal 17 D XIV, fol. 454 ⟨May? 1534⟩
Englysh Workes p.1432
Tres Thomae p.220, extract
[Answering Ep. 202.]

To this last letter Maistres Margaret Roper wrote an answere and sent it to Sir Thomas More her father, the copie wherof here foloweth.

MYNE OWNE GOOD FATHER.

It is to me no litle comfort, sith I can not talke with you by such meanes as I wolde, at the lest way to delite my self amonge in this bitter tyme of your absens, by such meanes as I maye, by as often writinge to you, as shall be expedient and by 5 readinge againe and againe your most fruteful and delectable letter, the faithfull messenger of your very vertuous and gostly minde, rid from all corrupt loue of worldly thinges, and fast knitt only in the loue of God, and desire of heauen, as becommeth a very true worshipper and a faithful seruaunt of God, which I doubt not, 10 good father, holdeth his holy hand ouer you and shall (as he hath) preserue you both body and soule (vt sit mens sana in corpore sano) and namely, now when you haue abiected all erthly consolacions and resyned yourself willingly, gladly and fully for his loue to his holy protection.

15 Father, what thinke you hath ben our comfort sins your departinge from vs? Surely the experiens we haue had of your lyfe past and godly conuersacion, and wholesome counsaile, and verteous example, and a suretie not only of the continuaunce of the same, but also a great encrese by the goodnes of our Lorde to the great 20 rest and gladnes of your hart deuoyd of all earthly dregges, and garnished with the noble vesture of heauenly vertues, a pleasant pallais for the Holy Spirite of God to rest in, who defend you (as I doubt not, good father, but of his goodnes he wyll) from all trouble of minde and of body, and gyue me your most louinge 25 obedient dowghter and handmaide, and all vs your children and frendes, to folow that that we prayse in you, and to our onely comfort remembre and comin together of you, that we may in

15-19. Father - - - of our Lorde *tr. Stapleton*, p.220. 26. to follow *om. MS. Royal.*

12. Juv.10:356.

conclusion mete with you, mine owne dere father, in the blisse of heauen to which our most mercifull Lord hath bought vs with his precious blood. 30

Your owne most louing obedient doughter and bedeswoman, Margaret Roper, which desireth aboue all worldly thinges to be in John Woodes stede to do you some seruice. But we lyue in hope that we shall shortly receiue you againe, I pray God hartely we may, if it be his holy wyll. 35

204. To All His Friends.

Bodleian MS. Ballard 72, fol. 86 — Tower of London
Brit. Mus. MS. 17 D XIV, fol. 1 — ⟨1534⟩
Englysh Workes p.1432

Within a while after Sir Thomas More had ben in prison in the Towre, his dowghter Maistres Margaret Roper obteyned licens of the Kynge, that she might resort vnto her father in the Towre, which she dyd. And theruppon he wrote with a cole a letter to all his frendes, wherof the copy foloweth.

To ALL MY LOUINGE FRENDES.

For as much as being in prison I cannot tell what nede I may haue, or what necessitie I may happe to stande in, I hartely besech you all, that if my welbeloued doughter Margaret Roper (which only of all my frendes hath by the Kynges gracious fauour licens to resort to me) doe anything desire of any of you, of such 5 thinge as I shall happe to nede, that it may lyke you no lesse to regarde and tender it, then if I moued it vnto you and required it of you parsonally present my selfe. And I besech you all to praye for me, and I shall pray for you.

Your faithful louer and pore bedeman, 10

Thomas More, Knight, prisoner.

205. Alice Alington to Margaret Roper.

Brit. Mus. MS. Royal 17 D XIV, fol. 402r
Englysh Workes p.1433 — 17 August ⟨1534⟩

[Answered by Ep. 206. For Lady Alington, cf. Ep. 101n.]

---

33. John à Wood was More's servant, who attended him in the Tower. (Bridgett pp.410,412.) He saved More's works written during his imprisonment. (*English Works*, ed. Campbell and Reed, p.12.)

In August in the yere of our Lord 1534 and in the xxvi yere of the raygne of Kyng Henrye the eyght, the Ladye Alyce Alington, (wyfe to Syr Gyles Alington Knighte, and daughter to Syr Thomas Mores seconde and last wife) wrote a letter to Maistres Margaret Roper, the copy whereof here foloweth.

Sister Roper, with all my harte I recommende me vnto you, thankinge you for all kyndenes.

The cause of my writinge at this tyme is to shewe you that at my commynge home within twoe howres after, my Lorde Chauncelour did come to take a course at a bucke in owr parke, the which was to my husbonde a greate comforte that it woulde
5 please him so to doe. Than whan he had taken his pleasour and killed his deere he wente vnto Sir Thomas Barmeston to bedde, where I was the nexte daye with him at his desier, the which I coulde not say nay to, for me thought he did bidde me hertely, and moste specially because I woulde speake to him for my father.
10 And whan I sawe my tyme, I did desire him as humbly as I coulde that he woulde, as I haue herde say that he hath ben, be still goode lorde vnto my father. And he saide it did appeare very well whan the mater of the nonne was laide to his charge. And as for this other mater, he merueyled that my father is so obstinate
15 in his owne conceite, as that euery body wente forthe with all saue onely the blynde Bisshopp and he. And in goode faithe, saied my Lord, I am very glad that I haue no lerninge but in a fewe of Esoppes fables of the which I shall tell you one. There was a countrey in the which there were almoste none but foolys,
20 sauynge a fewe which were wise. And thei by their wisedome knewe, that there shoulde fall a greate rayne, the which shoulde make theym all fooles, that shoulde so be fowled or wette therewith. Thei seing that, made theym caues vnder the grounde till all the rayne was paste. Than thei came forthe thinkinge to make the
25 fooles to doe what thei liste, and to rule theym as thei woulde. But the fooles woulde none of that, but would haue the rule theimselfes for all their crafte. And whan the wisemen sawe thei coulde

INTROD. *Englysh Workes; om. MS. Royal.*

12. vnto my father.] Fyrst he aunswered me, that he woulde be as gladde to dooe for hym as for his father, and that (he sayd) [did appeare --- *add.* Rastell in *E.W.*

3. Sir Thomas Audley. (cf. Ep.200n.)

6. Sir Thomas Barmeston (or Barnestone, or Barnardeston) is mentioned in L.P. several times in the Commission of the Peace for Suffolk.

13. cf. Eps.192,194,195 and notes.

18. Aesop's fables were first printed by Caxton in 1484, from his French translation. Aesop lived probably 620-560 B.C.

not obteyne their purpose, thei wished that thei had bene in the rayne, and had defoyled their clothes with theim.

Whan this tale was tolde my Lorde did laugh very merily. Than I saide to him that for all his mery fable I did put no dowtes but that he woulde be goode lorde vnto my father whan he sawe his tyme. He saide I woulde not haue your father so scrupulous of his conscience. And than he tolde me an other fable of a lion, an asse, and a wolfe and of their confession. Fyrste the lion confessed him that he had deuoured all the beastes that he coulde come by. His confessor assoyled him because he was a kinge and also it was his nature so to doe. Than came the poore asse and saide that he toke but one strawe owte of his maisters shoe for hunger, by the meanes whereof he thought that his maister did take colde. His confessor coulde not assoile this greate trespace, but by and by sente him to the bisshoppe. Than came the wolfe and made his confession, and he was straightely commaunded that he shoulde not passe vi[d] at a meale. But whan this saide wolfe had vsed this diet a litle while, he waxed very hungrye, in so much that on a day when he sawe a cowe with her calfe come by him he saied to himselfe, I am very hungrye and fayne would I eate, but that I am bounden by my ghostely father. Notwithstandinge that, my conscience shall iudge me. And then if it be so, than shall my consciens be thus, that the cowe dothe seme to me nowe but worthe a groate, and than if the cowe be but worthe a groate than is the calfe but worth ii[d]. So did the wolfe eate bothe the cowe and the calfe. Nowe goode sister hath not my lorde tolde me ii pretye fables? In goode faythe they please me nothinge, nor I wiste not what to saye for I was abashed of this aunswere. And I see no better suyte than to Almightie God, for he is the comforter of all sorrowes, and will not faile to sende his comforte to his seruauntes when thei haue moste neede. Thus fare ye well myne owne good sister.

Wryten the Monday after Sainte Laurence in haste by

Your sister Dame,

Alyce Allington.

36. him *om. E.W.* 48. bound *E.W.* 49. it] that *E.W.* 54. pleased *E.W.* 60. by *om. E.W.* 61. Dame *om. E.W.*

50. A groat was usually valued at 4d.

59. R. W. Chambers, *The Continuity of English Prose* (Hitchcock, p.clxii) comments: "The letter is written in haste; but there Lord Audeley stands before us: the poor tool chosen to follow the mighty Chancellors of an earlier age, Morton, Warham, Wolsey, More. He is painted in a few telling strokes: a third-rate timeserver, boasting that he has no learning, laughing at his own feeble jokes, callously refusing help - - -"

206. Margaret Roper to Alice Alington.

Bodleian MS. Ballard 72, fol. 86v (α)
Brit. Mus. MS. Royal 17 D xiv, fol. 404 r (β) ⟨August 1534⟩
Englysh Workes p.1434

[Answering Ep. 205. The Bodleian MS. seems preferable. A few phrases drop out in the other MS.

R. W. Chambers in his essay, *The Continuity of English Prose* (Hitchcock, p.clxii) writes, "Perhaps the most remarkable proof of this dramatic power of the Chelsea household is in the so-called letter of Margaret Roper to Lady Alington. This is a report of a dialogue in prison between More and Margaret. It is about the length of Plato's *Crito*, to which indeed, in many ways, it forms a striking parallel. Now when, after the death of More and Margaret, this letter was printed, More's own circle could not decide whether the real writer was More or his daughter. And the letter remains a puzzle. The speeches of More are absolute More; and the speeches of Margaret are absolute Margaret. And we have to leave it at that."]

When Maistres Roper had receiued a letter from her sister Ladie Alice Alington, she at her next repaire to her father, shewed hym the letter. And what communicacion was therupon betwen her father and her, ye shall perceiue by an answere here folowinge (as wryten to the Ladie Alington). But whether this answere were writen by Sir Thomas More in his doughter Ropers name, or by hym self it is not certainely knowen.

When I came next vnto my father after, me thought it both conuenient and necessary, to shewe hym your letter. Conuenient, that he might therby see your louing labour taken for hym. Necessarie, that sith he might perceiue therby, that if he stande 5 still in this scruple of his conscience (as it is at the lest wise called by manie that are his frendes and wise) all his frendes that seme most able to do hym good either shall finally forsake hym, or peraduenture not be hable in dede to doe hym any good att all.

And for these causes, at my next being with hym after your 10 letter receyued, when I had a while talked with hym, first of his diseases, both in his brest of olde, and his reynes now by reason of grauell and stone, and of the crampe also that diuers nightes grypeth hym in his legges, and that I founde by his wordes that they wer not much increased, but continued after their maner that 15 they dyd before, sometyme very sore and sometyme little grief,

INTROD. or by her self *E.W., recte.* 6. wyfe *E.W.* 12. tymes *β.*
14. much *om. E.W.*

and that at that tyme I founde hym out of payne, and (as one in his case might), metely well minded, after our vii psalmes and the letany said, to sit and talke and be mery, beginning first with other thinges of the good comforte of my mother, and the good order of my brother, and all my sisters, disposing them self euery 20 day more and more to set litle by the worlde, and drawe more and more to God, and that his howsholde, his neighbours, and other good frendes abrode, diligently remembred hym in their prayers, I added vnto this: 'I pray God, good Father, that their praiers and ours, and your owne therwith, may purchase of God the grace, 25 that you may in this great matter (for which you stande in this trouble and for your trouble all we also that loue you) take such a way by tyme, as standing with the pleasure of God, may content and please the King, whome ye haue alway founden so singularly gracious vnto you, that if ye shoulde stifly refuse to doe the thing 30 that were his pleasure, which God not displeased you might doe (as many great wise and well learned men say that in this thing you may) it wolde both be a great blott in your worship in euery wise mans opinion and as my self haue herd some say (such as your self haue alway taken for well learned and good) a peryll 35 vnto your soule also. But as for that point (Father) will I not be bolde to dispute vpon, sith I trust in God and your good mynde, that ye will loke surely therto. And your learning I knowe for such, that I wot well you can. But one thinge is there which I and other your frendes finde and perceiue abrode, which but if 40 it be shewed you, you may peraduenture to your great peryll, mistake and hope for lesse harme (for as for good I wot well in this worlde of this matter ye loke for none) than I sore feare me, shall be likely to fall to you. For I assure you Father, I haue receyued a letter of late from my sister Alington, by which I see 45 well that if ye chaunge not your mynde, you are likely to lose all those frendes that are hable to do you any good. Or if ye leese not their good willes, ye shall at the lest wise lese the effect therof, for any good that they shall be hable to doe you.'

With this my father smiled vpon me and saide: 'What, maistres 50 Eue, (as I called you when you came first) hath my doughter Alington played the serpent with you, and with a letter set you a worke to come tempt your father again, and for the fauour that you beare hym labour to make hym sweare against his conscience, and so sende hym to the deuill?' And after that, he loked sadly 55

21. to set - - - more and more *om.* β. 23. diligently *om.* β. remembre β. 28. betime β. 33. be both β. 46. lose] leese β. 48. leese β.

againe, and earnestli said vnto me, 'Doughter Margaret, we two haue talked of this thinge ofter than twise or thrise, and that same tale in effect, that you tel me now therin, and the same feare to, haue you twise tolde me before, and I haue twise answered you
60 too, that in this matter if it were possible for me to doe the thinge that might content the Kynges Grace, and God therwith not offended, there hath no man taken this oth all redy more gladly than I wolde doe: as he that rekeneth hym self more depely bounden vnto the Kinges Highnes for his most singular bountie,
65 many waies shewed and declared, than any of them all beside. But sith standinge my conscience, I can in no wise doe it, and that for the instruction of my conscience in the matter, I haue not sleightly loked, but by many yeres studied and aduisedly considered, and neuer could yet see nor heare that thing, nor I thinke
70 I neuer shall, that coulde induce mine owne minde to thinke otherwise than I doe, I haue no maner remedy, but God hath geuen me to the straight, that either I must dedlie displease hym, or abide any worldly harme that he shall for mine other sinnes, vnder name of this thinge, suffer to fall vpon me. Wherof (as I
75 before this haue told you to) I haue ere I came here, not left vnbethought nor vnconsidered, the very worst and the vttermost that can by possibilite fall. And al be it that I know mine owne frailtie full well and the naturall faintnes of mine owne hart, yet if I had not trusted that God shoulde geue me strength rather to
80 endure all thinges, than offend hym by sweringe vngodly against mine owne conscience, you may be very sure I wold not haue come here. And sith I looke in this matter but only vnto God, it maketh me litle matter, though men cal it as it pleaseth them and say it is no consciens but a foolishe scruple.'

85 At this worde I toke a good occasion, and said vnto hym thus: 'In good faith Father for my parte, I neither doe, nor it cannot become me, either to mistrust your good minde or your learninge. But because you speake of that that some cal it but a scruple, I assure you you shall see my sisters letter, that one of the greatest
90 estates in this realme and a man learned too, and (as I dare say your self shall thinke whan you know hym, and as you haue al ready right effectuallie proued hym) your tender frende and very speciall good lord, accounteth your conscience in this matter, for a right simple scruple, and you may be sure he saith it of good

67. I haue] many yeres *add.* β. 70-72. coulde - - - that *om.* β.
73. geuen] dreuyn β. strait β.
75. two, i.e. Margaret et Lady Alington, *scr. Sampson and Guthkelch*, p.291.
79. strenght α.

minde and layeth no litle cause. For he saith that where you say 95
your conscience moueth you to this, all the nobles of this realme
and almost all other men too, go boldly furt⟨h⟩ with the contrary,
and sticke not therat, saue only your self and one other man:
whom though he be right good and very well learned too, yet
wolde I wene, fewe that loue you, geue you the counsaile against 100
all other men to lene to his minde alone.'

And with this worde I toke hym your letter, that he might see
my wordes wer not fayned, but spoken of his mought, whom he
much loueth and estemeth highly. Therupon he read ouer your
letter. And when he came to the ende, he began it afresh and read 105
it ouer again. And in the reading he made no maner hast, but
aduised it laisorly and poynted euery word.

And after that he paused, and than thus he said: 'Forsoth, doughter Margaret, I find my doughter Alington such as I haue euer
founde her, and I trust euer shall, as naturally mindinge me as you 110
that are mine owne. How be it, her take I verely for mine owne
too, sith I haue maried her mother, and brought vp her of a child
as I haue brought vp you, in other thinges and learninge both,
wherin I thanke God she findeth now some fruite, and bringeth
her owne vp very vertuously and well. Wherof God, I thanke hym, 115
hath sent her good store, our Lord preserue them and send her
much ioy of them and my good sonne her gentle husbande too,
and haue mercy on the soule of mine other good sonne her first;
I am dayly bedeman (and so write her) for them all.

'In this matter she hath vsed her self lyke her self, wisely and 120
lyke a very doughter towarde me, and in the ende of her letter,
geueth as good counsell as any man that witt hath wolde wish,
God giue me grace to folow it and God rewarde her for it. Now
doughter Margaret, as for my Lorde, I not only thinke, but haue
also founde it, that he is vndoutly my singuler good lorde. And 125
in myne other busines concerninge the sely nunne, as my cause
was good and clere, so was he my good lorde therin, and Master
Secretary my good master too. For which I shall neuer cease to be
faithfull bedeman for them both and dayly do I by my trueth, praye
for them as I doe for my selfe. And when so euer it shulde happen 130
(which I trust in God shall neuer happen) that I be founde other

103. mought] i.e. mouth. 115. very *om. β*. 123. giue me] greate *add. β*.

---

98. Bishop Fisher.
117. Sir Giles Alington.
118. Thomas Elryngton, gentleman, to whom Alice Middleton was married on 21 February 1516. (Hitchcock p.313.)
124. Audley, the Lord Chancellor.
128. Thomas Cromwell.

than a true man to my prince, let them neuer fauour me neither of them both, nor of trouth no more it coulde become them to do.

'But in this matter, Megge, to tell the trouth betwene the and
135 me, my lords Esops fables do not greatly moue me. But as his wisdome for his pastime tolde them meryly to mine owne doughter, so shall I for my pastime, answer them to the, Megge, that art mine other doughter. The first fable of the raine that washte away all their wittes that stode abrode when it fell, I haue herde
140 oft or this: It was a tale so often tolde amonge the Kinges Counsaile by my Lorde Cardinall whan his Grace was chauncellor, that I cannot lightlye forgett it. For of trouth in tymes past when variance began to fall betwene the Emperour and the French Kynge, in such wise that they were likely and dyd in dede, fall to gither
145 att warre, and that ther were in the Counsaile here somtime sondry opinions, in which some were of the minde, that they thought it wisdome, that we shoulde sitt still and let them alone: but euermore against that way, my Lorde vsed this fable of those wise men, that because they wolde not be wasshed with the raine that
150 shoulde make all the people fooles, went them self in to caues, and hyd them vndre the grounde. But when the raine had once made all the remenaunt fooles and that they come out of their caues and wolde vtter their wisdome, the fooles agreed together against them, and ther all to bete them. And so said his Grace that if we
155 wolde be so wise that we wolde sit in pece while the fooles fought, they wolde not fayle after, to make peace and agree and fall at lenght all vpon vs. I wil not dispute vpon his Graces counsaile, and I trust we neuer made warre but as reason wolde. But yet this fable for his parte, did in his daies helpe the Kynge and the realme
160 to spende many a faire peny. But that geare is passed and his Grace is gone, our Lord assoyle his soule.

'And therfor shal I now come to this Esops fable, as my Lorde full merily laide it forth for me. If those wismen, Megge, when the raine was gone at their cominge abrode, where they founde
165 all men fooles, wished them selues fooles to, because they coulde not rule them, than semeth it, that the folish raine was so sore a showre, that euen thorowe the grounde it sanke into their caues, and powred downe vpon their heades, and wette them to the skynne, and made them more nodies than them that stode abrode.

136. owne] one.

141. Wolsey.

143. For Wolsey's foreign policy, pro-French and anti-Imperial, 1525-1529, cf. Pollard, *Wolsey*, pp.148-164.

For if they had had any witt, they might well see, that thoughe 170
they had ben fooles too, that thinge wolde not haue suffised to
make them the rulers ouer the other fooles, no more than the
tother fooles ouer them: and of so manye fooles all might not be
rulers. Now when they longed so sore to bere a rule amonge
fooles, that so they they so might, they wolde be glad to lese 175
their witt and be fooles too, the foolish raine had washed them
metely well. How be it, to say the trought, before the raine came,
if they thought that all the remenaunt shoulde turne in to fooles,
and than either were so folish that they wolde, or so mad to thinke
that they shoulde, so fewe rule so many fooles, and had not so 180
much witt as to considre, that there are none so vnruly as they that
lacke witte and are foles, than were these wyse men starke foles
before the rayne came. How be it doughter Roper, whome my
Lorde taketh here for the wyse men and whome he meaneth to
be fooles, I cannot very well geaste, I can not well reade such 185
riddles. For as Dauus saith in Terence (Non sum Œdipus) I may
say you wot well (Non sum Œdipus, sed Morus) which name of
mine what it signifieth in Greke, I nede not tel you. But I trust
my Lorde rekeneth me amonge the foles, and so reken I my
selfe, as my name is in Greke. And I finde, I thanke God, causes 190
not a fewe, wherfore I so shoulde in very dede.

'But surely amonge those that longe to be rulers, God and mine
owne conscience clerely knoweth, that no man may truely noum-
ber and recken me. And I wene ech other mans conscience can
tell hym selfe the same, sins it is so well knowen, that of the 195
Kynges great goodnes, I was one of the greatest rulers in this
noble realme and that at mine owne great labour by his great
goodnes discharged. But whome soeuer my Lorde meaneth for
the wyse men, and whomsoeuer his Lordeship take for the fooles,
and who[m]soeuer longe for the rule, and who so euer longe for 200
none, I besech our Lorde make vs all so wyse as that we may euery
man here so wiselie rule our selfe in this time of teares, this vale
of mysery, this simple wretched worlde (in which as Boece saith,
one man to be prowde that he beareth rule ouer other men, is much
lyke as one mouce wolde be prowde to beare a rule ouer other myce 205

175. fooles] and *add. β*. they] so *om. β*. leese *β*.
179. and than] thei *add. β*. 185. gesse *β*.

---

186. cf. Ter. *And*.I,2,23. Œdipus solved the riddle of the Sphinx, thereby saving Thebes from the toll of men demanded by the monster.

203. Boethius, *De Consolatione Philosophiae*, Lib.II. Prosa VI.147. (Migne, *P.L.* 63.703.) This had been printed in Venice 1492. It was one of More's favorite books.

in a barne) God, I say, geue vs the grace so wisely to rule our self here, that when we shall hence in hast to mete the great Spouse, we be not taken sleapers and for lacke of light in our lampes, shit out of heauen amonge the v. folish vyrgins.

210 'The second fable, Marget, semeth not to be Esopes. For by that the matter goeth all vpon confession, it semeth to be fayned since Christendome began. For in Grece before Christes daies they vsed not confession, no more the men than, than the beastes nowe. And Esope was a Greke, and died longe ere Christ was borne. 215 But what? who made it, maketh litle matter. Nor I enuy not that Esope hath the name. But surely it is somwhat to subtil for me. For wham hys Lordship vnderstandeth by the lyon and the wolfe, which both twaine confessed them selfe, of rauin and deuowringe of all that came to their handes, and the tone enlarged his con- 220 science at his pleasure in the construction of his penaunce, nor whom by the good discrete confessor that enioyned the tone a litle penaunce, and the tother none at all, and sent the pore asse to the bishoppe, of all these thinges can I nothinge tell. But by the folish scrupelous asse, that had so sore a conscience, for the taking 225 of a strawe for hungar out of his maisters shoo, my Lordes other wordes of my scruple declare, that his Lordship meryly meant that by me: signifieng (as it semeth by that similitude) that of oversight and folye, my scrupulous conscience taketh for a great perilous thing towarde my soule, if I shoulde swere this othe, which 230 thinge as his Lordship thinketh, wer in dede but a trifle. And I suppose well, Margarett, as you tolde me right now, that so thinketh many moo beside, as well spirituall as temporall, and that euen of those, that for their learning and their vertue my self not a lytle esteme. And yet all be it that I suppose this to be true, 235 yet beleue I not euen very surely, that euery man so thinketh that so saieth. But though they did, Daughter, that wolde not make much to me, not though I shoulde see my Lorde of Rochester say the same, and swere the oth hymselfe before me too.

'For where as you tolde me right now, that such as loue me, 240 wolde not aduise me, that against all other men, I shoulde lene vnto his mind alone, veryly, Daughter, no more I doe. For albeit, that of very trouth, I haue hym in that reuerent estimacion, that I reken in this realme no one man, in wisdome, learning and long approued vertue together, mete to be matched and compared with 245 hym, yet that in this matter I was not led by hym, very well and

209. Matt.25:1-13.

237. Fisher.

plainly appereth, both in that I refused the othe before it was offered him, and in that also that his Lordship was content to haue sworne of that othe (as I perceyued since by you when you moued me to the same) either somwhat more, or in some other maner than euer I minded to doe. Verely, Daughter, I neuer entend (God being my good lorde) to pynne my soule at a nother mans backe, not euen the best man that I know this day liuing; for I knowe not whither he may happe to cary it. Ther is no man liuing, of whom while he liueth, I may make myself sure. Some may do for fauour, and some may doe for feare, and so might they carye my soule a wronge way. And some might hap to frame him self a conscience and thinke that while he did it for feare God wolde forgeue it. And some may peraduenture thinke that they will repent, and be shryuen therof, and that so God shall remitt it them. And some may be peraduenture of that minde, that if they say one thing and thinke the while the contrary, God more regardeth their harte than their tonge, and that therfore their othe goeth vpon that they thinke, and not vpon that they say, as a woman resoned once, I trow, Daughter, you wer by. But in good faith, Marget, I can vse no such waies in so great a matter: but like as if mine owne conscience serued me, I wolde not lett to doe it, though other men refused, so though other refuse it not, I dare not do it, mine owne conscience standing against it. If I had (as I tolde you) looked but lightly for the matter, I shoulde haue cause to feare. But nowe haue I so loked for it and so longe, that I purpose at the lestwyse to haue no lesse regarde vnto my soule, than had once a poore honest man of the countrey that was called Company.'

250 255 260 265 270

And with this, he tolde me a tale, I wene I can skant tell it you againe, because it hangeth vpon some tearmes and ceremonies of the law. But as farre as I can call to mynde my fathers tale was this, that ther is a court belonginge of course vnto euery faire, to doe iustice in such thinges as happen within the same. This court hath a pretie fond name, but I cannot happen vpon it, but it beginneth with a pye, and the remenaunt goeth much lyke the name of a knight that I haue knowen, I wis, (and I trowe you to, for he hath ben at my fathers ofte or this, at such tyme as you wer there,) a metely tall blacke man, his name was Sir William Pounder. But, tut, let the name of the courte go for this once, or call it if ye will a court of pye Sir William Pounder. But this was the mat-

275 280

A court of pypowdres.

278. The court at a fair, pie powder, from French *pied poudré*, as justice was administered without delay to all who came, dusty as they were. Is Sir William

ter loe, that vpon a tyme at such a court holden at Bartilmewe fayre, there was an eschetour of London that had arested a man that was owtelawed, and had seased his goodes that he had browte in to the fayre, tollinge hym out of the fayre by a traine. The
290 man that was arested and his goodes seased was a northern man, which by his frendes made theschetour within the fayre to be arested vpon an action, I woot nere what, and so was he brought before the iudge of the court of pye Sir William Pounder, and at the last the matter came to a certaine ceremonye to be tryed
295 by a quest of xii men, a iury as I remembre they call it, or elles a periury.

Now had the clothman by frendshipp of the offycers, founden the means to haue all the quest almost, made of the northern men, such as had their boothes there standing in the fayre. Now was
300 it come to the last daye in the after none, and the xii men had hard both the parties, and their counsell tell their tales at the barre, and were fro the barre had in to a place, to talke and common, and agre vpon their sentence. Nay let me speke better in my termes yet, I trow the iudge geueth the sentence and the quests tale is
305 called a verdit. They wer skant come in together, but the northern men wer agreed, and in effect all the other too, to cast our London eschetour. They thought they neded no more to proue that he did wronge, than euen the name of his bare office alone. But than was ther then as the deuyll wolde, this honest man of a nother quarter,
310 that was called Cumpany. And because the felowe semed but a foule and sate still and said nothinge, they made no rekeninge of hym, but said, we be agreed now, come let vs goo geue our verdit.

Than whan the pore felowe saw that they made such hast, and his minde nothing gaue hym that way that theirs did, (if their
315 mindes gaue them that way that they sayde) he prayde them to tary and talke vpon the matter and tell hym such reason therin, that he might thinke as they did: and when he so shoulde do, he wolde be glad to say with them, or els he said they must pardone hym. For sith he had a soule of his owne to kepe as they had,
320 he must say as he thought for his, as they must for theirs. Whan they herd this, they wer half angry with hym. 'What good felowe'

311. soule *a*.

Pounder the one accused of theft in a letter of the Earl of Arundel to Wolsey, 4 May 1521 (L.P.III.1266) and pardoned in June 1522? (*ibid*.III.*gr*.2356.)

291. Eschetour: "a law-officer—originally appointed to take note of lapses of property to the Crown; and so a sort of distress officer." (Sampson and Guthkelch p.298.)

306. To cast—give damages against. (*ibid*.p.299.)

(quod one of the northern men) 'where wonnes thou? Be not we aleuen here and you but ene la alene, and all we agreed? Wherto shouldest you sticke? What is thy name gude felow?' 'Maisters' (quod he) 'my name is called Cumpany.' 'Cumpany,' quod they, 325 'now by thy trouth good felow, playe than the gude companion, come theron furth with vs and passe euen for gude cumpany.' 'Wold God, good maisters,' quod the man againe, 'that ther lay no more weight therby. But now when we shall hence and come before God, and that he shall sende you to heauen for doing 330 according to your conscience, and me to the deuill for doing against mine, in passing at your request here for good cumpany nowe, by God, Maister Dykonson, (that was one of the northern mens name) if I shall then say to all you again, maisters, I went once for good cumpany with you, which is the cause that I go 335 now to hell, playe you the good felowes now again with me, as I went than for good cumpany with you, so some of you go now for good cumpany with me. Wolde ye go, Maister Dikonson? Nay naye by our Lady, nor neuer one of you all. And therfore must ye pardon me from passinge as you passe, but if I thought in the 340 matter as you doe, I dare not in such a matter passe for good cumpany. For the passage of my pore soule passeth all good cumpany.'

And when my father had tolde me this tale, than sayd he ferther thus: 'I pray the now, good Marget, tell me this, Wouldest you wishe thy poore father beinge at the lestwise somewhat 345 learned, lesse to regarde the peryll of his soule, than did there the honest vnlearned man? I medle not (you wote well) with the conscience of any man, that hath sworne, nor I take not vpon me to be their iudge. But now if they do well, and that their conscience grudge them not, if I with my conscience to the con- 350 trary, shoulde for good cumpany passe on with them and swere as they doe, when all our soules hereafter shall passe out of this worlde, and stand in iudgement at the barre before the hie Iudge, if he iudge them to heauen and me to the deuil, because I did as they did, not thinking as they thought, if I should than say (as the 355 good man Cumpany sayd) mine olde good lordes and frendes, naming such a lorde and such, yea and some bishoppes peraduenture of such as I loue best, I sware because you sware, and went that way that you went, doe lykewise for me now, let me not goe alone, yf there be any good felowship with you, some of you come 360

342. good *om.* β. 345. lest β.

322. Whare wonnes thou—what is the matter with you? (Sampson and Guthkelch, 300.)

with me: by my trouth Marget I may say to the, in secret counsayle, here betwene vs twayne (but let it go no ferther, I besech the hartely). I finde the frendship of this wretched worlde so ficle, that for any thinge that I coulde trete or pray, that wolde
365 for good felowship goe to the deuyll with me, amonge them all I wene I shoulde not finde one. And than by God, Margett, if you thinke so too, best it is I suppose that for any respecte of them all were they twyse as many moe as they be, I haue my selfe a respecte to mine owne soule.'

370 'Surely, Father,' quod I, 'without any scruple at all, you may be bolde I dare say for to sware that. But Father, they that thinke you shoulde not refuse to swere the thinge, that you see so many so good men and so well learned swere before you, meane not that you shoulde sweare to beare them felowship, nor to passe with
375 them, for good cumpany: But that the credence that you may with reason geue to their persons for their aforsayd qualities, shoulde well moue you to thinke the oth such of it selfe, as euery man may well swere without peryll of their soule, if their owne priuate conscience to the contrary be not the lett: and that ye well ought
380 and haue good cause to chaunge your owne conscience, in confirming your owne conscience to the conscience of so many other, namely beinge such as you knowe they be. And sith it is also by a lawe made by the parlement commaunded, they thinke that you be vpon the peryll of your soule, bounden to chaunge and reform
385 your conscience, and confirme your owne as I said to other mens.'

'Mary, Marget' (quod my father again), 'for the parte that you playe, you playe it not much a misse. But Margaret fyrst, as for the law of the land, though euery man being borne and inhabiting therin, is bounden to the keping in euery case vpon some temporall
390 paine, and in manye cases vpon paine of Goddes displeasure too, yet is there no man bounden to swere that euery law is well made, nor bounden vpon the payne of Goddes displeasure, to perfourme any such poynt of the law, as were in dede vnleafull. Of which maner kind, that ther may such happe to be made in anye part
395 of Christendome, I suppose no man doubteth, the generall counsell of the whole body of Christendome euermore in that poynt excepte: which (though it may make some thinges better than other, and some thinges may growe to that poynt, that by a nother law they may nede to be refourmed, yet to institute any thinge in
400 such wise, to Goddes displeasure, as at the makinge might not lawfully be perfourmed, the spirit of God that gouerneth his churche,

387. it is not much amisse. *β, perperam.* 398. some] time *add. β.*
401. perfourmed *om. β.*

neuer hath it suffered, nor neuer here after shall, his whole catholike church lawfully gathered together in a generall counsell, (as Christ hath made playne promises in Scripture).

'Now if it so hap, that in any particular parte of Christendome, 405 there be a law made, that be such as for some parte therof some men thinke that the law of God can not beare it, and some other thinke yes, the thing being in such maner in question, that throwe diuerse quarters of Christendome, some that are good men and cunninge, both of our owne dayes and before our daies, thinke 410 some one way, and some other of lyke learninge and goodnesse thinke the contrary, in this case he that thinketh against the lawe, neither may swere that law lawfully was made, standing his owne conscience to the contrarie, nor is bounden vpon paine of Goddes displeasure to chaunge his owne conscience therin, for any particu- 415 lar law made any where, other than by the generall counsaile or by a generall faith growen by the workynge of God vniuersally thorow all Christian nacions: nor other authorite than one of these twayne (except speciall reuelacion and expresse commaundement of God) sith the contrary opinions of good men and well learned, 420 as I put you the case, made the vnderstanding of the Scriptures doubtefull, I can see none that lawfully may commaunde and compell any man to chaunge his owne opinion, and to translate his owne conscience from the tone side to the tother.

'For an example of some such maner thinges, I haue I trow 425 before this time tolde you, that whether our Blessed Lady were conceyued in orygynall syn or not, was sometime in great questyon among the great learned men of Christendome. And whether it be yet decided and determined by any generall counsaile, I remember not. But this I remembre well, that notwithstanding that the 430 feast of her conception was than celebrate in the Church (at the least wyse in diuerse prouinces) yet was holy S. Bernard, which as his many folde bokes made in the lawde and praise of our Ladie doe declare, was of as deuoute affection towarde all thinges sowninge toward her commendacion, that he thought might well be 435 veryfied or suffered, as any man was liuing, yet (I say) was that holy deuoute man against that part of her prayse, as appeareth well by a pistle of his, wherin he right sore and with great reason

402. it] yet *β*. 405. so *om. β*. 408. maner] in *om. β*. 422. faithefully *β*.

427. The doctrine of the Immaculate Conception. cf. Ep.83. l.1247 note.

438. The *Catholic Encyclopaedia* says that St. Bernard wrote *Ep.clxxiv* to the canons of the cathedral of Lyons, protesting their introduction of the feast without the authority of the Holy See. He asserted that it was contrary to tradition.

argueth ther against, and approueth not the institucion of that
440 feaste neyther. Nor he was not of this mynde alone, but many other well learned men with hym, and right holy men too. Now was ther on the tother side, the blessed holy byshop, S. Anselme, and he not alone neyther, but many well learned and very verteous also with hym. And they be both twayne holy saintes in heauen,
445 and many mo that wer on eyther syde. Nor neither parte was ther bounden to chaunge ther opinion for thother, nor for any prouinciall counsell either.

'But lyke as after the determinacion of a well assembled generall counsaile, euery man had been bounden to geue credans that way,
450 and confirme their owne conscience to the determinacion of the counsayle generall, and than all they that helde the contrary before, were for that holding oute of blame, so if before such decision a man had against his owne conscience, sworne to maintain and defend the other side, he had not fayled to offende God very
455 sore. But marye if on the tother side a man wolde in a matter take away by hym self vpon his owne minde alone, or with some fewe, or with neuer so many, against an euident trouthe appearing by the comon faith of Christendome, this conscience is very damnable, yea, or if it be not euen fully so plaine and euident, yet
460 if he see but hym self with farre the fewer parte, thinke the tone way, against farre the more parte of as well learned and as good, as those are that affirme the thinge that he thinketh, thinkinge and affirming the contrary, and that of such folke as he hath no reasonable cause wherfore he shoulde not in that matter suppose,
465 that those which say they thinke against his minde, affirme the thinge that they saye, for none other cause but for that they so thinke in dede, this is of very trouth a verie good occasion to moue hym, and yet not to compelle hym, to confirme his minde and conscience vnto theirs.

470 'But Margaret, for what causes I refuse the othe, the thinge (as I haue often tolde you) I will neuer shewe you, neither you nor no body elles, excepte the Kynges Highnes shoulde lyke to commaunde me. Which if his Grace did, I haue ere this tolde you

448. lykewise β.

442. The feast was observed at Winchester as early as 1030, but was disapproved by the Normans, and fell into disuse. It was soon after restored in the monasteries. The Council of Canterbury (1328) says that the celebration was reestablished by St. Anselm (d.1109). The *Catholic Encyclopaedia* considers this "highly improbable," and adds that the treatise, *De Conceptu virginali et originali peccato*, usually attributed to him, was by his friend the Saxon monk Eadmer of Canterbury. More evidently follows the general, but incorrect, opinion.

therin how obediently I haue sayde. But surelye, Daughter, I haue refused it and doo, for mo causes than one. And for what causes 475 so euer I refuse it, this am I sure, that it is well knowen, that of them that haue sworne it, some of the best lerned before the oth geuen them, saide and plaine affirmed the contrarye, of some such thinges as they haue now sworne in the othe, and that vpon their trouth, and their learning than, and that not in hast nor sodainly, 480 but often and after great diligens done to seke and finde out the trouth.'

'That might be, Father' (quod I), 'and yet since they might see more, I will not' (quod he), 'dispute, daughter Margaret, against that, nor misse iudge any other mans conscience, which 485 lyeth in their owne hart farre out of my sight. But this will I say, that I neuer heard my self the cause of their chaunge, by anye new further thinge founden of authoritie, than as farre as I perceyue they had loked on, and as I suppose, verie well wayed before. Now of the self same thinges that they sawe before, seme some 490 otherwise vnto them now, than they did before, I am for their sakes the gladder a great dele. But any thinge that euer I saw before, yet at this day to me they seme but as they dyd. And therfore, though they may doe other wise than they might, yet, Doughter, I may not. As for such thinges as some men woulde happely 495 saye, that I might with reason the lesse regard their chaunge, for any sample of them to be taken to the chaunge of my conscience, because that the kepinge of the princes pleasure, and the auoyding of his indignacion, the feare of the losing of their worldly substaunce, with regarde vnto the discomfort of their kynrede and 500 their frendes, migh⟨t⟩ happe make some men either swere otherwise than they thinke, or frame their conscience afreshe to thinke other wise than they thought, any such opinion as this is, wil I not conceiue of them, I haue better hope of their goodnes than to thinke of them so. For if such thinges shoulde haue tourned 505 them, the same thinges had been lykely to make me do the same, for in good faith I knew fewe so faint hearted as my selfe. Therfore will I, Margaret, by my wyll, thinke no worse of other folke in the thing that I know not, than I finde in my selfe. But as I know well mine onely conscience causeth me to refuse the othe, 510 so will I trust in God, that according to their conscience, they haue receyued it and sworne.

'But where as you thinke, Margett, that they be so many moe than there are on the tother side that thinke in this thinge as I

490. of] if β. seme to sowne β. 495. As] And β. 501. happe *om.* β.

515 thinke, surelie for your owne coumfort that you shall not take thought, thinking that your father casteth himself away so lyke a foole, that he wolde ieobarde the losse of his substaunce, and peraduenture his bodie, without any cause why he so shoulde for peryll of his soule, but rather his soule in peryll therby too, to this
520 shall I say to the, Marget, that in some of my causes I nothing doubte at all, but that though not in this realme, yet in Christendome aboute, of those well learned men and verteouse that are yet alyue, they be not the fewer parte that are of my minde. Besides that, that it were ye wot well possible, that some menne in this
525 realme too, thinke not so clere the contrary, as by the othe receyued they haue sworne to saye.

'Now this farre forth I saie for them that are yet alyue. But go we now to them that are dead before, and that are I trust in heauen, I am sure that it is not the fewer parte of them that all the time
530 while they liued, thought in some of the thinges, the way that I thinke nowe. I am also, Margaret, of this thinge sure ynough, that of those holy doctours and saintes, which to be with God in heauen long ago no Christen man douteth, whose bookes yet at this day remayne here in mens handes, there thought in some such
535 thinges, as I thinke now. I say not that they thought all so, but surely such and so manye as will well appeare by their wryting, that I pray God geue me the grace that my soule may folow theirs. And yet I show you not all, Margarett, that I haue for my self in the sure discharge of my conscience. But for the conclusion, dough-
540 ter Margeret, of all this matter, as I haue often tolde you, I take not vpon me neither to diffine nor dispute in these matters, nor I rebuke not nor impugne any other mans dede, nor I neuer wrote, nor so much as spake in any cumpany, any worde of reproch in any thing that the Parlement had passed, nor I medled not with
545 the conscience of any other man, that either thinketh or saith he thinketh contrarie vnto mine. But as concerninge mine owne self, for thy coumfort shall I say, Daughter, to the, that mine owne conscience in this matter (I damne none other mans) is such, as may well stand with mine owne saluacion, therof am I,
550 Megge, so sure, as that is, God is in heauen. And therfore as for all the remenaunt, goodes, landes, and lyfe both (if the chaunce sholde so fortune) sith this conscience is sure for me, I verelie trust in God, he shall rather strenght me to bere the losse, than against this conscience to swere and put my soule in peryll, sith all

515. owne *om. β.* 518. bodie] to *add. β.* 542. other *om. β.* 546. vnto] to *β.* 550. as suer as that God *β.*

the causes that I perceyue moue other men to the contrary, seme 555
not such vnto me, as in my conscience make any chaunge.'

When he saw me sit with this very sadde, as I promisse youe, Sister, my heart was full heauye for the peryll of his person, for in faith I feare not his soule, he smyled vpon me and said: 'how now doughter Marget? What how mother Eue? Where is your 560
mind now? sit not musing with some serpent in your brest, vpon some newe perswasion, to offer father Adam the apple yet once againe?' 'In good faith, Father,' quod I, 'I can no ferther goe, but am (as I trow Cresede saith in Chauser) comen to Dulcarnon, euen at my wittes ende. For sith thensaumple of so many wise men 565
can not in this matter moue you, I see not what to say more, but if I shoulde loke to perswade you with the reason that Master Harry Patenson made. For he met one day one of our men, and when he had asked where you were, and heard that you wer in the Towre still, he waxed euen angry with you and said, "Why? 570
What aileth hym that he wilnot swere? Wherfore sholde he sticke to swere? I haue sworne the oth my self." And so I can in good faith go now no ferther neither, after so many wise men whom ye take for no saumple, but if I should say lyke M. Harry, Why should you refuse to swere, Father? for I haue sworne my 575
self.'

At this he laughed and said, 'That word was lyke Eue to, for she offered Adam no worsse fruit than she had eten her self.' 'But yet Father,' quod I, 'by my trouth, I feare me very sore, that this matter will bringe you in merueilous heauy trouble. You know 580
well that as I shewed you, M. Secretary sent you word as your very frende, to remember, that the Parlement lasteth yet.' 'Margaret,' quod my father, 'I thanke hym right hartely. But as I shewed you than again, I left not this geare vnthought on. And albeit I knowe well that if they wolde make a law to doe me any harme, 585
that lawe coulde neuer be lawfull, but that God shall I trust

555. moue *om. β, perperam.* 561. sit not] you *add. β.*

565. Bk.III.930,931:
"I am, til God me bettré minde sende,
At Dulcarnon, right at my wittes end."
'Pythagoras having discovered the geometrical truth that we know as Euclid I.47, called it Dulcarnon (from Arabic "two-horned"). Hence the word is used to mean dilemma, perplexity, difficulty.' Sampson and Guthkelch p.308n.

568. Henry Patenson (Pattinson or Paterson) was More's fool. When More became chancellor, he gave the jester to his father, Sir John More, and after Sir John's death, to the Lord Mayor to serve him and his successors. (Bridgett p.127.) He is depicted in Holbein's sketch of the More family, at Basle.

576. Marginal note in the *Englysh Workes*: She toke the othe with this excepcion, as farre as would stande with the law of God.

kepe me in that grace, that concerning my duetie to my prince, no man shall doe me hurte but if he doe me wronge (and than as I told you, this is lyke a riddle, a case in which a man may lese
590 his head and haue no harme), and notwithstanding also that I haue good hope, that God shall neuer suffer so good and wyse a prince, in such wyse to requyte the longe seruice of his true faithfull seruaunt, yet sith there is nothing vnpossible to falle, I forgat not in this matter, the counsell of Christ in the gospell, that ere
595 I shoulde beginne to builde this castell for the sauegarde of mine owne soule, I sholde sit and rekon what the charge wold be. I coumpted, Marget, full surely many a restles night, while my wife sleapt, and went that I had slept to, what peryll was possible for to fall to me, so farre forth that I am sure there can come none
600 aboue. And in deuising, Daughter, therupon, I had a full heauy harte. But yet (I thanke our Lorde) for all that, I neuer thought to chaunge, though the very vttermost shoulde happe me that my feare ranne vpon.'

'No, Father (quod I), it is not lyke to thinke vpon a thinge that
605 may be, and to see a thinge that shall be, as ye shoulde (our Lord saue you) if the chaunce should so fortune. And than should you peraduenture thinke, that you thinke not now and yet than peraduenture it wolde be to late.' 'To late, Daughter,' (quod my father), 'Margaret?' I besech our Lord, that if euer I make such a chaunge,
610 it may be to late in dede. For well I wot the chaunge cannot be good for my soule that chaunge I say that shoulde growe but by feare. And therfore I pray God that in this worlde I neuer haue good of such chaunge. For so much as I take harme here, I shal haue at the lest wise the lesse therfore when I am hence. And if
615 so were that I wist well now, that I should faint and fall, and for feare swere here after, yet wolde I wish to take harme by the refusing first, for so should I haue the better hope for grace to rise againe.

'And albeit (Marget) that I wot well my lewdenes hath been
620 such: that I know my self well worthy that God should lett me slippe, yet can I not but trust in his mercifull goodnes, that as his grace hath strengthed me hetherto, and made me content in my harte, to lese good, lande and lyfe too, rather than to swere against my conscience, and hath also put in the Kynge towarde me that

588. he] thei *β*. 590. also *om. β*. 598. went] weened, i.e. thought. were *β*. 599. I am] very *add. β*. 611. but *om. β*. 619. that *om. β*.

596. Luke 14:28.

good and gracious mynde, that as yet he hath taken fro me noth- 625
inge but my libertie (wherewith (as help me God), his grace hath
done me so great good by the spirituall profytt that I trust I take
therby, that amonge all his great benefites heaped vpon me so
thicke, I reken vpon my faith my prisonment euen the very chief)
I cannot, I say, therfore mistrust the grace of God, but that eyther 630
he shall conserue and kepe the King in that gracious minde still
to doe me none hurt, or els if his pleasure be, that for mine other
sinnes I shall suffre in such a case in sight as I shal not deserue,
his grace shall geue me the strenght to take it paciently, and peraduenture somewhat gladly to, wherby his high goodnes shall (by 635
the merites of his bitter passion ioyned therunto, and farre sur-
mounting in merytt for me, all that I can suffer my self) make
it serue for release of my paine in purgatorie, and ouer that for
encrease of some rewarde in heauen.

'Mistruste him, Megge, wil I not, though I feale me faint, yea, 640
and though I shoulde fele my feare euen at poynt to ouerthrowe
me to, yet shall I remember how S. Peter, with a blast of winde,
began to sinke for his faint faith, and shall doe as he did, call vpon
Christ and praye him to helpe. And than I trust he shall set his
holye hande vnto me, and in the stormy seas, holde me vp from 645
drowning. Yea and if he suffer me to play S. Peter ferther, and to
fall full to the grownd, and swere and forsware too (which our
Lorde for his tender passion kepe me fro, and let me leese if it
so fall, and neuer winne therby:) yet after shall I trust that his
goodnes will cast vpon me his tender pyteous eie, as he did vpon 650
S. Peter, and make me stande vp againe and confesse the trouth
of my conscience afresh, and abide the shame and the harme
here of mine owne faulte.

'And finally Marget, this wot I well, that without my fault he
will not let me be loste. I shall therfore with good hoope committe 655
my selfe wholie to hym. And if he suffre me for my faultes to
perish, yet shall I than serue for a praise of his iustice. But in good
faith Meg, I trust that his tender pitie shall kepe my pore soule
safe and make me commende his mercye. And therfore mine owne
good daughter, neuer troble thy minde for any thinge that euer 660
shall happe me in this worlde. Nothing can come but that that
God will. And I make me very sure that what so euer that be,

626. nothinge *om. β.* 629. euen *om. β.* 637. suffer] for *add. β.*
638. that for] for *om. β.* 649. that *om. β.* 654. wot I] very *add. β.*
661. but that that] that *om. β.*

644. Matt.14:30. 647. Matt.26:69-75; Luke 22:61.

seme it neuer so badde in sight, it shall in dede be the best. And
with this, my good childe, I pray you hartely, be you and all your
665 sisters and my sonnes too comfortable and seruisable to your good
mother my wyfe. And of your good husbandes mindes I haue no
maner doute. Commende me to them all, and to my good daughter Alington, and to all my other frendes, sisters, neces, nephewes,
and alies, and vnto all our seruauntes, man, woman and childe,
670 and all my good neighbours and our acquayntaunce abrode. And
I right hartely praye both you and them, to serue God and be
mery and reioyce in hym. And if any thing happe me that you
wolde be lothe, pray to God for me, but trouble not your selfe:
as I shall full hartely praye for vs all, that we may meete together
675 once in heauen, where we shall make merye for euer, and neuer
haue trouble after.'

207. To Dr. Nicholas Wilson.

Brit. Mus. MS. Royal 17 D XIV, fol. 1 — Tower of London
Englysh Workes p.1443 — 1534

[For Dr. Wilson, cf. Ep. 200,l.43, n.]

A letter written and sente by Syr T. More to Master D⟨o⟩ctor Nicholas Wylson (than both prisoners in the Tower of London) in the yere of our Lorde God 1534, and in the xxvi. yere of the raygn of Kyng Henry the eyght.

Our Lord be your comforte and where as I perceve
by sundry meanes that you haue promised to swere the othe, I
beseche o⟨wr⟩ Lord geve you therof good lukke. I never gaue any
man coun⟨sell⟩ to the contrary in my dayes nor neuer vsed eny
5 wayes t⟨o putte⟩ eny scruple in other folkys consyence concernyng
the ma⟨tter⟩. And where as I perceve that you wolde gladly
knowe ⟨what⟩ I intende to doo you wote well that I tolde you
whan we ⟨were⟩ bothe abrode that I wolde therein nether know
your mynde ⟨nor⟩ no mans ell*es* nor you nor no man ell*es* shulde
10 therin kn⟨owe⟩ myne, for I wolde be no parte taker with no man
nor of trouth neuer I will but levyng every other man to there owne
consyence my selff will withe goode grace folow myne. For
ageynste myn own to swere were perell of my dampna⟨cion⟩ and

668. sisters *om. β.* 670. and other our *β.* 674. as] And *β.*
12. myne owne *E.W.*

---

669. alies, relatives by marriage. INTROD. In *Englysh Workes*, only.

what myne awne shalbe to morowe my selff can not be suer and whether I shall haue fynally the grace to do accordyng to myne owne consyence or not hangythe in Goddys goodnes and not in myne, to whome I beseche you hartely remember me in your devowte prayors and I shall and daylie doo remember you in myne, suche as they be, and as long as my poore shorte lyff shall laste, eny thyng th⟨at⟩ I haue, your parte shalbe therein.

208. To Dr. Nicholas Wilson.

Brit. Mus. MS. Royal 17 D XIV, fol. IV — Tower of London
Englysh Workes p.1443 — 1534

Another letter wrytten and sent by Sir Thomas More to Master Doctor Wilson (than bothe prisoners in the Towre) in the yere of our Lord, 1534, and in the xxvi. yere of the raygne of Kyng Henry the eyght.

MAYSTER WYLSON IN MY ⟨RIG⟩HT HARTY WYSE I RECOMMEND ME TO YOU.

And very sory am I to se you bysyde the troble that you be in by this emprisonament with losse of lybertye, gooddys, revenues of your lyvelod and comfort of your frendys cumpany, fallen also into suche agony and vexation of mynde thorow dowtys fallyng in your mynde, that dyuersly to and fro tosse and troble your consience to your great hevynes of harte as I (to no lytle gryff of myn own mynde for your sake) perceve. ⟨A⟩nd so myche am I for you good Mr. Doctor the more sory for that yt lyethe ⟨n⟩ot in me to geve you suche kynde of comforte as me semythe you somewhat ⟨d⟩esyer and loke for at myne hande.

For where as you wolde somewhat here ⟨o⟩f my mynde in your dowtt*es*, I am a man at this daye very lytle mete therfo⟨r⟩. For this you know well, good Mr. Doctor, that at suche tyme as the matter came in suche maner in questyon as myne opynyon was asked therein amongys other and yet you made pryvy thervnto byfore me, you ⟨re⟩member well that at that tyme you and I many thyng*es* talked to gether therof. And by all the tyme after by which I dyd at the Kyngys gracious commaundement bothe seke owt and rede and commen with all suche as I kne⟨w⟩ made pryvy to the matter to perceve what I myght therein vpon bothe sydes and by indyfferent waying of euery thyng as nere as my poore wytt

INTROD. *Englysh Workes.* TIT. Good Maister Wilson *E.W.*
17. thynges] times *E.W.* by which] in which *E.W.*

and learnyng wolde serue to se to which syde my consyence coulde enclyne, and as my owne mynde shulde geve me so to make his Highenes reporte which waye my selff shulde happe to thyncke therein. For other commaundement had I never of his Grace in good faithe, savyng that this knott his Highenes added therto that I shulde therein loke firste vnto God and after God vnto hym, which word was also the fyrste lesson that his Grace gaue me what tyme I came first in to his noble seruyce and neither a more indyfferent commaundement nore a more gracious lesson coulde there in my mynde never Kyng geve his counsaylor or eny his other seruaunt.

But as I begane to tell you by all this long tyme, I can not now tell how many yeres, of all those that I talked with of the matter and with whome I moste conferred those placys of Scripture and of the olde holye Doctors that towched eyther the tone syde or the other, with the counsayles and lawes on eyther syde, that speake therof also, the moste, as ⟨I⟩ trow you wote we⟨ll, was your self. For with no man communed⟩ I so myche and so often therof as w⟨ith you, both for your substancial⟩ learnyng and for your mature iugement, ⟨and for that I well perceved⟩ ever in you that no man had or lygh⟨tly could haue, a more⟩ faythefull respect vnto the Kyng*es* honor ⟨and surety both of⟩ body and soule than I ever saw that you had.

⟨And yet among⟩ many other thyng*es* whiche I well lyked in you, ⟨o⟩ne s⟨pecially⟩ was that I well perceved in the thyng that the Kyng*es* Gr⟨ace did⟩ put you in truste wythe, your substancyall secrete manne⟨r. For⟩ where I had herde (I wote not now of whom) ⟨t⟩hat ⟨you had⟩ wrytten his Highenesse a booke of that matte⟨r f⟩ro P⟨aris⟩ before, yet in all those yeres of our long acquay⟨ntan⟩ce ⟨and often⟩ talkyng and reasonyng vpon the thyng, ⟨I neuer herd you so⟩ mych as make ones eny mensyon of that booke. ⟨But elles⟩ (excepte there were eny other thyng*es* ⟨in that boke that⟩ you peraduenture thought not on) I s⟨uppose that all that euer⟩ came to your mynde, that myght in the ⟨matter make for the⟩ tone syde or the other comprysed eyth⟨er in the Scripture or⟩ in the olde auncyent Doctors, I verely th⟨ink in my mynd⟩ that you dyd communycate wythe me ⟨and I likewyse⟩ wythe

22. serue] me *add. E.W.* 48. where] wheras *E.W.* not] nere *E.W.*

27. Roper (ed. Hitchcock) p.50.

50. The D.N.B. article says that Wilson's book against Henry's divorce was printed at Paris before 1535 (cf. L.P.VIII. 859), but this letter of More's indicates that it was written early in the discussion of the divorce.

you and at the leaste wyse I reme⟨mber well, that⟩ of those poyntes which you call now newly to yo⟨ur remembraunce⟩ there was none 60 at that tyme forgotten.

I remem⟨ber well⟩ also by your often conference in the matter that by ⟨all the⟩ tyme in which I studyed abowte yt, you and I were in ev⟨ery⟩ poynt bothe twayne of one opynyon and remember ⟨well⟩ that the lawes and counsayles and the wordys of Saynte 65 Augustyne *De ciuitate Dei* and the pystle of Saynt Ambr⟨ose⟩ *Ad paternum* and the pistle of Saynt Basyll translated owte of Greke and the wrytting of Saynt Gregory you and I redde together and ove⟨r⟩ that the placys of the Scripture selff bothe in Leviticus and in the Deutronomye and in the Gospelle and in Saynt Paulys 70 pystles and over this in that other place of Saynt Augustyne that you remember nowe and besyde that other placys of his, wherein he properly touchethe the matter expresly withe the wordis of Saynt Hierome and of ⟨Saynt Chrisostome too, and I⟩ can not now remember of how ⟨many moe. But I ve⟩ryly thyncke that on 75 your parte, ⟨and I am very sure⟩ that on my parte albeyt that yt ⟨had been peraduen⟩ture over long to shew and rede with you ⟨euerye ma⟩ns booke that I rede by my selff wherto the ⟨perties⟩ paraduenture that trusted me therwith gaue me no ⟨leue to s⟩hew there bookes ferther as you peraduenture ⟨v⟩se⟨d⟩ the lyke manner 80 wythe me, yet yn good faythe as yt was of reason my parte in that case to doo, you and I hauyng bothe one commaundement indifferently to consyder the matter, euery thyng of Scripture and of the Doctors I faythefully communed with y⟨ou⟩ and as I suppose veryly so dyd you with me to, so t⟨hat⟩ of me, good M*aster* Doctor, 85 thoughe I had all the poynt*is* ⟨as ry⟩pe ⟨in⟩ mynde now as I had than and had styll ⟨al the bok⟩*es* abowte me that I than had, and were as ⟨willyng to m⟩edle in the matter as eny man coulde be, ⟨yet coulde yo⟩u now no new thyng here of me, more than ⟨you haue, I⟩ wyn, herd often before, nor I wyn I of you ⟨neyther. 90

B⟩ut now standythe yt with me in ferre other case. ⟨For after⟩-ward whan I had sygnyfyed vnto the Kyng*es* Highenes myne owne poore opynyon in the matter whiche ⟨his⟩ Highenes very grasyously toke in good parte and that ⟨I⟩ saw further progresse in the matter where in to doo his Grace seruyce to his pleasuer I coulde 95

64. I remember *E.W.*   70. ghospels *E.W.*   90. wene *E.W.*

---

68. For references on the opinions of the Fathers, consult the *Catholic Encyclopaedia* article, *Divorce.*

69. Leviticus 20:21.

70. Deuteronomy 25:5; Mark 10; Matt. 19.

71. i Cor.7; i Tim.5:14.

not, and enythyng medle ageynst his pleasuer I wold not, I determyned vtterly with my selff to dyscharge my mynde of eny farther studying or musyng of the mattere and ther vpon I sent home ageyne suche book*es* as I had savyng that sume I burned by
100 the consent of the owner that was mynded as my selff was no more to medle of the matter, and therfore now good Master Doctor I could not be sufficyent and able to reson those poynt*es* ageyne thoughe I were mynded therto sythe many thyng*es* ar owt of my mynde which I neuer purpose to loke fore ageyne nor thoughe
105 I wolde were never ⟨l⟩yke to fynde ageyne whi⟨le I liue. Besydes this, al that euer I loked⟩ for was, you wott well, ⟨concerning two or three questions to be pondred and⟩ wayed by the studye of scripture ⟨and the interpretors of the same⟩, saue for somewhat that hathe byn ⟨touched in the same by the⟩ cannon lawes of the
110 Chirche.

But than w⟨ere ther at that time⟩ in the matter other thyng*es* mo, dyuers faut*es* fo⟨und⟩ in ⟨the bull of⟩ the dyspensation, by which the Kyng*es* Councell le⟨arned⟩ in t⟨he spirituall⟩ law reckened the bull vicious, partely for vntrew sugges⟨tyon⟩, partely
115 by reason of vnsuffycyent suggestyon. Now concer⟨ning⟩ those poyntes I never medled. For I neyther vnderstand ⟨the⟩ doctors of the law nor well can turne there book*es*. And many thyng*es* haue there syns in this greate matter growne i⟨n⟩ questyon wherin I neyther am suffycyently learned in ⟨the⟩ law nor full enfurmed
120 of the facte and therfore I am ⟨not he⟩ that eyther murmure or grudge, make assertions, h⟨old opinions⟩ or kepe dispicions in the matter, but lyke the Kyng*es* trew ⟨poore⟩ humble subgiet dayly pray for the pre⟨ser⟩vacion of his G⟨race, and⟩ the Quenes Grace and their noble issue and of all the r⟨ealme⟩, wythe owt harme
125 doyng or intendyng, I thanke our Lord, ⟨vnto⟩ eny man lyvyng.

Fynally as touchyng the othe, the causes for whiche I refused yt, no man wattythe wh⟨at they⟩ be for they be secrete in myne awne consyens, some ⟨other⟩ peradventure, then those that other men wold wene, ⟨and suche⟩ as I never dysclosed vnto eny man
130 yet nor ne⟨ver entend to⟩ do whyle I lyve. Fynally as I sayed vnto

101. Doctor] at this time *add. E.W.* 104. neuer] neither *E.W.* 105 *seq. lacunae suppl. ex. E.W.* 114. partly by reason of *E.W.*

112. Henry took the position that the dispensation could not allow the marriage with a brother's widow, if that first marriage had really been consummated. But before the trial Catherine showed Cardinal Campeggio the copy of a brief of Julius II which dispensed for the marriage, though considering that the marriage with Arthur had been consummated. This, in any case, Catherine denied. (L.P.IV.3140; cf. *Camb. Mod. Hist.* II, pp.430-431.)

121. dispicion—discussion or disputation.

you, ⟨before the⟩ othe offered vnto vs whan we mett in London at ⟨adventure⟩ I wold be no parte taker in the matter but for myne ⟨own⟩ selff folow myn owne consyence, for which my selff muste m⟨ake⟩ answere vnto God, and shall leve every other man to his o⟨wne⟩, so say to you styll and I dare saye ferther that no more never entended you neyther. Many thyng*es* every man learned wote⟨th⟩ well there are, in which every man ys at lyberty withowte peryll of dampnation to thyncke whiche waye hym lyste tyll the one parte be determyned for necessary to be beleved by a generall counsayle and I am not he that take vpon me to diffyne or determyne of what kynd or nature euery thyng is that the othe conteynethe, nor am so bolde or presumptious ⟨to blame or disprayse the con⟩syence of other men, theyr treuthe nor ⟨theyr learning neither⟩, nor I medle wythe no man but of my selffe, nor of no mannes consyens ell*is* wyll I medle but of myne owne. ⟨And in myne owne⟩ consyens, I cry God mercy, I fynd of myne owne ⟨life, matt⟩ers inoughe to thyncke on. 135 140 145

I haue lyved, my thynck*is*, a long ⟨ly⟩ff ⟨an⟩d now neyther I loke nor I long to lyve myche lenger. I haue syns I came in the Tower loked ones or twyse to haue geven op my goste ore this and in good faythe myne harte waxed the lighter wythe hope therof. Yet forget I not that I haue a longe rekenyng and a greate to geve accompte of, but I put my truste in God and in the merytt*is* of his bytter passyon, and I beseche hym geve me and kepe me the mynd to long to be owt of this worlde and to be with hym. For I can never but truste that who so long to be with hym shalbe well come to hym and on the tother syde my mynde gevethe me verely that eny that ever shall come to hym shall full hartely wyshe to be withe hym or ever he shall come at hym. And I beseche hym heartely to sett your harte at suche reste and quyet as may be to his pleasuer and eternall wele of your soule and so I verely truste that he shortely shall and shall also if it be his plesure inclyne the Kyng*is* noble harte to be gratious and favorable to you and me bothe, sythe we be bothe twayne of trew faythefull mynde ⟨vn⟩to hym, whyther we be in this matter of one mynde bothe, or of dyuerse. *Sicut diuisiones aquarum, ita cor regis in manu Domini, quocunque voluerit, inclinabit illud.* And yf the pleasuer of God be, on eny of vs bothe other wyse to dyspose, I nede to geve you no counsell nor advyse. 150 155 160 165

136. any of you *E.W.*

---

167. Proverbs 21:1.

170 But for my selff I moste humbly beseche hym to gyve me the grace in suche wyse pacyently to conforme my mynde vnto his highe pleasuer therin that after the trobelouse storme of this my tempestyous tyme his greate mercy may conducte me in to the suer haven of the ioyfull blysse of hevyn, and after at his further 175 plesuer (yf I haue eny) all myne enymyes to, for there shall we loue together well inoughe and I thanck our Lord for my parte so do I here to. Be not angry now thoughe I pray not lyke for you, you be suer ino⟨u⟩g I wolde my frendys fare no worse than they, nor yet they, so helpe me ⟨God, no⟩ worse than my selff.

180 For our Lord*is* sake, good Mr. Wyls⟨on, pray⟩ for me for I pray for you dayly and some tyme wh⟨en I⟩ wold be sory but yf I thought you were a slepe. Cum⟨fort your⟩ selff, good Mr. Doctor, with remembryng God*is* ⟨g⟩reat ⟨mercye and⟩ the Kyng*is* accustomed goodnes, and by my troug⟨th I thinke⟩ that all his Gracys 185 Counsaile fauorythe you in ⟨their⟩ hart*is*. I can not iudge in my mynde eny one of them ⟨so⟩ evyll as to be of the mynde that you shuld do ⟨other⟩wyse than well. And for conclusyon in God ys ⟨all⟩. *Spes non confundit.* I pray you pardon my scry⟨beling⟩ for I can not alway so well enduer to w⟨ryte as⟩ I myght some tyme. 190 And I pray y⟨ou when ye⟩ see tyme convenyent at your pleasu⟨er, send me this⟩ rude byll ageyne. *Quia quanquam nihil inest ⟨mali, tamen⟩ propter ministrum nolim rescire.*

209. From Margaret Roper.

Bodleian MS. Ballard 72, fol. 98 (α)
Brit. Mus. MS. Royal 17 D XIV, fol. 454v (β) 1534
Englysh Workes p.1446

[Answered by Ep. 210.]

A letter written and sent by Maistres Margaret Roper, to her father Syr Thomas More then shette vp in close prison in the Tower, written in the yere of our Lorde God 1534, and in the xxvi yere of the raygne of King Henrie the eight, answeryng to a letter which her father had sent vnto her.

MYNE OWNE MOST ENTIERELIE BELOUED FATHER.

I thinke my self neuer able to geue you sufficient thankes, for the inestimable coumforte my poore heart receyued

174. blisseful ioye *E.W.* 183. goodis *MS.* INTROD. raygne] raynge *MS.*

188. Rom.5:5. INTROD. More's letter is lost.

in the reading of your most louinge and godly letter, representing to me the cleare shynynge brightenesse of your soule, the pure temple of the Holy Spirite of God, which I doubte not shall perpetually rest in you and you in hym. Father, if all the worlde had be geuen to me, as I be saued it hadde ben a small pleasure, in comparison of the pleasure I conceyued of the treasure of your letter, which though it were writen with a cole, is worthy in mine opinion to be written in letters of golde.

Father, what moued them to shitte you vp againe, we can nothing heare. But surelie I coniecture that when they considered that you wer of so temperate minde, that you wer contended to abide there all your lyfe with such libertie, they thought it wer neuer possible to encline you to their will, except it were by restrayning you fro the Church, and the company of my good mother your deare wyfe and vs your childern and bedesfolke. But Father this chaunce was not straunge to you. For I shall not forgeat how you tolde vs when we were with you in the gardeine, that these thinges were lyke ynoughe to chaunce shortly after. Father, I haue many tymes rehearsed to mine owne coumfort and diuers others, your fashyon and wordes ye had to vs when we wer last with you: for which I trust by the grace of God to be the better while I lyue, and when I am departed out of this fraile lyfe, which, I praye God, I may passe and ende in his true obedient seruice, after the wholsome counsaile and fruitfull example of liuing I haue had (good Father) of you, whom I praye God geue me grace to folowe: which I shall the better thorowe the assistens of your deuoute praiers, the speciall staye of my frayltie. Father, I am sory I haue no lenger laysure at this time to talke with you, the chief comforte of my lyfe, I trust to haue occasion to write again shortly. I trust I haue your dayly prayer and blessing.

Your most louing obedient daughter and bedeswoman Margaret Roper, which dayly and howrelie is bounden to pray for you, for whome she prayeth in this wise that our Lorde of his infinite mercye geue you of his heauenly comfort, and so to assist you with his speciall grace that ye neuer in any thinge decline from his blessed will, but liue and dye his true obedient seruaunt. Amen.

20. chaunce] you *add.* β. 22. fashyons β. 31. I trust to] I trust I shall β.

---

13. *i.e.* contented.
16. There were two chapels in the Tower, one St. John's, the other St. Peter ad Vincula. Prisoners were not usually allowed to hear Mass. (Bridgett p.368.)

210. To Margaret Roper.

Bodleian MS. Ballard 72, fol. 98v (α) Tower of London
Brit. Mus. MS. Royal 17 D xiv, fol. 453v (β) 1534
Englysh Workes p.1446

[Answering Ep. 209.]

A letter written and sent by Sir Thomas More to his daughter Maistres Roper answering her letter here next before.

THE HOLY SPIRITE OF GOD BE WITH YOU.

If I wolde with my writing, (mine owne good daughter) declare how much pleasure and comfort, your daughterlye louing letters wer vnto me a pecke of coles wolde not suffice to make me the pennes. And other pennes haue I (good Margaret)
5 none here: and therfore can I wryte you no long processe, nor dare aduenture, good doughter, to wryte often.

The cause of my close keping againe did of lykelyhed growe of my negligent and very plaine true worde which you remember. And verely where as my mind gaue me (as I tolde you in the
10 gardein) that some soch thinge were lykely to happen, so doth my mynde alway geue me, that some folke yet wene that I was not so poore as it appeared in the search, and that it may therfore happen, that yet eftsone ofter than once, some new sodain searches may happe to be made in euery house of ours as narowly as is
15 possible. Which thinge if euer it so should happe, can make but game to vs that know the trouth of my pouertie, but if they find out my wyues gay gyrdle and her golden bedes. Howbeit I veryly beleue in good faith, that the Kynges Grace of his benigne pitie will take nothing from her.

20 I thought and yet thinke, that it may be that I was shett vp againe, vpon some newe causeles suspicion, growen peraduenture vpon some secret sinister informacion, wherby some folke happely thought, that there shoulde be founde out against me some other gretter thinges. But I thanke our Lorde when so euer this coniec-
25 ture hath fallen in my mynde, the clearnesse of my conscience hath made mine hearte hoppe for ioy. For one thinge am I very sure of hetherto, and trust in Godes mercye to be while I lyue, that as often I haue sayd vnto you, I shall for any thinge toward my prince, neuer take great harme, but if I take grete wronge, in the sight
30 of God I say, how so euer it shall seme in the sight of men. For to the worlde, wronge may seme right sometyme by false coniec-

19. *Hic deficit MS. Royal.*

turing, sometimes by false witnesses, as that good Lorde sayd vnto you, which is I dare say my very good lorde in his mynde, and said it of very good wyll. Before the worlde also, my refusing of this othe is accounted an heighnous offence, and my religious 35 feare, toward God, is called obstinacy toward my Prince. But my Lordes of the Counsaile before whom I refused it, might well perceiue by the heuines of my hart appearing well mo wayes than one vnto them, that all sturdy stubbernesse whereof obstinacy groweth, was very farre fro my mynde. For the clearer profe 40 wherof, sith they semed to take for one argument of obstinacy in me, that refusing of the othe, I wolde not declare the causes why, I offred with a full heauy heart, that albeit I rather wolde endure all the payne and peryll of the statute than by the declaring of the causes, geue any occasion of exaspiracion vnto my most dradde 45 Souerain Lorde and Prince, yet rather than his Highnes shoulde for not disclosing the causes, accounte me for stubberne and obstinate, I wolde vpon such his gracious licence and commaundement as shoulde discharge me of his displeasure and peryll of any statute, declare those poyntes that letted my poore conscience to 50 receyue that othe; and wolde ouer that be sworne before, that if I shoulde after the causes disclosed and declared find them so answered as my conscience shoulde thinke it selfe satisfied, I wolde therupon sweare the othe that I there refused. To this, Maister Secretary answered me, that though the Kynges Grace 55 gaue me suche a lycence, yet it coulde not discharge me against the statutes, in saying any thing that were by them vpon haynous paynes prohibited. In this good warning he shewed hymselfe my specyall tender frende.

And now you see well Margaret, that it is no obstinacy to leaue 60 the causes vndeclared, while I coulde not declare them without peryll. But now is it accounted great obstinacy that I refuse the othe, what so euer my causes be, considering that of so many wiser and better men none stycked therat. And M. Secretary of a great zeale that he bare vnto me, sware there before them a gret 65 othe, that for the displeasure that he thought the Kynges Highnes wolde beare me, and the suspicion that his Grace woulde conceiue of me, which wolde now thinke in his mynde that all the Nunnes busines was wrought and deuised by me, he had leuer than I shoulde haue refused the othe, that his owne only sonne (which 70

66. thought] *corr.*; thoughe *MS.*

---

69. cf. Ep.192.

70. cf. Ep.200, l.131ff. and note.

is a goodly yonge gentillman of whome our Lorde send hym much ioye) had hadde his head stricken of. This worde Margaret, as it was a merueylous declaracion of M. Secretaries great good minde and fauour towarde me, so was it an heauy hearing to
75 me, that the Kinges Grace my most drad Souerain Lorde, wer lykely to conceiue such highe suspicion of me, and beare such greuous indignacion toward me, for the thinge, which without the daunger and perill of my poore soule, lay not in my hande to helpe, nor dooth.

80 Now haue I herd since, that some say that this obstynate maner of mine, in still refusinge the othe, shall peraduenture force and driue the Kynges Grace to make a ferther lawe for me. I cannot let such a law to be made. But I am very sure, that if I dyed by such a law, I shoulde die for that poynt innocent afore God.
85 And albeit (good doughter) that I thinke, our Lorde that hath the heartes of kynges in his hand, woulde neuer suffer of his high goodnes, so gracious a Prince, and so many honorable men, and so many good men as be in the Parlement to make such an vnlawfull law, as that shoulde be if it so mishapped, yet lest I note that
90 poynt vnthought vpon, but many tymes more than one reuolued and cast in my minde before my commynge hither, both that peryll and all other that myght put my bodie in peryll of death by the refusing of this othe. In deuising wherupon, albeit (myne owne good daughter) that I founde my selfe (I cry God mercie)
95 very sensuall and my fleshe much more shrinkinge from payne and from death, than me thought it the part of a faithfull Chris-ten man, in such a case as my conscience gaue me, that in the sauing of my bodie shoulde stande the losse of my soule, yet I thanke our Lorde, that in that conflict, the Spirite had in conclu-
100 sion the maistry, and reason with helpe of faith finally concluded, that for to be put to death wrongefully for doinge well (as I am very sure I doe, in refusing to swere against mine owne con-science, beinge such as I am not vpon peryll of my soule bounden to chaunge whither my death shoulde come without law, or by
105 colour of a law) it is a case in which a man may leese his head and yet haue none harme, but in stede of harme inestimable good at the hande of God.

And I thanke our Lorde (Megge) since I am come hether I sett by death euery daye lesse than other. For thoughe a man leese of
110 his yeres in this worlde, it is more than manyfolde recompensed

---

83. let] hinder. 86. Prov.21:1.

by cominge the sooner to heauen. And thoughe it be a paine to die while a man is in health yet see I very fewe that in sickenes dye with ease. And finally, very sure am I that when so euer the tyme shal come that may happe to come, God wote how sone, in which I shoulde lye sicke in my death bed by nature, I shal 115 than thinke that God had done much for me, if he had suffred me to dye before by the colowr of such a lawe. And therfore my reason sheweth me (Margaret) that it wer gret foly for me to be sory to come to that death, which I wolde after wyshe that I had dyed. Beside that, that a man may happe with lasse thanke 120 of God, and more aduenture of his soule to dye as violently, and as painefully by many other chaunces, as by enemies or theues. And therfore mine owne good dowghter I assure you (thankes be to God) the thinkynge of any such albeit it hath grieued me ere this, yet at this day grieueth me nothinge. And yet I knowe 125 well for all this mine owne frailtie, and that Saint Peter which fered it much lesse than I, fell in such feare sone after, that at the worde of a simple gyrle he forsoke and forsware our Sauiour. And therfore am I not (Megge) so mad, as to warraunt my selfe to stande. But I shall praye, and I praye the mine owne good 130 daughter to praye with me, that it may please God that hath geuen me this minde, to geue me the grace to kepe it.

And thus haue I mine owne good daughter disclosed vnto you, the very secrete botome of my minde, referring the order therof onely to the goodnes of God, and that so fully, that I assure you 135 Margaret on my faith, I neuer haue prayde God to bringe me hence nor deliuer me fro death, but referring all thing whole vnto his onely pleasure, as to hym that seeth better what is best for me than my selfe dooth. Nor neuer longed I since I came hether to set my fote in mine owne howse, for any desire of 140 or pleasure of my howse, but gladlie wolde I sometime somewhat talke with my frendes, and specially my wyfe and you that pertein to my charge. But sith that God otherwise disposeth, I committe all wholy to his goodnes and take dayly great coumfort in that I perceiue that you lyue together so charitably and so 145 quietly: I besech our Lorde continue it. And thus, mine owne good daughter, putting you finally in remembraunce, that albeit if the necessite so shoulde require, I thanke our Lorde in this quiet and comfort is mine heart at this day, and I trust in Goddes goodnes so shall haue grace to continue, yet (as I said before) I 150

128. Matt.26:69-75.

verely trust that God shall so inspire and gouerne the Kynges heart, that he shall not suffre his noble heart and courage to requite my true faithfull heart and seruice, with such extreme vnlawfull and vncharitable dealing, only for the displeasure that
155 I can not thinke so as other doo. But his true subiect wil I lyue and dye, and truely praye for hym wil I, both here and in the tother worlde too.

And thus mine owne good daughter haue me recommended to my good beddefelowe and all my children, men, women and all,
160 with all your babes and your nursis and all the maydes and all the seruauntes, and all our kynne, and all our other frendes abrode. And I besech our Lorde to saue them all and kepe them. And I praye you all praye for me, and I shall praye for you all. And take no thought for me what so euer you shal happe to
165 heare, but be mery in God.

211. To Margaret Roper.

Bodleian MS. Ballard 72, fol. 101v (α) — Tower of London
Brit. Mus. MS. Royal 17 D xiv, fol. 422v (β) — 1534
Englysh Workes p.1449

An other letter written and sent by Sir Thomas More (in the yere of our Lord, 1534 and in the 26. yere of Kynge Henrie the eight) to his daughter Maistres Roper, answering a letter which she wrote and sent vnto hym.

THE HOLY SPIRITE OF GOD BE WITH YOU.

Your doughterly louyng letter, my derely beloued childe was and is, I faithfully assure you, much more inward comfort vnto me, then my penne can wel expresse you, for diuers thinges that I marked therin but of all thinges most espe-
5 cially, for that God of his high goodnes geueth you the grace to consider the incomparable difference, betwene the wretched estate of this present lyfe, and the welthy state of the lyfe to come, for them that dye in God, and to praye God in such a good Christen fashion, that it may please hym (it doth me good here to rehearse
10 your owne wordes) 'of his tender pitie so firmely to rest our loue in hym, with litle regard of this worlde, and so to fle sinne and embrace vertue, that we may say with S. Paule, *Mihi viuere Christus est et mori luchrum*. Et illud, *Cupio dissolui et esse cum Chris-*

INTROD. Margaret's letter is lost. 1. doughterly] This word More coined. (Delcourt.)

to.' I besech our Lord, my dearly beloued daughter, that holesome prayer that he hath put in your mynde, it may like hym to giue 15 your father the grace, daylie to remember and praye, and your self as you haue written it, euen so dayly deuoutly to knele and praye it. For surely if God geue vs that, he geueth vs and will geue vs therwith, all that euer we can well wishe. And therfore good Marget, when you praye it, praye it for vs both: and I shall 20 on my parte the lyke, in such maner as it shall lyke our Lorde to geue me poore wretch the grace, that lykewise as in this wretched worlde I haue been very gladde of your company and you of mine, and yet wolde if it might be (as naturall charitie bindeth the father and the childe) so we may reioyce and enioy 25 ech others company, with our other kynsefolke, alies and frendes euerlastingly in the glorious blysse of heauen: and in the menetyme, with good counsaile and prayer ech help other thitherwarde.

And where you write these wordes of your selfe, 'But good father, I wretch am farre, farre, farthest of all other from such 30 poynt of perfection, our Lorde send me the grace to amende my lyfe, and continually to haue an eie to mine ende, without grudge of death, which to them that dye in God, is the gate of a welthy lyfe to which God of his infinite mercie bringe vs all. Amen. Good Father strenght my frayltie with your deuoute prayers.' The 35 father of heauen mote strenght thy frailtie, my good daughter and the frayltie of thy fraile father too. And let vs not doute but he so will, if we wyll not be slacke in calling vpon hym therfor. Of my poore prayers such as they be ye may be bold to reken. For Christen charitie and naturall loue and your verie doughterly 40 dealing (*funiculo triplici,* (vt ait scriptura) *difficile rumpitur*) both binde me and straine me therto. And of yours I put as litle doubte.

That you feare your owne frailtie Marget, nothinge mislyketh me. God geue vs both twaine the grace, to dispayre of our owne 45 self, and whole to depende and hange vpon the hope and strenght of God. The blessed apostle S. Paule founde such lacke of strength in himself, that in his owne temptacion he was fain thrise to call and cry out vnto God, to take that temptacion from hym. And yet sped he not of his prayer, in the maner that he required. For 50 God of his high wisdome, seing that it was (as him self saith)

14. that] this *β*.
20. Margaret *β*.
25. bindeth] betwene *add.* *β*.
39. ye] you *β*.

---

14. Philippians 1:21,23.
41. Eccles.4:12.
49. ii Corinth.12:7-10.

necessarie for hym to kepe hym from pryde, that els he might peraduenture haue fallen in, wolde not at his thrise praying, by and by take it from hym, but suffred hym to be panged in the payne
55 and feare therof, geuing hym yet at the last this comfort against his feare of falling (*Sufficit tibi gratia mea*). By which wordes it well semeth, that the temptacion was so stronge (what so euer kind of temptacion it was) that he was very fearde of falling, throwgh the feblenesse of resisting that he began to feele in hym
60 self. Wherfore for his comfort God answered (*Sufficit tibi gratia mea*) puttinge hym in suretie, that were he of hym selfe neuer so feble and faint, nor neuer so lykely to fall, yet the grace of God was sufficient to kepe hym vp and make him stand. And our Lord sayd ferther, (*Virtus in infirmitate proficitur*). The more weke
65 that man is, the more is the strenght of God in his saueguard declared. And so S. Paule saith (*Omnia possum in eo qui me confortat*).

Surely Megge a fainter hearte than thy fraile father hath, canst you not haue. And yet I verily trust in the great mercye of God,
70 that he shall of his goodnesse so staye me with his holy hand, that he shall not finally suffer me to fall wretchedlie from his fauour. And the lyke trust (deare doughter) in his high goodnes I verely conceue of you. And so much the more, in that there is neither of vs both, but that if we call his benefites to minde, and
75 geue hym oft thankes for them, we may finde tokens many, to geue vs good hope for all our manifold offences toward hym, that his great mercye, when we wyll hartely call therfore, shall not be withdrawen from vs. And verely, my deare daughter, in this is my great comfort, that albeit, I am of nature so shrinking from
80 paine, that I am allmost afeard of a philip, yet in all the agonies that I haue had, wherof before my coming hether (as I haue shewed you ere this) I haue had neither small nor few, with heauy fearfull heart, forecasting all such peryls and paynfull deathes, as by any maner of possibilitie might after fall vnto me,
85 and in such thought lyen longe restles and wakyng, while my wyfe had went I had slept, yet in anye such feare and heauy pensifenes (I thanke the mightie mercie of God) I neuer in my minde entended to consent, that I woulde for the enduring of the

61. where, *corr. MS.* 64. Virtus] mea *add. E.W.* 69. you] thow β.

---

56. ii Cor.12:9.
64. ii Cor.12:9. (perficitur, Vulg.)
66. Philippians 4:13.
80. (obs.)—fillip.
86. weened.

vttermost, doe any such thinge as I shoulde in mine owne conscience (for with other mens I am not a man mete to take vpon 90
me to medle) thinke to be to my self, such as shoulde dampnably cast me in the displeasure of God. And this is the lest poynt that any man may with his saluacion come to, as farre as I can see, and is bounden if he see peryll to examine his conscience surely by learning and by good counsaile and be sure that his conscience be 95
such as it may stande with his saluacion, or els reforme it. And if the matter be such, as both the parties may stande with saluacyon, then on whither side his conscience fall, he is safe ynough before God. But that mine owne may stand with my own saluacion, therof I thanke our Lorde I am very sure. I besech our Lord bring all 100
partes to his blisse.

It is now, my good doughter, late. And therfore thus I commend you to the holy Trinitie, to gyde you, coumfort you and direct you with his Holy Spirite, and all yours and my wyfe with all my children and all our other frendes. 105

Thomas More, Knyght.

212. Lady More to Henry VIII.

Brit. Mus. MSS. Arundel 152, fol. 300v (α)
and Royal 17 D xiv, fol. 440 (β) ⟨c. Christmas 1534⟩

[(Spelling differences not noted.) Arundel MS. original. Printed by J. Bruce in *Archaeologia*, xxvii (1838), pp.369-370.]

In lamentable wise, beseche your moste noble Grace your moste humble subiectis and contynuall bedefolke, the poore miserable wyffe and children of your trew, poore, hevye subiecte and bedeman Sir Thomas Moore Knighte, that wheras the same Sir Thomas beinge your Graces prisoner in your Tower of Lon- 5
don by the space of eighte monethes and above, in greate continuall sicknes of bodye and heuines of harte, duringe all which space notwithstandinge that the same Sir Thomas Moore had by refusinge of the othe forfayted vnto your moste noble Grace all his good*is* and cattells and the profytt of all his landes, anuities 10
and fees that aswell hyme selfe as your saide bedwoman his wiffe

89. such *om.* β.
99. but in euerie case synne it is to doe againste a mannes owne conscience although it were erronious *add.* β; *om. E.W.*
105. Your tender louinge father *add.* β; *om. E.W.*
8. Moore *om.* β.

---

101. all sides in the contention. Sampson and Guthkelch p.322.
10. chattels (from same root).

shoulde lyve bye, yet your moste gracious Highenes of your moste blessed disposition suffred your saide bedewoman, his poore wiffe, to reteyne and keepe still his moveable goodes and the reuenewes 15 of his land*is* to keepe her saide husband and her poore howseholde with.

So it is now, moste gracious Soueraigne, that now late by reason of a new acte or twane made in this laste passed prorogacion of your Parliament, not onely the saide former forfayture ys con- 20 firmed, but allso thinheritance of all suche landes and tenement*is* as the same Sir Thomas had of your moste bowntifull gyfte, amountinge to the yearelie valew lx li, is forfayted allso. And thus (except your mercifull fauor be shewed) your saide pore bedewoman his wyffe, which broughte faire substance to hyme, 25 which is all spente in your Graces seruice, ys likelie to be vtterlye vndone and his poore sonne, one of your saide humble supplian*tis*, standinge chardged and bownden for the paymente of greate sommes of money due by the saide Sir Thomas vnto your Grace, standithe in dangeor to be cast aweye and vndone in this worlde 30 allso. But over all this the saide Sir Thomas hyme selfe, after his longe trew seruice to his power diligentlie done to your Grace, is likelie to be in his age and contynuall sickenes, for lacke of comforte and good kepinge, to be shortlie distroyd, to the wofull heavines and dedlie discomforte of all your saide sorowful sup- 35 plian*tis*.

In conscideracione of the premises, f⟨or⟩ that his offence ys growen not of eny malice or obstinate mynde, but of suche a longe contynued and depe rooted scrupple, as passethe his pow⟨er⟩ to avoyde and put awey, it maye like your moste noble Maiestie 40 of your mos⟨t⟩ habundant grace to remitte and pardon your moste grevous displeasure t⟨o⟩ the saide Sir Thomas and to have tendre pittye and compassion vppon his l⟨onge⟩ distres and greate heavines, and for the tendre mercye of God to delyu⟨er⟩ hyme out of prison and suffre hyme quietlie to lyue the remanaunt of his liffe 45 with your saide poore bedewoman his wiffe and other of your poore supplian*tis* his children, with onlye suche interteynmente of lyving as it shall lyke your moste noble Magistye of your gracious

32. to be *om. Archaeologia.* 36. f(or)] and β.

18. The Act of Supremacy was passed in November 1534, and with it the Treasons Act, which made it treason to deny any of the royal titles (such as Supreme Head of the Church). (*Camb. Mod. Hist.* II, p. 442.) The oath which Fisher and More had refused was now given, retroactively, the force of a statute. (Routh p.216.) The lands given to More in 1523 and 1525 were now forfeit. (*ibid.*)

almoys and pyttye to appoynte hyme. And this in the waye of mercye and pitt⟨ye⟩, and all your saide poore bedfolke shall daylie duringe theire lyves pr⟨ay⟩ to God for the preservacion of your moste Royall estate. 50

213. To Master Leder.

Brit. Mus. MS. Royal 17 D xiv, fol. 435
Englysh Workes p. 1450

Tower of London
Saturday,
16 January 1534/5

A letter written by Sir Thomas More to one Master Leder a verteous priest the 16. day of January in the yere of our Lord. 1534. after the computacion of the church of England, and in the 26. yere of the raigne of King Henry the 8.

The tale that is reported, albeit I cannot but thanke you thoughe yow woulde it were true, yet I thanke God it is a very vanitie. I truste in the greate goodenes of God, that he shall neuer suffer it to be true. If my minde had bene obstinate in deede I woulde not lette for any rebuke or worldely shame plainelie to 5 confesse the trowthe. For I purpose not to depende vppon the fame of the worlde. But I thanke our Lorde that the thinge that I doe is not for obstinacie but for the saluacion of my soule, because I cannot induce myne owne mynde otherwise to thinke than I doe concerninge the othe. 10

As for other mennes consciences I wilbe no iudge of, nor I neuer advised any man neither to sweare nor to refuse, but as for myne owne selfe if euer I shoulde mishappe to receiue the othe (which I truste owr Lorde shall neuer suffer me) ye maye recken sure that it were expressed and extorted by duresse and harde 15 handelinge. For as for all the goodes of this worlde, I thanke owr Lorde I sette not muche more by, than I doe by duste. And I truste bothe that thei will vse no violente forceble waies, and also that if thei woulde, God woulde of his grace and the rather a greate deale thorowe goode folkes praiours giue me strength to stande. 20 *Fidelis Deus* (saith S. Paule) *qui non patitur vos tentari supra id quod potestis ferre, sed dat cum tentatione prouentum vt possitis sustinere.* For this I am very suer, that if euer I shoulde sweare it, I shoulde sweare deadely againste myne owne conscience. For I

3. vanitie] And *add. E.W.* 24. deadely] sore *add. E.W.*

INTROD. Master Leder seems not otherwise known. 23. i Corinth.10:13.

25 am very suer in my mynde that I shall neuer be able to chaunge myne owne conscience to the contrary, as for other mennes I will not medle of.

It hathe bene shewed me that I am reckened wilfull and obstinate because that sins my comming hether I haue not writen
30 vnto the Kinges Highnes and by myne owne writinge made some suyte vnto his Grace. But in goode faithe I doe not forbeare it of any obstinacie, but rather of a lowly mynde and a reuerente, because that I see nothinge that I coulde write but that I feare me sore that his Grace were likely rather to take displeasure with me
35 for it than otherwise, while his Grace beleueth me not that my conscience is the cause but rather obstinate wilfulness. But surely that my lette is but my conscience, that knoweth God to whose order I committe the hole mater. *In cuius manu corda regum sunt.* I beseche owr Lorde that all may proue as true faithefull subiectes
40 to the Kinge that haue sworen, as I am in my mynde very suer that thei be, which haue refused to sweare.

In haste, the Saturdaye the xvi[th] daye of Januarie by the hande of your beadisman,

Thomas More, Knight and prisonner.

214. To Margaret Roper.

Brit. Mus. MS. Arundel 152, fol. 294 (*α*) and Royal 17 D xiv, fol. 427v (*β*) Englysh Workes p.1451

Tower of London 2 or 3 May 1535

[More wrote, "fearing leaste she, being (as he thoughte) with childe, shulde take some harme." (St.P. 1, p.435.)]

A letter writen and sent by Sir Thomas More to his doughter Maystres Rooper, writen the second or third day of May, in the yere of our Lord 1535 and in the 27. yere of the raygne of Kynge Henry the 8.

OWR LORDE BLISSE YOU.
MY DERELY BELOUYD DOUGHTER.

I dout not but by the reason of the Counsaylours resortyng hyther, in thys tyme (in whych our Lord ⟨be⟩ theyr comforte)

42. this Saturdaye *E.W.* 44. and *om. E.W.* INTROD. *add. E.W.* TIT. Owr Lorde blisse you *om. α.*

38. Prov.21:1.

these fathers of the Cha⟨r⟩terhous and Master Reynold*is* of Syon ⟨that be nowe⟩ iudged to deth for treson, (whose maters and causes I know not) may happe to put yow in trouble and fere of mynde concernyng me beyng here ⟨prisoner,⟩ specyally for that it ys not vnlykely but that you haue herd ⟨that I⟩ was brought also before the Counsayle here my selfe. I haue thou⟨ght⟩ yt necessary to aduertyse yow of the very trouth, to thende that yo⟨u⟩ neyther conceyue more hope than the mater gyueth, lest vppon other torne yt myght aggreue your heuynes, nor more ⟨griefe and⟩ fere than the mater gyueth of, on the tother syde. Wherfore sho⟨rtly ye⟩ shall vnderstand that on Fryday the last day of Apryle in the afternone, Mr. Leuetenaunt cam in here vnto me, and shewed me that Mr. Se⟨cretary⟩ wold speke with me. Wheruppon I shyfted my gowne, and went owt ⟨with⟩ Mr. Leuetenaunt into the galery to hym. Where I met many, some knowen and some vnknowen in the way. And in conclu⟨sion⟩ commyng in to the chamber wher hys Mastershyp sat with Mr. Atto⟨rney⟩, Mr. Soliciter, Mr. Bedyll and Mr. Doctour Tregonnell, I was offred to syt with them, whych in no wyse I wolde.

Wheruppon Mr. Secretary ⟨shewed⟩ vnto me, that he dowted not, but that I had by such frend⟨es as⟩ hyther had resorted to me sene the new statut*is* made at the ⟨last⟩ syttyng of the Parlyament. Wherunto I answered: ye verely. ⟨Howe be⟩ yt for as much as beyng here, I haue no conuersacion with eny people, I thought yt lytell nede for me to bestow mych tyme ⟨vppon⟩ them, and ther-

9. yo(u)] shoulde *add.* β. 10. vppon] an *add.* β. 12. of *om.* β.

---

3. Prior Houghton of the London Charterhouse, and two other priors who had recently come up to London, Fathers Webster and Lawrence. (Routh p.219.) The oath to the succession had been forced from them the year before, but now they were asked to swear to the Royal Supremacy. The priors approached Cromwell in hope of some mitigation. That was not granted, and they refused the oath. (*Camb. Mod. Hist.* II, p.442.) Dr. Reynolds of the Brigittine Monastery of Sion had just been committed to the Tower. The three were tried together. (*ibid.*)

14. Sir Edmund Walsingham, an old friend, who felt himself "bounden - - - to make him good cheare," but could not "without the Kinges indignation." (Roper, edit. Hitchcock, p.77.)

15. Cromwell.

19. Sir Christopher Hales, Attorney-General since 1525, had indicted Wolsey for breach of *Praemunire*, and in 1535 prepared the cases of Bishop Fisher, More, and Anne Boleyn. He succeeded Cromwell as Master of the Rolls, 1536. He received large grants of land at the Dissolution. He died, unmarried, 1541. (D.N.B.)

Richard Rich was newly appointed as Solicitor-General. He was an able lawyer, but treacherous and cruel. Roper shows how More proved Rich's perjury in evidence against himself. (Roper, *op. cit.*, pp.84-91.)

20. Thomas Bedyll (d.1537), Clerk of the Privy Council, had been engaged in affairs connected with the divorce case. He had secured opinions at Oxford, and had been at Dunstable when Cranmer pronounced sentence. He was now obtaining oaths to the Royal Supremacy. (D.N.B.)

Sir John Tregonwell (d.1565) had become principal judge of the Court of Admiralty in 1535. He had been proctor for the King in the divorce case. (D.N.B.)

fore I redelyuerd the boke shortly and theffect of the ⟨statut*is*⟩
I neuer marked nor studyed to put in remembraunce. Than ⟨he⟩
30 asked me whether I had not red the fyrst statute of them, of ⟨the⟩
Kyng beyng Hed of the Chyrche. Wherunto I answerd, yes. Than
⟨his⟩ Mastershyp declared vnto me, that syth yt was now by act ⟨of⟩
Parlyament ordeyned that hys Hyghnes and hys heyres be, and
e⟨uer⟩ ryght haue bene, and perpetually shuld be, Supreme Hed
35 in yer⟨th of⟩ the Chyrch of Englande vnder Cryst, the Kyng*is*
plesure was, ⟨that those⟩ of hys Counsaylle there assembled shuld
demaund ⟨myne oppinion⟩, and what my mynde was therin.
Wherunto I ⟨answerd that in⟩ good fayth I had well trusted that
the Kyng*is* ⟨Hyghnesse woulde neuer⟩ haue commaunded eny
40 such questyon to ⟨be demaunded of me⟩, consydryng that I euer
from the begynnyng well and trewly from tyme to tyme declared
my mynde vnto hys Hyghnesse, and syns that tyme I ⟨had⟩ (I
sayd) vnto your Mastershyp Mr. Secretory also, both by mouth and
by wrytyng. And now I haue in good fayth dyscharged my mynde
45 of all such maters, and neyther wyll dyspute Kyng*is* tytles nor
Popys, but the Kyng*is* trew faythfull subiect I am and wylbe, and
dayly I pray for hym and for all hys, and for yow all that are of
hys honorable Counsayle, and for all the realme, and otherwyse
than thus I neuer ente⟨nd⟩ to medell.

50 Wherunto Mr. Secretory answerd that he thought thys maner
answere shuld not satysfye nor content the Kyng*is* Hyghnes, but
that hys Grace wold exact a more full answer. And hys Maste⟨r⟩-
shypp added therunto, that the Kyng*is* Hyghnes was a prynce not
of rygour but of mercy and pytty, and though that he had founde
55 obstynacy at some tyme in eny of hys subiect*is*, yet when he shuld
fynde them at an other tyme comfyrmable and submyt them selfe,
hys Grace wolde shew mercy. And that concernyng my selfe,
hys Hyghnesse wolde be glade to se me take such confyrmable
ways, as I myght be abrode in the worlde agayne among other
60 men as I haue bene before.

Wherunto I shortly (after the inwarde affeccion of my mynde)
answered for a very trouth, that I wolde neuer medle in the worlde
agayne, to haue the worlde gyuyn me. And to the remenaunt of
the mater, I answerd in effect as byfore, shewyng that I had fully
65 determyned with my selfe, neyther to study nor medle with eny
mater of thys worlde, but that my hole study shulde be, vppon
the passyon of Chryst and myne owne passage owt of thys
w⟨orlde⟩.

34. e⟨uer⟩ of *add.* β. 42. I ⟨had⟩ *om.* E.W. 49. thus] this β. 56. conformable β.

Vppon thys I was commaunded to go forth for a whyle, and after called in agayne. At whych tyme Mr. Secretory sayd vnto me that though I w⟨as⟩ prisoner and condemned to perpetuall prison, yet I was not therby dyscharge⟨d of⟩ myne obedyence and allegeaunce vnto the Kyng*is* Hyghnesse. And there⟨uppon⟩ demaunded me whyther that I thought, that the Kyng*is* Grace myght exact of me such thyng*is* as are conteyned in the statutes and vppon ⟨lyke⟩ paynes as he myght of other men. Wherto I answerd that I w⟨old⟩ not say the contrary. Wherto he seyd, that lykewyse as the Kyn⟨g*is* Hygh⟩nesse wolde be gracyous to them that he founde conform⟨able, so his⟩ Grace wolde folow the course of hys laws toward such ⟨as he shall fynde⟩ obstynate. And hys Mastershyp sayd ferther, ⟨that my demeanour in that matter⟩ was of a thyng that of ⟨likelyhode made⟩ now other men so styffe therin as they be.

Wherto I answerd, ⟨that⟩ I gyue no man occasyon to holde ony poynte one or other, no⟨r⟩ ⟨neuer⟩ gaue any man aduyse or counsayle therin one way or other. ⟨And⟩ for conclusyon I coude no ferther go, what so euer payne shulde ⟨come⟩ therof. I am, quoth I, the Kyng*is* trew faythfull subiect and daily ⟨bedesman⟩ and pray for hys Hyghnesse and all hys and all the realme. I do nobody harme, I say none harme, I thynk none harme, but wysh ⟨euerye bodye⟩ good. And yf thys be not ynough to kepe a man alyue in ⟨good fayth⟩ I long not to lyue. And I am dying alredy, and haue syns I came here, bene dyuers tymes in the case that I thought to dye ⟨within⟩ one houre, and I thank our Lorde I was neuer sory for yt, ⟨but rather⟩ sory whan I saw the pang past. And therfore my pore body ys ⟨at the⟩ Kyng*is* plesure, wolde God my deth myght do hym good.

After ⟨this⟩ Mr. Secretory sayd: well ye fynde no fawte in that statute, fynde ⟨yow⟩ eny in eny of the other statut*is* after? Wherto I answerd, Sir, w⟨hat⟩so euer thyng shuld seme to me other than good, in eny of the statut*is* or in that statute eyther, I wolde not declare what faw⟨te I⟩ fownde, nor speke therof. Wherunto fynally hys mastershyp sayd ful gentylly that of eny thyng that I had spokyn, there shul⟨d none⟩ aduauntage be takyn, and whyther he sayd ferther that ther be none to be taken, I am not well remembryd. But he sayd ⟨that⟩ reporte shulde be made vnto the Kyng*is* Hyghnes, and hys gracyous ⟨plesure⟩ knowen.

75. myght] not *add.* *β*. 76. of] uppon *E.W.* 77. Wherunto *E.W.* 78. vnto them *β*. 81. in the matter *β*. 82. was of] of *om.* *β*. men] *om.* *E.W.* 89. nobody] no *add.* *β*. 101. of the] other *add.* *β*.

Wheruppon I was delyuerd agayne to Mr. Leuetenau⟨nt⟩, whych was then called in, and so was I by Mr. Leuetenaunt bro⟨ught⟩ agayne into my chamber, and here am I yet in such case as I ⟨was⟩, neyther better nor worse. That that shall folow lyeth in the hand⟨e of God⟩, whom I besech to put in Kyng*is* Graces mynde that thyn⟨g that⟩ may be to hys hygh plesure, and in myne, to mynde onely ⟨the⟩ weale of my sowle, with lytell regarde of my body.

And yow with al yours, and my wyfe and all my chylderne and all our other frend*is* both bodily and gostely hertely well to fare. And I pray yow and all them ⟨pray for⟩ me, and take no thought what so euer shall happen me. For ⟨I verely⟩ trust in the goodnesse of God, seme yt neuer so euyll to this worlde, yt shall in dede in a nother worlde be for the best.

Your ⟨louing father,

Thomas More Knyghte.⟩

* * written the third
* *

215. Lady More to Thomas Cromwell.

A Collection of Letters, 1753, p.271
Cresacre More (ed. Hunter) 1828, p.372 — May 1535

RIGHT HONORABLE, AND MY ESPECYALL GUD MAISTER SECRETARYE.

In my most humble wyse I recommend me unto your gud Mastershypp, knowlegyng myself to be most deply boundyn to your gud Maistershypp, for your monyfold gudnesse, and lovyng favor, both before this tyme, and yet dayly, now also shewyd towards my poure husband and me. I pray Almyghtye God continew your gudness so styll, for thereupon hangith the greatest part of my poure husband's comfort and myne.

The cause of my wrytyng, at this tyme, is to certyfye your especiall gud Maistershypp of my great and extreme necessyte; which, on and besydes the charge of myn owne house, doe pay weekly 15 shillings for the bord-wages of my poure husband, and his servant; for the mayntaining whereof, I have ben compellyd, of

113. hyghe] *om. β.* 120. to] in *β.* 124. *MS. Arundel.*

9. The King later allowed Dame Alice More £20 a year of her husband's money, and she lived after his death in a small house in Chelsea. (Routh p.232.)

verey necessyte, to sell part of myn apparell, for lack of other substance to make money of. Wherefore my most humble petition and sewte to your Maistershipp, at this tyme, is to desyre your 15 Maistershypp's favorable advyse and counsell, whether I may be so bold to attende uppon the King's most gracyouse Highnes. I trust theyr is no dowte in the cause of my impediment; for the yonge man, being a ploughman, had ben dyseased with the aggue by the space of 3 years before that he departed. And besides this, 20 it is now fyve weeks syth he departed, and no other person dyseased in the house sith that tyme; wherefore I most humblye beseche your especyal gud Maistershypp (as my only trust is, and ells knowe not what to doe, but utterly in this world to be undone) for the love of God to consyder the premisses; and therupponn, of 25 your most subundant gudnes, to shewe your most favorable helpe to the comfortyng of my poure husband and me, in this our great hevynes, extreme age, and necessyte. And thus we, and all ours, shall dayly, duryng our lyves, pray to God for the prosperous successe of your ryght honorable dygnyte. 30

By your poure contynuall Oratryx,

Dame Alis More.

To the Ryght Honorable, and her especyall gud Maister, Maister Secretarye.

216. To Margaret Roper.

Brit. Mus. MS Royal 17 D xiv, fol. 431 ⟨Tower of London⟩
Englysh Workes p.1452 ⟨3 June 1535⟩

[A Record Office document (cf. L.P. viii.814) gives More's answers to questions put by Thomas Audley, Lord Chancellor, and others, 3 June 27, Henry VIII.]

Another letter written and sent by Syr Thomas More to his doughter Maistres Rooper, written in the yeare of our Lord 1535, and in the 27. yere of the raygne of King Henry the 8.

Oure Lorde blisse you and all yours.

For asmuche, deerely beloued doughter, as it is likely that you either haue hearde or shortely shall heare that the Counsaile was here this daye, and that I was before theim, I haue thought it necessary to sende you worde howe the mater standeth. And verily to be shorte I perceyue litle difference betwene this time 5 and the laste, for as farre as I can see the hole purpose is either

introd. *add. E.W.*

to driue me to saye precisely the tone waye, or elles precisely the tother.

Here satte my Lorde of Cauntorburye, my Lorde Chauncelour, 10 my Lorde of Suff*olk*, my Lorde of Wilshire and Mr. Secretarie. And after my commynge, Mr. Secretarye made rehersall in what wise he had reported vnto the Kinges Highnes, what had bene saide by his Graces Counsaile to me, and what had bene aunswerid by me to theym at myne other beinge before theim laste. Which 15 thinge his Mastershipp rehersed in goode faithe very well, as I knowledged and confessed and hartely thanked him therefore. Whereuppon he added thereunto that the Kinges Highnes was nothinge contente nor satisfied with myne aunswere, but thought that by my demeanor I had bene occasion of muche grudge and 20 harme in the realme, and that I had an obstinate mynde and an euill towarde him and that my dutie was, being his subiecte, and so he had sente theim nowe in his name vppon myne allegeaunce to commaunde me to make a playne and terminate aunswere whither I thought the statute laufull or not and that I shoulde 25 either knowledge and confesse it laufull that his Highnes shoulde be Supreme Heade of the Churche of Englande or elles to vtter playnely my malignitie.

Whereto I aunswered that I had no malignitie and therefore I coulde none vtter. And as to the mater I coulde none other aun- 30 swere make than I had before made, whiche aunswere his Maistershipp had there rehersed. Very heauie I was that the Kinges Highnes shoulde haue any suche opinion of me. Howe beit if there were one that had enformed his Highnes many euill thinges of me that were vntrewe, to which his Highnes for the time gaue 35 credence, I woulde be very sory that he shold haue that opinion of me the space of one daye. Howe beit if I were suer that other shoulde come on the morowe by whom his Grace shoulde knowe the trouthe of myne innocencie, I shoulde in the mean while comforte myselfe with consideracion of that. And in like wise 40 nowe though it be greate heauines to me that his Highnes haue suche opinion of me for the while, yet haue I no remedie to helpe it, but onely to comforte myselfe with this consideracion that I knowe very well that the time shall come, when God shall

14. theim] here *add. E.W.*　　26. to *om. E.W.*

9. Thomas Cranmer.
Sir Thomas Audley.
10. Charles Brandon, Duke of Suffolk (cf. Ep.153 n.5).
Thomas Boleyn, Earl of Wiltshire and Ormonde, Lord Privy Seal. (cf. Ep.153 n.6.)
Thomas Cromwell.

declare my trouth towarde his Grace before him and all the worlde. And whereas it might happely seeme to be but smalle cause of comforte because I mighte take harme here firste in the meane while, I thanked God that my case was suche in this mater thorowe the clearenes of myne owne conscience that though I might haue payne I could not haue harme, for a man maye in suche case leese his heade and haue no harme. For I was very sure that I had no corrupte affection, but that I had alwaie fro the beginninge truly vsed myselfe to lokinge firste vppon God and nexte vppon the Kinge accordinge to the lesson that his Highnes taught me at my firste comminge to his noble seruice, the moste vertuous lesson that euer prynce taught his seruaunte, whose Highnes to haue of me suche opinion is my greate heavines but I haue no meane as I saide to helpe it but onely comforte myselfe in the meane time with the hope of that ioyfull daye in which my truthe toward*is* him shall well be knowen. And in this mater further I coulde not goe nor other aunswere therto I could not make.

To this it was saide by my Lord Chauncelor and Master Secretarie both that the Kinge might by his lawes compell me to make a playne aunswere thereto, either the tone waye or the tother.

Whereunto I aunswered I woulde not dispute the Kinges authoritie, what his Highnes might doe in suche case, but I saide that verely vnder correction it seemed to me somewhat harde. For if it so were that my conscience gaue me againste the statutes (wherein howe my mynde giueth me I make no declaracion) than I nothinge doinge nor nothing sayenge againste the statute it were a very harde thinge to compell me to saye either precisely with it againste my conscience to the losse of my soule, or precisely againste it to the destruction of my bodye.

To this Mr. Secretarie saide that I had ere this when I was Chauncelor examined heretiques and thieves and other malefactours and gaue me a greate praise aboue my deseruinge in that behalfe. And he said that I than, as he thoughte and at the leastewise Bisshoppes did vse to examyne heretiques, whither thei belieued the Pope to be heade of the Churche and vsed to compell theim to make a precise aunswere thereto. And whie shoulde not than the Kinge sith it is a lawe made here that his Grace is Heade of the Churche here compell men to aunswere preciselie to the lawe here as thei did than concerninge the Pope.

47. suche] here *add. E.W.* 65. aunswered] that *add. E.W.* 68. statute *E.W.* 69. mynde] conscience *E.W.*

I aunswered and saide that I protested that I entendid not to
85 defende any parte or stande in contencion, but I saide there was a difference betwene those twoe cases because that at that time as well here as ellys where thorowe the corps of Christendome the Popes power was recognished for an vndoubted thinge which semeth not like a thinge agreed in this realme and the contrary
90 taken for truthe in other realmes wherunto Mr. Secretary aunswered that thei were as well burned for the denienge of that, as thei be beheaded for denienge of this, and therefore as goode reason to compell theim to make precise aunswere to the tone as to the tother.

95 Whereto I aunswered that sithe in this case a man is not by a lawe of one realme so bounde in his conscience, where there is a lawe of the hole corpes of Christendome to the contrarie in mater towchinge belief, as he is by a lawe of the hole corpes though there happe to be made in some place a lawe locall to the con-
100 trarye, the reasonablenes or the vnreasonnablenes in bindinge a man to precise aunswere, standeth not in the respecte or difference betwene headinge or burninge, but because of the difference in charge of conscience the difference standeth betwene headinge and hell.

105 Muche was there aunswered vnto this both by Mr. Secretarie and my Lorde Chauncelor ouer longe to reherse. And in conclusion thei offred me an othe by which I shoulde be sworen to make true aunswere to suche thinges as shoulde be asked me on the Kinges behalfe, concerninge the Kinges owne person.

110 Whereto I aunswered that verily I neuer purposed to swere any booke othe more while I liued. Then thei saide that was very obstinate if I woulde refuse that, for euerie man dothe it in the Starre Chamber and everywher. I saide that was trewe but I had not so litle foresighte but that I might well coniecture what
115 shoulde be parte of my interrogatorie and as goode it was to refuse it at the firste, as afterwarde.

Whereto my Lorde Chauncelor aunswered that he thowght I geste trouthe, for I shoulde see theim and so thei were shewed me and thei were but twayne. The firste whither I had seen the
120 statute. The tother whither I belieued that it were a laufull made interrogatorie or not. Whereuppon I refused the othe and saied further by mowth, that the firste I had before confessed, and to the seconde I woulde make none aunswere.

Which was the ende of the communication and I was there-

121. interrogatorie] statute *E.W.*

uppon sente awaye. In the communication before it was saide that 125
it was meruailed that I stacke so muche in my conscience while
at the vttermoste I was not suer therein. Whereto I saide that I
was very suer that myne owne conscience so enfourmed as it is
by suche diligence as I haue so longe taken therein maye stande
with myne owne saluacion. I medle not with the conscience of 130
theim that thinke otherwise, euerye man *suo domino stat et cadit.*
I am no mannes iudge. It was also saide vnto me that if I had as
liefe be owte of the worlde as in it, as I had there saide, why
did I not speake euyn owte playne againste the statute. It appeared
well I was not contente to die though I saide so. Whereto I aun- 135
swered as the trowthe is, that I haue not bene a man of suche
holy livinge as I might be bolde to offer myselfe to deathe, leaste
God for my presumption might suffer me to fall, and therefore
I put not miselfe forwarde but drawe backe. Howe beit if God
drawe me to it himselfe, than truste I in his greate mercye, that he 140
shall not faile to giue me grace and strength.

In conclusion Mr. Secretarie saide that he liked me this daye
muche worse than he did the laste time, for than he saied he pitied
me muche and nowe he thought that I mente not well, but God
and I knowe bothe that I meane well and so I praie God doe by 145
me.

I pray yow be you and myne other freindes of goode cheere
what so euer fall of me, and take no thoughte for me but praye
for me as I doe and shall doe for you and all theim.

Your tender louinge ffather, 150

Thomas More Kg.

217. To Antonio Bonvisi.

Brit. Mus. MS. Royal 17 D XIV, fol. 438 — Tower of London
Englysh Workes p.1455; Basle p.494 — 1535
Jortin II, p.702

[Cf. Ep. 34 and note.
Bonvisi had sent him a warm camlet gown and gifts of wine and meat.
(Routh p.209.)]

Syr Thomas More a litle before he was arrayned and condemned (in the yere of oure Lord 1535, and in the xxvii. yere of the raygn of Kyng Henry the eight) being shit up so close

128. enfourmed] me *del. MS.*

---

131. Romans 14:4. INTROD. *add. E.W.*

in prison in the Tower that he had no penne nor inke, wrote with a cole a pistle in Latine to Maister Anthony Bonuyse (marchant of Luke and than dwellyng in London), his olde and deare frende, and sent it vnto hym, the copye whereof here foloweth.

AMICORUM AMICISSIME, ET MERITO MIHI CHARISSIME, SALUE.

Quoniam mihi presagit animus (fortasse falso, sed presagit tamen) haud diu mihi superfuturam ad te scribendi facultatem, decreui dum licet, hoc saltem epistolio significare, quantum in hoc fortunae meae deliquio, amicitiae tuae iucunditate reficiar. 5 Nam ante quidem, vir ornatissime, tametsi mirifice certe, semper amore isto in me tuo delectatus sum, tamen recordanti mihi, annos iam prope quadraginta perpetuum Bonuisae domus, non hospitem, sed alumnum fuisse me, nec amicum interim vlla rependenda gratia, sed sterilem tantum amatorem praestitisse, 10 verecundia mea profecto fecerat, vt syncera illa suauitas, quam alioqui ex amicitiae vestrae cogitatione deglutiebam, paululum quiddam pudorę quodam rustico, tanquam neglectae vicissitudinis subacesseret. Verum enimuero nunc hac ego me cogitatione consolor, quod bene vicissim mihi merendi de te nunquam se praebebat 15 occasio. Ea siquidem amplitudo fortunae tuae fuit, vt commodandi tibi nullus mihi relinqueretur locus. Conscius igitur mihi, non officii neclectu vicem non rependisse me, sed quia deficiebat occasio; quum iam te conspiciam, etiam sublata rependendi spe, sic in me amando et demerendo persistere, immo adeo progredi potius, 20 et cursu quodam indefesso procurrere, vt pauci sic amicos fortunatos ambiunt, quomodo tu prostratum, abiectum, afflictum, et addictum carceri Morum tuum diligis, amas, foues, et obseruas; cum pristini pudoris mei qualiquali me amaritie abluo, tum in huius admirabilis amicitiae tuae suauitate conquiesco. Et nescio 25 quo pacto tam fidelis amicitiae prosperitas videtur mihi cum hoc improspero classis meae naufragio propemodum paria facere (certe tollatur indignatio non amati mihi minus quam metuendi Principis)—quod ad reliqua pertinet, propemodum plus quam paria, quippe cum illa sint inter fortunae mala numeranda omnia. 30 At amicitiae tam constantis possessionem, quam tam aduersus fortunae casus non eripuit, sed ferruminauit fortius, amens profecto fuerim, inter caduca fortunae bona si numerem. Sublimius, haud dubie, bonum est, atque angustius, peculiari quadam Dei

7. perpetuum *om. Basle.* 8-9. nec - - - praestitisse *om. Basle.* 8. me] te *Basle.*
10. sincera *Basle.* 13. subacesceret *Basle et Jortin.* 32. caduca *om. Basle.*

benignitate proueniens, amicitiae tam fidelis et reflante fortuna constantis raro concessa foelicitas. Ego certe non aliter accipio 35 atque interpretor, quam eximia Dei miseratione curatum, vt inter tenues amiculos meos, tu vir talis, amicus tantus, iam longo ante tempore parareris, qui magnam istius molestiae partem, quam mihi ruentis in me fortunae moles inuexit, tua consolatione lenires ac releuares. Ego igitur, mi Antoni, mortalium mihi omnium 40 charissime (quod solum possum) Deum Optimum Maxi. qui te mihi prouidit, obnixe deprecor, vt quando tibi talem debitorem dedit, qui nunquam soluendo sit futurus et facturus, beneficentiam istam quam mihi quotidie tam effusus impendis, ipse tibi dignetur pro sua benignitate rependere; tum vt nos ab hoc crumnoso et 45 procelloso seculo in suam requiem pro sua miseratione perducat, vbi non erit opus epistolis, vbi non distinebit nos paries, vbi non arcebit a colloquio ianitor; sed cum Deo Patre ingenito, et vnigenito eius Filio, Domino et Redemptore nostro, Iesu Christo, atque vtriusque Spiritu, ab vtroque procedente Paracleto, gaudio 50 perfruamur eterno. Cuius interea gaudii desiderio faxit Omnipotens Deus, vt tibi, mi Antoni, mihique, atque vtinam mortalibus, vndecunque omnibus, omnes huius orbis opes, vniuersa mundi gloria, nec non istius quoque dulcedo vitae vilescat. Amicorum omnium fidissime mihique dilectissime et (quod predicare iam 55 olim soleo) oculi mei pupilla, vale. Familiam tuam totam, herili in me affectui simillimam, Christus seruet incolumem.

T. Morus: frustra fecero si adiiciam Tuus; nam hoc iam nescire non potes, quum tot beneficiis emeris. Nec ego nunc talis sum, vt referat cuius sim. 60

¶ The translacion into Englishe of the Laten pistle next before.

GOOD MAISTER BONUYSE OF ALL FRENDES MOST FRENDLIEST, AND TO ME WOORTHELY DERELIEST BELOUED, I HEARTELY GREETE YOU.

Sith my mynd dooth geue me (and yet may chaunce falsly but yet so it doth), that I shal not haue long libertie to wryte vnto you, I determined therefore whyle I maye, to declare vnto you by this little epistle of myne, how much I am comforted with the swetenes of your frendshyp, in thys decaye of my fortune. 5

For afore (righte Woorshipfull Syr) although I alway delyted merueylouslye in thys your loue towardes me, yet when I consider

34. deflante *Basle.* 37. iam] tam *Jortin.* ante *om. Basle.*
43. et facturus *om. Basle et E.W.* 45. aerumnoso *Basle.* 46. saeculo *Basle.*
51. perfruemur *Basle.* aeterno *Basle.* 55. fidissime] fidelissime *Basle et Jortin.*
55-56. mihique dilectissime - - - pupilla *om. Basle.* 57. affectu *Jortin.*

in my mind, that I haue been now almost this fourtie yeares, not a geaste, but a continuall nurslynge in maister Bonuice house, and in 10 the meane season haue not shewed my self in requyting you agayne, a frend, but a barrayn louer only my shamefastnes verelye made, that that sincere swetenes, which otherwise I receiued of the reuoluynge of youre frendship somewhat waxed sowrishe, by reason of a certayne rusticall shame as neglecting of my dutie to-15 ward you. But now I comfort my self with this, that I neuer had the occasion to do you pleasure. For such was alwayes your greate wealth, that there was nothing left, in whiche I might be vnto you beneficiall. I therfore (knowing that I haue not been vn-thankefull to you by omyttynge my duetie towarde you, but for 20 lacke of occasion and oportunitie, and seeing moreouer al hope of recompence taken away, you so to perceuer in loue toward me, byndyng me more and more to you, ye rather so to runne fore-warde styll, and as it wer with a certayne indefatigable course to goe furth, that fewe menne so fawne vppon theyr fortunate 25 frendes, as you fauoure, loue, foster and honour me, nowe ouer-throwne, abiected, afflicted, and condemned to prison) cleanse my selfe both from thys bitternes (suche as it is) of myne olde shamefastnes, and also repose my selfe in the swetenesse of thys merueylous frendship of yours.

30 And this faithful prosperitie of this amitie and frendshippe of yours towardes me (I wot not howe) semeth in a maner to coun-terpeyse this vnfortunate shipwracke of myne, and sauing the indignacion of my Prince, of me no lesse loued than feared, els as concernyng all other thinges, doth almost more then counter-35 paise. For al those are to be accompted amongest the myschaunces of fortune. But yf I shoulde reken the possession of so constant frendshippe (whiche no stormes of aduersitie hath taken away, but rather hath fortified and strengthed) amongest the britle giftes of fortune, than were I madde. For the felicitye of so faithfull and 40 constant frendshippe in the stormes of fortune (whiche is seldome sene) is doutles a high and a noble gifte procedyng of a certain singuler benignity of God. And indede as concerning my self, I cannot otherwise take it nor recken it, but that it was ordeined by the greate mercye of God, that you good master Bonuyse amongest 45 my poore frendes, suche a man as you are and so great a frende, should be long afore prouided, that shoulde by your consolacion, swage and releaue a greate part of these troubles and griefs of myne, which the hougenes of fortune hath hastely brought vpon me. I therfore my dere frend and of all mortall menne to me

most derest, doo (whiche nowe onely I am able to dooe) earnestlye 50
praye to Almyghtye God, whiche hath prouided you for me, that
syth he hath geuen you suche a detter as shall neuer bee able to
pay you, that it maye please hym of hys benignitie, to requite this
bountifulnes of yours, whiche you euerye daye thus plenteouslye
powre vppon me. And that for hys mercye sake he wyll brynge 55
vs from this wretched and stormy world, in to his reste, where
shall nede no letters, where no walle shall disseuer vs, where no
porter shall kepe vs from talkynge together, but that we maye haue
the fruicion of the eternall ioy with God the Father, and with
his onelye begotten Sonne oure Redemer Jesu Christe, with the 60
holye spirite of them bothe, the Holye Ghooste proceadynge from
them bothe. And in the meane season, Almyghtye Godde graunte
both you and me good Maister Bonuyse and all mortall menne
euerye where, to sette at noughte all the rychesse of thys worlde,
with all the glorye of it, and the pleasure of this lyfe also, for the 65
loue and desyre of that ioye. Thus of all frendes moste trustye,
and to me most derelye beloued, and as I was wont to call you the
apple of myne eye, ryghte hartelye fare ye well. And Jesus Chryste
kepe safe and sounde and in good healthe, all youre famelye,
whiche be of lyke affeccion towarde me as theyre master is. 70

Thomas More: I shoulde in vayne putte to it, yours, for thereof can you not bee ygnoraunte, synce you haue boughte it with so many benefites. Nor now I am not such a one that it forceth whose I am.

218. To Margaret Roper.

Brit. Mus. MS. Royal 17 D XIV, fol. 426 — Tower of London
Englysh Workes p.1457 — 5 July 1535
Tres Thomae p.334, translation

Syr Thomas More was behedded at the Tower hyll in London on Tewesdaye the syxte daye of July in the yere of oure Lorde 1535, and in the xxvii. yere of the raign of King Henry theyght. And on the day nexte before, beynge Mundaye and the fyfte day of July, he wrote with a cole a letter to his doughter Maystresse Roper, and sente it to her, (whiche was the laste thynge that euer he wrote). The copye whereof here foloweth.

Owr Lorde blisse you goode dowghter and your goode husbande and your litle boye and all yours and all my children and all my godchildren and all owr freind*is*. Recommende me

INTROD. *add. E.W.*

whan you maye to my goode doughter Cecilye, whom I beseche
5 owr Lorde to comforte, and I sende her my blessinge and to all
her children and pray her to praye for me. I sende her an hande-
kercher and God comforte my goode sonne her husbande. My
goode dowghter Daunce hath the picture in parchemente that
yow deliuered me from my Ladie Coniars, her name is on the
10 backe side. Shewe her that I hertely pray her that you maye sende
it in my name to her agayne for a token from me to praye for me.

I like speciall well Dorithe Coly, I praye you be good vnto her.
I woulde wytte whether this be she that yow wrote me of. If not
I praye yow be goode to the tother, as yow maye in her affliction
15 and to my good doughter Jone Aleyne to giue her I pray yow
some kynde aunswere, for she sued hither to me this daye to pray
you be goode to her.

I cumber you goode Margaret muche, but I woulde be sorye, if
it shoulde be any lenger than to morrowe, for it is S. Thomas
20 evin, and the vtas of Sainte Peter and therefore to morowe longe
I to goe to God, it were a daye very meete and conveniente for
me. I neuer liked your maner towarde me better then when you
kissed me laste for I loue when doughterly loue and deere charitie
hathe no laisor to looke to worldely curtesye.

25 Fare well my deere childe and praye for me, and I shall for
you and all your freindes that we maie merily meete in heauen.
I thanke you for your greate coaste.

I sende nowe vnto my goode dowghter Clemente her algorisme
stone and I sende her and my goode sonne and all hers Goddes
30 blissinge and myne.

I praye yow at tyme conveniente recommende me to my goode
sonne Johan More. I liked well his naturall fashion. Owr Lorde
blisse him and his goode wife my louinge doughter, to whom I

13. If not] yet *add. E.W.* 29. godsonne *E.W.*

---

4. cf. Ep.43 introd.

8. cf. Ep.43 introd.

12. Margaret Roper's maid. She often carried Margaret's gifts to her father during his imprisonment. She married John Harris, More's secretary. (Stapleton, tr. Hallett, pp. 202,204.)

15. Another of Margaret Roper's maids. She had been educated in More's "school."

20. The eve of the translation of the relics of St. Thomas of Canterbury (Becket), kept in England on July 7th.

Octave of the feast of St. Peter, 29 June.

23. As he came to the Tower wharf after judgment at Westminster. (cf. Stapleton, *op. cit.*, pp.199-200; Roper, edit. Hitchcock, pp.97-99.)

28. Margaret Giggs, his foster daughter, now wife of John Clement. The algorism stone was for arithmetic—undoubtedly a slate, needed when he had few writing materials in prison.

32. John More had knelt to ask his father's blessing when he came from judgment. (Hallett's tr. of Stapleton, p.201.)

33. Anne Cresacre.

praye him be goode, as he hathe greate cause, and that if the lande of myne come to his hande, he breake not my will concern- 35 inge his sister Daunce. And our Lorde blisse Thomas and Austen and all that thei shall haue.

36. The children of John More and Anne Cresacre.

Bibliography

Letters in This Correspondence Have Been Printed in These Sources

The following editions of Erasmus' Epistolae, as listed, with abbreviations, in Allen 1, p. 599ff., have letters to or from More:

B (Epistole ad Erasmum). Epistole aliquot illustrium virorum ad Erasmum Roterodamum et huius ad illos. Louvain, Th. Martens, October 1516. 4°.

C^1 (Epistole elegantes). Aliquot epistole sanequam elegantes Erasmi Roterodami et ad hunc aliorum eruditissimorum hominum, antehac nunquam excusae praeter vnam et alteram. Louvain, Th. Martens, April 1517. 4°.
C^2 Idem. Basle, J. Froben, Jan. 1518. 4°.

D^1 (Auctarium). Auctarium selectarum aliquot Epistolarum Erasmi Roterodami ad eruditos et horum ad illum. Basle, J. Froben, August 1518. 4°.
D^2 Idem. Basle, J. Froben, March 1519. 4°.

E (Farrago). Farrago noua epistolarum Des. Erasmi Roterodami ad alios et aliorum ad hunc: admixtis quibusdam quas scripsit etiam adolescens. Basle, J. Froben, October 1519. Fol.

F (Epistolae ad diuersos). Epistolae D. Erasmi Roterodami ad diuersos et aliquot aliorum ad illum, per amicos eruditos ex ingentibus fasciculis schedarum collectae. Basle, J. Froben, 31 Aug. 1521. Fol.

G (Selectae epistolae). Selectae aliquot epistolae nunquam antehac euulgatae. Basle, J. Herwagen and H. Froben, c. September 1528. 4°.

H (Opus epistolarum). Opus epistolarum Des. Erasmi Roterodami per autorem diligenter recognitum et adiectis innumeris nouis fere ad trientem auctum. Basle, H. Froben, J. Herwagen and N. Episcopius, 1529. Fol.

J (Epistolae floridae). Des. Erasmi Roterodami epistolarum floridarum liber vnus antehac nunquam excusus. Basle, J. Herwagen, September 1531. Fol.

L (De praeparatione). De praeparatione ad mortem liber vnus. Epistolae aliquot . . . , quarum nulla fuit antehac excusa typis. Basle, H. Froben and N. Episcopius, c. January 1534. 4°.

N[1] (Epistolae vniuersae). Des. Erasmi Rot. Operum Tertius Tomus epistolas complectens vniuersas quotquot ipse autor vnquam euulgauit aut euulgatas voluit, quibus praeter nouas aliquot additae sunt et praefationes quas in diuersos omnis generis scriptores non paucas idem conscripsit. Basle, H. Froben and N. Episcopius, 1538. Fol.

N[2] Idem. ibid. 1541. Fol.

N[3] Des. Eras. Roterod. Epistolarum Opus, complectens etc. ibid. 1558. Fol.

Lond. Epistolarum D. Erasmi Roterodami libri xxxi. London, M. Flesher and R. Young, 1642. Fol.: in some copies, Sumptibus Adriani Vlacq.

Collections of letters of Melanchthon, More and Vives form supplement.

LB. (Edition, Lugduni Batavorum.) Desiderii Erasmi Roterodami Opera Omnia. Tomus tertius, qui complectitur epistolas pluribus quam ccccxxv ab Erasmo aut ad Erasmum scriptis auctiores, ordine temporum nunc primum dispositas, multo quam umquam antea emendatiores. Leiden, P. Vander Aa, 1703. Fol. 2 vols. Edit. J. Clericus.

EE. Briefe an Desiderius Erasmus von Rotterdam; herausgegeben von J. Förstemann und O. Günther. (xxvii. Beiheft zum Zentralblatt für Bibliothekswesen.) Leipzig, 1904.

Other sources

Allen, Percy Stafford. Opus Epistolarum Des. Erasmi Roterodami denuo recognitum et auctum per P. S. Allen. Oxford, 1906. (10 vols. to date; xi in press) vols. iv-viii, P. S. Allen et H. M. Allen. vols. ix- P. S. Allen, ediderunt H. M. Allen et H. W. Garrod.

Allen, P. S. and H. M., editors. Sir Thomas More. Selections. 1924.

Anglia. Zeitschrift für englische Philologie enthaltend Beiträge zur Geschichte der englischen Sprache und Literatur. Halle, 1883-.

Archaeologia. Miscellaneous tracts relating to antiquity, published by the society of antiquaries. London. 1770ff. 15 vols.

Epistolae Gulielmi Budaei. Paris, J. Badius, 20 Aug. 1520.

Epistolae Gulielmi Budaei posteriores. Paris, J. Badius, March 1522. 4°.

G. Budaei Epistolarum Latinarum lib. v, Graecarum item lib. i. Paris, J. Badius, Feb. 1531. Fol.

Burnet, Gilbert. The History of the Reformation of the Church

simum Hieronymi Perboni Marchionis Incisae ac Oviliarum Domini in Libros xxvi Diuisum. Milan, V. Medda, 1533.

Rymer, Thomas. Foedera, conventiones, literae, et cuiuscunque generis Acta publica inter Reges Angliae et alios quosvis Imperatores, Reges, etc., 1101-1654; accur. T. Rymer et R. Sanderson. t. 20. London, 1704-35.

Stapleton, Thomas. Tres Thomae, seu de S. Thomae Apostoli rebus gestis. De S. Thoma Archiepiscopo Cantuariensi et Martyre. D. T. Mori Angliae quondam Cancellarii vita. Douai, Bogardus, 1588. 8°.

State Papers. Vol. I. King Henry the Eighth. parts I and II. 1830.

Tunstall, Cuthbert. De Arte Supputandi libri quattuor. London. Pynson. 14 October 1522.

Wilkins, David. Concilia Magnae Britanniae et Hiberniae, 446-1717. London, 1737. 4 vols. fol.

Bibliographical references supplementary to footnotes

Allen, P. S. Erasmus; lectures and wayfaring sketches. Oxford. Clarendon. 1934. pp. xii, 216.

Apologia in eum librum quem ab anno Erasmus Roterodamus de Confessione edidit, per Godefridum Ruysium, Taxandrum, Theologum. Eiusdem Libellus quo taxatur Delectus Ciborum, siue Liber de Carnium Esu, ante biennium per Erasmum Roterodamum enixus. S. Cocus and G. Nicolaus. Antwerp. 1525.

Athenae Cantabrigienses, 1500-1609. C. H. Cooper and T. Cooper. Cambridge, 1858-61.

Bludau, A. Die beiden ersten Erasmus-Ausgaben des Neuen Testaments und ihre Gegner. Biblische Studien. vol. VII. Heft 5. Freiburg in Breisgau, 1902.

Brewer, J. S. The Reign of Henry VIII from his accession to the death of Wolsey. (A reprint of the prefaces to vols. 1-4 of L.P.) Edit. by James Gairdner. London, John Murray, 1884, 2 vols. 8°.

Bridgett, T. E. Life and Writings of Blessed Thomas More, Lord Chancellor of England and Martyr under Henry VIII. London, Burns & Oates, 1891, 1904, 1924.

Brixius, Germanus (Germain de Brie, or Brice). Antimorus. Thomae Mωri lapsus inexcusabiles in syllabarum quantitate. Paris. P. Vidoue. c. February 1519/20.

Brixius, Germanus. Chordigerae nauis conflagratio. Paris, J. Badius, 1513.

Calendar of Letters and Papers, Foreign and Domestic, of the reign of Henry VIII, vols. 1-4 ed. by J. S. Brewer, vols. 5-21 ed. by J. Gairdner, 1862-1910.

Chambers, R. W. Thomas More. London, Jonathan Cape, 1935.

Delaruelle, Louis. Guillaume Budé, les origines, les débuts, les idées maîtresses. Paris, 1907.

Delaruelle, Louis. Répertoire analytique et chronologique de la correspondance de Guillaume Budé. Toulouse, 1907.

Epistolae aliquot eruditorum. Antwerp, M. Hillen, c. May 1520. 2d edition 1520.

Epistolae aliquot illustrium virorum ex quibus perspicuum quanta sit Eduardi Lee virulentia. Basle, Froben, 1520.

Epistolae eruditorum virorum. Basle. Froben. August 1520.

Erasmus, Desiderius. Apologia . . . qua respondet duabus inuectiuis Eduardi Lee. . . . Antwerp, M. Hillen, 1520.

Erasmus, Desiderius. Responsio ad annotationes Eduardi Lei. Basle. 1520.

Ferguson, Wallace K. Erasmi Opuscula. The Hague, 1933.

Fisher, Bishop John. De vnica Magdalena, Libri tres. Paris, J. Badius, 1519.

Frith, John. A boke made by John Frith prisoner . . . answeringe vnto M. Mores letter which he wrote agenst the first litle treatyse that John Frith made concerninge the sacramente of the body and bloude of Christ. . . . Munster, Conrad Willems, 1533.

Gasquet, Cardinal. Cardinal Pole and his Early Friends. London, G. Bell, 1927.

Hallett, Philip E. The Life and Illustrious Martyrdom of Sir Thomas More, formerly Lord Chancellor of England (Part III of "Tres Thomae," printed at Douai, 1588.) Translated, for the first time, into English. London, Burns, Oates & Washbourne, 1928.

Harpsfield, Nicholas. The life and death of S[r] Thomas Moore, Knight, sometymes Lord high Chancellor of England. Edited from eight manuscripts, with collations, textual notes, etc. by Elsie Vaughan Hitchcock, Ph.D., D.Lit.

With an introduction on the continuity of English Prose from Alfred to More and his School, a Life of Harpsfield, and historical notes.

By R. W. Chambers, M.A., D.Lit., F.B.A. For the Early English Text Society, London, Oxford University Press, 1932.

Hutton, William Holden. Sir Thomas More. London, Methuen, 1895.

Lee, Edward. Annotationes . . . in Annotationes Noui Testamenti Desiderii Erasmi. Basle, May 1520.

Marsden, J. H. Philomorus, Notes on the Latin Poems of Sir Thomas More. (Author's name not given on title-page) Second edition: London, Longmans, 1878.

Martin, A. Histoire de Thomas More, grand Chancelier d'Angleterre . . . Traduite du latin par A. Martin . . . Avec une introduction . . . par M. Audin. Paris, 1849, 8°.

Milanese Calendar. Calendar of State Papers and Manuscripts, existing in the archives and collections of Milan. vol. I. edit. by Allen B. Hinds, M.A. London, 1912.

More, Cresacre. The life and death of Sir T. Moore. . . . Written by M[agister] T[homas] M[ore]. [1626]. 4° 2d edit. London, Woodman and Lyon, 1726. (References to this, as easily accessible.)

Author correctly identified by Rev. J. Hunter in edition printed at London, 1828, 8°.

More, Thomas. Opera omnia . . . Praefixae, de vita et morte T. Mori [by T. Stapleton], Erasmi et Nucerini epistolae . . . Frankfort-on-Main and Leipzig, 1689, fol.

Pace, Richard. Oratio in pace composita inter Angliae regem et Francorum regem. London, Pynson, 1518, 4°.

Palsgrave, John. Lesclarcissement de la langue françoyse. London, 1530.

Roper, William. The Lyfe of Sir Thomas Moore, Knighte. Edited from thirteen manuscripts, with collations, etc. by Elsie Vaughan Hitchcock, Ph.D., D.Lit. For Early English Text Society, London, Oxford University Press, 1935.

Routh, E. M. G. Sir Thomas More and his Friends. London, Oxford University Press, 1934.

Spanish Calendar. Calendar of Letters, Despatches and State Papers, relating to the Negotiations between England and Spain. Edited by G. A. Bergenroth. London, 1862ff.

Spont, Alfred. Letters and Papers relating to the War with France, 1512-1513. London, 1897.

State Papers of King Henry VIII, published under the authority of His Majesty's Commission. 1830.

Tindale, William. The whole workes of W. Tyndall, John Frith and Doctor Barnes, three worthy martyrs. London, 1573, fol.

Venetian Calendar. Calendar of State Papers and Manuscripts, relating to English Affairs . . . in . . . Venice. . . . Edited by Rawdon Brown. London, 1864ff.

Vogt, O. Dr. Johannes Bugenhagens Briefwechsel, 1512-58, herausgegeben durch O. Vogt. Stettin, 1888.

Wood, Anthony à. Athenae Oxonienses, edit. Philip Bliss. London, 1813ff.

Other abbreviations used

A.D.B.	Allgemeine deutsche Biographie. Leipzig, 1875-.
D.N.B.	Dictionary of National Biography. London, 1885-1901.
Ducange	Glossarium mediae et infimae Latinitatis, conditum a Carolo du Fresne, domino Du Cange; ed. L. Favre. t. 10. Niort, 1883-7.
Herzog-Hauck	Realencyklopädie für protestantische Theologie und Kirche. J. J. Herzog und Albert Hauck.
Jöcher	Allgemeines Gelehrten-Lexicon, ed. by Christian Gottlieb Jöcher, Leipzig, 1750.
Le Neve	Fasti Ecclesiae Anglicanae, by J. Le Neve; continued by T. D. Hardy. 3 vols. Oxford, 1854.
L.P.	Letters and Papers, foreign and domestic, of the reign of Henry VIII.
Migne, P. L.	Patrologiae Cursus Completus. . . . Omnium SS. Patrum, Doctorum, Scriptorumque Ecclesiasticorum . . . Latinorum. J. P. Migne, Paris, 1844-1866.
Otto	Die Sprichwörter und sprichwörtlichen Redensarten der Römer, gesammelt und erklärt von Dr. A. Otto. Leipzig, 1890.
Rymer	Foedera, conventiones, literae, . . . inter reges Angliae et alios quosvis imperatores, reges, etc., 1101-1654.
St. P.	State Papers of King Henry VIII, published under the authority of His Majesty's Commission. 1830.
Wilkins	Concilia magnae Britanniae et Hiberniae, 446-1717.

INDEX

Index

INDEX

INDEX